NO CAMINHO DE SWANN

À SOMBRA DAS MOÇAS EM FLOR

marcel proust

EM BUSCA DO TEMPO PERDIDO

VOLUME I

Sumário

PREFÁCIO | por Fernando Py

I | Introdução

O longo romance de Marcel Proust, *Em Busca do Tempo Perdido*, representa na verdade a sua obra única. Tanto nos contos do livro de estréia, *Os Prazeres e os Dias* (1896), como na narrativa fragmentária de *Contra Sainte-Beuve* ou no romance *Jean Santeuil*, estes últimos deixados incompletos e publicados muitos anos após a morte do escritor, ocorre a abordagem de alguns temas fundamentais de sua obra máxima, de tal modo que são, em certa medida, simples esboços do que viria a ser *Em Busca do Tempo Perdido*; neles, já estão presentes, por exemplo, a análise do ciúme masculino e das perversões sexuais, assuntos que ganharão enorme relevo e aprofundamento mais tarde. Sua obra equivale não apenas à suma de um escritor inteiramente dedicado à literatura e à escrita em toda a sua vida – a tal ponto que dele se poderia dizer que foi se deixando morrer aos poucos, à medida que passava para o papel toda a sua experiência vital –, mas igualmente a uma visão de conjunto da sociedade francesa do fim do século XIX.

Nos sete romances que compõem este monumento literário (conforme os títulos desta edição: *No Caminho de Swann*, *À Sombra das Moças em Flor*, *O Caminho de Guermantes*, *Sodoma e Gomorra*, *A Prisioneira*, *A Fugitiva* e *O Tempo Recuperado*), perpassa não somente a vida exterior, episódica e histórica de personagens e da própria França, com alguns ecos de fatos ocorridos na Europa e no resto do mundo, como, principalmente, a vida interior, as sensações, as paixões, sentimentos e emoções do Narrador e demais personagens, todos envoltos numa atmosfera de análises psicológicas, minuciosas e implacáveis.

Embora escrito na primeira pessoa por um Narrador cujo nome (Marcel) só aparece em duas ocasiões, ambas em *A Prisioneira* – não convém enxergar no romance de Proust uma autobiografia ou um livro de memórias. Isto porque, em primeiro lugar, o Marcel narrador não se confunde com o Marcel autor, sendo como os demais apenas uma personagem de ficção; e é nessa qualidade que assume a função de protagonista, em torno ao qual gira todo o universo ficcional da obra proustiana. Além disso, o conhecimento, da parte do Narrador, de fatos e locais que se ligam à vida de Proust contribui para aprimorar as relações do leitor com o Marcel narrador, tornando mais fácil para aquele assimilar a transfiguração da realidade em ficção no âmbito do romance.

A realidade do romance é fundada na realidade objetiva, topográfica, geográfica, histórica, etc., da vida de Proust. Porém, a transposição dessa realidade para o romance obedece a leis internas da narrativa e sobretudo à imaginação criadora do autor. Assim, lugares e pessoas que pertencem ao universo de *Em Busca do Tempo Perdido* não correspondem mecanicamente a lugares e pessoas da vida real. Para descrever Combray ou Balbec, por exemplo, Proust tomou emprestadas características próprias de cidadezinhas francesas que conhecia e visitou várias vezes. O mesmo quanto aos personagens. Por exemplo, os traços de Charles Swann derivam de duas ou mais pessoas da vida real, além de aspectos da personalidade do mesmo Proust. Vinteuil e sua obra musical contêm vestígios da vida e da obra de Debussy, Saint-Saens e outros compositores eruditos que Proust admirava. E assim por diante.

Outras vezes ocorre o contrário. Uma mesma pessoa da vida real empresta seus traços e características a duas ou mais personagens. Uma amiga de Proust, Louisa de Mornand, por exemplo, forneceu traços à composição tanto de Albertine como de Rachel. Desse modo, no romance – a não ser nos casos da mãe e da avó do Narrador (que representam de modo muito próximo a mãe e a avó materna de Proust) e no de algumas personagens secundárias –, uma pessoa A não corresponde jamais *apenas* a um dado personagem B, mas também tem seus traços disseminados nos personagens C, D, E, etc.

II | Tempo e memória

Os principais temas de *Em Busca do Tempo Perdido* são o Tempo e a Memória. Proust era um obcecado pelas questões relativas ao tempo. Preocupava-o o passar dos anos que leva tudo de arrasto, modificando, transformando, vencendo e extinguindo todos os sentimentos, paixões, amores, idéias, opiniões e até os corpos. Com o passar do tempo, o esquecimento e a indiferença sobem das profundezas do indivíduo para destruir tudo aquilo que o ser humano julgara eterno e inamovível. Nem mesmo aquele núcleo invariável do espírito, que a filosofia clássica acreditava formar a nossa personalidade, resiste à ação do tempo. Submerso no tempo, o homem se desagrega por dentro e nada mais subsiste, no velho, daquele jovem que um dia amou, fez uma revolução, ocupou altos cargos na vida pública ou na iniciativa privada. E é em função do transcurso do tempo que as personagens de Proust apresentam aspectos diversos no decorrer da narrativa, mudando de idéias, de sentimentos, de gostos, como também mudam o seu físico, envelhecem. Ou desenvolvem nova personalidade mais criativa, mais madura. O pintor que no grupo dos Verdurin era denominado, por zombaria, "Sr. Biche", em *No Caminho de Swann*, revela-se mais tarde, já maduro, como o famoso pintor Elstir, de *À Sombra das Moças em Flor*. Mas o tempo prossegue em sua tarefa destruidora; e como recuperá-lo?

É nesse ponto que intervém a Memória, outro tema básico da obra de Proust. Não a memória comum, produto da nossa inteligência, e que a um mínimo esforço nos restitui fatos já passados. Pois esta memória, que depende da nossa vontade, é como um simples arquivo: fornece apenas fatos, datas, números e nomes. Mas não as sensações que experimentamos outrora e que não habitam a nossa consciência. Tais sensações jazem mais fundo e só são despertadas pelo que Proust denominou *memória involuntária*: é a que não depende do nosso esforço consciente de recordar, que está adormecida em nós e que um fato qualquer pode fazer subir à consciência.

Significativa sob este aspecto é a lembrança, pelo Narrador já adulto, da cidadezinha de Combray, onde passava as férias quando criança. Saboreando um biscoito molhado no chá, sente uma alegria inexplicável e, de súbito, recorda não só momentos similares da infância remota, como toda a Combray daquele tempo e todo o período de seu passado que o gosto do biscoito (chamado *madeleine*) fizera aflorar à sua consciência. Naquele instante dava-se o reencontro do Tempo e o passado se recuperava. Como esse, muitos outros episódios, disseminados por toda a obra, atestam a importância do processo da memória involuntária para a recuperação do Tempo Perdido. Tempo que não existe mais em nós, mas continua a viver oculto num sabor, numa flor, numa árvore, num calçamento irregular ou nas torres de uma igreja, etc. A repetição de tais episódios, longe de indicar monotonia ou pobreza criadora, é fundamental para estabelecer e cimentar relações existentes entre sensações e lembranças. Acima de tudo, tais momentos de reencontro do Tempo dão ao artista o sentimento de haver conquistado a eternidade. Muitos escritores antes de Proust já haviam esboçado tais instantes em suas obras, mas foi Proust o primeiro a fazer do duplo sensação/lembrança a matéria mesma de sua obra. Portanto, no fundo, o tema central de *Em Busca do Tempo Perdido* não é propriamente o retrato da sociedade francesa do fim do século XIX, nem a análise mais acurada do amor e dos sentimentos a ele relacionados, e sim a luta do espírito, da atividade criadora, contra o tempo, diante da impossibilidade de se encontrar na vida real um ponto fixo de referência ao qual o nosso *eu* possa se prender. O tema essencial de Proust é o encontro desse ponto de referência na obra de arte.

III | Estrutura, técnica e estilo

Grande apaixonado por igrejas e catedrais góticas, Marcel Proust concebeu *Em Busca do Tempo Perdido* como uma construção catedralesca. A principal característica da igreja gótica é a constante simetria que se observa nos menores detalhes. Assim, a um altar corresponde outro altar simétrico, a um transepto outro transepto, a uma ogiva outra ogiva, a um vitral outro vitral, etc., sempre simétricos no plano geral do edifício. E, à medida que a igreja se eleva, suas partes mais opostas vão convergindo, sem abandonarem a sua simetria, até se juntarem no alto da torre. Desse modo, Proust procurou erguer *sua* catedral, cuidando de redigir seu enorme romance com extremo rigor de simetria, desenvolvendo episódios e acontecimentos de forma igualmente simétrica, onde o fim remete ao começo numa construção cíclica. O romance que só ao final de *O Tempo Recuperado* o Narrador se julga apto a escrever é justamente o que acabou de ser escrito... Tal simetria minuciosa e obsessiva atinge inclusive os diversos títulos de livros, partes e até capítulos que compõem *Em Busca do Tempo Perdido*.

Assim, o que o escritor pretendeu, com tal simetria, terá sido ressaltar determinados aspectos de fatos e personagens, além de conferir maior coesão interna a todo o ciclo. Esses aspectos diversos acabam-se tornando *motivos* recorrentes no livro, o que, à primeira vista, é um procedimento que poderá iludir o leitor desavisado, fazendo-o crer numa repetição gratuita. Mas, como já dissemos, tais repetições terminam por alertar o leitor para algo mais profundo, e o encaixe dos episódios é tão perfeito que, pelo contrário, a sua ausência é que destoaria de conjunto.

Pois a técnica de Marcel Proust subverteu tudo quanto, à época do lançamento do primeiro volume da série (*No Caminho de Swann,* 1913), era considerado romance. Para os que estavam acostumados com o realismo naturalista, o realismo psicológico de Proust surgiu como algo absurdamente diverso e inclassificável. (Como toda obra de gênio, *Em Busca do Tempo Perdido* não se enquadra em qualquer escola ou corrente literária, muito embora sua escrita mantenha traços de Impressionismo e haja na obra pontos de contato com o Simbolismo.)

Além de técnicas narrativas já conhecidas anteriormente, como a do *flash-back* (que praticamente inicia todo o ciclo), Proust emprega uma técnica de comparações inusitadas, pontilhadas de longas frases e períodos imensos, onde se desenvolve exaustivamente toda a sua prospecção psicológica. Usando amiúde metáforas, muitas vezes ligadas à pintura e à música, estabelece intencionais relações insuspeitadas entre os mais diferentes objetos, extraindo das comparações (aliás abundantíssimas em toda a sua obra) um verdadeiro universo de conexões de que nunca alguém se lembrara antes. Tais comparações percorrem o variado espectro das sensações dos cinco sentidos, estabelecendo uma firme ligação entre o espírito e o corpo, o profundo e o superficial. É até bem comum, em Proust, a ocorrência de sinestesias, ou seja, as relações subjetivas que se verificam entre sentidos diferentes, como um som que evoca uma cor, ou um sabor que lembra uma imagem, etc. E a única maneira de colocar diante do leitor essas relações subjetivas será pelo emprego da imagem, da metáfora, a qual, segundo o próprio autor, toma "emprestada, de uma coisa estranha, uma imagem natural e sensível da verdade". A metáfora, portanto, ajuda o autor, e também o leitor, a evocar algo desconhecido, ou um sentimento difícil de descrever, recorrendo à sua semelhança com objetos conhecidos. E para que a imagem metafórica surta efeito é preciso que não seja gasta, que não se trate de um clichê muito batido. Em Proust, as metáforas e comparações são novas, surpreendem justo pelo inusitado. Daí advém outro encanto de *Em Busca do Tempo Perdido*.

Quanto ao estilo, Proust baseia sua obra num movimento de idas e vindas, de avanços e recuos alternados e simétricos a que já se deu o nome de "rosácea de Proust". O estilo de *Em Busca do Tempo Perdido* é uma conquista árdua e deliberada do autor. De certa forma tem raízes autobiográficas. Sendo asmático desde criança, Proust concebeu, como dissemos, um estilo de frases e períodos longuíssimos, os quais, de certa maneira, correspondem aos impulsos de uma respiração que luta para vencer o ofego. O período proustiano é enorme e compacto a fim de que nele caiba grande diversidade de significados e sintaxe, e cada frase deve ser lida mais de uma vez para bem penetrarmos suas múltiplas acepções. Além disso, as frases de Proust têm uma construção grandemente musical, num fluir redondo e harmonioso de vogais e consoantes, trabalho de um ourives que conhecia como poucos o material de que se utilizava: a língua francesa. Seus parágrafos gigantescos excedem o tamanho das páginas e se espraiam pelos capítulos, transportando em seu corpo o próprio pensamento que exprimem. Em suma, a frase proustiana é igualmente "atemporal", não pode ser localizada num tempo específico: ela o transcende, enquanto mecanismo criado pelo autor, não para marcar determinado tempo e sim para reconstituí-lo em todos os pormenores.

IV | Resumo de enredo

Por todas as razões acima expostas, o enredo tem uma importância secundária na obra máxima de Proust. A história propriamente narrada de *Em Busca do Tempo Perdido* pode ser resumida em poucas páginas e terá interesse maior apenas para quem não possui qualquer noção da obra. Pois na verdade o que interessa não são os encadeamentos narrativos e episódicos e sim a análise psicológica, as conexões estabelecidas e, acima de tudo, aquela transcendental peleja do espírito criador, que luta para se afirmar e deixar a marca da sua genialidade, contra o tempo que tudo arrasta e destrói. Aliás, Proust surgiu na literatura quando diversos escritores (e não só franceses) já haviam observado a questão do tempo e buscavam minimizar a importância do enredo. Era um caminho a trilhar para evitar a todo custo as histórias "certinhas", com princípio, meio e fim, caminho que muito se diversificou desde então. Em todo caso, convém dar uma idéia geral do enredo de *Em Busca do Tempo Perdido*.

No Caminho de Swann dispõe-se em três partes: na primeira, "Combray", vemos a infância do Narrador, suas recordações de Combray despertadas pela *madeleine*, sua aflição noturna à espera do beijo de despedida da mãe, a descoberta que faz da existência de dois lados (ou caminhos) de Combray, a partir das duas saídas diversas de casa – o lado que segue pela casa de Swann e o lado de Guermantes, seu oposto –, para ele igualmente opostos e inconciliáveis; e a descrição de ambos. Em "Um Amor de Swann", a análise de um amor, e sobretudo do ciúme masculino, através da história da ligação amorosa de Charles Swann e Odette de Crécy. E em "Nomes de Lugares: o Nome", o Narrador vai descobrindo tudo o que se esconde sob a magia dos nomes de pessoas e cidades. Vemos seus jogos com Gilberte, filha de Charles e Odette, nos Champs-Elysées; depois, sua admiração pelos pais dela, principalmente pela Sra. Swann. E a constatação da impossibilidade de recuperar o tempo já passado, quando regressa, adulto, certa ocasião, ao Bois de Boulogne onde tantas vezes vira a Sra. Swann a passear na sua carruagem.

À Sombra das Moças em Flor divide-se em duas partes. Em "Ao Redor da Sra. Swann" mostra-se o Narrador já íntimo dos Swann, porém Gilberte não o ama. E ele, depois de muito sofrer, acaba esquecendo-a. A segunda parte, "Nomes de Lugares: o Lugar", já pelo título aponta para uma conexão com a parte final do livro anterior. Os nomes voltam a encantar o Narrador, mas são os lugares que o fascinam, notadamente o balneário de Balbec, onde passa uma temporada de verão. Ali conhece Albertine e as outras "moças em flor" do seu grupo. Prefere Albertine, porém só muito mais tarde se apaixonará por ela. Em *O Caminho de Guermantes*, o Narrador começa a freqüentar salões aristocráticos e da alta burguesia. Ama a duquesa de Germantes mas não é correspondido. Sofre a mágoa enorme de perder sua avó materna, mas com o tempo vai se esquecendo dela devido ao fenômeno que denomina "intermitências do coração", ou seja, os períodos cada vez mais longos de esquecimento que atravessa, preocupado com desfrutar apenas o momento presente. Percebe todavia que o mundo da alta-roda é vaidoso, cruel e egoísta, e sente-se decepcionado.

Tudo aquilo em que havia acreditado e que amara se desfaz e se degrada. Em *Sodoma e Gomorra*, o Narrador penetra no universo infernal da inversão sexual, tanto masculina (Sodoma) quanto feminina (Gomorra). Embora haja pensado em livrar-se de Albertine, passa a amar a moça e decide impedir que seja contagiada por esse mundo de depravações, mantendo-a seqüestrada em sua companhia. Em *A Prisioneira*, vemos o amor exclusivista e egocêntrico do Narrador, que é, acima de tudo, pura morbidez. Cada vez mais ele se convence de que o amor, como qualquer sentimento, se degrada e destrói com o passar do tempo. E para tentar interromper esse fluxo corrosivo, acaba chegando à conclusão de que é absolutamente necessário abandonar Albertine – justo no momento em que é avisado que a moça acabara de fugir de sua casa.

A Fugitiva (título simétrico de *A Prisioneira*) narra não propriamente a fuga de Albertine e sim, primeiro, a mágoa do Narrador pelo abandono, mágoa que se transforma em luto e pesar quando sabe da morte dela pouco depois. Mas sobrevém o esquecimento progressivo e Albertine acaba sendo lembrança apenas, como a avó do Narrador. O livro se encerra com um novo encontro do Narrador com Gilberte, já então casada com Robert de Saint-Loup, grande amigo dele.

Em *O Tempo Recuperado*, temos um retrato da corrupção trágica de todas as coisas. As pessoas que o Narrador julgara amar voltaram a ser simplesmente nomes, como outrora; os objetivos que buscara tinham-se desfeito; a vida não passa de tempo já desaparecido. Numa recepção matinal em casa da Princesa de Guermantes, ele encontra, envelhecidas, pessoas que admirara na juventude, e ele próprio já é um senhor de meia-idade. Mediante uma série de ocorrências do duplo sensação/lembrança, somos transportados ao começo do ciclo. Por fim, o Narrador conhece a Srta. de Saint-Loup, filha de Gilberte e Robert. Nela, reúnem-se os dois caminhos (o de Swann, dos ricos burgueses) e o de Guermantes (dos aristocratas), pois Saint-Loup descende dos Guermantes. Está completa a catedral gótica de Proust. Então o Narrador percebe o que significava o apelo dos vários duplos sensação/lembrança que tivera em toda a vida. Seu papel de artista, portanto, será o de estancar o fluxo do Tempo, fixando aqueles momentos e tudo aquilo que eles contêm. A vida vivida não passa de Tempo Perdido, mas tudo se pode recuperar, transfigurar e apresentar "sob o aspecto de eternidade, que é também o da arte".

V | Conclusão: critérios desta tradução

Não é tarefa tranqüila traduzir uma obra de vulto como a de Proust. Ainda mais quando já existem outras em português. Mas não há dúvida de que é uma aventura intelectual largamente compensadora, um trabalho altamente gratificante. Desde que se adotem critérios seguros e sejam obedecidas o mais fielmente possível as peculiaridades essenciais do autor. No caso, a fluência musical da frase, a por vezes enorme extensão desta e dos parágrafos, sem dividi-los em blocos retalhados, o movimento ondulatório dos períodos, etc. E mais, tratando-se de uma edição brasileira, construir frases e períodos à nossa maneira, sem lusitanismos nem regionalismos de qualquer espécie.

Devemos, todavia, esclarecer o leitor quanto aos critérios adotados para traduzir os títulos dos romances do ciclo, sobretudo devido ao caráter de simetria que oferecem. Em dois casos, a transposição é literal e não sofre problemas: *Sodome et Gomorrhe* é *Sodoma e Gomorra*, e *La Prisonnière* é *A Prisioneira*. Em *À l'ombre des jeunes-filles en fleurs* preferimos verter *jeunes-filles* para *moças*, vocábulo de uso corrente no Brasil. Em *Le temps retrouvé*, julgamos mais acertado o título

O Tempo Recuperado, pois de modo algum se trata de uma redescoberta. De outra parte, *Du côté de chez Swann*, se traduzido literalmente, daria *A respeito do lado da casa de Swann*, ou, se forçarmos um pouco, *Para os lados da casa de Swann*. Preferimos adotar o título já consagrado no Brasil, pois o termo "caminho" indica melhor em português a situação do *côté* francês: o que, para Proust, era um "lado" inconciliável com outro, fica melhor como "caminho", pois indica todo um trajeto a percorrer, uma distância a vencer, uma tarefa a cumprir. O mesmo, portanto, para *Le Côté de Guermantes* – *O Caminho de Guermantes* é toda a trajetória do Narrador nos salões da alta-roda.

Resta o caso de *A Fugitiva*. Fiel à construção simétrica de sua obra, Proust batizou os dois romances seguintes a *Sodoma e Gomorra* de *A Prisioneira* e *A Fugitiva*. Entretanto, em 1922, publicou-se na França uma tradução de poemas de Tagore intitulada precisamente *A Fugitiva*. Diante disso, para evitar mal-entendidos, Proust desistiu do título e o romance apareceu postumamente como *Albertine disparue* (Albertina desaparecida). Ainda hoje se discute qual título caberia melhor ao livro; e assim, atendendo ao caráter rigorosamente simétrico de *Em Busca do Tempo Perdido*, e considerando já não haver motivos para evitar a identidade de título com uma coletânea da qual ninguém se lembraria não fosse esse episódio, adotamos *A Fugitiva*, que certamente Marcel Proust preferia e teria escolhido com o tempo – se tivesse vivido o suficiente para ver toda a obra publicada em livro.

Marcel Proust: Dados Bibliográficos

Marcel Proust, filho do médico Dr. Adrien Proust, e de sua esposa Jeanne Weil, de origem judia, nasceu em Paris a 10 de julho de 1871. De compleição frágil, asmático desde os nove anos, a mãe o cercou de cuidados excessivos na infância. Fez seus estudos no Liceu Condorcet, entre 1882 e 1889, e depois estudou Direito e Ciências Políticas. Colaborou no jornal do liceu, *La Revue Lilas* (A Revista Lilás), e principiou a freqüentar os salões da Sra. Émile Straus e da Sra. Madeleine Lemaire à mesma época.

Publicou seus primeiros trabalhos literários nas revista *Le banquet* (O Banquete), de que foi um dos fundadores, e *Littérature et critique* (Literatura e Crítica), no ano de 1892.

Estreou em livro em 1896 com *Les Plaisirs et les jours* (Os Prazeres e os Dias). O volume foi prefaciado pelo escritor Anatole France, com ilustrações de Madeleine Lemaire e música de Reynaldo Hahn. Era uma miscelânea de crônicas, contos, poemas em verso e prosa; embora as peças já mostrassem algo do futuro escritor de *Em Busca do Tempo Perdido*, revelavam sobretudo a influência de Anatole France e um certo simbolismo decadentista, próprio da época.

De qualquer modo, a questão do tempo e das inversões sexuais já se tornam suas principais preocupações. Entre 1895 e 1899, Proust escreveu um longo romance, *Jean Santeuil*, que deixou inacabado e só foi publicado em 1952. Neste esboço de *Em Busca do Tempo Perdido*, já estão delineados não só aspectos de sua obra-prima como até cenas inteiras retomadas posteriormente. Mas Proust ainda não é o analista profundo que se revelará depois. Está apenas tateando o assunto e a linguagem. O descobrimento da obra do ensaísta e esteta inglês John Ruskin (1819-1900) foi fundamental: Proust traduziu a *Bíblia de Amiens* deste, e assumiu o gosto de Ruskin pelas catedrais góticas – cuja arquitetura basicamente simétrica lhe dará a estrutura de sua obra-prima.

Mas ainda está experimentando: entre 1905 e 1907, escreveu outro livro, mais fragmentário e igualmente inacabado, *Contre Sainte-Beuve* (publicado apenas em 1954). Este já é um esboço mais parecido com a futura obra-prima. A análise se aprofunda, embora muitas vezes só indicada, sem desenvolvimento. Proust já adquiriu o sentido maior de sua obra, faltando-lhe um todo coeso e que desse um tom de linguagem própria ao conjunto. Em 1907, iniciou por fim a feitura da obra máxima, *Em Busca do Tempo Perdido*. Deve ter trabalhado no romance de forma bem exaustiva até 1911, quando possivelmente deu por definitivo o primeiro da série, *No Caminho de Swann*. Nesse meio tempo publicou na imprensa uma série de pastichos e, a partir de 1909, cessou toda a vida social para se consagrar exclusivamente à sua obra-prima.

No Caminho de Swann foi publicado em 1913, após ter sido recusado por quatro editoras. O êxito intelectual foi grande. Porém, a irrupção da Primeira Guerra Mundial, em 1914, interrompeu a possibilidade de novas edições. Durante a guerra, Proust remanejou a obra e lhe fez acréscimos consideráveis. Nesse ano de 1914, morre seu secretário Alfred Agostinelli, por quem Proust nutria uma paixão homossexual. A morte de Agostinelli lhe serviu de modelo para a morte da personagem Albertine em *A Fugitiva*.

Finda a guerra, publica-se *À Sombra das Moças em Flor* (1918). O romance obteve o Prêmio Goncourt de 1919, única láurea conseguida pelo romancista em vida. Em 1920, é publicado *No Caminho de Guermantes-I* e, no ano seguinte, sai *No Caminho de Guermantes-II* e *Sodoma e Gomorra-I*, em um volume. Recluso em casa, quase não deixando seu quarto forrado de cortiça para abafar os ruídos da rua, Proust enfraquece e adoece, mal tendo forças, no último ano de sua vida, para continuar a escrever e corrigir as provas de seus livros. Em abril de 1922, publica-se *Sodoma e Gomorra-II*, em três volumes. Proust está revendo as provas de *A Prisioneira* e sua saúde se complica com uma bronquite seguida de pneumonia. Marcel Proust morre às quatro e meia da manhã de 17 de novembro de 1922.

Poucos dias antes, 14 de novembro, terminara-se a impressão de *Sodoma e Gomorra-III – A Prisioneira*. *A Fugitiva*, com o título de *Albertina Desaparecida*, publicou-se em 1925, e *O Tempo Recuperado* foi dado ao público em 1927.

Fernando Py

NO CAMINHO DE SWANN

marcel proust

EM BUSCA DO TEMPO PERDIDO

Ao Sr. Calmette
como testemunho de profundo
e afetuoso reconhecimento.

PRIMEIRA PARTE

Combray

Durante muito tempo, deitava-me cedo. Às vezes, mal apagada a vela, meus olhos se fechavam tão depressa que eu nem tinha tempo de pensar: "Vou dormir". E, meia hora depois, a idéia de que já era tempo de conciliar o sono me despertava: queria deixar o livro que julgava ainda ter nas mãos e assoprar a vela; dormindo, não havia deixado de refletir sobre o que acabara de ler, porém tais reflexões haviam tomado um aspecto um tanto singular; parecia-me que era de mim mesmo que o livro falava: uma igreja, um quarteto, a rivalidade de Francisco I e Carlos V. Essa crença sobrevivia por alguns segundos ao meu despertar; não ofendia a razão, mas pesava como escamas sobre os olhos, impedindo-os de perceber que a vela já não estava acesa. Depois, principiava a me parecer ininteligível, como, após a metempsicose, as idéias de uma existência anterior; o assunto do livro se desligava de mim, eu ficava livre para me adaptar ou não a ele; logo recobrava a vista e me surpreendia bastante por estar rodeado de uma obscuridade, suave e repousante para os olhos, porém ainda mais talvez para o espírito, ao qual surgia como uma coisa sem causa, incompreensível, como algo verdadeiramente obscuro. Perguntava-me que horas poderiam ser; ouvia o silvo dos trens que, mais ou menos afastado, como um canto de pássaro na floresta, assinalando as distâncias, me informava sobre a extensão da campina deserta onde o viajante se apressa em direção à próxima parada: o caminho que ele segue vai lhe ficar gravado na lembrança pela excitação de conhecer novos lugares, praticar atos inusitados, pela conversação recente e as despedidas sob a lâmpada estranha que o seguem ainda no silêncio da noite, e pela doçura próxima do regresso.

Apoiava brandamente as faces contra as belas faces do travesseiro que, cheias e frescas, são como os rostos da nossa infância. Riscava um fósforo para ver o relógio. Quase meia-noite. É o momento em que o enfermo, que teve de viajar e ir dormir num hotel desconhecido, acordado por uma crise, se alegra ao distinguir debaixo da porta um raio de luz. Felicidade! Já é dia! Daqui a pouco os criados vão se levantar, poderá tocar a campainha, virão prestar-lhe socorro. A esperança de ser aliviado lhe dá coragem para suportar o sofrimento. Ainda agora pensou ouvir passos; os passos se aproximam e logo se afastam. E o fio de luz que estava sob a porta desapareceu. É meia-noite; acabam de apagar o gás; o último criado já se retirou e é preciso ficar a noite inteira sofrendo sem remédio.

Voltava a adormecer, e às vezes só despertava por um breve instante, suficiente para ouvir os estalos orgânicos do madeirame, abrir os olhos para encarar o caleidoscópio da escuridão e desfrutar, graças a um clarão momentâneo da consciência, do sono em que estavam mergulhados os móveis, o quarto, aquele todo do qual eu não era mais que uma parte ínfima, e a cuja insensibilidade rapidamente regressava. Ou então, enquanto dormia, havia regredido sem esforço a uma era para sempre passada da minha vida primitiva, voltando a encontrar alguns de meus terrores infantis como o de que meu tio-avô me puxasse pelos cachos do cabelo e que se dissipara no dia em que – data, para mim, de uma nova era – os havia cortado. Este acontecimento, eu o esquecera durante o sono, porém sua lembrança vinha-me logo que atinava em despertar para fugir às mãos de meu tio-avô, e por medida de precaução envolvia completamente a cabeça com o travesseiro antes de retornar ao mundo dos sonhos.

Às vezes, como Eva nasceu de uma costela de Adão, uma mulher nascia durante o meu sono, de uma falsa posição de minha coxa. Originária do prazer que eu estava a ponto de sentir, julgava que ela é quem o oferecia. Meu corpo, que no dela sentia o meu próprio calor, procurava unir-se a ele, e eu acordava. O resto dos seres humanos parecia-me algo bem remoto comparado àquela mulher que eu havia deixado momentos antes; minhas faces ainda estavam quentes do seu beijo, meu corpo sentia-se dolorido pelo peso do seu. Se, como às vezes ocorria, ela apresentasse as feições de uma mulher que conhecera na vida, ia dedicar-me totalmente a esse objetivo: encontrá-la de novo, como os que seguem viagem para ver com os próprios olhos uma cidade desejada e imaginam ser possível desfrutar, em uma realidade, o encanto do sonho. Aos poucos, a sua lembrança se esvanecendo, eu esquecia a filha do meu sonho.

Um homem que dorme sustenta em círculo, a seu redor, o fio das horas, a ordenação dos anos e dos mundos. Ao acordar, consulta-os por instinto e neles verifica, em um segundo, o ponto da terra em que se localiza, o tempo que transcorreu até o seu despertar; mas essa ordem pode se confundir e romper. Se, pela madrugada, após uma insônia, o sono vem surpreendê-lo durante a leitura, numa posição bem diferente daquela em que costuma dormir, basta seu braço erguido para parar e fazer recuar o sol, e no primeiro minuto ao despertar já não mais saberá as horas, achando que mal acaba de se deitar. Se adormecer em posição ainda mais desusada e diversa, por exemplo depois do jantar, sentado numa poltrona, então a reviravolta será completa nos mundos fora de órbita, a poltrona mágica o fará viajar a toda velocidade no tempo e no espaço, e, no momento de abrir as pálpebras, julgará estar deitado alguns meses antes, numa região diferente. Bastaria, no entanto, que eu estivesse dormindo no meu próprio leito e que meu sono fosse profundo, para relaxar-se a tensão do meu espírito; então, este perdia o plano do local onde eu adormecera, e quando eu despertasse no meio da noite, como ignorasse onde me encontrava, nem mesmo saberia, no primeiro instante, quem era; tinha somente, na sua simplicidade primitiva, o sentimento da existência tal como pode palpitar no íntimo de um animal; era mais carente que o homem das cavernas; aí então a lembrança – não ainda do lugar em que estava, mas de outros onde havia morado e onde poderia estar – me chegava como um socorro do alto para me livrar do nada de onde não poderia sair sozinho; num segundo, eu passava por sobre séculos de civilização e a imagem confusamente entrevista de lampiões de querosene, e depois, de camisas de gola virada, recompunham aos poucos os traços originais do meu próprio eu.

Talvez a imobilidade das coisas ao nosso redor lhes seja imposta pela nossa certeza de que tais coisas são elas mesmas e não outras, pela imobilidade de nosso pensamento em relação a elas. A verdade é que, quando eu assim acordava, meu espírito agitando-se para tentar saber, sem o conseguir, onde me encontrava, tudo girava ao meu redor no escuro, as coisas, os países, os anos. Meu corpo, entorpecido demais para se mexer, buscava, segundo a forma do seu cansaço, localizar a posição dos membros para daí deduzir a direção da parede, a situação dos móveis, para reconstruir e denominar a moradia em que se achava. Sua memória, a memória de suas costelas, dos joelhos, dos ombros, lhe apresentava sucessivamente vários quartos onde havia dormido, ao passo que em seu redor as paredes invisíveis, mudando de lugar conforme o aspecto da peça imaginada, giravam nas trevas. E antes mesmo que meu pensamento, vacilante no limiar dos tempos e das formas, tivesse identificado o aposento para reunir as circunstâncias, ele – meu corpo – recordava, para cada quarto, o tipo de cama, o local das portas, o lado para onde davam as janelas, a existência de um corredor, tudo isso com o pensamento que eu tivera ao adormecer e que voltava a encontrar quando despertava. Meu flanco anquilosado, procurando adivinhar sua orientação, imaginava-se, por exemplo, ao longo da parede em um grande leito de dossel, e eu logo me dizia: "Ora, acabei dormindo antes que mamãe viesse me dar boa-noite"; estava então no campo, em casa do meu avô, morto havia muitos anos. E meu corpo, o flanco sobre o qual estava deitado, guardião fiel de um passado que meu espírito jamais deveria esquecer, me recordava a chama da lâmpada de cristal da Boêmia, em forma de urna, suspensa do teto por pequenas correntes, a lareira de mármore de Siena, no meu quarto de dormir de Combray, na casa de avós, em dias longínquos que naquele momento eu julgava atuais, sem deles formar uma idéia exata e que voltaria a ver bem melhor dali a pouco, quando despertasse completamente.

Depois renascia a lembrança de uma nova atitude; a parede fugia em outra direção: eu estava em meu quarto na casa de Mme. de Saint-Loup, no campo; meu Deus! São pelo menos dez horas, já devem ter acabado de jantar! Devo ter prolongado demais a sesta que faço todas as tardinhas ao voltar do meu passeio com Mme. de Saint-Loup, antes de pôr a casaca. Pois muitos anos haviam transcorrido desde o tempo de Combray, onde, em nossos regressos mais atrasados, eram os reflexos rubros do poente o que eu via nos vidros da minha janela. Bem diverso é o tipo de vida que se leva em Tansonville, na casa de Mme. de Saint-Loup, diverso o tipo de prazer que encontro em só sair à noite, a seguir ao luar os caminhos onde brincava antigamente ao sol; e o quarto onde terei adormecido em vez de preparar-me para o jantar, percebo-o de longe, ao voltarmos, iluminado pelo clarão da lâmpada, único farol dentro da noite.

Essas evocações turbilhonantes e confusas nunca duravam mais que uns poucos segundos; muitas vezes, a breve incerteza quanto ao local em que me achava também não deixava distinguir, umas das outras, as diversas suposições de que era feita, como não podemos isolar, vendo um cavalo na corrida, as posições sucessivas que nos mostra o cinescópio. Mas ora um, ora outro, eu havia revisto os quartos que habitara na minha vida, e acabava por lembrá-los todos nos longos devaneios que se seguiam ao despertar; quartos de inverno onde, quando estamos deitados, aconchegamos a cabeça com um monte de coisas disparatadas: um canto do travesseiro, a parte superior das cobertas, a ponta de um xale, a beira da cama, e um número dos *Débats roses*, coisas que por fim começamos a firmar bem, segundo a técnica dos pássaros, calcando-as indefinidamente; onde, num templo glacial, todo o prazer consiste em se sentir separado do exterior (como a andorinha do mar, que faz seu ninho no fundo de um subterrâneo, no calor da terra), e onde, estando aceso o fogo a noite toda na lareira, a gente dorme sob um grande manto de ar quente e enfumaçado, cortado de lampejos dos tições que se avivam, espécie de alcova impalpável, de caverna aquecida, escavada no seio do próprio quarto, região ardente e móvel em seus contornos térmicos, arejada pelos sopros que nos refrescam o rosto e provêm dos ângulos, das partes vizinhas à janela ou distanciadas da lareira, e que se resfriaram: – quartos de verão, onde gostamos de ficar unidos à noite morna, onde o luar, apoiado nos postigos entreabertos, lança até o pé da cama a sua escada mágica, onde se dorme quase ao ar livre, como o abelharuco embalado pela brisa na ponta de um galho; às vezes era o quarto em estilo Luís XVI, tão alegre que até na primeira noite não me sentira muito infeliz, e onde as colunatas que sustentavam levemente o teto se afastavam com tanta graça para mostrar e reservar o local da cama; às vezes, ao contrário, era outro quarto, pequeno e de teto tão elevado, aberto em forma de pirâmide à altura de dois andares e parcialmente revestido de mogno, onde, desde o primeiro segundo, eu fora moralmente intoxicado pelo aroma desconhecido do patchuli, convencido da hostilidade das cortinas roxas e da indiferença insolente da pêndula, que tagarelava bem alto como se eu não estivesse ali –; onde um estranho espelho impiedoso, de pés quadrangulares, barrando obliquamente um dos cantos da peça, ocupava à força, na suave plenitude do meu campo visual de costume, um lugar que não estava previsto –; onde o meu pensamento, esforçando-se durante horas por se deslocar, por se expandir em altura, a fim de tomar exatamente a forma do quarto e preencher até em cima o seu gigantesco funil, passava noites de muito sofrimento, enquanto eu estava estendido na cama, os olhos erguidos, o ouvido ansioso, as narinas rebeldes, coração palpitante: até que o hábito houvesse mudado a cor das cortinas, fizesse calar a pêndula, derramasse piedade no espelho oblíquo e, mau, dissimulasse, senão expulsasse por completo, o cheiro do patchuli e diminuísse sensivelmente a altura aparente do teto. O hábito! arrumadeira hábil mas bastante morosa e que principia por deixar sofrer nosso espírito durante semanas numa instalação provisória; mas que, apesar de tudo, a gente se sente bem feliz ao encontrá-la, pois sem o hábito e reduzido a seus próprios meios, seria nosso espírito impotente para tornar habitável qualquer aposento.

Certamente, eu estava bem desperto agora, meu corpo havia dado uma última volta e o bom anjo da certeza havia fixado tudo ao meu redor, me deitara sob as minhas cobertas, no meu quarto, e colocara aproximadamente em seus lugares, na escuridão, minha cômoda, a escrivaninha, a lareira, a janela que dava para a rua e as duas portas. Mas, por mais que eu soubesse que não me achava nas residências que a ignorância do despertar me houvera por um instante senão apresentado a imagem nítida, ao menos me fizera acreditar sua presença possível, um impulso fora dado à memória; em geral, não procurava adormecer de imediato; passava a maior parte da noite a relembrar nossa vida de outrora, em Combray, na casa da minha tia-avó, em Balbec, em Paris, em Doncières, em Veneza, em outros lugares ainda, a recordar os locais, as pessoas que ali conhecera, o que delas havia visto, e o que me haviam contado a respeito.

Em Combray, todos os dias desde o fim da tarde, muito antes do momento em que seria preciso me deitar e ficar, sem dormir, longe de minha mãe e de minha avó, o quarto de dormir se tornava o ponto fixo e doloroso de minhas preocupações. Para me distrair nas noites em que me julgavam muito infeliz, haviam inventado de me dar uma lanterna mágica, com a qual cobriam minha lâmpada, enquanto esperávamos a hora de jantar; e, à maneira dos primeiros arquitetos e mestres vidraceiros da era gótica, a lanterna substituía a opacidade das paredes por irisações impalpáveis, aparições sobrenaturais multicores, onde eram pintadas legendas como num vitral vacilante e instantâneo. Porém isso fazia aumentar ainda mais a minha tristeza, pois a mudança de iluminação destruía o hábito do meu quarto, graças ao qual, salvo o suplício de me deitar, ele se me tornava suportável. Agora, não o reconhecia mais e sentia-me inquieto, como num quarto de hotel ou de um chalé, ao qual tivesse chegado pela primeira vez ao descer de um trem.

Ao passo sacudido de seu cavalo, Golo, cheio de um desígnio atroz, saía da pequena floresta triangular que aveludava de um verde sombrio a encosta de uma colina, e avançava, aos solavancos, para o castelo da infeliz Geneviève de Brabant. Esse castelo era recortado conforme uma linha curva que era apenas o limite de uma das ovais de vidro inseridas no caixilho que deslizava à frente da lanterna. Não passava de um muro de castelo e tinha diante dele um campo aberto onde meditava Geneviève, que usava um cinto azul. O castelo e o campo eram amarelos e eu não esperava o momento de vê-los para saber a sua cor, pois, antes dos vidros do caixilho, a sonoridade vermelho-dourada do nome de Brabant mostrara-o em toda a sua evidência. Golo parava um instante para ouvir com tristeza a arenga lida em voz alta por minha tia-avó e que dava a impressão de compreender muito bem, adequando sua atitude, com uma brandura não isenta de certa majestade, às indicações do texto; depois se afastava no mesmo passo sacudido. E nada poderia deter sua lenta cavalgada. Se mexiam na lanterna, eu distinguia o cavalo de Golo que continuava a avançar sobre as cortinas da janela, inflando-se nas suas dobras, afundando-se nas suas fendas. Mesmo o corpo de Golo, de uma essência tão sobrenatural como o da sua montaria, aproveitava todo obstáculo material, todo objeto incômodo que aparecesse, para tomá-lo como ossatura e torná-lo interior, ainda que se tratasse da maçaneta da porta, à qual se adaptava logo, e onde sobrenadava invencivelmente o seu manto vermelho ou seu rosto pálido sempre tão nobre e tão melancólico, mas que não deixava transparecer qualquer inquietude por essa transverberação.

É claro que eu achava um encanto todo especial nessas brilhantes projeções que pareciam emanar de um passado merovíngio e faziam passear a meu redor tão remotos reflexos de história. No entanto, não poderia descrever que mal-estar me provocava essa irrupção de mistério e de beleza no meu quarto que eu acabara de preencher com o meu eu a ponto de não dar mais atenção a ele do que a mim mesmo. A influência anestesiante do hábito passara, e eu me punha a pensar e a sentir – coisas tão tristes. A maçaneta da porta, que para mim era diferente de todas as outras maçanetas do mundo, nisto que parecia abrir sozinha, sem que tivesse necessidade de girá-la, de tal modo se me tornara inconsciente o seu manuseio, eis que servia agora de corpo astral para Golo. E logo que chamavam para jantar, sentia pressa de correr para o refeitório onde a grande lâmpada do teto, sem saber de Golo ou de Barba-Azul, e que conhecia meus pais e o bife à caçarola, espalhava a sua luz de todas as noites; e de cair nos braços de mamãe, que as desgraças de Geneviève de Brabant me tornavam mais querida, ao passo que os crimes de Golo me faziam examinar minha própria consciência com maior escrúpulo.

Infelizmente, depois do jantar eu era logo obrigado a deixar mamãe, que ficava conversando com os outros, no jardim, se fazia bom tempo, ou na saleta onde todos se abrigavam se chovia. Todos, menos minha avó que achava que "é uma pena ficar a gente encerrada, no campo" e que tinha discussões intermináveis com meu pai, nos dias em que chovia forte, porque ele me mandava ler no quarto ao invés de ficar de fora. "Não é assim que você vai fazê-lo robusto e enérgico", dizia ela tristemente, "principalmente este menino que precisa tanto de forças e de vontade." Meu pai dava de ombros e examinava o barômetro, pois gostava de meteorologia, enquanto minha mãe, evitando fazer barulhos para não perturbá-lo, olhava-o com respeito carinhoso, mas não fixamente para não dar a entender que buscava devassar o mistério da sua superioridade. Quanto à minha avó, em qualquer tempo, mesmo quando a chuva caía com força e Françoise entrava com precipitação recolhendo as poltronas preciosas de vime para que não se molhassem, era vista no jardim vazio e fustigado pelo aguaceiro, levantando as mechas grisalhas e desordenadas para que sua testa melhor se embebesse da salubridade do vento e da chuva. Costumava dizer: "Enfim, respira-se!", e percorria as aléias encharcadas do jardim, muito simetricamente alinhadas para seu gosto, pelo novo jardineiro destituído do sentimento da natureza e ao qual meu pai havia perguntado desde a manhã cedinho se o tempo iria se firmar – com seu passo entusiasmado e brusco, regulado pelos diversos impulsos que em sua alma excitavam a embriaguez da tempestade, o poder da higiene, a estupidez da minha educação e a simetria dos jardins, mais que pelo desejo, que desconhecia, de evitar as manchas de lama na saia cor de ameixa e que a cobriam até uma altura que sempre faziam o desespero e o problema de sua criada de quarto.

Quando os passeios de minha avó pelo jardim aconteciam depois do jantar, uma coisa tinha o poder de fazê-la voltar logo: era – num desses momentos em que as voltas do seu passeio a levavam periodicamente, como um inseto, na direção das luzes da saleta, onde eram servidos os licores na mesinha de jogo – quando minha tia-avó lhe gritava: "Bathilde! vem ver se impedes que o teu marido beba conhaque!" Para aborrecê-la, de fato (ela trouxera à família de meu pai um espírito tão diverso que todos zombavam dela e a atormentavam), visto que os licores eram proibidos a meu avô, minha tia-avó fazia-o beber algumas gotas. Minha pobre avó entrava, implorava ao marido com ardor que não bebesse conhaque; ele se zangava, bebia apesar de tudo o seu gole, e minha avó tornava a sair, triste, desanimada, no entanto risonha, pois tinha o coração tão humilde e era tão doce que sua ternura pelos outros e a pouca importância que atribuía à própria pessoa e a seus sofrimentos conciliavam-se no seu olhar com um sorriso onde, contrariamente ao que se vê no rosto de muita gente, só era irônica consigo mesma, e era para todos nós como um beijo de seus olhos, que não podiam ver os que ela amava sem os acariciar apaixonadamente com o olhar. Este suplício que lhe infligia a minha tia-avó, o espetáculo das súplicas baldadas de minha avó e de sua franqueza, de antemão vencida, tentando em vão tirar de meu avô o cálice de licor, era dessas coisas a cuja vista a gente se habitua mais tarde até a considerar em risos e a tomar o partido do perseguidor, resoluta e alegremente, para se persuadir que não se trata de perseguição; na ocasião, causavam-me um tal horror que me dava vontade de bater na minha tia-avó. Porém quando ouvia: "Bathilde! vem ver se impedes que o teu marido beba conhaque!", já adulto pela covardia, eu fazia o que todos fazemos, quando somos grandes, e há diante de nós sofrimentos e injustiças: não queria vê-los; subia para soluçar lá no alto da casa, numa peça ao lado da sala de estudos, sob os telhados, uma salinha que cheirava a íris, também aromada por uma groselheira silvestre que crescia do lado de fora entre as pedras do muro e passava um ramo florido pela janela entreaberta. Destinada a uma utilidade mais especial e mais vulgar, essa peça, de onde, durante o dia, se enxergava até o torreão de Roussainville-le-Pin, serviu por muito tempo de refúgio para mim, sem dúvida por ser a única que me permitiam fechasse à chave, para todas as minhas ocupações que exigissem solidão inviolável: a leitura, o devaneio, as lágrimas e a volúpia. Infelizmente, eu não sabia então que, muito mais tristemente que as pequenas infrações ao regime do marido, era a minha falta de vontade, minha saúde delicada, a incerteza que elas projetavam sobre o meu futuro que preocupavam a minha avó no decurso das deambulações incessantes, de tarde e de noite, quando se via passar e repassar, obliquamente erguido contra o céu, seu belo rosto de faces morenas e enrugadas, que, com o passar do tempo, se haviam tornado quase cor de malva como as lavouras pelo outono, e que ela cobria, ao sair, com um pequeno véu semi-erguido, e nas quais, trazidas pelo frio ou algum pensamento triste, estavam sempre secando lágrimas involuntárias.

Ao subir para me deitar, meu consolo único era que mamãe fosse me beijar quando já estivesse na cama. Mas durava tão pouco isso, e ela descia tão depressa, que o momento em que a ouvia subir, e depois quando ela passava pelo corredor de porta dupla o ruído ligeiro de seu vestido de jardim, de musselina azul, com pequenos tirantes de palha trançada, era um momento doloroso. Anunciava o que ia ocorrer a seguir, quando ela me teria deixado, quando voltasse a descer. De modo que essas boas-noites que eu amava tanto, chegava a desejar que viessem o mais tarde possível, para que se prolongasse o tempo de espera em que mamãe ainda não chegara. Às vezes, quando, depois de me haver beijado, ela abria a porta para ir embora, eu queria chamá-la, dizer-lhe "beija-me mais uma vez", mas sabia que ela logo se mostraria zangada, pois a concessão que fazia à minha tristeza e à minha agitação ao subir para me beijar, levando-me aquele beijo de paz, irritava meu pai que julgava absurdo esse ritual, e ela, que punha tanto empenho em me fazer perder esse hábito, estava longe de deixar que adquirisse o de lhe pedir um novo beijo quando já estava à porta. Vê-la aborrecida, assim, destruía todo o sossego que ela me trouxera um momento antes, quando inclinara sobre o meu leito o rosto amoroso, ofertando-o como uma hóstia para uma comunhão de paz, em que meus lábios saboreariam a sua presença real e o poder de adormecer. Mas essas noites em que mamãe, enfim, se demorava tão pouco tempo no meu quarto, eram ainda suaves em comparação com aquelas em que havia convidados para jantar, e nas quais, por causa disso, ela não subia para me dar boa-noite. Em geral, a visita se limitava ao Sr. Swann, que, afora alguns forasteiros eventuais, era quase a única pessoa que vinha habitualmente à nossa casa em Combray, às vezes para jantar como vizinho (mais raramente desde que fizera um mau casamento, pois meus pais não queriam receber sua mulher), às vezes após o jantar, sem ser esperado. Nas noites em que, sentados na frente da casa sob o grande castanheiro, ao redor da mesa de ferro, ouvíamos no portão do jardim não o barulho confuso e estridente da sineta, que ensurdecia, com seu ruído ferruginoso, inextinguível e gélido, toda pessoa da casa que a disparava ao entrar "sem tocar", mas o duplo toquezinho tímido, oval e dourado da campainha para os estranhos, todo mundo logo perguntava: "Uma visita, quem poderá ser?", mas sabia-se muito bem que só poderia ser o Sr. Swann; minha tia-avó, falando em voz alta para dar o exemplo, com um tom que se esforçava por tornar natural, dizia que não cochichassem daquela maneira; que nada é mais impolido para quem chega, que poderá imaginar, com isso, que se dizem coisas que não deve ouvir; e mandavam à frente, para tirar a limpo o que ocorria, a minha avó, sempre feliz por ter um pretexto para dar uma voltinha a mais pelo jardim e que aproveitava para arrancar às escondidas, ao passar, algumas estacas de roseiras, a fim de dar às rosas um aspecto mais natural, como uma mãe que encaracola os cabelos do filho porque o barbeiro os deixara muito lisos.

Ficávamos todos na expectativa das novidades que minha avó iria trazer do inimigo, como se fosse possível hesitar entre um grande número de assaltantes eventuais, e logo após meu avô dizia: "Reconheço a voz de Swann." De fato, só se reconhecia a voz dele, mal se enxergava o rosto de nariz recurvo, olhos verdes, sob a testa larga rodeada de cabelos louros, quase ruivos, penteados à Bressant, porque acendíamos o menos possível de luz no jardim para não atrair os mosquitos, e eu ia, disfarçadamente, mandar dizer que trouxessem refrescos; minha avó achava muito importante, por lhe parecer mais amável, que os refrescos fossem servidos como por costume, e não de modo excepcional e unicamente para os visitantes. O Sr. Swann, embora muito mais jovem que meu avô, era bastante ligado a ele, que fora um dos melhores amigos de seu pai, homem excelente mas esquisito, a quem às vezes bastava uma ninharia, parece, para interromper os impulsos afetivos ou mudar-lhe o curso do pensamento. Várias vezes ao ano, eu ouvia meu avô contar à mesa sempre as mesmas anedotas sobre a atitude que Swann pai tivera por ocasião da morte da esposa, de quem cuidava dia e noite. Meu avô, que o não via há muito, correra para junto dele, na propriedade dos Swann que ficava nas redondezas de Combray; e conseguira fazê-lo deixar por um instante, todo em lágrimas, a câmara mortuária, para que não assistisse ao fechamento do caixão. Deram alguns passos pelo parque, onde brilhava um pouco de sol. De súbito, o velho Swann se pôs a gritar pegando o braço de meu avô: "Ah, meu velho amigo! Que felicidade passearmos juntos num dia tão lindo. Não acha bonito tudo isto, estas árvores, os espinheiros-alvares e o meu tanque? Você nunca me felicitou pelo meu tanque! Mas que cara triste é essa? Está sentindo o ventinho agora? Ah! por mais que se diga, existe ainda muita coisa boa na vida, meu caro Amédée!" Bruscamente a recordação da esposa morta lhe voltou, e achando muito complicado sem dúvida explicar como podia ter se deixado levar por um movimento de alegria num momento daqueles, contentou-se, com um gesto que lhe era familiar todas as vezes que uma questão difícil se apresentava a seu espírito, em passar a mão pela testa, enxugar os olhos e limpar os vidros do *pince-nez*. Não pôde, no entanto, consolar-se da morte da esposa, mas nos dois anos que lhe sobreviveu, dizia a meu avô: "É engraçado, penso muitas vezes na minha pobre mulher, mas não consigo pensar muito de cada vez." – "Muitas vezes, mas pouco de cada vez, como o pobre velho Swann", tornara-se uma das frases favoritas de meu avô, que ele pronunciava a propósito das mais diversas coisas. Esse velho Swann, na certa me pareceria um monstro, se meu avô, que eu considerava o melhor juiz e cujas sentenças faziam jurisprudência para mim, ajudando-me com freqüência a absolver faltas que me sentia propenso a condenar, não exclamasse: "Mas como? Era um coração de ouro!"

Durante muitos anos, quando o Sr. Swann filho vinha nos visitar com freqüência em Combray, sobretudo antes do seu casamento, minha tia-avó e meus avós nunca suspeitaram que ele já não vivia na sociedade que sua família freqüentava e que, sob a espécie de incógnito que lhe aureolava em nossa casa esse nome de Swann, eles acolhiam – com a perfeita inocência de honrados hospedeiros que podem ter, sob seu teto, sem sabê-lo, um bandido célebre – um dos membros mais elegantes do Jockey-Club, amigo predileto do conde de Paris e do príncipe de Gales, um dos homens mais cortejados da alta sociedade do bairro de Saint-Germain.

Nossa ignorância acerca dessa brilhante vida mundana que Swann levava provinha evidentemente, em parte, da reserva e da discrição de seu temperamento, mas também do fato de que os burgueses da época faziam da sociedade uma idéia um tanto hindu, considerando-a como composta de castas estanques, nas quais cada um, desde o nascimento, se achava colocado na posição ocupada pelos pais, e de onde nada os poderia tirar para fazer penetrar em uma casta superior, a não ser pelo acaso de uma carreira excepcional ou de um casamento inesperado. O Sr. Swann pai tinha sido corretor; o "filho Swann" deveria, portanto, fazer parte a vida inteira de uma casta em que as fortunas, como numa certa categoria de contribuintes, variavam entre tal e tal renda. Sabia-se quais tinham sido as relações de seu pai, sabia-se, desse modo, quais seriam as suas, que espécie de pessoas estaria "em condições" de freqüentar. Se por acaso conhecesse outras, seriam simples relações de rapaz às quais os velhos amigos da família, como era o caso de meus pais, fechavam os olhos com benevolência, tanto mais que ele, mesmo depois de órfão, continuava a visitar-nos fielmente; mas seria de apostar que as pessoas, desconhecidas de nós, que ele freqüentava, eram dessas a quem ele não ousaria tirar o chapéu em nossa presença quando as encontrasse. Se se desejasse aplicar à viva força, a Swann, um coeficiente social próprio, dentre os outros filhos de corretores de situação idêntica a de seus pais, tal coeficiente não seria dos mais altos, pois

Swann, de maneiras muito simples e tendo sempre a "mania" de objetos de antigüidade e pintura, morava agora numa velha casa onde ajuntava as suas coleções e que minha avó sonhava conhecer, mas que se situava no cais de Orléans, bairro em que minha tia-avó achava uma infâmia morar. "Mas o senhor é um conhecedor? Pergunto-lhe em seu próprio interesse, pois os comerciantes lhe devem impingir muitas porcarias", dizia-lhe minha tia-avó; de fato, ela não lhe atribuía competência alguma e nem sequer fazia uma alta idéia, do ponto de vista intelectual, do homem que na conversação evitava assuntos sérios e demonstrava uma precisão bastante prosaica não só quando nos dava, entrando nos mínimos detalhes, receitas culinárias, mas mesmo quando as irmãs de minha avó falavam de temas artísticos. Provocado por elas a dar a sua opinião, a exprimir sua admiração por um quadro, Swann mantinha um silêncio quase grosseiro, mas em compensação abria-se quando podia fornecer algum informe material sobre o museu onde tal quadro se encontrava, e sobre a data em que fora pintado. Porém de hábito contentava-se em procurar divertir-nos contando, de cada vez, uma história nova que lhe acabava de ocorrer com pessoas escolhidas entre as que conhecíamos, com o farmacêutico de Combray, com a nossa cozinheira, o nosso cocheiro. Certamente essas narrativas faziam rir a minha tia-avó, mas sem que ela percebesse bem se era por causa do papel ridículo que nelas Swann se atribuía sempre, ou pelo espírito com que as contava: "O senhor é um verdadeiro tipo, senhor Swann!" Como ela era a única pessoa um tanto vulgar da nossa família, fazia questão de notar aos estranhos, quando se falava em Swann, que ele teria podido, se quisesse, morar no bulevar Haussmann ou na avenida da Ópera, que era filho do Sr. Swann, que este lhe devia ter deixado uns quatro ou cinco milhões, e que isto de residir no cais de Orléans era simples capricho seu. Capricho que, de resto, ela julgava dever ser tão divertido para os outros que, em Paris, quando o Sr. Swann vinha, no dia 1º de janeiro, lhe trazer seu saquinho de marrons-glacês, ela não deixava de lhe dizer, se havia estranhos: "Senhor Swann, quer dizer então que o senhor mora sempre perto do Entreposto de Vinhos, para ter certeza de não perder o trem quando vai para Lyon?" E olhava as outras visitas com o rabo dos olhos, por cima do *pince-nez*.

Mas se houvessem dito à minha tia-avó que este Swann – perfeitamente *credenciado*, dada a sua origem, para ser recebido por toda a "alta burguesia", pelos tabeliães e advogados mais ilustres de Paris (privilégio que ele parecia desdenhar um pouco) – tinha, como que às escondidas, uma vida inteiramente diferente; que, saindo de nossa casa, em Paris, depois de nos ter dito que iria dormir, arrepiava caminho mal dobrasse a esquina e se dirigia para um salão que nunca os olhos de um corretor ou sócio de corretor contemplaram, isso teria parecido tão incrível à minha tia como, para uma dama mais culta, a idéia de manter relações pessoais com Aristeu e de que este, depois de conversar com ela, iria mergulhar nos reinos de Tétis, um império oculto aos olhos dos mortais e onde Virgílio no-lo descreve acolhido de braços abertos; ou, para nos atermos a uma imagem de maior probabilidade de lhe ocorrer ao espírito, pois ela a havia visto pintada em nossos pratos de biscoito de Combray – que tivera no jantar Ali-Babá, o qual, quando se visse sozinho, penetraria na caverna a rebrilhar de tesouros insuspeitados.

Um dia em que ele nos visitara em Paris após o jantar, desculpando-se por estar de casaca, dissera-nos Françoise, depois que partira, que soubera pelo cocheiro que ele jantara "na casa de uma princesa". "Sim, de uma princesa do *demi-monde!*", retrucara minha tia dando de ombros, numa ironia serena, sem erguer os olhos do tricô.

Desse modo, minha tia-avó tratava-o com alguma superioridade. Como pensava que ele devia se sentir lisonjeado com nossos convites, achava muito natural que não nos visitasse, no verão, sem trazer à mão uma cestinha de pêssegos ou framboesas do seu jardim e que, de todas as suas viagens à Itália me trouxesse fotografias de obras-primas.

Ninguém se sentia constrangido em mandar chamá-lo quando havia necessidade de molho *gribiche* ou de salada de ananás para os grandes jantares aos quais não o convidavam, já que não lhe atribuíam prestígio suficiente para ser apresentado aos estranhos que vinham pela primeira vez. Se a conversa recaía sobre os príncipes da Casa de França: "Pessoas que nem o senhor nem eu jamais conheceremos, nem fazemos questão de conhecer, não é mesmo?", dizia a minha tia-avó a Swann, que talvez trouxesse no bolso uma carta de Twickenham; e mandava-o empurrar o piano e virar as folhas nas noites em que a irmã de minha avó cantava, demonstrando para com aquela pessoa tão solicitada em outros lugares a ingênua rudeza de uma criança que brinca com um bibelô de coleção tão despreocupada como se fosse um objeto vulgar. Sem dúvida, o Swann conhecido por tantos sócios do clube àquela época era bem diverso do que minha tia criava em sua cabeça, quando à noitinha, no jardinzinho de Combray, após ressoarem os dois toques hesitantes da sineta, ela insuflava e vivificava, com tudo o que sabia sobre a família Swann, o personagem obscuro e incerto que se destacava, seguido de minha avó, sobre um fundo de trevas e que era reconhecido pela voz. Porém mesmo do ponto de vista das coisas mais insignificantes da vida nós não somos um todo materialmente constituído, idêntico para todas as pessoas, e de que cada um não tem mais que tomar conhecimento, como se se tratasse de um livro de contabilidade ou de um testamento; nossa personalidade social é uma criação do pensamento alheio. Até o ato tão simples a que chamamos "ver uma pessoa que conhecemos" é em parte uma ação intelectual. Preenchemos a aparência física do ser que vemos com todas as noções que temos a seu respeito, e, para o aspecto global que nos representamos, tais noções certamente entram com a maior parte. Acabam por arredondar tão perfeitamente as faces, por seguir com tão perfeita aderência a linha do nariz, vêm de tal forma matizar a sonoridade da voz como se esta fosse apenas um envoltório transparente, que, cada vez que vemos esse rosto e ouvimos essa voz, são essas as noções que reencontramos, que escutamos. Sem dúvida, no Swann que haviam construído para si mesmos, meus pais tinham omitido, por ignorância, uma multidão de particularidades de sua vida mundana que faziam com que outros, em sua presença, vissem todas as elegâncias dominar-lhe o rosto até o nariz recurvo, que era como que sua fronteira natural; mas também tinham podido acumular naquele rosto despojado de seu prestígio, vago e espaçoso, no fundo desses olhos depreciados, o suave e incerto resíduo – um tanto memória, um tanto esquecimento – das horas ociosas passadas em nossa companhia após os jantares semanais, ao redor da mesa de jogo ou no jardim, durante a nossa vida de boa vizinhança campestre. E com tudo isto, de tal modo se enchera o envoltório corporal de nosso amigo, bem como de algumas recordações relativas a seus pais, que este Swann se tornara um ser completo e vivo – e eu tenho a impressão de deixar uma pessoa para ir me encontrar com outra bem distinta quando, na minha memória, passo do Swann que conheci mais tarde em detalhe para esse primitivo Swann – no qual reencontro os erros encantadores da minha juventude, e que aliás se parece menos com o outro do que com as pessoas que conheci na mesma época, como se ocorresse em nossa vida o mesmo que num museu, onde todos os quadros de uma mesma época têm um ar de família, uma mesma totalidade – esse primitivo Swann cheio de lazeres, perfumado pelo aroma do grande castanheiro, do cestinho de framboesas e de um tantinho de estragão.

No entanto, um dia em que minha avó tinha ido pedir um obséquio a uma dama que conhecera no *Sacré-Coeur* (e com a qual, devido à nossa concepção de castas, não quisera mais ter relações apesar de uma simpatia recíproca), a marquesa de Villeparisis da célebre família de Bouillon, esta lhe dissera: "Creio que você conhece bem o Sr. Swann, que é um grande amigo dos meus sobrinhos de Laumes." Minha avó regressara da visita entusiasmada com a mansão que dava para jardins e onde a Sra. de Villeparisis lhe aconselhara que alugasse casa, e também com um alfaiate e sua filha, cuja loja ficava no pátio e onde ela entrara para pedir que lhe dessem um ponto na saia, que fora rasgada na escadaria. Minha avó achara-os perfeitos, declarando que a menina era uma pérola e que o alfaiate era um homem muito distinto, o melhor que ela já vira. Pois para ela a distinção era algo absolutamente independente do nível social. Extasiava-se com uma resposta que o alfaiate lhe dera, dizendo a mamãe: "Sevigné não teria dito melhor!" e, por outro lado, a respeito de um sobrinho da Sra. de Villeparisis que encontrara em sua casa: "Ah, minha filha, como ele é vulgar!"

Ora, a referência a Swann teve por efeito, não o de elevá-lo na consideração de minha tia-avó, e sim o de diminuir a Sra. de Villeparisis. Parecia que a consideração que, confiantes na minha avó, tributávamos à Sra. de Villeparisis lhe criasse o dever de não fazer coisa alguma que a tornasse menos digna, e a esse dever ela faltara ao tomar conhecimento da existência de Swann, ao permitir que seus parentes o freqüentassem. "Como, então ela conhece Swann? Para uma pessoa que você pretende seja parente do marechal de Mac-Mahon!" Essa opinião de meus pais sobre as relações de Swann lhes pareceu logo depois confirmada pelo seu casamento com uma mulher da pior sociedade, quase uma cocote que, aliás, ele nunca procurou apresentar, continuando a nos visitar sozinho, embora cada vez menos, mas segundo a qual julgavam poder avaliar – na suposição de que lá a fora buscar – o meio, desconhecido deles, que ele freqüentava habitualmente.

Mas, uma vez, o meu avô leu num jornal que o Sr. Swann era um dos mais fiéis convivas dos almoços dominicais do duque de X..., cujo pai e tio tinham sido os homens de Estado de maior evidência do reinado de Luís Filipe. Ora, meu avô era curioso de todos os pequenos fatos que poderiam auxiliá-lo a penetrar, em pensamento, na vida privada de homens como Molé, como o duque Pasquier, como o duque de Broglie. Ficou encantado ao saber que Swann freqüentava pessoas que os haviam conhecido. Ao contrário, minha tia-avó interpretou as novidades num sentido desfavorável a Swann: alguém que escolhesse suas relações fora da casta em que nascera, fora da sua "classe" social, sofria a seus olhos desqualificação lastimável. Parecia-lhe que desse modo se renunciava, de vez, aos frutos de todas as boas relações com pessoas bem situadas, que as famílias precavidas cultivavam e guardavam com honra para os filhos (minha tia-avó chegara ao ponto de ter deixado de ver o filho de um tabelião de nossos amigos porque se casara com uma alteza, e assim, descendo do nível respeitável, para ela, de filho de tabelião para o de um desses aventureiros, antigos mordomos ou moços de estrebaria, para quem se conta que as rainhas tinham às vezes algumas facilidades). Ela censurava o projeto de meu avô, que consistia em interrogar Swann, na primeira noite em que viesse jantar conosco, acerca desses amigos que lhe acabávamos de descobrir. Por outro lado, as duas irmãs de minha avó, solteironas que tinham o nobre caráter dela, mas não o seu espírito, declararam não compreender a satisfação que o cunhado podia achar em falar de semelhantes ninharias. Eram pessoas de aspirações elevadas e, por isso mesmo, incapazes de se interessar pelo que se chama uma bisbilhotice, ainda que de interesse histórico, e, de um modo geral, por tudo aquilo que não se ligasse diretamente a um objetivo estético ou moral. O desinteresse de seu pensamento era tal, quanto a tudo o que, de perto ou de longe, parecesse estar relacionado com a vida mundana, que o seu senso auditivo – tendo por fim compreendido sua inutilidade momentânea desde que, ao jantar, a conversa assumia um tom frívolo ou unicamente terra-a-terra, sem que elas pudessem fazê-la retornar aos assuntos que lhes eram caros –, deixava portanto em repouso os seus órgãos receptores, fazendo-os sofrerem um verdadeiro princípio de atrofia. Se meu avô então tivesse necessidade de atrair a atenção das duas irmãs, precisava recorrer a essas advertências físicas, usadas pelos médicos alienistas no caso de certos maníacos distraídos: golpes repetidos num copo, com a lâmina de uma faca, coincidindo com uma brusca interpelação da voz e do olhar, meios violentos que os psiquiatras empregam muitas vezes nas relações comuns com pessoas sãs, seja por hábito profissional, seja por julgarem todo mundo um tanto louco.

Elas ficaram mais interessadas quando, na véspera do dia em que Swann devia vir jantar, e lhes enviara pessoalmente uma caixa de vinho de Asti, minha tia, estendendo um número do *Figaro* onde, ao lado do nome de um quadro que estava numa exposição de Corot, figuravam as seguintes palavras: "da coleção do Sr. Charles Swann", nos disse: "Viram que Swann tem 'as honras' do *Figaro*?" – Mas eu sempre afirmei que ele tinha muito bom gosto – disse minha avó. "Naturalmente, você, desde o momento em que se trata de ter uma opinião diversa da *nossa*", retrucou a minha tia-avó que, sabendo que minha avó nunca era da mesma opinião que ela, e não tendo certeza que fosse a ela mesma que nós déssemos sempre razão, queria nos arrancar uma condenação em bloco das opiniões da minha avó, contra as quais procurava solidarizar-nos à força com as suas. Mas nós ficamos em silêncio. Tendo as irmãs de minha avó manifestado a intenção de falar a Swann sobre as palavras do *Figaro*, minha tia-avó as desaconselhou. Cada vez que ela descobria nos outros uma vantagem, por menor que fosse, e que ela descobria não possuía, persuadia-se que essa vantagem era um mal e, para não ter de invejá-los, lamentava-os. "Creio que não lhe dariam nenhum prazer; sei muito bem que me seria desagradável ver meu nome impresso com tanta evidência no jornal, e absolutamente não ficaria lisonjeada se me falassem nisso." No entanto, não se empenhou muito em persuadir as duas irmãs de minha avó, pois elas, por horror à vulgaridade, levavam tão longe a arte de dissimular sob perífrases engenhosas uma alusão pessoal que esta quase sempre passava desapercebida da própria pessoa a quem se referia. Quanto à minha mãe, só pensava em conseguir de meu pai que consentisse em falar a Swann, não de sua mulher, mas de sua filha, que ele adorava e por causa de quem se dizia que afinal acabara por fazer aquele casamento. "Poderias lhe dizer só uma palavra, perguntar como vai ela. O caso deve ser tão cruel para ele." Mas meu pai se aborrecia: "Não! Tens idéias absurdas. Seria ridículo."

Mas eu era o único de todos para quem a visita de Swann era motivo de uma dolorosa preocupação. Isto porque nas noites em que havia estranhos, ou somente o Sr. Swann, mamãe não subia para o meu quarto. Eu jantava antes de todos e a seguir vinha sentar-me à mesa, até às oito horas, quando estava convencionado que deveria deitar-me; esse beijo precioso e frágil que mamãe me dava de costume na cama, no momento em que ia dormir, era-me necessário transportá-lo da sala de jantar ao meu quarto e guardá-lo todo o tempo em que me despia, sem que sua doçura se partisse, sem que sua virtude se espalhasse e evaporasse, volátil, e justamente nessas noites em que precisava recebê-lo com as maiores precauções, via-me obrigado a pegá-lo, roubá-lo de súbito, publicamente, sem nem mesmo ter o tempo e a liberdade de espírito necessários para dar ao que fazia a atenção dos maníacos que se esforçam por não pensar em outra coisa enquanto fecham uma porta, para poderem, quando a incerteza malsã lhes volta, lhe opor vitoriosamente a lembrança do momento em que fecharam. Estávamos todos no jardim quando ressoaram os dois toques hesitantes da sineta. Sabia-se que era Swann; entretanto, todos se entreolharam interrogativamente e minha avó foi enviada para um reconhecimento. "Tratem de lhe agradecer de modo inteligível pelo vinho; sabem muito bem que é delicioso e que a caixa é enorme", recomendou meu avô às duas cunhadas. "Não comecem a cochichar", disse minha tia-avó. "Há de ser bem agradável chegar a uma casa onde todos falam baixinho!" – "Ah! eis aqui o Sr. Swann. Vamos lhe perguntar se acha que vai fazer bom tempo amanhã", disse meu pai. Minha mãe julgava que só uma palavra sua poderia desfazer toda a mágoa que nossa família tivesse causado a Swann desde o seu casamento. Achou uma forma de desviar sua atenção por um momento. Mas eu segui-a; não podia me resolver a separar-me dela um só passo, pensando que daí a pouco teria de deixá-la na sala de jantar e subir para o meu quarto sem ter, como nas outras noites, o consolo de que ela fosse me dar um beijo. "Vamos, Sr. Swann", disse ela, "fale-me um pouco de sua filha; tenho certeza de que ela já tem gosto pelas obras de arte como o pai." – "Mas venham sentar-se conosco na varanda", disse meu avô, aproximando-se. Minha mãe foi obrigada a se interromper, mas até soube tirar desse contratempo mais um pensamento delicado, como os verdadeiros poetas a quem a tirania da rima obriga a fazer seus melhores achados: "Voltaremos a falar da sua filha quando estivermos sozinhos", disse ela a Swann, a meia voz. "Só mesmo uma mãe há de ser digna de compreendê-lo. Estou certa de que a mãe dela será da mesma opinião." Todos nos sentamos ao redor da mesa de ferro. Desejaria não pensar nas horas de angústia que iria passar sozinho no quarto sem poder dormir, procurava me convencer de que elas não tinham nenhuma importância, visto que as esqueceria na manhã seguinte, e tratava de me apegar a coisas futuras que me levariam, como uma ponte, para além do abismo próximo que me aterrorizava. Porém meu espírito tenso com essa preocupação, convexo como o olhar que eu dardejava sobre minha mãe, não se deixava permear por nenhuma impressão estranha. Na verdade os pensamentos entravam nele, mas sob a condição de deixarem do lado de fora todo elemento de beleza ou simplesmente de diversão que me distraísse ou emocionasse. Como um enfermo que, graças a um anestésico, pode assistir em plena lucidez à operação que nele é praticada, sem sentir coisa alguma, eu podia recitar para mim mesmo versos que apreciava e observar os esforços de meu avô para falar a Swann do duque de Audiffret-Pasquier, sem que os primeiros me causassem qualquer emoção e os segundos qualquer alegria. Tais esforços foram inúteis. Mal meu avô fizera a Swann uma pergunta relativa àquele orador, quando uma das irmãs de minha avó, a cujos ouvidos aquilo soara como um silêncio profundo mas inoportuno e que seria educado quebrar, interpelou a outra. "Imagina, Céline, que travei conhecimento com uma jovem governanta sueca que me deu detalhes muito interessantes sobre as cooperativas nos países escandinavos. Precisamos convidá-la qualquer dia desses para jantar aqui." – "Acredito!", respondeu sua irmã Flora, "mas eu também não perdi meu tempo. Encontrei, na casa do Sr. Vinteuil, um velho sábio e conhece muito Maubant, e a quem este explicou nos mínimos detalhes como se faz para preparar um papel. Nada mais interessante. É um vizinho do Sr. Vinteuil, eu não sabia; e é muito amável." – "Não é só o Sr. Vinteuil que tem vizinhos amáveis", exclamou minha tia Céline, com uma voz que a timidez fazia forte e a premeditação, falsa, lançando a Swann o que ela chamava de olhar significativo. Ao mesmo tempo, minha tia Flora, que compreendera que esta frase era o agradecimento de Céline pelo vinho de Asti, olhava também para Swann com um ar misto de congratulação e ironia, ou simplesmente para sublinhar o rasgo de espírito da irmã, seja por invejar a Swann o tê-lo inspirado, seja ainda por não poder deixar de rir à sua custa por julgá-lo na berlinda. "Acho que poderemos conseguir que esse senhor venha jantar", continuou Flora, "quando a gente lhe dá corda sobre Maubant ou a Sra. Materna, ele fala horas sem parar." – "Deve ser delicioso", suspirou meu avô, em cujo espírito a natureza infelizmente se esquecera por completo de incluir a possibilidade de se interessar apaixonadamente pelas cooperativas suecas ou pela composição dos papéis de Maubant, assim como se esquecera de fornecer ao das irmãs de minha avó o grãozinho de sal que nós mesmos devemos acrescentar, para achar algum sabor, às narrativas sobre a vida íntima de Molé ou do conde de Paris. "Veja bem", disse Swann a meu avô, "o que vou lhe dizer tem mais relações do que parece com o que o senhor me perguntava, pois, sob certos aspectos, as coisas não mudaram muito. Esta manhã, eu estava relendo em Saint-Simon algo que o teria divertido. Está no volume sobre sua embaixada na Espanha; não é dos melhores, não passa de um diário, mas ao menos é um diário maravilhosamente bem escrito, o que já faz uma diferença em relação a esses diários aborrecidos que nos sentimos obrigados a ler de manhã e à noite." – "Não sou de sua opinião, há dias em que a leitura dos jornais me parece bem agradável...", interrompeu minha tia Flora, para mostrar que havia lido a frase sobre o Corot de Swann no *Figaro*. "Quando falam de coisas ou de pessoas que nos interessam!", encareceu minha tia Céline. "Não digo que não", respondeu Swann espantado. "O que censuro nos jornais é o fato de nos obrigar a prestar atenção, todos os dias, em coisas insignificantes, ao passo que lemos três ou quatro vezes na vida os livros em que há coisas essenciais. Uma vez que rasgamos febrilmente, todas as manhãs, a faixa que envolve o jornal, então as coisas deviam ser mudadas e pôr no jornal, digamos, as *Pensées* de Pascal! (acentuou o título com ênfase irônica para não dar a impressão de pedantismo). E no volume de corte dourado, que só abrimos uma vez a cada dez anos", acrescentou, testemunhando pelas coisas mundanas esse desdém que certas pessoas da sociedade afetam, "é que leríamos que a rainha da Grécia foi a Cannes ou que a princesa de Léon deu um baile à fantasia. Assim, estaria restabelecida a proporção justa." Mas, lamentando ter-se permitido falar de coisas sérias, mesmo de passagem, disse ironicamente: "Grande conversa a nossa! Não sei por que tocamos nesses 'cumes'" – e, voltando-se para meu avô: "Portanto, Saint-Simon conta que Maulévrier é o tal de quem ele diz: 'Nunca vi nessa garrafa ordinária mais que mau humor, grosseria e asneiras.'" – "Ordinárias ou não, conheço garrafas em que há coisas bem diversas", disse Flora vivamente, fazendo questão de, ela também, agradecer a Swann, pois o vinho de Asti era presente para ambas as irmãs. Céline se pôs a rir. Swann, atrapalhado, prosseguiu: "'Não sei se foi ignorância ou esperteza', escreve Saint-Simon, 'mas a verdade é que ele pretendeu dar a mão a meus filhos. Percebi logo e pude evitá-lo.'" Meu avô já se extasiava com o 'ignorância ou esperteza', mas a Srta. Céline, em quem o nome de Saint-Simon – um literato – impedira a anestesia completa das faculdades auditivas, já se mostrava indignada: "Como? Você admira isso? Muito bem! Mas o que poderá isso querer dizer; que um homem não vale tanto quanto outro? Que importância tenha que seja duque ou cocheiro, se possui inteligência e bom coração? Boa maneira tinha o seu Saint-Simon de educar os filhos, se não lhes dizia que dessem a mão a todos os homens honestos. Mas é simplesmente abominável. E o senhor ousa citar uma coisa dessas?" E meu avô, consternado, sentindo, diante dessa obstrução, a impossibilidade de conseguir que Swann contasse as histórias que poderiam diverti-lo, dizia em voz baixa a mamãe: "Lembra-me então aquele verso que me ensinaste e que tanto me alivia em momentos assim. Ah, sim! 'Senhor, quantas virtudes me fazeis odiar.' Ah, como é bom!"

Eu não desviava o olhar de minha mãe, sabia que quando estivessem à mesa não me permitiriam que ficasse até o fim da refeição, e que, para não contrariar meu pai, mamãe não me deixaria beijá-la várias vezes diante de todos, como se estivesse no meu quarto. Assim, prometi a mim mesmo, na sala de jantar, quando começassem a comer e eu sentisse aproximar-se a hora, que tiraria antecipadamente daquele beijo, que seria curto e furtivo, tudo o que pudesse extrair sozinho; escolher com o olhar o ponto da face em que a beijaria, preparar meu pensamento para poder, devido a esse começo mental de beijo, consagrar todo minuto que mamãe me concedesse para sentir sua face contra meus lábios, como um pintor, que só pode obter pequenas sessões de pose, prepara sua palheta e faz de memória, de acordo com seus apontamentos, tudo aquilo para o que pode, a rigor, prescindir do modelo. Mas eis que, antes de tocarem a sineta para o jantar, meu avô teve a ferocidade inconsciente de dizer: "O menino parece cansado; deveria subir para se deitar. Aliás, a gente janta bem tarde esta noite." E meu pai que não observava com tanto escrúpulo quanto minha avó e minha mãe o espírito dos tratados, disse: "Sim. Vamos, vai te deitar!" Eu quis beijar mamãe; nesse momento ouviu-se a sineta do jantar. "Não, não, larga a tua mãe, vocês já se despediram bastante, essas manifestações são ridículas. Vamos, sobe!" E tive de subir sem viático, tive de subir cada lanço da escada, como diz a expressão popular, "contra o coração", subindo contra o meu coração, que desejava voltar para junto de minha mãe porque ela não lhe dera, ao me beijar, licença de me seguir. Esses degraus detestados que eu subia sempre tão triste, exalavam um cheiro de verniz que de certa forma absorvera e fixara esse tipo particular de mágoa que eu voltava a sentir todas as noites e que a fazia talvez mais cruel agora, porque, sob esse aspecto olfativo, a minha inteligência não mais podia tomar parte nela. Quando dormimos e uma dor de dentes ainda só nos é perceptível como uma moça que nos esforçamos duzentas vezes seguidas por tirar da água ou como um verso de Molière que repetimos sem parar, é um grande alívio acordarmos e que nossa inteligência possa desembaraçar a idéia da dor de dentes de qualquer disfarce heróico ou cadenciado. O inverso desse alívio era o que eu sentia quando o desgosto de subir para o quarto me penetrava de modo infinitamente mais rápido, quase instantâneo, a um tempo insidioso e brusco, por meio da inalação – muito mais tóxica que a penetração moral – do odor do verniz característico dessa escada. Uma vez no quarto, era preciso fechar todas as saídas, trancar os postigos, cavar o meu próprio túmulo enquanto desfazia as cobertas, vestir o sudário da minha camisola de dormir. Mas antes de me sepultar no leito de ferro que haviam ajuntado ao quarto, pois eu sentia muito calor no verão sob as cortinas de *reps* do leito grande, tive um momento de revolta, e resolvi tentar um ardil de condenado. Escrevi a minha mãe, rogando que fosse até meu quarto para um caso grave que não podia dizer na carta. Meu medo era que Françoise, a cozinheira de minha tia que estava encarregada de cuidar de mim quando eu estava em Combray, se recusasse a entregar minhas palavras. Suspeitava que, para ela, dar um recado a minha mãe quando havia gente de fora, lhe parecesse tão impossível como para o porteiro de um teatro enviar uma carta a um ator enquanto ele está em cena. Para julgar as coisas que se devem ou não fazer, ela possuía um código imperioso, abundante, sutil e intransigente, com distinções imperceptíveis ou ociosas (o que lhe dava o aspecto dessas leis antigas que, ao lado das prescrições ferozes como massacrar as crianças ao peito das mães, proíbem, com uma delicadeza exagerada, que se cozinhe o cabrito no leite da própria mãe ou que se coma o tendão de um animal). Esse código, a julgar pela súbita obstinação com que ela se negava a cumprir certas tarefas que lhe dávamos, parecia ter previsto complexidades sociais e refinamentos mundanos de tal espécie que nada no ambiente e na sua vida de doméstica da aldeia teria podido lhe sugerir; e era-se obrigado a confessar que existia nela um passado francês muito antigo, nobre e malcompreendido, como em algumas dessas cidades manufatureiras onde velhos palácios testemunham que teria havido outrora uma vida de corte, e onde os operários de uma fábrica de produtos químicos trabalham em meio a delicadas esculturas que representam o milagre de São Teófilo ou os quatro jovens Aymon. No meu caso particular, o artigo do código que fazia pouco provável que, salvo em caso de incêndio, Françoise fosse incomodar mamãe na presença do Sr. Swann devido a uma pessoa tão pouco importante como eu, exprimia apenas o respeito que ela professava não só pelos pais – como pelos mortos, os padres e os reis – mas também pelo estranho ao qual se dava hospitalidade, respeito que teria me emocionado em um livro, mas que sempre me irritava em sua boca, devido ao tom grave e enternecido que ela assumia para se referir a isto, e mais ainda naquela noite em que o caráter sagrado que ela atribuía ao jantar concorreria para que se negasse a perturbar a cerimônia. Mas, para ter uma probabilidade a meu favor, não hesitei em mentir e dizer que não era a mim que me ocorrera escrever a mamãe, e sim fora mamãe que me recomendara, quando nos separamos, que não esquecesse de lhe mandar uma resposta relativamente a um objeto que me pedira que procurasse; e ela certamente ficaria bastante aborrecida se não lhe enviasse um bilhete. Acho que Françoise não acreditou no que lhe disse, pois, como os homens primitivos cujos sentidos eram mais penetrantes que os nossos, percebia de imediato, por sinais imperceptíveis para nós, toda a verdade que procurávamos lhe esconder; durante uns cinco minutos, ela encarou o envelope, como se a análise do papel e o aspecto da escrita fossem elucidá-la quanto à natureza do conteúdo ou lhe informar a que artigo de seu código deveria se referir. Depois saiu com um ar resignado que parecia indicar: "É uma desgraça para os pais terem um filho desses!" Após um breve momento voltou para me dizer que ainda estavam tomando sorvetes e que era impossível ao mordomo entregar o bilhete agora, diante de todos; mas quando estivessem no lavabo, iria entregá-lo a mamãe. Logo diminuiu a minha ansiedade; já não era mais como há pouco, quando havia me separado de mamãe até o dia seguinte, visto que o bilhete, que decerto a deixaria zangada (e duplamente, porque essa manobra me faria ridículo aos olhos de Swann), pelo menos ia me fazer entrar, invisível e deslumbrado, na mesma peça em que ela se achava, ia falar-lhe de mim ao ouvido; visto que essa sala de jantar, proibida e hostil, onde, há um momento apenas, o próprio sorvete – o *granité* – e os lavabos me pareciam encobrir prazeres malignos e mortalmente tristes porque mamãe os experimentava longe de mim, abria-se agora para mim e, como um fruto maduro que rompe sua casca, faria jorrar, expandindo até o meu coração inebriado a atenção de mamãe, enquanto ela lesse as minhas palavras. Agora já não me sentia mais separado dela; as barreiras haviam caído, um fio delicado nos reunia. E depois, aquilo não era tudo: sem dúvida, mamãe iria subir!

A angústia que eu acabara de sentir, julgava que fosse motivo de zombaria para Swann se ele tivesse lido o meu bilhete e adivinhado o seu objetivo; ora, pelo contrário, como soube mais tarde, uma angústia semelhante foi o martírio de longos anos de sua vida, e ninguém melhor do que ele talvez pudesse compreendê-la: essa angústia que há em sentir o ser que se ama em um lugar de festa onde a gente não está, onde não é possível ir vê-lo, foi o amor que a fez conhecer, o amor ao qual ela está de certo modo predestinada, e que ele acaba por monopolizar e singularizar. Mas quando, como no meu caso, essa angústia nos invade antes de o amor ter feito sua aparição na nossa vida, ela fica flutuando a esperá-lo, vaga e livre, sem atribuição determinada, um dia a serviço de um sentimento, no dia seguinte de outro, ora a cargo da ternura filial, ora à disposição da amizade por um companheiro. E a alegria com que fiz o meu primeiro aprendizado, quando Françoise voltou para dizer que meu bilhete seria entregue, Swann também a conhecera muito, essa alegria enganadora que nos dá algum amigo, algum parente da mulher que amamos, quando, ao chegar à casa ou ao teatro em que ela está, para um baile, uma festa ou uma estréia, onde vai encontrá-la, esse amigo nos vê a vaguear do lado de fora, esperando desesperadamente uma ocasião para se comunicar com ela. Ele nos reconhece, aborda-nos com familiaridade, pergunta o que fazemos ali. E como inventamos ter algo urgente para dizer à sua parenta ou amiga, ele nos assegura que nada é mais simples, faz-nos entrar no vestíbulo e nos promete que em cinco minutos irá mandá-la ao nosso encontro. E como amamos – da mesma forma que, naquele momento, eu amava Françoise – esse intermediário bem intencionado que, com uma palavra, nos faz suportável, humana e quase propícia a festa inconcebível, infernal, em cujo seio julgamos que turbilhões inimigos, perversos e deliciosos arrastam para longe de nós, fazendo rir de nós aquela a quem amamos. A julgar por ele, o parente que nos abordou e que é, também ele, um dos iniciados nos cruéis mistérios, os outros convidados da festa nada devem ter de muito demoníaco. Essas horas inacessíveis e suplicantes em que ela ia desfrutar prazeres desconhecidos, eis que, por uma abertura inesperada, nelas penetramos; eis que um dos momentos cuja sucessão as teria composto, um momento tão real como os outros, talvez mesmo mais importante para nós, pois a nossa amada tem maior participação nele, nós o percebemos agora, possuímo-lo, intervimos nele e é quase como se o tivéssemos criado: o momento em que alguém vai lhe dizer que estamos ali, embaixo. E é claro que os outros momentos da festa não deveriam ser de uma essência muito diversa dele, não deveriam ter nada mais delicioso e que tanto nos fizesse sofrer, visto que o amigo benévolo nos disse: "Mas ela ficará encantada em descer! Vai sentir muito mais prazer em conversar aqui com você do que em se aborrecer lá em cima." Infelizmente, e Swann tivera a experiência disso, as boas intenções de um terceiro não têm poder algum sobre uma mulher que se irrita por se sentir perseguida até numa festa por alguém que ela já não ama. Com freqüência, o amigo desce sozinho.

Minha mãe não subiu e, sem qualquer consideração para com o meu amor-próprio (empenhado em que não se desmentisse a história de que ela estaria esperando uma resposta de minha parte a respeito de um pedido seu), mandou-me dizer por Françoise as seguintes palavras: "Não há resposta", que muito mais tarde ouvi tantas vezes os porteiros dos *palácios* ou os empregados de clubes dizerem a alguma pobre moça que se surpreende: "Como, não disse nada, mas isso é impossível! Mas então o senhor não lhe entregou a minha carta. Está bem, vou esperar um pouco mais." E – assim como ela afirma invariavelmente não ter necessidade da luz suplementar que o porteiro deseja acender para ela, e fica ali, ouvindo apenas as raras frases sobre o tempo trocadas entre o porteiro e um criado, a quem o primeiro, ao se dar conta da hora, manda de repente pôr no gelo a bebida de um freguês – assim, eu, tendo recusado a oferta de Françoise de me fazer um chá ou de ficar comigo no quarto, deixei-a voltar para a copa, deitei-me e fechei os olhos, tentando não ouvir a voz de meus pais que tomavam café no jardim. Mas, passados alguns segundos, senti que, escrevendo o bilhete à mamãe, achegando-me com o risco de aborrecê-la, tão pertinho que já pensava atingir o instante de revê-la, perdera toda a possibilidade de dormir sem a ter revisto, e as batidas do meu coração se tornavam de minuto a minuto mais dolorosas, porque eu aumentava a minha própria inquietação impondo-me uma calma que era a aceitação do meu infortúnio. De repente, diminuiu a minha ansiedade, uma felicidade me possuiu como quando um medicamento poderoso principia a agir e nos tira uma dor: eu acabava de tomar a resolução de não mais tentar dormir sem ter visto mamãe de novo, de beijá-la custasse o que custasse, quando ela subisse para se deitar, mesmo sabendo com certeza que ficaríamos brigados por muito tempo. A tranqüilidade resultante das minhas angústias findas me dava uma extraordinária alegria, não menos que a espera, a sede e o medo do perigo. Abri a janela sem ruído e sentei-me aos pés da cama; não fazia quase nenhum movimento para que não me ouvissem lá embaixo. Fora, as coisas, elas também, pareciam fixas numa atenção muda para não perturbar a luz da lua, que, duplicando e recuando os objetos por lhes estender à frente a sua sombra respectiva, mais densa e concreta que eles próprios, ampliava e diminuía a paisagem ao mesmo tempo, como um planisfério que se desdobrasse. O que tinha de se mover, algumas folhas do castanheiro, movia-se. Mas o seu fremir minucioso, total, executado até nos menores detalhes e nas extremas delicadezas, não se espalhava sobre o resto, nem se fundia com ele, permanecendo circunscrito. Expostos àquele silêncio que não absorvia nada, os rumores mais distantes, os que deviam vir dos jardins situados na outra extremidade da vila, se percebiam em tal "acabamento" que pareciam dever esse efeito de distância apenas ao seu pianíssimo, como esses motivos em surdina tão bem executados pela orquestra do Conservatório que, embora não lhes percamos uma só nota, julgamos entretanto ouvi-los longe da sala de concerto, e todos os velhos sócios – as irmãs de minha avó também, quando Swann lhes cedia as suas entradas – aguçavam o ouvido, como se escutassem o longínquo avanço de um exército em marcha que ainda não tivesse dobrado a esquina da rua de Trévise.

Sabia que o caso em que me metia era, de todos, o que me poderia trazer, da parte de meus pais, as conseqüências mais graves, na verdade bem mais graves do que poderia supor um estranho, conseqüências que ele só poderia admitir fossem causadas por faltas verdadeiramente vergonhosas. Porém, na educação que recebia, a ordem das faltas não era a mesma da educação das outras crianças e tinham-me habituado a colocar acima de todas as outras (pois sem dúvida não havia outras de que eu tivesse necessidade de ser tão cuidadosamente preservado) aquelas cuja natureza comum consistia, como agora o compreendo, em nelas incorrer devido a um acesso de nervos. Mas então não pronunciavam tal expressão, não confessavam essa origem que poderia me levar a crer que eu era desculpável por ceder a tais acessos ou até ser, talvez, incapaz de lhes resistir. Mas essas faltas, eu bem as reconhecia pela angústia que as precedia como pelo rigor do castigo que acarretavam; e sabia que essa falta que acabara de cometer, ainda que infinitamente mais grave, pertencia à mesma família das outras pelas quais eu fora severamente punido. Quando me colocasse no caminho de minha mãe, no momento em que ela subisse para ir se deitar, e ela visse que eu ficara de pé para tornar a lhe dar boa-noite no corredor, não me deixariam mais permanecer na casa; mandar-me-iam para o colégio no dia seguinte, com certeza. Pois bem! mesmo que tivesse de me jogar pela janela cinco minutos depois, ainda assim isso era preferível. O que eu queria agora era mamãe, era dar-lhe boa-noite, já fora longe demais no caminho que me levava à realização desse desejo para poder voltar atrás.

Ouvi os passos de meus pais que acompanhavam Swann; e, quando a sineta do portão me fez ver que ele acabara de partir, fui para a janela. Mamãe perguntava a meu pai se gostara da lagosta e se o Sr. Swann havia repetido o sorvete de café e o de pistache. “Não o achei grande coisa”, disse mamãe, “creio que da próxima vez será preciso experimentar outra essência.” – “Nem imagina como Swann mudou”, acrescentou minha tia-avó, “parece um velho!” A tia-avó de tal maneira se habituara em ver sempre em Swann o mesmo adolescente, que se espantava por encontrá-lo de repente menos jovem do que a idade que lhe atribuía. E de resto, meus pais começavam a lhe achar aquela velhice anormal, excessiva, vergonhosa e merecida dos solteirões, de todos aqueles para quem parece que o grande dia que não tem amanhã há de ser mais longo que para os outros, pois para eles está vazio e os momentos vão se somando desde a manhã sem dividir-se depois entre os filhos. “Acho que tem preocupações de sobra com a libertina da mulher, que vive em Combray, como todos sabem, com um tal de Sr. de Charlus. É o assunto da cidade.” Minha mãe observou que, no entanto, fazia algum tempo que Swann parecia bem menos triste. “E já não faz tantas vezes aquele gesto do pai de esfregar os olhos e passar a mão pela testa. Acho que, no fundo, já não ama aquela mulher.” – “Mas é claro que já não ama”, concordou meu avô. “Recebi dele, faz algum tempo, uma carta a esse respeito, que de modo algum me convenceu, e que não deixa qualquer dúvida sobre os seus sentimentos, pelo menos quanto ao amor, quanto àquela mulher. Muito bem! Vejam", acrescentou voltando-se para as cunhadas, "vocês se esqueceram de lhe agradecer o vinho". – "Como é que não agradecemos? Aqui entre nós, acho que fui até bem delicada", respondeu minha tia Flora. – "Sim, você soube arranjar muito bem as coisas; cheguei a admirá-la", disse minha tia Céline. – "Mas você também se saiu muito bem." – "É verdade; fiquei satisfeita com minha frase sobre os vizinhos amáveis." – "Como, é a isso que chamam agradecer?", exclamou meu avô. "Bem que ouvi aquilo, mas o diabo me leve se percebi que se dirigia a Swann. Podem estar certas de que ele não entendeu nada." – "Que nada! Swann não é nenhum bobo, tenho certeza de que ele soube apreciar. É claro que eu não podia lhe falar do número das garrafas e do preço do vinho!" Meu pai e minha mãe ficaram sós, e sentaram-se um instante. Depois meu pai disse: "Bem, se quiser, vamos nos deitar." – "Se quiser, meu bom amigo, embora eu não tenha o menor sono; creio que não foi por causa desse inofensivo sorvete de café que estou tão desperta. Mas vejo luz na copa e, já que a pobre Françoise me esperou, vou lhe pedir para desamarrar o espartilho, enquanto você se despe." E minha mãe abriu a porta gradeada do vestíbulo que dava para a escada. Logo depois, ouvi que subia para fechar a janela. Fui sem barulho pelo corredor; meu coração batia tão forte que eu mal podia avançar, mas pelo menos já não batia de ansiedade, mas de terror e de alegria. No vão da escada, vi a luz projetada pela vela de mamãe. Depois, vi a ela própria; atirei-me ao seu encontro. No primeiro instante ela me olhou com espanto, não percebendo o que se passava. Logo, o seu rosto assumiu uma expressão de cólera; não me dizia uma só palavra e, com efeito, por muito menos já tinham deixado de falar comigo durante vários dias. Se mamãe me tivesse dito uma palavra, seria admitir que poderiam voltar a falar-me e, aliás, isso talvez parecesse ainda mais terrível, como um sinal que, diante da gravidade do castigo que se preparava, o silêncio e a zanga fossem pueris. Uma palavra teria significado a calma com que se responde ao criado quando se está resolvido a mandá-lo embora; ou o beijo que se dá a um filho ao mandá-lo para um quartel e que seria negado se tudo não passasse de uma briga de dois dias. Mas ela ouviu meu pai que subia do quartinho de vestir, onde fora tirar a roupa, e, para evitar a cena que ele me faria, me disse com a voz entrecortada de raiva: "Anda, anda, que pelo menos teu pai não te veja aqui esperando como um idiota!" Mas eu lhe repetia: "Vem me dar boa-noite", horrorizado ao ver que o reflexo da vela de meu pai já se erguia na parede, mas ainda usando a sua aproximação como forma de chantagear minha mãe, na esperança de que ela, para evitar que meu pai me encontrasse ainda ali se insistisse na sua recusa, afinal me dissesse: "Volta para o teu quarto; eu vou para lá." Era tarde demais, meu pai estava diante de nós. Sem querer, murmurei estas palavras que ninguém ouviu: "Estou perdido!"

Mas não foi assim. Meu pai constantemente recusava-me vantagens que me haviam sido concedidas nos pactos mais generosos estabelecidos por minha mãe e minha avó, porque não se preocupava com "princípios" e para ele não havia "direito das gentes". Por um motivo eventual, ou até sem motivo, suprimia-me, no último instante, um passeio tão habitual, tão consagrado, que dele não seria possível privarem-me sem perjúrio, ou então, como o fizera ainda aquela noite, muito tempo antes da hora ritual, me dizia: "Vamos, sobe para te deitar, e nada de desculpas!" Mas exatamente por não ter princípios (no sentido de minha avó), não lhe era também possível atribuir intransigência. Olhou-me por um instante com ar entre espantado e furioso, e, depois que mamãe, com algumas palavras embaraçadas, lhe explicou o que ocorrera, ele disse: "Mas então vai com ele; já que justamente estavas dizendo que não tinhas sono, fica um pouco no quarto dele; quanto a mim, não preciso de nada." – "Mas, meu amigo", respondeu minha mãe com timidez, "que eu tenha sono ou não, não muda a situação, não podemos habituar essa criança..." – "Mas não se trata de habituar", disse meu pai dando de ombros, "bem vês que o menino está aflito, tem um ar desolado essa criança; vamos, nós não somos carrascos! Se ele adoecer por tua causa, muito trabalho vais ter! Já que há duas camas no quarto, vai dizer a Françoise para te preparar a cama grande e deita esta noite junto dele. Vamos, boa-noite, eu que não sou tão nervoso como vocês, vou me deitar."

Não seria possível agradecer a meu pai; teria ficado aborrecido com o que chamava de pieguices. Não ousei fazer um movimento; ele ainda estava diante de nós, grande, em seu roupão de dormir de cor branca e a manta roxa e rosada de caxemira da Índia, com que enrolava a cabeça desde que sofria de nevralgias, na mesma atitude com que Abraão, segundo a gravura de Benozzo Gozzoli que o Sr. Swann me dera, dizia a Sara que era preciso se separar de Isaac. Faz muitos anos que isso aconteceu. A parede da escada, onde vi subir o reflexo de sua vela, há muito já não existe. Em mim, tantas coisas foram destruídas, coisas que eu julgava fossem durar para sempre, e se construíram novas, dando origem a penas e alegrias novas que eu não teria podido prever então, assim como as antigas se tornaram difíceis de compreender. Também há muito tempo meu pai deixou de poder dizer a mamãe: "Vai com o menino." A possibilidade de semelhantes horas nunca mais renascerá para mim. Porém, desde algum tempo recomeço a perceber muito bem, se apuro os ouvidos, os soluços que então consegui conter na presença de meu pai, e que só rebentaram quando fiquei a sós com mamãe. Na verdade, eles nunca cessaram; e é somente porque a vida se vai agora emudecendo cada vez mais a meu redor que os ouço de novo, como os sinos do convento que parecem tão silenciosos durante o dia por causa dos barulhos da cidade que os julgamos parados, mas que voltam a soar no silêncio da noite.

Mamãe passou aquela noite no meu quarto; no momento mesmo em que eu acabara de cometer uma falta tamanha que esperava ser obrigado a deixar a casa, meus pais me davam mais do que eu nunca teria podido obter deles como recompensa de uma boa ação. Mesmo na hora em que se manifestava por esse ato de graça, a conduta de meu pai a meu respeito conservava algo de arbitrário e desmerecedor que a caracterizava, e que decorria em geral de que sua atitude resultava antes de convenções fortuitas do que de um plano premeditado. Talvez até o que eu chamava de sua severidade, quando mandava que me deitasse, merecesse menos este nome que a de minha mãe ou de minha avó, pois a natureza de meu pai, diferente ainda mais da minha, em certos aspectos, do que a delas, provavelmente não adivinhava até então o quanto eu me sentia infeliz todas as noites, o que a minha mãe e a minha avó sabiam muito bem; mas elas me amavam o bastante para não consentir que me poupassem o sofrimento, pois desejavam que eu aprendesse a dominá-lo a fim de diminuir a minha sensibilidade nervosa e fortalecer minha vontade. Quanto a meu pai, cuja afeição por mim era de outra espécie, não sei se teria tido essa coragem: uma vez que compreendera que eu estava sofrendo, dissera a minha mãe: "Vai consolá-lo." Mamãe ficou aquela noite no meu quarto e, como para não estragar com nenhum remorso aquelas horas tão diferentes do que eu tinha tido o direito de esperar, quando Françoise, compreendendo que estava se passando algo extraordinário ao ver mamãe sentada junto a mim, estendendo-me a mão e deixando-me chorar sem ralhar, lhe perguntou: "Mas senhora, que tem o patrãozinho para chorar assim?" – mamãe lhe respondeu: "Nem mesmo ele sabe, Françoise, está nervoso; arrume depressa a cama grande e vá se deitar." Assim, pela primeira vez, minha tristeza não era considerada uma falta digna de castigo e sim um mal involuntário que se acabava de reconhecer oficialmente, como um estado nervoso pelo qual eu não era responsável; sentia o alívio de não ter mais de misturar escrúpulos à amargura das minhas lágrimas, podia chorar sem pecado. Meu orgulho também não era pequeno diante de Françoise, por aquela transformação das coisas humanas, tanto que, uma hora depois que mamãe se havia recusado a subir para o meu quarto, dando-me uma resposta desdenhosa, dizendo que eu deveria dormir, erguia-me à dignidade de grande personagem e fazia-me alcançar de súbito uma espécie de puberdade do desgosto, de emancipação das lágrimas. Deveria sentir-me feliz – e não era. Tinha a impressão de que minha mãe acabava de me fazer uma primeira concessão que lhe devia ser dolorosa, que aquilo era uma primeira abdicação, de sua parte, diante do ideal que concebera para mim, e que, pela primeira vez, ela, tão corajosa, se confessava derrotada. Parecia-me que, se eu acabava de obter uma vitória, era contra ela, pois conseguira quebrar sua vontade, dominar-lhe a razão, como o teriam feito a doença, os desgostos ou a idade; e que aquela noite principiava uma nova era, ficaria marcada como uma triste data. Se então eu tivesse ousado, teria dito a mamãe: "Não, não quero, não durma aqui." Mas eu conhecia aquela sabedoria prática, realista como se diria hoje, que, nela, matizava a natureza ardentemente idealista de minha avó, e sabia que, agora que o mal estava feito, ela preferia ao menos deixar-me desfrutar o prazer calmante dela, a incomodar meu pai.

Com certeza, o belo rosto de minha mãe ainda esplendia de juventude nessa noite em que me estendia as mãos com tanta doçura, procurando estancar minhas lágrimas; porém parecia-me justamente que não deveria ser assim, que sua cólera me seria menos triste do que essa nova doçura que minha infância não havia conhecido; parecia-me que acabava, com mão ímpia e secreta, de traçar em sua alma uma primeira ruga e de lhe fazer aparecer o primeiro cabelo branco. Tal idéia redobrou meus soluços e então vi mamãe, que nunca se deixava levar a excessos de sentimentos comigo, dominada de repente pela minha emoção, tentar deter sua vontade de chorar. Como sentisse que eu o havia percebido, disse-me rindo: "Olha só o meu canarinho, que vai fazer sua mamãe tão boba como ele, por pouco que isto continue. Vamos, já que não tens sono, nem tampouco a tua mamãe, não vamos nos enervar, vamos fazer alguma coisa, pegar um dos teus livros." Mas eu não tinha nenhum ali. "Será que ficarias menos contente se eu te mostrasse agora os livros que a vovó deve te dar no aniversário? Pensa bem: não vais ficar desapontado de não ganhares nada depois de amanhã?" Ao contrário, eu estava encantado e mamãe foi buscar um pacote de livros, dos quais só pude adivinhar, através do papel que os envolvia, o formato oblongo, mas que, sob esse primeiro aspecto, embora sumário e velado, já eclipsavam a caixa de tintas do Ano-Novo e os bichos-da-seda do ano anterior. Eram *La Mare au Diable, François le Champi, La petite Fadette* e *Les Maîtres Sonneurs*. Minha avó, como soube mais tarde, escolhera a princípio as poesias de Musset, um volume de Rousseau e *Indiana*; pois, se julgava as leituras fúteis tão prejudiciais como os bombons e os pastéis, não achava que os grandes sopros do gênio tivessem sobre o espírito, mesmo o de uma criança, uma influência mais perigosa e menos vivificadora que, sobre o seu corpo, o ar livre e o vento do alto-mar. Porém como meu pai quase a tivesse tratado de louca, ao saber que livros ela pretendia me dar, ela voltou pessoalmente à livraria de Jouy-le-Vicomte para que eu não corresse o risco de ficar sem presente (era um dia escaldante, ela passara tão mal que o médico advertiu minha mãe de que não deveria deixá-la cansar-se daquele modo) e se lançara aos quatro romances campestres de George Sand. "Minha filha", dizia ela a mamãe, "eu não podia me decidir a dar a esse menino algo que fosse mal escrito."

Na realidade, nunca se resignava a comprar nada do qual não pudesse tirar proveito intelectual e sobretudo o que nos proporcionam as coisas belas, ensinando-nos a buscar o nosso prazer em outro ponto que não nas satisfações do bem-estar e da vaidade. Mesmo quando precisava dar a alguém um presente chamado útil, quando tinha de dar uma poltrona, um serviço de mesa, uma bengala, ela procurava os "antigos", como se, tendo o seu longo desuso apagado todo o caráter de utilidade, eles parecessem antes dispostos a contar-nos a vida dos homens de antigamente do que a servir às necessidades da nossa. Gostaria que eu tivesse no quarto fotografias de monumentos ou das paisagens mais belas. Mas no momento de efetuar a compra, e embora a coisa reproduzida tivesse um valor estético, ela achava que a vulgaridade e a utilidade retomariam logo o seu posto pelo processo mecânico da reprodução, a fotografia. Tentava empregar uma artimanha: senão eliminar de todo a banalidade comercial, ao menos reduzi-la, substituí-la o máximo possível pelo que ainda fosse arte, de introduzir-lhe como que várias "espessuras" de arte: em vez de fotografias da catedral de Chartres, das cascatas de Saint-Cloud, do Vesúvio, informava-se com Swann para saber se algum grande pintor as teria representado, e preferia me dar fotografias da catedral de Chartres por Corot, das cascatas de Saint-Cloud por Hubert Robert, do Vesúvio por Turner, o que era um grau a mais de arte. Mas se o fotógrafo era desse modo eliminado da representação do monumento ou da paisagem, substituído por um grande artista, recuperava no entanto os seus direitos ao reproduzir essa mesma interpretação. Tendo chegado ao último degrau da vulgaridade, ainda assim minha avó tratava de fazê-lo recuar mais. Perguntava a Swann se a obra não fora gravada, preferindo, sempre que possível, gravuras antigas e que tivessem um interesse fora de si mesmas – por exemplo, as que representam uma obra-prima em um estado em que não mais podemos vê-la hoje (como a gravura da *Ceia*, de Leonardo, antes da sua degradação, por Morghen). É necessário dizer que os resultados dessa forma de compreender a arte de fazer um presente nem sempre foram muito brilhantes. A idéia que fiz de Veneza, de acordo com um desenho de Ticiano que tinha por fundo uma laguna, era certamente bem menos exata que a que me teriam dado simples fotografias. Já era impossível fazer o cálculo, quando minha tia-avó desejava estabelecer um requisitório contra minha avó, das poltronas por ela oferecidas a um jovem casal ou a velhos esposos, e que, à primeira tentativa feita para se servirem delas, desabavam logo ao peso de um dos destinatários. Mas minha avó teria julgado uma mesquinharia o preocupar-se com a solidez de um móvel onde ainda se viam uma flor, um sorriso, às vezes uma bela imaginação do passado. Até aquilo que nos móveis correspondia a uma necessidade, como se apresentasse de uma forma a que não estávamos habituados, encantava-a como os velhos modos de dizer em que vemos uma metáfora, apagada, em nossa linguagem atual, pelo desgaste do hábito. Ora, exatamente do mesmo jeito, os romances campestres de George Sand, que ela me dava como presente de aniversário, eram bem um mobiliário antigo, cheios de expressões caídas em desuso e convertidas em imagens que só encontramos no campo. E minha avó os havia comprado de preferência a outros, da mesma maneira como teria alugado, com mais gosto, uma propriedade onde houvesse um pombal gótico ou qualquer daqueles velhos objetos que exercem sobre o espírito uma influência benéfica, dando-lhe a nostalgia de impossíveis viagens no tempo.

Minha mãe sentou-se junto da minha cama; pegara *François le Champi*, cuja capa avermelhada e título incompreensível lhe davam, para mim, uma personalidade distinta e uma atração misteriosa. Nunca havia lido romances de verdade.

Ouvira dizer que George Sand era o tipo do romancista. Isto já me predispunha a imaginar, em *François le Champi*, algo de indefinível e delicioso. Os processos de narração destinados a excitar a minha curiosidade ou o enternecimento, certas maneiras de dizer que despertam a inquietude e a melancolia, e que o leitor de pouca instrução reconhece como comuns a muitos romances, pareciam-me simplesmente – a mim, que considerava um livro novo não uma coisa que tivesse muitos semelhantes, mas uma personalidade única, que só em si possuísse motivo de existência – uma emanação perturbadora da essência própria de *François le Champi*. Por sob esses acontecimentos tão corriqueiros, essas coisas tão comuns, eu sentia uma como que entonação, uma acentuação estranha. A ação se desenrolou; e me pareceu tanto mais obscura, visto que, naquele tempo, quando eu lia, devaneava muitas vezes, durante páginas inteiras, com o pensamento perdido em outra coisa. E às lacunas que essa distração deixava na narrativa, se acrescentava, quando era mamãe quem me lia em voz alta, o fato de que ela pulava todas as cenas de amor. Assim, todas as mudanças esquisitas que se operavam na atitude respectiva da moleira e do menino, e que têm sua explicação unicamente nos progressos de um amor nascente, pareciam-me impregnadas de um mistério profundo, cuja origem eu imaginava estar nesse nome desconhecido, e tão doce, de "Champi", nome que atribuía, ao menino que o usava, e sem saber por que, sua cor viva, purpurina e encantadora. Se minha mãe era uma leitora infiel, era contudo, quanto às obras onde encontrava o tom de um sentimento verdadeiro, uma leitora admirável pelo respeito e a simplicidade da interpretação, pela beleza e a brandura do tom. Mesmo na vida, quando eram pessoas, e não obras de arte que lhe despertavam desse modo a admiração e a ternura, era tocante ver com que deferência ela afastava da voz, do gesto, das frases, um assomo de alegria que pudesse fazer mal à mãe que tinha outrora perdido um filho, toda referência a festa, a aniversário, que pudesse lembrar a um velho a sua idade avançada, todo assunto caseiro que pudesse ser aborrecido a um jovem sábio. Da mesma maneira, quando lia a prosa de George Sand, que respira sempre essa bondade, essa distinção moral que mamãe aprendera com minha avó a considerar como superiores a tudo o mais, e que só muito mais tarde eu deveria ensinar-lhe a não julgar também como superiores a tudo nos livros, atenta em banir da voz toda trivialidade, toda afetação que pudesse impedir o avanço daquela onda poderosa, ela dava toda a ternura natural, toda a ampla suavidade que exigiam, às frases que pareciam ter sido escritas para a sua voz e que, por assim dizer, cabiam por inteiro no registro de sua sensibilidade. Para feri-las no tom adequado, ela encontrava o acento cordial que lhes preexiste e as ditou, mas que as palavras não indicam; graças a esse acento, abrandava de passagem toda a crueza dos tempos verbais, dava ao imperfeito e ao pretérito perfeito a doçura que existe na bondade, a melancolia que há na ternura, dirigia a frase que ia terminando para aquela que ia começar, ora acelerando, ora retardando a marcha das sílabas a fim de fazê-las entrar, conquanto fossem diversas as suas quantidades, em um ritmo uniforme, insuflando a essa prosa tão comum uma espécie de vida sentimental e continuada.

Meus remorsos já estavam acalmados, e eu me abandonava à doçura daquela noite em que tinha mamãe junto de mim. Sabia que uma noite dessas não podia ser renovada; que o meu maior desejo no mundo, ter mamãe no quarto durante essas tristes horas noturnas, era por demais contrário às necessidades da vida e ao sentimento de todos, para que a realização que lhe fora dada essa noite não fosse mais que uma coisa fictícia e excepcional. Amanhã voltariam minhas angústias e mamãe não ficaria comigo. Mas quando essas angústias estavam tranqüilizadas, eu não as compreendia mais; além disso, a noite seguinte ainda era algo remoto. Eu dizia comigo que teria tempo de refletir, embora esse tempo não me trouxesse nenhum poder a mais, pois se tratava de coisas independentes da minha vontade e que somente o intervalo que as separava ainda de mim parecia tornar mais evitáveis.

* * *

Assim é que, durante muito tempo, quando, desperto de noite, me recordava de Combray, nunca pude rever mais que essa espécie de traço luminoso, recortado em meio a trevas indistintas, parecido com os que o acender de um fogo de artifício, ou qualquer projeção elétrica, iluminam e seccionam em um prédio cujas outras partes permanecem mergulhadas na noite: na base, bem larga, o pequeno salão, a sala de jantar, o trecho da aléia escura por onde chegaria o Sr. Swann, causador inconsciente de minhas tristezas, o vestíbulo de onde eu seguia para o primeiro degrau da escada, tão cruel de subir, que formava, sozinho, o tronco bem estreito daquela pirâmide irregular; e, no topo, meu quarto de dormir com o pequeno corredor de porta envidraçada para a entrada de mamãe; numa palavra, sempre visto à mesma hora, isolado de tudo o que podia haver em volta, destacando-se sozinho no escuro, o cenário estritamente necessário (como os que se vêem indicados em cima das velhas peças para as representações no interior) ao drama do meu deitar; como se Combray tivesse consistido apenas de dois andares ligados por uma escada estreita, e como se nunca fosse senão sete horas da noite. Para falar a verdade, poderia ter respondido a quem me interrogasse que Combray compreendia outras coisas e que existia em horas diferentes. Mas como o que na época eu lembrasse me seria fornecido exclusivamente pela memória voluntária, a memória da inteligência, e como as informações que ela nos dá sobre o passado nada conservam dele, nunca teria sentido interesse em imaginar o resto de Combray. Tudo aquilo, de fato, estava morto para mim.

Morto para sempre? Era possível.

Há muito de acaso em tudo isto, e um segundo acaso, o de nossa morte, não nos permite muitas vezes esperar por longo tempo os benefícios do primeiro.

Acho bem razoável a crença céltica de que as almas das pessoas que perdemos se mantêm cativas em algum ser inferior, um animal, um vegetal, uma coisa inanimada, e de fato perdidas para nós até o dia, que para muitos não chega jamais, em que ocorre passarmos perto da árvore, ou entrarmos na posse do objeto que é sua prisão. Então elas palpitam, nos chamam, e tão logo as tenhamos reconhecido o encanto se quebra. Libertas por nós, elas venceram a morte e voltam a viver conosco.

O mesmo se dá com o nosso passado. É trabalho baldado procurar evocá-lo, todos os esforços de nossa inteligência serão inúteis. Está escondido, fora de seu domínio e de seu alcance, em algum objeto material (na sensação que esse objeto material nos daria), que estamos longe de suspeitar. Tal objeto depende apenas do acaso que o reencontremos antes de morrer, ou que o não encontremos jamais.

Fazia já muitos anos que, de Combray, tudo que não fosse o teatro e o drama do meu deitar não existia mais para mim, quando num dia de inverno, chegando eu em casa, minha mãe, vendo-me com frio, propôs que tomasse, contra meus hábitos, um pouco de chá. A princípio recusei e, nem sei bem por que, acabei aceitando. Ela então mandou buscar um desses biscoitos curtos e rechonchudos chamados *madeleines*, que parecem ter sido moldados na valva estriada de uma concha de São Tiago. E logo, maquinalmente, acabrunhado pelo dia tristonho e a perspectiva de um dia seguinte igualmente sombrio, levei à boca uma colherada de chá onde deixara amolecer um pedaço da *madeleine*. Mas no mesmo instante em que esse gole, misturado com os farelos do biscoito, tocou meu paladar, estremeci, atento ao que se passava de extraordinário em mim. Invadira-me um prazer delicioso, isolado, sem a noção de sua causa. Rapidamente se me tornaram indiferentes as vicissitudes da minha vida, inofensivos os seus desastres, ilusória a sua brevidade, da mesma forma como opera o amor, enchendo-me de uma essência preciosa; ou antes, essa essência não estava em mim, ela era eu. Já não me sentia medíocre, contingente, mortal. De onde poderia ter vindo essa alegria poderosa? Sentia que estava ligada ao gosto do chá e do biscoito, mas ultrapassava-o infinitivamente, não deveria ser da mesma espécie. De onde vinha? Que significaria? Onde apreendê-la? Bebi um segundo gole no qual não achei nada além do que no primeiro, um terceiro que me trouxe um tanto menos que o segundo. É tempo de parar, o dom da bebida parece diminuir. É claro que a verdade que busco não está nela, mas em mim. Ela a despertou mas não a conhece, podendo só repetir indefinidamente, cada vez com menos força, o mesmo testemunho que não sei interpretar e que desejo ao menos poder lhe pedir novamente e reencontrar intacto, à minha disposição, daqui a pouco, para um esclarecimento decisivo. Deponho a xícara e me dirijo ao meu espírito. Cabe a ele encontrar a verdade. Mas de que modo? Incerteza grave, todas as vezes em que o espírito se sente ultrapassado por si mesmo; quando ele, o pesquisador, é ao mesmo tempo a região obscura que deve pesquisar e onde toda a sua bagagem não lhe servirá para nada. Procurar? Não apenas: criar. Está diante de algo que ainda não existe e que só ele pode tornar real, e depois fazer entrar na sua luz.

E recomeço a me perguntar o que poderia ser esse estado desconhecido, que não apresentava nenhuma prova lógica, e sim a evidência de sua felicidade, de sua realidade, ante a qual as outras se desvaneciam. Quero tentar fazê-lo reaparecer. Pelo pensamento, retrocedo ao instante em que tomei a primeira colherada de chá, e encontro a mesma situação, sem qualquer luz nova. Peço a meu espírito mais um esforço, que me traga ainda uma vez a sensação que escapa. E, para que nada quebre o impulso com que ele vai procurar recuperá-la, afasto todos os obstáculos, toda idéia estranha, protejo meus ouvidos e minha atenção contra os rumores da sala ao lado. Porém, sentindo que o espírito se cansa sem proveito, forço-o, ao contrário, a aceitar a distração que lhe recusava, a pensar em outra coisa, a se refazer antes de uma tentativa suprema. Depois, pela segunda vez, faço o vácuo diante dele, e coloco-o de novo em face do sabor ainda recente daquele primeiro gole, e sinto palpitar em mim algo que se desloca, desejaria elevar-se, algo que teria se soltado a uma grande profundidade; não sei o que é, mas aquilo sobe devagar; experimento a resistência e ouço o rumor das distâncias atravessadas.

Certamente, o que palpita desse modo bem dentro de mim, deve ser a imagem, a lembrança visual, que, ligada a esse sabor, tenta segui-lo até mim. Mas debate-se muito longe, muito confusamente; mal percebo o reflexo neutro em que se confunde o inatingível turbilhão de cores remudadas; e não consigo distinguir a forma, pedir-lhe como ao único intérprete possível, que me traduza o testemunho de sua contemporânea, de sua companheira inseparável, pedir-lhe que me diga de que circunstância particular, de que época do passado se trata.

Será que vai chegar até a superfície de minha clara consciência, essa lembrança, o instante antigo que a atração de um instante idêntico veio de tão longe solicitar, comover, erguer do fundo de mim? Não sei. Agora não sinto mais nada, parou, desceu de novo talvez; quem sabe se nunca mais voltará de sua noite? Dez vezes é preciso que eu recomece, que me debruce para ele. E, a cada vez, a canseira que nos desvia de toda tarefa difícil, de toda obra importante, me aconselhou largar aquilo, beber meu chá pensando apenas nos aborrecimentos de hoje, nos desejos de amanhã, que se deixam remoer sem fadiga.

E de súbito a lembrança me apareceu. Aquele gosto era o do pedacinho de *madeleine* que minha tia Léonie me dava aos domingos pela manhã em Combray (porque nesse dia eu não saía antes da hora da missa), quando ia lhe dar bom-dia no seu quarto, depois de mergulhá-lo em sua infusão de chá ou de tília. A vista do pequeno biscoito não me recordara coisa alguma antes que o tivesse provado; talvez porque, tendo-o visto desde então, sem comer, nas prateleiras das confeitarias, sua imagem havia deixado aqueles dias de Combray para se ligar a outros mais recentes; talvez porque, dessas lembranças abandonadas há tanto fora da memória, nada sobrevivesse, tudo se houvesse desagregado; as formas – e também a da pequena conchinha de confeitaria, tão gordamente sensual sob as suas estrias severas e devotas – tinham sido abolidas, ou, adormentadas, haviam perdido a força de expansão que lhes teria permitido alcançar a consciência. Mas, quando nada subsiste de um passado antigo, depois da morte dos seres, depois da destruição das coisas, sozinhos, mais frágeis porém mais vivazes, mais imateriais, mais persistentes, mais fiéis, o aroma e o sabor permanecem ainda por muito tempo, como almas, chamando-se, ouvindo, esperando, sobre as ruínas de tudo o mais, levando sem se submeterem, sobre suas gotículas quase impalpáveis, o imenso edifício das recordações.

E logo que reconheci o gosto do pedaço da *madeleine* mergulhado no chá que me dava minha tia (embora não soubesse ainda e devesse deixar para bem mais tarde a descoberta de por que essa lembrança me fazia tão feliz), logo a velha casa cinzenta que dava para a rua, onde estava o quarto dela, veio como um cenário de teatro se colar ao pequeno pavilhão, que dava para o jardim, construído pela família nos fundos (o lanço truncado que era o único que recordara até então); e com a casa, a cidade, da manhã à noite e em todos os tempos, a praça para onde me mandavam antes do almoço, as ruas aonde eu ia correr, os caminhos por onde se passeava quando fazia bom tempo. E como nesse jogo em que os japoneses se divertem mergulhando numa bacia de porcelana cheia de água pequeninos pedaços de papel até então indistintos que, mal são mergulhados, se estiram, se contorcem, se colorem, se diferenciam, tornando-se flores, casas, pessoas consistentes e reconhecíveis, assim agora todas as flores do nosso jardim e as do parque do Sr. Swann, e as ninféias do Vivonne, e a boa gente da aldeia e suas pequenas residências, e a igreja, e toda Combray e suas redondezas, tudo isso que toma forma e solidez, saiu, cidade e jardins, de minha xícara de chá.

II

Combray, de longe, num raio de dez léguas, vista da estrada de ferro quando aí chegávamos na última semana antes da Páscoa, não passava de uma igreja que resumia a cidade, representando-a, falando dela e por ela às distâncias, e, quando a gente se aproximava, mantinha cerrado em torno de seu alto manto sombrio, em pleno campo, contra o vento, como uma pastora às suas ovelhas, o dorso lanoso e cinzento das casas reunidas que um resto de muralhas da Idade Média cingia cá e lá num traço tão perfeitamente circular como uma cidadezinha num quadro de pintores primitivos. Para morar, Combray era um tanto triste, assim como suas ruas, cujas casas, construídas de pedras escuras da região, precedidas de degraus exteriores, com telhados salientes que faziam sombra, eram tão escuras que, mal começava a cair a tarde, era necessário erguer as cortinas nas "salas"; ruas de nomes graves de santos (dos quais, alguns estavam ligados à história dos primeiros senhores de Combray): rua Saint-Hilaire, rua Saint-Jacques, onde ficava a residência da minha tia, rua Sainte Hildegarde, para onde davam as grades, e rua do Saint-Esprit, para a qual se abria a pequena porta lateral do seu jardim; e essas ruas de Combray existem em uma parte tão recuada de minha memória, adornada de cores tão diversas das que agora revestem o mundo para mim, que na verdade me parecem todas, bem como a igreja que as dominava da Praça, mais irreais ainda que as projeções da lanterna mágica; e em certos instantes, parece-me que poder ainda cruzar a rua de Saint-Hilaire, poder alugar um quarto na rua de l'Oiseau – a velha hospedaria do Oiseau Flesché, de cujos respiradouros subia um cheiro de cozinha que, intermitente e cálido, se ergue ainda em mim, em alguns momentos – seria entrar em contato com o Além de modo mais maravilhoso e sobrenatural do que travar conhecimento com Golo e de conversar com Geneviève de Brabant.

A prima de meu avô – minha tia-avó –, em cuja casa morávamos, era a mãe desta tia Léonie, a qual, desde a morte do marido, meu tio Octave, não mais quisera deixar, primeiro Combray, depois em Combray, a sua casa, e depois o seu quarto, e por fim o seu leito, e não mais "descia", sempre deitada num estado incerto de desgosto, debilidade física, doença, idéia fixa e devoção. Seu aposento particular dava para a rua de Saint-Jacques, que terminava muito além, no Grand-Pré (em oposição ao Petit-Pré, verdejante no meio da cidade, entre três ruas), e que, uniforme e pardacenta, com os três altos degraus de pedra diante de quase todas as portas, assemelhava-se a um desfiladeiro feito por um entalhador de imagens góticas na mesma pedra em que houvesse esculpido um presépio ou um calvário. Minha tia, de fato, só habitava dois quartos contíguos, ficando de tarde num enquanto o outro era arejado. Eram desses quartos da província que – assim como em certas regiões há porções inteiras do ar e do mar iluminadas ou perfumadas por miríades de protozoários que não vemos – nos encantam com mil aromas que neles exalam as virtudes, a sabedoria, os hábitos, toda uma vida secreta, invisível, superabundante e moral que a atmosfera ali mantém em suspensão; aromas naturais ainda, é certo, e cor do tempo como os do campo vizinho, mas já caseiros, humanos e encerrados, fina geléia industriosa e límpida de todos os frutos do ano, que largaram o pomar pelo armário; aromas sazonais, mas mobiliários e domésticos, corrigindo o travo picante da geada com a doçura do pão quente, ociosos e pontuais como um relógio de aldeia, vagabundos e ordeiros, despreocupados e previdentes, roupeiros, matinais, devotos, felizes de uma paz que só proporciona um aumento de ansiedade, e de um prosaísmo que serve de grande reservatório de poesia àquele que a atravessa sem ter vivido ali. Aquele ar era saturado da fina flor de um silêncio tão nutritivo, tão suculento, que eu por ali só andava com uma espécie de gula, principalmente nas primeiras manhãs ainda frias da semana da Páscoa, quando melhor o saboreava pois acabava de chegar em Combray: antes que entrasse para cumprimentar a minha tia, faziam-me esperar um instante no primeiro quarto, onde o sol, ainda de inverno, viera se aquecer diante da lareira, já acesa entre dois ladrilhos e que enchia toda a peça de um odor de fuligem, tornando-a como uma dessas grandes "bocas de forno" do campo, ou desses panos de chaminé dos castelos, sob os quais nos vem o desejo de que lá fora rebente a chuva, a neve, ou mesmo uma catástrofe diluviana para acrescentar ao conforto da reclusão a poesia da invernada; eu dava alguns passos do genuflexório até as poltronas de veludo encorpado, sempre revestidas de cabeceiras de croché; e o fogo, cozinhando como a uma massa os aromas apetitosos de que se achava repleto o ar do quarto e que já tinham sido trabalhados e "erguidos" pelo frescor úmido e ensolarado da manhã, folheava-os, dourava-os, enrugava-os, estufava-os, e deles fazia um invisível e palpável bolo provinciano, uma imensa torta em que, mal degustados os odores mais picantes, mais finos, mais respeitados, mas também mais secos do armário embutido, da cômoda, do papel de ramagem, eu sempre voltava, com uma cobiça inconfessa, a me besuntar no cheiro medíocre, pegajoso, insípido, indigesto e frutal da colcha de flores.

No quarto vizinho, eu ouvia a minha tia que conversava consigo mesma a meia voz. Ela só me falava bem baixinho porque julgava ter dentro da cabeça algo quebrado e flutuante que poderia se deslocar se falasse muito alto, mas nunca ficava muito tempo, mesmo sozinha, sem dizer alguma coisa, pois achava que isso era saudável para a garganta e que, impedindo o sangue de estancar, aquilo faria menos freqüentes as sufocações e as angústias de que sofria; além disso, na inércia absoluta em que vivia, atribuía às suas menores sensações uma importância enorme; dotava-as de uma tal motilidade que lhe era difícil guardá-las para si mesma, e, à falta de confidente a quem pudesse comunicá-las, anunciava-as a ela própria, num monólogo perpétuo que era sua única forma de atividade. Infelizmente, tendo adquirido o hábito de pensar em voz alta, ela nem sempre atentava em que não houvesse ninguém no quarto ao lado, e muitas vezes eu a escutava dizendo a si mesma: "Preciso me lembrar que não dormi" (pois nunca dormir era a sua grande pretensão, pretensão de que toda a nossa linguagem conservava as marcas e o respeito: de manhã, Françoise não vinha "acordá-la" e sim "entrava" no seu quarto; quando minha tia desejava fazer uma sesta durante o dia, dizia-se que ela queria "refletir" ou "repousar"; e quando lhe ocorria, na conversa, esquecer-se ao ponto de dizer "o que me acordou" ou "sonhei que", enrubescia e se corrigia logo).

Após um instante, eu entrava para beijá-la; Françoise preparava-lhe o chá; ou, quando minha tia estava nervosa, pedia em vez do chá a sua tisana e eu é que estava encarregado de derramar do saco da farmácia em um pires a quantidade de tília que se devia pôr depois na água fervendo. O ressecamento das hastes as encurvara numa treliça caprichosa em cujo entrelaçamento se abriam as flores pálidas, como se um pintor as tivesse arranjado, expondo-as da maneira mais ornamental. As folhas, tendo perdido ou modificado seu aspecto, sugeriam as coisas mais disparatadas, uma asa transparente de mosca, o reverso branco de um selo, uma pétala de rosa, porém coisas que tivessem sido empilhadas, calçadas ou trançadas como na confecção de um ninho. Mil pequenos detalhes inúteis – encantadora prodigalidade do farmacêutico – que teriam sido suprimidos em um preparado habitual, me davam, como um livro em que a gente se maravilha por encontrar o nome de uma pessoa conhecida, o prazer de compreender que eram mesmo hastes de tílias verdadeiras, como as que eu via na avenida da Estação, modificadas, justamente por serem de verdade e não cópias, e que tinham envelhecido. E sendo cada nova característica apenas a metamorfose de uma característica antiga, eu reconhecia, nas bolinhas cinzentas, os botões verdes que não tinham chegado a vingar; mas sobretudo o brilho cor-de-rosa, lunar e suave com que as flores se destacavam na frágil floresta de hastes onde estavam suspensas como pequeninas rosas de ouro – sinal, como a luz pálida que ainda revela num muro o local de um afresco apagado, da diferença entre as partes do arbusto que tinham sido "coloridas" e as que não o foram –, me mostrava que essas pétalas eram exatamente aquelas que, antes de florirem o saco da farmácia, haviam embalsamado as noites de primavera. Essa chama rosa de círio era ainda a sua cor, mas meio extinta e adormecida nessa vida diminuída que era a sua agora, e que é como o crepúsculo das flores. Em breve minha tia estava em condições de mergulhar, na infusão fervente de que saboreava o gosto de folha morta ou de flor murcha, uma pequena *madeleine*, da qual me estendia um pedaço quando estivesse bem amolecida.

Ao lado de sua cama havia uma grande cômoda amarela de limoeiro e uma mesa que era, a um tempo, um depósito de remédios e um altar-mor, onde, debaixo de uma estatueta da Virgem e de uma garrafa de Vichy-Célestins, podiam se encontrar missais e receitas médicas, tudo o que era necessário para seguir da cama os ofícios divinos e o regime, para que não perdesse a hora da pepsina nem a das Vésperas. Do outro lado do leito estava a janela; assim, ela tinha a rua a seus olhos, e aí costumava ler da manhã à noite, para não se enfadar, à moda dos príncipes persas, a crônica diária mas imemorial de Combray, que a seguir comentava com Françoise.

Não estava com minha tia mais que cinco minutos, quando ela me mandava embora de medo que a deixasse cansada. Ofertava a meus lábios a testa pálida e murcha, sobre a qual, àquela hora da manhã, ainda não arranjara a cabeleira postiça, onde as vértebras transpareciam como pontas de uma coroa de espinhos ou contas de um rosário, dizendo: "Adeus, minha pobre criança, vá, vá se preparar para a missa; e, se encontrar Françoise lá embaixo, diga-lhe que não perca muito tempo com vocês e suba em seguida para ver se não preciso de alguma coisa."

De fato, Françoise, que estava a seu serviço há muitos anos e não duvidava então que um dia passaria ao nosso, descuidava-se um pouco da minha tia nos meses em que estávamos lá. Houve uma época, na minha infância, antes que fôssemos a Combray, quando a tia Léonie ainda passava o inverno em Paris na casa de sua mãe, época em que eu conhecia tão pouco Françoise que, no dia 1º de janeiro, antes de entrar na casa da minha tia-avó, mamãe me punha na mão uma moeda de cinco francos, dizendo: "Principalmente não te enganes de pessoa. Para dar essa moeda, espera que eu diga: 'Bom-dia, Françoise'; e ao mesmo tempo vou te tocar de leve o braço." Mal chegávamos à obscura antecâmara da minha tia, percebíamos na sombra, sob as abas de uma touca ofuscante, tesa e frágil, como se fosse de açúcar desfiado, os redemoinhos concêntricos de um sorriso de antecipada gratidão. Era Françoise, imóvel e de pé no enquadramento da pequena porta do corredor, como uma estátua santa no seu nicho. Quando a gente já se habituava a essas trevas de capela, distinguia em seu rosto o amor desinteressado da humanidade, o respeito carinhoso pelas altas classes, exaltado nas melhores regiões de seu coração pela esperança das boas-festas. Mamãe me beliscava o braço com violência, dizendo em voz forte: "Bom-dia, Françoise." A este sinal, meus dedos se abriam e eu deixava a moeda, que encontrava, para recebê-la, uma mão confusa, mas estendida. Mas desde que começamos a ir a Combray eu não conhecia ninguém melhor que Françoise, éramos os seus preferidos, ela sentia por nós, ao menos nos primeiros anos, junto com a mesma consideração que tributava à minha tia, um gosto mais vivo, pois, ao prestígio de fazer parte da família (e dedicava aos laços invisíveis, que cria, entre os membros de uma família a circulação de um mesmo sangue, tanto respeito como um trágico grego), nós acrescentávamos o encanto de não sermos seus patrões habituais. Assim, com que alegria nos dava boas-vindas, lamentando que não fizesse melhor tempo à nossa chegada, na véspera da Páscoa, quando muitas vezes soprava um vento glacial, e mamãe lhe perguntava pela filha e pelos sobrinhos, e se o seu neto era bom menino, o que pretendiam fazer dele, e se era parecido com a avó.

E, quando já não mais havia ninguém por perto, mamãe, que sabia que Françoise ainda chorava os pais mortos há muitos anos, lhe falava deles com ternura, perguntava-lhe mil detalhes do que havia sido a sua vida.

Adivinhara que Françoise não gostava do genro e que este lhe estragava o prazer que tinha em estar com a filha, com quem não podia conversar em liberdade quando ele estava presente. Assim, quando Françoise ia vê-los, a algumas léguas de Combray, mamãe lhe dizia sorrindo: "Se Julien for obrigado a se ausentar e você tiver que ficar sozinha com Marguerite o dia todo, seria uma pena; mas não há de ser nada, não é mesmo?" E Françoise respondia, rindo: "A senhora sabe de tudo; é pior que os raios X (ela dizia *X* com uma dificuldade fingida e um sorriso, para zombar de si mesma, uma ignorante, por empregar um tal termo científico), os raios X que mandaram buscar para a Sra. Octave e que vêem o que nós temos no coração", e desaparecia, confusa por se preocuparem com ela, talvez para que não a vissem chorar; mamãe era a primeira pessoa a lhe dar essa doce emoção de sentir que sua vida, seus prazeres e pesares de camponesa podiam oferecer interesse, ser motivo de alegria ou de tristeza para outrem. Minha tia se resignava a privar-se um pouco dela durante a nossa temporada, sabendo o quanto minha mãe apreciava o serviço dessa criada tão ativa e inteligente, que se apresentava tão perfeita às cinco da manhã na cozinha, com sua touca cujas abas deslumbrantes e fixas pareciam de porcelana, quanto para ir à missa cantada; que fazia tudo bem, trabalhando como um cavalo, estivesse de saúde boa ou não, mas sem barulho, sem dar a impressão de não fazer nada, a única criada da minha tia que, quando minha mãe pedia água quente ou café preto, trazia-os fervendo; era uma dessas serviçais que, numa casa, desagradam à primeira vista aos estranhos, talvez porque não se incomodem em conquistá-los, nem se mostram em ser solícitas, sabendo muito bem que não necessitam deles, e que os de casa prefeririam deixar de recebê-los a despedi-las; e, por outro lado, são as que mais se afeiçoam aos patrões, que puseram à prova sua verdadeira capacidade e não se importam com esse agrado superficial, essa tagarelice bajulatória que causa boa impressão a uma visita, mas que encobre muitas vezes uma nulidade irremediável.

Quando Françoise, depois de ter cuidado para que nada faltasse do que meus pais precisavam, subia uma primeira vez para o quarto da minha tia para lhe ministrar sua pepsina e perguntar o que iria tomar no almoço, era bem raro que não lhe fosse pedida uma opinião ou que fornecesse explicações sobre um acontecimento importante:

– Françoise, imagine que a Sra. Goupil passou mais de um quarto de hora atrasada para ir buscar a irmã; por pouco que se demore no caminho, não me surpreenderia que chegasse depois da Elevação.

– E não seria de espantar – respondia Françoise.

– Françoise, se você tivesse chegado cinco minutos antes, teria visto passar a Sra. Imbert com aspargos duas vezes mais grossos que os da tia Callot; procure saber pela criada onde foi que os obteve. Você, que este ano põe aspargos em todos os molhos, poderia arrumar alguns desses para os nossos viajantes.

– Não seria de admirar se viessem da horta do senhor cura – respondia Françoise.

– Ah! Pois sim! Da horta do senhor cura! – retrucava minha tia dando de ombros. – Você sabe bem, minha pobre Françoise, que ele quase não consegue uns pobres aspargos de nada. Garanto que os que vi agora há pouco eram grossos como um braço. Não como o seu, é claro, mas como o meu pobre braço, que emagreceu tanto este ano. Françoise, você não ouviu essa campainha que quase me rebentou a cabeça?

– Não, senhora Octave.

– Ah, minha pobre filha. Você tem uma cabeça bem firme, graças a Deus! Era a Maguelone que tinha vindo procurar o doutor Piperaud. Ele saiu imediatamente com ela e dobraram a rua de l'Oiseau. Deve haver uma criança doente.

– Ah, meu Deus – suspirava Françoise, que não podia ouvir falar de uma desgraça acontecida a um desconhecido, mesmo numa parte distante do mundo, sem começar a gemer.

– Françoise, mas por quem então tocaram a finados? Ah, meu Deus! Será pela Sra. Rousseau. Pois não é que me esqueci que ela morreu a noite passada! Ah, já é tempo que o bom Deus me chame, não sei mais o que fiz da minha cabeça desde a morte do meu pobre Octave. Mas estou fazendo você perder seu tempo, minha filha.

– Ora, não, senhora Octave. Meu tempo não é assim tão caro. Quem fez o tempo não o vendeu para a gente. Só vou ver se o fogo não se apagou.

Desse modo, minha tia e Françoise passavam em revista, juntas, no decurso daquela sessão matinal, os primeiros acontecimentos do dia. Estes acontecimentos, no entanto, revestiam-se às vezes de um caráter tão misterioso e grave que minha tia não conseguia esperar o momento de Françoise subir, e quatro toques violentos de campainha ressoavam pela casa.

– Mas, senhora Octave, ainda não é hora da sua pepsina – dizia Françoise. – Teve alguma fraqueza?

– Claro que não, Françoise – dizia minha tia – isto é, sim, você bem sabe que agora são muito raros os momentos em que não me sinto um pouco tonta. Um dia morrerei como a senhora Rousseau, sem ter tido tempo de me confessar; mas não foi por isso que toquei a campainha. Acredita que acabo de ver, como estou vendo você, a Sra. Goupil passar com uma menina que não conheço. Vá comprar um pouco de sal no Camus. Será estranho que Théodore não possa dizer quem seja.

– Mas deve ser a filha do Sr. Pupin – dizia Françoise, que preferia ater-se a uma explicação imediata, visto que já fora ao Camus duas vezes naquela manhã.

– A filha do Sr. Pupin? Ora, minha pobre Françoise, você acha que eu não a conheceria?

– Mas não falo da mais velha, senhora Octave. Quero dizer a garota, a filha que está num pensionato em Jouy; parece-me que já a vi esta manhã.

– Ah, só se é isso – dizia minha tia. – Deve ter chegado para as Festas. É isso! Não é preciso indagar, ela veio para as Festas. Mas então poderemos daqui a pouco ver a Sra. Sazerat bater à porta da irmã para almoçar. É isto! Vi o garoto do Galopin passar com um empadão! Você vai ver como era para a casa da Sra. Goupil.

– Já que a Sra. Goupil tem visitas, senhora Octave, não deveremos tardar em ver os convidados para o almoço, pois já está ficando tarde – dizia Françoise que, com pressa de descer para cuidar da comida, não desgostava de deixar à minha tia a perspectiva daquela distração.

– Oh, não antes do meio-dia – respondia minha tia em tom resignado, lançando ao pêndulo um olhar inquieto, mas furtivo, para não dar a perceber que ela, que renunciara a tudo, achava entretanto, só em saber quem a Sra. Goupil teria ao almoço, um prazer imenso, e que, infelizmente, demoraria ainda um pouco mais de uma hora. – E, ainda por cima, será na hora do meu almoço – acrescentou a meia voz para si mesma. Seu almoço era-lhe uma distração bastante para que ela não desejasse outra na mesma ocasião. – Não se esqueça, pelo menos, de me dar os ovos com creme num prato raso, ouviu? – Eram os únicos pratos ornados de decorações e minha tia se divertia, em cada refeição, a ler a legenda que lhe traziam. Punha os óculos e decifrava: *Ali Babá e os quarenta ladrões*, *Aladim e a lâmpada maravilhosa*, e dizia sorrindo: – Muito bem, muito bem.

– Eu bem que iria ao Camus... – dizia Françoise, sabendo perfeitamente que minha tia não a mandaria mais.

– Não, não vale a pena, com certeza é a Srta. Pupin. Minha pobre Françoise, lastimo tê-la feito subir para nada.

Mas minha tia sabia muito bem que não era por nada que tocara chamando Françoise, pois, em Combray, uma pessoa “que ninguém conhecia” era um ser tão inacreditável como um deus mitológico, e na verdade não havia lembrança de que, a cada vez que ocorresse, na rua do Saint-Esprit ou na praça, uma dessas aparições espantosas, pesquisas bem conduzidas não tivessem afinal reduzido a personagem fabulosa às proporções de uma “pessoa que a gente conhece”, seja pessoal ou abstratamente, em seu estado civil, com tal ou qual grau de parentesco com pessoas de Combray. Ou era o filho da Sra. Sauton, que voltava do serviço, ou a sobrinha do abade Perdreau que saía do convento, ou o irmão do cura, preceptor em Châteaudun, que acabava de se aposentar ou tinha vindo passar as Festas. Ao vê-los, as pessoas sentiam a emoção de crer que houvesse, em Combray, gente desconhecida, só porque não fora logo reconhecida ou identificada. E, no entanto, muito tempo antes, a Sra. Sauton e o cura haviam avisado que estavam esperando seus “viajantes”. Quando ao voltar, à tarde, eu subia para contar nosso passeio à minha tia, se acaso tinha a imprudência de lhe dizer que havíamos encontrado, perto de Pont-Vieux, um homem que meu avô não conhecia: “Um homem que o avô não conhecia!”, gritava ela. "Ah, não pode ser!" Não obstante, um tanto emocionada com a novidade, queria estar com a consciência tranqüila, meu avô era chamado. “Quem foi então que o senhor encontrou perto de Pont-Vieux, meu tio? Um homem que não conhecia?” – “Sim”, respondia meu avô, “era Prosper, irmão do jardineiro da Sra. Bouilleboeuf.” – “Ah, bem” – dizia minha tia, sossegada e um pouco enrubescida; dando de ombros com um sorriso irônico, acrescentava: "Pois este aqui me contou que o senhor havia encontrado um homem que não conhecia!" E recomendaram-me que fosse mais discreto de outra vez e que não agitasse mais a minha tia com palavras irrefletidas. De tal maneira se conhecia todo mundo em Combray, pessoas e animais, que se minha tia visse casualmente passar um cão "que ela não conhecesse", não deixava de pensar no assunto e de consagrar a esse fato incompreensível os seus talentos de detetive e suas horas de liberdade.

– Deve ser o cachorro da Sra. Sazerat – dizia Françoise, sem muita convicção, mas com o objetivo de sossegá-la e para que minha tia não "quebrasse a cabeça".

– Como se eu não conhecesse o cachorro da Sra. Sazerat! – retrucava minha tia, cujo espírito crítico não admitia um fato com tanta facilidade.

– Ah, será então o cachorro novo que o Sr. Galopin trouxe de Lisieux.

– Ah, só se é isso!

– Parece que é um animal bem bonzinho – acrescentava Françoise, que obtivera informações com Théodore –, inteligente como uma pessoa, sempre de bom humor, sempre amável, sempre um tanto gracioso. Não é comum que um animal tão novinho já seja tão galante. Senhora Octave, preciso deixá-la, não tenho tempo para me distrair, já são dez horas, o forno ainda não está aceso e eu ainda tenho de ralar meus aspargos.

– Mas como, Françoise, ainda mais aspargos! Mas é uma verdadeira febre de aspargos que você tem este ano! Assim vai acabar enjoando os nossos parisienses!

– Mas não, senhora Octave, eles gostam muito disto. Vão voltar da igreja com apetite e a senhora verá que não vão comê-los com a ponta do garfo.

– Mas eles já devem estar na igreja; você faz muito bem em não perder tempo. Vá cuidar do almoço.

Enquanto minha tia se distraía com Françoise, eu acompanhava meus pais à missa. Como gostava da nossa igreja, como a revejo bem agora! O velho pórtico pelo qual entrávamos, negro, bexigoso como uma espumadeira, estava desviado e como que cavado profundamente nos ângulos (assim como a pia de água benta para onde nos levava), como se o ligeiro roçar dos mantos das camponesas entrando na igreja, e de seus dedos tímidos tomando a água benta, pudessem, repetindo-se através dos séculos, adquirir uma força destrutiva, recurvar a pedra e entalhá-la de sulcos como os traça a roda das carroças no marco onde bate todos os dias. Suas pedras tumulares, sob as quais a nobre poeira dos abades de Combray, ali enterrados, conferia ao coro uma espécie de pavimento espiritual, já não eram também matéria inerte e dura, pois o tempo as fizera suaves, fazendo-as escorrer, feito mel, para fora dos limites de sua própria esquadria, que aqui haviam sobrepujado em uma onda amarela, arrastando à deriva uma maiúscula gótica em flores, afogando as violetas brancas do mármore; ou então voltavam a absorver-se em outros pontos, ainda mais contraindo a elíptica inscrição latina, introduzindo um capricho a mais na disposição desses caracteres abreviados, reaproximando duas letras de uma palavra que as outras tinham distendido desmesuradamente. Os vitrais nunca se irisavam tanto como nos dias em que o sol se mostrava pouco, de modo que, por mais cinzento estivesse o céu lá fora, tinha-se a certeza de que haveria bom tempo na igreja; um era ocupado em toda a sua grandeza por um único personagem semelhante a um Rei de baralho, que vivia lá no alto, sob um dossel arquitetônico, entre o céu e a terra (e em cujo reflexo oblíquo e azul, às vezes, nos dias úteis, ao meio-dia, quando não há ofício religioso – num desses raros instantes em que a igreja arejada, vazia, mais humana, luxuosa, com o sol batendo no seu rico mobiliário, tinha um aspecto quase habitável como o *hall* de pedra esculpida e vidro pintado de um palácio de estilo medieval – via-se ajoelhar por um momento a Sra. Sazerat, depondo no genuflexório ao lado um pacote bem amarrado de bolinhos que acabara de comprar na pastelaria defronte e que ia levar para o almoço); em outro, uma montanha de neve rosada, em cujo sopé travava-se uma batalha, parecia ter gelado o próprio vidro a que insuflava de seu granizo turvo, como uma vidraça onde ficassem flocos, mas flocos iluminados por alguma aurora (pela mesma, sem dúvida, que avermelhava o retábulo do altar de tons tão frescos que pareciam antes postos ali por um clarão vindo de fora e quase a se esvanecer do que pelas cores impressas para sempre nas pedras); e todos eram tão antigos que se via, aqui e ali, a sua velhice prateada faiscar com a poeira dos séculos e expor, brilhante e gasta até a corda, a trama da sua doce tapeçaria de vidro. Havia um vitral que estava em um compartimento alto, dividido em uma centena de vitrais pequenos e retangulares, onde predominava o azul, como um grande jogo de cartas semelhantes aos que deviam distrair o rei Carlos VI; mas ou porque brilhasse um raio de sol, ou porque o meu olhar, movendo-se, passeasse pelos vitrais que se apagavam e reacendiam um precioso e movediço incêndio, um instante após o vitral tomava o esplendor mutável de uma cauda de pavão, e depois tremulava e ondulava numa chuva flamejante e fantástica que gotejava do alto da abóbada sombria e rochosa, ao longo das paredes úmidas, como se eu seguisse meus pais, que levavam seu livro de orações, pela nave de alguma gruta irisada de sinuosas estalactites; um momento depois, os pequenos vitrais em forma de losango haviam tomado a transparência profunda, a infrangível dureza de safiras que tivessem sido justapostas a um imenso peitoral, mas por trás das quais se sentia, mais amado que todas essas riquezas, um sorriso momentâneo do sol; e esse sorriso era tão reconhecível na onda azul e doce, com que ele banhava as pedrarias, como sobre o pavimento da praça ou a palha do mercado; e, mesmo nos primeiros domingos quando chegávamos antes da Páscoa, ele me consolava do fato de que a terra ainda era negra e nua, fazendo estender, como numa primavera histórica e que datava dos sucessores de São Luís, aquele dourado e ofuscante tapete de miosótis em vidro.

Duas tapeçarias de trama especial representavam o coroamento de Ester (a tradição insistia que se desse a Assuero os traços de um rei da França e a Ester os de uma dama de Guermantes da qual estava enamorado); suas cores, fundindo-se, acrescentavam às figuras uma expressão, um relevo, uma iluminação singular: um pouco de cor-de-rosa flutuava nos lábios de Ester além do desenho do contorno, o amarelo de seu manto se espalhara tão untuosamente, de maneira tão cheia, que adquiria uma espécie de consistência e se erguia vivamente sobre a atmosfera recuada; e a verdura das árvores, permanecendo viva nas partes baixas do panejamento de seda e lã, mas tendo "passado" pelo alto, fazia destacarem-se num tom mais pálido, acima dos troncos escuros, os altos galhos amarelados, dourados, e como que meio apagados pela brusca e oblíqua iluminação de um sol invisível. Tudo isso e mais ainda os objetos preciosos, trazidos à igreja por personagens que, para mim, eram quase personagens lendários (a cruz de ouro trabalhada, dizia-se, por Santo Elói e doada por Dagoberto, o túmulo dos filhos de Luís o Germânico, em pórfiro e cobre esmaltado) e por causa de quem eu avançava pela igreja, quando nos dirigíamos aos nossos lugares, como por um vale visitado por fadas, onde o camponês se deslumbra ao ver num rochedo, numa árvore, num pântano, o sinal palpável de sua passagem sobrenatural, tudo isso fazia que ela fosse para mim algo inteiramente diverso do resto da cidade: um edifício que ocupava, por assim dizer, um espaço quadridimensional – a quarta dimensão sendo a do Tempo –, impelindo pelos séculos o seu batel que, de abóbada em abóbada, de capela em capela, parecia vencer e transpor não apenas alguns metros, mas épocas sucessivas de onde saía vitorioso; escondendo o rude e feroz século XI na espessura de suas paredes, de onde mal se mostrava com seus pesados arcos tapados e escurecidos por grosseiros blocos de pedra, na cavidade profunda que a escada do campanário abria junto ao pórtico e, mesmo assim, dissimulado pelas graciosas arcadas góticas que se apresentavam gentilmente diante dele como irmãs mais velhas que se colocam, sorrindo, diante de um irmãozinho rústico, resmungão e mal vestido, para escondê-lo aos olhos dos estranhos; elevando ao céu, acima da praça, sua torre, que fora contemplada por São Luís e parecia vê-lo ainda; e mergulhando com sua cripta em uma noite merovíngia onde, guiando-nos às apalpadelas debaixo da abóbada obscura e fortemente nervurada como a membrana de um morcego imenso, Théodore e sua irmã nos iluminavam com uma vela o túmulo da neta de Sigeberto, em cuja laje havia uma profunda valva – como o rastro de um fóssil – e que fora cavada, segundo se dizia, "por uma lâmpada de cristal que, na noite do assassinato da princesa franca, se destacara das correntes de ouro em que ela fora presa, no local hoje ocupado pela abside, e, sem que o cristal se quebrasse, afundara na pedra, que cedeu molemente ao seu peso".

A abside da igreja de Combray, será que se pode falar a seu respeito? Era tão grosseira, tão desprovida de beleza artística e até de inspiração religiosa! Do lado de fora, como o cruzamento das ruas para o qual ela dava era em declive, a rudeza do seu muro se erguia de um embasamento de blocos de pedra toscos, eriçados de pedregulhos, e que nada possuía de particularmente eclesiástico; as janelas dos vitrais pareciam estar fixadas a uma altura excessiva, e o conjunto dava mais a idéia de uma prisão que de uma igreja. É certo que, mais tarde, quando me lembrava de todas as gloriosas absides que vira, nunca me ocorria compará-las com a abside de Combray. Apenas um dia, ao dobrar uma rua provinciana, percebi, no cruzamento de três ruelas, um muro muito malfeito e alto demais, com vitrais abertos lá em cima e oferecendo o mesmo aspecto assimétrico da abside de Combray. Então não me perguntei, como em Chartres ou em Reims, com que força se exprimira o sentimento religioso, mas exclamei involuntariamente: "A igreja!"

A igreja! Familiar, paredes-meias, na rua de Saint-Hilaire, onde ficava a porta que dava para o norte, com suas duas vizinhas, a farmácia do Sr. Rapin e a casa da Sra. Loiseau, em que tocava sem qualquer separação; simples cidadã de Combray que poderia ter um número na rua, se as ruas de Combray tivessem números, e onde parece que o carteiro deveria parar de manhã ao fazer a distribuição, antes de chegar à casa da Sra. Loiseau e ao sair do estabelecimento do Sr. Rapin, havia, entretanto, entre ela e tudo o mais, uma delimitação que meu espírito nunca chegou a ultrapassar. A Sra. Loiseau debalde cultivava fúcsias na janela, as quais tinham o mau hábito de deixar seus ramos correrem às cegas, e cujas flores nada tinham de mais urgente que fazer, quando já grandes, que refrescar as faces congestionadas, cor-de-violeta, na fachada sombria da igreja, e nem por isso aquelas fúcsias se tornaram mais sagradas para mim: entre as flores e a pedra enegrecida em que se apoiavam, mesmo que meus olhos não distinguissem um intervalo, meu espírito erguia um abismo.

Desde bem longe já se reconhecia o campanário de Saint-Hilaire, inscrevendo sua silhueta inesquecível no horizonte onde Combray ainda não aparecia; quando no trem que, na semana da Páscoa, nos trazia de Paris, meu pai avistava aquela torre que deslizava por todos os pontos do céu, fazendo correr em todos os sentidos o seu pequeno galo de ferro, dizia-os: "Vamos, ajuntem as mantas, já chegamos." E num dos maiores passeios que dávamos em Combray, havia um local em que a estradinha estreita desembocava de súbito num imenso platô limitado no horizonte por uns bosques de recorte irregular, atrás dos quais só aparecia a fina agulha do campanário de Saint-Hilaire, mas tão delgada, tão rósea, que dava a impressão de estar apenas riscada a unha no céu, por alguém que quisesse dar àquela paisagem, àquele quadro que só era natureza, um pequeno toque de arte, esta única indicação humana. Quando a gente se aproximava e podia ver o restante da torre quadrada e meio destruída que, menos alta que o campanário, subsistia a seu lado, ficava impressionado principalmente pelo tom avermelhado e sombrio das pedras; e, numa manhã brumosa de outono, poderia se dizer que era uma ruína de púrpura quase da cor da vinha virgem, elevando-se acima do roxo tempestuoso dos vinhais.

Muitas vezes, na praça, de volta para casa, minha avó me fazia parar para olhá-lo. Das janelas de sua torre, dispostas duas a duas, umas acima das outras, nessa proporção exata e original das distâncias que não apenas aos rostos humanos confere beleza e dignidade, o campanário largava, deixava cair em intervalos regulares revoadas de corvos que, por um momento, volteavam grasnando, como se as velhas pedras que os deixavam à vontade, sem parecer vê-los, tornando-se de súbito inabitáveis e, desencadeando um princípio de agitação infinita, os tivessem batido e expulso. Por fim, depois de terem riscado em todos os sentidos o veludo violáceo do céu da tarde, bruscamente calmos, voltavam a se recolher à torre, que de nefasta passava a propícia; alguns, pousados aqui e ali, pareciam imóveis, mas talvez estivessem bicando algum inseto, na extremidade da torrinha do sino, como uma gaivota parada com a imobilidade de um pescador na crista de uma onda. Sem saber muito bem por que, minha avó achava no campanário de Saint-Hilaire aquela ausência de vulgaridade, de pretensão, de mesquinharia, que a fazia amar e julgar ricas de influência benéfica, tanto a natureza, quando a mão do homem não a tivesse diminuído, como fazia o jardineiro da minha tia-avó a emendá-la, como as obras do gênio. E, sem dúvida, qualquer parte da igreja a distinguia de qualquer outro prédio por uma espécie de pensamento que lhe era próprio; porém, era no campanário que ela parecia tomar consciência de si mesma, reafirmar uma existência individual e responsável. Era ele quem falava por ela. Sobretudo, creio que de modo confuso, minha avó encontrava no campanário de Combray aquilo que, para ela, tinha mais valor no mundo, o ar natural e distinto. Ignorante em arquitetura, dizia: "Meus filhos, riam de mim se quiserem, talvez não esteja bem dentro das regras, mas o seu velho vulto esquisito me agrada. Estou certa de que, se essa torre tocasse piano, não o faria sem *alma*." E, ao contemplá-la, seguindo com os olhos a suave tendência, a inclinação untuosa das vertentes de pedra que se reaproximavam, erguendo-se como mãos postas a rezar, minha avó de tal modo se unia à efusão da agulha que seu olhar parecia elevar-se ao alto com ela; e, ao mesmo tempo, sorria amistosamente para as velhas pedras gastas, que o pôr-do-sol iluminava apenas no alto, e que, a partir do instante em que penetravam nessa região ensolarada, suavizadas pela luz, pareciam de repente erguer-se bem mais alto, longínquas, como um canto reiniciado em voz de falsete, uma oitava acima.

Era o campanário de Saint-Hilaire que dava a todas as ocupações, a todas as horas, a todos os pontos de visão da cidade, a sua figura, o seu arremate, a sua consagração. Do meu quarto, eu só podia avistar-lhe a base, que fora recoberta de ardósias; mas quando, no domingo, numa quente manhã de verão, eu o via a flamejar como um sol negro, dizia comigo: "Meu Deus! São nove horas! Tenho que me preparar para ir à missa cantada, se quero ter tempo para ir dar um beijo na tia Léonie antes", e sabia exatamente a cor do sol sobre a praça, o calor e a poeira do mercado, a sombra projetada pelo estore da loja onde mamãe talvez entrasse antes da missa, no meio do cheiro de pano cru, para comprar um lenço que o patrão, cheio de mesuras, lhe mostrava, tendo vindo dos fundos da loja para fechá-la e onde fora passar seu terno domingueiro e ensaboar as mãos que tinha o costume, a cada cinco minutos, mesmo nas mais melancólicas circunstâncias, de esfregar uma na outra com ar de triunfo, de ousadia e de esperteza.

Quando, após a missa, entrávamos para dizer a Théodore que levasse um bolo maior que de costume porque nossos primos tinham aproveitado o bom tempo para vir de Thiberzy almoçar conosco, a gente ficava com o campanário à nossa frente, e ele, também dourado e cozido como um grande bolo bento, com as escamas e os gotejamentos gomosos do sol, fincava a ponta aguda no céu azul. E à tardinha, quando eu voltava do passeio, e pensava no momento em que teria de dizer boa-noite à minha mãe e não vê-la mais, ele se mostrava tão doce, no dia que findava, que parecia posto e afundado, como uma grande almofada de veludo castanho, sobre o céu empalidecido que cedera sob sua pressão, arqueando-se ligeiramente para lhe dar lugar e refluindo nas bordas; e os gritos dos pássaros que voejavam a seu redor pareciam aumentar o seu silêncio e lançar ainda a sua flecha, dando-lhe algo de inefável.

Mesmo quando percorríamos o caminho por trás da igreja, no ponto em que já não era mais visto, tudo parecia ordenado em relação ao campanário, que surgia aqui e ali entre as casas, talvez ainda mais emocionante quando assomava assim sem a igreja. Certamente, existem muitos outros que são mais belos vistos dessa forma, e, na minha lembrança, guardo vinhetas de campanários que ultrapassam os telhados, que têm outro nível artístico que não os que compunham as tristes ruas de Combray. Jamais hei de esquecer, numa curiosa cidade da Normandia vizinha de Balbec, dois encantadores palácios do século XVIII, que, sob muitos títulos, me são caros e veneráveis e, entre os quais, ergue-se a agulha gótica de uma igreja por eles escondida, e que dá a impressão de terminar e coroar suas fachadas, porém de matéria tão diversa, tão preciosa, tão encaracolada, tão rosada, tão brunida, que bem se percebe que não faz parte delas, assim como também não faz parte dos dois belos pedregulhos unidos, entre os quais está presa na praia, a ponta purpúrea e dentilhada de alguma conchinha afuselada em agulha e fulgente de esmalte. Até em Paris, num dos bairros mais feios da cidade, conheço uma janela de onde se vê, depois de um primeiro, um segundo e até um terceiro plano composto de telhados amontoados de ruas diversas, um campanário cor-de-violeta, às vezes avermelhado, às vezes ainda, nas melhores "provas" que lhe tira a atmosfera, de um negro decantado de cinzas, e que não é outro senão o zimbório de Saint-

Augustin e que dá a essa rua de Paris a característica de certas vistas de Roma, feitas por Piranesi. Mas como a memória, por mais gosto que tivesse em reproduzi-las, não conseguisse pôr em nenhuma dessas pequenas gravuras aquilo que eu há muito havia perdido, o sentimento que nos faz não considerar uma coisa como um espetáculo, mas a julgá-la um ser sem equivalente, nenhuma delas impõe-se a mim, sobre uma parte profunda da minha vida, como ocorre com a lembrança desses aspectos do campanário de Combray nas ruas que ficam por trás da igreja. Ora a gente o via às cinco horas, ao ir buscar as cartas no correio, a algumas casas da nossa, à esquerda, elevando de súbito, em cimo isolado, a linha das cumeeiras; outras vezes, ao contrário, quando íamos saber notícias da Sra. Sazerat, seguíamos com os olhos essa linha que voltava a se abaixar após a descida de sua outra vertente, sabendo-se que era necessário dobrar a segunda rua depois do campanário; ora ainda, quando, passando mais além, se a gente ia à estação da estrada de ferro, ele era visto obliquamente, mostrando de perfil as arestas e superfícies novas, como um sólido surpreendido em um instante desconhecido de sua revolução; ora quando, desde as margens do Vivonne, a abside, musculosamente retesada e erguida pela perspectiva, parecia brotar do esforço que o campanário fazia para lançar sua agulha no coração do céu: era sempre a ele que cumpria voltar, sempre ele que dominava tudo, dotando as casas de um pináculo inesperado, erguido diante de mim como o dedo de Deus, cujo corpo estivesse oculto na multidão de seres humanos sem que nem por isso eu o confundisse com ela. E ainda hoje se, numa grande cidade provinciana ou em um bairro parisiense que eu mal conheça, um transeunte que "me mostra o caminho" me aponta ao longe, como ponto de referência, uma torre de hospital, um campanário de convento que ergue a ponta de sua torre eclesiástica na esquina de uma rua pela qual devo seguir, por pouco que minha memória possa, de modo obscuro, achar nele algum traço semelhante à figura amada e desaparecida, o transeunte, se se vira para se assegurar que não vou me perder, pode, para seu espanto, dar comigo, esquecido do passeio projetado ou do caminho a trilhar, ali parado, diante do campanário, durante horas, imóvel, tentando lembrar-me, sentindo, no fundo de mim, terras reconquistadas ao esquecimento, que vão secando e se delineando; e nesse momento, sem dúvida, e com mais ansiedade que há pouco, quando lhe pedia que me orientasse, procuro ainda o meu caminho, dobro uma rua... mas... dentro do meu coração.

Voltando da missa, encontrávamos quase sempre o Sr. Legrandin que, retido em Paris devido ao seu trabalho de engenheiro, só podia visitar sua propriedade em Combray na época das férias e, fora isso, ali só estava da noite de sábado à segunda-feira de manhã. Era um desses homens que, além de uma carreira científica na qual, aliás, conseguiram um êxito brilhante, possuem uma cultura bem diferente, literária, artística, que sua especialização profissional não utiliza e da qual se aproveitam na conversação. Mais letrados que muitos escritores (naquela época não sabíamos que o Sr. Legrandin desfrutava de uma certa reputação como escritor e ficamos bem espantados ao saber que um compositor célebre pusera em música alguns de seus versos), dotados de mais "facilidade" que diversos pintores, eles julgam que a vida que levam não é a que lhes conviria e trazem às suas ocupações positivas seja uma despreocupação mista de fantasia, seja uma aplicação constante, altiva, desprezadora, amarga e conscienciosa. Alto, de bonito porte, um rosto pensativo e fino de longos bigodes louros, com um olhar azul e desenganado, de uma polidez refinada, *causeur* como jamais ouvíramos igual, o Sr. Legrandin era, aos olhos de minha família, que o citava sempre como exemplo, o tipo do homem de elite, que levava a vida da forma mais nobre e delicada. Minha avó censurava-lhe apenas o falar um pouco bem demais, um pouco como um livro, de não empregar uma linguagem natural, como naturais eram suas gravatas *lavallière*, sempre flutuantes, e seu casaco folgado, quase de colegial. Espantava-se também com as tiradas flamejantes em que ele se lançava muitas vezes contra a aristocracia, a vida mundana, o esnobismo, "certamente o pecado em que pensa São Paulo quando fala do pecado para o qual não há remissão".

A ambição mundana era um sentimento que minha avó se sentia tão incapaz de ter e quase de compreender, que lhe parecia bem inútil empregar tanto ardor em feri-la. Além do mais, não achava de bom tom que o Sr. Legrandin, cuja irmã era casada com um fidalgo da Baixa Normandia, se entregasse a ataques tão violentos contra os nobres, chegando ao ponto de censurar a Revolução por não tê-los totalmente guilhotinado.

– Salve, amigos! – dizia-nos vindo ao nosso encontro. – São felizes em ficar tanto tempo aqui; preciso estar em Paris amanhã, de volta ao meu cubículo.

– Oh... – acrescentava com o sorriso docemente irônico e desenganado, um pouco distraído, que lhe era próprio. Certamente há na minha casa todas as coisas inúteis. Só lhe falta o necessário, um grande pedaço de céu como o daqui. Trate de guardar sempre um pedaço de céu acima da sua vida, meu garoto – acrescentava, voltando-se para mim. – Você tem uma bela alma, de rara qualidade, uma natureza de artista, não deixe que lhe falte nada do que lhe for preciso.

Quando, ao regressarmos, minha tia nos mandava perguntar se a Sra. Goupil chegara atrasada à missa, éramos incapazes de informá-la. Em compensação, aumentávamos sua preocupação dizendo que um pintor trabalhava na igreja copiando o vitral de Gilberto, o Mau. Françoise, enviada imediatamente ao armazém, voltava na mesma, devido à ausência de Théodore, cuja dupla profissão de mestre de coro, com uma parte na administração da igreja, e de empregado de balcão, lhe dava, com as relações em todos os meios, um conhecimento universal.

– Ah – suspirava minha tia –, como gostaria que já fosse a hora de Eulalie. Só ela poderia me esclarecer.

Eulalie era uma moça coxa, ativa e surda que se "retirara" após a morte da Sra. de La Bretonnerie, onde estivera empregada desde a infância, e que recentemente alugara, ao lado da igreja, um quarto de onde descia a toda hora para os ofícios religiosos, ou então, fora deles, para rezar ou dar uma ajuda a Théodore; o resto do tempo era passado em visitas aos doentes, como minha tia Léonie, a quem ficava contando o que se passara durante a missa ou nas vésperas. Não desdenhava acrescentar algum dinheiro eventual à pequena pensão que lhe dava a família de seus antigos patrões, indo de vez em quando cuidar da roupa branca do cura ou de alguma outra personalidade marcante do mundo clerical de Combray. Acima de uma manta preta, ela usava uma touca branca quase de religiosa, e uma doença de pele conferia a uma parte do rosto e ao nariz recurvo o tom róseo vivo da balsamina. Suas visitas eram a grande distração de minha tia Léonie, que não recebia a mais ninguém, a não ser o senhor cura. Minha tia, pouco a pouco, afastara os visitantes porque tinham todos o defeito, a seus olhos, de pertencerem a uma das duas categorias de pessoas que ela detestava. Uns, os piores, de quem se havia livrado em primeiro lugar, eram os que a aconselhavam a não se sugestionar e professavam, ainda que negativamente, e só se manifestando por determinados silêncios de reprovação ou por uns sorrisos de dúvidas, a doutrina subversiva de que um breve passeio ao sol e um bom bife sangrento (quando ela conservava quatorze horas no estômago dois miseráveis goles de água de Vichy!) lhe fariam mais bem do que a cama e os remédios. A outra categoria se compunha das pessoas que davam a impressão de crer que ela estivesse mais gravemente enferma do que pensava, e tão gravemente doente como dizia. Assim, aqueles a quem deixara subir após alguma hesitação e em face das oficiosas instâncias de Françoise, e que, durante a visita, haviam mostrado o quanto eram indignos do favor que se lhes fazia arriscando timidamente um: "Não acha que se sacudisse um pouco num dia de bom tempo", ou que, ao contrário, quando ela lhes dizia: "Estou bem mal, bem mal, é o fim, meus pobres amigos", lhe haviam respondido: "Ah, quando não se tem saúde! Mas a senhora ainda pode durar bastante", esses, tanto uns como os outros, poderiam estar certos de nunca mais voltarem a ser recebidos. E se Françoise se divertia com o ar espantado da minha tia quando, de seu leito, ela vislumbrasse uma dessas pessoas, na rua do Saint-Esprit, que tinha o jeito de vir à casa dela, ou quando tivesse ouvido um toque de campainha, ela ria ainda mais, como de uma boa piada, das manobras sempre vitoriosas de minha tia para despedir a visita e da cara sem graça que esta fazia ao ter de voltar sem a ter visto; e, no fundo, admirava sua patroa, que julgava superior a todas aquelas pessoas visto não querer recebê-las. Em suma, minha tia exigia, ao mesmo tempo, que a aprovassem em seu regime, que a lastimassem por seus sofrimentos e que a assegurassem quanto ao futuro.

Era nisso que Eulalie primava. Minha tia podia lhe dizer vinte vezes por minuto: "É o fim, minha pobre Eulalie", que vinte vezes Eulalie respondia: "Conhecendo sua doença como conhecem, Sra. Octave, poderá ir até os cem anos, como me dizia ainda ontem a Sra. Sazerin." (Uma das mais firmes crenças de Eulalie, e que o número enorme de desmentidos trazidos pela experiência não fora bastante para abalar, era que a Sra. Sazerat se chamava Sra. Sazerin.)

– Não peço para chegar aos cem anos – replicava minha tia, que achava melhor não atribuíssem à sua existência um limite exato.

E como, além disso, Eulalie sabia como ninguém distrair a minha tia sem cansá-la, suas visitas, que ocorriam regularmente todos os domingos, salvo um impedimento inopinado, eram para minha tia um prazer cuja perspectiva a mantinha naqueles dias em um estado a princípio agradável, mas bem depressa doloroso como a fome excessiva, por pouco que Eulalie se atrasasse. Bem prolongada, essa volúpia de esperar Eulalie se transformava num suplício: minha tia não parava de olhar o relógio, bocejava, sentia tonteiras. O toque de campainha de Eulalie, quando ocorria ao findar o dia, e ela já não o esperava, fazia-a sentir-se mal. Na verdade, no domingo ela só pensava naquela visita e, tão logo terminava o almoço, Françoise dava-se pressa em que nós deixássemos a sala de jantar para poder subir e "distrair" a minha tia. Mas (sobretudo a partir do momento em que os dias bonitos se instalavam em Combray) havia muito tempo que a hora altiva do meio-dia, descida da torre de Saint-Hilaire, que ela brasonava com os doze florões efêmeros de sua coroa sonora, ressoara em torno da nossa mesa, junto com o pão bento, também familiarmente chegado da igreja, e nós ainda estávamos sentados diante dos pratos das *Mil e Uma Noites*, amolecidos pelo calor e principalmente pela refeição. Pois, ao fundo permanente de ovos, costeletas, batatas, geléias, biscoitos, que nem sequer nos anunciava mais, Françoise acrescentava – de acordo com o trabalho dos campos e dos pomares, o fruto da pesca, os acasos do comércio, a polidez dos vizinhos e seu próprio espírito inventivo, e tão bem-feito, que o nosso cardápio, como aqueles quadrifólios, esculpidos no século XIII no pórtico das catedrais, refletiam um pouco o ritmo das estações e dos acontecimentos da vida – um rodovalho, cuja frescura lhe fora garantida pela vendedora de peixe, um peru, porque vira um muito bonito no mercado de Roussainville-le-Pin, alcachofras com tutano, porque ainda não as fizera daquele modo, uma perna de carneiro assada, porque o ar livre abre o apetite e teria tempo de descer daqui a sete horas, espinafres para variar, abricós, porque ainda eram uma raridade, groselhas, porque dentro de quinze dias não haveria mais, framboesas que o Sr. Swann trouxera expressamente, cerejas, as primeiras que vinham da cerejeira do jardim depois de dois anos em que ela não dera coisa alguma, o requeijão de que eu gostava tanto antigamente, um doce de amêndoas, porque o havia encomendado na véspera, um brioche porque era a nossa vez de oferecê-lo. Quando tudo isso houvesse terminado, feito expressamente para nós mas dedicado em especial a meu pai, que era apreciador, era-nos oferecido um creme de chocolate, inspiração e atenção pessoal de Françoise, fugaz e leve como uma obra de circunstância, e no qual pusera todo o seu talento.

Aquele que recusasse prová-lo, dizendo: "Terminei, não tenho mais fome", seria imediatamente rebaixado à categoria desses indivíduos grosseiros que, mesmo diante do presente que um artista lhe faz de uma obra sua, só vêem o peso e o material, quando o que vale é a intenção e a assinatura. Mesmo deixar no prato uma só gota que fosse seria testemunho de igual impolidez como erguer-se antes do fim da audição na cara do compositor.

Por fim minha mãe me dizia: "Vamos, não fica aí parado, sobe e vai para o teu quarto se achas que faz muito calor lá fora, mas primeiro vai tomar um pouco de ar para não ler logo ao sair da mesa." Eu ia me sentar perto da bomba e sua pia, quase sempre ornada, como uma fonte gótica, de uma salamandra, que esculpia sobre a pedra rude o relevo móvel de seu corpo alegórico e afuselado, no banco sem encosto sombreado por um lilás, no pequenino canto do jardim que dava, por uma porta de serviço, para a rua do Saint-Esprit e de cujo solo malcuidado se elevava por dois degraus a despensa, formando saliência na casa, e como se fosse uma construção independente. Percebia-se o seu ladrilho brilhante e rubro como pórfiro. Parecia antes um pequeno templo dedicado a Vênus do que o antro de Françoise. Estava repleto das oferendas do leiteiro, do fruteiro, da verdureira, às vezes provenientes de remotíssimas aldeias, para lhe dedicar as primícias de seus campos. E seu topo apresentava sempre, a coroá-lo, o arrulhar de uma pomba.

Antigamente, eu não me demorava no bosque sagrado que o rodeava, pois, antes de subir para ler, entrava no pequeno gabinete de descanso que meu tio Adolphe, um irmão de meu avô, antigo militar que se reformara como major, ocupava no térreo, e que, mesmo quando as janelas abertas deixavam entrar o calor, senão os raios do sol que raramente chegavam até ali, exalava inesgotavelmente esse aroma obscuro e novo, ao mesmo tempo florestal e *ancien régime*, que faz devanear longamente as narinas quando se entra em certos pavilhões de caça abandonados. Mas já fazia muitos anos que eu não ia ao gabinete do tio Adolphe, pois ele não vinha mais a Combray devido a uma rusga que tivera com a família, por culpa minha, nas seguintes circunstâncias:

Uma ou duas vezes por mês, em Paris, mandavam que eu lhe fizesse uma visita quando ele acabava de almoçar, vestido de dólmã, servido pelo criado que trajava uma jaqueta com listas roxas e brancas. Resmungando, queixava-se de que eu não vinha há muito tempo, sentia-se abandonado; oferecia-me bolo de amêndoas ou uma tangerina; atravessávamos uma sala onde nunca se parava, onde ninguém jamais acendia a lareira, e cujas paredes eram ornadas de relevos dourados, e o teto pintado de um azul que pretendia imitar o céu e os móveis revestidos de cetim como na casa de meus avós, porém amarelo; depois íamos para o que ele chamava seu gabinete de "trabalho", em cujas paredes estavam penduradas algumas dessas gravuras que representam, sobre um fundo negro, uma deusa carnuda e rosada conduzindo um carro, ou montada sobre um globo, com uma estrela na testa, tão apreciadas no Segundo Império, porque lhe achavam um ar pompeano, mas que depois foram detestadas e agora começavam a ser de novo admiradas pela única e a mesma razão, embora se alegassem outras, de terem um ar de Segundo Império. E eu ficava com meu tio até que o criado lhe viesse indagar, da parte do cocheiro, a que horas deveria atrelar os cavalos. Meu tio então mergulhava numa meditação que seu maravilhado lacaio não se atreveria a perturbar com um só movimento, esperando curiosamente o resultado, sempre idêntico. Enfim, após uma hesitação suprema, meu tio pronunciava infalivelmente estas palavras: "Duas horas e um quarto", que o lacaio repetia com espanto, mas sem discutir: "Duas horas e um quarto? Muito bem, vou lhe dizer..."

Por essa época eu amava o teatro, amor platônico, pois meus pais ainda não me permitiam que o freqüentasse, e imaginava de modo tão inexato os prazeres que ali se desfrutavam que não estava longe de admitir que todo espectador olhava, como num estereoscópio, um cenário que era só para ele, conquanto idêntico aos mil outros que ao resto dos espectadores se oferecia, um para cada.

Todas as manhãs eu corria até a coluna Morris para ver os espetáculos que ela anunciava. Nada mais desinteressado e feliz que os sonhos que cada peça anunciada oferecia à minha imaginação, sonhos que eram condicionados, também, não só pelas imagens inseparáveis das palavras que compunham seu título, como pela cor dos cartazes, ainda úmidos e inchados de cola, sobre os quais ele se destacava. A não ser uma dessas obras estranhas, como *O Testamento de César Girodot* e *Édipo-rei*, que eram inscritos, não no cartaz verde da Ópera Cômica, e sim no cartaz cor de borra de vinho da Comédie Française, nada me parecia mais diverso do enfeite cintilante e branco dos *Diamantes da Coroa* que o cetim liso e misterioso do *Dominó Negro*, e, tendo meus pais dito que quando fosse pela primeira vez ao teatro, teria de escolher entre essas duas peças, procurando aprofundar sucessivamente o título de uma e o de outra, pois era tudo o que sabia delas, para tentar extrair de cada uma o prazer que me prometia e compará-lo ao que a outra me escondia, cheguei a imaginar com tanta força, por um lado, uma peça deslumbrante e nobre, e, por outro, uma peça suave e aveludada, que me senti tão incapaz de decidir qual teria a minha preferência, como se, para sobremesa, me tivessem mandado escolher entre arroz à Imperatriz e creme de chocolate.

Todas as minhas conversas com os colegas eram sobre aqueles atores cuja arte, embora me fosse ainda desconhecida, era a primeira forma, dentre todas as de que se reveste a Arte, sob a qual ela se deixava pressentir para mim. Entre a maneira que um ou outro tinha de declamar, de matizar uma tirada, as mais pequeninas diferenças pareciam-me ter uma importância incalculável. E, conforme o que me haviam dito acerca deles, classificava-os de acordo com o talento, nas listas que recitava para mim mesmo o dia inteiro, e que tinham acabado por se solidificar no meu cérebro e incomodá-lo devido a sua mobilidade.

Mais tarde, no colégio, todas as vezes em que, durante as aulas, o professor virava a cabeça, eu me comunicava com um novo amigo, e a primeira pergunta era sempre para saber se ele já fora ao teatro e se achara que o maior ator era Got, o segundo Delaunay, etc. E se, de acordo com sua opinião, Febvre só vinha depois de Thiron, ou Delaunay após Coquelin, a súbita motilidade que Coquelin, perdendo a rigidez da pedra, passava a ter no meu espírito para passar ao segundo posto, e a milagrosa agilidade, a fecunda animação de que se via dotado Delaunay para recuar até o quarto lugar, davam uma sensação de vida e florescimento a meu cérebro flexível e adubado.

Mas se os autores me preocupavam dessa maneira, se a visão de Maubant saindo uma tarde do Théâtre-Français me causara o choque e as mágoas do amor, tanto mais o nome de uma estrela flamejando à porta de um teatro, tanto mais, pelos vidros de um cupê que passava na rua com seus cavalos floridos de rosas na testeira, a visão do rosto de uma mulher que eu pensava talvez fosse uma atriz, deixava em mim uma turvação mais prolongada, um esforço impotente e doloroso para imaginar a sua vida. Eu classificava por ordem de talento as mais ilustres, Sarah Bernhardt, a Berma, Bartet, Madeleine Brohan, Jeanne Samary, mas todas me interessavam. Ora, meu tio conhecia muitas delas, bem como *cocottes*, que eu não distinguia com nitidez das atrizes. Recebia-as em casa. E se o visitávamos somente em certos dias, era porque nos outros apareciam mulheres com quem sua família não poderia se encontrar, pelo menos do ponto de vista da família, pois no caso do meu tio, pelo contrário, sua grande facilidade em ter, para com as lindas viúvas que talvez nunca tivessem sido casadas, ou condessas de nome pomposo, que sem dúvida não passava de um nome de guerra, a polidez de apresentá-las à minha avó ou até de lhes dar jóias de família, já o fizera brigar mais de uma vez com meu avô. Muitas vezes, ao vir à conversa o nome de uma atriz, eu ouvia meu pai dizer à minha mãe, sorrindo: "Uma amiga do teu tio"; e eu pensava que o assédio que, talvez durante anos, alguns homens importantes faziam à porta de determinada mulher que não respondia a suas cartas e mandava que fossem despedidos pelo porteiro do hotel, meu tio bem poderia poupá-lo a um menino como eu, apresentando-o em sua casa à atriz, inacessível a tantos outros, que era sua amiga íntima.

Assim – ao pretexto de que a alteração de uma aula me impedia agora, devido a seu novo horário, e impediria muitas vezes no futuro, de ver meu tio –, um dia, que não o reservado para as visitas que lhe fazíamos, aproveitando o fato de que meus pais tinham almoçado cedo, saí e em vez de ir olhar a coluna de cartazes, para o que deixavam-me sair sozinho, corri até a casa do tio. Reparei que havia uma carruagem tirada por dois cavalos diante de sua porta, cavalos que traziam nos antolhos um cravo vermelho, igual ao que o cocheiro levava na botoeira. Chegando à escada, ouvi um riso e uma voz de mulher e, logo que toquei a campainha, um silêncio, e depois o rumor de portas que se fechavam. O lacaio veio abrir e, ao me ver, pareceu embaraçado, dizendo que meu tio estava muito ocupado, sem dúvida não poderia me receber e, no entanto, quando foi preveni-lo, a mesma voz que eu ouvira dizia: "Ora, deixe-o entrar; só um minutinho, isto me agradaria muito. Na fotografia que está sobre a mesa, ele se parece tanto com sua mamãe, sua sobrinha, cuja fotografia está ao lado da dele, não é mesmo? Gostaria de ver esse garoto ao menos um instante."

Ouvi meu tio resmungar, aborrecer-se; por fim, o criado me fez entrar.

Sobre a mesa estava o mesmo prato de bolo de amêndoas de costume; meu tio vestia a mesma japona de todos os dias, mas à sua frente, num vestido de seda rosado, com um grande colar de pérolas no pescoço, estava sentada uma mulher bem jovem que terminava de chupar uma tangerina. A incerteza em que me via, sem saber se a chamava de senhora ou senhorita, me fez enrubescer e, não ousando virar muito os olhos para o seu lado por medo de ter de lhe falar, fui beijar meu tio. Ela me olhava sorrindo, e meu tio lhe disse: "Meu sobrinho", sem lhe dizer meu nome, nem me dizer o seu, certamente porque, desde os problemas que tivera com meu avô, cuidava o mais possível de evitar todo tipo de união entre sua família e essa espécie de relações.

– Como se parece com a mãe – disse ela.

– Mas você nunca viu minha sobrinha a não ser em fotografia – retrucou meu tio com vivacidade, num tom emburrado.

– Desculpe, meu amigo, cruzei com ela na escada, ano passado, quando você esteve tão doente. É verdade que só a vi de relance e que sua escada é bem escura, mas foi o bastante para poder admirá-la. Este rapazinho tem seus lindos olhos e também *isto* – disse, traçando com o dedo uma linha sobre a parte inferior da testa. – E diga, a senhora sua sobrinha também usa o seu nome, meu amigo? – perguntou a meu tio.

– Ele se parece sobretudo com o pai – resmungou meu tio, que não se preocupava em fazer apresentações, nem à distância, dizendo o nome de minha mãe, nem de perto. – É principalmente parecido com o pai, e também com minha pobre mãe.

– Não conheço o pai dele – disse a dama cor-de-rosa com uma ligeira inclinação de cabeça –, e jamais conheci sua pobre mãe, meu amigo. Lembre-se, foi logo depois do luto que nós nos conhecemos.

Eu estava um tanto decepcionado, pois esta jovem dama não diferia em nada das outras mulheres lindas que eu havia visto às vezes na minha família, especialmente da filha de um de nossos primos, que eu ia visitar todos os anos no dia primeiro de janeiro. Era mais bem vestida, apenas, a amiga de meu tio, e tinha o mesmo olhar vivo e bondoso, o mesmo aspecto franco e amável. Não lhe achei nada do ar teatral que admirava nas fotografias de atrizes, nem da expressão diabólica que estaria de acordo com a vida que deveria levar. Mal acreditava que se tratasse de uma *cocotte* e, acima de tudo, não acreditaria que fosse uma *cocotte* chique se não tivesse visto o carro com os dois cavalos, o vestido cor-de-rosa, o colar de pérolas, se não tivesse sabido que meu tio só se encontrava com as de mais alto vôo. Mas perguntava a mim mesmo como é que o milionário que lhe dera seu carro, seu palacete e suas jóias podia sentir prazer em dilapidar a sua fortuna por uma pessoa de aspecto tão singelo e correto. E, no entanto, pensando no que devia ser a sua vida, sua imoralidade me perturbava mais ainda do que se fosse concretizada diante de mim numa aparência especial – por ser desse modo invisível como o segredo de um romance, de um escândalo que a devesse ter feito sair um dia da casa dos pais burgueses e a expusera a todo mundo, que tivesse desabrochado em beleza e a alçasse até o mundo da alta-roda e à notoriedade, aquela cujas feições de rosto, e entonações de voz, iguais a tantas outras que eu já conhecia, me faziam considerar, apesar de tudo, uma moça de boa família a quem já não tinha família alguma.

Passáramos para o "gabinete de trabalho" e meu tio, meio constrangido com a minha presença, lhe ofereceu cigarros.

– Não, meu caro – disse ela –, você sabe que estou acostumada com os que o Grão-duque manda. Disse-lhe que você tem ciúmes dele. – E retirou de um estojo alguns cigarros cheios de inscrições douradas, em língua estrangeira. – Mas sim – exclamou de repente –, devo ter encontrado em sua casa o pai deste menino. Não é o seu sobrinho? Como foi que pude esquecer? Ele foi tão bom, tão amável comigo – acrescentou com um ar modesto e sensível. – Mas, pensando no que poderia ter sido a áspera acolhida de meu pai, que ela classificava como "amável", eu, que conhecia de sobra a sua frieza e sua reserva, fiquei constrangido, como por alguma indelicadeza que ele houvesse cometido, com a desigualdade entre o reconhecimento excessivo, que lhe dedicavam, e sua amabilidade insuficiente. Mais tarde, pareceu-me tratar-se de um dos aspectos tocantes do papel dessas mulheres desocupadas e estudiosas, o fato de consagrarem sua generosidade, seu talento, um sonho disponível de beleza sentimental – pois, como os artistas, não o realizam, não o fazem enquadrar-se na existência comum – e um ouro que pouco lhes custa, a enriquecer com um engaste precioso e fino a vida frustrada e de mau acabamento dos homens. Como esta, no *fumoir* onde se achava meu tio de japona para recebê-la, que apresentava uma carnação tão suave, com seu vestido de seda, suas pérolas, a elegância que emana da amizade de um grão-duque, e colhera algumas palavras insignificantes de meu pai, trabalhara-as com delicadeza, dera-lhes um toque especial, um tom precioso e, nelas engastando um de seus olhares de tão linda água, matizado de humildade e reconhecimento, devolvia-as transformadas em jóias de arte, em algo "verdadeiramente requintado".

– Vamos, vamos, já está na hora de te despedires – disse meu tio.

Levantei-me, sentia uma vontade irresistível de beijar a mão da dama cor-de-rosa, mas parecia-me que haveria nisso algo de audacioso como um rapto. Meu coração palpitava enquanto eu dizia comigo: "É preciso fazê-lo, não devo fazê-lo"; depois cessei de me perguntar o que faria, para poder fazer alguma coisa. E num gesto cego e insensato, destituído de qualquer razão que há um instante sentira em seu favor, levei aos lábios a mão que ela me estendia.

– Como é gentil, e já bem galante! Tem um olhinho para as mulheres: saiu ao tio. Será um perfeito *gentleman* – acrescentou, cerrando os dentes para dar ao vocábulo um acento ligeiramente britânico. – Será que ele não poderia vir de novo para tomar *a cup of tea*, como dizem nossos vizinhos ingleses? Bastaria me mandar um *bleu* de manhã.

Não sabia o que significava um *bleu*. Não compreendia metade das palavras ditas pela dama, mas o medo de que houvesse uma pergunta oculta nelas, à qual seria desatencioso não responder, impedia-me de deixar de ouvi-las com atenção, e com isso fiquei muito cansado.

– Não, não, é impossível – retrucou meu tio, dando de ombros. – É um menino muito aplicado, estuda bastante. Tira todos os prêmios do colégio – acrescentou em voz baixa, para que eu não lhe ouvisse a mentira e o contradissesse. – Quem sabe se não será um pequeno Victor Hugo, uma espécie de Vaulabelle?

– Adoro os artistas – respondeu a dama cor-de-rosa –, só eles é que compreendem as mulheres... Eles e os homens de elite, como você. Mas perdoe a minha ignorância, meu amigo. Quem é Vaulabelle? É um desses volumes dourados que estão na pequena biblioteca envidraçada do seu quarto de vestir? Lembre-se que prometeu me emprestá-los, cuidarei bem deles.

Meu tio, que odiava emprestar livros, não respondeu e me levou à antecâmara. Perdido de amor pela dama cor-de-rosa, cobri de beijos alucinados as faces de meu velho tio, cheirando a tabaco, e enquanto, muito embaraçado, ele me dava a entender, sem coragem de dizê-lo abertamente, que muito gostaria que não falasse a meus pais daquela visita, eu lhe dizia, com lágrimas nos olhos, que a recordação da sua bondade era tão forte em mim que um dia acharia com certeza um meio de lhe testemunhar o meu reconhecimento. De fato, era tão forte que, duas horas depois, após algumas frases misteriosas e que não me pareceram dar a meus pais uma idéia bem nítida da nova importância de que me achava dotado, julguei mais explícito contar-lhes nos menores detalhes a visita que acabava de fazer. Assim, não imaginava causar aborrecimentos a meu tio. Como poderia causá-los, se não os desejava? E não podia supor que meus pais levassem a mal uma visita que eu achava inocente. E não ocorre todos os dias que um amigo nos pede que não deixemos de desculpá-lo com uma mulher a quem se viu impedido de escrever, o que negligenciamos em fazer, julgando que tal pessoa não pode dar importância a um silêncio que para nós é desimportante. Imaginava, como todos, que o cérebro dos outros era um receptáculo inerte e dócil, sem qualquer poder de reação sobre o que se introduzisse nele; e não duvidava que, depositando no cérebro de meus pais a notícia do conhecimento que meu tio me fizera ter, lhes transmitisse ao mesmo tempo, como o desejava, o julgamento benevolente que eu fazia dessa apresentação. Infelizmente, meus pais se pautaram por princípios inteiramente diversos dos que eu lhes sugeria que adotassem, ao apreciarem a ação de meu tio. Meu pai e meu avô tiveram com ele discussões violentas, sobre as quais fui indiretamente informado. Alguns dias depois, cruzando por meu tio na rua, quando ele passava em carro descoberto, voltei a sentir a dor, a gratidão, o remorso que gostaria de lhe ter expressado. Diante da grandeza destes sentimentos, achei que um cumprimento de chapéu seria um ato mesquinho e poderia lhe dar a entender que eu não me sentia obrigado, quanto a ele, além de uma polidez banal. Resolvi me abster desse gesto insuficiente e virei o rosto. Meu tio pensou que eu estava seguindo instruções de meus pais e nunca os perdoou por isso, e morreu muitos anos depois sem que nenhum de nós o tivesse visto de novo.

Portanto, eu não entrava mais no gabinete de repouso de meu tio Adolphe, que estava fechado agora; depois de me demorar nas vizinhanças da despensa, quando Françoise aparecia à entrada, dizendo: "Vou deixar que a criada de cozinha sirva o café e suba com a água quente, pois preciso ir logo para o quarto da Sra. Octave", eu me decidia a voltar para casa e subia diretamente para o meu quarto. A criada de cozinha era uma pessoa moral, uma instituição permanente a quem as atribuições invariáveis asseguravam uma espécie de continuidade e identidade, através da sucessão de formas passageiras nas quais se encarnava: pois jamais víamos a mesma dois anos seguidos. No ano em que comemos aspargos a criada de cozinha, em geral encarregada de os ralar, era uma pobre criatura doentia, num estado de gravidez muito adiantado quando chegamos para a Páscoa, e as pessoas até se espantavam que Françoise a deixasse andar e trabalhar tanto, pois ela principiava a carregar com dificuldade à sua frente a corbelha misteriosa, cada vez mais cheia, cujas belas formas se adivinhavam sob as amplas blusas. Estas lembravam os casacões que revestem algumas das figuras simbólicas de Giotto, das quais o Sr. Swann me dera algumas fotografias. Foi ele mesmo quem nos fizera notar a semelhança e quando nos pedia notícias da criada de cozinha, perguntava: "Como vai a Caridade de Giotto?" Aliás, ela mesma, a pobre moça, engordada pela gravidez até o rosto, até as faces que caíam retas e quadradas, se assemelhava bastante, com efeito, a essas virgens, fortes e masculinas, ou melhor, matronas, que na Arena personificam as virtudes. E agora me dou conta de que ainda de outra maneira esses Vícios e Virtudes de Pádua a ela se assemelhavam. Assim como a imagem daquela moça era acrescida pelo símbolo adicional que carregava no ventre, sem dar a impressão de que lhe compreendia o sentido, sem que nada no seu rosto lhe traduzisse a beleza e o espírito, como se não passasse de um simples fardo pesado, é deste modo que a possante matrona que está representada na Arena abaixo do nome de "Caritas" (e cuja reprodução se achava dependurada na parede do meu quarto de estudos em Combray) encarna, sem o suspeitar, a referida virtude, sem que nenhum pensamento caridoso pareça ter sido expresso alguma vez pelo seu rosto enérgico e vulgar. Por uma grande invenção do pintor, ela calca aos pés os tesouros da terra, como se pisasse uvas para lhes extrair o suco, ou antes, como se houvesse trepado em sacos para se erguer mais; e estende a Deus o coração inflamado, ou, dizendo melhor, ela o "passa", como uma cozinheira passa um saca-rolhas pelo respiradouro do seu subsolo a alguém que o pede da janela do andar térreo. Quanto à Inveja, já ostentava mais fisionomia de inveja. Mas ainda nesse afresco, o símbolo ocupa tanto espaço e é representado de modo tão real, tão grossa é a serpente que silva nos lábios da Inveja, enchendo-lhe tão completamente a grande boca aberta, que os músculos de seu rosto estão distensos para poder contê-la, como os de uma criança que enche um balão soprando, e a atenção da Inveja – e também a nossa – concentrada de todo na ação de seus lábios, quase não tem tempo de se ocupar com pensamentos invejosos.

Apesar de toda a admiração que o Sr. Swann professava por essas figuras de Giotto, durante muito tempo não senti prazer nenhum em contemplar em nossa sala de estudos, onde haviam pendurado as cópias que ele me dera, essa Caridade sem caridade, essa Inveja que tinha o aspecto de mera ilustração, num livro de medicina, da compressão da glote ou da campainha por um tumor da língua ou pela introdução de um instrumento cirúrgico, uma Justiça cujo rosto vulgar e mesquinhamente comum era o mesmo que, em Combray, caracterizava algumas boas burguesas devotas e secas que eu via na missa, várias das quais já formavam parte dos exércitos da Injustiça. Porém mais tarde compreendi que a estranheza impressionante, a beleza especial daqueles afrescos provinha do grande espaço que ali ocupava o símbolo, e que o fato de ter sido representado não como símbolo, visto que o pensamento simbólico não era expresso, e sim como realidade, como algo efetivamente sofrido ou materialmente manejado, dava ao sentido da obra algo mais literal e preciso, e ao seu ensinamento algo de mais concreto e mais chocante. No caso da pobre criada de cozinha, também, a atenção não era incessantemente atraída para o seu ventre pelo peso que o distendia? E assim também, muitas vezes o pensamento dos agonizantes se volta para o lado real, doloroso, obscuro, visceral, para esse avesso da morte que é precisamente o lado que ela lhes mostra, que ela rudemente faz com que sintam e que se assemelha bem mais a um fardo que os esmaga, a uma dificuldade de respirar, a uma necessidade de beber, do que aquilo a que chamamos morte.

Era preciso que aqueles Vícios e Virtudes de Pádua tivessem em si muita realidade, pois me pareciam tão vivos como a criada grávida; e ela própria não parecia menos alegórica. E talvez esta abstenção (ao menos aparente) da alma de um ser na virtude que opera por ele, tenha também, afora o seu valor estético, uma realidade, se não psicológica, pelo menos, como se diz, fisiognomônica. Quando mais tarde tive oportunidade de encontrar, no decurso da vida, por exemplo nos conventos, encarnações verdadeiramente santas da caridade ativa, elas geralmente mostravam uma fisionomia alegre, positiva, indiferente e brusca de cirurgião apressado, esse rosto onde não se lê nenhuma comiseração, nenhuma ternura pelo sofrimento alheio, nenhum receio em feri-lo, e que é o rosto sem doçura, a fisionomia antipática e sublime da verdadeira bondade.

Enquanto a criada de cozinha – fazendo brilhar involuntariamente a superioridade de Françoise, como o Erro, por contraste, torna mais brilhante o triunfo da Verdade – servia o café que, segundo mamãe, não passava de água quente, e logo subia para os nossos quartos com água quente que estava apenas morna, eu me estendera na cama, um livro na mão, no meu quarto, que protegia, a tremer, sua frescura transparente e frágil contra o sol da tarde por detrás dos postigos quase fechados onde um reflexo da luz diurna conseguira, no entanto, achar um modo de fazer penetrar suas asas amarelas, e ficava imóvel entre a madeira e os vidros, num canto, como uma borboleta pousada. A claridade do quarto era o suficiente para ler, e a impressão de esplendor da luz era-me dada somente pelas batidas vibradas por Camus na rua de La Cure (fora avisado por Françoise que minha tia "não estava repousando" e que podia fazer barulho) contra caixotes empoeirados, mas que, retinindo na atmosfera sonora, própria das regiões quentes, pareciam fazer voar ao longe astros escarlates; mas também pelas moscas que executavam à minha frente, no seu pequeno concerto, a música de câmara do verão; não o evoca à maneira de uma ária de música humana que, ouvida por acaso nessa estação, faz com que a lembremos em seguida; está unida ao verão por um elo mais necessário; nascida dos dias lindos, só renasce com eles, contendo um pouco de sua essência; não apenas desperta a sua imagem na nossa memória, mas certifica-lhes o regresso, a presença efetiva, ambiental, de imediato acessível.

O frescor obscuro do meu quarto estava para a plena luz do sol da rua como a sombra para o raio de sol, ou seja, tão luminoso quanto ele, e ofertava à minha imaginação o espetáculo integral do estio, que meus sentidos, se eu estivesse passeando, só poderiam desfrutar aos pedaços; e, assim, adequava-se perfeitamente ao meu repouso que (devido às aventuras narradas nos meus livros e que acabavam de emocioná-lo) suportava igualmente ao repouso de uma mão imóvel no meio da água corrente, o choque e a animação de uma torrente de atividade.

Porém minha avó vinha me rogar que saísse, mesmo que o tempo, muito quente, se alterasse, se sobreviesse uma tempestade ou apenas um chuvisco. E, não querendo renunciar à leitura, ia pelo menos continuá-la no jardim, sob o castanheiro, numa pequena guarita de esparto e lona no fundo da qual me sentava, julgando-me oculto aos olhos das pessoas que por acaso viessem fazer uma visita a meus pais.

E meu pensamento não seria também, por acaso, um esconderijo em cujo fundo eu sentia que permanecia oculto, até para olhar o que se passava lá fora?

Quando eu via um objeto exterior, a consciência de que o estava olhando permanecia entre mim e ele, bordava-o com uma tênue orla espiritual que me impedia de nunca tocar diretamente a sua matéria; volatilizava-se esta de alguma forma antes que eu tomasse contato com ela, como um corpo incandescente que se aproxima de um objeto molhado não chega a tocar sua umidade, pois se faz sempre anteceder de uma zona de evaporação. Nesse tipo de tela colorida de estados diversos que, enquanto eu lia, minha consciência ia desenrolando simultaneamente, e que iam desde as aspirações mais profundamente escondidas dentro de mim até a visão inteiramente exterior que eu tinha do horizonte diante dos olhos, na extremidade do jardim, o que havia de principal em mim, de mais íntimo, o leme que governava o resto num movimento incessante, era a minha crença na riqueza filosófica, na beleza do livro que estava lendo, e meu desejo de me apropriar delas, fosse qual fosse esse livro. Pois, mesmo que o tivesse comprado em Combray, ao vê-lo na loja de Borange, muito distante de casa para que Françoise pudesse ir buscá-lo como na casa de Camus, porém mais sortida como papelaria e livraria, preso por barbantes no meio do mosaico de brochuras e fascículos que cobriam as duas folhas de sua porta, mais misteriosa e mais semeada de pensamentos que uma porta de catedral, é que o reconhecera por me ter sido citado como uma obra notável pelo professor ou pelo colega que, na ocasião, me parecia deter o segredo da verdade e da beleza, meio ressentidas, meio incompreensíveis, e cuja apreensão era o vago mas permanente objetivo de meus pensamentos.

Depois desta crença central que, durante a leitura, executava movimentos incessantes de dentro para fora, no sentido da descoberta da verdade, vinham as emoções que me dava a ação na qual tomava parte, pois as tardes eram mais cheias de acontecimentos dramáticos do que, muitas vezes, uma vida inteira. Eram os acontecimentos que ocorriam no livro que estava lendo; é verdade que as personagens a quem interessavam não eram "reais", como dizia Françoise. Mas todos os sentimentos que nos fazem experimentar a alegria ou a desgraça de uma personagem real só ocorrem em nós por intermédio de uma imagem dessa alegria ou dessa desgraça; a engenhosidade do primeiro romancista consistiu em compreender que, no aparelho das nossas emoções, sendo a imagem o único elemento essencial, a simplificação que consistiria em suprimir pura e simplesmente as personagens reais seria um aperfeiçoamento decisivo. Um ser real, por mais profundamente que simpatizemos com ele, em grande parte só o percebemos através dos sentidos, isto é, permanece opaco para nós, oferece um peso morto que nossa sensibilidade não consegue erguer. Se uma desgraça o atinge, esta só poderá nos comover numa pequena parte da noção global que temos dele, e ainda mais, só numa pequena parte da noção total que tem de si mesmo é que sua própria desgraça poderá comovê-lo. O achado do romancista foi ter tido a idéia de substituir essas partes impenetráveis à alma por uma quantidade idêntica de partes materiais, isto é, que nossa alma pode assimilar. Desde então, que importa que as ações, as emoções desses seres de um novo tipo nos pareçam verdadeiras, visto que fizemo-las nossas, que é dentro de nós que se produzem, que mantêm sob seu domínio, enquanto viramos febrilmente as páginas do livro, a rapidez da nossa respiração e a intensidade do nosso olhar. E uma vez que o romancista nos pôs nesse estado, no qual, como em todos os estados exclusivamente interiores, toda emoção é duplicada, e onde seu livro vai perturbar-nos, à maneira de um sonho, mas de um sonho mais claro que os que temos ao dormir, e cuja lembrança vai durar mais, então, eis que ele deflagra em nós, durante uma hora, todas as fortunas e todas as desgraças possíveis, algumas das quais iríamos levar a vida inteira para conhecer, ao passo que outras, as mais intensas, jamais nos seriam reveladas porque a lentidão com que se produzem impede que as percebamos. (Assim vai mudando o nosso coração, durante a vida, e esta é a pior das dores; porém só a conhecemos através da leitura, pela imaginação: na realidade o coração se transforma da mesma maneira como se produzem certos fenômenos da natureza, tão vagarosamente que, embora possamos verificar de modo sucessivo seus estados diferentes, em compensação nos foge a própria sensação da mudança.)

Já menos interior a meu corpo que essa vida dos personagens, vinha a seguir, meio projetada diante de mim, a paisagem onde se desenrolava a ação e que exercia sobre meu pensamento uma influência bem maior que a outra, aquela que eu tinha sob os olhos quando os erguia do livro. Foi assim que, durante dois verões, no calor do jardim de Combray, senti, por causa do livro que lia na ocasião, a nostalgia de uma região montanhosa e fluvial, onde veria muitas serrarias e onde, no fundo da água cristalina, apodreciam pedaços de madeira debaixo de tufos de agrião; não longe dali, cachos de flores violáceas e avermelhadas subiam ao longo dos muros baixos. E como o sonho de uma mulher que me tivesse amado estava sempre presente no meu pensamento, naqueles verões tal sonho se impregnou do frescor das águas correntes; e cachos de flores violáceas e avermelhadas se elevavam imediatamente de cada lado daquela que foi a mulher evocada, subindo como cores complementares.

E não era apenas porque uma imagem com que sonhamos permanece sempre marcada, se embeleza e enriquece com o reflexo de cores estranhas que por acaso a rodeiam no nosso devaneio; pois essas paisagens dos livros que eu lia, eram apenas paisagens, para mim, mais vivamente representadas na minha imaginação que aquelas que Combray punha diante de meus olhos, mas eram inteiramente análogas. Pela escolha que fizera o autor, pela fé com que meu pensamento ia ao encontro de sua palavra como de uma revelação, elas me pareciam ser – impressão que de modo nenhum me dava a região onde me achava, e, principalmente, nosso jardim, produto sem prestígio da fantasia exata do jardineiro, que minha avó desprezava – uma parte verdadeira da própria Natureza, digna de ser estudada e aprofundada.

Se, quando eu lia um livro, meus pais me houvessem permitido ir visitar a região nele descrita, julgaria ter dado um passo inestimável para a conquista da verdade. Pois se a gente tem sempre a sensação de estar rodeada pela própria alma, isto não se dá como numa prisão imóvel; antes, sentimo-nos como que levados junto com ela num perpétuo impulso para ultrapassá-la, para atingir o exterior, com uma espécie de desânimo, ouvindo sempre ao nosso redor esta sonoridade semelhante que não é um eco de fora e sim o ressôo de uma vibração interna. Procuramos achar nas coisas, que por isso nos são preciosas, o reflexo que nossa alma projetou sobre elas, e ficamos desapontados ao verificar que elas parecem desprovidas, na natureza, do encanto que deviam, em nosso pensamento, à vizinhança de certas idéias; às vezes, transformamos todas as forças dessa alma em habilidade, em esplendor, para agir sobre as criaturas que, percebemos bem, situam-se fora de nós e que nunca atingiremos. Assim, se eu imaginava sempre ao redor da mulher amada os lugares que então mais desejava, se suspirasse para que fosse ela quem me levasse a visitá-los, ela quem me abrisse o acesso a um mundo desconhecido, não era isto devido ao acaso de uma simples associação de idéias; não, é que meus sonhos de viagem e de amor não passavam de momentos – que hoje separo artificialmente como se fizesse cortes em diversas alturas de um repuxo irisado e aparentemente imóvel – de um mesmo e inflexível jorro de todas as forças da minha vida.

Enfim, continuando a seguir de dentro para fora os estados simultaneamente justapostos em minha consciência, e antes de chegar ao horizonte real que os envolvia, encontro prazeres de outra espécie, o de estar bem sentado, de sentir o bom aroma do ar, de não ser importunado por nenhuma visita; e quando davam horas no sino de Saint-Hilaire, o de assistir caindo, pedaço a pedaço, à parte já consumida da tarde, até ouvir o último toque que me permitia contar o total e, após o qual, o longo silêncio que o seguia parecia fazer começar no céu azul toda a parte que ainda me seria concedida para ler até o bom jantar preparado por Françoise, e que me reconfortaria das canseiras que tivera, durante a leitura do livro, para acompanhar o herói da história. E, a cada hora, parecia-me que fora há poucos instantes apenas que a hora precedente havia soado; a mais recente vinha se inscrever bem pertinho da outra no céu e eu não podia acreditar que sessenta minutos coubessem nesse pequeno arco azul compreendido entre suas duas marcas de ouro. Muitas vezes até essa hora prematura soava duas batidas a mais que a última; havia, portanto, uma que eu não ouvira, algo que ocorrera não acontecera para mim; o interesse na leitura, mágico feito um sono profundo, iludira meus ouvidos alucinados e apagara o sino de ouro sobre a superfície azulada do silêncio. Belos entardeceres de domingo, debaixo do castanheiro do jardim de Combray, cuidadosamente esvaziados por mim dos incidentes medíocres de minha vida pessoal, colocando em seu lugar uma vida de aventuras e de aspirações estranhas no interior de um país, regado de águas vivas, vós me evocais ainda essa vida quando penso em vós, e de fato vós a contendes por a terdes aos poucos contornado e cercado – ao passo que eu me adiantava na leitura e diminuía o calor da tarde – no cristal sucessivo, vagarosamente mutável e coberto de folhagens, de vossas horas silenciosas, sonoras, aromadas e límpidas.

Às vezes eu era interrompido na leitura, no meio da tarde, pela filha do jardineiro, que corria feito uma doida, chocando-se na passagem com uma laranjeira, cortando um dedo, quebrando um dente e gritando: "Aí vêm eles, aí vêm eles!", para que Françoise e eu acorrêssemos e não perdêssemos nada do espetáculo. Era nos dias em que, devido às manobras da guarnição, a tropa atravessava Combray, indo em geral pela rua de Sainte-Hildegarde. Enquanto os nossos criados, sentados em fila, nas cadeiras do lado de fora da grade, olhavam os passeantes dominicais de Combray, fazendo-se olhar por eles, a filha do jardineiro, pelo intervalo existente entre duas casas não próximas da avenida da Estação, havia percebido o brilho dos capacetes. Os criados recolhiam precipitadamente suas cadeiras, pois quando os couraceiros desfilavam pela rua de Sainte-Hildegarde, enchiam-na em toda a largura, e o galope dos cavalos passava rente às casas, cobrindo as calçadas submergidas como as margens que oferecem um leito demasiadamente esguio a uma torrente desencadeada.

"Pobres crianças", dizia Françoise ao chegar à grade e já chorando; "pobre juventude que será cortada como grama; só de pensar nisso me sinto mal", acrescentava, levando a mão ao coração onde recebera o *choque*.

– Como é bonito ver estes rapazes que não ligam para a vida, não é, senhora Françoise? – dizia o jardineiro só de implicância.

E não falara debalde:

– Que não ligam para a vida? Mas para que mais a gente deve ligar senão para a vida, o único presente que o bom Deus nunca dá duas vezes. Ai, meu Deus! Entretanto, não ligam mesmo! Eu os vi em 70: eles não têm mais medo da morte nessas miseráveis guerras; são uns loucos, nem mais nem menos; e, além disso, não valem a corda para enforcá-los, pois não são homens, são leões. (Para Françoise, a comparação de um homem a um leão, que ela pronunciava lé-ão, nada tinha de elogioso.)

A rua de Sainte-Hildegarde dobrava muito de repente para que se pudesse ver os soldados de longe, e por aquela abertura entre as duas casas da avenida da Estação é que se vislumbravam sempre novos capacetes correndo e brilhando ao sol. O jardineiro gostaria de saber se ainda faltavam muitos para passar, e estava com sede pois o sol ardia. Assim sua filha, lançando-se de súbito como uma cidade sitiada, dava uma escapadela, alcançava a esquina da rua e, depois de haver afrontado cem vezes a morte, vinha nos trazer, com um refresco de coco, a notícia de que eles eram cerca de mil que se aproximavam sem parar, dos lados de Thiberzy e

Méséglise. Françoise e o jardineiro, as pazes feitas, conversavam sobre o que seria necessário fazer em caso de guerra:

– Veja bem, Françoise – dizia o jardineiro –, a revolução valeria mais, pois quando ela rebenta só vai quem quer.

– Ah, sim, pelo menos entendo isso; é mais franco.

O jardineiro achava que, em caso de declaração de guerra, iam mandar parar todos os trens.

– Claro, para que ninguém possa fugir.

E o jardineiro: – Ah, eles são astutos – pois não admitia que a guerra não passasse de uma peça de mau gosto que o Estado tentasse pregar ao povo e à qual, se houvesse algum meio, todos não deixariam de se esquivar.

Mas Françoise se apressava a voltar para junto de minha tia, eu regressava a meu livro, os criados voltavam a se instalar à frente das portas para olhar cair a poeira e a emoção causada pelos soldados. Muito tempo depois de reinstalado o sossego, uma onda desacostumada de passeantes negrejava ainda nas ruas de Combray. E diante de toda casa, mesmo aquelas onde não havia esse hábito, os criados e até os patrões, sentados e olhando, recortavam as soleiras com um debrum caprichoso e sombrio, como os das algas e das conchas, cujos crepes e rendilhados uma forte maré deixa na margem ao retirar-se.

Pelo contrário, a não ser nesses dias, eu podia sossegadamente entregarme à leitura como de costume. Porém a interrupção e o comentário ocorridos certa vez, durante uma visita de Swann, à leitura que eu começava a fazer de um autor inteiramente novo para mim, Bergotte, tiveram como conseqüência, por muito tempo, o fato de que não foi mais sobre um muro ornamentado de flores roxas em cacho, e sim sobre um fundo completamente diverso, diante do pórtico de uma catedral gótica, que se destacava a imagem de uma das mulheres com quem sonhava.

Ouvira falar de Bergotte, pela primeira vez, por um de meus colegas mais velhos que eu e pelo qual nutria grande admiração: Bloch. Ao me ouvir falar de minha admiração pela *Nuit d'Octobre*, dera uma risada estridente como um clarim e dissera: "Desconfie de sua predileção bastante baixa pelo senhor de Mussset. É um gagá dos piores e uma besta sinistra. Devo confessar, aliás, que ele e até o chamado Racine fizeram, cada um, um único verso bem ritmado e que têm para mim, o que a meu ver é o mérito supremo, o valor de não significarem coisa alguma. São estes: *"La blanche Oloossone et la blanche Camyre"* e *"La fille de Minos et de Pasiphaé"*. Vi-os citados, em favor destes dois malandros, em um artigo do meu muito querido mestre, o tio Leconte, agradável aos deuses imortais. A propósito, eis aqui um livro que não tenho tempo de ler agora e que, parece, é recomendado por esse sujeito imenso. Disseram-me que considera o autor, o senhor de Bergotte, um gagá dos mais sutis; e embora ele dê provas, às vezes, de indulgências bem inexplicáveis, sua palavra para mim é um oráculo de Delfos. Portanto, leia estas prosas líricas e, se o gigantesco formador de ritmos que escreveu *Bhagavat* e *Le Lévrier de Magnus* falou a verdade, você há de gozar, meu caro mestre, as alegrias do néctar do Olimpo." Foi com um tom sarcástico que me pedira que o chamasse de "caro mestre" e assim também me chamava. Mas na verdade achávamos um certo prazer nesse jogo, estando ainda próximos da idade em que se acredita infundir vida àquilo que se nomeia.

Infelizmente, conversando com Bloch e pedindo-lhe explicações, não pude diminuir a perturbação em que ele me lançara ao me dizer que os belos versos (a mim que deles não esperava mais que a revelação da verdade) seriam tanto mais belos se não significassem absolutamente nada. Com efeito, Bloch não foi mais convidado a nos visitar. A princípio, fora bem acolhido. É verdade que meu avô sustentava que, todas as vezes que eu me ligava mais estreitamente a um colega do que aos outros, e o levava à nossa casa, tratava-se sempre de um judeu, o que por si só não lhe desagradaria – até seu amigo Swann era de origem judaica – se não lhe parecesse que eu não o escolhia geralmente dentre os melhores. Assim, quando eu trazia um novo amigo, era bem raro que não se pusesse a cantarolar: "Ó Deus dos nossos Pais", da *Juive*, ou então "Israel, rompe as tuas cadeias", sem a letra, é claro (Ti la lam ta lam, talim), mas eu temia que meu colega conhecesse a música e recordasse a letra.

Antes de os ter visto, bastava que lhes ouvisse o nome, o qual, muitas vezes, nada tinha de particularmente judeu, para que adivinhasse não só a origem judaica dos meus amigos que o eram de fato, mas até o que pudesse haver, às vezes, de desagradável em suas famílias.

– E como se chama o teu amigo que vem esta tarde?

– Dumont, vovô.

– Dumont? Ah, estou desconfiado.

E cantava:

Archers, faites bonne garde!
Veillez sans trêve et sans bruit.[1]

E depois de nos fazer com habilidade algumas perguntas mais precisas, gritava: "Em guarda! Em guarda!", ou, se era o próprio paciente já chegado a quem forçara, sem que este soubesse, por um interrogatório disfarçado, a declarar suas origens, então, para nos mostrar que não tinha quaisquer dúvidas, contentava-se em nos encarar, cantarolando imperceptivelmente:

[1] "Arqueiros, façam boa vigilância! / Viagem sem trégua e sem rumor." (N. do T.)

De ce timide Israélite
Quoi, vous guidez ici les pas!

ou:

Champs paternels, Hébron, douce vallée

ou ainda:

Oui je suis de la race élue.[1A]

Essas pequenas manias de meu avô não implicavam qualquer sentimento de malquerença em relação a meus colegas. Porém Bloch havia desgostado a minha família por outras razões. Principiara por aborrecer meu pai que, vendo-o molhado, lhe dissera com simpatia:

– Mas, senhor Bloch, que tempo está fazendo, será que choveu? Não estou entendendo nada, pois o barômetro indicava tempo bom.

E obtivera apenas esta resposta:

– Senhor, não posso lhe dizer absolutamente se choveu. Vivo tão decididamente fora das contingências físicas que meus sentidos não se preocupam em me notificá-las.

– Mas, meu pobre filho, é um imbecil esse teu amigo – dissera meu pai quando Bloch se foi. – Como! Não pode sequer me dizer que tempo está fazendo? Mas se não há nada mais interessante! É um idiota.

Depois, Bloch desagradou à minha avó porque, após a refeição, como dissesse que se sentia um tanto indisposta, ele sufocara um soluço e enxugara os olhos.

– Como queres que tenha sido sincero – disse ela – se não me conhecia; ou então é doido.

E por fim descontentara a todos, pois tendo vindo almoçar, com uma hora e meia de atraso e coberto de lama, em vez de se desculpar havia dito:

– Não me deixo influenciar nunca pelas perturbações da atmosfera nem pelas divisões convencionais do tempo. Reabilitara de bom grado o emprego do cachimbo de ópio e do cris malaio, mas ignoro o desses instrumentos mais perniciosos, e além disso rasamente burgueses, o relógio de pulso e o guarda-chuva.

Apesar de tudo, ele poderia ter voltado a Combray. Entretanto, não era o amigo que meus pais desejassem para mim; acabaram por acreditar que as lágri-

1A "O quê! Desse tímido israelita / vós guiais aqui os passos!" / "Campos paternos, Hebron, doce vale" / "Sim, eu pertenço à raça eleita." (N. do T.)

mas derramadas pela indisposição de minha avó não eram fingidas; mas sabiam, instintivamente, ou por experiência, que os impulsos da nossa sensibilidade têm pouca força sobre a seqüência de nossos atos e a conduta da nossa vida, e que o respeito às obrigações morais, a fidelidade aos amigos, a execução de uma obra, o cumprimento de um regime possuem um fundamento mais seguro nos costumes cegos do que nos transportes momentâneos, ardentes e estéreis. Para mim, teriam preferido companheiros que não me dessem mais do que é estipulado doar a seus amigos, conforme as regras da moral burguesa; que não me enviariam inesperadamente um cesto de frutas por terem, nesse dia, pensado em mim com ternura; mas que, não sendo capazes de fazer inclinar em meu favor a balança exata dos deveres e das exigências da amizade por um mero impulso da imaginação e da sensibilidade, também não a falseariam em detrimento meu. Nem mesmo as nossas faltas desobrigam com facilidade de tudo o que nos devem tais naturezas, de quem minha tia-avó era o modelo, ela que, rompida há muitos anos com uma sobrinha com quem jamais falava, nem por isso modificou seu testamento, no qual lhe deixava toda a sua fortuna, pois a sobrinha era sua mais próxima parenta e aquilo "lhe era devido".

Mas eu gostava de Bloch, meus pais queriam me agradar, e os problemas insolúveis que eu me colocava a propósito da beleza desprovida de significado dos versos relativos à filha de Minos e de Pasífae me cansavam muito mais e me deixavam mais angustiado do que o teriam feito novas conversas com ele, embora minha mãe as considerasse perniciosas. E o teriam recebido ainda em Combray se, após aquele jantar, depois de me dizer – notícia que mais tarde teve muita influência sobre minha vida, fazendo-a mais feliz e depois mais infeliz – que todas as mulheres só pensavam no amor e que não haveria uma só cuja resistência não fosse possível vencer, não me houvesse assegurado ter ouvido dizer, da maneira mais certa, que minha tia-avó tivera uma juventude de aventuras e fora sabidamente "sustentada". Não pude deixar de repetir suas palavras a meus pais e eles lhe fecharam as portas quando voltou; e, quando a seguir o encontrei na rua, comportou-se com extrema frieza para comigo.

Mas, a respeito de Bergotte, havia dito a verdade.

Nos primeiros dias, como ocorre com uma ária de música que nos arrebatará mas que ainda não percebemos, não descobri o que devia amar tanto no seu estilo. Não conseguia deixar o romance dele, que estava lendo, mas julgava-me interessado exclusivamente no assunto, como nos primeiros momentos do amor em que a gente vai todos os dias encontrar uma mulher em alguma reunião, em algum espetáculo, e achamos que o que nos atrai ali é a diversão. Depois, comecei a reparar nas expressões raras, quase arcaicas, que ele gostava de empregar em certos trechos, onde uma vaga escondida de harmonia, um prelúdio interior, agitavam-lhe o estilo; e era também nesses momentos que ele se punha a falar do "sonho vão da vida", da "torrente inesgotável das belas aparências", do "tormento estéril e delicioso de compreender e de amar", das "emocionantes efígies que enobrecem para sempre a venerável fachada encantadora das catedrais", quando exprimia para mim toda uma filosofia nova através de imagens maravilhosas, das quais se poderia dizer terem elas mesmas despertado esse canto de harpas que então se elevava e a cujo acompanhamento davam algo de sublime. Uma dessas passagens de Bergotte, a terceira ou a quarta que isolei do restante, deu-me uma alegria inexprimível, que não saberia comparar com a primeira, uma alegria que experimentei numa região mais profunda de mim mesmo, mais unida, mais vasta, de onde os obstáculos e as separações pareciam ter sido removidos. É que, reconhecendo então o mesmo gosto pelas expressões raras, essa mesma efusão musical, essa mesma filosofia idealista que já tinha sido em outras ocasiões, sem que de tal eu me desse conta, a causa de meu prazer, não tive mais a impressão de estar na presença de um trecho especial de um determinado livro de Bergotte, traçando na superfície do meu pensamento uma figura puramente literária, e sim do "trecho ideal" de Bergotte, comum a todos os seus livros e ao qual todas as passagens análogas, que com ele se vinham misturar, teriam dado uma espécie de espessura, de volume, com o qual o meu espírito parecia engrandecer-se.

Não era o único admirador de Bergotte; ele também era o escritor predileto de uma amiga de minha mãe, por sinal bastante letrada; por fim, para ler o seu último livro publicado, o doutor Du Boulbon fazia os clientes esperarem. E foi do seu consultório e de um parque vizinho de Combray que se evolaram algumas das primeiras sementes dessa predileção por Bergotte, tipo tão raro à época, hoje espalhado universalmente, e de que se encontra por toda parte na Europa, na América, até mesmo na aldeia mais insignificante, a flor ideal e comum. O que a amiga de minha mãe e também, segundo parecia, o doutor Du Boulbon amavam nos livros de Bergotte era, como eu, esse mesmo fluxo melódico, essas expressões antiquadas, algumas outras mais simples e conhecidas, mas as quais, pelo lugar onde as punha em evidência, pareciam revelar de sua parte uma predileção especial. Enfim, nas passagens tristes, um certo acento brusco, quase rouco. E sem dúvida, ele mesmo devia sentir que ali estavam os seus pontos mais atraentes. Pois nos livros que se seguiram, se encontrasse alguma grande verdade, ou o nome de uma catedral célebre, ele interrompia a narrativa e, numa invocação, numa apóstrofe, numa longa oração, dava livre curso a esses eflúvios que, em suas primeiras obras, eram interiores à sua prosa, revelados apenas nas ondulações da superfície, talvez ainda mais suaves, mais harmoniosos, quando assim cobertos, não sendo possível apontar, de forma exata, onde nascia e onde expirava o seu murmúrio. Tais trechos, nos quais ele se comprazia, eram nossos trechos preferidos. Eu os sabia de cor. Ficava desapontado quando retomava o fio da narrativa. Toda vez que me falava de algo cuja beleza até então me fora oculta, pinheirais, granizo, a *Notre Dame de Paris*, a

Athalie, a *Phèdre*, fazia, numa imagem, essa beleza explodir até mim. Assim, sentindo quantas partes havia do universo que a minha percepção incompleta não poderia distinguir se ele não as pusesse a meu alcance, gostaria de ter uma opinião sua, uma metáfora sua, sobre todas as coisas, sobretudo acerca daquelas que eu mesmo tivesse ocasião de ver e, entre essas, especialmente, sobre antigos monumentos franceses e certas paisagens marítimas, porque a insistência com que os citava em seus livros provava que os tinha como ricos de significado e de beleza. Infelizmente eu ignorava a sua opinião sobre quase todas as coisas. Não duvidava que ela fosse inteiramente diferente das minhas, pois provinha de um mundo desconhecido ao qual procurava me elevar; persuadido que meus pensamentos teriam parecido pura inépcia a um tal espírito perfeito, fizera tábua rasa de todos eles, de maneira que, quando por acaso encontrasse, em um de seus livros, uma idéia que me havia ocorrido, meu coração se enchia de júbilo como se um deus, em sua bondade, me houvesse devolvido tal idéia, declarando-a legítima e bela. Ocorria, às vezes, que uma página sua dizia as mesmas coisas que eu escrevia freqüentemente à noite à minha avó e à minha mãe quando não conseguia dormir, se bem que essa página de Bergotte desse a impressão de uma coletânea de epígrafes para serem colocadas à testa de meus escritos. Mesmo mais tarde, quando comecei a escrever um livro, certas frases, cuja qualidade não era o bastante para me decidir a continuá-lo, encontrei-lhes o equivalente em Bergotte. Mas somente então, quando lia-as nas suas obras, é que podia desfrutá-las; quando era eu quem as compunha, preocupado que elas refletissem exatamente aquilo que meu pensamento desejava exprimir, não "fazer semelhante", tinha muito tempo para perguntar a mim mesmo se o que estava escrevendo era tão agradável. Mas, na verdade, eu só amava de fato esse tipo de frases, esse gênero de idéias. Meus inquietos esforços descontentes eram eles mesmos um sinal de amor, de um amor sem prazer mais profundo. E assim, quando, subitamente, encontrava tais frases na obra de outro escritor, ou seja, sem mais ter escrúpulos ou severidade, sem ter de me atormentar, deixava-me enfim levar, deliciado, pelo gosto que me causavam, como um cozinheiro que, por uma vez, quando não precisa cozinhar, encontra tempo de ser um *gourmand*. Um dia, tendo encontrado em um livro de Bergotte, a propósito de uma velha criada, um gracejo que a linguagem solene e magnífica do escritor fazia ainda mais irônico, mas que era o mesmo que eu já fizera muitas vezes à minha avó ao falar de Françoise, e de outra vez em que vi que ele não julgava indigna de figurar num desses espelhos da verdade, que eram as suas obras, uma observação análoga à que eu tivera oportunidade de fazer a respeito do nosso amigo Legrandin (observações acerca de Françoise e Legrandin que eram certamente daquelas que eu teria mais deliberadamente sacrificado a Bergotte, convencido de que ele não lhes daria qualquer importância), pareceu-me, de repente, que minha humilde existência e os reinos da verdade não estavam assim tão separados quanto imaginara, e que chegavam mesmo a coincidir em certos pontos, e chorei de alegria e confiança sobre as páginas do escritor como nos braços de um pai reencontrado.

De acordo com seus livros, eu imaginava Bergotte como um velho frágil e desencantado que perdera filhos e nunca se consolara. E assim lia e cantava internamente a sua prosa, mais *dolce*, mais *lento* quem sabe, do que fora escrita, e a frase mais simples se dirigia a mim com uma entonação enternecida. Acima de tudo, amava a sua filosofia, entregara-me a ela por todo o sempre. Ela me tornava impaciente para chegar à idade em que entraria para a faculdade, onde faria o curso de Filosofia. Mas não queria que ali se fizesse outra coisa senão viver exclusivamente pelas idéias de Bergotte, e se me houvessem dito que os metafísicos que iriam me atrair então não tinham qualquer semelhança com ele, eu sentiria o desespero de um apaixonado que quer amar por toda a vida, e ao qual falam das outras amantes que terá mais tarde.

Um domingo, durante a minha leitura no jardim, fui interrompido por Swann, que vinha ver meus pais.

– Que é que você está lendo, posso ver? Ora, Bergotte! Mas quem lhe indicou as suas obras? – Respondi que fora Bloch.

– Ah, sim, aquele rapaz que vi aqui uma vez, e que se assemelha tanto ao retrato de Maomé II por Bellini. Oh, é espantoso, tem os mesmos supercílios circunflexos, o mesmo nariz adunco, os mesmos malares salientes. Quando tiver uma barbicha será a mesma pessoa. Em todo caso, ele tem gosto, pois Bergotte é um espírito encantador. – E vendo que eu parecia admirar tanto a Bergotte, Swann, que jamais falava das pessoas que conhecia, fez, por bondade, uma exceção e me disse:

– Conheço-o muito bem, e se isso te dá prazer, posso pedir a ele que escreva algumas palavras no teu livro.

Não me atrevi a aceitar mas fiz a Swann algumas perguntas sobre Bergotte.

– Poderia me dizer qual o seu ator preferido?

– O ator, não sei. Mas sei que não compara nenhum artista à Berma, que ele coloca acima de todos. Já a viu representando?

– Não, senhor. Meus pais não me dão licença de ir ao teatro.

– É uma pena. Devia pedir-lhes. A Berma na *Phèdre*, em *Le Cid*, não passa de uma atriz, se você quiser, mas saiba que não creio muito na "hierarquia" das artes. – (E observei, como tantas vezes me surpreendera nas conversas dele com as irmãs de minha avó, que, quando falava acerca de assuntos sérios, ou quando empregava uma expressão que parecia abranger um julgamento sobre um tema importante, tinha o cuidado de isolá-la em uma entonação especial, automática e irônica, como se a pusesse entre aspas, dando a impressão de não querer assumi-la, dizendo: "A *hierarquia*, vocês sabem, como dizem as pessoas ridículas." Mas então, se era ridículo, porque o dizia?) Após um instante, acrescentou: – Isto lhe dará uma visão tão nobre como qualquer obra-prima, como digamos... – e se pôs a rir – como as Rainhas de Chartres! – Até então, esse horror de exprimir com seriedade suas opiniões me parecia elegante, e era uma atitude que se opunha ao dogmatismo provinciano das irmãs de minha avó; e eu suspeitava que fosse, igualmente, uma das atitudes do espírito no meio em que Swann vivia, e onde, em reação ao lirismo das gerações anteriores, reabilitavam-se até o excesso os pequenos fatos precisos, outrora tidos como vulgares, e eram proscritas as "frases". Mas agora eu achava algo de chocante nessa atitude de Swann em relação às coisas. Ele dava a impressão de não ter coragem de externar uma opinião e de só poder estar tranqüilo quando fornecia, meticulosamente, informações precisas. Mas então, será que não percebia que postular que a precisão de tais detalhes apresentava tanta importância, já era emitir uma opinião? Voltei, então, a pensar naquele jantar em que eu estava tão triste porque mamãe não deveria subir ao meu quarto, e no qual ele dissera que os bailes da princesa de Léon não tinham nenhuma importância. No entanto, era nesse tipo de prazeres que ele passava a vida. Achei aquilo tudo contraditório. Para que outra vida, então, se reservaria ele para dizer por fim, com seriedade, o que pensava das coisas, para formular juízos que não colocasse entre aspas, e de não mais se entregar, com uma polidez minuciosa, a ocupações que ao mesmo tempo considerava ridículas? Reparei, também, no modo como Swann me falou de Bergotte, alguma coisa que, em compensação, não lhe era própria, mas, pelo contrário, por aquela época, fazia parte de todos os admiradores do escritor, mesmo a amiga de minha mãe e o doutor Du Boulbon. Como Swann, todos eles diziam de Bergotte: "É um espírito encantador, tão especial, tem uma forma muito sua de dizer as coisas, um tanto rebuscada, mas tão agradável. Nem é necessário ver a assinatura, reconhece-se logo que é da sua lavra." Mas ninguém teria ido ao ponto de dizer: "É um grande escritor, tem um grande talento." Nem sequer diziam que tivesse talento. Não o diziam porque não o sabiam. Somos muito vagarosos para reconhecer no aspecto particular de um novo escritor o modelo que leva o nome de "grande talento" em nosso museu de idéias gerais. Exatamente porque esse aspecto é novo, não achamos de modo algum que se pareça ao que chamamos talento. Dizemos de preferência originalidade, encanto, delicadeza, vigor; e depois um dia percebemos que tudo aquilo junto é justamente o talento.

– Há obras de Bergotte em que ele fala da Berma? – indaguei ao Sr. Swann.

– Creio que no seu opúsculo sobre Racine, mas deve estar esgotado. Talvez tenha havido uma reimpressão. Vou procurar saber. Aliás, posso pedir a Bergotte tudo o que você quiser, não há uma semana que ele não vá jantar lá em casa. É um grande amigo da minha filha. Costumam visitar juntos as velhas cidades, as catedrais, os castelos.

Como eu não tivesse noção alguma da hierarquia social, a proibição imposta por meu pai às nossas relações com a Sra. Swann e sua filha tivera antes, para mim, desde muito, o efeito de me fazer imaginar grande distância entre nós e elas, dando-lhes, a meus olhos, o maior prestígio. Lamentava que minha mãe não pintasse os cabelos e nem pusesse *rouge* nos lábios, como, segundo ouvira à Sra. Sazerat, nossa vizinha, fazia a Sra. Swann para agradar, não ao marido, mas ao Sr. de Charlus, e pensava que deveríamos ser, para ela, um motivo de desprezo, o que me magoava sobretudo por causa da Srta. Swann, que me disseram ser uma menina bonita e com quem eu sonhava muitas vezes, emprestando-lhe, de cada vez, o mesmo rosto arbitrário e atraente. Mas quando soube, naquele dia, que a Srta. Swann era um ser de tão rara condição, banhando-se, como em seu elemento natural, em meio a tantos privilégios, que quando perguntava aos pais se havia alguém para jantar lhe respondiam com essas sílabas cheias de luz, com o nome daquele conviva de ouro que para ela era apenas um velho amigo de família: Bergotte; que para ela, a conversa íntima à mesa, o que, para mim, correspondia ao que era a conversação com minha tia-avó, eram palavras de Bergotte sobre esses assuntos que não pudera abordar em seus livros, e a respeito dos quais gostaria de ouvi-lo pronunciar-se como um oráculo; e que, enfim, quando ela ia visitar cidades, ele caminhava a seu lado, desconhecido e glorioso, como os deuses que se misturavam aos mortais; então senti, ao mesmo tempo, o valor de uma pessoa como a Srta. Swann e o quanto eu deveria lhe parecer grosseiro e bronco, e experimentei tão vivamente a doçura e a impossibilidade de ser seu amigo que me enchi, ao mesmo tempo, de desejo e desespero. Agora, quando nela pensava, a mais das vezes a via diante do pórtico de uma catedral, explicando-me o significado das estátuas e, com um sorriso que falava bem de mim, apresentando-me a seu amigo Bergotte. E sempre o charme de todas as idéias que as catedrais faziam nascer em mim, o charme dos outeiros de Île-de-France e das planícies da Normandia, faziam refluir seus reflexos sobre a imagem que eu me formava da Srta. Swann: era estar completamente pronto para amá-la. Pois acreditar que um ser participa de uma vida ignorada na qual o seu amor nos faria penetrar é, de tudo quanto exige o amor para nascer, aquilo a que ele mais se prende, fazendo-o desprezar o resto. Até as mulheres que pretendem avaliar um homem só pelo físico, vêem neste físico a emanação de uma vida especial. É por isso que amam os militares, os bombeiros; o uniforme as faz menos exigentes para o rosto; julgam beijar, por baixo da couraça, um coração diferente, aventuroso e suave; e um jovem soberano, um príncipe herdeiro, para efetuar as conquistas mais lisonjeiras nos países estranhos que visita, não precisa ter o perfil regular que talvez fosse indispensável a um corretor da Bolsa.

Enquanto eu lia no jardim, coisa que minha tia-avó não entendia que eu fizesse a não ser nos domingos, dia em que é proibido ocupar-se alguém com qualquer coisa séria, e quando ela não costurava (num dia útil, ela me teria dito: “Como, tu ainda te *divertes* em ler, mas não estamos no domingo”, dando à palavra divertimento o sentido de infantilidade e perda de tempo), minha tia Léonie conversava com Françoise, esperando a hora de Eulalie. Anunciava-lhe que acabara de ver passar a Sra. Goupil “sem guarda-chuva, com o vestido de seda que mandara fazer em Châteaudun. Se tem de ir muito longe antes das Vésperas, é bem capaz de deixá-lo todo ensopado.”

– Talvez, talvez – (o que significava talvez não) dizia Françoise para não eliminar, em definitivo, a hipótese de uma alternativa mais favorável.

– Veja! – exclamava minha tia batendo na testa. – Isso me faz lembrar que fiquei sem saber se ela chegou à igreja depois da elevação. Será necessário pensar em perguntá-lo a Eulalie... Françoise, verifique aquela nuvem negra atrás do campanário, e esse sol fraco sobre as ardósias, tenho certeza que o dia não escapará de uma chuva. Não é possível que tudo fique assim como estava, fazia muito calor. E quanto mais cedo melhor, pois enquanto não chover a minha água de Vichy não desce – acrescentou minha tia, em cujo espírito o desejo de apressar a descida da água de Vichy era infinitamente maior que o medo de ver a Sra. Goupil estragar o vestido.

– Talvez, talvez.

– É que, quando chove na praça, não há ali o menor abrigo. Como, já três horas? – exclamava minha tia subitamente, empalidecendo. – Mas então as Vésperas já começaram, e eu esqueci a minha pepsina! Agora compreendo por que minha água de Vichy permanecia no estômago.

E precipitando-se para um missal encadernado em veludo roxo, com fechos de ouro, e de onde, em sua pressa, deixava cair algumas dessas imagens de bordos rendilhados de papel amarelado, que marcam as páginas das festas religiosas, minha tia, enquanto engolia suas gotas, punha-se a ler às pressas os textos sagrados cuja compreensão era-lhe levemente obscurecida pela incerteza de saber se, tomada tanto tempo depois da água de Vichy, a pepsina seria ainda capaz de atingi-la e fazê-la descer.

– Três horas, é incrível como o tempo passa!

Uma pancadinha na vidraça, como se algo a tivesse atingido, seguida de uma grande queda, leve como grãos de areia deixados a cair do alto de uma janela, por cima, e depois a queda se estendendo, regulando-se, adquirindo um ritmo, tornando-se fluida, sonora, musical, inumerável, universal: era a chuva.

– Aí está! Françoise, o que é que eu lhe dizia? Como chove! Mas creio que ouvi a sineta da porta do jardim, vá ver quem é que pode estar lá fora com um tempo desses.

Françoise voltava:

– É a Sra. Amédée (minha avó), que disse que ia dar uma voltinha. Porém está chovendo muito.

– Isto não me surpreende nem um pouco – dizia minha tia erguendo os olhos para o céu. – Sempre afirmei que ela não tinha uma mentalidade como os outros. E até prefiro que seja ela e não eu a estar lá fora neste momento.

– A Sra. Amédée é sempre o oposto dos outros – dizia Françoise com doçura, reservando para o momento em que estivesse sozinha com os outros criados a observação de que achava minha avó meio "pancada".

– Pronto, passou o Salve! Eulalie já não virá – suspirava minha tia. – Com certeza se apavorou com o tempo.

– Mas ainda não deram as cinco horas, Sra. Octave. Não passam de quatro e meia.

– Quatro e meia? E eu que fui obrigada a erguer as cortinas para ter um pouquinho de luz! Às quatro e meia! Oito dias antes das Ladainhas! Ah, minha pobre Françoise, o bom Deus deve estar bem zangado conosco. Também, com o que o mundo de hoje anda fazendo! Como dizia o meu pobre Octave, a gente se esqueceu do bom Deus e ele se vinga.

Um vivo rubor animava as faces da minha tia: era Eulalie. Infelizmente, mal acabava de ser introduzida e já Françoise voltava e, com um sorriso cujo objetivo era colocá-la em harmonia com o contentamento que sem dúvida suas palavras iam causar a minha tia, articulando as sílabas para mostrar que, apesar do uso do estilo indireto, transmitia, como boa serviçal, as próprias palavras que se dignara a empregar o visitante:

– O Sr. Cura ficaria encantado, deslumbrado, se a Sra. Octave não estivesse repousando e pudesse recebê-lo. O Sr. Cura não quer incomodar. O Sr. Cura está lá embaixo, eu lhe disse que esperasse na sala.

Na verdade, as visitas do cura não davam à minha tia tão grande prazer como o supunha Françoise, e o ar de satisfação que esta julgava dever estampar no rosto cada vez que tinha de anunciá-lo não correspondia inteiramente ao sentimento da enferma. O cura (homem excelente, com quem lamento não ter conversado mais, pois, se não entendia nada de arte, conhecia muito bem as etimologias), habituado a dar, aos visitantes de importância, informações sobre a igreja (tinha até a intenção de escrever um livro sobre a paróquia de Combray), cansava minha tia com explicações infindáveis, aliás sempre as mesmas. Mas quando sua visita ocorria bem ao mesmo tempo que a de Eulalie, tornava-se definitivamente desagradável para ela, que teria preferido desfrutar da companhia de Eulalie e não ter de atender a todo mundo ao mesmo tempo. Mas não ousava despedir o cura e se limitava a fazer sinal para Eulalie não ir embora junto com ele, pois ainda a deteria um pouco, quando o cura tivesse saído.

– Senhor cura, que é que me disseram, que um artista instalou seu cavalete na sua igreja para copiar um vitral? Posso lhe dizer que cheguei a esta idade sem nunca ter ouvido falar de coisa semelhante! O que é que vão buscar as pessoas de hoje em dia! E logo o que há de mais malfeito na igreja!

– Não chego ao ponto de dizer que é o que há de pior na igreja, pois se em Saint-Hilaire existem partes que merecem ser visitadas, há outras que estão bem velhas na minha pobre basílica, a única de toda a diocese que sequer foi restaurada. Meu Deus, o pórtico é antigo e está sujo, mas enfim possui um caráter majestoso; o mesmo digo quanto às tapeçarias de Ester, pelas quais pessoalmente não daria dois tostões, mas que os conhecedores colocam logo abaixo das de Sens. Aliás, reconheço que, ao lado de certos detalhes um tanto realistas, elas apresentam outros que testemunham um verdadeiro espírito de observação. Mas que não me venham falar dos vitrais. Que idéia, deixar as janelas sem poder passar a claridade e que chegam a enganar a vista por causa desses reflexos de uma cor que eu não saberia definir, numa igreja em que não há duas lajes que estejam no mesmo nível, e que me recusam de substituir sob a alegação de que são os túmulos dos abades de Combray e dos cavalheiros de Guermantes, os antigos condes de Brabant. Os antepassados diretos do duque de Guermantes de hoje e também da duquesa, pois ela é uma Guermantes e o marido é seu primo. – (Minha avó que, de tanto se desinteressar pelas pessoas, acabara por confundir todos os nomes, cada vez que pronunciavam o da duquesa de Guermantes pretendia que ela devia ser parenta da Sra. de Villeparisis. Todos rebentavam em gargalhadas; ela procurava se defender, alegando um certo convite: "Parece-me que havia ali esse nome de Guermantes." E por essa vez eu estava com os outros contra ela, não podia admitir que houvesse uma relação entre sua amiga de colégio e a descendente de Geneviève de Brabant.) – Veja Roussainville: hoje não é mais que uma paróquia de fazendeiros, embora na antigüidade tenha tido grande desenvolvimento com a indústria de chapéus de feltro e de pêndulas. (Não estou certo sobre a etimologia de Roussainville. De boa vontade julgaria que o nome primitivo era Rouville (*Radulfi villa*) como Château-roux (*Castrum Radulfi*), mas falarei disso noutra ocasião.) Muito bem, a igreja tem vitrais soberbos, quase todos modernos, e essa imponente *Entrada de Luís Filipe em Combray* que ficaria melhor na própria Combray, e que vale, segundo dizem, pelos famosos vitrais de Chartres. Ontem mesmo, eu falava com o irmão do doutor Percepied, que é amador e a considera o vitral mais bem acabado. Mas, como dizia ao artista que, aliás, dá impressão de ser muito cortês e dá a impressão de ser um verdadeiro virtuose do pincel: "Que acha o senhor de tão extraordinário nesse vitral, que é ainda um pouco mais sombrio que os outros?"

– Estou certa de que se pedisse a Monsenhor – dizia minha tia com moleza, começando a pensar que ia ficar cansada – ele não lhe recusaria um vitral novo.

– Vá contando com isso, Sra. Octave! – respondia o cura. – Pois se foi justamente Monsenhor o primeiro a chamar a atenção para esse infeliz vitral provando que representa Gilberto, o Mau, senhor de Guermantes, descendente direto de Geneviève de Brabant, que era uma senhorita de Guermantes, recebendo a absolvição de Santo Hilário!

– Mas eu não vejo onde está Santo Hilário...

– Vê sim, no canto do vitral; nunca reparou ali numa dama de vestido amarelo? Pois bem, é Santo Hilário, que também se chama, como sabe, em certas regiões, Santo Illiers, Santo Hélier, e até, no Jura, são Ylie. Estas várias corruptelas de *Sanctus Hilarius* não são, de resto, as mais curiosas que ocorrem nos nomes dos bem-aventurados. Assim, a sua padroeira, minha boa Eulalie, *Sancta Eulalia*, sabe o que virou na Borgonha? *Santo Elói* simplesmente: tornou-se um santo. Veja, Eulalie, gostaria que depois de sua morte a transformassem num homem?

– O senhor cura sempre acha um meio de caçoar.

– O irmão de Gilberto, Carlos, o Gago, príncipe piedoso mas que, tendo perdido cedo o pai, Pepino, o Insensato, morto das seqüelas de sua doença mental, exercia o poder supremo com toda a presunção de uma juventude a que faltou a disciplina, desde que não simpatizasse com a cara de uma pessoa qualquer numa cidade, mandava massacrar todos os habitantes até o último. Querendo se vingar de Carlos, Gilberto mandou queimar a igreja de Combray, quer dizer, a igreja primitiva, a que Teodeberto, ao deixar com sua corte a casa de campo que possuía ali perto, em Thiberzy *(Theodeberciacus)*, para ir combater os burgundos, prometera construir sobre o túmulo de Santo Hilário, se o bem-aventurado lhe desse a vitória. Dela só resta a cripta que Théodore já deve tê-las feito visitar, pois Gilberto queimou o restante. A seguir, venceu o desgraçado Carlos com a ajuda de Guilherme, o Conquistador (o cura pronunciava Guilerme), o que faz com que muitos ingleses venham visitá-la. Mas não parece ter sabido conquistar a simpatia dos habitantes de Combray, pois estes se lançaram sobre ele à saída da missa, e o degolaram. Aliás, Théodore oferta um livrinho que dá todas as explicações.

"Mas, incontestavelmente, o mais curioso na nossa igreja é a paisagem que se descortina da torre, e que é grandiosa. Com certeza, para a senhora, que não é muito forte, eu não aconselharia subir nossos noventa e sete degraus, justo a metade do célebre domo de Milão. Faz cansar uma pessoa de boa saúde, ainda mais que a gente sobe dobrado em dois para não bater com a cabeça, e, assim, vai se envolvendo em tudo quanto é teia de aranha da escadaria. Em todo caso, a senhora teria de se cobrir muito bem – acrescentou (sem se dar conta da indignação que provocava em minha tia a idéia de que ela fosse capaz de subir à torre) – pois há uma terrível corrente de ar lá em cima! Certas pessoas afirmam ter sentido lá o frio da morte. Não importa, no domingo há sempre grupos que vêm de muito longe para admirar a beleza do panorama e que voltam maravilhados. Olhe, no próximo domingo, se o bom tempo continuar, a senhora vai encontrar muita gente por lá, visto que já serão as Ladainhas. É preciso confessar: ali se goza de uma vista deslumbrante com umas fugas de planície ao longe que têm uma atração toda especial. Quando o dia está claro, pode-se avistar até Verneuil. Principalmente, pode-se abranger, ao mesmo tempo, coisas que em geral só se vêem em separado, como o curso do Vivonne e os fossos de Saint-Assise-lès-Combray, do qual está separado por uma cortina de grandes árvores, ou então como os diversos canais de Jouy-le-Vicomte (*Gaudiacus vice comitis*, como a senhora sabe). Toda vez que vou a Jouy-le-Vicomte, bem que avistava um trecho do canal; depois, quando dobrava uma rua, via outro, mas então já não via o anterior. Por mais que os juntasse em pensamento, não obtinha bom resultado. Da torre de Saint-Hilaire é outra coisa: é como uma rede em que a localidade estivesse capturada. Apenas, não se enxerga a água; dir-se-ia que há grandes fendas que quadriculam tão bem a cidade que ela é como um brioche, cujos pedaços formam um conjunto mas já estão cortados. Para ver tudo bem, seria preciso estar ao mesmo tempo na torre de Saint-Hilaire e em Jouy-le-Vicomte.

O cura fatigara de tal modo a minha tia que, mal havia partido, ela era obrigada a despedir Eulalie.

– Tome, minha pobre Eulalie – dizia com voz fraca, tirando uma moeda de uma bolsa que mantinha ao alcance da mão –, aqui está para que não se esqueça de mim em suas orações.

– Ah, mas senhora Octave, eu nem sei bem se devo; a senhora bem sabe que não é por causa disto que venho! – dizia Eulalie, com a mesma hesitação e o mesmo ar embaraçado, todas as vezes, como se fosse a primeira, e com um aspecto de descontentamento que divertia minha tia e não lhe era desagradável, pois se um dia Eulalie, pegando a moeda, mostrasse um ar menos contrariado que de costume, ela dizia:

– Não sei o que tinha Eulalie; no entanto, dei-lhe a mesma coisa de sempre, e ela não estava contente.

– Acho que ela não tem do que se queixar – suspirava Françoise, que se inclinava a considerar como troco miúdo tudo o que lhe dava minha tia, para ela ou para os filhos, e como tesouros loucamente desperdiçados com uma ingrata as moedinhas postas todo domingo nas mãos de Eulalie, mas tão discretamente que Françoise nunca chegava a vê-las. Não é que Françoise quisesse para si o dinheiro que tia Léonie dava a Eulalie. Desfrutava suficientemente de tudo o que minha tia possuía, sabendo que as riquezas da patroa ao mesmo tempo elevam e embelezam sua criada aos olhos de todos; e que ela, Françoise, era distinta e muito bem considerada em Combray, Jouy-le-Vicomte e outros lugares, pelas numerosas granjas de minha tia, as visitas freqüentes e demoradas do cura, e o número incrível de garrafas de água de Vichy consumidas. Só era avara em relação à minha tia; se fosse gerir a fortuna dela, o que era o seu sonho, tê-la-ia preservado dos investimentos de outrem com ferocidade maternal. Entretanto, não teria achado grande mal em que tia Léonie, que sabia ser incuravelmente generosa, se inclinasse a dar, desde que fosse para os ricos. Talvez pensasse que estes, não tendo necessidade dos presentes de minha tia, não podiam ser suspeitos de amá-la por causa deles. Além do mais, ofertados a pessoas de grande fortuna, à Sra Sazerat, ao Sr. Swann, ao Sr. Legrandin, à Sra. Goupil, a pessoas "do mesmo nível" da minha tia e que "combinavam bem", aquilo lhe parecia como parte integrante dos costumes dessa vida estranha e brilhante das pessoas ricas que caçam, dão bailes, se visitam e que ela admirava sorrindo. Porém, o mesmo não ocorria com os beneficiários da generosidade de tia Léonie, se fossem aqueles que Françoise denominava "pessoas como eu, pessoas que não são mais que eu" e que eram os que ela mais desprezava, a menos que a tratassem de "Senhora Françoise" e não se considerassem como sendo "menos que ela". E quando viu que minha tia, malgrado os conselhos, só se guiava pela própria cabeça e gastava o dinheiro – pelo menos era o que Françoise acreditava – com criaturas indignas, começou a achar bem parcos os donativos que tia Léonie lhe fazia, em comparação com as somas imaginárias doadas a Eulalie. Não havia granja de certa importância, nos arredores de Combray, que Françoise não julgasse que Eulalie poderia facilmente comprar com o dinheiro que lhe rendiam suas visitas. É verdade que Eulalie fazia o mesmo cálculo quanto às riquezas imensas e ocultas de Françoise. Em geral, depois da partida de Eulalie, Françoise profetizava sem benevolência a respeito dela. Odiava-a, porém temia-a e se sentia obrigada, quando ela se achava presente, a lhe fazer "boa cara". Depois que Eulalie saía, Françoise se desforrava, na verdade sem jamais nomeá-la, mas proferindo vaticínios cortantes, ou sentenças de caráter geral, como as do Eclesiastes, cuja aplicação, no entanto, não podia escapar à minha tia. Depois de ter espiado por um canto da cortina, para ver se Eulalie fechara o portão: "Os aduladores sabem chegar na hora certa e arrebanhar as pepitas; mas paciência, o bom Deus há de puni-los um dia", dizia ela com o olhar oblíquo e a insinuação de Joas ao pensar exclusivamente em Athalie quando diz:

Le bonheur des méchants comme un torrent s'écoule.[1B]

Mas, quando o cura também tinha vindo e sua visita interminável havia esgotado as forças de tia Léonie, Françoise saía do quarto atrás de Eulalie, dizendo:

– Sra. Octave, vou deixá-la descansando, a senhora está com um ar muito cansado.

E minha tia nem mesmo respondia, exalando um suspiro que parecia ser o derradeiro, os olhos fechados, como se estivesse morta. Porém mal Françoise havia descido, quatro toques dados com a maior violência ressoavam pela casa e minha tia, sentada na cama, gritava:

– Eulalie já foi embora? Imagine que esqueci de lhe perguntar se a Sra. Goupil havia chegado à missa antes da elevação! Corra depressa atrás dela!

Mas Françoise regressava sem ter podido achar Eulalie.

– Que transtorno! – dizia tia Léonie sacudindo a cabeça. – A única coisa importante que eu tinha para lhe perguntar.

[1B] A fortuna dos maus se escoa como uma torrente. (N. do T.)

Assim transcorria a vida para tia Léonie, sempre igual, na suave uniformidade daquilo que ela chamava, com um desdém afetado e uma funda ternura, o seu "pequeno ramerrão". Preservado por todo o mundo, não somente em casa, onde cada um, tendo comprovado a inutilidade de lhe aconselhar uma higiene melhor, resignara-se, aos poucos, a respeitá-lo, mas também na aldeia onde, a três quarteirões, o empacotador, antes de pregar seus caixotes, mandava perguntar a Françoise se tia Léonie "não estava repousando" – esse ramerrão foi todavia perturbado uma vez naquele ano. Como um fruto escondido que tivesse alcançado a madureza sem que ninguém percebesse e se destacasse espontaneamente, sobreveio uma noite o parto da criada de cozinha. Mas suas dores eram intoleráveis e, como não houvesse parteira em Combray, Françoise teve de sair de madrugada para ir buscar uma em Thiberzy. Por causa dos gritos da criada de cozinha, minha tia não pôde descansar e Françoise, apesar da pequena distância, demorou muito, e lhe fez muita falta. Assim, minha mãe me disse, de manhã: "Sobe para ver se a tia não precisa de alguma coisa." Entrei no primeiro aposento e, pela porta aberta, vi minha tia, deitada de lado, dormindo: ouvi que roncava de leve. Ia me retirar sem ruído, mas sem dúvida o rumor que eu fazia interviera no seu sono e o fizera "mudar de velocidade", como se diz no caso dos automóveis, pois a música do ronco se interrompeu por um segundo e retomou num tom mais baixo; depois ela acordou e meio que virou o rosto que pude ver então: exprimia uma espécie de terror; evidentemente, acabara de ter um sonho horrível; não podia me ver da posição em que se encontrava, e fiquei ali sem saber se devia avançar ou ir embora; mas ela já parecia ter voltado ao sentimento da realidade e reconhecera a ilusão das visões que a haviam assustado; um sorriso de alegria, de piedosa gratidão para Deus, que permite que a vida seja menos cruel que os sonhos, iluminou debilmente o seu rosto, e, com o hábito que tinha de falar consigo a meia voz quando se julgava sozinha, murmurou: "Deus seja louvado! O único transtorno que temos é o parto da criada de cozinha. Imaginem que eu sonhava que meu pobre Octave havia ressuscitado e queria que eu desse um passeio todos os dias!" Sua mão se estendeu para o rosário sobre a mesinha, porém o sono, de volta, não lhe deu forças para alcançá-lo; ela adormeceu novamente, tranqüilizada, e eu saí na ponta dos pés do quarto sem que ela nem ninguém jamais tivesse sabido aquilo que eu ouvira.

Quando falei que, afora os acontecimentos muito raros, como o parto da criada de cozinha, o ramerrão de tia Léonie não sofria variação alguma, não me referia àqueles que, repetindo-se de modo idêntico em intervalos regulares, somente introduziam no bojo da uniformidade uma espécie de uniformidade secundária. Assim é que, todos os sábados, como Françoise ia de tarde ao mercado de Roussainville-le-Pin, o almoço era servido uma hora mais cedo para todos. E minha tia de tal modo assumira o hábito dessa infração semanal, incorporando-a aos próprios hábitos, que se lhe apegara tanto como aos outros. Estava tão "rotinada", como dizia Françoise, que se em alguns sábados tivesse de esperar pela hora habitual, isso a "desequilibraria" tanto como se tivesse, em outro dia, que antecipar o seu almoço para a hora de sábado. A antecipação do almoço, aliás, conferia aos sábados, para todos nós, um aspecto particular, indulgente, e bastante simpático. No instante em que normalmente se tem ainda uma hora a viver antes da interrupção da refeição, sabe-se que, dentro de alguns segundos, ia-se ver chegarem chicóreas prematuras, um omelete de favor, um bife não-merecido. A volta desse sábado assimétrico era um dos pequenos acontecimentos interiores, locais, quase cívicos que, nas vidas tranqüilas e nas sociedades fechadas, criam uma espécie de laço nacional e se tornam o assunto favorito das conversas, dos gracejos, das narrativas exageradas de propósito; formaria um núcleo, já estabelecido, para um ciclo de lendas, caso um de nós fosse dotado de veia épica. Desde a manhã, antes de nos vestirmos, sem motivo, pelo prazer de experimentar a força da solidariedade, dizíamos uns aos outros de bom-humor, com cordialidade e patriotismo: "Não há tempo a perder, não nos esqueçamos que hoje é sábado!"; ao passo que minha tia, conferenciando com Françoise e imaginando que o dia seria mais comprido que de hábito, dizia: "Bem que você poderia assar um bom pedaço de vitela, já que hoje é sábado". Se alguém distraído, às dez e meia, olhasse o relógio e dissesse: "Bem, ainda falta uma hora e meia para o almoço", todos ficavam encantados por lhe dizer: "Mas ora, em que está pensando? Esqueceu que hoje é sábado?": riam-se todos por um quarto de hora e tinham a intenção de subir e contar o esquecimento à tia Léonie, para diverti-la. Até o aspecto do céu parecia outro. Depois do almoço, o sol, consciente de que era sábado, passeava uma hora a mais pelas alturas e, quando um de nós, pensando estar atrasado para o passeio, dizia: "Como, são só duas horas?" ao ver passarem as duas badaladas da torre de Saint-Hilaire (que, de costume, ainda não encontram ninguém nos caminhos desertos devido à refeição do meio-dia ou à sesta, ao longo do ribeirão vivo e límpido que até o pescador havia abandonado, e passam solitárias no céu vazio onde restam apenas algumas nuvens preguiçosas), todos em coro respondiam: "Você está enganado, é que almoçamos uma hora mais cedo; sabe muito bem que hoje é sábado!" A surpresa de um bárbaro (chamávamos assim a todas as pessoas que não sabiam o que havia de particular no sábado) que, tendo vindo às onze horas para falar com meu pai, encontrava a todos nós sentados à mesa, era uma das coisas que mais haviam divertido Françoise em toda a sua vida. Mas se ela achava engraçado que o visitante, desconcertado, não soubesse que almoçávamos mais cedo aos sábados, achava mais engraçado ainda (simpatizando no fundo do coração com esse chauvinismo limitado) que meu pai não atentasse para o fato de que aquele bárbaro pudesse ignorar tal costume, respondendo sem outra explicação ao seu espanto de nos ver àquela hora na sala de jantar: "Ora, hoje é sábado!" Tendo chegado a esse ponto da narrativa, ela enxugava as lágrimas de hilaridade e, para aumentar o prazer que sentia, prolongava o diálogo, inventando o que havia dito o visitante a quem esse "sábado" não dizia coisa alguma. E, em vez de nos queixarmos desses acréscimos, sentíamo-nos insatisfeitos e lhe dizíamos: "Mas parece-me que ele tinha dito outra coisa. Era mais comprido da primeira vez que você contou." Minha tia-avó chegava a deixar o croché, erguia a cabeça e olhava-nos por sobre o *pince-nez*.

Outra particularidade do sábado era que nesse dia, durante o mês de maio, nós saíamos depois do jantar para ir ao "mês de Maria".

Como encontrávamos, de vez em quando, o Sr. Vinteuil, bastante severo para com "o deplorável gênero de vida dos jovens desleixados, segundo as idéias de hoje", minha mãe cuidava para que nada destoasse na minha roupa, e depois íamos para a igreja. Foi no mês de Maria que me lembro de ter começado a gostar dos espinheiros-alvares. Não só estavam postos no próprio altar da igreja, tão santa, mas onde tínhamos o direito de entrar, inseparáveis dos mistérios de cuja celebração participavam, mas igualmente dispunham, em meio aos círios e aos vasos sagrados, os seus ramos ligados horizontalmente uns aos outros, num brilho de festa, e que os festões de sua folhagem ainda mais embelezavam, estando sobre eles semeados em profusão, como na cauda de um vestido de noiva, pequenos buquês de botões de um alvor deslumbrante. Mas, ousando olhá-los apenas às escondidas, sentia que aqueles pomposos aparatos eram vivos e que era a própria natureza que, recortando daquele jeito as folhas, acrescentando-lhes o ornamento supremo dos botões brancos, tornara essa decoração digna, ao mesmo tempo, do que era um regozijo popular e uma solenidade mística. Mais acima, abriam-se as suas corolas, aqui e ali, com uma graça despreocupada, retendo tão negligentemente, como um último e vaporoso adorno, o ramalhete dos estames, finos como fios da Virgem, envolvendo-as todas de tal modo que eu, seguindo e tentando representar bem dentro de mim o gesto de sua eflorescência, imaginava-o como se fosse o movimento estúrdio e rápido de uma cabeça, de olhos apertados e olhar coquete, de uma moça alva, distraída e vivaz. O Sr. Vinteuil viera com a filha colocar-se ao nosso lado. De boa família, tinha sido professor de piano das irmãs de minha avó e quando, depois da morte da esposa e de posse de uma herança que lhe fora dada, se retirara para os arredores de Combray, era com freqüência recebido em nossa casa. Mas, extremamente pudico, deixara de visitar-nos para não se encontrar com Swann, que havia feito o que denominava "um casamento desigual, ao gosto da época". Minha mãe, sabendo que era compositor, dissera-lhe, por amabilidade, que quando fosse visitá-lo precisava ouvir uma composição sua. O Sr. Vinteuil teria ficado encantado por isso, mas levava a tais escrúpulos a polidez e a bondade que, pondo-se sempre no lugar dos outros, temia aborrecê-los e lhes parecer um egoísta se seguisse ou simplesmente deixasse entrever o seu desejo. No dia que meus pais foram visitá-lo, eu os havia acompanhado; porém, me haviam permitido que ficasse fora, e como a casa do Sr. Vinteuil, Montjouvain, ficava ao sopé de uma elevação cheia de moitas, onde eu me escondera, ocorreu-me estar no mesmo plano do salão do segundo andar, a cinqüenta centímetros da janela. Quando lhe anunciaram meus pais, vira o Sr. Vinteuil se apressar a colocar em evidência, sobre o piano, um caderno de música. Mas, tão logo entraram meus pais, tirara-o dali e o pusera num canto. Sem dúvida receava pensassem que estava contente em vê-los só para lhes tocar suas composições. E cada vez que minha mãe voltava à carga no decorrer da visita, ele havia repetido várias vezes: "Mas eu não sei quem pôs isto sobre o piano, não é o seu lugar", e desviara a conversa para outros assuntos, justamente porque estes o interessavam menos. Sua única paixão era pela filha e esta, que tinha o aspecto de um rapaz, parecia tão robusta que a gente não podia deixar de sorrir ao ver as precauções que o pai tomava com ela, tendo sempre xales de reserva para lhe pôr sobre os ombros. Minha avó observava que expressão suave e delicada, quase tímida, se podia ver no olhar daquela mocinha tão rude, cujo rosto era coberto de sardas. Quando terminava de pronunciar uma frase, ouvia-a com o espírito das pessoas a quem a dirigira, alarmando-se com os possíveis mal-entendidos, e víamos iluminarem-se, definirem-se como por transparência, sob o rosto varonil daquele "diabo", os traços mais finos de uma pobre garota sensível.

Quando, no momento de deixar a igreja, me ajoelhei diante do altar, senti de repente, ao me erguer, evolar-se dos espinheiros-alvares um aroma agridoce de amêndoas, e então reparei, sobre as flores, umas pequenas manchas douradas, sob as quais imaginei que esse odor deveria estar guardado, como, debaixo das partes requeimadas, o gosto de uma frangipana ou, sob suas sardas, o gosto das faces da Srta. Vinteuil. Apesar da silenciosa imobilidade dos espinheiros-alvares, esse cheiro intermitente era como o murmúrio de sua vida intensa, com que o altar vibrava, feito uma sebe agreste tocada por antenas vivas, nas quais se pensava ao ver certos estames quase rubros que pareciam ter conservado a virulência primaveril e o poder irritante dos insetos hoje transformados em flores.

Conversávamos por um momento com o Sr. Vinteuil, diante do pórtico, ao sair da igreja. Ele se metia no meio da briga dos meninos na praça, tomava a defesa dos menores, fazia sermões aos taludos. Se sua filha nos falava, com sua voz grossa, do quanto estava contente por nos ver, parecia que, logo, uma irmã mais sensível enrubescia dentro dela por causa dessa frase de bom menino estouvado e que poderia dar a impressão de que ela estaria pedindo para ser recebida em nossa casa. O pai lhe punha um manto sobre os ombros e eles subiam para um pequeno *buggy* que ela própria conduzia, e ambos voltavam para Montjouvain. Quanto a nós, como o dia seguinte era domingo, e a gente só se levantaria para a missa cantada, se fazia luar e a temperatura fosse morna, em vez de seguir diretamente para casa, meu pai, para gabar-se, nos fazia percorrer o calvário de um caminho longo, que a mínima capacidade de minha mãe em orientar-se e reconhecer o caminho considerava como a proeza de um gênio da estratégia. Às vezes íamos até o viaduto, cujos arcos de pedra começavam na estação da estrada de ferro e, para mim, representavam o exílio e o abandono fora do mundo civilizado, pois a cada ano, quando vínhamos de Paris, recomendavam-nos prestar muita atenção, quando chegássemos a Combray, para não passar da estação, para estarmos prontos de antemão pois o trem recomeçava a andar ao fim de dois minutos e partia, sobre o viaduto, para além dos países cristãos, dos quais Combray assinalava, para mim, a última fronteira. Voltávamos pelo bulevar da estação, onde ficavam as mais bonitas vilas da comunidade. Em todos os jardins o luar, como Hubert Robert, semeava seus degraus truncados de mármore alvo, seus repuxos, suas grades entreabertas. Sua luz havia destruído o escritório do Telégrafo. Restava apenas uma coluna meio partida, que conservava no entanto a beleza de uma ruína imortal. Eu arrastava as pernas, morria de sono, o cheiro das tílias, balsâmico, me parecia uma recompensa que só se poderia obter ao preço das maiores fadigas, e que não valia a pena. De portões muito distantes uns dos outros, os cachorros acordados pelos nossos passos solitários, alternavam os latidos, como me sucede ainda ouvi-los por vezes de noite, e em meio a eles é que deve ter vindo se refugiar (quando em seu lugar construíram o jardim público de Combray) o bulevar da estação, pois, onde quer que eu esteja, desde que esses latidos começam a ressoar e a se responder, eu o enxergo, com suas tílias e a sua calçada iluminada pelo luar.

De súbito meu pai nos mandava parar e perguntava à minha mãe: "Onde estamos?" Esgotada pela marcha, mas orgulhosa dele, ela confessava com brandura que absolutamente não fazia a menor idéia. Ele dava de ombros, rindo. Então, como se o houvesse tirado do bolso do casaco junto com a chave, ele nos mostrava, erguido à nossa frente, o pequeno portão dos fundos do nosso jardim, que viera, em companhia da esquina da rua de Saint-Esprit, esperar-nos ao final desses caminhos desconhecidos. Minha mãe exclamava com admiração: "Você é extraordinário!" E, a partir desse momento, eu não conseguia dar mais um passo, o solo andava por mim nesse jardim onde, há tanto tempo, a atenção voluntária deixara de acompanhar meus atos: o Hábito me pegava pelos braços e me levava para a cama como se eu fosse uma criancinha.

Se o dia de sábado, que começava uma hora mais cedo e no qual ela se via privada de Françoise, lhe transcorria mais devagar que para outrem, minha tia, entretanto, esperava a sua volta com impaciência desde o começo da semana, porquanto continha toda a novidade e distração que ainda era capaz de suportar seu corpo enfraquecido e maníaco. E todavia não é que ela não aspirasse às vezes a uma grande mudança, que não tivesse dessas horas de exceção em que se tem sede de algo diferente do que em geral ocorre, e em que aqueles que têm falta de energia ou de imaginação se sentem impedidos de extrair de si mesmos um princípio de renovação, e pedem ao minuto que passa, ao carteiro que chama, que lhe traga novidades, mesmo que seja a pior, uma emoção, uma dor; em que a sensibilidade, que a felicidade tornou silenciosa como uma harpa sem serviço, quer ressoar movida por uma mão, ainda que brutal, ainda que lhe parta as cordas; em que a vontade, que com tanta dificuldade conquistou o direito de se entregar livremente a seus desejos, a suas mágoas, gostaria de deixar as rédeas aos cuidados de acontecimentos imperiosos, mesmo que cruéis. É claro que, como as forças de minha tia, exaustas ao menor trabalho, só voltavam gota a gota ao seio de seu descanso, o reservatório era muito vagaroso para se encher, e passavam-se meses antes que ela atingisse o ligeiro excedente que outros desviam para a atividade e que ela era incapaz de conhecer e saber como empregar. Não tenho dúvidas de que, então – como o desejo de substituí-lo por batatas com molho terminava, ao cabo de algum tempo, por nascer do próprio prazer que lhe provocava a volta diária do purê do qual ela não se "cansava" –, ela tirava da acumulação desses dias monótonos, a que tanto se acostumara, a expectativa de uma catástrofe doméstica restrita à duração de um só instante, mas que a obrigaria a cumprir, de uma vez por todas, uma dessas mudanças que ela reconhecia lhe fossem saudáveis e às quais não podia se decidir por si mesma. Amava-nos de verdade, teria prazer em chorar por nós; ocorrendo em um momento em que ela se sentisse bem e não estivesse com suores, a notícia de que a casa estivesse tomada por um incêndio e que todos nós tivéssemos morrido e que, em breve, não ia restar uma só pedra das paredes, mas que ela tivesse tempo de fugir sem pressa, com a condição de se levantar imediatamente, deve ter muitas vezes alimentado suas esperanças, pois juntava às vantagens secundárias de fazê-la degustar num comprido desgosto toda a sua ternura por nós e de ser o espanto da vila, conduzindo as nossas exéquias, corajosa e acabrunhada, agonizante e de pé, a vantagem bem mais preciosa de forçá-la, no momento adequado, sem perda de tempo, sem possibilidade de hesitações nervosas, a ir passar o verão em seu belo sítio de Mirougrain, onde havia uma cascata. Como jamais sobreviesse um acontecimento desse tipo, em cujo sucesso perfeito com certeza meditava ao se achar sozinha, entretida em seus inumeráveis jogos de paciência (e que a desesperaria ao primeiro sinal de realização, no primeiro desses pequeninos fatos inesperados, dessas palavras que anunciam uma notícia ruim e de cujo tom nunca podemos nos esquecer, de tudo o que leva o selo da morte verdadeira, bem diversa de sua possibilidade lógica e abstrata), ela, para às vezes fazer a sua vida mais interessante, se restringia a lhe introduzir peripécias inventadas que acompanhava com paixão. Divertia-se em imaginar, de repente, que Françoise a roubava, que recorria à esperteza para tirá-lo a limpo, que a pegava com a mão na massa; habituada, quando jogava cartas sozinha, a fazer ao mesmo tempo o seu jogo e o do adversário, dizia para si própria as desculpas embaraçadas de Françoise, às quais respondia com tanto ardor e indignação que um de nós, ao entrar nessas ocasiões, encontrava-a coberta de suor, os olhos chispeando, a cabeleira postiça descomposta deixando ver a cabeça calva. Talvez Françoise ouvisse, da sala vizinha, de vez em quando, os sarcasmos mordazes dirigidos a ela e cuja invenção não teriam aliviado bastante minha tia se não permanecessem em estágio puramente imaterial e se, murmurando-os a meia voz, ela não lhes desse maior grau de realidade. Por vezes, sequer esse "espetáculo numa cama" era o bastante para minha tia, e ela queria ver suas peças representadas. Então, num domingo, estando todas as portas misteriosamente fechadas, ela confiava a Eulalie todas as suas dúvidas sobre a honestidade de Françoise, sua intenção de se desfazer dela, e, em outra ocasião, dizia a Françoise de suas suspeitas acerca da infidelidade de Eulalie, a quem logo haveria de fechar a porta; alguns dias depois, desgostava-se com sua confidente da véspera e reconciliava-se com o traidor, e os papéis seriam trocados na próxima representação. Porém as suspeitas que Eulalie lhe pudessem inspirar não passavam de fogo de palha e depressa se desvaneciam por falta de sustentação, visto que Eulalie não habitava na casa. O mesmo não sucedia quanto a Françoise, que tia Léonie estava sentindo perpetuamente sob o mesmo teto que ela, sem que, de medo de pegar uma gripe se saísse da cama, ousasse descer até a cozinha para ver se suas suspeitas eram fundadas. Pouco a pouco, seu espírito não teve outra ocupação que não fosse procurar adivinhar o que poderia estar fazendo Françoise a cada instante, e o que lhe estaria escondendo. Observava as mais furtivas alterações da fisionomia de Françoise, uma contradição em suas palavras, um desejo que parecesse dissimular. E lhe mostrava que a havia desmascarado com uma única palavra, que fazia Françoise empalidecer, e que tia Léonie parecia sentir um prazer cruel em fincar no coração da infeliz. E no domingo seguinte, uma revelação de Eulalie – como essas descobertas que abrem, de chofre, um campo insuspeitado a uma ciência nascente e que avançava até então na rotina – provava a minha tia que suas suspeitas ficavam bem aquém da verdade. "Mas Françoise deve saber, agora que a senhora lhe deu um carro." – "Que lhe dei um carro!", gritava tia Léonie. – "Ah, não sei, pensava... mas como vi que passava agora na caleça, orgulhosa como Artaban, para ir ao mercado de Roussainville, julguei que fora a Sra. Octave quem lhe dera." Pouco a pouco Françoise e minha tia, como a fera e o caçador, não faziam mais que se defender uma da outra. Minha mãe temia que Françoise acabasse criando um verdadeiro ódio à tia Léonie, que a ofendia o mais duramente possível. Em todo caso, Françoise, cada vez mais, prestava uma atenção extraordinária às menores palavras, aos menores gestos de minha tia. Quando tinha algo a lhe pedir, hesitava por muito tempo sobre a forma como devia fazer o pedido. E quando o fazia, observava minha tia de modo furtivo, como se quisesse adivinhar no aspecto do seu rosto o que ela teria pensado e o que haveria de decidir. Assim – ao passo que um artista, lendo as memórias do século XVII e desejando se aproximar do Rei-Sol, crê caminhar por essa estrada auspiciosa ao forjar uma genealogia que o faria descender de uma família histórica ou ao corresponder-se com um dos atuais soberanos da Europa, e desse modo voltando as costas precisamente para aquilo que erradamente busca sob formas análogas e, conseqüentemente, sem vida – uma velha dama provinciana que só fazia obedecer sinceramente a manias irresistíveis e a uma malvadez nascida da ociosidade, via, sem jamais ter pensado em Luís XIV, as ocupações mais insignificantes do seu dia-a-dia, englobando o seu despertar, seu almoço, seu repouso, assumirem, por sua singularidade tirânica, um pouco do interesse daquilo que Saint-Simon denominava a "mecânica" da vida em Versalhes, e podia acreditar também que seus silêncios, um matiz de bom humor ou de altivez em seu rosto, eram da parte de Françoise o objeto de um comentário tão apaixonado, tão temeroso como o silêncio, o bom humor e a altivez do Rei o eram quando um cortesão, ou até os maiores fidalgos, lhe punham em mãos uma petição, ao dobrar uma aléia em Versalhes.

Um domingo, em que minha tia tivera, simultaneamente, a visita do cura e de Eulalie, e a seguir fora descansar, nós todos subíramos para lhe dar boa-noite e mamãe lhe apresentava suas condolências pela má sorte que sempre trazia suas visitas à mesma hora: – Sei que as coisas ainda não andaram bem de novo, Léonie – disse-lhe com doçura –, todas as suas visitas vieram outra vez ao mesmo tempo.

Ao que minha tia interrompeu com: – Abundância de bens... – pois desde que sua filha estava doente, julgava de seu dever animá-la apresentando sempre tudo pelo melhor aspecto. Porém meu pai, tomando a palavra: – Desejo aproveitar – disse ele –, já que toda a família está reunida, para contar algo, sem ter de repeti-lo a cada um. Temo que estejamos estremecidos com Legrandin: ele mal me deu bom-dia esta manhã.

Não fiquei para ouvir o relato de meu pai, pois tinha estado justamente com ele após a missa quando nos encontramos com Legrandin, e desci para a cozinha para ver o que havia para o jantar, o que todos os dias me distraía como as notícias que a gente lê no jornal e me excitava à maneira de um programa de festa. Como o Sr. Legrandin passasse por nós à saída da igreja, caminhando ao lado de uma castelã das redondezas que só conhecíamos de vista, meu pai o saudara a um tempo amigável e reservadamente, sem que parássemos; o Sr. Legrandin mal respondera, com ar espantado, como se não nos conhecesse, e com essa inclinação do olhar, própria das pessoas que não querem ser amáveis, e que, do fundo repentinamente prolongado dos olhos, dão a impressão de encarar a gente como da extremidade de uma estrada interminável e a uma distância tal que se contentam em nos dirigir um aceno minúsculo de cabeça para adequá-lo ao nosso tamanho de marionetes.

Ora, a dama que acompanhava Legrandin era uma pessoa considerada e de virtudes; não era possível tratar-se de uma aventura, e que não lhe agradasse verem-se juntos ou se incomodasse por ser surpreendido, e meu pai perguntava a si mesmo o que poderia ter feito para aborrecer Legrandin. "Lastimaria tanto mais vê-lo incomodado", disse meu pai, "pois ele, no meio de toda essa gente endomingada, com seu casaco simples, sua gravata frouxa, tem um aspecto tão desalinhado, tão verdadeiramente simples, e um ar tão ingênuo que fica bastante simpático." Mas o conselho de família foi unânime na opinião de que meu pai estava fantasiando ou que Legrandin, naquele momento, estava absorvido por algum pensamento. Além do mais, o receio de meu pai se dissipou na noite seguinte. Quando voltávamos de um grande passeio, avistamos Legrandin perto de Pont-Vieux, pois ele, devido às festas, permanecia vários dias em Combray. Veio ao nosso encontro, a mão estendida: "Você conhece, senhor leitor", perguntou-me –, este verso de Paul Desjardins:

Os bosques já estão sombrios, o céu é ainda azul...

Não é uma finura de notação para esta hora? Talvez você nunca tenha lido Paul Desjardins. Leia-o, meu menino; dizem que hoje ele é irmão pregador, mas por muito tempo foi um límpido aquarelista...

Os bosques já estão sombrios, o céu é ainda azul...

Que o céu seja sempre azul para você, meu jovem amigo; e até na hora, que me chega agora, em que os bosques já são sombrios, em que a noite desce rápido, você se consolará como faço eu, olhando para o lado do céu." Tirou do bolso um cigarro, ficou muito tempo com os olhos perdidos no horizonte. "Adeus, meus camaradas", disse de súbito, e nos deixou.

Na hora em que eu descia para saber qual era o cardápio do jantar, o serviço já começara, e Françoise, comandando as forças da natureza tornadas suas auxiliares, como nas *féeries* em que os gigantes se fazem empregar como cozinheiros, remexia o carvão, levava ao vapor algumas batatas para estufá-las e fazia o fogo dar ao devido ponto as obras-primas culinárias, preparadas antes nos recipientes de cerâmica, os quais iam desde os grandes tachos, marmitas, sopeiras e travessas, às terrinas para a caça, às fôrmas para empadas, e aos pequenos potes de creme, passando por uma coleção completa de caçarolas de todos os tamanhos. Parava para olhar, sobre a mesa, onde a criada de cozinha acabava de descascá-las, as ervilhas alinhadas e contadas como bolinhas verdes num jogo; mas o meu encanto ia todo para os aspargos, embebidos em ultramar e rosa, e cujo talo, finamente raiado de azul e malva, vai se degradando insensivelmente até o pé – ainda manchado do chão em que estava – por irisações que não pertencem à terra. Parecia-me que tais nuanças celestes traíam as criaturas deliciosas que se divertiam em se transformar em legumes e que, por meio do disfarce de sua carne comestível e consistente, deixavam entrever nessas cores nascentes da aurora, nesses esboços de arco-íris, nesses fins de tarde azuis, a essência preciosa que eu reconhecia ainda quando, pela noite que se seguia a um jantar em que eu comera aspargos, se divertiam, nas suas farças poéticas e grosseiras como uma *féerie* de Shakespeare, em transformar o meu urinol em um vaso de perfume.

A pobre Caridade de Giotto, como a chamava Swann, encarregada por Françoise de lhes tirar a pele, tinha-os junto dela num cesto, e mantinha um ar dolorido como se sentisse todas as desgraças da terra; e as leves coroas azuis que enlaçavam os aspargos por sobre suas túnicas cor-de-rosa eram minuciosamente desenhadas, estrela por estrela, como o estão no afresco as flores enfaixadas em torno à fronte ou que pontilham na corbelha da Virtude de Pádua. E no entanto Françoise girava no espeto um daqueles frangos, como só ela sabia assá-los, frangos que haviam espalhado por toda a Combray o aroma de seus méritos, e que, enquanto nos servia à mesa, faziam predominar a doçura em minha concepção especial de seu caráter, e o aroma dessa carne que ela sabia tornar tão untuosa e tenra, e que eram, para mim, o próprio perfume de uma de suas virtudes.

Mas o dia em que, enquanto meu pai consultava o conselho da família sobre o encontro com Legrandin, eu desci à cozinha, era um daqueles em que a Caridade de Giotto, muito mal devido ao parto recente, não podia se levantar; sem auxiliar, Françoise estava atrasada. Quando cheguei lá embaixo, ela estava na copa, que dava para o galinheiro, tentando matar um frango que, por sua resistência desesperada e bastante natural, mas acompanhada por Françoise fora de si, aos gritos de "Droga! Droga!", enquanto procurava lhe partir o pescoço por sob a orelha, colocava a santa doçura e a unção da nossa criada um pouco menos em destaque do que o teria feito, no jantar do dia seguinte, com sua pele debruada de ouro como uma casula e seu molho precioso a pingar de um cibório. Logo que ele morreu, Françoise recolheu o sangue que corria sem lhe afogar o rancor, teve ainda um assomo de cólera, e, olhando o cadáver do inimigo, exclamou uma última vez: "Droga!" Tornei a subir, todo trêmulo; gostaria que mandassem Françoise embora imediatamente. Mas quem me faria almôndegas tão quentes, café tão cheiroso, e até... aqueles frangos? E na realidade, esse cálculo acovardado, todos já o tinham feito como eu. Pois tia Léonie sabia – o que eu ainda ignorava – que Françoise, que para a filha, para os sobrinhos, teria dado a vida sem uma queixa, era de uma dureza singular para com os outros seres. Apesar disso, minha tia a conservara, pois, se conhecia a sua crueldade, apreciava o seu serviço. Aos poucos, fui me apercebendo que a doçura, a compunção e as virtudes de Françoise escondiam tragédias da copa, como a história descobre que os reinados de reis e rainhas, que são representados de mãos postas nos vitrais das igrejas, foram marcadas de fatos sangrentos. Dei-me conta de que, fora do círculo dos parentes, os seres humanos tanto mais lhe causavam compaixão com seu infortúnio quanto mais afastados dela estavam. As torrentes de lágrimas que ela derramava ao ler no jornal as desgraças de pessoas desconhecidas estancavam de imediato se ela podia imaginar a pessoa que as provocara de modo mais preciso. Uma das noites que se seguiram ao parto da criada de cozinha, esta se viu acometida de cólicas atrozes; mamãe ouviu-a gemendo, ergueu-se e foi despertar Françoise, a qual, insensível, declarou que aqueles gritos não passavam de uma comédia, que ela queria "bancar a patroa". O médico, que temia essas crises, marcara, num livro de medicina que tínhamos, a página em que elas eram descritas, e nos dissera que o consultássemos para achar a indicação dos primeiros socorros de emergência. Minha mãe mandou Françoise buscar o livro, recomendando-lhe que não deixasse cair a marca. Passada uma hora, Françoise não havia voltado. Mamãe, indignada, pensou que ela tornara a se deitar e me pediu que fosse ver o livro na biblioteca. Ali encontrei Françoise que, tendo querido olhar o que o sinal marcava, lia a descrição clínica da crise e dava soluços, agora que se tratava de uma doente-padrão que ela não conhecia. A cada sintoma doloroso mencionado pelo autor do tratado, ela gemia: "Minha Nossa! Será possível que o bom Deus deseje fazer sofrer deste modo uma desgraçada criatura humana? Pobrezinha!"

Mas tão logo a chamei e ela se achou de novo junto ao leito da Caridade de Giotto, suas lágrimas cessaram de correr; não pôde reconhecer nem essa agradável sensação de piedade e enternecimento que tão bem sentia e que a leitura dos jornais lhe fizera ver com freqüência, nem qualquer prazer da mesma espécie, diante do tédio e da irritação de ter se levantado no meio da noite por causa da criada de cozinha; e à vista dos mesmos sofrimentos cuja descrição a fizera chorar, ela só achou resmungos de mau humor, e até sarcasmos afrontosos, dizendo, quando julgou que nós tínhamos ido embora e não poderíamos ouvi-la: "Bastava que ela não fizesse o que é preciso fazer para isso acontecer! Sinal que gostou! E não venha com frescuras agora. É preciso que um rapaz esteja mesmo desamparado de Deus para se embeiçar por *isto*. Ah, é bem como diziam no patuá da terra da minha pobre mãe:

Quem se apaixona pelo rabo de um cão
Vê nele apenas uma rosa em botão.[1C]

Se, quando o neto estava meio gripado, ela saía à noite, mesmo doente, em vez de se deitar, para ver se ele não precisava de alguma coisa, fazendo quatro léguas a pé, antes de romper a manhã, a fim de estar de volta logo ao trabalho, em compensação esse mesmo amor aos seus e o seu desejo de assegurar a futura grandeza de sua casa traduzia-se, na sua política em relação aos outros criados, por uma máxima constante que era jamais deixar um só deles criar raízes na casa da tia

[1C] No original: "Qui du cul d'un chien s'amourose / Il lui paraît une rose." (N. do T.)

Léonie, de quem, com orgulho cuidadoso, não permitia que ninguém se aproximasse, preferindo, quando ela própria se achava doente, levantar da cama para lhe dar sua água de Vichy, em vez de permitir o acesso ao quarto da patroa à criada de cozinha. E, como esse himenóptero observado por Fabre, a vespa fossadora, que, para que os filhos, após a sua morte, disponham de carne fresca para comer, chama a anatomia em auxílio de sua crueldade e, tendo capturado gorgulhos e aranhas, lhes fere com ciência magistral e habilidade magnífica o centro nervoso, do qual depende o movimento das patas mas não as outras funções vitais, de modo que o animal paralisado, perto do qual deposita os ovos, forneça às larvas, quando surgirem à vida, um alimento dócil, inofensivo, incapaz de fuga ou resistência, mas de modo algum apodrecido, Françoise encontrava, para cumprir sua vontade permanente de tornar a casa inabitável a qualquer criado, ardis tão sábios e tão impiedosos que, muitos anos depois, é que ficamos sabendo que havíamos comido aspargos quase todos os dias porque o seu cheiro dava à pobre criada de cozinha, encarregada de descascá-los, acessos de asma de tamanha violência que ela afinal foi obrigada a ir embora.

Infelizmente deveríamos mudar em definitivo a nossa opinião sobre Legrandin. Num dos domingos seguintes ao encontro no Pont-Vieux, após o qual meu pai teve de confessar seu erro, ao findar a missa e quando, com o sol e o barulho de fora, algo tão pouco sagrado entrava na igreja que a Sra. Goupil, a Sra. Percepied (todas as pessoas que, pouco antes, quando eu cheguei meio atrasado, tinham ficado de olhos absorvidos em seus livros de orações e que eu mesmo teria julgado não me terem visto entrar se, ao mesmo tempo, seus pés não tivessem empurrado de leve o banquinho que me impedia de alcançar a cadeira) começavam a conversar conosco em voz alta sobre assuntos inteiramente temporais como se já estivéssemos na praça, vimos no limiar ofuscante do pórtico, dominando o tumulto de cores misturadas do mercado, Legrandin, quando o marido daquela senhora, com a qual o havíamos visto ultimamente, acabava de apresentar à esposa de outro grande proprietário de terras das vizinhanças. O rosto de Legrandin exprimia uma animação e um interesse extraordinários; fez uma profunda reverência, com uma inclinação secundária para trás, o que levou seu dorso bruscamente além da posição inicial, e que deveria ter aprendido com o marido de sua irmã, Sra. de Cambremer. Esse rápido soerguimento fez refluírem, numa espécie de onda alanceada e musculosa, os quadris de Legrandin, que eu não imaginara tão carnudos; e não sei por que essa ondulação de matéria pura, essa vaga toda carnal, sem expressão de espiritualidade e que uma amabilidade cheia de baixeza açoitava com fúria, fizeram de súbito acordar em meu espírito a possibilidade de um Legrandin bem diverso daquele que conhecíamos. Essa dama lhe pediu que dissesse algo ao seu cocheiro, e enquanto ele ia até o carro, ainda persistia em seu rosto a expressão de alegria tímida e dedicada que a apresentação recente lhe causara. Embriagado numa espécie de sonho, Legrandin sorria; voltou depois para a dama com pressa e, como caminhasse mais rápido que de costume, suas espáduas balançavam ridiculamente de um e outro lado, e ele se parecia a um joguete inerte e mecânico da felicidade, de tanto que se lhe entregava, indiferente ao resto do mundo. Todavia, nós saíamos do pórtico e íamos passar por ele, e ele era bastante educado para não virar o rosto, mas fixou o olhar, de repente, cheio de uma cisma profunda, num ponto tão afastado do horizonte que não pôde nos ver e não teve de cumprimentar-nos. Sua fisionomia continuava ingênua no alto do casaco frouxo e simples que parecia sentir-se deslocado, malgrado seu, em meio a um luxo detestado. E a gravata *lavallière* de pintinhas, que o vento da praça agitava, continuava a flutuar sobre ele como o estandarte de seu isolamento orgulhoso e de sua nobre independência. No momento em que chegávamos em casa, mamãe percebeu que havíamos esquecido a torta de creme e pediu a meu pai que voltasse comigo para avisar que a mandassem logo. Cruzamos com Legrandin perto da igreja; ele vinha em sentido contrário levando a mesma dama para o carro. Passou por nós, não interrompeu o que dizia à companheira e nos fez, com o canto do olho azul, um pequeno sinal de qualquer modo interior às pálpebras e que, não comprometendo os músculos do rosto, pôde passar perfeitamente despercebido de sua interlocutora; mas, procurando compensar pela intensidade do sentimento a área um pouco estreita em que se circunscrevia a expressão, naquele canto azulado que nos era reservado fez cintilar toda a sua benevolência, que ultrapassava a jovialidade e chegava até a ser maliciosa; tornou sutis as finezas da amabilidade até as piscadelas da cumplicidade, as meias-palavras, os subentendidos, os mistérios da conivência; e, finalmente, exaltou os protestos de amizade até as declarações de amor, iluminando então, só para nós, de um langor secreto e invisível à castelã, uma pupila apaixonada em um rosto de gelo.

Exatamente na véspera, havia pedido a meus pais que me mandassem para jantar com ele: "Venha fazer companhia a seu velho amigo", dissera-me ele. – "Como o ramalhete que um viajante nos manda de uma região à qual não regressaremos, faça-me respirar, da distância da sua adolescência, essas flores primaveris que eu também atravessei há longo tempo. Venha com a primavera, a barba-de-capuchinho, o botão-de-ouro, venha com o *sédum*, do qual se faz o buquê preferido da flora balzaquiana, com a flor do dia da Ressurreição, o malmequer-branco e o viburno dos jardins que principia a embalsamar as alamedas da sua tia-avó quando ainda não se derreteram as últimas bolas de neve das saraivas da Páscoa.[2] Venha com a gloriosa veste de seda do lírio, digna de Salomão, e o esmalte policrônico

[2] Há aqui um jogo de palavras, no francês, entre a flor viburno (*boule-de-neige*) e as bolas de neve das chuvas geladas da Páscoa. (N. do T.)

dos amores-perfeitos, mas venha, acima de tudo, com a brisa ainda fresca das últimas geadas e que vai entreabrir, para as duas borboletas que desde esta manhã aguardam à porta, a primeira rosa de Jerusalém."

Em casa, perguntavam se ainda assim deveriam mandar-me jantar com o Sr. Legrandin. Mas minha avó recusou-se a crer que ele tivesse sido pouco educado. "Vocês mesmos reconhecem que ele aparece aqui com toda a simplicidade que não é a de um mundano." Declarava que, em todo caso, e na pior das hipóteses, se ele o tivesse sido mais valeria não se dar por achado. A falar a verdade, até meu pai, que no entanto era o mais irritado contra a atitude de Legrandin, conservava ainda uma última dúvida acerca do significado que ela comportava. Teria sido como toda atitude ou ação em que se revelasse o caráter profundo e escondido de uma pessoa; não teria ligação com suas palavras anteriores, não podíamos fazer com que confirmasse com o testemunho do culpado, que não confessaria; estávamos reduzidos ao testemunho dos nossos sentidos e nos indagamos, diante dessa lembrança isolada e incoerente, se não teriam sido o joguete de uma ilusão; de maneira que semelhantes atitudes, as únicas a poderem ter importância, nos deixam muitas vezes uma certa dúvida.

Jantei com Legrandin no seu terraço; fazia luar: "Há uma linda espécie de silêncio, não é", disse-me ele, "para os corações feridos como o meu, um romancista que você lerá mais tarde pretende que convêm somente a sombra e o silêncio. E veja bem, meu menino, chega um momento na vida, momento do qual você ainda está bem longe, em que os olhos fatigados já não suportam senão uma luz, a que uma bela noite como esta prepara e destila com a escuridão, em que os ouvidos só podem escutar a música tocada pelo luar na flauta do silêncio." Eu ouvia as palavras do Sr. Legrandin que me pareciam sempre tão agradáveis; mas, perturbado pela recordação de uma mulher que vira recentemente pela primeira vez, e pensando, agora que sabia que Legrandin era ligado a diversas personalidades da aristocracia das redondezas, que talvez ele a conhecesse, tomei coragem e lhe disse: "Será que o senhor conhece a... as castelãs de Guermantes?", e também feliz, ao pronunciar esse nome, porque me fazia adquirir sobre ele uma espécie de poder pelo simples fato de arrancá-lo do meu sonho e conferir-lhe uma existência sonora e objetiva.

Porém a este nome de Guermantes, eu vi no meio dos olhos azuis do nosso amigo fixar-se um pequenino ponto escuro, como se acabassem de ser furados por uma ponta invisível, ao passo que o resto da pupila reagia segregando ondas de azul. As olheiras escureceram, abaixaram-se. E sua boca, marcada por uma ruga amarga, dominando-se mais depressa, sorriu, enquanto o olhar permanecia doloroso, como o de um bom mártir cujo corpo é crivado de setas: "Não, não os conheço", respondeu, mas em vez de dar a uma informação tão banal, a uma resposta tão pouco surpreendente, o tom natural e corriqueiro adequado, lançou-a acentuando as palavras, inclinando-se, sacudindo a cabeça, ao mesmo tempo com a insistência que se dá, para ter crédito, a uma afirmação inverossímil – como se o fato de não conhecer os Guermantes pudesse ser apenas o efeito de um acaso singular – e também com a ênfase de alguém que, não podendo calar uma situação que lhe é penosa, prefere proclamá-la para dar aos outros a impressão de que semelhante confissão não lhe causa embaraço algum, é fácil, espontânea, agradável, que a própria situação – a ausência de relações com os Guermantes – podia muito bem não ser sofrida mas desejada por ele, e resultar de alguma tradição de família, princípio moral ou voto místico que lhe interditasse expressamente a convivência com os Guermantes. "Não", repetiu, explicando com as palavras a própria entonação, "não, não os conheço, nunca me interessei em conhecê-los, sempre fiz questão de manter minha independência total; no fundo, sou uma cabeça jacobina, você sabe. Muita gente intercedeu, dizendo que era um erro eu não ir ver os Guermantes, que eu passava a idéia de ser um turrão, um velho urso. Mas aí está uma reputação que não me assusta, pois é tão verdadeira! No fundo, só gosto nesta terra de algumas igrejas, dois ou três livros, mais uns poucos quadros, e do luar quando a brisa da sua juventude traz até mim o aroma dos canteiros que minhas velhas pupilas já não percebem." Eu não compreendia bem por que era necessário proclamar independência para ir à casa de pessoas que não se conhecia, e em que aquilo podia lhe dar o aspecto de um selvagem ou de um urso. Mas entendia que Legrandin não era totalmente verdadeiro quando dizia só gostar das igrejas, do luar e da juventude; apreciava bastante os moradores dos castelos e, diante deles, achava-se tomado de tão grande pavor de desagradar-lhes que não tinha coragem de fazê-los perceber que possuía amigos entre os burgueses, filhos de tabeliães ou corretores, preferindo, se se devesse descobrir a verdade, que fosse em sua ausência, longe de suas vistas e "por descuido": era um esnobe. É claro que nada dizia de tudo isso na linguagem que meus pais e eu tanto apreciávamos. E se eu lhe perguntasse: "Conhece os Guermantes?", Legrandin, o conversador, respondia: "Não, jamais quis conhecê-los." Desgraçadamente, ele respondia em segundo plano, pois um outro Legrandin, que ele ocultava cuidadosamente no fundo de si mesmo, que não mostrava, porque este último Legrandin sabia acerca do nosso, sobre o seu esnobismo, histórias comprometedoras, um outro Legrandin já respondera com o olhar ferido, o ricto da boca, com a excessiva gravidade do tom da resposta, com as mil setas de que o nosso Legrandin se vira num momento crivado e agonizante, como um São Sebastião do esnobismo: "Ai de mim, que você me faz mal; não, não conheço os Guermantes, não desperte a grande mágoa da minha vida." E como este Legrandin inconveniente, esse Legrandin tagarela, se não possuía a bela expressão verbal do outro, tinha a palavra infinitamente mais lenta, composta daquilo a que se chama "reflexos", quando o conversador Legrandin queria lhe impor silêncio, o outro já havia falado e o nosso amigo, por mais que se sentisse infeliz com a má impressão que as revelações de seu *alter ego* já deviam ter provocado, não podia fazer mais que atenuá-las.

E certamente isto não queria dizer que o Sr. Legrandin não fosse sincero quando malhava os esnobes. Não podia saber, ao menos por si mesmo, que o fosse, visto que jamais conhecemos senão as paixões dos outros, e o que chegamos a saber sobre as nossas, não é por meio deles que o vamos aprender. Contra nós, elas só agem de modo secundário, pela imaginação que substitui os primeiros móveis por móveis de reserva que sejam mais decentes. O esnobismo de Legrandin nunca lhe aconselhava que fosse visitar com freqüência uma duquesa. Encarregava a sua imaginação de lhe fazer aparecer essa duquesa como que adornada de todas as graças. Legrandin aproximava-se da duquesa, julgando ceder a essa atração do espírito e da virtude que os infames esnobes desconhecem. Só os outros sabiam que ele era esnobe; pois, graças à incapacidade de compreenderem o trabalho intermediário da imaginação de Legrandin, viam, uma em frente à outra, a atividade mundana de Legrandin e sua causa primordial.

Agora, em casa, não se tinha mais nenhuma ilusão quanto ao Sr. Legrandin e nossas relações com ele se fizeram bastante espaçadas. Mamãe se divertia muitíssimo de cada vez que surpreendia Legrandin em flagrante delito do pecado que ele não confessava, que continuava a denominar pecado sem remissão, o esnobismo. Quanto a meu pai, não levava tanto na brincadeira os desdéns de Legrandin; e quando, num ano, pensou-se em me mandar passar as férias de verão em Balbec, juntamente com minha avó, ele disse: "É absolutamente necessário que eu comunique a Legrandin que vocês vão para Balbec, para ver se ele se oferece para pô-los em contato com a irmã. Ele não deve estar lembrado de nos ter dito que ela morava a dois quilômetros dali." Minha avó, que achava que nos balneários a gente precisa estar da manhã à noite na praia, a fim de respirar o sal, e que não se deve travar relações com ninguém, porque as visitas e os passeios são outros tantos furtos que fazemos ao ar marinho, pedia, pelo contrário, que não se falasse dos nossos projetos a Legrandin, pois já estava vendo a sua irmã, Sra. de Cambremer, desembarcando no hotel no momento em que estivéssemos a ponto de ir pescar e forçando-nos a ficar fechados para recebê-las. Mas mamãe ria de seus temores, achando que o perigo não era assim tão ameaçador, que Legrandin não teria pressa nenhuma em nos fazer relacionar com sua irmã. Ora, sem que fosse preciso falar em Balbec a Legrandin, foi este próprio que, sem imaginar que tivéssemos a intenção de ir para aquelas bandas, veio colocar-se na armadilha uma tarde em que o encontramos à beira do Vivonne.

"Esta tarde há nas nuvens cores violáceas e azuis bem bonitas, não é, meu camarada?", comentou com meu pai; "um azul sobretudo mais floral que aéreo, um azul de cinerária, que surpreende no céu. E esta nuvenzinha cor-de-rosa não tem igualmente um jeito de flor, de cravo ou hidrângea? Somente na Mancha, entre a Normandia e a Bretanha, é que pude fazer observações mais preciosas sobre esta espécie de reino vegetal da atmosfera. Lá adiante, perto de Balbec, perto desses locais tão selvagens, existe uma pequena baía de suavidade encantadora, onde o pôr-do-sol da terra de Auge, o ocaso rubro e dourado que aliás estou longe de desdenhar, se mostra sem caráter e insignificante; mas nessa atmosfera úmida e doce se abrem de tarde, em poucos minutos, esses buquês celestes, azuis e róseos, que são incomparáveis e muitas vezes levam horas para se desfazerem. Outras vezes, se desfolham de imediato e, então, é mais belo ainda ver o céu inteiro semeado de inúmeras pétalas róseas ou sulfurinas. Nessa baía, como que de opala, as praias douradas ainda parecem mais suaves por se acharem presas, como louras Andrômedas, a esses terríveis rochedos das costas vizinhas, a essas margens fúnebres, célebres por tantos naufrágios, onde todos os invernos muitos barcos afundam aos perigos do mar. Balbec! A mais antiga ossatura geológica do solo francês, realmente Ar-mor, o Mar, o fim da terra, a região maldita que Anatole France – um indivíduo encantador que o nosso amiguinho devia ler – pintou tão bem, sob as suas névoas eternas, como o verdadeiro país dos cimérios na *Odisséia*. De Balbec, sobretudo, onde já se constroem hotéis, superpostos ao solo antigo e encantador que eles não alteram, que prazer excursionar, a dois passos dessas regiões primitivas e tão lindas."

– Ah, quer dizer que conhece alguém em Balbec? – perguntou meu pai. – Justamente este menino deve ir passar lá dois meses com a avó e talvez com minha mulher.

Legrandin, tomado de surpresa por essa pergunta, num momento em que seus olhos estavam fixos em meu pai, não pôde desviá-los, mas fixando-os a cada segundo com maior intensidade – e sempre sorrindo com tristeza – nos olhos do interlocutor, com um ar de amizade e franqueza e sem temer olhá-lo no rosto, parece que lhe atravessou a fisionomia, como se ela se tivesse tornado transparente, e ver nesse momento bem além dela uma nuvem vivamente colorida, que lhe criava um álibi mental e que lhe permitia assegurar que, no momento em que lhe haviam perguntado se não conhecia alguém em Balbec, estava pensando em outra coisa e não ouvira a indagação. Normalmente, tais olhares fazem o interlocutor dizer: "Em que é que está pensando?" Porém meu pai, curioso, irritado e cruel, repetiu:

– Você tem amigos em Balbec, já que conhece tão bem o lugar?

Num último esforço desesperado, o olhar sorridente de Legrandin alcançou o máximo de brandura, de vaguidão, sinceridade e distração, mas, pensando sem dúvida que agora já não podia passar sem responder, disse:

– Tenho amigos por toda parte onde há bosques de árvores feridas mas não vencidas, que se aproximam para implorar juntas, com patética obstinação, a um céu inclemente que delas não tem pena.

– Não era isso o que eu queria dizer – cortou meu pai, também obstinado como as árvores e inclemente como o céu. – Eu indagava, para a eventualidade que acontecesse algo à minha sogra, se ela tivesse necessidade de não se sentir em terra alheia, se o senhor conhecia alguém da sociedade em Balbec...

– Lá, como em toda parte, conheço todo mundo e não conheço ninguém – respondeu Legrandin que não se dava tão depressa por vencido –; conheço muito as coisas e pouco as pessoas. Mas as próprias coisas parecem pessoas ali, pessoas raras, de uma essência delicada e que a vida teria desapontado. Às vezes, trata-se de um castelo que descobrimos na costa, à beira da estrada onde ficou parado para confrontar seu desgosto com a noite ainda cor-de-rosa onde sobe a lua de ouro, e onde os barcos que regressam frisando as águas matizadas exibem nos mastros sua flama e suas cores; outras vezes, é uma simples residência solitária, antes feia, de aspecto tímido porém romanesco, que oculta a todos os olhos algum segredo imorredouro de felicidade e desengano. Essa região sem verdade – acrescentou ele com delicadeza maquiavélica –, essa terra de pura ficção, é de ruim entendimento e com certeza eu não a recomendaria nem escolheria para o meu amiguinho, já tão inclinado à tristeza, devido a seu coração impressionável. Os climas de confidência amorosa e de lamentação inútil podem convir ao velho desabusado que sou, mas sempre se fazem malsãos para um temperamento ainda não formado. Creia-me – tornou com insistência –, as águas daquela baía, já meio bretã, podem exercer uma ação sedativa, aliás discutível, num coração que já não está intacto, como o meu, um coração cuja ferida não é mais compensada. E são contra-indicadas para a sua idade, meu menino. Boa-noite, vizinhos – acrescentou, deixando-nos com aquela brusquidão evasiva de que tinha o costume e, voltando-se para nós com um dedo erguido de doutor, resumiu a consulta, gritando-nos: – Nada de Balbec antes dos cinqüenta anos e, ainda depois, dependendo do estado do coração.

Meu pai voltou a lhe falar em nossos encontros posteriores, torturou-o com perguntas: foi tudo inútil. Como aquele escroque erudito, que empregava no fabrico de falsos palimpsestos o trabalho e uma ciência cuja centésima parte teria bastado para lhe assegurar uma posição mais lucrativa, mas honrada, o Sr. Legrandin, se ainda tivéssemos insistido, teria acabado por construir toda uma ética de paisagem e uma geografia celeste da baixa Normandia, de preferência a confessar que, a dois quilômetros de Balbec morava sua própria irmã, e de ser obrigado a nos dar uma carta de apresentação, o que não o assustaria tanto se tivesse absoluta segurança – como devia ter, de fato, devido ao seu conhecimento do caráter de minha avó – de que não iríamos utilizá-la.

* * *

Sempre voltávamos cedo dos passeios para poder fazer uma visita a tia Léonie antes do jantar. No princípio da estação, quando o dia acaba cedo, ainda havia um reflexo do ocaso, quando chegávamos à rua do Saint-Esprit, sobre as vidraças da casa e uma faixa purpurina no fundo dos bosques do Calvário, que se refletia mais além, no lago; vermelhidão que, acompanhada diversas vezes de um frio bem vivo, se associava, em meu espírito, ao rubor do fogo sobre o qual se assava o frango que me trazia, após o prazer poético do passeio, o prazer da gula, do calor e do repouso. Ao contrário, no verão, ao voltarmos, o sol ainda não se pusera e, durante a visita que fazíamos a tia Léonie, sua luz, que declinava e alcançava a janela, ficava parada entre as grandes cortinas e os umbrais, dividida, ramificada, filtrada e, incrustando de pedacinhos de ouro a madeira de limoeiro da cômoda, iluminava obliquamente o quarto com a delicadeza que tem nos bosques, sob as árvores. Porém, em determinados dias muito raros, não havia mais, quando chegávamos à rua do Saint-Esprit, nenhum reflexo do ocaso estendido nas vidraças e o lago ao pé do calvário já perdera seu tom de púrpura; às vezes já estava cor de opala e um longo raio de lua, que ia se alargando e estriando em todas as rugas da água, atravessava-o por inteiro. Então, ao nos aproximarmos da casa, vislumbrávamos uma forma no limiar da porta, e mamãe dizia:

– Meu Deus! É Françoise que está nos esperando, sua tia está inquieta; também, voltamos tarde demais.

E, sem ter tido tempo de nos livrar dos capotes, subíamos depressa para ver tia Léonie e tranqüilizá-la, mostrando que, ao contrário do que ela já imaginava, nada nos acontecera, mas que tínhamos ido pelo "lado de Guermantes" e, ora essa, quando a gente dava esse passeio, sabíamos muito bem que nunca se podia ter certeza da hora em que estaríamos de volta.

– Está vendo, Françoise – dizia minha tia –, bem que falei que eles deveriam ter tomado o caminho de Guermantes! Meu Deus! Devem estar com uma fome! E o seu carneiro que certamente já estará torrado, com todo esse tempo a esperar! Também, isso é hora que se chegue! Quer dizer então que vocês foram pelo caminho de Guermantes?

– Mas eu julgava que você sabia, Léonie – dizia mamãe. – Pensei que Françoise nos tivesse visto sair pelo portãozinho da horta.

Pois havia ao redor de Combray dois "lados" para os passeios, e tão opostos que a gente, de fato, não saía pelo mesmo portão conforme quisesse ir por um lado ou por outro: o lado de Méséglise-la-Vineuse, que era chamado, também, o lado da casa do Sr. Swann porque se passava diante da propriedade do Sr. Swann para ir para lá; e o lado de Guermantes. Para falar a verdade, de Méséglise-la-Vineuse eu só cheguei a conhecer o "lado" e as pessoas estranhas que vinham passear em Combray, aos domingos, pessoas que, dessa vez, nem minha tia nem nenhum de nós "absolutamente conhecíamos" e que, por esse dado, eram tidas como "pessoas que terão vindo de Méséglise". Quanto a Guermantes, um dia eu deveria conhecer melhor, mas apenas muito mais tarde; e durante toda a minha adolescência, se Méséglise era-me algo inacessível como o horizonte, oculto à vista, por mais longe que a gente fosse, pelos acidentes de um terreno que já não se parecia ao de

Combray, Guermantes só me surgia como o termo antes ideal do que real de seu próprio "lado", uma espécie de expressão geográfica abstrata como a linha do equador, como o pólo, como o oriente. Então, "ir por Guermantes" para chegar a Méséglise, ou o contrário, teria me parecido uma expressão tão desprovida de sentido como tomar o caminho do leste para chegar ao oeste. Como meu pai falava sempre do lado de Méséglise como sendo o mais belo panorama de planície que conhecera, e do lado de Guermantes como do tipo de paisagem de rio, eu lhes atribuía, assim concebendo-os como duas entidades, esta coesão, esta unidade que só pertence às criações do nosso espírito; a menor parcela de cada uma delas me parecia preciosa, manifestando sua excelência particular, ao passo que, em relação a elas, antes que se chegasse ao solo sagrado de uma ou de outra, os caminhos puramente materiais, em que estavam pousadas como o ideal da visão de planície e o ideal da vista da paisagem de rio, já não valiam a pena de serem encaradas, a não ser pelo espectador apaixonado pela arte dramática, as ruelas que levam ao teatro. Eu, principalmente, punha entre elas, bem mais que suas distâncias quilométricas, a distância existente entre as duas partes do meu cérebro, com que pensava nelas, uma dessas distâncias no espírito que não só fazem afastar as coisas, mas separam-nas, pondo-as em outro plano. E essa demarcação tornava-se mais absoluta ainda porque esse costume nosso de jamais ir na direção dos dois caminhos num mesmo dia, num só passeio, mas de uma vez pelo lado de Méséglise, de outra vez pelo lado de Guermantes, fechava-as, por assim dizer, bem longe uma da outra, irreconhecíveis uma à outra, nos vasos cerrados e não comunicantes entre elas, de tardes diferentes.

Quando se queria ir pelo lado de Méséglise, saía-se (não muito cedo e até mesmo se o céu estava coberto, porque o passeio não era longo e não durava muito) como para ir a qualquer parte, pela porta da frente da casa da tia Léonie, que dava para a rua do Saint-Esprit. Éramos saudados pelo armeiro, deixávamos as cartas na caixa do correio, e, de passagem, dizíamos a Théodore, da parte de Françoise, que ela já não tinha carvão ou café, e saíamos da cidade pelo caminho que passava ao longo da cerca branca do parque do Sr. Swann. Antes de aí chegar, encontrávamos, vindo ao encontro dos estranhos, o aroma de seus lilases. Eles próprios, dentre os pequenos corações verdes e frescos de suas folhas, erguiam curiosamente acima da cerca do parque, seus penachos de plumas malvas ou brancas que rebrilhavam, mesmo na sombra, devido à luz do sol em que se banhavam. Alguns, meio escondidos pela casinha de telhas apelidada A Casa dos Arqueiros, onde residia o guarda, ultrapassavam o frontão gótico do seu róseo minarete. As Ninfas da Primavera pareceriam vulgares junto dessas huris jovens que conservavam nesse jardim francês os tons vivos e puros das miniaturas da Pérsia. Apesar do meu desejo de abraçar-lhes o talhe flexuoso e de encostar ao rosto os caracóis estrelados de sua cabecinhas odorantes, passávamos por ali sem parar, já que meus pais tinham deixado de visitar Tansonville desde o casamento de Swann, e, para não darmos a impressão de que olhávamos o parque, ao invés de ir pelo caminho que margeia o cercado da casa, e que vai dar diretamente nos campos, íamos por outro que também chegava lá, porém obliquamente, fazendo-nos desembocar mais longe. Um dia, meu avô disse a meu pai:

– Lembra-se que Swann disse ontem que, como a mulher e a filha viajavam para Reims, ele iria aproveitar para passar vinte e quatro horas em Paris? Poderíamos, já que essas damas estão fora, caminhar ao longo do parque, o que nos abreviaria o trajeto.

Paramos um momento diante da cerca. Aproximava-se o fim da época dos lilases; alguns ainda elevavam em altos lustres cor de malva as delicadas bolhas das flores, mas em muitas partes da folhagem em que, há uma semana apenas, explodia o seu musgo embalsamado, murchava-se agora, diminuída e escura, uma espuma vazia e sem perfume. Meu avô mostrava a meu pai em que aspecto aqueles lugares eram os mesmos, e em que haviam mudado desde o passeio que havia feito com o Sr. Swann pai no dia da morte da esposa deste, e aproveitou a ocasião para contar mais uma vez aquele passeio.

Diante de nós, uma alameda margeada de capuchinhos subia em pleno sol na direção do castelo. À direita, pelo contrário, o parque se estendia por um terreno plano. No escuro, devido às grandes árvores que o cercavam, havia um tanque mandado cavar pelos pais de Swann; porém, nas suas criações mais artificiais, é sobre a natureza que o homem trabalha; certos lugares impõem sempre a seu redor um império particular, arvoram suas insígnias imemoriais no meio de um parque, como o teriam feito longe de qualquer intervenção humana, na solidão que volta sempre a rodeá-los, surgidas das necessidades de sua exposição e superposta à obra humana. Assim é que, junto da alameda que dominava o tanque artificial, formara-se em duas fileiras, entrelaçadas de flores de miosótis e de pervincas, a coroa natural, azul e delicada, que cinge a fronte claro-escura das águas, e que a palma-de-santa-rita, deixando pender os gládios com um abandono de realeza, estendia sobre a escumilha e o ranúnculo de pé molhado, as flores-de-lis em trapos, amarelas e violáceas, do seu cetro lacustre.

A partida da Srta. Swann que – eliminando a tremenda possibilidade de vê-la aparecer numa alameda, de ser conhecido e desprezado pela filhinha privilegiada de quem Bergotte era amigo e com o qual ia visitar catedrais – tornava-me indiferente à contemplação de Tansonville da primeira vez em que era permitida, parecia, ao contrário, ajuntar a essa propriedade, aos olhos de meu avô e de meu pai, certo conforto, um atrativo passageiro, e, como nos concede, no caso de uma excursão em terra montanhosa, a ausência de qualquer nuvem, tornava-lhes aquele dia excepcionalmente apropriado a um passeio por aquelas bandas; eu preferiria que seus cálculos falhassem, que um milagre fizesse reaparecer a Srta. Swann com o pai, tão perto de nós que não teríamos tempo de evitá-lo e seríamos obrigados a conhecê-la. Assim, quando de súbito percebi sobre a grama, como um sinal de sua presença possível, um pequeno cesto esquecido ao lado de uma linha de pescar, cuja bóia flutuava na água, apressei-me a desviar a atenção de meu pai e meu avô para outro ponto. Além do mais, como Swann houvesse dito que não lhe ficava bem ausentar-se, pois na ocasião tinha hóspedes em casa, a linha poderia pertencer a algum convidado. Não se ouvia ruído nenhum nas alamedas. Percebia-se, à altura de uma árvore incerta, um pássaro invisível empenhando-se para tornar mais curto o dia, ao explorar, numa nota prolongada, a solidão circundante, mas recebendo dela uma réplica tão unânime, um choque de volta tão redobrado de silêncio e de imobilidade, que se diria que acabava de parar para sempre o instante que tentara fazer passar mais depressa. A luz caía tão implacavelmente do céu que se tornara fixo, que a gente gostaria de se subtrair à sua atenção, e até a água parada, cujo sono era perturbado constantemente pelos insetos, sonhando sem dúvida com algum Maelstrom imaginário, aumentava a perturbação que me causara a vista da bóia de cortiça, parecendo arrastá-la a toda velocidade sobre as vastidões silenciosas do céu refletido; quase verticalmente, ela parecia prestes a mergulhar e eu já me perguntava se, sem considerar o desejo e o temor que tinha de conhecê-la, não era de meu dever prevenir a Srta. Swann de que o peixe estava mordendo – quando precisei ir, correndo, juntar-me a meu pai e meu avô, que me chamavam, espantados de que não os tivesse acompanhado pela vereda que subia para os campos e pela qual haviam seguido. Achei-a toda sussurrante do aroma dos espinheiros-alvares. A sebe formava uma espécie de seqüência de capelas que desapareciam sob o montão de flores; acima delas, o sol pousava na terra um pequeno quadrado de luz, como se acabasse de atravessar um vitral; seu perfume se estendia, assim untuoso, tão delimitado em sua forma como se eu estivesse diante do altar da Virgem, e as flores, desse modo enfeitadas, sustentavam distraídas seu deslumbrante buquê de estames, finas e radiantes nervuras de estilo *flamboyant*, como aquelas que na igreja iluminavam a rampa da galeria ou as travessas dos vitrais, e que se desfaziam em alvas carnes de flor de morango. Em comparação, como não pareceriam ingênuas e matutas as eglantinas que, dentro de algumas semanas, também se elevariam, em pleno sol, pelo mesmo caminho rústico, e cujos corpetes de seda lisa e rubra um simples sopro desfaria!

Porém, por mais que eu ficasse respirando diante dos espinheiros-alvares, mostrando a meu pensamento que não sabia o que fazer com ele, a perder e a reencontrar, seu aroma fixo e invisível, unindo-me ao ritmo que suas flores lançavam aqui e ali com uma alegria juvenil e a intervalos imprevistos como certos intervalos musicais, eles ofertavam-me indefinidamente o mesmo charme com uma profusão inesgotável, mas sem me deixar todavia aprofundá-lo mais, como as melodias que tocamos cem vezes seguidas sem escavar mais a fundo o seu segredo. Não me desviava deles um só instante, para abordá-los a seguir com forças renovadas. Até o talude que, por detrás da sebe, erguia-se em aclive pronunciado até os campos, eu perseguia uma papoula perdida, algumas centáureas que ficavam preguiçosamente para trás, que o ornamentavam aqui e ali com suas flores, como a beirada de uma tapeçaria onde transparece, de quando em quando, o motivo silvestre que há de triunfar em todo o pano; raras ainda, de espaço a espaço, como as casas isoladas de uma aldeia já anunciam que esta vem se aproximando, elas me indicavam a extensão imensa onde assomam os trigais, onde as nuvens se amontoam, e a vista de uma única papoula que hasteia na extremidade de sua cordoalha e faz tremular ao vento sua flâmula rubra, acima de sua bóia oleosa e preta, me fazia bater o coração, como ao viajante que avista num terreno baixo uma primeira barca virada, que um calafate conserta e grita, ainda antes de o ter lobrigado: "O Mar!"

Depois, eu voltava para diante dos espinheiros-alvares como diante dessas obras-primas que a gente pensa que verá melhor após ter deixado de contemplá-las por um momento; mas, por mais que fizesse uma tela com as mãos para não ter senão eles diante dos olhos, permanecia obscuro e vago o sentimento que despertavam em mim, em vão procurando se desprender e vir aderir a suas flores. Eles não me auxiliavam a esclarecê-lo, e eu não podia pedir às outras flores que o satisfizessem. Então, dando-me essa alegria que experimentamos ao ver, de nosso pintor preferido, uma obra que difere das que conhecemos, ou se somos levados para diante de um quadro do qual não houvéssemos visto ainda senão um esboço a carvão, se um trecho ouvido unicamente ao piano nos surge a seguir revestido das cores da orquestra, meu avô, chamando-me e apontando a baía de Tansonville, me disse: "Tu, que gostas dos espinheiros-alvares, olha um pouco este espinheiro-rosa; é lindo!" De fato, tratava-se de um espinheiro, porém cor-de-rosa, mais belo ainda que os brancos. Ele também vestia-se de festa – das festas religiosas, que são as únicas festas verdadeiras, visto que não há um capricho contingente que as aplique, como as festas mundanas, a um dia que não lhes é destinado em especial, um dia que nada tem de essencialmente festivo – mas um vestido ainda mais rico, pois as flores unidas ao ramo, umas sobre as outras, de forma a não deixar nenhum lugar sem decoração, como os pompons que ornamentam uma haste rococó, eram "de cor", e em conseqüência de uma qualidade superior conforme a estética de Combray, se a gente a julgasse segundo a escala de prêmios do magazine da Praça, ou da loja de Camus, onde eram mais caros os biscoitos cor-de-rosa. Eu mesmo gostava mais do queijo com creme rosado, no qual me permitiam esmagar morangos. E justamente essas flores haviam escolhido um desses tons de coisa comestível, ou de macio ornamento num vestido de festa de gala, que, já que lhe apresentaram o motivo de sua superioridade, são as que parecem mais claramente belas aos olhos das crianças, e por causa disso conservam sempre para estas algo de mais vivo e mais natural que os demais tons, mesmo quando elas compreendem que nada ofereciam à sua gulodice e não tinham sido escolhidas pela costureira. E, certamente, sentira logo, como diante dos espinheiros-brancos, porém mais maravilhado, que não era de modo factício, por um artifício de fabricação humana, que estava traduzida em flores a intenção de festividade, mas que era a natureza que, espontaneamente, a exprimira, com a ingenuidade de um comerciante de aldeia que trabalha para um altar, sobrecarregando o arbusto com essas rosinhas de tom esmaecido e de um *pompadour* provinciano. No alto dos ramos, como outros tantos vasos escondidos de rosinhas em papéis recortados que, nos dias de festa, faziam irradiar do altar suas hastes muito finas, rebrotavam miríades de botõezinhos de tom mais pálido, os quais, entreabrindo-se, deixavam ver, como no fundo de uma taça de mármore rosa, vermelhos sangüíneos e traíam, ainda mais que as flores, a essência particular, irresistível, do espinheiro, que, fosse onde fosse que brotasse ou florescesse, só o podia fazer em cor-de-rosa. Entremeado na sebe, mas também diverso dela, como uma moça de vestido de festa no meio de pessoas em trajes caseiros, que não vão sair, pronto para o mês de Maria, do qual já parecia fazer parte, assim brilhava, sorrindo em sua fresca toalete cor-de-rosa, o arbusto católico e delicioso.

A sebe permitia ver, no interior do parque, uma alameda margeada de jasmins, amores-perfeitos e verbenas, entre os quais se abriam as bolsas frescas de uns goivos, de um róseo aromado e murcho de couro velho de Córdoba, ao passo que, pelo caminho, coleava uma longa mangueira de regar, pintada de verde, desenrolando seus circuitos, e que, nos pontos onde apresentava furos, erguia, por sobre as flores cujo aroma embebia com seu frescor, o leque vertical e prismático de suas gotículas multicores. Subitamente parei, não pude mais me mexer, como ocorre quando uma visão não se dirige apenas ao nosso olhar, mas exige mais profundas percepções e dispõe inteiramente do nosso coração. Uma garotinha de um louro arruivado, que parecia estar regressando de um passeio, tendo à mão uma pá de jardinagem, nos encarava, erguendo o rosto todo coberto de manchas cor-de-rosa. Seus olhos negros brilhavam e como eu não sabia, à época, nem aprendi depois, reduzir a seus elementos objetivos uma impressão forte, como não tivesse, feito se diz, suficiente "espírito de observação" para poder isolar a noção da sua cor, durante muito tempo, a cada vez que nela pensava, a lembrança do brilho de seus olhos se apresentava logo a mim como o de um azul vivo, visto que ela era loura: de forma que, talvez se ela não tivesse olhos assim tão negros – o que muito espantava, da primeira vez que a viam – eu não teria ficado, como fiquei, mais especialmente apaixonado, nela, por seus olhos azuis.

Eu a olhava, primeiro com o olhar que é apenas o porta-voz dos olhos, mas à janela do qual se debruçam todos os sentidos, ansiosos e petrificados, o olhar que desejaria tocar, capturar, levar consigo o corpo que está olhando e com ele a alma; depois, tal era o medo de que a todo instante meu avô e meu pai, percebendo a menina, me mandassem embora dali dizendo que corresse um pouco adiante deles, que um segundo olhar, inconscientemente suplicante, procurava forçá-la a prestar atenção em mim, a me conhecer! Ela dirigiu as pupilas para diante e para o lado, a fim de tomar conhecimento de meu avô e de meu pai, e é claro que a idéia que lhe ficou foi a de que éramos ridículos, pois desviou-se e, com um ar indiferente e desdenhoso, se pôs de lado para evitar que seu rosto permanecesse dentro do campo visual deles; e enquanto, continuando a caminhar sem tê-la apercebido, eles me ultrapassavam, ela deixou seus olhares correrem na minha direção, sem expressão particular, sem parecer ver-me, mas com uma fixidez e um sorriso dissimulado, que eu só podia interpretar, de acordo com as noções que recebera sobre a boa educação, como uma prova de desprezo ultrajante; e, ao mesmo tempo, sua mão esboçava um gesto indecente, a que, ao ser dirigido em público a uma pessoa que não se conhece, o pequeno dicionário de civilidade que eu carregava dentro de mim só atribuía um sentido, o de uma intenção insolente.

"Vamos, Gilberte, entra; o que é que estás fazendo?", gritou, com voz aguda e autoritária, uma dama vestida de branco que eu não tinha visto; e, a alguma distância dela, vestido de xadrez, um senhor que eu não conhecia, fixava em mim uns olhos que lhe saíam das órbitas; deixando bruscamente de sorrir, a menina pegou sua pá e se afastou sem se virar para o meu lado, com um ar dócil, impenetrável e manhoso.

Assim passou junto a mim este nome de Gilberte, dado como um talismã que talvez me permitisse reencontrar um dia essa que ele acabava de transformar numa pessoa e que, um momento antes, não passava de uma imagem incerta. Assim passou, proferido por sobre os jasmins e os goivos, acre e fresco feito as gotas da mangueira verde; impregnando, irisando a região de ar puro que havia atravessado – e que isolava – com o mistério da vida daquela a quem designava para os seres felizes que viviam, que viajavam com ela; expandindo, sob o espinheiro-rosa, à altura dos meus ombros, a quintessência da familiaridade deles, para mim tão dolorosa, com Gilberte, com o desconhecido da sua vida, onde eu não penetraria.

Por um momento (enquanto nos afastávamos e meu avô murmurava: "Pobre Swann, que papel o fazem representar: fazem-no ir embora para que ela fique a sós com o seu Charlus, pois é ele, reconheci-o! E essa menina, metida no meio de toda essa infâmia!"), a impressão que me causara o tom autoritário com que a mãe de Gilberte lhe falara sem que ela replicasse, mostrando-me que esta era como que forçada a obedecer a alguém, como se não fosse superior a tudo, serenou um tanto o meu sofrimento, deu-me um pouco de esperança e fez diminuir meu amor. Porém logo esse amor voltou a aumentar em mim como uma reação pela qual o meu coração humilhado queria nivelar-se a Gilberte ou abaixá-la até ele. Eu a amava, lamentava não ter tido tempo nem inspiração para ofendê-la, para lhe fazer mal, e forçá-la a se lembrar de mim. Achava-a tão bonita que gostaria de voltar atrás para gritar-lhe, dando de ombros: "Como te acho feia, grotesca, como tu me repugnas!" Entretanto, eu me afastava, levando para sempre, como primeira espécie de uma felicidade inacessível, por leis naturais impossíveis de transgressão, às crianças da minha espécie, a imagem de uma garotinha ruiva, de pele coberta de manchinhas cor-de-rosa, que segurava uma pá de jardineiro e ria, deixando correr sobre mim longos olhares sorrateiros e inexpressivos. E já o encanto com que seu nome havia incensado esse lugar, sob os espinheiros-rosa, onde havia sido ouvido por mim e por ela, ia atingir, impregnar, embalsamar tudo o que lhe ficava perto, seus avós, que os meus tinham tido a fortuna inefável de conhecer, a sublime profissão de corretor, o bairro doloroso dos Champs-Elysées que ela habitava em Paris.

"Léonie", disse meu avô entrando em casa, "gostaria que estivesses conosco, há pouco. Não reconhecerias Tansonville. Se eu tivesse tido coragem, cortaria um ramo desses espinheiros cor-de-rosa de que gostas tanto." Era desse modo que meu avô contava o nosso passeio à tia Léonie, seja para distraí-la, seja por não ter perdido de todo a esperança de conseguir fazê-la sair de casa. Pois ela gostava muito daquela propriedade antigamente, e, além disso, as visitas de Swann tinham sido as últimas que recebera, quando já fechava a porta a todo mundo. E assim como ocorria quando ele ultimamente vinha pedir notícias dela (pois era a única pessoa de casa que ele ainda pedia para ver) e ela mandava responder que estava fatigada, mas que o deixaria entrar da próxima vez, assim também replicou naquela tarde: "Sim, um dia em que fizer bom tempo irei de carro até o portão do parque." É o que ela dizia com sinceridade. Teria adorado rever Swann e Tansonville; mas o desejo de revê-los lhe bastava para o que ainda possuía de forças; sua realização seria superior a elas. Às vezes, o bom tempo lhe dava um pouco de vigor, ela se levantava, se vestia; a fadiga principiava antes que passasse ao outro quarto e ela regressava ao leito. O que para ela começara – mais cedo do que ocorre normalmente – era essa grande renúncia da velhice que se prepara para a morte, se envolve na sua crisálida, e que é possível observar, no fim das vidas que se prolongam até bem tarde, mesmo entre os antigos amantes que mais se amaram, entre os amigos unidos pelos laços mais espirituais e que, a partir de certa ocasião, deixam de fazer a viagem ou de dar o passeio necessário para se verem, cessam de se escrever e sabem que não mais se comunicarão neste mundo. Minha tia devia saber perfeitamente que não voltaria a ver Swann, que jamais deixaria a casa, mas essa reclusão definitiva deveria se ter tornado bem fácil para ela, pelo mesmo motivo que para nós deveria ser doloroso: é que tal reclusão lhe era imposta pela diminuição que ela podia constatar a cada dia em suas forças, e que, fazendo de cada ação, de cada movimento, um cansaço, senão um sofrimento, dava-lhe à inação, ao isolamento, ao silêncio, a doçura reparadora e abençoada do repouso.

Tia Léonie não foi ver a sebe de espinheiros-rosa, mas a todo instante eu perguntava a meus pais se ela não iria, se outrora ela ia com freqüência a Tansonville, tentando fazê-los falar dos pais e dos avós da Srta. Swann, que me pareciam enormes como deuses. Esse nome de Swann, que se tornara quase mitológico para mim, desfalecia-me de desejo de ouvi-lo ser pronunciado, ao conversar com meus pais, não ousando eu mesmo proferi-lo, mas puxava-os para assuntos que se avizinhavam de Gilberte e sua família, que lhe diziam respeito, e nos quais eu não me sentisse exilado muito longe dela; e levava de repente meu pai, fingindo crer, por exemplo, que o cargo de meu avô já estivera nas mãos de outros membros da família antes dele, ou que a sebe de espinheiros-rosa que minha tia desejava olhar se encontrava num terreno municipal, a corrigir minha assertiva, a me dizer, como a me contrariar e por sua própria conta: "Mas não, esse cargo era do pai de *Swann*, essa sebe faz parte do parque de *Swann*." Então eu era obrigado a respirar fundo, de tal modo esse nome, pousando no local onde estava sempre inscrito em mim, pesava a ponto de me sufocar, visto que no instante em que o ouvia, me parecia mais denso que qualquer outro, pois trazia o peso de todas as vezes em que o dissera mentalmente. Causava-me um prazer tal que eu me sentia confuso de o ter solicitado a meus pais, pois o prazer era de tal sorte que certamente lhes custara proporcioná-lo, e sem compensação, pois não era um prazer para eles. Assim, eu desviava a conversa por discrição. Por escrúpulo também. Todos os atrativos singulares que atribuía ao nome de Swann, reencontrava-os nesse nome quando eles o pronunciavam. Parecia-me então, de súbito, que eles não podiam deixar de senti-los, que se colocavam no meu ponto de vista, que, por sua vez, percebiam, absolviam e compartilhavam de meus sonhos, e eu me sentia infeliz como se tivesse vencido e depravado meus pais.

Naquele ano, quando, um pouco mais cedo que de hábito, meus pais fixaram a data do regresso a Paris, na manhã da partida ocorreu que, já que me tinham encrespado os cabelos para ser fotografado e também me haviam posto, com todo o cuidado, um chapéu que jamais antes usara, além de uma capa de veludo, minha mãe, depois de me procurar em toda parte, encontrou-me em lágrimas na ladeirinha ao lado de Tansonville, dizendo adeus aos espinheiros-alvares, abraçando os ramos picantes e, como uma princesa de tragédia a quem pesariam esses vãos ornamentos, ingrato para com a mão importuna que, formando todos aqueles caracóis, tivera o cuidado de me arrumar os cabelos, calcando aos pés os papelotes arrancados e o chapéu novo. Minha mãe não se comoveu com minhas lágrimas, mas não pôde reter um grito ao ver o penteado desfeito e a capa perdida. Não a ouvi: "Meus pobres espinheiros", dizia chorando, "só vocês é que não me dariam desgosto, não me obrigariam a partir. Vocês, vocês nunca me magoaram! Sempre hei de amar vocês." E, enxugando as lágrimas, prometi-lhes que, quando fosse adulto, não imitaria a vida insensata dos outros homens e, mesmo em Paris, nos dias de primavera, em vez de ir fazer visitas e ouvir asneiras, sairia pelos campos para ver as primeiras flores de espinheiro.

Uma vez nos campos, não os deixávamos em todo o restante do passeio que fazíamos para o lado de Méséglise. Eram permanentemente percorridos, como por um viandante invisível, pelo vento que, para mim, era o gênio particular de Combray. Todo ano, no dia da nossa chegada, para sentir que estava bem em Combray, eu subia ao encontro do vento que corria pelas valas e me fazia correr atrás dele. A gente sempre tinha o vento ao nosso lado, para os lados de Méséglise, sobre aquela planície abaulada por onde, durante léguas, não se encontra nenhum acidente do terreno. Sabia que a Srta. Swann ia muitas vezes passar alguns dias em Laon e, conquanto Laon se achasse a várias léguas, a distância era compensada pela ausência de qualquer obstáculo, quando, naquelas tardes bem quentes, eu via um mesmo sopro, vindo do extremo do horizonte, curvar os trigais mais distantes, propagar-se como uma onda sobre toda a imensa extensão e vir se deitar, murmurante e morno, a meus pés, em meio aos sanfenos e trevos; esta planície que era comum a nós ambos parecia nos reaproximar, nos unir, e eu pensava que tal sopro havia passado perto dela, que se tratava de uma mensagem sua, que ele me sussurrava sem que eu pudesse compreendê-la, e eu beijava-o na passagem. À esquerda ficava uma aldeia que se chamava Champieu (*Campus Pagani*, segundo o cura). Do lado direito, viam-se, além dos trigais, as duas torres cinzeladas e rústicas de Saint-André-des-Champs, elas mesmas afiladas, escamosas, imbricadas de alvéolos, guilhochadas, amareladas e grumosas, como duas espigas.

A intervalos simétricos, no meio da inimitável ornamentação de suas folhas, que não é possível confundir com a folha de nenhuma outra árvore frutífera, as macieiras abriam suas grandes pétalas de cetim branco ou suspendiam os tímidos buquês de seus botões avermelhados. Foi no lado de Méséglise que notei pela primeira vez a sombra redonda que as macieiras fazem na terra ensolarada, e também as sedas de ouro impalpável que o poente tece obliquamente sob as folhas, e que eu via meu pai interromper com sua bengala sem jamais fazê-las se desviarem.

Às vezes, no céu da tarde passava a lua branca como uma nuvem, furtiva, sem brilho, feito uma atriz que não está na hora de ir representar e que, dos bastidores, em roupa comum, observa por um instante os companheiros, apagando-se, não querendo chamar a atenção. Gostava de encontrá-la, ver sua imagem nos quadros e nos livros, mas essas obras de arte eram bem diferentes – ao menos durante os primeiros anos, antes que Bloch tivesse habituado meus olhos e meu pensamento a harmonias mais sutis – daquelas em que a lua me apareceria bela hoje e onde eu não a teria reconhecido então. Era, por exemplo, um romance de Saintine, uma paisagem de Gleyre, onde ela recorta nitidamente no céu uma foice de prata, dessas obras ingenuamente incompletas, como o eram minhas próprias impressões e que as irmãs de minha avó se indignavam por verem que eu delas gostava.

Pensavam que se deve mostrar às crianças as obras de arte que, ao chegarmos à maturidade, admiramos em definitivo, e que as crianças dariam provas de bom gosto se as admirarem desde logo. Isto, sem dúvida, porque figuravam os méritos estéticos feito se fossem objetos materiais que um olhar aberto não pode deixar de perceber, sem ter necessidade de amadurecer lentamente os seus correspondentes no próprio coração.

Era para os lados de Méséglise, em Montjouvain, casa situada à beira de um grande pântano e apoiada a um talude verdejante, que morava o Sr. Vinteuil. De modo que passávamos com freqüência, na estrada, por sua filha, que conduzia um *buggy* a toda velocidade. A partir de certa data, não a encontramos mais sozinha e sim acompanhada de uma amiga mais velha, de má reputação na terra, e que um dia se instalou definitivamente em Montjouvain. Diziam: "É preciso que este pobre Vinteuil seja cego pela ternura para não perceber o que se murmureja e permitir que sua filha, logo ele que se escandaliza com uma palavra imprópria, traga para casa uma mulher desse tipo. Ele diz que se trata de uma mulher superior, de grande coração, e que teria inclinações extraordinárias para a música se as tivesse cultivado. Pode estar certo que não é de música que ela e sua filha cuidam." O Sr. Vinteuil o dizia: e de fato é notável como uma pessoa excita sempre a admiração por suas qualidades morais, na família de uma pessoa bem diversa, com a qual tenha relações carnais. O amor físico, tão injustamente desacreditado, a tal ponto obriga toda criatura a manifestar, até às menores porções, o quanto possui de bondade, de abandono de si mesmo, que estes resplandecem até aos olhos dos que estão mais próximos. O doutor Percepied, cujo vozeirão e grossas sobrancelhas lhe facultavam, o quanto quisesse, representar o papel de pérfido, do qual não tinha o físico, sem comprometer em coisa alguma a sua reputação inabalável e imerecida de rabugento benevolente, sabia fazer rir às lágrimas o cura e todo mundo ao dizer com um tom rude: "Muito bem! Parece que a Srta. Vinteuil faz música com sua amiga. Parece que isto os espanta. Quanto a mim, não sei. Foi o pai Vinteuil quem me disse isto ainda ontem. Afinal, a moça tem o direito de amar a música. Não estou aqui para contrariar as vocações artísticas das crianças. Vinteuil também não, pelo que parece. E além disso, ele também faz música com a amiga da filha. Opa! Fazem uma tal música naquela casa! Mas de que é que estão rindo? De fato, eles fazem muita música. Outro dia encontrei o pai Vinteuil perto do cemitério. Não podia se agüentar nas pernas."

Para aqueles que, como nós, viram, nessa época, o Sr. Vinteuil evitar as pessoas que conhecia, desviar-se quando as percebia, envelhecer em poucos meses, absorver-se em seu desgosto, tornar-se incapaz de qualquer esforço que não tivesse como finalidade direta a felicidade da filha, passar dias inteiros diante do túmulo da esposa – teria sido difícil não compreender que ele estava em vias de morrer de desgosto, e supor que ele não se desse conta dos murmúrios que corriam. Conhecia-os, talvez mesmo acreditasse neles. Não existe talvez uma só pessoa, por maior que seja a sua virtude, que a complexidade das circunstâncias não possa levar a viver um dia na intimidade do vício que condena de maneira mais formal – sem que, aliás, o reconheça inteiramente sob o disfarce de fatos particulares com que esse vício se cobre para entrar em contato com essa pessoa e fazê-la sofrer: termos bizarros, atitudes inexplicáveis, certa noite, de um ser a quem, por sinal, tem tantos motivos para amar. Mas, para um homem como o Sr. Vinteuil, devia haver mais sofrimento que para qualquer outro, na resignação a uma dessas situações que é um erro se considere como predicado exclusivo do mundo da boêmia: são produzidas sempre que há necessidade de um vício buscar o local e a segurança precisos, um vício que a própria natureza faz desabrochar numa criança, às vezes misturando apenas as virtudes do pai e da mãe, como a cor dos olhos. Mas se o Sr. Vinteuil conhecia talvez a conduta da filha, não se segue daí que o seu culto por ela houvesse diminuído. Os fatos não penetram no mundo em que vivem nossas crenças, não as fizeram nascer, não as destroem; podem infligir-lhes os desmentidos mais constantes sem enfraquecê-las, e um aluvião de desgraças ou de doenças, sucedendo-se ininterruptamente numa família, não a fará duvidar da generosidade de seu Deus ou do talento de seu médico. Mas quando o Sr. Vinteuil imaginava a filha e a si mesmo do ponto de vista da sociedade, do ponto de vista da reputação de ambos, quando buscava situar-se com ela no nível que ocupavam na estima geral, então esse juízo de ordem social, ele o proferia estritamente como o teria feito o morador de Combray que lhe fosse mais hostil, via-se com sua filha no último degrau, e assim, suas maneiras ultimamente haviam assumido essa humildade, esse respeito por aqueles que se encontrassem acima dele e que via de baixo (mesmo que os houvesse considerado muito inferiores até então), essa inclinação a tentar subir até eles, que é uma conseqüência quase automática de todas as degradações. Um dia em que andávamos com Swann por uma rua de Combray, o Sr. Vinteuil, que saía de outra, encontrara-se de súbito diante de nós sem ter tido tempo de evitar-nos; e Swann, com aquela caridade soberba do homem de sociedade que, no meio da dissolução de todos os seus preconceitos morais, só vê na degradação de outrem um motivo para lhe exercer a sua boa vontade, cujos testemunhos tanto mais agradam ao amor-próprio de quem a confere, quanto mais os sente preciosos ao que os recebe – conversara longamente com o Sr. Vinteuil, a quem até então não dirigia a palavra, e lhe perguntara, antes de se despedir, se não enviaria a filha um dia para tocar em Tansonville. Era um convite que, dois anos antes, teria indignado o Sr. Vinteuil, mas que, agora, o enchia de um tal sentimento de gratidão que, por ele, se julgava obrigado a não cometer a indiscrição de aceitá-lo. A amabilidade de Swann em relação à sua filha parecia-lhe em si mesma um apoio tão honroso e agradável que achava melhor não se servir dele, para conservar a doçura toda platônica de mantê-lo.

– Que homem fino – disse-nos, depois que Swann se retirara, e com a mesma veneração entusiástica que coloca lindas e inteligentes burguesas sob o domínio e a fascinação de uma duquesa, por mais burra e feia que seja. – Que homem fino! É pena que tenha feito um casamento desigual.

E então, como as pessoas mais sinceras têm sempre um tanto de hipocrisia e se despojam, ao falar com terceiros, da opinião que formam a seu respeito, expressando-a logo que o outro vai embora, meus pais lamentaram com o Sr. Vinteuil o casamento de Swann em nome de princípios e conveniências, os quais (pela mesma razão que os invocavam em comum com ele, como boas pessoas do mesmo nível social) pareciam subentender que não eram transgredidos em Montjouvain. O Sr. Vinteuil não mandou a filha à casa de Swann. E este foi o primeiro a lamentá-lo. Pois de cada vez que acabava de deixar o Sr. Vinteuil, lembrava-se de que precisava informar-se com ele acerca de uma pessoa do mesmo nome e que achava fosse algum parente seu. E daquela vez prometera a si mesmo não esquecer o que tinha a lhe dizer quando o Sr. Vinteuil mandasse a filha a Tansonville.

Como o passeio para os lados de Méséglise era o menor dos dois que fazíamos ao redor de Combray, por esse motivo o reservávamos para os dias inseguros; o clima do lado de Méséglise era muito pluvioso e jamais perdíamos de vista a margem dos bosques de Roussainville em cuja espessura poderíamos nos abrigar.

Muitas vezes o sol se escondia detrás de uma nuvem que deformava o seu oval e cujas bordas ele amarelava. O brilho, mas não a claridade, era roubado ao campo onde todas as vidas pareciam em suspenso, ao passo que a pequena aldeia de Roussainville esculpia no céu o relevo de suas arestas brancas com uma precisão e um acabamento angustiosos. Um ventinho fazia voar um corvo que voltava a descer ao longe e, contra o céu branquicento, a lonjura dos bosques parecia mais azul, como que pintada nesses camafeus que ornam os tremós das residências antigas.

Porém outras vezes a chuva se punha a cair, chuva com que nos ameaçara o capuchinho que o oculista mantinha na vitrina; as gotas de água, como pássaros migradores que alçam vôo em conjunto, desciam do céu em filas apertadas. Não se separam, não vêm à toa durante a rápida travessia, mas cada uma, mantendo seu posto, atrai para si a posterior e o céu fica mais escuro do que na partida das andorinhas. Nós nos refugiávamos no bosque. Quando parecia terminada a sua viagem, algumas, mais fracas, mais vagarosas, ainda vinham chegando. Mas saíamos do nosso abrigo, pois as gotas se divertem nas folhagens, e o solo já estava quase seco quando mais de uma se demorava brincando nas nervuras de uma folha e, suspensa na ponta, repousada, brilhando ao sol, deixava-se deslizar de repente de toda a altura do ramo e nos caía no nariz.

Muitas vezes, também, íamos nos abrigar, em meio aos santos e aos patriarcas de pedra, sob o pórtico de Saint-André-des-Champs. Como era francesa esta igreja! Por sobre a porta, os santos, os reis-cavaleiros com uma flor-de-lis à mão, cenas de núpcias e de funerais, eram representados como poderiam sê-lo na alma de Françoise. O escultor também havia contado certas anedotas relativas a Aristóteles e a Virgílio, da mesma maneira que Françoise, na cozinha, falava com desembaraço de São Luís como se o tivesse conhecido pessoalmente e, em geral, para envergonhar meus avós pela comparação, que eram menos "justos". Sentia-se que as noções que o artista medieval e a camponesa medieval (sobreviventes no século XIX) tinham da história antiga ou cristã, e que se distinguiam tanto pela inexatidão como pela bonomia, eles as haviam tirado, não de livros, mas de uma tradição a um tempo antiga e direta, ininterrupta, oral, deformada, irreconhecível e bem viva. Uma outra personalidade de Combray que eu também reconhecia, virtual e profetizada, na escultura gótica de Saint-André-des-Champs era o jovem Théodore, o criado da loja de Camus. Aliás, Françoise o considerava tão do seu tempo e de sua região que, quando a tia Léonie estava muito doente para que Françoise sozinha a pudesse virar na cama ou levá-la à poltrona, em vez de deixar a criada de cozinha subir para "se mostrar" à minha tia, achava melhor chamar Théodore. Ora, esse rapaz que tinha fama, e com razão, de ser má pessoa, estava de tal modo imbuído do espírito que havia decorado Saint-André-des-Champs, e especialmente dos sentimentos de respeito que Françoise achava devidos aos "pobres doentes", à sua "pobre patroa", que, para erguer a cabeça de tia Léonie no travesseiro, apresentava a fisionomia ingênua e zelosa dos anjinhos dos baixos-relevos, apressando-se, com um círio na mão, ao redor da Virgem desfalecente, como se os rostos de pedra esculpida, nus e acinzentados, como os bosques no inverno, estivessem dormindo somente, em reserva, prestes a reflorir para a vida em inumeráveis rostos populares, reverendos e astuciosos como o de Théodore, iluminados pela vermelhidão de uma maçã madura. Não mais aposta sobre a pedra como esses anjinhos, mas destacada do pórtico, de uma estatura mais que humana, em pé sobre um pedestal como sobre um tamborete, o que evitava pousasse os pés no chão úmido, uma santa estava com as faces cheias, o busto firme que lhe enfunava as vestes como um cacho maduro num saco de crina, a fronte estreita, o nariz curto e rebelde, as pupilas fundas, o aspecto de força, insensível e corajoso das camponesas da região. Tal semelhança, que insinuava na estátua uma doçura que eu ainda não lhe procurara, era muitas vezes comprovada por alguma moça do campo, que, como nós, vinha se pôr ao abrigo da chuva, e cuja presença, igual à dessas folhagens que crescem nas paredes ao lado das folhagens esculpidas, parecia destinada a permitir, pela confrontação com a natureza, o julgamento da verdade da obra de arte. Diante de nós, na lonjura, terra prometida ou maldita, Roussainville, em cujos muros nunca penetrei, Roussainville, quando a chuva já cessara para nós, ora continuava a ser castigada como uma aldeia da Bíblia por todas as espadas da tempestade que flagelava transversalmente as casas de seus habitantes, ora já estava perdoada por

Deus Pai, que fazia descer sobre o burgo, desigualmente longas, como os raios de um ostensório de altar, as hastes em franjas de ouro do sol que reaparecia.

Às vezes o tempo se arruinava de todo, era preciso voltar e ficar encerrado em casa. Ao longe, no campo, aqui e ali, casas isoladas, que a escuridão e a umidade faziam assemelhar-se ao mar, agachadas no flanco de uma colina mergulhada na noite e na água, brilhavam como pequenos barcos que recolheram as velas e ficam imóveis ao largo por toda a noite. Mas que importava a chuva, que importava a tempestade! No verão, o mau tempo não passava de um mau humor passageiro, superficial, do bom tempo, subjacente e fixo, bem diverso do bom tempo instável e fluido do inverno e que, ao contrário deste, instalado na terra, onde se solidificou em densas folhagens, sobre as quais a chuva pode escorrer sem lhes comprometer a resistência de sua alegria constante, içou por toda a estação, até nas ruas da aldeia, nos muros das casas e dos jardins, seus pavilhões de seda violeta ou branca. Sentado na saleta, onde esperava a hora de jantar lendo, ouvia a água pingar dos nossos castanheiros, mas sabia que o aguaceiro só fazia polir suas folhas e que estas prometiam permanecer ali, como garantias do verão, por toda a noite pluviosa, assegurando a continuidade do bom tempo; que por mais que chovesse, amanhã, acima da barreira branca de Tansonville, iriam ondular, numerosas como sempre, pequenas folhas em forma de coração; e era sem qualquer tristeza que eu observava o choupo da rua dos Perchamps dirigir súplicas e rogos desesperados à tempestade; sem tristeza, eu ouvia, no fundo do jardim, os últimos rolos de trovoada ronronando entre os lilases.

Se o tempo era ruim desde a manhã, meus pais renunciavam ao passeio e eu não saía. Mas logo criei o hábito de sair sozinho, nesses dias, para os lados de Méséglise-la-Vineuse, no outono em que tivemos que vir a Combray por causa do testamento de tia Léonie, pois ela enfim havia morrido, fazendo triunfar, ao mesmo tempo, os que pretendiam que seu regime enfraquecedor acabaria por matá-la, e não menos os outros que sempre haviam sustentado que ela sofria de uma doença não imaginária mas orgânica, a cuja evidência os descrentes seriam obrigados a se render quando ela sucumbisse; e causando sua morte grande mágoa a apenas uma criatura, porém a esta uma dor selvagem. Durante os 15 dias que durou a última crise da doença da minha tia, Françoise não a deixou um só minuto, não trocou de roupa, não deixou que ninguém lhe prestasse socorro, e só largou o seu corpo quando foi enterrado. Então compreendemos que o tipo de medo em que vivera Françoise, das palavras amargas, das suspeitas, das cóleras da minha tia, tinha desenvolvido nela um sentimento que havíamos tomado por ódio e que era de veneração e amor. Sua verdadeira patroa, de decisões impossíveis de prever, de astúcias difíceis de contornar, de coração bondoso tão fácil de enternecer, sua rainha, sua misteriosa e todo-poderosa monarca já não existia. Ao lado dela, nós valíamos muito pouco. Estava longe o tempo em que havíamos começado a vir a Combray nas férias, quando possuíamos tanto prestígio quanto minha tia aos olhos de Françoise. Naquele outono, totalmente ocupados com formalidades a preencher, e entrevistas com notários e rendeiros, meus pais não tinham praticamente nenhum tempo de lazer para passeios, que o tempo, aliás, não permitia, e se acostumaram a deixar que fosse passear sozinho para os lados de Méséglise, envolto num grande *plaid* que me protegia contra a chuva e que eu, com o maior prazer, jogava sobre os ombros por sentir que as listras escocesas escandalizavam Françoise, em cujo espírito não cabia a idéia de que a cor da roupa nada tinha a ver com o luto, e a quem, aliás, mal agradava o pesar que sentíamos pela morte de tia Léonie, porque não tínhamos dado um banquete fúnebre, não falávamos dela num tom de voz especial e eu até às vezes cantarolava. Estou certo que em um livro – e nisso eu era tão eu mesmo como Françoise – essa concepção do luto segundo a *Chanson de Roland* e o pórtico de Saint-André-des-Champs me teria sido simpática. Mas, quando Françoise estava junto de mim, não sei que demônio me levava a desejar que ela se enraivecesse, e eu aproveitava o menor pretexto para lhe dizer que lastimava tanto minha tia porque era uma boa mulher, apesar de suas atitudes ridículas, mas não porque fosse minha tia, que ela poderia ter sido minha tia e me parecer odiosa, e sua morte não me faria pena alguma – palavras que me teriam parecido idiotas num livro.

Se então Françoise, tomada, como um poeta, de uma onda de pensamentos confusos acerca do desgosto, das lembranças da família, se desculpasse alegando não saber responder às minhas teorias, dizendo: "Não sei me *espremir*", eu triunfava dessa confissão com um bom senso irônico e brutal digno do doutor Percepied; e se ela acrescentava: "Em todo caso, há a *geologia*, resta sempre o respeito que se deve à *geologia*", eu dava de ombros e dizia comigo: "Tenho mais que fazer do que discutir com uma ignorante que fala desse modo", adotando assim, para julgar Françoise, o ponto de vista mesquinho dos homens a quem aqueles que mais os desprezam na imparcialidade da meditação, são bem capazes de tomar como modelo quando desempenham uma das cenas vulgares da vida.

Meus passeios naquele outono foram tanto mais agradáveis porque os dava após longas horas passadas sobre um livro. Quando estava cansado de ter lido a manhã inteira na sala, punha o *plaid* sobre os ombros e saía: meu corpo, obrigado a guardar a imobilidade há tanto tempo, mas que fora se carregando de animação e velocidade acumuladas, precisava de imediato, como um pião que se solta, gastá-las em todas as direções. As paredes das casas, a sebe de Tansonville, as árvores do bosque de Roussainville, as moitas em que se apóia Montjouvain recebiam pancadas de guarda-chuva ou de bengala, ouviam gritos alegres, que não passavam, uns e outros, de idéias confusas que me exaltavam e que não atingiram o repouso na luz, por terem preferido, a um lento e difícil esclarecimento, o prazer de uma derivação mais fácil para um escape imediato. A maior parte das pretensas traduções daquilo que sentimos não fazem mais que nos desembaraçar, fazendo sair de nós os sentimentos sob uma forma indistinta que não nos ajuda a conhecê-los. Quando experimento sumariar tudo aquilo que devo ao lado de Méséglise, as humildes descobertas das quais foi ela o palco fortuito ou o necessário inspirador, lembro-me que foi naquele outono que, num desses passeios, perto do talude verdejante que protege Montjouvain, espantei-me pela primeira vez com a discordância entre as nossas impressões e a sua expressão habitual. Depois de uma hora de chuva e vento, contra os quais lutara alegremente, como houvesse chegado à beira do pântano de Montjouvain, diante de uma pequena cabana recoberta de telhas onde o jardineiro do Sr. Vinteuil encerrava seus instrumentos, o sol acabava de reaparecer, e seus dourados que o aguaceiro lavara reluziam novinhos no céu, sobre as árvores, sobre a parede da cabana, sobre o seu teto de telhas ainda molhado, em cujo cimo passeava uma galinha. O vento, a soprar, dobrava horizontalmente as ervas alucinadas, que haviam crescido nas frinchas da parede, e as penugens da galinha, e umas e outras se deixavam estirar em todo o comprimento, com o abandono de coisas leves e inertes. O teto de telha dava ao pântano, que com o sol de novo se fizera espelhante, uma marmorização cor-de-rosa, à qual eu jamais prestara atenção. E, vendo sobre a água e na superfície da parede um sorriso pálido responder ao sorriso do sol, gritei em meu entusiasmo, brandindo o guarda-chuva fechado: "Oba! Oba! Oba!" Mas, ao mesmo tempo, senti que era do meu dever não me contentar com essas palavras opacas e tentar ver mais claro em meu êxtase.

E foi ainda naquele momento – graças a um camponês que passava, com cara fechada, e que se fechou mais ainda quando quase o atingi com o guarda-chuva no rosto, e que respondeu com frieza ao meu "bom tempo, não é mesmo, é bom caminhar" – que aprendi que as mesmas emoções não ocorrem simultaneamente, numa ordem preestabelecida, em todos os homens. Mais tarde, toda vez que uma leitura um pouco longa me punha com vontade de conversar, o companheiro a quem eu tinha vontade de dirigir a palavra terminava justamente de se entregar ao prazer da conversação e queria agora que o deixassem ler em paz. Se eu acabasse de pensar em meus pais com ternura e de tomar as mais sábias decisões, as mais adequadas para lhes dar prazer, tinham eles empregado o mesmo tempo para tomarem conhecimento de algum pecadilho que eu tivesse esquecido e pelo qual me censurariam com severidade no momento em que corresse até eles para beijá-los.

Às vezes, à exaltação que me proporcionava a solidão acrescentava-se outra que eu não saberia separar com nitidez, causada pelo desejo de ver surgir diante de mim uma camponesa que eu pudesse apertar nos braços. Nascido bruscamente, e sem que eu tivesse tempo de o relacionar com sua causa, o prazer que o acompanhava parecia-me apenas um grau superior ao que me davam aqueles pensamentos. Atribuía então um mérito maior a tudo o que havia naquele momento em meu espírito, ao reflexo cor-de-rosa do telhado, às ervas doidas, à aldeia de Roussainville aonde há tempos desejava ir, às árvores do seu bosque, ao campanário de sua igreja, em virtude dessa nova emoção que só fazia apresentá-los ainda mais desejáveis para mim porque eu julgava que eram eles que o provocavam, e que parecia querer apenas impelir-me mais depressa para eles quando inflava a minha vela com uma brisa potente, desconhecida e propícia. Mas se esse desejo de que me surgisse uma mulher ajuntava aos encantos da natureza, para mim, algo mais exaltante, os encantos da natureza, em troca, aumentavam o que poderia haver de muito estrito no encanto da mulher. Parecia-me que a beleza das árvores era ainda a sua, e que a alma desses horizontes, da aldeia de Roussainville, dos livros que lia naquele ano, o seu beijo me revelaria; e minha imaginação, retomando forças ao contato da sensualidade, e minha sensualidade se espalhando por todos os recantos da minha imaginação, faziam com que o meu desejo não tivesse limites. É que também – como ocorre nesses momentos de devaneio dentro da natureza, em que, suspensa a ação dos hábitos e postas de lado as noções abstratas das coisas, acreditamos com fé profunda na originalidade, na vida individual do lugar onde nos encontramos – a mulher passante que o meu desejo chamava parecia-me, não um simples exemplar desse tipo geral: a mulher, mas um produto necessário e natural daquele solo. Pois, por aquela época, tudo o que não fosse eu mesmo, a terra e os seres, se me afigurava mais precioso, mais importante, provido de uma existência mais real do que parece aos homens adultos. E eu não separava a terra e os seres. Desejava uma camponesa de Méséglise ou de Roussainville, uma pescadora de Balbec, como sentia desejos de Méséglise e de Balbec. O prazer que elas poderiam me dar não me teria parecido menos verdadeiro, e não acreditaria mais nele se modificasse à minha vontade as suas condições. Conhecer em Paris uma pescadora de Balbec ou uma camponesa de Méséglise teria sido como receber conchinhas que eu não tivesse visto na praia ou uma plantinha que eu não houvesse encontrado nos bosques, teria sido subtrair ao prazer que a mulher me daria todos aqueles prazeres dentro dos quais a colocara a minha imaginação. Porém vaguear assim pelos bosques de Roussainville sem uma camponesa a quem beijar, seria não conhecer o tesouro oculto daqueles bosques, a sua profunda beleza. Aquela moça que eu imaginava sempre envolta em folhagens era também, para mim, como uma planta local, apenas de uma espécie mais elevada que as outras e cuja estrutura me permitiria sentir, muito mais perto do que elas, o profundo sabor da região. E tanto mais facilmente podia acreditar nisso (como acreditava que as carícias com que ela me revelasse tal sabor seriam também de uma classe especial, cujo prazer só através dela poderia conhecer), que durante muito tempo ainda permaneceria nessa idade em que não abstraímos o gozo da posse das diferentes mulheres que no-lo ofertam, e ainda não o restringimos a uma noção geral que desde então as faça considerar como os instrumentos intercambiáveis de um prazer sempre igual. Nem mesmo existe, isolado, separado e formulado no espírito, como o objetivo que visamos ao nos aproximarmos de uma mulher, ou como a causa de uma perturbação antecipada que experimentamos. Mal pensamos nele, como num prazer a obter; de preferência, consideramo-lo um encanto dela, pois não pensamos em nós e sim em sair de nós. Obscuramente esperado, imanente e escondido, unicamente conduz a semelhante paroxismo no momento em que se realiza, os outros prazeres que nos causam os olhares ternos, e os beijos daquela que está junto a nós, porque se nos apresenta sobretudo como uma espécie de transporte de nossa gratidão pela bondade do coração de nossa companheira e pela sua tocante predileção por nós e que medimos pelos benefícios e venturas que nos proporciona.

Infelizmente, era em vão que eu implorava o torreão de Roussainville, que lhe pedia mandasse vir para mim alguma menina da aldeia, como ao único confidente que eu possuía de meus primeiros desejos, quando no alto de nossa casa em Combray, no pequeno gabinete que cheirava a íris, eu via exclusivamente sua torre no meio do quadrado da janela entreaberta, enquanto, com as heróicas vacilações do viajante que empreende uma exploração ou do desesperado que se suicida, eu abria, a desfalecer, um caminho desconhecido, e que julgava mortal, até o instante em que um rastro natural como o de uma lesma se acrescentasse às folhagens da groselheira silvestre que se debruçavam até mim. Em vão lhe implorava agora. Em vão, abrangendo toda a extensão no meu campo visual, eu a canalizava com meus olhares que gostariam de trazer uma mulher dali. Podia ir até o pórtico de Saint-André-des-Champs; nunca se achava ali a camponesa que eu não teria deixado de encontrar se estivesse na companhia de meu avô e, assim, impossibilitado de travar conversação com ela. Encarava indefinidamente o tronco de uma árvore longínqua, de trás da qual ela iria surgir e vir até mim; o horizonte perscrutado continuava deserto, a noite caía, e era sem esperança que minha atenção se fixava, como para aspirar as criaturas que ali poderiam estar ocultas, naquele solo estéril, naquela terra esgotada; e não era de alegria e sim de raiva que eu fustigava as árvores do bosque de Roussainville, dentre as quais já não saíam mais seres vivos, como se não passassem de árvores pintadas na tela de um panorama, quando, não podendo me resignar a voltar para casa antes de ter apertado nos braços a mulher que tanto desejava, era, no entanto, obrigado a retomar o caminho de Combray confessando a mim mesmo que de cada vez era menos provável que o acaso a pusesse no meu caminho. Aliás, se ela fosse encontrada ali, teria eu ousado lhe dirigir a palavra? Parecia-me que ela me consideraria um louco; deixava de julgar compartilhados por outras pessoas, de crer verdadeiros, fora de mim, os desejos que formava durante tais passeios e que não se realizavam. Já não me apareciam senão como criações puramente subjetivas, impotentes, enganadoras, do meu temperamento. E não possuíam mais quaisquer elos com a natureza, com a realidade que desde então perdia todo o seu encanto e toda significação e não era, para a minha vida, senão um quadro convencional como o é para a ficção de um romance o vagão em cujo banco o viajante o está lendo para matar o tempo.

Foi talvez de uma impressão também sentida próximo a Montjouvain, alguns anos depois, impressão que então permaneceu obscura, que me veio bem mais tarde a idéia que formei a respeito do sadismo. Veremos depois como, por outros motivos, a recordação dessa impressão devia exercer um papel importantíssimo na minha vida. Fazia muito calor; meus pais, que tinham precisado se ausentar o dia inteiro, me haviam dito que voltasse para casa à hora que quisesse; e, tendo ido até o charco de Montjouvain, onde gostava de observar os reflexos do teto de telhas, deitara-me na sombra e adormecera nas moitas do talude que dominava a casa, no ponto onde havia esperado meu pai antigamente, no dia em que ele tinha ido visitar o Sr. Vinteuil. Era quase noite quando acordei, quis me levantar, mas vi a Srta. Vinteuil (o quanto a pude reconhecer, pois não a vira muitas vezes em Combray, e apenas quando ela era ainda menina, ao passo que já principiava a ser uma moça feita), que provavelmente acabava de entrar, à minha frente, a poucos centímetros de mim, naquele aposento em que seu pai recebera o meu e do qual fizera o seu gabinete particular. A janela estava entreaberta, a lâmpada acesa, eu observava todos os seus movimentos sem que ela me visse, mas, se eu fosse embora, faria estalar as moitas, ela me ouviria e poderia pensar que eu me escondera para espreitá-la.

A Srta. Vinteuil estava de luto fechado, pois o pai morrera há pouco. Não tínhamos ido visitá-la, minha mãe não quis fazê-lo devido a uma virtude que nela ainda limitava os efeitos da bondade: o pudor. Mas lastimava-a profundamente. Lembrava-se do triste fim de vida do Sr. Vinteuil, absorvido primeiro pelos cuidados de mãe e de babá que prestava à filha, depois pelos sofrimentos que esta lhe causara; ela revia o rosto torturado que, velho, apresentava nos últimos tempos; sabia que ele renunciara para sempre a terminar de passar a limpo sua obra dos últimos anos, pobres esboços de um velho professor de piano, de um antigo organista de aldeia, que imaginávamos de quase nenhum valor, mas que não desprezávamos porque valiam muito para ele e tinham sido a razão de ser de sua vida antes de sacrificá-los pela filha e que, na maioria, nem sequer eram transcritos, sendo conservados apenas de memória, alguns rabiscados em folhas avulsas, ilegíveis, e assim permaneceriam desconhecidos; minha mãe pensava nessa outra renúncia, mais cruel ainda, a que o Sr. Vinteuil se vira obrigado: a renúncia a um futuro de felicidade honesta e respeitada para a sua filha; quando relembrava toda essa desgraça suprema do antigo professor de piano de minhas tias, sentia um verdadeiro desgosto e pensava horrorizada nessa outra aflição que a Srta. Vinteuil deveria experimentar, bem mais amarga, a de viver cheia de remorsos por ter aos poucos matado o pai. "Pobre Sr. Vinteuil" – dizia minha mãe – "viveu e morreu pela filha, sem ter recebido sua paga. Será que a recebe, depois de morto? E de que forma? Só poderá vir dela."

No fundo do salão da Srta. Vinteuil, sobre a lareira, havia um pequeno retrato de seu pai, que ela foi buscar às pressas no momento em que ressoou o rodar de um carro na estrada. Depois, atirou-se sobre um canapé e puxou para junto de si uma mesinha sobre a qual pôs o retrato, como outrora o Sr. Vinteuil pusera a seu lado o trecho que gostaria de tocar para meus pais. Logo entrou a sua amiga. A Srta. Vinteuil recebeu-a sem se levantar, com as duas mãos enlaçadas na nuca e recuou para o lado oposto do canapé como para lhe dar lugar. Mas logo sentiu que assim parecia lhe impor uma atitude que talvez lhe fosse inoportuna. Pensou que talvez a amiga gostaria mais de ficar longe dela, numa cadeira, achou-se indiscreta, e com isso a delicadeza de seu coração se alarmou; retomando todo o espaço do sofá, fechou os olhos e pôs-se a bocejar para indicar que o desejo de dormir era o motivo único de estar assim estendida. Apesar da familiaridade rude e dominadora que tinha para com a amiga, eu reconhecia os gestos reticentes e obsequiosos, os súbitos escrúpulos de seu pai. Em breve se levantou, fingiu querer fechar os postigos e que não conseguia.

– Deixa tudo aberto, tenho calor – disse a amiga.

– Mas é um perigo, podem nos ver – replicou a Srta. Vinteuil.

Mas, sem dúvida, ela adivinhou que a amiga pensaria que ela dissera estas palavras só para provocá-la, para que respondesse com outras que ela, de fato, desejaria ouvir, mas que, por discrição, queria deixar-lhe a iniciativa de pronunciá-las. Portanto, seu olhar, que eu não podia discernir, deve ter assumido a expressão que tanto agradava à minha avó quando acrescentou com vivacidade:

– Quando digo "nos ver", quero dizer nos ver lendo, é perigoso, pois qualquer coisa insignificante que se faça, é desagradável pensar que olhos estranhos nos possam estar vendo.

Por uma generosidade instintiva e uma involuntária polidez, ela calava as palavras premeditadas que julgara indispensáveis à realização completa de seu desejo. E em todos os instantes, no fundo de si mesma, uma virgem tímida e suplicante implorava e fazia recuar um velho soldado áspero e vencedor.

– Sim, é provável que nos olhem a esta hora, nesse campo tão freqüentado – disse a amiga ironicamente. – E depois, que importa? – acrescentou (achando dever juntar um piscar de olhos malicioso e terno a essas palavras que recitou por bondade, como um texto que sentia ser agradável à Srta. Vinteuil, com um tom que ela se esforçava em tornar cínico). – Se nos virem, melhor.

A Srta. Vinteuil estremeceu e levantou-se. Seu coração, escrupuloso e sensível, ignorava quais palavras deviam vir espontaneamente se adaptar à cena que seus sentidos exigiam. Buscava, o mais longe possível de sua verdadeira natureza moral, encontrar a linguagem própria à moça viciosa que desejava ser, mas as palavras que esta última pronunciaria com sinceridade pareciam-lhe falsas em seus lábios. E o pouquinho que ela se permitia nesse campo era dito num tom afetado, no qual seus hábitos de timidez paralisavam suas veleidades de audácia, tudo entremeado de "não estás com frio, não tens muito calor, não queres ler sozinha?"

– A senhorita parece ter pensamentos bastante lúbricos esta noite – acabou por dizer, sem dúvida repetindo uma frase que ouvira antes na boca da amiga.

No decote de seu corpinho de crepe, a Srta. Vinteuil sentiu que a amiga lhe dava um beijo, soltou um gritinho, fugiu, e as duas se perseguiram aos saltos, fazendo revoar as largas mangas como asas e gorjeando e chilreando como dois pássaros amorosos. Por fim, a Srta. Vinteuil caiu sobre o sofá, coberta pelo corpo da amiga. Mas esta encontrava-se de costas para a mesinha onde estava o retrato do velho professor de piano. A Srta. Vinteuil compreendeu que a amiga não o veria se não lhe atraísse a atenção, e lhe disse, como se apenas agora tivesse reparado nele:

– Oh, este retrato de meu pai que nos olha, não sei quem o pôs aí, já falei mil vezes que não é este o seu lugar.

Lembrei que estas eram as palavras que o Sr. Vinteuil havia dito a meu pai a propósito da partitura musical. Esse retrato lhes servia habitualmente para profanações rituais, pois a amiga lhe respondeu com estas palavras que deviam fazer parte de suas respostas litúrgicas:

– Ora, deixe-o aí mesmo, ele não se acha mais aqui para nos aborrecer. Imagina como não haveria de lamentar-se, o macaco velho, e querer pôr-te um xale, se te visse agora com a janela aberta.

A Srta. Vinteuil retrucou com palavras de suave censura: "O que é isso? O que é isso?", que demonstravam sua boa formação, não que fossem ditadas pela indignação que semelhante modo de falar de seu pai pudesse lhe causar (evidentemente, esse era um sentimento que já se habituara a calar em si mesma, sabe-se lá à custa de quais sofismas?), mas porque eram como que um freio que, para não se mostrar egoísta, ela mesma punha no prazer que a amiga procurava lhe dar. E, além disso, essa moderação risonha em responder a tais blasfêmias, essa censura hipócrita e terna, pareceriam talvez à sua índole franca e generosa uma forma particularmente infame, uma forma adocicada daquela perversidade que ela procurava assimilar. Porém não pôde resistir à atração do prazer que sentiria em ser tratada com doçura por uma pessoa tão implacável em face a um morto indefeso; saltou sobre os joelhos da amiga e lhe estendeu castamente a testa para ser beijada, como o teria feito se fosse sua filha, sentindo deliciada que ambas alcançariam desse modo o limite da crueldade, roubando ao Sr. Vinteuil, até na sepultura, a sua paternidade. Sua amiga lhe pegou a cabeça entre as mãos e lhe deu um beijo na testa com a docilidade que lhe era facilitada pelo grande afeto que lhe votava, e o seu desejo de oferecer um pouco de distração à vida agora tão triste da pobre órfã.

– Sabe o que gostaria de fazer com esse velho pavoroso? – disse ela pegando o retrato.

E murmurou ao ouvido da Srta. Vinteuil algo que não pude perceber.

– Oh, você não se atreveria.

– Não me atreveria a escarrar em cima *disso*? – disse a amiga com uma brutalidade intencional.

Não ouvi mais nada, pois a Srta. Vinteuil, com um ar abatido, sem jeito, ocupado, honesto e triste, veio fechar os postigos e a janela, mas sabia agora, por todos os sofrimentos que durante a vida inteira o Sr. Vinteuil suportara por causa da filha, o que, após a morte, recebera dela em paga.

E contudo, desde então pensei que se o Sr. Vinteuil tivesse podido assistir a essa cena, mesmo assim não teria perdido a fé no bom coração da filha, e talvez não estivesse de todo enganado. Certamente, nos hábitos da Srta. Vinteuil a aparência do mal era tão completa que seria difícil ver sua realização perfeita senão numa natureza sádica; é de preferência à luz da ribalta dos teatros do bulevar, do que sob a lâmpada de uma verdadeira casa de campo, que se pode ver uma moça fazer a amiga cuspir sobre o retrato de um pai que só viveu para ela; e somente o sadismo pode dar um fundamento, na vida, à estética do melodrama. Na realidade, afora os casos de sadismo, talvez uma moça possa cometer faltas tão cruéis como a da Srta. Vinteuil à memória e contra as vontades do pai morto, mas não os resumiria expressamente em um ato de um simbolismo tão rudimentar e tão ingênuo; o que sua conduta teria de criminosa seria mais velado aos olhos dos outros e até a seus próprios olhos, pois ela faria o mal sem confessá-lo. Mas, para além da aparência, no coração da Srta. Vinteuil, o mal, ao menos no começo, sem dúvida não era exclusivo. Uma sádica feito ela é uma artista do mal, o que uma criatura inteiramente má não poderia ser, pois o mal não lhe seria externo, antes lhe pareceria muito natural; não se distinguiria dela, até; e a virtude, a memória dos mortos, a ternura filial, como não as cultuasse, não sentiria nenhum prazer sacrílego em profaná-las. As sádicas do tipo da Srta. Vinteuil são seres tão puramente sentimentais, tão naturalmente virtuosos, que até o prazer sensual lhes parece algo de maldoso, privilégio dos malvados. E, quando permitem a si mesmos se entregarem a eles por um momento, é na pele dos maus que tentam se pôr e de fazer entrar seu cúmplice, de modo a ter um instante de ilusão de estarem se evadindo de suas almas escrupulosas e brandas para o mundo desumano de prazer. E eu compreendia o quanto ela o desejava, ao ver o quanto lhe era impossível consegui-lo. No momento em que ela queria ser tão diferente do pai, o que ela me fazia lembrar eram os modos de pensar e de dizer do velho professor de piano. Bem mais que sua fotografia, o que ela profanava, o que fazia servir a seus prazeres mas que permanecia interposto entre estes e sua pessoa e a impedia de desfrutá-los diretamente, era a semelhança do seu rosto, os olhos azuis da mãe que lhe tinham sido transmitidos como uma jóia de família, os gestos de amabilidade que interpunham entre o vício da Srta. Vinteuil e ela própria uma fraseologia, uma mentalidade que não fora feita para ela e a impedia de considerar o seu vício como algo muito diverso dos numerosos deveres de polidez aos quais tinha o costume de se dedicar. Não era o mal que lhe dava a noção do prazer, que lhe parecia agradável; era o prazer que lhe parecia maligno. E como cada vez que se entregava ao prazer, vinha este acompanhado dos maus pensamentos que no resto do tempo estavam ausentes de sua alma virtuosa, ela acabava por encontrar no prazer algo de diabólico, identificando-o com o mal. Talvez a filha de Vinteuil sentisse que a amiga não era virtualmente maldosa, e que não estava sendo sincera no momento em que lhe fazia propostas blasfemas. Pelo menos sentia o prazer de beijar, no seu rosto, sorrisos e olhares, talvez fingidos, mas idênticos em sua expressão viciosa e vulgar aos que teria tido, não um ser de bondade e sofrimento, mas uma criatura de crueldade e prazer. Por um instante, ela podia imaginar que estaria jogando de fato os jogos que, com uma cúmplice tão desnaturada, jogaria uma moça que alimentasse de verdade aqueles sentimentos bárbaros em relação à memória do pai. Talvez não pensasse que o mal fosse um estado tão incomum, tão extraordinário, tão exilante, para onde fosse tão tranqüilo emigrar, se pudesse discernir em si mesma, como em todos os outros, a indiferença pelos sofrimentos que causamos e que, mesmo com os mais diversos nomes que se lhe dêem, é a forma terrível e constante da crueldade.

Se era bem simples ir para os lados de Méséglise, coisa bem diversa era seguir pelo lado de Guermantes, pois o passeio era demorado e a gente queria ter certeza do tempo que faria. Quando parecia iniciar-se uma série de bons dias; quando Françoise, desesperada por não cair uma só gota para "as pobres colheitas", e, não vendo mais que raras nuvenzinhas brancas nadando à superfície calma e azul do céu, exclamava gemendo: "Parece que só se vêem uns cações que brincam lá em cima, mostrando o seu focinho. Ah, bem que poderiam mandar um pouco de chuva para os pobres lavradores! E depois, quando o trigo tiver brotado, aí é que a chuva vai cair sem parar, sem saber onde cai como se fosse sobre o mar"; quando meu pai recebia invariavelmente as mesmas respostas favoráveis do jardineiro e do barômetro, então a gente dizia ao jantar: "Amanhã, se o tempo continuar firme, vamos pelo caminho de Guermantes." Partíamos imediatamente após o almoço, pelo portãozinho do jardim e dávamos na rua dos Perchamps, estreita e que formava um ângulo agudo, cheia de gramíneas, em meio às quais duas ou três vespas ficavam o dia inteiro herborizando, rua tão esquisita quanto seu nome, de onde me pareciam decorrer suas curiosas particularidades e sua personalidade rabugenta, e que em vão buscaríamos na Combray de hoje porque no lugar do seu antigo traçado se ergue a escola. Porém, meu devaneio (semelhante a esses arquitetos que seguiram a escola de Viollet-le-Duc, que, julgando encontrar sob um púlpito renascentista e um altar do século XVII os traços de um coro romano, repõem todo o prédio no estado em que devia estar no século XII) não deixa uma só pedra da nova construção de pé, e torna a abrir e "restitui" a rua dos Perchamps. Aliás, para essas reconstituições ele dispõe de dados mais precisos do que geralmente têm os restauradores: algumas imagens conservadas na minha memória, as últimas que talvez ainda existam hoje, e votadas a desaparecer em breve, do que era Combray na minha infância, e como foi a própria cidade que as delineou em mim antes de desaparecer, têm toda a emoção – se é que se pode comparar um obscuro retrato às efígies gloriosas cuja reprodução minha avó tanto gostava de me dar – das gravuras antigas da Ceia ou desse quadro de Gentile Bellini nos quais se vêem, num estado que já não possuem hoje, a obra-prima de Da Vinci e o pórtico de São Marcos.

Passávamos pela rua de l'Oiseau, diante da velha hospedaria de l'Oiseau Flesché, em cujo pátio entravam às vezes, no século XVII, as carruagens das duquesas de Montpensier, de Guermantes e de Montmorency, quando elas precisavam vir a Combray para alguma questão com seus rendeiros, ou para receber vassalagem. Atingíamos o passeio entre cujas árvores surgia o campanário de Saint-Hilaire. E eu gostaria de ter podido sentar ali e ficar o dia inteiro lendo, a ouvir os sinos; pois o tempo que fazia era tão bonito e tão sossegado que, ao soarem as horas, poderia se dizer que não rompiam a calma do dia, e sim que o livraram de tudo o que ele continha, e que o campanário, com a indolente exatidão cuidadosa de uma pessoa que não tem outra coisa que fazer, acabava apenas, para espremer e deixar cair algumas gotas de ouro que o calor fora lenta e naturalmente ajuntando ali, de calcar, no momento exato, a plenitude do silêncio.

O maior encanto do caminho de Guermantes era que a gente, quase todo o tempo, tinha a nosso lado o curso do Vivonne. O leito do rio era atravessado, uma primeira vez, dez minutos depois de ter saído de casa, por uma passarela chamada Pont-Vieux. Desde o dia seguinte ao da nossa chegada, dia da Páscoa, depois do sermão, se fazia bom tempo, eu corria para lá, a fim de ver, na desordem da manhã de festa em que alguns preparativos suntuosos fazem parecer mais sórdidos os utensílios caseiros atirados por ali, o rio que já passeava, de azul-celeste, por entre as terras ainda negras e despidas, acompanhado unicamente de um bando de cucos que havia chegado bem cedo, e de algumas primaveras extemporâneas, ao passo que, aqui e ali, uma violeta de bico azul deixava pender sua haste ao peso da gota de aroma que tinha no seu cartucho. A Pont-Vieux dava para uma vereda de sirga, que naquele ponto era atapetada, no verão, com as folhas azuis de uma aveleira, sob a qual um pescador de chapéu de palha criara raízes. Em Combray, onde eu sabia que personalidade de ferreiro ou de entregador de armazém se ocultava sob o uniforme do suíço ou a sobrepeliz do menino do coro, esse pescador era a única pessoa cuja identidade eu jamais descobrira. Devia conhecer meus pais, pois erguia o chapéu quando passávamos; eu queria então perguntar-lhe o nome, mas faziam-me sinal que ficasse calado para não espantar o peixe. Metíamo-nos pela vereda de sirga que dominava a corrente de um barranco de vários pés de altura; do outro lado, a margem era baixa, estendida em vastos prados até a aldeia e até a estação de trem, que ficava longe. Ali se achavam restos, meio afundados na grama, do castelo dos antigos condes de Combray que, na Idade Média, tinha, deste lado, o curso do Vivonne como defesa contra os ataques dos senhores de Guermantes e dos abades de Martinville. Não passavam de alguns fragmentos de torres fazendo corcovas na planície, e que mal apareciam, algumas ameias de onde outrora o besteiro arremessava pedras, de onde o vigia observava Novepont, Clairefontaine, Martinville-le-Sec, Bailleau-l'Exempt, todas elas terras vassalas de Guermantes, entre as quais Combray estava encravada, e hoje tudo ao rés do chão, dominadas pelos meninos da escola dos padres que ali vinham estudar as lições ou fazer recreio – passado quase misturado à terra, deitado à beira da água como uma pessoa que passeia e se refresca, mas que muito me fazia devanear, e eu acrescentava ao nome de Combray, à pequena aldeia de hoje, uma cidade bem diferente, detendo meus pensamentos em seu rosto incompreensível e antigo que ele meio que escondia sob os botões-de-ouro. Eram bem numerosos nesse lugar, que tinham escolhido para seus divertimentos sobre a relva, isolados, aos pares, em grupos, amarelos como a gema de ovo, e tanto mais brilhosos me pareciam, pois, não podendo eu derivar para nenhuma veleidade de degustação o prazer que a vista deles me causava, acumulava-o em sua superfície dourada, até que se tornasse bastante poderoso para produzir a beleza estéril; e isto desde a minha mais tenra infância, quando, do caminho de sirga, estendia os braços para eles sem poder ainda pronunciar bem o seu nome lindo de príncipes dos contos de fada franceses, talvez vindos há muitos séculos da Ásia, mas radicados para sempre na aldeia, contentando-se com o horizonte modesto, adorando o sol e as margens do rio, fiéis à estreita vista da estação de trem, conservando ainda, no entanto, como algumas de nossas velhas telas pintadas, na sua simplicidade popular, um esplendor poético do Oriente.

Eu me divertia em observar os garrafões que os meninos lançavam no Vivonne para apanhar peixinhos, e que, cheios da água do rio, em que ficam, por sua vez, trancados ao mesmo tempo "continente" de flancos transparentes como uma água endurecida e "conteúdo" mergulhado em um continente maior de cristal líquido e corrente, evocavam a imagem do frescor de uma forma mais deliciosa e mais irritante do que o teriam podido fazer em uma mesa posta, só a mostrando em fuga nessa aliteração permanente entre a água sem consistência, onde as mãos não podiam capturá-la, e o vidro não fluido onde o paladar não podia degustá-la. Prometia a mim mesmo voltar ali mais tarde com linhas de pescar; alcançava que tirassem um pouquinho do pão reservado para a merenda; jogava no rio algumas bolinhas que pareciam suficientes para causar um fenômeno de supersaturação, pois a água se solidificava logo em torno delas em cachos ovóides de girinos esfaimados, que ela até então mantivera em dissolução, invisíveis, já quase a ponto de se cristalizar.

Em breve o curso do Vivonne se obstruía de plantas aquáticas. A princípio apareciam algumas isoladas, como o nenúfar ao qual a correnteza, em que se atravessara de maneira infeliz, lhe dava tão pouco descanso que, como um barco mecanicamente acionado, só abordava uma das margens para voltar à outra de onde viera, refazendo eternamente a dupla travessia. Empurrado para a margem, seu pedúnculo se desenrolava, se alongava, corria, alcançando o limite extremo de sua tensão até a margem onde a corrente o retomava, e as cordas verdes se dobravam sobre si mesmas e levavam a pobre planta ao que melhor se diria o seu ponto de partida, pois que ela não se demorava um segundo sem voltar a partir por uma repetição da mesma manobra. Encontrava-a de passeio em passeio, sempre na mesma situação, fazendo pensar em certos neurastênicos, no número de quem meu avô incluía minha tia Léonie, que nos oferecem, sem qualquer mudança no curso de muitos anos, o espetáculo de hábitos esquisitos, dos quais sempre se acham em vias de se libertar mas que conservam sempre; presos na engrenagem de suas indisposições e manias, os esforços em que se debatem inutilmente para se livrar só fazem assegurar o funcionamento e acionar o gatilho de sua dieta estranha, irresistível e funesta. Assim era esse nenúfar, também semelhante a um desses infelizes cujo tormento singular, que se repete indefinidamente por toda a eternidade, excitava a curiosidade de Dante e cujas causas e particularidades ele gostaria de ouvir mais longamente narradas pelo próprio torturado, caso Virgílio, afastando-se a largos passos, não o houvesse forçado a se juntar a ele o mais rápido possível, como eu a meus pais.

Porém mais adiante a correnteza diminuía, o rio atravessa uma propriedade, cujo acesso estava aberto ao público devido ao dono, o qual se divertia ali com trabalhos de horticultura aquática, fazendo florescer, em pequenos tanques que o Vivonne forma, verdadeiros jardins de ninféias. Como as margens eram, naquele ponto, bastante arborizadas, as grandes sombras das árvores conferiam à água um fundo normalmente de um verde sombrio, e que às vezes, quando voltávamos em certos fins de tarde reacalmados após uma tempestade, eu vi de um azul-claro e cru, tirante a violeta, de aspecto compartimentado e de gosto japonês. Aqui e ali, na superfície, avermelhava como um morango uma flor de ninféia de centro escarlate, de bordas brancas. Mais longe, as flores, mais numerosas, eram mais pálidas, menos lisas, mais granulosas, mais crespas, e dispostas ao acaso em espiras tão graciosas que a gente julgava ver flutuar à deriva, como após o desfolhar melancólico de uma festa galante, rosas de espuma em grinaldas desfeitas. Mais adiante, um cantinho parecia reservado às espécies comuns que mostravam o branco e o róseo asseado dos goivos, lavados como porcelanas com um cuidado doméstico, ao passo que um pouco além, apertados uns contra os outros numa verdadeira platibanda flutuante, dir-se-iam amores-perfeitos dos jardins que tivessem vindo pousar, como borboletas, suas asas azuladas e frias sobre a obliqüidade transparente desse canteiro de água; daquele canteiro celeste também: pois ele dava às flores um solo de uma cor mais preciosa, mais emocionante, do que a cor das próprias flores; e, ora durante a tarde fazendo cingir sob as ninféias o calidoscópio de uma felicidade atenta, silenciosa e móvel, ora se enchendo, ao anoitecer, como algum porto distante, do colorido róseo e do devaneio do poente, mudando sem cessar para permanecer de acordo, ao redor das corolas de tons mais estáveis, com o que há de mais profundo, de mais fugitivo, de mais misterioso – com o que há de mais infinito – no momento, parecia tê-las feito florir em pleno céu.

Ao sair desse parque, o Vivonne voltava a correr. Quantas vezes vi e desejei imitar, quando fosse livre para viver a meu prazer, um remador que, largando o remo, se deitasse ao comprido de costas, com os pés mais altos que a cabeça, no fundo do barco, e, deixando-o flutuar à deriva, só podendo olhar o céu que deslizava devagar acima dele, trazia no rosto o antegozo da paz e da felicidade.

Assentávamo-nos por entre os íris à beira d'água. No céu de feriado, passeava preguiçosamente uma nuvem vadia. Por momentos, oprimida pelo tédio, uma carpa punha a cabeça fora d'água numa respiração angustiosa. Era a hora de comer. Antes de voltar, ficávamos por muito tempo a comer frutas, pão e chocolate, na grama em que vinham até nós, horizontais, enfraquecidos, porém densos e metálicos ainda, os sons do sino de Saint-Hilaire que não se haviam misturado ao ar que há tanto tempo vinham atravessando, e, pregueados pela palpitação sucessiva de todas as suas linhas sonoras, vibravam roçando as flores aos nossos pés.

Às vezes, à beira d'água cercada de árvores, encontrávamos uma casa chamada de recreio, isolada, perdida, que nada via do mundo senão o rio que lhe banhava os pés. Uma mulher moça, cuja fisionomia pensativa e véus elegantes não eram do lugar e que sem dúvida viera, conforme a expressão popular, "enterrar-se" ali, desfrutar do amargo prazer de sentir que seu nome, sobretudo o nome daquele cujo coração não pudera conservar, era desconhecido na região, enquadrava-se na janela que não a deixava olhar mais além da barca amarrada perto do portão. Erguia distraidamente os olhos ao ouvir atrás das árvores da margem a voz dos passantes que, antes mesmo de ver seus rostos, podia estar certa de que nunca tinham conhecido, e nem conheceriam, o infiel, que nada em seu passado guardava-lhe a marca e nada em seu futuro teria oportunidade de recebê-la. Sentia-se que, em sua renúncia, abandonava por vontade própria os lugares onde poderia ao menos avistar o amado, por aqueles que nunca o tinham visto. E eu a contemplava, voltando de um passeio por um caminho pelo qual ela sabia que ele não haveria de passar, descalçando de suas mãos resignadas as longas luvas de uma graça inútil.

Nos passeios pelo caminho de Guermantes, nunca pudemos remontar às nascentes do Vivonne, nas quais eu pensara com freqüência e que se me apresentavam com uma existência tão abstrata, tão idealizada, que eu teria ficado surpreso se me dissessem que se encontravam no departamento, a uma certa distância de Combray medida em quilômetros, como no dia em que soube que havia, na Antigüidade, um outro ponto determinado da Terra onde se abriam os Infernos. Tampouco nunca pudemos ir até o limite que eu tanto gostaria de alcançar, até Guermantes. Sabia que ali moravam castelões, o duque e a duquesa de Guermantes, sabia que eram pessoas reais e de fato existentes; mas cada vez que pensava neles, representava-os ora em tapeçaria, como era a condessa de Guermantes na "Coroação de Ester" da nossa igreja, ora de matizes mutáveis como era Gilberto, o Mau, no vitral em que passava do verde-couve ao azul-ameixa, conforme estivesse eu ainda tomando água benta ou chegando aos nossos bancos, ora totalmente impalpáveis como a imagem de Geneviève de Brabant, ancestral da família de Guermantes, que a lanterna mágica fazia passear pelas cortinas do meu quarto ou subir ao teto – enfim, sempre envolvidos no mistério dos tempos merovíngios e banhados, como em um poente, na luz alaranjada que emana desta sílaba: "antes". Mas se, apesar disso, eram para mim, enquanto duque e duquesa, seres reais embora estranhos, em compensação a sua pessoa ducal se ampliava desmedidamente, imaterializava-se, para poder conter em si este Guermantes do qual eram duque e duquesa, todo esse "lado de Guermantes" ensolarado, o curso do Vivonne, suas ninféias e suas grandes árvores, e tantas tardes bonitas. E eu sabia que eles não tinham apenas o título de duque e duquesa de Guermantes, e sim que, desde o século XIV, quando, depois de terem tentado inutilmente vencer seus antigos senhores, aliaram-se a eles por matrimônios, eram condes de Combray, os primeiros dentre os cidadãos da cidade, e no entanto os únicos que ali não habitavam. Condes de Combray, possuindo Combray no meio do nome, de sua pessoa, e sem dúvida tendo de fato neles aquela estranha e piedosa tristeza que era própria de Combray; proprietários da cidade, mas não de uma casa particular, sem dúvida moravam fora, na rua, entre o céu e a terra, como aquele Gilberto de Guermantes, de quem eu só via, nos vitrais da abside de Saint-Hilaire, o seu avesso de laca preta, ao erguer a cabeça quando ia buscar sal na loja do Camus.

Depois, acontecia às vezes que eu passava, no caminho de Guermantes, diante de pequenos cercados úmidos onde cresciam cachos de flores sombrias. Parava, julgando adquirir uma noção preciosa, pois me parecia ter debaixo dos olhos um fragmento dessa região fluvial, que tanto desejava conhecer desde que a vira descrita por um de meus escritores prediletos. E foi com ela, com seu solo imaginário, atravessado de rios espumosos, que Guermantes, mudando de aspecto em meu pensamento, se identificou quando ouvi o Dr. Percepied nos falar das flores e das belas águas-vivas que havia no parque do castelo. Imaginava que a Sra. de Guermantes mandava que eu a fosse ver, tomada de um repentino capricho por mim; todos os dias ficávamos juntos pescando trutas. E à tardinha, levando-me pela mão, mostrava-me, ao passar diante dos jardinzinhos de seus vassalos, ao longo dos muros, as flores que ali apoiavam as hastes roxas e rubras e me ensinava seus nomes. Ela me fazia dizer-lhe o tema dos poemas que eu pretendia compor. E tais sonhos me advertiam que, já que eu desejava um dia ser escritor, era tempo de saber o que tencionava escrever. Porém, quando o indagava a mim mesmo, buscando encontrar um assunto no qual pudesse colocar um significado filosófico infinito, meu espírito parava de trabalhar, e eu só via o vácuo à frente da minha atenção, sentia que não era dotado de gênio ou talvez uma doença cerebral o impedisse de eclodir. Por vezes, pensava em meu pai para ajeitar essa situação. Ele era tão poderoso, tão bem considerado entre pessoas de alta posição, que chegava a nos fazer infringir as leis que Françoise me ensinara serem as mais inelutáveis que as da vida e da morte; e a retardar por um ano, para nossa casa, caso único do quarteirão, os trabalhos de "reboco"; a obter do ministro, para o filho da Sra. Sazerat que desejava fazer uma estação de águas, a autorização para que conseguisse o bacharelato dois meses antes, na série de candidatos cujo nome começava por A, em vez de fazê-lo esperar os da letra S. Se eu caísse gravemente enfermo, se tivesse sido capturado por bandidos, convencido de que meu pai mantinha inteligência bastante com as potências superiores, possuindo irresistíveis cartas de recomendação para o bom Deus, para que minha doença ou prisão não passassem de vãs simulações sem perigo para mim, teria esperado com tranqüilidade a hora inevitável da volta à realidade agradável, a hora da libertação ou da cura; talvez essa ausência de gênio, aquele buraco negro que se abria em meu espírito quando eu buscava o tema de meus escritos futuros, não passasse de uma ilusão inconsistente, cessando com a mediação de meu pai, o qual deveria acertar com o Governo e a Providência que eu seria o primeiro escritor do meu tempo. Mas de outras feitas, quando meus pais se impacientavam por me ver ficar para trás e não segui-los, minha vida presente, em lugar de me parecer uma criação artificial de meu pai e que ele podia modificar a seu talante, me surgia, ao contrário, como compreendida em uma realidade que não fora feita para mim, e contra a qual não havia remédio, em cujo meio eu não dispunha de aliados, que nada conservava além de si mesma. Parecia-me, então, que eu existia do mesmo modo que os outros homens, que envelheceria, que morreria como eles, e que, dentre eles, eu pertencia apenas ao número dos que não têm talento para escrever. E assim, desanimado, renunciava à literatura para sempre, apesar dos estímulos que me dera Bloch. Tal sentimento íntimo, imediato, que eu possuía do nada do meu pensamento prevalecia contra todas as palavras elogiosas que me dirigiam, como os remorsos na consciência de um malvado cujas boas ações todos louvam.

Um dia minha mãe disse: "Visto que falas tanto da Sra. de Guermantes, ela deve vir a Combray para assistir ao casamento da filha do Dr. Percepied, que cuida dela há quatro anos. Poderias vê-la na cerimônia." Aliás, era por meio do Dr. Percepied que eu mais ouvia falar da Sra. de Guermantes, e ele até nos mostrara o número de uma revista ilustrada onde ela aparecia com o vestido que usara num baile à fantasia na casa da princesa de Léon.

De súbito, durante a missa do casamento, um movimento que fez o suíço se deslocar de onde estava permitiu-me ver, sentada numa capela, uma dama loura de nariz comprido, olhos azuis e indagadores, uma gravata fofa de seda malva, lisa, nova e brilhante, e uma pequena espinha num lado do nariz. E como na superfície de sua face avermelhada, como se ela estivesse com muito calor, eu distinguisse, diluídas e mal perceptíveis, parcelas de analogia com o retrato que me haviam mostrado, e como, sobretudo, os traços particulares que nela notava, ao tentar formulá-los, se expressavam precisamente nos mesmos termos – um nariz comprido, olhos azuis, que usara o Dr. Percepied para descrever a duquesa de Guermantes disse a mim mesmo que aquela dama se parecia com a Sra. de Guermantes; ora, a capela em que ela seguia a missa era a de Gilberto, o Mau, sob cujas lajes, distensas e douradas como alvéolos de mel, repousavam os antigos condes de Brabant; e como me lembrasse que me haviam dito estar a capela reservada à família dos Guermantes quando algum de seus membros vinha para uma cerimônia a Combray; só podia verossimilmente haver uma mulher que se assemelhasse ao retrato da Sra. de Guermantes naquela capela justo nesse dia, dia em que ela devia precisamente vir: era ela! Grande foi a minha decepção. Provinha de que eu nunca prestara atenção, quando pensava na Sra. de Guermantes, em que a representava com as cores de uma tapeçaria ou de um vitral, em outro século, de outra matéria que não o restante das pessoas vivas. Jamais me dera conta que ela poderia ter um rosto vermelho, uma gravata cor de malva como a Sra. Sazerat, e a forma oval de suas faces me fez lembrar a tal ponto pessoas que havia visto em casa que tive a suspeita, logo dissipada, de que essa dama, em seu princípio gerador, em todas as suas moléculas talvez não fosse, substancialmente, a duquesa de Guermantes, mas que seu corpo, ignorando o nome que lhe aplicavam, pertencia a um certo tipo feminino que também compreendia mulheres de médicos e comerciantes. "É isto, não é mais que isto a Sra. de Guermantes!", dizia a cara atenta e assombrada com que eu contemplava essa imagem que, naturalmente, não tinha qualquer relação com as que, sob o mesmo nome de Sra. de Guermantes, haviam aparecido tantas vezes nos meus devaneios, visto que essa não fora como as outras arbitrariamente formada por mim, porém saltara-me aos olhos pela primeira vez apenas há um momento, na igreja; que não era da mesma natureza, não era colorível à vontade como as que se deixavam embeber da tinta alaranjada de uma sílaba, mas era tão real que tudo, até mesmo a pequena espinha que se inflamava na asa do nariz, certificava a sua submissão às leis da vida, como, em uma apoteose teatral, um plissado do vestido da fada, um tremor do dedo mínimo, denunciam a presença material de uma atriz viva, no ponto onde estaríamos incertos se não tínhamos pela frente uma simples projeção luminosa.

Mas ao mesmo tempo, sobre essa imagem que o nariz proeminente, os olhos penetrantes fincavam na minha visão (talvez porque fossem eles que a atingiram primeiro, que lhe tivessem feito o primeiro entalhe, quando eu ainda não tinha tido tempo de imaginar que a mulher que aparecia diante de mim podia ser a Sra. de Guermantes), sobre essa imagem bem recente, imutável, tentei aplicar a idéia: "É a Sra. de Guermantes", sem chegar mais do que movê-la em face da imagem, como dois discos separados por um intervalo. Mas essa Sra. de Guermantes com quem eu tanto sonhara, agora que via existir efetivamente fora de mim, obteve ainda mais poder sobre minha imaginação que, paralisada por um instante ao contato de uma realidade tão diversa do que esperava, pôs-se a reagir e a me dizer: "Gloriosos desde antes de Carlos Magno, os Guermantes tinham o direito de vida e morte sobre seus vassalos; a duquesa de Guermantes descende de Geneviève de Brabant. Não conhece, nem admitiria conhecer nenhuma das pessoas que aqui estão."

E – ó maravilhosa independência dos olhares humanos, retidos no rosto por um fio tão frouxo, tão extenso, tão elástico que podem passear sozinhos longe dele – durante o tempo em que a Sra. de Guermantes permaneceu sentada na capela por sobre os túmulos de seus mortos, seus olhares passearam aqui e ali, subiram ao longo dos pilares, demoraram-se até em mim, como um raio de sol errante pela nave, mas um raio de sol que, no momento em que recebi sua carícia, me pareceu consciente. Quanto à própria Sra. de Guermantes, visto que ficava imóvel, sentada feito uma mãe que finge não ver as travessuras ousadas e as tentativas indiscretas dos filhos que brincam e interpelam pessoas que ela não conhece, foi-me impossível saber se ela aprovava ou censurava, na ociosidade da alma, a errância de seus olhares.

Eu achava importante que ela não partisse antes que a pudesse observar bastante, pois me lembrava que, há muitos anos, considerava uma das coisas mais desejáveis do mundo o instante em que a visse, e não tirava os olhos de cima dela, como se cada um de meus olhares pudesse transportar, guardando dentro de mim, a lembrança do nariz proeminente, as faces vermelhas, todas essas particularidades que me pareciam outras tantas informações preciosas, autênticas e singulares sobre o seu rosto. Agora que principiava a achar belos todos os pensamentos relacionados com ela – e acima de tudo, talvez, com o desejo que temos sempre de não ficarmos decepcionados, forma do instinto de conservação das melhores parcelas de nós mesmos –, repondo-a (visto que ela e aquela duquesa de Guermantes que eu até então havia evocado formavam uma só pessoa) fora do restante da humanidade, com a qual a vista pura e simples de seu corpo me fizera por um momento confundi-la, irritava-me ouvir sussurrarem a meu redor: "Ela está melhor que a Sra. Sazerat, que a Srta. Vinteuil", como se lhes fosse comparável. E meus olhares, detendo-se em seus cabelos louros, nos seus olhos azuis, nas linhas do pescoço e apagando os traços que me pudessem lembrar outros rostos, faziam-me exclamar comigo, diante daquele escorço deliberadamente incompleto: "Como é linda! Que nobreza! É bem mesmo uma orgulhosa Guermantes, a descendente de Geneviève de Brabant, que tenho à minha frente!" E a atenção com que eu lhe iluminava o rosto isolava-a de tal maneira, que hoje, se volto a pensar nessa cerimônia, é-me impossível recordar uma só das pessoas que ali assistiam a ela, a não ser ela própria e o suíço, que respondeu afirmativamente quando lhe perguntei se aquela dama era mesmo a Sra. de Guermantes. Porém ela, se revejo-a, sobretudo no momento do desfile pela sacristia, iluminada pelo sol intermitente e tépido de um dia de vento e céu nublado, e onde a Sra. de Guermantes era vista no meio de toda aquela gente de Combray, das quais até o nome ignorava, mas cuja inferioridade punha por demais em relevo a sua supremacia, para que não deixasse de sentir uma benevolência sincera em relação àquelas pessoas, às quais, de resto, esperava impor-se ainda mais, graças à bondade e à simplicidade. E também, como não podia lançar esses olhares intencionais, carregados de um sentido preciso, que a gente dirige a alguém que se conhece, mas apenas deixar seus pensamentos distraídos escapar incessantemente à sua frente numa onda de luz azul que ela não podia conter, não desejava que essa luz por acaso perturbasse ou parecesse desdenhar essa gente humilde que encontrava ao passar, que atingia a todos os instantes. Revejo ainda, acima da gravata cor de malva, sedosa e inflada, o doce espanto de seus olhos, a que ela ajuntava, sem ousar destiná-lo a ninguém mas para que todos pudessem tomar parte dele, um sorriso tímido de suserana que parece se desculpar diante de seus vassalos e mostrar que lhes tem afeto. Esse sorriso caiu sobre mim, que não lhe tirava os olhos de cima. Então, lembrando-me do olhar que ela deixara fixar-se em mim, durante a missa, azul como um raio de sol que houvesse atravessado o vitral de Gilberto, o Mau, disse comigo: "Mas é claro que ela presta atenção em mim." Julguei que lhe agradava, que ela ainda haveria de pensar em mim depois de ter deixado a igreja, que por minha causa talvez ficasse triste à noite, em Guermantes. E logo me apaixonei por ela, pois se por vezes é suficiente, para que nos apaixonemos por uma mulher, que nos encare com desprezo, como achava que tinha feito a Srta. Swann, e que imaginemos que ela jamais poderá nos pertencer, às vezes também pode bastar que ela nos olhe com bondade, como a Sra. de Guermantes, e que pensemos que ela poderá ser nossa. Seus olhos azulavam como uma pervinca impossível de ser colhida e que, no entanto, me fosse dedicada; e o sol, ameaçado por uma nuvem, mas ainda despedindo, com toda a força sobre a praça e na sacristia, seus raios de luz, dava uma carnação de gerânio aos tapetes rubros que tinham sido estendidos para a solenidade e sobre os quais se adiantava sorrindo a Sra. de Guermantes, e acrescentava à lã deles um róseo aveludado, uma epiderme de luz, esta espécie de ternura, de grave doçura na pompa e na alegria que caracterizam certas páginas de *Lohengrin*, certos quadros de Carpaccio, e que fazem entender que Baudelaire tenha podido atribuir ao som do clarim o epíteto de delicioso.

Quantas vezes, depois daquele dia, em passeios para os lados de Guermantes, não me pareceu ainda mais angustioso que antes não ter qualquer inclinação para as letras e ser obrigado a renunciar de vez a tornar-me um escritor célebre? A mágoa que eu sentia, enquanto ficava a sonhar sozinho, um pouco distante dos outros, me fazia sofrer tanto que meu espírito, para não mais senti-la, por si mesmo, numa espécie de inibição diante da dor, deixava inteiramente de pensar nos versos, nos romances, em um futuro poético com o qual a minha falta de talento me proibia de contar. Então, bem longe de todas essas preocupações literárias e em nada a ela relativos, eis que de repente um telhado, um reflexo do sol sobre uma pedra, o cheiro de um caminho, faziam-me parar por um prazer especial que me davam, e também porque tinham o aspecto de quem guarda, além do que eu via, algo que me convidavam a vir pegar e que, apesar de meus esforços, eu não conseguia descobrir. Como eu sentisse que aquilo se encontrava neles, ficava ali, imóvel, a contemplar, a respirar, a tentar ir, com o pensamento, para além da imagem ou do aroma. E se me fosse preciso correr atrás do meu avô, prosseguir meu caminho, procurava reencontrá-los fechando os olhos; concentrava-me em relembrar exatamente a linha do telhado, o matiz da pedra que, sem que pudesse compreender a razão, me haviam parecido cheios, prestes a se entreabrir, a me entregar aquilo de que eram apenas o envoltório. Certamente, não eram impressões desse tipo que me poderiam dar a esperança, já perdida, de que um dia eu fosse escritor e poeta, pois elas estavam sempre ligadas a um objeto particular desprovido de valor intelectual e não se relacionavam a nenhuma verdade abstrata. Mas pelo menos me conferiam um prazer desarrazoado, a ilusão de uma espécie de fecundidade, e por aí me distraíam do tédio, do sentimento de impotência que eu experimentava cada vez que havia procurado um assunto filosófico para uma grande obra literária. Mas era tão árduo o dever de consciência que me impunham essas impressões de forma, de perfume ou de cor – de buscar perceber o que se escondia atrás deles, que não tardei a procurar em mim as escusas que me permitissem subtrair-me a tais esforços e me livrassem de tamanha fadiga. Felizmente, meus pais me chamavam, eu via que agora não dispunha da tranqüilidade necessária para prosseguir com proveito a minha busca, e que era melhor só voltar a pensar naquilo quando chegasse em casa, e não me cansar antecipadamente sem resultado. Então não me ocupava mais dessa coisa desconhecida que se envolvia em uma forma ou um aroma, tranqüilamente dentro de mim pois que a levava para casa, protegida pelo revestimento de imagens, sob as quais a encontraria bem viva, como os peixes que eu trazia num cesto, nos dias em que me deixavam ir pescar, cobertos por uma camada de ervas que lhes conservava o frescor. Uma vez em casa, ficava pensando em outra coisa e assim iam-se acumulando no meu espírito (como no meu quarto as flores que colhera nos passeios ou os objetos que me haviam dado) uma pedra onde brincava um reflexo, um telhado, o som de um sino, um cheiro de folhas, quantas imagens diversas sob as quais há muito jaz morta a realidade pressentida que não tive força de vontade bastante para chegar a descobrir. Uma vez, no entanto – quando o nosso passeio se prolongara muito além de sua duração habitual e, a meio caminho de volta, no fim da tarde, tivemos o prazer de encontrar o doutor Percepied que passava à toda no seu carro e nos reconheceu, fazendo-nos subir para junto dele –, tive uma impressão desse tipo e não a larguei sem aprofundá-la um pouco. Tinham-me feito subir ao lado do cocheiro, e íamos feito o vento porque o Dr. Percepied precisava, antes de voltar a Combray, parar em Martinville-le-Sec na casa de um doente, à porta de quem ficou acertado que o esperaríamos. Numa volta da estrada, experimentei de súbito esse prazer especial que não me parecia idêntico a nenhum outro, ao perceber as duas torres de Martinville, sobre as quais batia o sol poente, e o movimento da nossa viatura e as curvas do caminho davam a impressão de mudá-las de lugar, e depois a torre de Vieuxvicq, a qual, separada delas por uma colina e um vale, e situada num plano mais elevado e longínquo, parecia entretanto bem próxima delas.

Verificando, ao observar o formato de suas flechas, e deslocamento de suas linhas, o ensolarado de suas superfícies, senti que não ia até o extremo limite de minha impressão, que havia algo por trás desse movimento, por trás dessa claridade, algo que elas pareciam, a um tempo, conter e esconder.

Tão afastadas se achavam as torres e tão pouco me parecia que nos aproximávamos delas, que fiquei espantado quando, alguns momentos depois, paramos diante da igreja de Martinville. Desconhecia o motivo do prazer que sentira ao percebê-las no horizonte e a obrigação de procurar descobrir esse motivo me parecia bem penosa; tinha vontade de guardar de reserva, na cabeça, essas linhas rodopiantes ao sol e de não mais pensar nelas no momento. E é provável que, se o houvesse feito, as duas torres tivessem ido ajuntar-se para sempre às tantas árvores e telhados e perfumes e sons, que eu distinguira dos outros por causa desse prazer obscuro que me haviam proporcionado e que eu jamais aprofundara. Desci para conversar com meus pais à espera do doutor. Depois continuamos, retomei meu lugar na boléia, virei a cabeça para ver ainda uma vez as torres que, um pouco depois, percebi pela última vez numa volta da estrada. Já que o cocheiro não parecia disposto a conversar, mal tendo respondido às minhas palavras, fui obrigado, à falta de outra companhia, a recorrer à minha, tentando rememorar as torres. Em breve as suas linhas e suas superfícies ensolaradas, como se fossem uma espécie de casca, se romperam, e um pouco do que estava oculto nelas me apareceu, tive um pensamento que não existia para mim um momento antes, um pensamento que se formulou em palavras na minha cabeça, e o prazer que há pouco sentira ao vê-las aumentou consideravelmente, de modo que, tomado de uma espécie de embriaguez, não pude mais pensar em outra coisa. Nesse momento, e como já estivéssemos longe de Martinville, percebi-as de novo ao virar a cabeça, completamente negras dessa vez, pois o sol já se havia posto. Durante alguns instantes, as voltas do caminho deixavam-nas ocultas; depois elas se mostraram uma última vez e por fim não as vi mais.

Sem dizer a mim mesmo que aquilo que se ocultava detrás das torres de Martinville devia ser algo semelhante a uma bela frase, pois que era principalmente sob a forma de palavras que me davam prazer, pedi lápis e papel ao doutor e, apesar dos ressaltos do carro, escrevi, para aliviar a consciência e obedecer ao meu entusiasmo, o fragmento seguinte que encontrei mais tarde e no qual fiz somente umas poucas modificações:

"Sozinhas, elevando-se do nível da planície e como que perdidas em campo raso, subiam para o céu as duas torres de Martinville. Em breve, observamos três: vindo colocar-se à frente delas, numa volta ousada, uma torre retardatária, a de Vieuxvicq, a elas se reunira. Os minutos passavam, andávamos depressa e no entanto as três torres estavam sempre ao longe diante de nós, como três passarinhos pousados na planície, imóveis, e que se distinguem ao sol. Depois a torre de Vieuxvicq se afastou, tomou distância, e as torres de Martinville ficaram sós, iluminadas pela luz do poente que mesmo a essa distância eu via brincar e sorrir em suas telhas. Tínhamos levado tanto tempo a nos aproximar delas, que eu pensava no tempo ainda necessário para atingi-las quando, de repente, tendo o carro dado uma volta, depositou-nos a seus pés; e de modo tão áspero haviam elas se lançado contra o carro que mal tivemos tempo de parar a fim de não nos chocarmos contra o pórtico. Prosseguimos o caminho; já tínhamos deixado Martinville há pouco, e a aldeia desaparecera depois de nos ter acompanhado por alguns segundos e suas torres e a de Vieuxvicq ainda agitavam, em sinal de despedida, os seus cumes ensolarados. Às vezes, uma delas se apagava para que as outras duas pudessem nos ver um instante ainda; mas a estrada mudou de direção, elas viraram na luz como três pivôs de ouro e desapareceram aos meus olhos. Mas, um pouco depois, como já estivéssemos perto de Combray, já tendo o sol se posto, avistei-as pela última vez, de muito longe, e não passavam de três flores pintadas no céu acima da linha baixa dos campos. Faziam-me pensar também nas três moças de uma lenda, abandonadas numa solidão onde já caía a treva; e enquanto nos distanciávamos a galope, vi-as procurando o caminho com timidez e, após algumas oscilações hesitantes de suas nobres silhuetas, apertarem-se umas contra as outras, e formarem no céu ainda róseo apenas um só vulto negro, charmoso e resignado, e se apagarem na noite."

Nunca mais voltei a pensar nessa página, mas naquele momento, quando, no canto da boléia onde o cocheiro do doutor colocava, de hábito, em um cesto, as aves que comprara no mercado de Martinville, terminei de escrevê-la, senti-me tão feliz, achava que ela me desentranhara tão perfeitamente aquelas torres e daquilo que elas escondiam atrás de si, que, como se eu próprio fosse uma galinha e acabasse de pôr um ovo, comecei a cantar a plenos pulmões.

Durante o dia inteiro, nesses passeios, eu pudera pensar no prazer que teria se fosse amigo da duquesa de Guermantes, de pescar trutas, passear de barco no Vivonne e, ávido de felicidade, não pedir à vida, nesses momentos, senão que ela se compusesse de uma série de tardes felizes. Mas quando, no caminho de volta, avistava à esquerda um sítio bastante afastado de outros dois que, ao contrário, se avizinhavam muito, e a partir do qual, para entrar em Combray, bastava tomar uma alameda de carvalhos, que tinha a um lado vários prados, cada um pertencente a um pequeno cercado e plantados a intervalos iguais de macieiras que ali projetavam, ao serem iluminadas pelo sol poente, o desenho japonês de suas sombras, meu coração punha-se a bater bruscamente, pois sabia que antes de uma hora estaríamos de volta em casa e que, como era de praxe nos dias em que tínhamos ido pelo caminho de Guermantes e que o jantar era servido mais tarde, me mandariam deitar tão logo tomasse a sopa, de modo que minha mãe, retida à mesa como se houvesse convidados para jantar, não subiria para me dar boa-noite na cama. A região de tristeza em que acabava de entrar era tão diversa da região de alegria onde me lançara um momento antes, como em certos céus uma faixa cor-de-rosa se separa, como que por uma linha, de uma faixa verde ou de outra negra. Vê-se um pássaro voar na faixa rosa, já vai atingindo a sua extremidade, quase que toca a negra e depois penetra nela. Os desejos que há pouco me assaltavam, de ir a Guermantes, de viajar, de ser feliz, eram-me agora tão estranhos que sua realização não me teria dado prazer algum. Como teria dado tudo aquilo para poder chorar a noite inteira nos braços de mamãe! Estremecia, não tirava os olhos aflitos do rosto de minha mãe, que naquela noite não apareceria no meu quarto onde já me achava em pensamento, e queria morrer. E esse estado iria durar até o dia seguinte, quando os raios da manhã apoiassem, como o jardineiro a sua escada, suas barras no muro revestido de capuchinhas que subiam até a minha janela, e eu pulasse da cama para descer depressa ao jardim, sem mais me lembrar que a noite tornaria a trazer consigo a hora de separar-me de minha mãe. E assim, foi pelo lado de Guermantes que aprendi a distinguir esses estados que em mim ocorrem, durante certos períodos, e chegam até a dividir entre si os dias, um vindo para expulsar o outro, com uma pontualidade de febre; contíguos, mas tão exteriores um ao outro, tão destituídos de meios de comunicação entre eles, que já não posso compreendê-los e sequer me representar em um o que desejei, ou temi, ou até realizei no outro estado.

Portanto, o lado de Méséglise e o lado de Guermantes permanecem, para mim, ligados a várias das pequeninas ocorrências dessa vida que, de todas as diversas vidas que vivemos paralelamente, é a mais cheia de peripécias, quero dizer, a vida intelectual. Sem dúvida, ela progride insensivelmente dentro de nós e as verdades que mudaram seu sentido e seu aspecto, que nos abriram caminhos novos, há muito que vínhamos preparando a sua descoberta, porém sem sabê-lo; e elas, para nós, só datam do dia, do minuto em que se nos tornaram visíveis. As flores que então brincavam na grama, a água que corria ao sol, toda a paisagem que rodeava a sua aparição continua a acompanhar sua lembrança com seu rosto inconsciente ou distraído; e com certeza, quando eram contemplados longamente por esse humilde passante, por essa criança que sonhava – como o é um rei pelo memorialista perdido na multidão –, esse recanto da natureza, esse pedaço de jardim não poderiam pensar que, graças a ele, seriam chamados a sobreviver em suas particularidades mais efêmeras; e no entanto o aroma do espinheiro-alvar que se evola ao longo da sebe onde as eglantinas em breve o substituirão, o rumor de um passo sem eco sobre o cascalho de uma alameda, uma bolha formada contra uma planta aquática pela água do rio e que logo estoura, minha exaltação os transportou e conseguiu fazê-los atravessar tantos anos sucessivos, enquanto que em torno os caminhos se apagaram e estão mortos aqueles que os trilharam e morta a lembrança dos que os pisaram. Por vezes, esse trecho de paisagem assim transportado até o dia de hoje ganha relevo, tão isolado de tudo, que flutua indeciso no meu pensamento como uma Delos florida, sem que eu possa dizer de que país ou de que tempo ele provém: talvez, simplesmente, de que sonho. Mas é sobretudo como se pensasse em jazidas profundas do meu terreno mental, como nos solos resistentes em que ainda me apóio, que devo pensar no lado de Méséglise e no lado de Guermantes. E precisamente porque confiava nas coisas, nos seres que me fizeram conhecer, são os únicos que ainda levo a sério e ainda me dão alegria. Ou porque a fé que cria se haja esgotado em mim, ou porque a realidade só se forma na memória, as flores que hoje me mostram pela primeira vez não me parecem flores verdadeiras. O caminho de Méséglise, com seus lilases, seus espinheiros, suas centáureas, suas papoulas, suas macieiras, e o caminho de Guermantes, com seu rio de girinos, suas ninféias e seus botões-de-ouro, formaram por todo o sempre, para mim, o aspecto das terras em que eu gostaria de viver, onde exijo, antes de tudo, que se possa pescar, passear de bote, ver ruínas de fortificações góticas e encontrar em meio aos trigais, exatamente como Saint-André-des-Champs, uma igreja monumental, rústica e dourada como um monte de trigo; e as centáureas, os espinheiros, as macieiras que me ocorre encontrar ainda nos campos quando viajo, pois estão situados à mesma profundidade, ao nível do meu passado, entram imediatamente em sintonia com meu coração. E, no entanto, visto que existe algo individual nos lugares, quando tenho desejos de rever o caminho de Guermantes, não ficaria satisfeito se me levassem para a margem de um rio onde houvesse ninféias tão ou mais lindas que as do Vivonne, como, ao voltar para casa – na hora em que despertava em mim aquela angústia que depois emigra para o amor, e pode se tornar inseparável dele para sempre –, eu não teria desejado que viesse me dar boa-noite uma mãe mais bela e mais inteligente que a minha. Não; assim como o que eu precisava, para dormir feliz, com aquela paz sem perturbações que amante alguma pôde me proporcionar mais tarde, já que temos dúvidas a respeito delas mesmo no momento em que nelas acreditamos, e que jamais nos confiam seu coração como minha mãe, num beijo, me confiava o seu, por inteiro, sem qualquer restrição, sem o menor sinal de espírito preconcebido, sem o resquício de uma intenção que não se dirigisse exclusivamente a mim – o que eu precisava era que fosse ela, que fosse ela quem inclinasse para mim o rosto onde havia, acima do olho, algo que era, ao que me parece, um defeito, e que eu amava como ao resto, da mesma forma, assim como o que desejo rever é o caminho de Guermantes que conheci, com o sítio um pouco distanciado dos outros dois apertados um contra o outro, na entrada da aléia dos carvalhos; são estas planícies onde, quando o sol as faz espelhantes com um charco, desenham-se as folhagens das macieiras, é essa paisagem cuja individualidade às vezes, nos meus sonhos de noite, me domina com uma força quase fantástica e que já não consigo recuperar quando acordo. Sem dúvida, por terem para sempre unido indissoluvelmente dentro de mim essas impressões diferentes, só porque me fizeram senti-las ao mesmo tempo, o lado de Méséglise e o lado de Guermantes me expuseram, no futuro, a muitas decepções e até a erros. Pois por diversas vezes quis rever uma pessoa sem perceber que era apenas porque ela me lembrava uma sebe de espinheiros, e fui induzido a crer e a fazer crer numa retomada da afeição, quando se tratava de um simples desejo de viagem. Mas também por esse mesmo motivo, e presentes, como estão, nas minhas impressões de hoje com as quais podem se relacionar, dão-lhes um fundamento e uma profundidade, uma dimensão a mais que às outras. Ajuntam-lhes também um encanto, um significado que só existe para mim. Quando, nas noites de verão, o céu harmonioso ruge como uma fera fulva e todos se incomodam com a tempestade, é no caminho de Méséglise que devo ficar sozinho em êxtase, respirando, no meio do barulho da chuva que cai, o aroma de lilases invisíveis e persistentes.

* * *

Era assim que eu ficava muitas vezes até de manhã a pensar no tempo de Combray, nas minhas tristes noites sem sono, e também em tantos dias, cuja imagem me fora mais recentemente restituída pelo sabor – o que em Combray se chamaria "perfume" – de uma xícara de chá e pela associação de lembranças estabelecidas entre recordações minhas e certos fatos que, muitos anos depois de ter deixado aquela cidadezinha, fiquei sabendo acerca de um amor que Swann vivera antes do meu nascimento, com essa precisão de detalhes mais fácil de conseguir, às vezes, quanto à vida das pessoas mortas há séculos do que no caso de nossos melhores amigos, e que parece impossível, como parecia impossível conversar de uma cidade a outra – enquanto ignoramos a maneira como foi resolvida essa impossibilidade. Todas essas lembranças reunidas umas às outras não formavam mais que uma massa, mas nem por isso eu deixava de perceber entre elas – entre as mais velhas e as mais novas, surgidas de um perfume, e depois as que eram somente lembranças de outra pessoa, que as passara a mim – senão fissuras, verdadeiras fendas, pelo menos essas nervuras, essas misturas de cores que, em certas rochas e certos mármores, revelam diferenças de origem, de idade e de "formação".

Certamente, quando se aproximava o dia, já fazia muito que se dissolvera a breve incerteza do meu acordar. Eu sabia em que quarto me encontrava de fato, reconstruíra-o a meu redor na obscuridade e – ora me orientando apenas pela memória, ora auxiliando-me, como indicação, com uma luzinha fraca que percebera, à qual aplicava as cortinas da janela – reconstruíra-o por inteiro, mobiliara-o, como um arquiteto e um tapeceiro que conservam o buraco primitivo para as janelas e as portas, recolocara os vidros e repusera a cômoda em seu lugar de costume. Porém, mal o dia – e não mais o reflexo de uma última brasa sobre um varão de cobre que eu tomara por ele – traçava na escuridão, como que a giz, o primeiro raio branco e retificador, a janela com suas cortinas abandonava o quadrado da porta, onde eu a situara por engano, enquanto que, para lhe dar lugar, a escrivaninha, que minha memória instalara desastradamente ali, fugia a toda pressa, levando a lareira de roldão e afastando a parede intermediária do corredor; um patiozinho reinava onde, ainda há pouco, se localizava o quarto da toalete, e a residência que eu edificara nas trevas ia reunir-se às casas entrevistas no turbilhão do despertar, posta em fuga por aquele pálido signo que o dedo erguido do dia havia traçado acima das cortinas.

SEGUNDA PARTE

Um Amor de Swann

Para fazer parte do "pequeno núcleo", do "pequeno grupo", do "pequeno clã" dos Verdurin, uma condição bastava, mas era necessária: seria preciso aderir tacitamente a um credo, do qual um dos artigos rezava que o jovem pianista, protegido pela Sra. Verdurin naquele ano e do qual ela dizia: "Não devia ser permitido saber tocar Wagner tão bem assim!", "liquidava" ao mesmo tempo com Planté e Rubinstein, e que o Dr. Cottard tinha melhor diagnóstico do que Potain. Todo "novo recruta", a quem os Verdurin não podiam convencer que os saraus das pessoas que não freqüentavam a casa eram aborrecidos como a chuva, via-se imediatamente excluído. Sob esse aspecto, as mulheres eram mais rebeldes que os homens em desistir de toda curiosidade mundana e não queriam se resignar a abrir mão dos atrativos dos outros salões, e como, por outro lado, os Verdurin sentiam que esse espírito crítico e o demônio da frivolidade poderiam, por contágio, ser fatais à ortodoxa da igrejinha, foram levados a rejeitar sucessivamente todos os "fiéis" do sexo feminino.

Naquele ano, afora a jovem esposa do doutor, estavam praticamente reduzidos (embora a própria Sra. Verdurin fosse virtuosa e de respeitável família burguesa, excessivamente rica e totalmente obscura, com a qual, aos poucos, deixara de manter quaisquer relações) a uma pessoa quase do *demi-monde*, a Sra. de Crécy, a quem a Sra. Verdurin tratava pelo nome de batismo, Odette, declarando que era "um amor", e à tia do pianista, que devia ter sido porteira; pessoas que ignoravam a alta sociedade e de tal modo ingênuas que seria fácil fazê-las crer que a princesa de Sagan e a duquesa de Guermantes eram obrigadas a pagar a infelizes para ter gente em seus jantares, tanto que, se lhes tivessem feito o oferecimento de conseguir um convite para a casa dessas duas damas, a antiga porteira e a cocote o teriam recusado com desdém.

Os Verdurin não convidavam para jantar: sempre havia, na casa deles, um "lugarzinho à mesa". Para o sarau, não havia programa. O jovem pianista tocava, porém só se "lhe desse na telha", porque ninguém era forçado a nada, como dizia o Sr. Verdurin: "Tudo para os amigos, vivam os camaradas!" Se o pianista queria tocar a cavalgada das *Valquírias* ou o prelúdio do *Tristão*, a Sra. Verdurin protestava, não que essa música lhe desagradasse, mas, pelo contrário, porque a deixava muito impressionada. "Então você quer que eu tenha enxaqueca? Sabe muito bem que é a mesma coisa toda vez que toca isso. Sei o que me espera! Amanhã, quando quiser me levantar, adeus!" Se o pianista não tocava, todos conversavam e um dos amigos, em geral o pintor predileto da ocasião, "soltava", como dizia o Sr. Verdurin, "uma daquelas piadas que fazem todo mundo morrer de rir", principalmente a Sra. Verdurin, a quem – de tanto que tinha o hábito de tomar ao pé da letra as expressões figuradas de suas emoções – o Dr. Cottard (um jovem principiante àquela época) teve um dia de reajustar a mandíbula, que ela desarticulara de tanto rir.

Era proibida a casaca porque estavam entre "camaradas" e para não ficarem parecidos com os "maçantes", dos quais fugiam como da peste, e que só eram convidados nas grandes recepções, dadas o mais raramente possível e apenas se poderiam concorrer para tornar conhecido o músico ou agradar ao pintor. No resto do tempo, contentavam-se em representar charadas, em cear com trajes à fantasia, mas entre si, sem incorporar nenhum estranho à "rodinha".

Mas à medida que os "camaradas" iam assumindo mais espaço na vida da Sra. Verdurin, os maçantes e os réprobos passaram a ser todos aqueles que retinham os amigos longe dela, que os impediam às vezes de estar liberados, a mãe de um, a profissão de outro, a casa de campo ou a má saúde de um terceiro; se o Dr. Cottard julgasse dever partir, saindo da mesa para estar ao pé de um doente em estado grave, dizia-lhe a Sra. Verdurin: "Quem sabe se ele não se sentiria melhor agora, se o senhor não fosse perturbá-lo! Passaria uma boa hora sem o senhor; amanhã de manhã, o senhor iria bem cedo e o acharia curado." Desde princípios de dezembro ela se sentia doente só em pensar que os fiéis a "abandonariam" para as festas de Natal e Ano-Novo. A tia do pianista exigia que ele fosse jantar em família na casa da mãe dela.

– Acha então que ela irá morrer, a sua mãe – gritava a Sra. Verdurin com dureza –, se você não for jantar com ela no Ano-Novo, como se faz *no interior*?

Tais inquietações regressavam na Semana Santa:

– O senhor, doutor, um sábio, um espírito forte, naturalmente virá na Sexta-Feira Santa como se fosse um dia qualquer, não é? – dizia a Cottard, no primeiro dia do ano, num tom de segurança como se não duvidasse da resposta. Porém tremia à espera de sua palavra, pois se ele não fosse ela se arriscaria a ficar sozinha.

– Virei na Sexta-Feira Santa... dar-lhe adeus, pois vamos passar a Páscoa na Auvergne.

– Auvergne? Para ser comido por pulgas e outros bichos? Que lhe faça bom proveito!

E após um silêncio:

– Se ao menos tivessem nos avisado, teríamos tentado organizar a coisa e fazer a viagem juntos em condições confortáveis.

Do mesmo modo, quando um "fiel" tinha um amigo, ou uma "companheira", um flerte que às vezes pudesse ser motivo para uma "deserção", os Verdurin, que não ficavam escandalizados que uma mulher tivesse um amante, desde que o tivesse em casa deles, o amasse através deles, e não o preferisse a eles, diziam:

"Muito bem, traga seu amigo." E submetiam-no à prova, para ver se era capaz de não ter segredos para a Sra. Verdurin, e se era possível ajuntá-los ao "pequeno clã". Se ele não o era, chamavam o fiel à parte, pois que o havia apresentado, e o encarregavam de romper com seu amigo ou sua amante. No caso contrário, o "novato" tornava-se um fiel por sua vez. Assim, quando naquele ano a *demi-mondaine* disse ao Sr. Verdurin que havia conhecido um homem encantador, o Sr. Swann, e insinuou que ele ficaria muito satisfeito em ser recebido pelos Verdurin, o Sr. Verdurin imediatamente transmitiu a petição à esposa. (Só manifestava sua opinião depois de ouvir a mulher, pois seu papel especial era pôr em execução, com todo engenho e arte, os desejos dela e dos fiéis.)

– Aqui está a Sra. de Crécy que tem algo a lhe pedir. Desejaria apresentar um de seus amigos, Sr. Swann. Que lhe parece?

– Ora, lá é possível recusar alguma coisa a uma perfeição como esta? Cale-se, ninguém lhe pediu sua opinião, eu digo que você é uma perfeição.

– Já que preferem assim... – respondeu Odette num tom afetado, acrescentando: – vocês sabem que não estou *fishing for compliments*.

– Muito bem, traga o seu amigo, se é agradável.

Decerto o "pequeno núcleo" não tinha qualquer ligação com a sociedade freqüentada por Swann, e um mundano puro não teria achado valer a pena ocupar sua posição excepcional para se fazer apresentar na casa dos Verdurin. Porém Swann gostava tanto de mulheres que, depois de conhecer praticamente todas da aristocracia e quando elas nada mais tinham a lhe ensinar, já não dava a essas cartas de naturalização, que quase eram títulos de nobreza, que lhe outorgara o bairro de Saint-Germain, mais que um valor de troca, de letra de crédito, sem valor em si mesma, mas que lhe facultava improvisar uma situação num recanto da província ou num ambiente obscuro de Paris, onde a filha do fidalgote ou do tabelião lhe houvesse parecido ser bonita. Pois o desejo ou o amor lhe dava então um sentimento de vaidade do qual era isento na vida comum (embora tivesse sido esse mesmo sentimento, sem dúvida, que o levara à carreira mundana antigamente, fazendo-o desperdiçar o espírito em prazeres frívolos e colocar sua erudição nas artes a serviço das damas da sociedade, aconselhando-as em suas compras de quadros e no mobiliário de seus palacetes), e que o fazia desejar brilhar, aos olhos de uma desconhecida pela qual se apaixonara, com uma elegância que o nome de Swann, por si só, não implicava. Desejava-o principalmente se a desconhecida era de condição humilde. Da mesma maneira que não é a outro homem inteligente que um homem inteligente terá receio de parecer imbecil, não é da parte de um fidalgo e sim de um rústico que um homem elegante receará ver ignorada a sua elegância. Três quartos dos empenhos de espírito e das mentiras de vaidade que foram esbanjados, desde que o mundo é mundo, por pessoas a quem só poderiam rebaixá-los, o foram para seres inferiores. E Swann, que era simples e negligente com uma duquesa, temia ser desprezado e assumia poses na presença de uma camareira.

Não era como tantas pessoas que, por preguiça ou sentimento resignado da obrigação que lhes impõe a grandeza social de ficarem amarrados a uma certa margem, se abstêm dos prazeres que a realidade lhes apresenta fora da posição mundana em que vivem aquartelados até a morte, contentando-se em acabar por chamar prazeres, à falta de coisa melhor, uma vez que se habituaram a tal, os divertimentos medíocres ou os tédios suportáveis que ela contém. Quanto a Swann, não procurava achar bonitas as mulheres com quem passava o tempo, mas passar o tempo com as mulheres que primeiro achara bonitas. E muitas vezes tratava-se de mulheres de beleza bem vulgar, pois as qualidades físicas que ele buscava sem se dar conta disto estavam em completo desacordo com as que lhe tornavam admiráveis as mulheres esculpidas ou pintadas pelos mestres que preferia. A profundeza e a melancolia da expressão esfriavam-lhe os sentidos que, ao contrário, uma carne saudável, opulenta e rosada bastava para despertar.

Se numa viagem conhecia uma família com a qual seria mais elegante não travar relações, mas na qual uma mulher aparecia a seus olhos com um encanto que ainda lhe era desconhecido, "manter a linha" e enganar o desejo que ela lhe fizera nascer, substituir por um prazer diferente o prazer que poderia conhecer com ela, escrevendo a uma antiga amante para que viesse vê-lo, tudo isso lhe teria parecido uma tão covarde abdicação diante da vida, uma renúncia tão idiota a uma felicidade nova, como se, em vez de visitar a região, ele se tivesse encerrado no quarto para olhar retratos de Paris. Não se fechava no edifício de suas relações, mas fizera dele, para poder reconstruí-lo em toda parte, de novo, quando uma mulher lhe agradasse, uma dessas tendas desmontáveis que os exploradores transportam consigo. Quanto ao que não podia ser transportado ou trocado por um prazer novo, ele o teria considerado sem valor, por mais invejável que pudesse parecer aos outros. Quantas vezes seu crédito junto a uma duquesa, feito pelos desejos que esta acumulara durante anos de lhe ser agradável sem jamais ter tido a oportunidade de uma ocasião adequada, não o desfazia Swann de um só golpe, reclamando dela, com um despacho indiscreto, uma recomendação telegráfica que o pusesse em contato, imediatamente, com um de seus intendentes cuja filha lhe chamara a atenção no campo, como o faria um esfomeado que trocasse um diamante por um pedaço de pão. E a coisa, mais tarde, até que o divertia, pois havia nele, contrabalançada por delicadezas sutis, uma certa grosseria. Além disso, pertencia a esse tipo de homens inteligentes que viveram na ociosidade e que buscam um alívio e quem sabe uma desculpa na idéia de que essa ociosidade oferece a sua inteligência objetos tão dignos de interesse como os que lhes proporcionariam a arte e o estudo, que a "Vida" contém situações mais interessantes, mais romanescas, que todos os romances. Pelo menos assim o afirmava, persuadindo disto facilmente os mais finos de seus amigos da sociedade, especialmente o barão de Charlus, a quem divertia com a narração de aventuras picantes que lhe tinham acontecido, seja que, tendo encontrado num trem uma mulher a quem logo levara para sua casa, descobrira que se tratava da irmã de um soberano em cujas mãos se emaranhavam, na ocasião, todos os fios da política européia, da qual assim ficara conhecendo os detalhes de modo bastante agradável, seja que, pelo jogo complexo das circunstâncias, dependia da escolha que fizesse o conclave saber se poderia ou não se tornar amante de uma cozinheira.

Aliás, não era somente a brilhante falange de virtuosas matronas, generais, acadêmicos, com quem estava particularmente ligado, que Swann forçava, com tanto cinismo, a lhe servir de mediadores. Todos os seus amigos tinham o hábito de receber, de vez em quando, uma carta dele, em que lhes era pedida uma palavra de recomendação ou de apresentação, com uma habilidade diplomática que, persistindo pelos amores sucessivos e os diversos pretextos, punham à mostra, mais do que o fariam as palavras irrefletidas, um caráter constante e uma identidade de objetivos. Muitos anos mais tarde, quando comecei a me interessar pelo seu caráter por causa das semelhanças que, sob outros aspectos, apresentava com o meu, muitas vezes me contaram que, quando escrevia a meu avô (que ainda não o era, pois foi mais ou menos à época do meu nascimento que principiou a grande ligação amorosa de Swann, que interrompeu por muito tempo essa prática), este, reconhecendo no envelope a letra do amigo, exclamava: "Aqui está Swann, que vai me pedir alguma coisa: cuidado!" E seja por desconfiança, seja pelo sentimento inconscientemente diabólico que nos leva a ofertar uma coisa apenas às pessoas que não a desejam, meus avós tinham por norma nunca atender aos pedidos mais fáceis de satisfazer que Swann lhes dirigia, como apresentá-lo a uma moça que jantava todos os domingos em nossa casa, sendo obrigados, cada vez que Swann tocava no assunto, a fingir que não ouviam, ainda que durante a semana inteira quebrassem a cabeça para imaginar quem poderiam convidar em companhia dela, e muitas vezes sem encontrar ninguém, só para não acenar àquele que ficaria tão feliz com isso.

Às vezes, um casal amigo de meus avós e que até então se queixava de nunca ver Swann, lhes anunciava com satisfação, e talvez um pouco na intenção de lhes causar inveja, que Swann agora era gentilíssimo com eles e nunca os deixava. Meu avô não queria estragar-lhes o prazer mas olhava para minha avó, cantarolando:

Que mistério é este
que não consigo entender?

Visão fugitiva...

Nesses negócios
O melhor é não ver coisa alguma.

Alguns meses depois, se meu avô perguntava ao novo amigo de Swann: "E o Swann, continua a vê-lo sempre muito?", o rosto do interlocutor se encompridava: "Nunca mais pronuncie este nome na minha frente!"– "E eu que julgava fossem tão unidos..." Fora, desse modo, durante alguns meses, amigo íntimo dos primos de minha avó, jantando na casa deles quase todos os dias. De repente deixou de comparecer, sem qualquer aviso. Pensaram que estivesse doente e a prima de minha avó já ia mandar pedir notícias dele, quando encontrou na copa uma carta sua que ficara, por descuido, no livro de contas da cozinheira. Nessa carta, ele comunicava àquela mulher que ia deixar Paris e não mais poderia comparecer. É que ela era sua amante e, no momento de romper, apenas a ela achou que devia avisar.

Quando, ao contrário, sua amante do momento era uma pessoa da sociedade, ou pelo menos alguém cuja origem muito humilde ou cuja situação bastante irregular não a impedia que fosse recebida em sociedade, então, por causa dela, Swann voltava àquele meio, mas apenas na órbita particular em que ela transitava ou então aonde ele a levara. "Inútil contar com Swann esta noite", diziam, "sabem muito bem que é o dia de Ópera da sua americana." Dava um jeito para que a convidassem para salões especialmente fechados e onde ele tinha seus hábitos, seus jantares semanais, o seu pôquer; todas as noites, depois que uma leve ondulação aplicada aos cabelos ruivos havia matizado de alguma doçura a vivacidade de seus olhos verdes, Swann escolhia uma flor para a botoeira e saía para se encontrar com a amante na mesa de alguma das mulheres do seu grupo; e então, pensando na admiração e na amizade que as pessoas da moda, para quem ele era a palavra suprema, lhe devotariam diante da mulher que amava, ainda encontrava charme naquela vida mundana da qual se entediara, mas cuja substância, impregnada e calidamente colorida por uma chama insinuante que nela brincava, lhe parecia bela e preciosa desde que a ela incorporara um novo amor.

Mas, ao passo que cada uma dessas ligações, ou cada um desses flertes, fora a realização mais ou menos completa de um sonho nascido da vista de um rosto ou de um corpo que Swann, espontaneamente, sem muito esforço, julgara atraentes, em compensação, quando um dia no teatro foi apresentado a Odette de Crécy por um de seus amigos de outrora, que lhe falara dela como de uma mulher deslumbrante com quem poderia talvez chegar a alguma coisa, mas insinuando ser ela mais difícil do que o era na realidade, a fim de parecer ele próprio ter feito algo de mais amável ao apresentá-lo, ela aparecera a Swann não sem beleza decerto, mas de um tipo de beleza que lhe era indiferente, que não lhe excitava nenhum desejo, chegando até a lhe causar uma espécie de repulsa física, uma dessas mulheres como todos têm, diversas para cada um, e que são o oposto do tipo que nossos sentidos exigem. Tinha um perfil acentuado demais para lhe agradar, a pele muito frágil, os pômulos demasiado salientes, os traços do rosto muito enfezados. Os olhos eram belos mas tão grandes que cansavam o restante do rosto, deixando-se vencer pela própria massa, dando-lhe o aspecto de estar sempre mal-humorada. Algum tempo depois dessa apresentação no teatro, ela lhe escrevera pedindo para ver suas coleções, que tanto a interessavam, "ela, uma ignorante que tinha gosto pelas belas coisas", dizendo que achava que o conheceria melhor quando o tivesse visto no seu *home*, onde ela o imaginava "tão confortavelmente instalado com seu chá e seus livros", embora não lhe escondesse a surpresa de saber que morava naquele bairro que devia ser tão triste e que era "tão pouco *smart* para ele, que o era tanto". E depois que ele deixou que o visitasse, Odette, ao sair, lamentou ter ficado tão pouco tempo naquela casa onde tivera a fortuna de entrar, falando dele como se valesse para ela mais que as outras pessoas que conhecia, e parecendo estabelecer entre ambos uma espécie de tratado de união romanesca que o fizera sorrir. Mas na idade já um pouco desiludida de que se aproximava Swann, na qual a gente sabe se contentar em estar apaixonado pelo prazer de sê-lo, sem exigir demais em troca, essa união de corações, se já não é como na primeira mocidade o fim para o qual tende necessariamente o amor, lhe fica ligada, em compensação, por uma associação de idéias tão forte que pode ser sua causa, se se apresenta antes dele. Antigamente, sonhava-se em possuir o coração de uma mulher da qual estávamos enamorados; mais tarde, sentir que possuíamos o coração de uma mulher podia bastar para que nos apaixonássemos por ela. Assim, como se busca no amor principalmente um prazer subjetivo, na idade em que poderia parecer que o gosto pela beleza de uma mulher assumisse a maior parte, o amor – o amor mais físico – pode nascer sem que tenha ocorrido, em seus fundamentos, um desejo prévio. Nessa época da vida, a gente já foi diversas vezes atingido pelo amor; e ele já não evolui sozinho conforme suas próprias leis desconhecidas e fatais, ante o nosso coração espantado e inerme. Nós vamos em sua ajuda, iludimo-lo com a memória, com a sugestão. Ao reconhecer um de seus sintomas, relembramos e fazemos renascer os outros. Visto que possuímos sua canção, gravada inteirinha dentro de nós, não precisamos mais que uma mulher que nos diga o começo – repleto da admiração que inspira a beleza – para encontrar a continuação. E se ela começa pelo meio – no ponto onde os corações se aproximam, onde a gente fala de só existir um para o outro – já estamos bem acostumados a essa música para que logo alcancemos a nossa *partenaire* no ponto em que nos espera.

Odette de Crécy voltou a ver Swann, e depois amiudou suas visitas; e sem dúvida cada uma delas renovava, nele, a decepção que sentia ao se achar diante desse rosto cujas particularidades esquecera um pouco nos intervalos, e que não lhe vinha à lembrança nem tão expressivo, nem, apesar da juventude, tão murcho; lamentava, enquanto conversavam, que a grande beleza dela não fosse do tipo da que teria espontaneamente preferido. Aliás, é preciso dizer que o rosto de Odette parecia mais magro e mais proeminente porque a testa e a parte superior das faces, essa superfície unida e mais plana, era recoberta pela massa de cabelos que, à época, se usavam prolongados em "proas", levantados em "tufos", espalhados em mechas doidas ao longo das orelhas; e quanto ao corpo, admiravelmente talhado, era difícil perceber sua continuidade (por causa da moda da época e embora ela fosse uma das parisienses que melhor se vestia), pois tanto o corpinho, avançando em saliência como sobre um ventre imaginário e terminando bruscamente em ponta, ao passo que embaixo principiava a inchar-se o balão das saias duplas, dava às mulheres o aspecto de serem formadas de peças diversas, mal encaixadas umas nas outras; quanto os fofos, os babados e o colete, com toda a independência, de acordo com a fantasia de seu desenho ou a consistência de seu tecido, seguiam a linha que os levava aos nós, aos folhos da renda, às franjas de azeviche perpendiculares, ou que os dirigia ao longo das barbatanas, mas de maneira alguma se ligavam ao ser vivo, que, conforme a arquitetura desses penduricalhos se aproximava ou se afastava muito da sua, ali se sentia apertado ou bem frouxo.

Mas quando Odette foi embora, Swann sorria, recordando que ela lhe dissera como o tempo demoraria a passar até que ele lhe permitisse regressar. Lembrava-se do ar inquieto e tímido com o qual pedira que não levasse muito tempo a chamá-la de novo, e os olhares que lhe deitara naquela ocasião, fixos nele numa súplica medrosa, e que a tornavam tocante sob o buquê de amores-perfeitos artificiais da parte da frente do chapéu redondo de palha branca, presos com fitas de veludo negro. "E você", disse ela, "não irá uma vez à minha casa tomar chá?" Ele se desculpara com trabalhos em andamento, um estudo – na verdade abandonado há anos – sobre Vermeer de Delft. "Compreendo que não posso fazer nada, insignificante como sou, ao lado de sábios como você", respondera Odette. "Seria como a rã diante do areópago. E, no entanto, gostaria tanto de me instruir, saber, ser iniciada. Como deve ser divertido buquinar, meter o nariz em papéis velhos!", acrescentou contente consigo mesma, com esse ar que assume uma mulher elegante para afirmar que sua alegria é entregar-se, sem temor de se sujar, a uma tarefa sórdida, como por exemplo cozinhar "pondo as mãos na massa". "Você vai rir de mim, esse pintor que o impede de me visitar (referia-se a Vermeer), nunca ouvi falar nele; vive ainda? é possível ver suas obras em Paris, para que eu possa ter uma idéia daquilo que você gosta, adivinhar um pouco o que se esconde sob esta grande cabeça que trabalha tanto, esta cabeça que a gente percebe que está sempre refletindo, e assim eu poderia dizer comigo mesma: 'eis aí, é nisto que ele está pensando. Que sonho seria estar misturada aos seus trabalhos!'" Ele se desculpara com o medo das amizades novas, o que denominara, por gentileza, seu medo de ser infeliz. "Você tem medo de uma afeição? Como é engraçado, eu que não procuro outra coisa, eu que daria a minha vida para encontrar uma", dissera Odette com um tom de voz tão natural, tão convicto, que ele até se comoveu. "Você deve ter sofrido por causa de uma mulher. E julga que todas as outras são como ela. Ela não soube compreendê-lo; você é um ser tão especial. Foi isso que me agradou primeiro em você, bem que senti que você não era como todos." – "E você também", dissera-lhe Swann, "sei bem o que são as mulheres, deve ter grande número de ocupações, ter pouco tempo livre." – "Ora, eu nunca tenho nada que fazer, estarei sempre livre para você! A qualquer hora do dia ou da noite em que lhe for cômodo me ver, mande-me buscar, ficarei muito feliz em poder vir. Fará assim? Mas sabe o que seria bom, seria apresentá-lo à Sra. Verdurin, a cuja casa vou todas as noites. Imagine! a gente se encontrar lá, e eu podia pensar que você estaria lá um pouco por minha causa."

E sem dúvida, lembrando-se assim das conversas que tivera, pensando desse modo nela quando estava sozinho, o que fazia era apenas mover a sua imagem entre muitas imagens de mulheres em devaneios românticos; mas se, graças a uma circunstância qualquer (ou mesmo, talvez, sem que fosse devido a ela, pois a circunstância que se apresenta ao declarar-se um estado, até então latente, pode não ter influído em nada sobre ele) a imagem de Odette de Crécy acabava por absorver todas as suas fantasias, se é que elas já não eram mais separáveis de suas recordações, então era porque as imperfeições do corpo dela já não tinham mais importância nenhuma, nem que fosse, mais ou menos como qualquer outro corpo, do gosto de Swann, pois que, tornando-se o corpo daquela a quem amava, seria desde então o único a poder lhe causar alegrias e sofrimentos.

Meu avô conhecera bem, o que não se podia dizer de nenhum de seus amigos atuais, a família desses Verdurin. Mas perdera de vista totalmente aquele que chamava o "pequeno Verdurin", a quem considerava, generalizando um pouco, como um decaído entre os boêmios e a gentalha, muito embora conservasse alguns milhões. Um dia recebeu uma carta de Swann perguntando se o podia pôr em contato com os Verdurin: "Em guarda! Em guarda!", gritara meu avô. "Isto não me espanta absolutamente, era bem por aí que Swann deveria acabar. Belo ambiente! Primeiro, não posso fazer o que me pede pois não conheço mais esse senhor. E depois, isso me cheira a coisa de mulher, não me meto nesses negócios. Muito bem! Vai ser divertido se Swann se engraçar com os Verdurin."

E, diante da resposta negativa de meu avô, foi a própria Odette quem levara Swann à casa dos Verdurin.

No dia em que Swann apareceu pela primeira vez, os Verdurin tinham para jantar o Dr. Cottard e esposa, o jovem pianista e sua tia, e o pintor que era o favorito da ocasião, além de alguns outros fiéis.

O Dr. Cottard nunca sabia ao certo como deveria responder a alguém, se seu interlocutor queria rir ou estava sério. E, ao acaso, ele acrescentava a todas as suas expressões fisionômicas o oferecimento de um sorriso condicional e provisório cuja finura expectante o desculparia da censura de ingenuidade, se as palavras que lhe dirigiam fossem de fato espirituosas. Porém como tinha de enfrentar a hipótese oposta, nunca deixava o sorriso se afirmar nitidamente no rosto, onde se via flutuar perpetuamente uma incerteza em que se lia a pergunta que não tinha coragem de fazer: "O senhor fala isto a sério?" Da mesma maneira que nos salões, não estava igualmente certo de como devia se comportar na rua, e até, em geral, na vida, e assim opunha aos passantes, aos carros e aos acontecimentos um sorriso malicioso que previamente eliminava de sua atitude toda impropriedade, visto que provava, se não era adequada ao caso, que ele bem o sabia e só por zombaria procedera daquele jeito.

Entretanto, em todos os assuntos onde uma pergunta franca lhe parecia permitida, o doutor não deixava de esforçar-se para restringir o campo de suas incertezas e de completar sua instrução.

Assim é que, conforme os conselhos que a mãe previdente lhe dera quando deixara sua província, jamais deixava passar, ora uma locução, ora um nome próprio que lhe fossem desconhecidos, sem tentar documentar-se a respeito.

Quanto às locuções, era insaciável nas indagações, pois supondo tivessem, às vezes, um sentido mais preciso do que têm, desejaria saber o que se queria dizer com exatidão com aquelas que ouvia com mais freqüência: o frescor da mocidade, sangue azul, uma vida desregrada, o momento crítico, ser o árbitro da elegância, dar carta branca, estar entre a espada e a parede[3], etc., e que em certos casos poderia, por seu turno, empregá-las na conversa. Na sua falta, empregava jogos de palavras que havia aprendido. Quanto aos nomes próprios novos que pronunciavam à sua frente, contentava-se em repeti-los em tom interrogativo, que julgava suficiente para obter explicações sem dar a impressão de pedi-las.

Como fosse inteiramente destituído do senso crítico que julgava estender a tudo, o requinte da polidez que consiste em afirmar a alguém que nos deve um favor, que os favorecidos somos nós, mas sem esperar que nos creia, era trabalho perdido com o doutor, que tomava tudo ao pé da letra. Fosse qual fosse a cegueira da Sra. Verdurin a seu respeito, ela acabara, mesmo continuando a achá-lo muito fino, por se aborrecer ao ver que, quando ela o convidava para assistir de uma frisa a ouvir Sarah Bernhardt, e lhe dizia, para maior gentileza: "Agradeço-lhe muito por ter vindo, doutor, tanto mais que tenho certeza de que já ouviu muitas vezes Sarah Bernhardt, e, além disso, estamos talvez muito perto do palco", o Dr. Cottard, que entrara no camarote com um sorriso que esperava, para se acentuar ou desaparecer, que alguém com autoridade o informasse acerca do valor do espetáculo, lhe respondia: "De fato, estamos muito perto e já começamos a ficar cansados de Sarah Bernhardt. Mas você me expressou o desejo de que eu viesse. Para mim,

3.Trata-se de locuções idiomáticas, algumas de expressão literal bem distante de sua tradução; respectivamente: *la beauté du diable, du sang bleu, une vie de bâton de chaise, le quart d'heure de Rabelais, être le prince des élégances, donner charte blanche, être reduit à quia.* (N. do T.)

seus desejos são ordens. Fico muito feliz em lhe prestar este serviço. O que não faria para lhe ser agradável, você é tão gentil!" E acrescentava: "Sarah Bernhardt é mesmo a Voz de Ouro, não é? Diz-se também, muitas vezes, que quando representa o teatro vem abaixo. É uma expressão estranha, não?", na expectativa de comentários que não vinham.

"Tu sabes", dissera a Sra. Verdurin ao marido, "acho que não procedemos bem quando, por modéstia, depreciamos o que oferecemos ao doutor. É um sábio que vive fora da realidade prática, sem conhecer por si mesmo o valor das coisas, julgando-as pelo que lhe dizemos." – "Não tinha coragem de lhe dizer, mas já havia reparado", respondeu o Sr. Verdurin. E no dia do próximo Ano-Novo, em vez de mandar ao doutor um rubi de três mil francos, dizendo que valia bem pouco, o Sr. Verdurin comprou uma imitação por trezentos francos, dando-lhe a entender que dificilmente poderia ver outra mais bela.

Quando a Sra. Verdurin anunciara que teriam, naquela reunião, o Sr. Swann: "Swann?", exclamara o doutor com um tom que a surpresa fazia brutal, pois a menor novidade sempre pegava mais desprevenido que ninguém esse homem que se considerava permanentemente preparado para tudo. E vendo que não lhe davam resposta: "Swann? Mas quem é Swann?", gritou, num ímpeto de ansiedade que se deteve de súbito quando a Sra. Verdurin disse: "Ora, o amigo de que Odette nos falou." – "Ah, muito bem, está tudo bem", respondeu o doutor acalmado. Quanto ao pintor, regozijou-se com a introdução de Swann na casa da Sra. Verdurin, pois supunha-o apaixonado por Odette e gostava de favorecer as ligações amorosas. "Nada me agrada mais do que fazer casamentos", segredou ao ouvido do Dr. Cottard, "já consegui realizar muitos, até entre mulheres!"

Dizendo aos Verdurin que Swann era muito *smart,* Odette os fizera recear um "maçante". Mas, ao contrário, ele lhes causou excelente impressão, sendo uma de cujas causas indiretas, à sua revelia, o fato de ter ele o hábito de freqüentar as casas elegantes. Com efeito, Swann tinha sobre os homens que nunca freqüentaram a sociedade, mesmo os mais inteligentes, uma das superioriades dos que já viveram um pouco nesse ambiente, que é o de não mais transfigurá-lo pelo desejo ou pelo horror que inspira à imaginação, e considerá-lo como não tendo qualquer importância. Sua amabilidade, isenta de todo esnobismo e do medo de parecer amável demais, tornando-se independente, tem essa facilidade, essa graça de movimentos daqueles cujos membros flexíveis executam precisamente o que eles querem, sem a participação indiscreta e desajeitada do resto do corpo. A simples ginástica elementar do homem da sociedade, que estende a mão com amabilidade ao rapaz desconhecido que lhe apresentam e se inclina com reserva diante do embaixador a quem é apresentado, acabara por tornar-se parte, sem que ele se desse conta, de toda a atitude social de Swann, que em face a pessoas de um meio inferior ao seu, como eram os Verdurin e seus amigos, deu instintivamente mostras de uma solicitude e se fez atencioso, o que, segundo eles, nenhum "maçante" se daria ao trabalho de exibir. Só um momento de frieza ocorreu, e com o Dr. Cottard: vendo-o piscar-lhe o olho e sorrir ambiguamente ainda antes de se terem falado (mímica que Cottard chamava "deixar que corra"), Swann julgou sem dúvida que o doutor o conhecia por ter se encontrado com ele em algum lugar alegre, embora os freqüentasse bem raramente e jamais tivesse vivido no mundo da boêmia. Achando de mau gosto a alusão, sobretudo em presença de Odette, que poderia fazer mau juízo dele, mostrou-se bastante frio. Mas, ao saber que a dama que estava ao lado do doutor era a Sra. Cottard, imaginou que um marido tão jovem não teria procurado referir-se, diante da mulher, a tais divertimentos; e deixou de atribuir ao ar conivente do doutor o sentido que temia. E logo o pintor convidou Swann para ir com Odette ao seu ateliê; Swann achou-o gentil. "Talvez ele o favoreça mais do que a mim", disse a Sra. Verdurin, num tom de despeito fingido, "e lhe mostre o retrato de Cottard (ela o havia encomendado ao pintor). Pense bem, 'senhor' Biche", lembrou ao pintor (a quem era um gracejo consagrado chamar de "senhor"), "no belo olhar, nesse não sei quê de fino e divertido que há nos olhos. Você sabe que o que eu quero ter, sobretudo, é o seu sorriso, o que lhe pedi foi o retrato do seu sorriso." E como essa expressão lhe parecesse notável, repetiu-a bem alto para estar certa de que vários convidados a ouvissem, e mesmo, sob um pretexto qualquer, fez primeiro alguns se aproximarem. Swann pediu para ser apresentado a todos, até a um velho amigo dos Verdurin, Saniette, cuja timidez, simplicidade e bom coração tinham feito que perdesse em toda parte a consideração que lhe valeram seu conhecimento dos arquivos, sua grande fortuna e a distinta família a que pertencia. Ao falar, enrolava adoravelmente as palavras e sentia-se que aquilo traía menos um defeito da língua que uma qualidade da alma, como um resto de inocência da primeira idade que ele jamais perdera. Todas as consoantes que não podia pronunciar eram como outras tantas durezas de que se mostrava incapaz na vida. Ao pedir para ser apresentado ao Sr. Saniette, Swann deu à Sra. Verdurin a impressão de inverter os papéis (a ponto que, em resposta, ela disse, acentuando a diferença: "Senhor Swann, quer ter a bondade de me permitir apresentar-lhe o nosso amigo Saniette"), mas fez nascer em Saniette uma simpatia calorosa que, aliás, os Verdurin nunca revelaram a Swann, pois Saniette os aborrecia um pouco e eles não se interessavam em conseguir-lhe amigos. Mas, em compensação, Swann os comoveu infinitamente julgando dever pedir logo que o apresentassem à tia do pianista. De vestido preto, como sempre, porque achava que de preto a gente sempre está bem, e é o que há de mais distinto, tinha o rosto excessivamente rubro como cada vez que acabava de comer. Inclinou-se diante de Swann com respeito, mas voltou a erguer-se com majestade. Como não possuísse nenhuma instrução e temia cometer erros de francês, pronunciava as frases de modo confuso, pensando que se errasse a pronúncia ficaria o erro esfumado em tal vaguidade que não seria possível distingui-lo com certeza, de modo que sua conversação não passava de um rouquejar indistinto do qual emergiam, de vez em quando, os raros vocábulos de que ela se sentia segura. Swann achou que não faria mal zombar levemente dela ao falar ao Sr. Verdurin, que, pelo contrário, ficou ressentido.

"É uma mulher excelente", respondeu. "Concordo que não é deslumbrante; mas asseguro-lhe que é agradável quando se conversa a sós com ela." – "Não duvido", apressou-se a conceder Swann. "Eu queria dizer que ela não me parecia 'eminente"', acrescentou, destacando o adjetivo, "e enfim é antes um cumprimento!" – "Veja", disse o Sr. Verdurin, "eu vou deixá-lo espantado, ela escreve de forma encantadora. Nunca ouviu o seu sobrinho? É admirável, não é mesmo, doutor? Quer que lhe peça para tocar alguma coisa, senhor Swann?" – "Seria uma felicidade...", começava a responder Swann, quando o doutor o interrompeu com ar de troça. De fato, tendo aprendido que, numa conversa, estava fora de moda o emprego da ênfase, das formas solenes, quando ouvia uma palavra grave dita em tom sério, como o acabava de ser o vocábulo "felicidade", julgava que aquele que o pronunciara se mostrava pedante. E se essa palavra se achasse, por acaso, naquilo a que denominava uma velha chapa, aliás por mais corrente que a palavra fosse, o doutor supunha que a frase começada era ridícula e terminava-a ironicamente com o lugar-comum que parecia acusar seu interlocutor de ter desejado empregá-lo, embora este nem tivesse pensando em tal coisa.

– Uma felicidade para a França! – gritou maliciosamente, erguendo os braços com ênfase.

O Sr. Verdurin não pôde deixar de rir.

– De que está rindo todo esse pessoal aí? Parece que nesse cantinho não há lugar para a melancolia – exclamou a Sra. Verdurin. – Se acham que estou me divertindo, sozinha de castigo... – acrescentou em tom despeitado, com jeito de criança. Ela estava sentada numa alta cadeira sueca de pinho envernizado, presente de um violinista daquele país, e que ela conservava, conquanto parecesse ter a forma de um escabelo e não combinasse com os belos móveis antigos que ela possuía; mas ela timbrava em pôr em evidência os presentes que os fiéis costumavam lhe fazer de tempos em tempos, para que os doadores tivessem o prazer de reconhecê-los quando vinham. Assim, tentava convencê-los a se restringirem às flores e aos bombons, que pelo menos são perecíveis; mas não o conseguia e sua casa virava uma coleção de aquecedores, almofadas, pêndulos, biombos, barômetros, vasos orientais, numa acumulação de repetições e num disparate de presentes.

Daquele posto elevado, a Sra. Verdurin participava com animação da conversa dos fiéis e se divertia com suas "troças", mas desde o acidente ocorrido com sua mandíbula renunciara ao esforço de dar gargalhadas de verdade, e, em vez disso, entregava-se a uma mímica convencional que significava, sem fadiga nem riscos, que ela ria até as lágrimas. À menor piada soltada por um *habitué* contra um "maçante", ou contra um velho *habitué* relegado ao grupo dos "maçantes" – e para maior desespero do Sr. Verdurin, que durante longo tempo tivera a pretensão de ser tão amável como a esposa, mas que ria abertamente, logo perdendo o fôlego, e fora afastado e vencido por aquela astúcia de uma hilaridade incessante e fictícia – ela soltava um gritinho, fechava completamente os olhos de pássaro que uma catarata começava a cegar, e de súbito, como se só tivesse tido tempo de evitar um espetáculo indecente ou um ataque mortal, escondendo o rosto nas mãos que o cobriam sem deixar mais ver coisa alguma, aparentava se esforçar para reprimir, aniquilar um riso que, se a ele se abandonasse, a teria levado ao desmaio. Assim, aturdida pela alegria dos fiéis, ébria de camaradagem, de maledicência e de assentimento, a Sra. Verdurin, do alto do seu poleiro, à semelhança de um pássaro a quem tivessem mergulhado o biscoito em vinho quente, soluçava de gentileza.

Entretanto, o Sr. Verdurin, depois de ter pedido a Swann licença para acender o cachimbo ("aqui ninguém se incomoda, estamos entre amigos"), solicitava ao jovem pianista que se sentasse ao piano.

– Vamos, não o incomodes, ele não está aqui para ser atormentado – gritou a Sra. Verdurin –, não consinto que o atormentem.

– Mas por que achas que isso vai aborrecê-lo? – indagou o Sr. Verdurin. – O Sr. Swann talvez não conheça a sonata em *fá* sustenido que descobrimos. Ele vai nos tocar o arranjo para piano.

– Ah, não! Nada da minha sonata! – exclamou a Sra. Verdurin. – Não quero que me venha, de tanto chorar, um defluxo com nevralgias do rosto, como da última vez. Obrigada pelo presente, não desejo recomeçar; vocês são muito bonzinhos, mas já se vê que não são vocês que ficariam de cama durante oito dias!

Esse pequeno drama, que se renovava todas as vezes que o pianista ia tocar, encantava os amigos como se fosse novo, como prova da originalidade sedutora da "Patroa" e de sua sensibilidade musical. Os que estavam perto dela faziam sinal aos que, mais distantes, fumavam ou jogavam cartas, para que se aproximassem, pois se passava algo, dizendo-lhes, como se faz no Reichstag nos momentos interessantes: "Escutem, escutem." E no dia seguinte sentiam pena daqueles que não tinham podido vir, dizendo-lhes que a cena fora ainda mais engraçada que de costume.

– Muito bem, fica entendido – disse o Sr. Verdurin –, ele só tocará o andante.

– Que andante! Ora essa – exclamou a Sra. Verdurin. – Pois se é justo o andante que me deixa destroçada. Essa do Patrão é boa! É como se na *Nona* ele dissesse: só ouviremos o final, ou nos *Mestres,* a abertura.

No entanto, o doutor insistia com a Sra. Verdurin para que deixasse o pianista tocar, não que julgasse fingidos os contratempos que a música lhe causava – reconhecia naquilo alguns sintomas de neurastenia –, mas devido a esse hábito de muitos médicos, de diminuírem logo a severidade de suas prescrições desde que esteja em jogo, o que lhes parece muito mais importante, alguma recepção mundana da qual fazem parte e de que um dos fatores fundamentais é a pessoa a quem aconselham esquecer por uma vez a sua dispepsia.

– Não ficará doente desta vez, vai ver – disse-lhe o doutor, procurando sugestioná-la com o olhar. – E, se ficar doente, cuidaremos bem da senhora.

– Verdade? – respondeu a Sra. Verdurin, como se diante da esperança de um tal favor não restava senão capitular. Também, talvez, de tanto dizer que ficaria doente, havia momentos em que não se lembrava mais que aquilo era uma mentira e tornava-se intimamente enferma. Ou então esses doentes que, cansados de sempre serem obrigados a fazer depender de seus conhecimentos a raridade dos acessos, preferem crer que poderão fazer impunemente tudo aquilo que lhes agrada e geralmente lhes faz mal, sob a condição de se colocarem nas mãos de uma criatura poderosa que, sem que nada tenham a perder, os ponha novamente de pé com uma palavra ou uma pílula.

Odette fora sentar-se num canapé forrado de tapeçaria, perto do piano:

– Sabe que tenho o meu cantinho – disse à Sra. Verdurin.

Esta, vendo Swann numa cadeira, pediu que se levantasse.

– O senhor não está bem aí, venha sentar-se ao lado de Odette. Não é verdade, Odette, que você vai arranjar um lugarzinho para o Sr. Swann?

– Que belo Beauvais – disse Swann antes de se sentar, querendo ser amável.

– Ah, fico satisfeita que aprecie meu canapé – respondeu a Sra. Verdurin. – Previno-lhe desde já que, se quiser ver outro tão bonito, pode ir desistindo. Nunca fizeram nada igual. As cadeirinhas também são umas belezas. Daqui a pouco, vai observar tudo isso. Cada figura de bronze corresponde como símbolo ao tema do assento; se quiser passar um bom momento de diversão, venha ver tudo. Só os pequenos frisos das bordas, veja só! E as folhinhas de parra em fundo vermelho de *O Urso e as Uvas*. Não é bem desenhado? Que me diz o senhor, acho que eles é que sabiam desenhar! Não são apetitosas estas vinhas? Meu marido afirma que não gosto de frutas porque como menos frutas que ele. Mas não, sou mais gulosa que os senhores todos, mas não preciso pô-las na boca, pois desfruto-as com os olhos. De que é que estão todos rindo? Perguntem ao doutor, ele lhes dirá que essas uvas me deixam indisposta. Outros fazem temporadas de cura em Fontainebleau, mas eu faço a minha pequena cura de Beauvais. Mas, senhor Swann, não sairá daqui sem ter tocado os pequenos bronzes do espaldar. Não é bem suave como pátina? Mas não assim, de leve, toque-os com a mão inteira.

– Ah, se a Sra. Verdurin começa a apalpar os bronzes, não ouviremos música esta noite – disse o pintor.

– Cale-se, o senhor é mau. No fundo – disse ela virando-se para Swann – proíbem-nos a nós, mulheres, coisas menos voluptuosas que isto. Mas não existe uma só cadeira que se compare a esta! Quando o Sr. Verdurin me dava a honra de ter ciúmes de mim... Vamos, pelo menos procura ser polido; não me digas que nunca tiveste...

– Mas não estou dizendo nada. Olhe, doutor, tomo-o por testemunha: será que eu disse alguma coisa?

Swann apalpava os bronzes por polidez e não ousava parar logo.

–Vamos, poderá acariciá-los mais tarde; agora é o senhor que vai ser acariciado, e acariciado no ouvido; gosta disto, suponho; eis um rapazinho que vai se encarregar de tal.

Depois que o pianista tocou, Swann foi ainda mais amável com ele do que com as outras pessoas que ali se achavam. Eis a razão: no ano anterior, em uma recepção, ele ouvira uma peça musical tocada ao piano e violino. A princípio só admirara a qualidade material dos sons secretos tirados pelos instrumentos. E aquilo já fora uma grande satisfação; eis senão quando, por baixo da linha melódica do violino, tênue, resistente, densa e dominadora, ele vira de súbito elevar-se, num marulho líquido, a massa da parte do piano, multiforme, indivisa, plana e entrechocada como a malva agitação das vagas que o luar encanta e bemoliza. Mas em um dado momento, sem poder distinguir com nitidez um contorno, dar um nome ao que lhe agradava, subitamente arrebatado, buscara recolher a frase ou a harmonia – ele mesmo não o sabia – que passava e que lhe abria a alma mais largamente, como certos aromas de rosas que circulam no ar úmido da noite têm a propriedade de dilatar nossas narinas. Talvez porque não conhecia a música, é que pudera experimentar uma impressão tão confusa, uma dessas impressões que no entanto talvez sejam as únicas puramente musicais, não-extensas, inteiramente originais, irredutíveis a todo gênero diverso de impressões. Uma impressão desse tipo, durante um momento, é por assim dizer *sine materia.* E claro que as notas que então ouvimos, já se inclinam, segundo a altura e a quantidade, a cobrir diante de nossos olhos superfícies de dimensões variadas, a traçar arabescos, a nos dar sensações de largura, tenuidade, estabilidade e capricho. Mas as notas desaparecem antes que essas sensações estejam bem formadas em nós para não se submergirem diante daquelas que as notas seguintes ou simultâneas já despertam. E essa impressão continuaria a envolver com sua liquidez e o seu "fundo" os motivos e por instantes emergem, mal discerníveis, para logo mergulhar e desaparecer, conhecidos apenas pelo prazer particular que proporcionam, impossíveis de descrever, de serem lembrados, denominados, inefáveis – se a memória, como um operário que trabalha para estabelecer fundações duradouras em meio às ondas, fabricando para nós fac-símiles dessas frases fugitivas, não nos permitisse compará-las às que as sucedem e diferenciá-las. Assim, mal havia expirado a sensação deliciosa que Swann sentira, a sua memória lhe fornecera, de imediato, uma transcrição sumária e provisória, mas sobre a qual já lançara ele os olhos enquanto o trecho continuava a ser tocado, se bem que, quando a mesma impressão voltara de súbito, ela já não era inatingível. Ele lhe concebia a extensão, os grupamentos simétricos, a grafia, o valor expressivo; tinha diante de si essa coisa que já não é mais música pura, que faz parte do desenho, da arquitetura, do pensamento, e que permite recordar a música. Desta vez havia distinguido nitidamente um trecho que se elevava por alguns instantes acima das ondas sonoras. Esse trecho lhe propusera logo volúpias especiais, que nunca imaginara antes de ouvi-lo, e percebia que somente ele lhe podia fazer conhecê-las, e sentiu por aquela frase como que um amor desconhecido.

Num ritmo lento, ela o dirigia primeiro para um lado, depois para outro, depois mais adiante, para uma felicidade nobre, precisa e ininteligível. E de repente, no ponto em que ela chegara e de onde ele se preparava para segui-la, depois de uma pausa de um segundo, mudava de direção bruscamente e, com um novo movimento, mais rápido, miúdo, permanente, melancólico e suave, ela o arrastava consigo para perspectivas desconhecidas. Depois, desapareceu. Ele desejou apaixonadamente revê-la uma terceira vez. E ela reapareceu, de fato, mas sem lhe falar mais claramente, causando-lhe mesmo uma volúpia menos profunda. Mas, chegando em casa, teve necessidade dela, era como um homem em cuja vida uma mulher, mal entrevista por um momento, acaba de fazer entrar a imagem de uma beleza nova, que dá à sua sensibilidade um valor maior, sem que ele saiba sequer se poderá rever algum dia aquela que ele já ama e da qual ignora até o nome.

Mesmo esse amor por uma frase musical pareceu, por um instante, trazer a Swann a possibilidade de uma espécie de renovação. Decorrera tanto tempo que havia desistido de aplicar sua vida a um objetivo ideal e limitava-a a perseguir satisfações do dia-a-dia, que julgava, sem nunca o afirmar formalmente, que aquilo não se modificaria até sua morte; ainda mais, já não sentindo idéias elevadas no espírito, deixara de crer na realidade delas, sem todavia não poder negá-las de todo. Assim, adquirira o hábito de se refugiar em pensamentos desimportantes que lhe permitissem deixar de lado o fundo das coisas. Assim como não cuidava de indagar de si mesmo se não seria melhor freqüentar a sociedade, mas, em compensação, sabia com certeza que se aceitasse um convite devia comparecer e que, se não fizesse visitas, deveria deixar um cartão, assim também, na conversação, esforçava-se para nunca exprimir sinceramente uma opinião íntima sobre as coisas, e sim de fornecer detalhes materiais que de certa forma valessem por si mesmos, evitando que os avaliasse em toda a medida. Era extremamente preciso quanto a uma receita culinária, quanto à data de nascimento ou morte de um pintor, quanto à nomenclatura de suas obras. Às vezes, apesar de tudo, permitia-se emitir uma opinião sobre uma obra, sobre uma forma de compreender a vida, mas então dava a suas palavras um tom irônico, como se não aceitasse inteiramente o que dizia. Ora, como certos valetudinários a quem, de súbito, uma região aonde chegam, um regime diverso, às vezes uma evolução orgânica, espontânea e misteriosa, parecem trazer uma regressão do mal de que sofrem, e começam a admitir a possibilidade inesperada de principiar, ainda que tarde, uma vida completamente diferente, Swann encontrava em si, na lembrança da frase que ouvira, em certas sonatas que mandava tocar para ver se a descobria, a presença de uma dessas realidades invisíveis em que deixara de acreditar e às quais, como se a música tivesse tido, sobre a secura moral de que ele sofria, uma espécie de influência eletiva, sentia de novo o desejo e quase a força de consagrar a vida. Porém, não tendo conseguido saber quem era o compositor da melodia que ouvira, não pudera procurá-la e a acabara esquecendo. Encontrara naquela semana algumas pessoas que, como ele, se achavam nessa recepção e as interrogara; mas vários tinham chegado após a música, e outros saíram antes; no entanto, alguns lá estavam durante a execução da peça, mas tinham ido conversar em outro salão, e outros, que ficaram para ouvir, só tinham escutado as primeiras notas. Quanto aos donos da casa, sabiam que se tratava de uma obra nova que os artistas contratados tinham pedido para tocar; tendo estes partido para uma turnê, Swann não pôde saber mais nada. Contava com muitos amigos músicos mas, embora recordasse o prazer especial e intraduzível que lhe dera a frase, vendo diante dos olhos as formas que ela desenhava, era todavia incapaz de cantá-la para eles. Depois, deixou de pensar naquilo.

Ora, somente alguns minutos depois que o jovem pianista começara a tocar na casa da Sra. Verdurin, eis que de repente, depois de uma nota alta longamente sustentada durante dois compassos, Swann viu se aproximar, escapando-se debaixo dessa sonoridade prolongada e tensa, como uma cortina sonora para ocultar o mistério de sua incubação, reconhecendo, secreta, sussurrante e fragmentária, a frase aérea e perfumada que amava. E ela era tão particular, tinha um charme tão individual e que nenhuma outra poderia substituir, que aquilo foi para Swann como se houvesse encontrado num salão amigo uma pessoa que admirara na rua e desesperava de encontrar de novo. Por fim, a frase se afastou, indicadora, cuidadosa, por entre as ramificações de seu perfume, deixando no rosto de Swann o reflexo de seu sorriso. Mas, agora, ele podia perguntar o nome de sua desconhecida (disseram-lhe que se tratava do andante da *Sonata para piano e violino,* de Vinteuil), tinha-a segura, podia tê-la consigo o quanto quisesse e tentar apreender a sua linguagem e o seu segredo.

Assim, quando o pianista acabou, Swann se aproximou dele para exprimir seu reconhecimento com uma vivacidade que muito agradou à Sra. Verdurin.

– Que fascinante, não acha? – disse ela a Swann. – Como entende bem a sua sonata, o patifezinho! O senhor não sabia que o piano chegasse a tanto. Palavra que é tudo, menos piano! Cada vez que o ouço, parece-me uma orquestra. E ainda melhor que uma orquestra, mais completo.

O jovem pianista se inclinou e, sorrindo, sublinhando as palavras como se dissesse uma frase espirituosa:

– A senhora é muito condescendente comigo – disse.

E enquanto a Sra. Verdurin dizia ao marido: "Vamos, dá-lhe uma laranjada, que ele bem fez por merecer", Swann contava a Odette como se enamorara daquela frase musical. Quando a Sra. Verdurin disse, um pouco longe: "Veja só! Parece que estão a fim de lhe dizer coisas bonitas, Odette", esta replicou: "Sim, muito bonitas", e Swann achou deliciosa a sua simplicidade. Entretanto, ele pedia informações acerca de Vinteuil, sobre sua obra, sobre a época da vida em que compusera aquela sonata, sobre o que teria podido significar para ele a pequena frase, e era isto, principalmente, o que desejava saber.

Mas todas aquelas pessoas que confessavam admirar o músico (quando Swann dissera que a sonata era verdadeiramente bela, a Sra. Verdurin exclamara: "Claro que é bela! Mas não se confessa desconhecer a sonata de Vinteuil, ninguém tem o direito de ignorá-la", e o pintor acrescentara: "Ah, é realmente uma grande composição, não é mesmo? Se quiserem, não se trata, é certo, de uma obra 'cara' e 'pública', não é? Mas que grande impressão causa nos artistas"), tais pessoas pareciam jamais ter questionado o assunto, pois foram incapazes de responder.

Até uma ou duas observações particulares feitas por Swann sobre sua frase preferida:

– Certo, é engraçado, nunca tinha prestado atenção; digo-lhe que não gosto muito de esmiuçar as coisas nem procurar agulha em palheiro; aqui não se perde tempo em cortar um fio de cabelo em dois, não é o gênero da casa – respondeu a Sra. Verdurin, a quem o Dr. Cottard olhava, com uma admiração beata e um zelo estudioso, enquanto ela se agitava no meio daquelas ondas de frases feitas. Aliás, ele e a Sra. Cottard, com uma espécie de bom senso como o de certa gente do povo, evitavam dar uma opinião ou fingir admiração por uma música que confessavam um ao outro, logo que voltaram para casa, não compreender mais que a pintura do "Senhor Biche". Como o público só conhece, do encanto, da graça, e das formas da natureza aquilo que pôde absorver nas imitações de uma arte lentamente assimilada, e um artista original começa por rejeitar essas imitações, o Sr. e a Sra. Cottard, que nisso eram imagem do público, não achavam nem na sonata de Vinteuil, nem nos quadros do pintor, o que constituía para eles a harmonia da música e a beleza da pintura. Quando o pianista executava a sonata, parecia-lhes que ele arrancava, ao acaso, do piano algumas notas que não se uniam na verdade conforme as medidas a que estavam acostumados, e que o pintor lançava ao acaso as cores na tela. Quando em uma destas podiam reconhecer uma forma, achavam-na pesada e vulgar (ou seja, desprovida da elegância da escola de pintura através da qual viam na rua até mesmo os seres vivos), e sem verdade, como se o Sr. Biche não soubesse como se fazia um ombro e as mulheres não tivessem cabelos cor de malva.

No entanto, tendo-se dispersado os fiéis, o doutor sentiu que havia uma ocasião favorável e, enquanto a Sra. Verdurin dava uma última palavra sobre a sonata de Vinteuil, como um nadador principiante que se atira n'água para aprender mas escolhe um momento em que não há muita gente para observá-lo, exclamou numa súbita resolução:

– Então é o que se chama um músico *di primo cartello!*

Swann ficou sabendo apenas que o recente surgimento da sonata de Vinteuil havia causado grande impressão numa escola de tendências muito avançadas, mas ela era inteiramente desconhecida do grande público.

– Conheço alguém que se chama Vinteuil – informou ele, pensando no professor de piano das irmãs de minha avó.

– Talvez seja ele – exclamou a Sra. Verdurin.

– Ah, não – respondeu rindo Swann. – Se o tivessem conhecido por dois minutos, nem formulariam a pergunta.

– Então, formular a pergunta é resolvê-la? – observou o doutor.

– Mas poderia ser um parente – continuou Swann –, seria muito triste, mas, enfim, um homem genial pode ser primo de um pobre diabo. Se for o caso, confesso que faria os maiores sacrifícios para que esse pobre diabo me apresentasse ao autor da sonata: em primeiro lugar, o suplício que seria entrar em contato com o pobre-diabo, que seria horrível.

O pintor sabia que Vinteuil estava muito doente e que o Dr. Potain temia não poder salvá-lo.

– Como! – gritou a Sra. Verdurin. – Ainda há gente que se entrega aos cuidados de Potain?

– Ah, Sra. Verdurin – disse Cottard, num tom afetado –, lembre-se que está falando de um de meus confrades, deveria dizer um de meus mestres.

O pintor ouvira dizer que Vinteuil estaria ameaçado de alienação mental. E assegurava que era possível percebê-lo em algumas passagens da sonata. Swann não achou absurda a observação, mas ela o perturbou; pois uma obra musical pura, não contendo nenhuma das relações lógicas cuja alteração de linguagem denuncia a loucura, a loucura reconhecida numa sonata lhe parecia algo tão misterioso como a loucura de uma cadela ou de um cavalo, que entretanto são de fato observadas.

– Não me venha com seus mestres, sabe o senhor dez vezes mais que ele! – respondeu a Sra. Verdurin ao Dr. Cottard, num tom de pessoa que tem a coragem de suas opiniões e enfrenta com bravura os que se lhe opõem. – O senhor pelo menos não mata seus doentes!

– Mas, minha senhora, ele pertence à Academia – replicou o doutor em tom irônico. – Se um doente prefere morrer às mãos de um dos príncipes da ciência... É muito mais chique poder dizer: "Estou sendo tratado por Potain."

– Ah, então é mais chique? – retrucou a Sra. Verdurin. – Pois agora existe o chique nas doenças? Eu não sabia disso... Como o senhor é engraçado! – exclamou ela de repente, escondendo o rosto nas mãos. – E eu, grande imbecil, que discutia com seriedade sem perceber que o senhor estava a fim de me irritar.

Quanto ao Sr. Verdurin, achando ser meio cansativo pôr-se a rir por tão pouco, contentou-se em tirar uma baforada do cachimbo, pensando com tristeza que não mais podia atingir a mulher em matéria de amabilidade.

– Saiba que seu amigo nos agrada bastante – disse a Sra. Verdurin a Odette no momento em que esta lhe dava boa-noite. – Ele é simples, encantador; se você tiver de nos apresentar sempre amigos como este, pode trazê-los quando quiser.

O Sr. Verdurin observou que, no entanto, Swann não gostara da tia do pianista.

– Ele se sentiu um pouco deslocado – respondeu a Sra. Verdurin. – Não haverias de querer que ele já se portasse como íntimo da casa, como o Dr. Cottard, que faz parte do nosso pequeno clã há vários anos. A primeira vez não conta, é útil para início de conversa. Odette, combinamos que ele virá encontrar-se conosco amanhã, no Chatelet. Que tal você ir buscá-lo em casa?

– Ah, não. Ele não quer.

– Oh, enfim, façam como quiserem. Contanto que ele não vá desertar na última hora.

Para grande espanto da Sra. Verdurin, Swann jamais desertou. Ia juntar-se a eles fosse onde fosse, às vezes nos restaurantes do subúrbio, ainda pouco freqüentados, por ser ainda fora de época, mais amiúde no teatro, de que a Sra. Verdurin gostava muito; e como um dia dissera, diante dele, que para as estréias de gala lhes seria muito útil um passe livre, e que fora bem aborrecido não terem um no dia do enterro de Gambetta, Swann, que nunca falava de suas brilhantes relações, mas só daquelas mal consideradas que teria julgado pouco delicado esconder, e em cujo número adquirira o hábito, no bairro de Saint-Germain, de incluir as relações com a sociedade oficial, respondeu:

– Prometo-lhe ocupar-me disso, a senhora terá seu passe livre a tempo para ver a reprise dos *Danicheff;* exatamente amanhã, estarei almoçando com o chefe de polícia no Élysée.

– Como? No Élysée? – exclamou o Dr. Cottard, com voz atroadora.

– Sim, na casa do Sr. Grévy – respondeu Swann, um pouco sem jeito com o efeito que sua frase causara.

E o pintor disse ao médico, em tom de gracejo:

– Isso lhe acontece com freqüência?

Em geral, após dada a explicação, Cottard dizia: "Ah, muito bem, tudo certo" e não mostrava mais qualquer emoção. Mas desta vez, as últimas palavras de Swann, em vez de lhe trazerem o sossego de costume, levaram ao auge o seu espanto de que um homem com quem estava jantando, que não tinha cargos oficiais nem distinção de qualquer espécie, fosse íntimo do chefe de Estado.

– Como, o Sr. Grévy? O senhor conhece o Sr. Grévy? – perguntou a Swann com o ar estúpido e incrédulo de um guarda municipal a quem um desconhecido pede para ver o Presidente da República e que, compreendendo por essas palavras "com quem está falando", como dizem os jornais, assegura ao pobre demente que será recebido logo e o encaminha à enfermaria especial da Detenção.

– Conheço-o ligeiramente, temos amigos comuns (não ousou dizer que se tratava do Príncipe de Gales); ademais, ele faz convites com muita facilidade e posso lhe garantir que esses almoços não têm nada de divertido; são, aliás, bem simples, nunca há mais de oito à mesa – respondeu Swann, que buscava diminuir o que pudesse haver de muito estrondoso, aos olhos de seu interlocutor, nas relações com o Presidente da República.

E logo Cottard, reportando-se às palavras de Swann, adotou, a respeito do valor dos convites do Sr. Grévy, a opinião de que eram pouco procurados e que andavam aos montes por aí. Desde então, não se espantou mais que Swann, bem como outra pessoa, freqüentasse o Élysée, e até o lamentava um tanto por ter de ir a almoços que o próprio convidado confessava serem aborrecidos.

– Ah, muito bem, tudo certo – disse Cottard com um tom de guarda da alfândega, há pouco desconfiado, mas que, depois de nossas explicações, dá o seu visto e nos deixa passar sem abrir as malas.

– Ah, julgo que não são divertidos esses almoços e que o senhor faz um sacrifício enorme em comparecer a eles – disse a Sra. Verdurin, a quem o Presidente da República parecia ser um "maçante" particularmente temível, porque dispunha de meios de sedução e coação que, empregados relativamente aos fiéis, teriam sido capazes de fazê-los abandonarem o "clã". – Parece que é surdo como uma porta e que come com os dedos.

– Então, na verdade o senhor não deve divertir-se muito lá – disse o doutor com uma sombra de piedade; e, lembrando-se do número de oito convivas: – São almoços íntimos? – perguntou com vivacidade, demonstrando ainda mais um zelo de lingüista do que uma curiosidade de basbaque.

Mas o prestígio que o Presidente da República tinha a seus olhos acabou no entanto por triunfar sobre a humildade de Swann e a má vontade da Sra. Verdurin, e em todos os jantares Cottard perguntava interessado: – Veremos esta noite o Sr. Swann? Ele se relaciona pessoalmente com o Sr. Grévy. É isto o que se denomina um *gentleman,* certo? – Chegou mesmo a lhe oferecer um convite para a Exposição Odontológica.

– O senhor será admitido com as pessoas que estiverem em sua companhia, mas lá não deixam entrar cães. Compreende, digo-lhe isto porque tive amigos que não o sabiam e ficaram com as mãos abanando.

Quanto ao Sr. Verdurin, percebeu ele o mau efeito que tivera sobre sua mulher a descoberta de que Swann tinha amigos poderosos de que jamais falara.

Se não conseguira uma diversão fora, era na casa dos Verdurin que Swann encontrava o pequeno núcleo, mas só comparecia à noite e quase nunca aceitava jantar, apesar da insistência de Odette.

– Poderia até jantar a sós com você, se preferir – dizia ela.

– E a Sra. Verdurin?

– Ora, muito simples. Basta que eu diga que minha roupa não ficou pronta, que meu carro chegou atrasado. Há sempre um meio de ajeitar as coisas.

–Você é gentil.

Mas dizia Swann consigo que, se mostrasse a Odette (apenas consentindo em encontrá-la após o jantar) que havia prazeres que preferia ao de estar com ela, bem cedo se saciaria o gosto que ela sentia por ele. E, por outro lado, preferindo infinitamente, à beleza de Odette, a de uma pequena operária fresca e gordinha como uma rosa, de quem se achava enamorado, gostaria mais passar com ela o começo da noite, estando certo de que veria Odette a seguir. Por esses mesmos motivos é que não aceitava nunca que Odette viesse buscá-lo para ir aos Verdurin. A pequena operária o esperava perto da casa dele, numa esquina da rua que seu cocheiro Rémi conhecia, e subia para o lado de Swann e permanecia em seus braços até o momento em que o carro chegava à porta dos Verdurin. A sua entrada, enquanto a Sra. Verdurin, mostrando as rosas que ele enviara pela manhã, dizia: "Estou zangada", e lhe indicava um lugar ao lado de Odette, o pianista tocava, para os dois, o pequeno trecho musical de Vinteuil, que era como que a ária nacional do seu amor. Ele começava com os trêmulos dos sustenidos no violino, que durante alguns compassos era só o que se ouvia, ocupando todo o primeiro plano; depois, de repente, pareciam se afastar e, como nesses quadros de Pieter De Hooch, que aprofundam o quadro estreito de uma porta entreaberta, ao longe, com uma cor bem diversa, no aveludado de uma luz interposta, o pequeno trecho aparecia, dançante, pastoral, intercalado, episódico, como se pertencesse a outro mundo. Passava em plissados simples e imortais, distribuindo aqui e ali os dons de sua graça, com o mesmo sorriso inefável; mas Swann julgava distinguir ali agora um tom de desencanto. O trecho musical parecia conhecer que aquela felicidade, cujo caminho mostrava, era vã. Em sua graça leve, possuía algo de completo, como o desinteresse que sucede à mágoa. Mas pouco lhe importava, considerando-o menos em si mesmo – no que podia exprimir para um músico que ignorava a existência tanto dele como de Odette quando o compusera e para todos aqueles que o ouviriam pelos séculos a vir – do que como um penhor, uma recordação de seu amor que, mesmo para os Verdurin, para o jovem pianista, fazia pensar nele e em Odette ao mesmo tempo; e os unia; a tal ponto que, como Odette, por capricho, lhe pedira, renunciara ele a mandar tocar por um artista a sonata inteira, da qual continuava a conhecer apenas aquela passagem. "Que necessidade tem do resto?", dissera Odette. "É o *nosso* trecho musical." E sofrendo ao imaginar que, no momento mesmo em que a frase passava tão próximo e ao mesmo tempo no infinito, enquanto se encaminhava para eles, contudo não os conhecia, Swann quase lamentava que a frase tivesse um sentido, uma beleza intrínseca e fixa, estranha a ambos, como nas jóias que damos, ou até nas cartas escritas por uma mulher amada, reclamamos da água da gema e dos termos da linguagem por não serem feitas apenas da essência de uma ligação efêmera e de uma criatura determinada.

Muitas vezes ocorria que ele se atrasava tanto com a jovem operária antes de ir à casa dos Verdurin, que tão logo o pianista acabava de tocar o pequeno trecho musical Swann se dava conta de que em breve chegaria a hora de Odette voltar para casa. Ele a levava até a porta da sua residência, na rua de La Pérouse, atrás do Arco do Triunfo. E talvez por isso, para não lhe pedir todos os favores, é que ele sacrificava o prazer, que lhe era menos necessário, de vê-la mais cedo, de chegar aos Verdurin com ela, ao exercício do direito, que ela lhe reconhecia, de saírem juntos, e ao qual Swann dava mais importância porque, graças a isto, sentia a impressão de que ninguém a via, ninguém se interpunha entre os dois, nem a impedia de estar ainda com ele depois que a tivesse deixado.

Portanto, ela voltava no carro de Swann; uma noite, após descer do carro e enquanto ele se despedia, Odette colheu precipitadamente no jardinzinho diante da casa um último crisântemo e o ofereceu antes que Swann fosse embora. Ele o manteve contra os lábios durante a volta e, quando dias depois a flor murchou, guardou-a cuidadosamente em sua escrivaninha.

Porém nunca entrava em casa de Odette. Duas vezes apenas, à tarde, fora participar de uma operação, de importância capital para ela: "tomar chá". O isolamento e o vazio daquelas ruas curtas (quase todas compostas de pequenos prédios contíguos, de onde, subitamente, vinha romper a monotonia um sinistro pardieiro, testemunha histórica e resíduo sórdido do tempo em que esses quarteirões ainda tinham má fama), a neve que ficava no jardim e nas árvores, a desordem da estação e a vizinhança da natureza conferiam algo de mais misterioso ao calor e às flores que Swann encontrava ao entrar.

Deixando à esquerda, no térreo de nível superior ao da calçada, o quarto de dormir de Odette, cujos fundos davam para uma ruazinha paralela, uma escada reta entre paredes pintadas de cores sombrias e de onde pendiam estofos orientais, fios de rosários turcos e uma grande lanterna japonesa suspensa a um cordão de seda (mas que, para não privar os visitantes dos últimos confortos da civilização ocidental, era iluminada a gás), subia para o salão e o pequeno salão, os quais eram precedidos por um vestíbulo estreito, cuja parede, quadriculada com uma grade de jardim, porém dourada, era margeada em todo o comprimento por uma caixa retangular onde florescia, como numa estufa, uma fileira desses grandes crisântemos, ainda raros àquela época, mas bem longe, no entanto, daqueles que os horticultores conseguiram obter mais tarde. Swann se irritava com a moda que grassava desde o ano anterior, mas desta vez sentira o prazer de ver a penumbra da peça zebrada de rosa, laranja e branco pelos raios odoríferos desses astros efêmeros que se acendem nos dias cinzentos. Odette o recebera de chambre de seda cor-de-rosa, o colo e os braços despidos. Fizera-o sentar-se a seu lado num dos inúmeros e misteriosos remansos arrumados no desvão da sala, protegidos por imensas palmas em vasos chineses ou por biombos, aos quais estavam afixados fotografias, leques e laços de fitas. Dissera-lhe: "Assim, você não está confortável, espere, vou já acomodá-lo", e, com o risinho vaidoso que teria para qualquer invenção particular sua, instalara atrás da cabeça de Swann e debaixo de seus pés, coxins de seda japonesa que amassava como se fosse pródiga daquelas riquezas e não se preocupasse com o seu valor. Mas quando o criado de quarto ia trazendo sucessivamente as numerosas lâmpadas que, quase todas fechadas em potiches chineses, queimavam isoladas ou aos pares, todas em móveis diversos como sobre altares, e que no crepúsculo já quase noturno daquele fim de tarde invernal tinham feito reaparecer um pôr-de-sol mais duradouro, mais róseo e mais humano – fazendo talvez sonhar, na rua, algum apaixonado, parado diante do mistério da presença que, ao mesmo tempo, denunciava e escondia as vidraças iluminadas –, Odette vigiava severamente, com o canto do olho, o criado, para ver se ele os colocava bem no lugar consagrado. Achava que se pusesse um só num local onde não era necessário, o efeito de conjunto de seu salão ficaria arruinado, e seu retrato, posto num cavalete oblíquo forrado de pelúcia, seria mal iluminado. Portanto, seguia febrilmente os movimentos daquele homem grosseiro e reprimiu-o rudemente por ter passado muito perto de duas jardineiras que ela mesma se reservava o direito de limpar com medo que as quebrassem e que foi logo examinar para ver se o empregado não lhes causara nenhum dano. Achava todos os seus bibelôs chineses de formas "engraçadas", assim como as orquídeas, e principalmente as catléias, que eram, com os crisântemos, suas flores preferidas, por terem o grande mérito de não parecerem flores, mas sim feitas de seda ou de cetim. "Esta parece ter sido recortada do forro do meu casacão", disse ela a Swann mostrando-lhe uma orquídea, com um tom de estima por essa flor tão chique, por essa irmã elegante e imprevista que a natureza lhe dava, tão distante dela na escala dos seres e no entanto tão requisitada, mais digna que muitas mulheres de que lhe desse um lugar no seu salão. Mostrando-lhe aqui umas quimeras de línguas de fogo que decoravam um potiche ou bordadas numa tela, ali as corolas de um buquê de orquídeas, mais adiante um dromedário de prata esmaltada com olhos incrustados de rubis, que era vizinho, na lareira, de um sapo de jade, Odette afetava ora temer a maldade dos monstros, ora zombar de seu aspecto grotesco, ou corar diante da indecência das flores ou sentir um desejo irresistível de ir beijar o dromedário e o sapo, a quem chamava de "queridos". E tal afetação contrastava com a sinceridade de algumas de suas devoções, especialmente a dedicada a Nossa Senhora de Laghet, que outrora, quando ela morava em Nice, a curara de uma doença fatal; trazia sempre consigo uma medalhinha de ouro à qual atribuía um poder ilimitado. Odette preparou o "seu" chá para Swann, e perguntou: "Limão ou creme?"; e como ele respondesse: "Creme", disse-lhe rindo:

"Uma nuvem!" E como ele o achasse bom: "Já vê que sei bem do que você gosta." De fato, o chá parecera a Swann, como também a ela, algo muito precioso; e o amor tem tanta necessidade de descobrir uma justificativa, uma garantia de durabilidade, nos prazeres que, ao contrário, sem ele não o seriam, e que com ele terminam, que, quando Swann a deixou às sete horas para voltar para casa e se vestir, durante todo o trajeto no *coupé,* não podendo conter a alegria que aquela tarde lhe causara, ia repetindo: "Como seria agradável ter assim uma pessoa em cuja casa se pudesse encontrar essa coisa tão rara, um bom chá". Uma hora depois, recebeu um bilhete de Odette e reconheceu logo a caligrafia graúda onde uma afetação de rigidez britânica impunha uma aparência de disciplina aos caracteres informes que, para os olhos menos avisados, teriam talvez significado desordem de pensamento, educação imperfeita, falta de sinceridade e de ação. Swann esquecera sua cigarreira na casa dela. "Pena que também não tivesse esquecido o coração, que eu não teria devolvido."

Uma segunda visita que Swann lhe fez teve talvez mais importância. Indo para a casa dela, naquele dia, Swann, como todas as vezes em que devia vê-la, delineava na mente a sua imagem; e a necessidade em que se achava para julgar bonito o seu rosto, para limitar aos pômulos róseos e frescos as faces que tão freqüentemente se mostravam amarelas e lânguidas, às vezes crivadas de pontinhos vermelhos, afligia-o como uma prova de que o ideal é inacessível e a felicidade uma coisa medíocre. Levava-lhe uma gravura que ela queria ver; Odette sentia-se adoentada; recebeu-o de *peignoir* de crepe da China de cor malva, trazendo sobre o peito, como um casacão, um estofo ricamente bordado. De pé ao lado dele, deixando cair ao longo das faces a cabeleira solta, dobrando uma perna em atitude ligeiramente dançante para poder se debruçar sem cansaço sobre a gravura que contemplava, inclinando a cabeça, com seus grandes olhos, tão fatigados e inexpressivos quando nada a empolgava, ela impressionou pela semelhança com a figura de Séfora, a filha de Jetro, que se vê em um afresco da capela Sistina. Swann tivera sempre o gosto especial de descobrir na pintura dos mestres não só os caracteres gerais da realidade que nos abrange, como aquilo que parece, ao contrário, menos suscetível de generalização, os traços individuais dos rostos que conhecemos: assim, na matéria de um busto do doge Loredano, por Antonio Rizzo, as saliências das maçãs do rosto, a obliqüidade das sobrancelhas, enfim, a semelhança incrível com seu cocheiro Rémi; sob as cores de um Ghirlandajo, o nariz do Sr. de Palancy; em um quadro de Tintoretto, a invasão das bochechas pela implantação dos primeiros pêlos das suíças, o desvio do nariz, o olhar penetrante, as pálpebras congestionadas do Dr. du Boulbon. Talvez também, tendo sempre guardado um pouco de remorso por ter se deixado limitar a tal ponto pela vida mundana, pela conversação, julgasse achar uma espécie de remissão indulgente que os grandes artistas lhe concediam, no fato de que também eles haviam encarado com prazer e admitido em sua obra tais fisionomias que dão a esta um singular certificado de vida e realidade, um sabor moderno; talvez também, de tal maneira deixara-se invadir pela frivolidade das pessoas mundanas que sentia necessidade de encontrar numa obra antiga essas alusões antecipadas e rejuvenescedoras de nomes próprios de hoje. Talvez ao contrário, conservara suficiente natureza de artista para que essas características individuais lhe causassem prazer, adquirindo um sentido mais genérico, desde que as percebesse desenraizadas, livres, na semelhança de um retrato mais antigo com um original que o não representava. Seja como for, e talvez porque a plenitude de impressões que desfrutava desde algum tempo, e embora lhe tivesse chegado antes com o amor da música, houvesse enriquecido até o seu gosto pela pintura, o prazer foi mais profundo e deveria exercer sobre Swann uma influência duradoura, como o prazer que encontrou naquele momento na semelhança de Odette com a Séfora daquele Sandro di Mariano, a quem se dá mais facilmente o nome popular de Botticelli, desde que este evoca, em vez da obra verdadeira do pintor, a idéia banal e falsa que dela se vulgarizou. Não mais apreciou o rosto de Odette de acordo com a melhor ou pior qualidade de suas faces ou a doçura puramente carnal que supunha fosse lhes encontrar ao tocá-las com os lábios se um dia ousasse beijá-la, mas como uma meada de linhas sutis e belas que seus olhares dobavam, seguindo a linha de seu encaracolamento, reunindo a cadência da nuca à efusão dos cabelos e à flexão das pálpebras, como num retrato dela no qual seu tipo se tornasse claro e inteligível.

Olhava-a; um fragmento do afresco aparecia no seu rosto e no seu corpo, e desde então procurou captá-lo sempre que estivesse com Odette, ou apenas quando nela pensava; e embora com certeza se limitasse à obra-prima florentina porque nela a reencontrava, contudo tal semelhança também conferia a Odette uma beleza, tornando-a mais preciosa. Swann censurou a si mesmo por ter desconhecido o valor de uma pessoa que teria parecido encantadora ao grande Sandro e felicitou-se pelo fato de que o prazer que sentia ao ver Odette encontrava uma justificativa em sua própria cultura estética. Disse consigo que, associando a idéia de Odette a seus sonhos de felicidade, não estava se resignando a algo tão imperfeito como acreditara até então, pois ela contentava-lhe os mais requintados gostos artísticos. Esquecia-se de que, nem por isso, era Odette uma mulher segundo os seus desejos, já que seu desejo se orientara sempre exatamente num sentido oposto aos seus gostos estéticos. O termo "obra florentina" prestou grande serviço a Swann. Permitiu-lhe, como um título, introduzir a imagem de Odette em um mundo de sonhos ao qual ela não tivera acesso até então e onde se banhou em nobreza. E ao passo que a visão puramente carnal que tivera dessa mulher, renovando permanentemente suas dúvidas sobre a qualidade de seu rosto, de seu corpo, de toda a sua beleza, enfraquecia seu amor, tais dúvidas foram eliminadas e esse amor assegurado quando teve por base os dados de uma estética precisa; sem considerar que o beijo e a posse, que pareciam naturais e medíocres se obtidos através de uma carnação murcha, vinham coroar a adoração de uma peça de museu, parecendo ser sobrenaturais e deliciosos.

E quando se sentia tentado a lastimar que durante meses não fazia outra coisa senão ver Odette, pensava ser razoável dispender muito do seu tempo com uma obra-prima inestimável, moldada agora em uma matéria diversa e especialmente saborosa, em um exemplar raríssimo que ele contemplava ora com a humildade, a espiritualidade e o desinteresse de um artista, ora com o orgulho, o egoísmo e a sensualidade de um colecionador.

Em sua mesa de trabalho, Swann pôs, como uma fotografia de Odette, uma reprodução da filha de Jetro. Admirava os grandes olhos, o rosto delicado que deixava adivinhar a pele imperfeita, os maravilhosos caracóis dos cabelos ao longo das faces cansadas, e, adaptando o que achava belo até então do ponto de vista estético à idéia de uma mulher de carne e osso, transformava-o em méritos físicos, felicitando-se por encontrá-los reunidos em uma pessoa a quem poderia possuir. Essa vaga simpatia que nos leva para uma obra-prima que contemplamos, agora que ele conhecia o original carnal da filha de Jetro, tornou-se um desejo que supria o que no começo não lhe inspirara o corpo de Odette. Após ter contemplado por muito tempo esse Botticelli, pensava no seu Botticelli, que considerava ainda mais belo e, apertando contra si a fotografia de Séfora, supunha apertar Odette contra o coração.

E no entanto não era só o cansaço de Odette que ele porfiava em prevenir, era às vezes o seu próprio cansaço; sentindo que, desde que Odette dispunha de todas as facilidades para vê-lo, não parecia ter algo a lhe dizer, temia que as maneiras um tanto insignificantes, monótonas e como que definitivamente fixadas, como eram agora as suas quando ele e Odette estavam juntos, acabassem por matar nela aquela esperança romanesca de que um dia ela lhe declarasse a sua paixão, único fator que o fizera e conservara apaixonado. E para renovar um pouco o aspecto moral, bastante entorpecido, de Odette, e do qual temia se cansar, escrevia-lhe de súbito uma carta cheia de decepções fingidas e de cóleras simuladas, que mandava entregar após o jantar. Sabia que ela se sentiria apavorada, lhe responderia, e esperava que, no choque que o medo de perdê-lo causaria à sua alma, fazendo-a sofrer, brotariam palavras que ela jamais pronunciara antes; e, de fato, foi desse modo que obteve as mais ternas cartas que ela lhe escreveu, uma das quais, enviada ao meio-dia da Maison Dorée (era o dia da festa de Paris-Múrcia, em favor dos flagelados de Múrcia), começava com estas palavras: "Meu amigo, minha mão treme tanto que mal posso escrever", e ele a guardara na mesma gaveta onde se achava o crisântemo seco. Ou então, se ela não tinha tempo de lhe escrever, quando ele chegasse aos Verdurin ela iria vivamente a seu encontro e diria: "Tenho que lhe falar", e ele contemplaria com curiosidade, em seu rosto e nas suas palavras, o que ela lhe escondera até ali do seu coração.

Tão logo se avizinhava da casa dos Verdurin, ao avistar, iluminadas pelas lâmpadas, as grandes janelas cujos postigos nunca eram fechados, enternecia-se ao pensar na criatura encantadora que ia ver desabrochada em meio àquela luz de ouro. Às vezes as sombras dos convidados se destacavam, delgadas e negras, em tela, diante das lâmpadas, como essas gravuras que se intercalam de espaço a espaço em um abajur translúcido, cujas demais abas estão imersas em claridade. Buscava distinguir a silhueta de Odette. Depois, assim que entrava, sem se dar conta, seus olhos brilhavam com tal alegria que o Sr. Verdurin dizia ao pintor: "Acho que a coisa está esquentando." E a presença de Odette, com efeito, dava àquela casa, ao ver de Swann, algo que faltava em todas as outras onde era recebido: uma espécie de aparelho sensitivo, de rede de nervos, que se ramificava em todos os aposentos e lhe trazia ao coração excitamentos constantes.

Assim, o mero funcionamento daquele microcosmo social, que era o pequeno clã, proporcionava automaticamente a Swann encontros diários com Odette e lhe permitia fingir uma indiferença ao vê-la, ou até desejos de não a ver mais, que não o fazia correr grandes riscos, visto que, embora lhe houvesse escrito durante o dia, iria vê-la forçosamente à noite e a levaria para casa.

Mas certa vez, imaginando com aborrecimento aquele regresso inevitável em sua companhia, acabou por levar até o Bois a jovem operária para atrasar o momento de ir à casa dos Verdurin e chegou tão tarde que Odette, julgando que não viesse mais, havia ido embora. Vendo que ela já não se achava no salão, Swann sentiu um aperto no coração; tremia por se ver privado de um prazer que pela primeira vez avaliava, tendo até ali a certeza de encontrá-la quando quisesse, o que diminui ou mesmo nos impede de ver quanto vale um prazer.

– Viste a cara que ele fez quando percebeu que ela já tinha ido? – perguntou o Sr. Verdurin à mulher. – Creio que se pode dizer que ele está agarrado.

– A cara que ele fez? – indagou o Dr. Cottard com violência. Tinha ido ver um doente, voltara para apanhar a esposa e não sabia do que se falava.

– Como! Não encontrou à porta um dos mais belos Swann...

– Não, O Sr. Swann veio?

– Ora, por um momento apenas. Tivemos um Swann agitado, muito nervoso. Compreende, Odette já se fora.

– Quer dizer que eles andam na maior intimidade e já chegaram a ver o que Teresa perdeu na horta – disse o doutor, experimentando com prudência o sentido dessa expressão.

– Não, não; não há absolutamente nada e, cá entre nós, acho que Odette procede mal e se porta como uma grande tola, que afinal ela não passa disso.

– Ora, ora – disse o Sr. Verdurin. – Como sabes que não há nada? Não fomos xeretar, não é mesmo?

– A mim ela teria dito – replicou a Sra. Verdurin com altivez. – Afirmo que Odette me conta todas as suas intimidades. Como está sem ninguém no momento, eu lhe sugeri que fosse para a cama com ele. Ela diz não poder, que tem uma forte atração por ele mas ele é tímido com ela, e isso por sua vez a intimida, e além disso não é desse modo que o ama, que ele é uma criatura ideal, e ela tem medo de deflorar o sentimento que tem por ele, e que sei eu! Entretanto, seria mesmo o melhor para ela.

– Hás de permitir que não seja da tua opinião – disse o Sr. Verdurin. – Não vou muito com esse senhor; parece-me posudo demais.

A Sra. Verdurin se imobilizou, assumiu uma expressão inerte como se estivesse transformada numa estátua, fantasia que lhe permitiu passar como se não tivesse ouvido aquela palavra insuportável, *posudo,* que dava a impressão de que alguém poderia fazer *pose* com eles, e que portanto era "mais do que eles".

– Afinal de contas, se não há nada, não creio que seja porque esse cavalheiro a julgue *virtuosa* – disse com ironia o Sr. Verdurin. – E depois, quem sabe? Ele parece julgá-la inteligente. Não sei se chegaste a ouvir as coisas que ele lhe dizia, outra noite, a respeito da sonata de Vinteuil; amo Odette de todo o coração, mas para lhe fazer dissertações de estética é preciso ser mesmo um idiota completo!

– Que é isso? Não fale mal de Odette, ela é encantadora – disse a Sra. Verdurin bancando a criança.

– Mas isso não impede que seja encantadora; não estamos falando mal dela, dizemos somente que não se trata de uma virtude nem de uma inteligência. No fundo – disse ele ao pintor – faz você tanta questão de que ela seja virtuosa? Tornar-se-ia talvez muito menos encantadora, quem sabe?

No patamar, Swann fora abordado pelo mordomo que ali não se encontrava no momento em que ele chegara e tinha sido encarregado por Odette de lhe dizer – mas fazia já uma hora, pelo menos –, caso ele ainda viesse, que provavelmente ela iria tomar chocolate no Prévost antes de voltar para casa. Swann partiu para o Prévost, mas a cada passo o seu carro era parado por outros ou por pessoas que atravessavam a rua, odiosos obstáculos que ele teria o prazer de derrubar se o inquérito do agente não o atrasasse ainda mais do que a passagem do pedestre. Ia contando o tempo que levava, acrescentava alguns segundos a todos os minutos para estar certo de não os ter feito muito curtos, o que poderia levar a considerá-los maiores do que na realidade as suas possibilidades de chegar a tempo e ainda encontrar Odette. E em certo momento, como um doente febril que acaba de dormir e toma consciência do absurdo dos sonhos que ruminava sem os distinguir com nitidez de si mesmo, Swann percebeu de súbito dentro dele a estranheza dos pensamentos que o assaltavam desde o momento em que lhe haviam dito, na casa dos Verdurin, que Odette se fora, a novidade do aperto no coração, que sentia, mas que constatou apenas como se acabasse de acordar. O quê? Toda aquela agitação porque só veria Odette no dia seguinte, precisamente o que havia desejado uma hora antes, quando ia para a casa da Sra. Verdurin? Foi obrigado a verificar que, nesse mesmo carro que o levava para o Prévost, ele já não era o mesmo, e que não estava sozinho, pois um novo indivíduo permanecia ali com ele, aderente, amalgamado a ele, do qual no entanto não podia se livrar e com quem seria forçado a utilizar estratagemas, como um professor ou um enfermo. Entretanto, a partir do momento em que sentira que uma nova pessoa se ajustara a ele daquele modo, sua vida lhe parecera mais interessante. Era como se ele dissesse que aquele possível encontro no Prévost (cuja espera confundia e eliminava a tal ponto os momentos que a precediam que ele não achava mais uma só idéia, uma só lembrança em que pudesse repousar o espírito) era no entanto provável, se ocorresse, que fosse como os outros, uma coisa de pouca monta. Como todas as noites, desde que estava com Odette, lançando furtivamente sobre seu rosto mutável um olhar logo desviado, de modo que ela visse nele a insinuação de um desejo e não acreditasse mais no seu desinteresse, não deixaria de pensar nela, muito ocupado em achar pretextos que lhe permitissem não largá-la imediatamente e de se assegurar, sem dar a impressão de fazer questão disto, que a reencontraria no dia seguinte em casa dos Verdurin: ou seja, prolongar naquele instante e renovar um dia a mais a decepção e a tortura que lhe traziam a vã presença daquela mulher, de quem se aproximava sem ousar apertá-la nos braços.

Ela não estava no Prévost; ele quis procurar em todos os restaurantes dos bulevares. Para ganhar tempo, enquanto visitava uns, enviou a outros o seu cocheiro Rémi (o doge Loredano de Rizzo), que foi esperá-lo a seguir – não tendo encontrado ninguém – no local que havia marcado. O carro não voltava e Swann prefigurava o instante que se aproximava, ora aquele em que Rémi lhe diria: “A dama aí está”, ora aquele em que Rémi lhe diria: “A dama não está em nenhum dos bares”. E assim se via o fim da noitada à sua frente, uma e no entanto alternativa, precedida ora pelo encontro de Odette, que eliminaria a sua angústia, ora pela renúncia forçada a encontrá-la naquela noite, pela aceitação de voltar para casa sem a ter visto.

O cocheiro regressou mas, no momento em que parou diante de Swann, este não lhe disse: “Encontrou a dama?” e sim “Lembre-se amanhã de encomendar lenha, creio que a provisão já está no fim”. Talvez dissesse consigo que se Rémi houvesse encontrado Odette em um bar onde o estivesse esperando, o fim da noite nefasta já estaria aniquilado pela realização do começo do fim da noite afortunada e que não haveria necessidade de se apressar para alcançar uma felicidade capturada e em local seguro, e que não teria mais como se escapar. Mas o fazia igualmente por inércia; trazia na alma a falta de robustez que certas pessoas têm no corpo, essas que no momento de evitar um choque, de afastar uma chama da roupa, de fazer um movimento rápido, levam tempo, começando por permanecer um segundo na situação em que estavam antes, como se ali encontrassem o seu ponto de apoio, seu impulso. E sem dúvida se o cocheiro o tivesse interrompido dizendo: “A dama está aí” ele teria respondido: “Ah, sim, é verdade, o pedido que lhe fiz, vejam só, quem diria" e teria continuado a falar da provisão de lenha para lhe ocultar a emoção que sentiria e ter tempo de acabar com a inquietação e entregar-se à felicidade.

Mas o cocheiro voltou para lhe dizer que não a encontrara em parte alguma, e acrescentando sua opinião de velho criado:

– Creio que o senhor não tem outra coisa a fazer senão voltar para casa.

Mas a indiferença que Swann facilmente mostrava quando Rémi não podia mudar em mais nada a resposta que lhe trazia desapareceu quando o viu tentá-lo fazer renunciar à sua esperança e à sua procura.

– De modo algum – exclamou –, é necessário que encontremos essa dama; é da mais alta importância. Ela ficaria bastante aborrecida – é um caso de negócios, e mesmo poderia se ofender se não nos víssemos.

– Não vejo como essa dama poderia ficar ofendida – respondeu Rémi –, pois foi ela quem se retirou sem esperar pelo senhor, foi ela quem disse que iria para o Prévost e não estava lá.

Aliás, as luzes principiavam a se apagar por toda a cidade. Sob as árvores das avenidas, numa obscuridade misteriosa, erravam os passantes mais raros, mal reconhecíveis. Às vezes, a sombra de uma mulher que dele se aproximava, murmurando-lhe algo ao ouvido, pedindo que a levasse junto, fazia Swann estremecer. Ele tocava de leve, ansiosamente, todos aqueles corpos obscuros como se por entre os fantasmas dos mortos, no reino das trevas, estivesse procurando Eurídice.

De todas as formas de produção do amor, de todos os agentes de disseminação do mal sagrado, um dos mais efetivos é esse turbilhão agitado que por vezes passa por nós. Então, o ser com quem nos divertimos nesse instante – a sorte está lançada – há de ficar sendo a pessoa amada. Nem há necessidade que até aquele momento nos tenha agradado mais que as outras. Precisava era que o nosso gosto por ela se tornasse exclusivo. E semelhante condição se realiza quando – no momento em que ela nos fez falta – a busca de prazeres que sua convivência nos trazia é de repente substituída em nós por uma necessidade angustiosa, que tem por objeto essa mesma pessoa, uma necessidade absurda, que as leis deste mundo tornam de satisfação impossível e de difícil cura: a precisão insensata e dolorosa de possuí-lo.

Swann se fez levar aos últimos restaurantes; era a única hipótese de felicidade que havia admitido com calma; agora, já não escondia sua agitação, o valor que atribuía àquele encontro e prometeu que, em caso de êxito, o cocheiro receberia uma recompensa, como se, inspirando-lhe o desejo de sair-se bem, caso o ajuntasse ao que ele próprio sentia, pudesse fazer com que Odette, desde que ela já tivesse voltado para dormir, se encontrasse no entanto em algum restaurante do bulevar. Chegou até a Maison Dorée, entrou duas vezes no Tortoni sem a ter visto, e saía do Café inglês a passos apressados, com ar carrancudo, à procura do carro que o esperava na esquina do bulevar dos Italianos, quando deu com uma pessoa que vinha em sentido contrário: era Odette; ela lhe explicou, mais tarde, que, não tendo encontrado lugar no Prévost, fora cear na Maison Dorée, num recanto onde ele não a vira, e que agora ia para o carro.

Ela achara tão imprevisto o encontro que teve um sobressalto. Quanto a Swann, andara correndo por Paris não porque julgasse possível um encontro e sim porque era-lhe muito cruel renunciar a ele. Porém aquela alegria, que sua razão não deixara estimar irrealizável nessa noite, parecia-lhe agora tanto mais real; pois, não tendo colaborado com a previsão das verossimilhanças, ela lhe permanecia como que exterior; não tinha ele necessidade de extrair do espírito para lhe fornecer – dela mesma é que emanava, ela mesma é que projetava para ele – aquela verdade que irradiava a ponto de dissipar, como um sonho, o isolamento que havia temido, e sobre o qual apoiava, repousava, sem pensar, o seu devaneio feliz. Da mesma forma um viajante, chegado ao Mediterrâneo por um belo tempo, não tendo certeza dos lugares que acaba de deixar, consente, em vez de olhar, que a vista seja ofuscada pelos raios que para ele emite o azul luminoso e resistente das águas.

Subiu com ela para o carro que ela dissera ser o seu e disse a seu cocheiro que o seguisse.

Odette tinha na mão um buquê de catléias, e Swann viu, sob o véu de renda que lhe cobria os cabelos, que ela trazia nos cabelos flores dessa mesma orquídea ligadas a uma *aigrette* de plumas de cisne. Debaixo da mantilha, trajava um largo vestido de veludo negro que, num trançado oblíquo, descobria o amplo triângulo de uma saia de seda branca e permitia ver o forro, da mesma seda branca, na abertura do corpinho decotado, onde estavam seguras outras catléias. Mal se recobrara do susto que Swann lhe causara quando um obstáculo fez o cavalo se desviar. Foram violentamente sacudidos, ela soltou um grito e ficou palpitante, sem fôlego.

– Não é nada, não tenha medo – disse ele. E segurou-a pelo ombro, apoiando-a contra si para sustentá-la; depois disse: – Principalmente não fale, só me responda por sinais para não ficar ainda mais afogueada. Não se incomoda que arrume as flores que se desmancharam no seu corpinho por causa do choque? Receio que as perca, vou enfiá-las um pouco mais.

Odette, que não estava acostumada a ver os homens com tantos rodeios com ela, respondeu sorrindo:

– Não, não me incomoda de jeito algum.

Porém ele, intimidado com tal resposta, talvez também por ter parecido sincero quando invocara esse pretexto, ou até mesmo já começando a crer que o fora, exclamou:

– Oh, não, principalmente não fale, vai sufocar de novo, pode me responder por sinais, compreenderei perfeitamente. Com toda a sinceridade, não estou incomodando? Olhe, há um pouco... acho que é pólen que se espalhou por você, permite que o afaste com a mão? Não vou bater com muita força, não estarei sendo um pouco bruto? Estou fazendo cócegas? Mas é que não queria tocar o veludo do vestido para não amarrotá-lo. Mas olhe, de fato era necessário prendê-las, senão iam cair; e, desse jeito, eu mesmo empurrando um pouco... Falando sério, não estou sendo desagradável? E se as cheirasse, para ver se não têm mesmo odor? Nunca o senti. Posso? Diga a verdade.

Sorrindo, Odette ergueu de leve os ombros, como se dissesse: "Não seja bobo, é claro que isto me agrada."

Swann passava a outra mão pelo rosto de Odette; ela o encarou fixamente, com o ar lânguido e grave das mulheres do mestre florentino com as quais ele a achara parecida; à flor das pálpebras, seus olhos brilhantes, grandes e finos, como os daquelas, pareciam prontos a se soltar, como duas lágrimas. Ela inclinava o pescoço, como se vê fazerem todas elas, tanto nas cenas pagãs como nos quadros religiosos. E, numa atitude que certamente lhe era habitual, que sabia ser apropriada para aqueles momentos, e que cuidava em não se esquecer de assumir, parecia necessitar de todas as forças para reter seu rosto, como se uma força invisível a atraísse para Swann. E foi este quem, antes que ela o deixasse cair, como que sem querer, sobre os lábios dele, reteve-o por um instante, a uma certa distância, entre as mãos. Gostaria Swann de deixar ao pensamento o tempo de acorrer, de reconhecer o sonho que tão longamente acalentara e de assistir à sua realização, como uma parenta que é chamada para compartilhar do êxito de uma criança a quem muito amou. Talvez também, Swann quisesse olhar o rosto de Odette ainda não possuída, nem sequer beijada por ele, e que via pela última vez, esse olhar com o qual, num dia de despedida, gostaríamos de levar uma paisagem que deixaremos para nunca mais.

Mas era tão tímido com ela que, tendo acabado por possuí-la naquela noite, começando por arrumar as suas catléias – fosse por medo de parecer retrospectivamente ter mentido, fosse por falta de audácia para formular uma exigência maior que aquela (e que poderia renovar, pois não incomodara Odette da primeira vez) –, nos dias seguintes utilizou-se sempre do mesmo pretexto. Se ela ostentava catléias no corpinho, ele dizia: "É uma pena que as catléias, esta noite, não precisem ser arrumadas, não foram desmanteladas como da outra vez; no entanto, creio que esta não está bem colocada. Posso ver se perfumam menos que as outras?" Ou então, se ela não as trazia: "Oh, nada de catléias esta noite, é impossível dedicar-me aos seus arranjos." De modo que, durante algum tempo, não se mudou a ordem das coisas que ele havia seguido na primeira noite, principiando pelos contatos de dedos e de lábios na garganta de Odette, e era sempre por ali que se iniciavam as carícias; e bem mais tarde, quando o arranjo (ou o simulacro ritual do arranjo) das catléias já caíra há muito em desuso, a metáfora "fazer catléia", transformada em simples expressão empregada sem pensar quando queriam se referir ao ato de posse sexual – no qual, aliás, não se possui nada –, sobreviveu na linguagem deles àquele uso esquecido, e no qual ela o comemorava. E talvez essa maneira particular de dizer "fazer amor" não significasse exatamente o mesmo que seus sinônimos. Por mais cansado que alguém esteja das mulheres, considerar a posse das mais diversas mulheres como sendo sempre a mesma e antecipadamente conhecida torna-se ao contrário um prazer novo, se se dá com mulheres bem difíceis – ou tidas como tais por nós – para que sejamos obrigados a fazê-la nascer de algum episódio imprevisto de nossas relações com elas, como o fora da primeira vez, para Swann, o arranjo das catléias. Esperava, trêmulo, naquela noite (mas Odette, pensava consigo, não poderia saber de sua artimanha, se conseguisse iludi-la) que era a posse daquela mulher que iria sair dentre as amplas pétalas cor de malva das catléias; e o prazer que ele já sentia e que Odette talvez apenas tolerasse, pensava, porque não o reconhecera, parecia-lhe por isso – como pôde parecer ao primeiro homem que o desfrutou entre as flores do paraíso terrestre – um prazer que até ali não existira, que ele procurava criar, um prazer – bem como o nome especial que lhe conferiu guardou-lhe o traço – absolutamente novo e particular.

Agora, todas as noites, quando a levava até em casa, precisava entrar e com freqüência ela voltava a sair de chambre, levava-o até o carro e beijava-o diante do cocheiro dizendo: "Que é que tem, que me importam os outros?" Nas noites em que ele não ia aos Verdurin (o que às vezes acontecia desde que podia vê-la de outra forma), nas noites cada vez mais raras em que ia a alguma reunião da sociedade, Odette lhe pedia que chegasse até a casa dela antes de se recolher, fosse qual fosse a hora. Era primavera, uma primavera pura e fria. Saindo de uma reunião, Swann subia para a sua vitória, estendia uma manta sobre as pernas, respondia aos amigos que partiam ao mesmo tempo que ele e o convidam para irem juntos, dizendo que não podia, que não ia para o mesmo lado, e o cocheiro saía a trote acelerado sabendo perfeitamente para onde se encaminhava. Eles se espantavam e, de fato, Swann já não era o mesmo. Já não recebiam mais cartas dele em que ele pedia para ser apresentado a uma mulher. Não prestava mais atenção a nenhuma, evitava ir aos locais onde se achavam. Em um restaurante, no campo, assumia a atitude oposta àquela que, ainda ontem, o fazia ser reconhecido e que parecia dever sempre ser a sua. De tal maneira uma paixão é para nós como um caráter temporário e diferente, que substitui o outro e elimina os signos, até então invariáveis, pelos quais ele se exprimia! Em compensação, o que se fazia agora invariável era que, onde quer que se achasse, Swann não deixava de se juntar a Odette. O trajeto que o separava dela era o que ele percorria inevitavelmente, e era como que o próprio declive, irresistível e rápido, de sua vida. Na verdade, demorando-se por vezes numa festa mundana, teria preferido ir imediatamente para casa, sem cumprir o longo percurso, e vê-la apenas no dia seguinte; mas o próprio fato de deixar suas comodidades numa hora tão anormal para ir vê-la, de adivinhar que os amigos murmuravam ao largá-lo: "Está muito ocupado, com certeza tem uma mulher que o força a ir à casa dela a qualquer hora", o fazia sentir que levava a vida dos homens que têm um caso de amor em sua vida, e que o sacrifício que fazem de seu sossego e de seus interesses a uma fantasia voluptuosa lhe confere um encantamento íntimo. Depois, sem que se desse conta, a certeza de que ela o esperava, de que ela não estava alhures com outros, de que não regressaria sem a ter visto, neutralizava a angústia esquecida mas sempre prestes a renascer, que ele experimentara na noite em que Odette não estava mais na casa dos Verdurin e cujo apaziguamento atual era tão suave que aquilo bem poderia se chamar felicidade. Talvez a semelhante angústia devesse Swann a importância que Odette assumira para ele. De hábito, os seres são tão indiferentes para nós que, quando conferimos a um deles tamanhas possibilidades de dor e de alegria, este parece-nos pertencer a outro universo, rodeia-se de poesia, faz de nossa vida como que uma enorme e emocionante extensão, onde estará mais ou menos próximo de nós. Swann não podia deixar de indagar de si mesmo, sem estremecer, em que se tornaria Odette para ele nos anos vindouros. Às vezes, ao ver da sua vitória, nessas belas noites frias, a lua brilhante que espalhava sua claridade entre seus olhos e as ruas desertas, pensava naquela outra figura clara e levemente rosada como a da lua, que um dia surgira a seu pensamento e, desde então, projetava sobre o mundo a luz cheia de mistérios em que ele a via. Se chegava depois da hora em que Odette mandava os empregados irem dormir, antes de tocar à porta do jardinzinho ele primeiro ia à rua para onde dava, no andar térreo, entre as janelas todas iguais, porém às escuras, dos prédios vizinhos, a janela, a única iluminada, do quarto dela. Batia à vidraça e ela, já prevenida, respondia e ia esperá-lo do outro lado da porta de entrada. Swann encontrava abertas, sobre o piano, algumas partituras de músicas que ela preferia: a *Valsa das Rosas* ou *Pobre Louco,* de Tagliafico (que, de acordo com a última vontade deste, devia ser tocada por ocasião do seu enterro), e, em vez delas, pedia-lhe que tocasse a pequena frase da sonata de Vinteuil, embora Odette a tocasse muito mal; mas a mais bela imagem que nos fica de uma obra é muitas vezes a que se eleva por sobre os sons errados extraídos por dedos inábeis de um piano desafinado. A pequena frase continuava, para Swann, a se associar ao amor que sentia por Odette. Percebia ele perfeitamente que esse amor era algo que não correspondia a nada de exterior, nada que pudesse ser verificado por outros que não ele; dava-se conta de que as qualidades de Odette não justificavam que valorizasse tanto os momentos passados junto dela. E muitas vezes, quando o que predominava em Swann era a inteligência positiva, desejava ele cessar de sacrificar tantos interesses intelectuais e sociais a semelhante prazer imaginário. Mas a pequena frase, logo que a ouvia, sabia tornar livre, dentro dele, o espaço necessário para ela, e as proporções da alma de Swann se encontravam mudadas; uma margem era reservada a um prazer que tampouco correspondia a um objeto exterior e que, no entanto, em vez de ser puramente individual como o do amor, impunha-se a Swann como uma realidade acima das coisas concretas. Esta sede de encanto desconhecido, a pequena frase a despertava nele, porém nada de preciso lhe trazia para estancá-la. De forma que essas porções da alma de Swann onde a pequena frase havia apagado a preocupação com os interesses materiais, as considerações humanas e válidas para todos, ela as havia deixado vazias e em branco; e ele estava livre para aí inscrever o nome de Odette. Depois, ao que o afeto de Odette pudesse ter de menor e decepcionante, a pequena frase vinha acrescentar, amalgamar sua essência de mistérios. Contemplando-se o rosto de Swann enquanto ele ouvia a frase, poder-se-ia dizer que ele estava em vias de ingerir um anestésico que dava mais amplitude à sua respiração. E o prazer que lhe dava a música e que em breve iria criar nele uma verdadeira necessidade, de fato se parecia, nesses momentos, com o prazer que ele teria em experimentar perfumes, em entrar em contato com um mundo para o qual não somos feitos, que nos parece informe porque nossos olhos não o distinguem, e sem significado porque escapa à nossa inteligência, e que só conseguimos alcançar através de um único sentido. Grande descanso, misterioso renovar para Swann – para ele, cujos olhos, embora delicados amantes da pintura, cujo espírito, apesar de fino observador de costumes, levavam para sempre a marca indelével da aridez de sua vida – o de se sentir transformado em uma criatura estranha à humanidade, cega, desprovida de faculdades lógicas, quase um fantástico licorne, uma criatura quimérica, só percebendo o mundo pelo ouvido. E, no entanto, como na pequena frase ele buscava um sentido a que sua inteligência não lograva baixar, que ebriedade estranha o possuía para despojar sua mais interna alma de todos os auxílios da razão e em fazê-la passar sozinha pelo corredor, no filtro obscuro do som! Começava a perceber tudo aquilo que aí havia de doloroso, talvez mesmo de secretamente desassossegado no fundo da doçura dessa frase, mas não podia sofrer por isso. Que importava que ela lhe dissesse que o amor é frágil, o seu era tão forte! Distraía-se com a tristeza que ela espalhava, sentia-a passar acima dele, porém como uma carícia que fazia mais doce e mais profundo o sentimento que tinha de sua felicidade. Fazia com que a tocasse de novo, dez, vinte vezes, exigindo ao mesmo tempo que ela não parasse de beijá-lo. Cada beijo chama outro beijo. Ah, naqueles primeiros tempos em que a gente ama, os beijos nascem tão naturalmente! Chegam tão apertados uns contra os outros; e a gente teria tanta dificuldade em contar os beijos trocados numa hora quanto as flores de um campo no mês de maio. Então ela fazia menção de parar, dizendo: "Como quer que eu toque, se está me segurando? Não posso fazer tudo ao mesmo tempo, decida ao menos o que quer, devo tocar a frase ou fazer carícias?" Ele se zangava e ela desatava a rir um riso que se mudava e recaía sobre ele numa chuva de beijos. Ou então ela o olhava com ar sério, e ele revia um rosto digno de figurar na *Vida de Moisés* de Botticelli, onde o situava, e dava ao pescoço de Odette uma inclinação conveniente; e logo que a havia pintado desse modo, à têmpera, no século XV, sobre a parede da Capela Sistina, a idéia de que ela, todavia, permanecia ali, junto ao piano, no presente, pronta para ser beijada e possuída, a idéia de sua materialidade e de sua vida vinha embriagá-lo com tanta força que, de olhar esgazeado, as mandíbulas estendidas como para devorar, ele se precipitava sobre essa virgem de Botticelli e punha-se a beliscar suas faces. Depois, logo que a deixava, não sem ter voltado para beijá-la ainda, pois esquecera de levar na lembrança alguma característica do seu odor ou de seus traços, punha-se a caminho de volta na vitória, abençoando Odette por lhe permitir aquelas visitas diárias, que, sentia, não deveriam dar a ela uma grande alegria, mas que, preservando-o do ciúme – tirando-lhe a oportunidade de novamente padecer do mal que se declarara nele na noite em que não a encontrara na casa dos Verdurin –, auxiliariam-no a atingir, sem outras daquelas crises das quais a primeira fora tão dolorosa e ficara sendo a única, o final dessas horas singulares de sua vida, horas quase encantadas, à maneira daquelas em que ele atravessava Paris ao luar. E verificando, no regresso, que o astro agora se achava deslocado relativamente a ele, e quase no limite do horizonte, sentindo que seu amor obedecia, do mesmo modo, a leis imutáveis e naturais, perguntava-se se esse período em que entrara duraria ainda muito tempo, se em breve o pensamento não mais veria o rosto querido senão ocupando uma posição longínqua e diminuída, e a ponto de cessar de espalhar o seu charme. Pois, desde que se apaixonara, encontrava um charme nas coisas como nos tempos em que, adolescente, se considerava artista; mas esse charme já não era o mesmo, era somente Odette que o atribuía às coisas. Swann sentia renascerem dentro de si as inspirações da juventude, que uma vida frívola havia dissipado, mas todas traziam o reflexo, a marca de uma criatura particular; e, nas longas horas quando sentia agora um prazer delicado em passar em casa, sozinho com sua alma em convalescença, voltava aos poucos a ser ele mesmo, porém com outra alma.

Swann só ia à casa dela à noite, e nada sabia de como ela empregava seu tempo durante o dia, menos ainda de seu passado, a ponto de lhe faltar até o mínimo dado inicial que, permitindo que imaginemos aquilo que nos é desconhecido, nos dá desejos de o conhecer. Desse modo, não indagava de si mesmo o que ela poderia fazer, nem o que havia sido a sua vida. Sorria às vezes ao pensar que, alguns anos antes, quando não a conhecia, tinham lhe falado de uma mulher que, se bem se lembrava, devia com certeza ser Odette, como de uma jovem, de uma moça cortesã sustentada, uma dessas mulheres a que ele atribuía ainda, devido à pouca intimidade que lhes tinha, o caráter monolítico, basicamente perverso, com que as dotou durante muito tempo a imaginação de alguns romancistas. Achava bastante, muitas vezes, considerar às avessas a reputação que a sociedade engendra para julgar com exatidão uma pessoa, quando, a um tal caráter, ele opunha o de Odette, boa, ingênua, idealista, quase tão incapaz de mentir que, tendo-lhe pedido certa vez, para jantar a sós com ela, que escrevesse aos Verdurin dizendo que estava adoentada, vira-a no dia seguinte, diante da Sra. Verdurin, que lhe perguntava se estava melhor, enrubescer, balbuciar, refletindo, sem querer, no rosto o desgosto, o suplício que lhe causava o fato de mentir e, enquanto ela multiplicava na resposta os pormenores inventados sobre a pretensa indisposição da véspera, ter o ar de pedir perdão, com os olhos súplices e a voz desolada, pela falsidade de suas palavras.

No entanto em certos dias, raros porém, ela ia à sua casa à tarde, interromper seus devaneios ou um estudo sobre Vermeer, ao qual voltara a se dedicar ultimamente. Vinham dizer a Swann que a Sr. de Crécy estava na saleta. Ele ia a seu encontro e, quando abria a porta, no rosto rosado de Odette, logo que o vislumbrava – mudando-lhe o formato da boca, a mirada dos olhos, o modelo das faces –, vinha espalhar-se um sorriso. Sozinho, Swann recordava aquele sorriso, e outro que ela tivera no dia anterior, ainda outro com o qual o recebera em tal ou qual ocasião, o que lhe dera em resposta, no carro, quando ele lhe perguntara se estava sendo desagradável ao arranjar-lhe as catléias; e a vida de Odette no restante do tempo, como a ignorasse totalmente, lhe surgia com seu fundo neutro e incolor, semelhante a essas folhas de estudos de Watteau nas quais se vê, aqui e ali, em todos os pontos e em todos os sentidos, desenhados a três cores sobre o papel pardo, inúmeros sorrisos. Às vezes, porém, num recanto dessa vida que Swann via inteiramente vazia, conquanto seu espírito lhe dissesse que não o era, pois não podia imaginá-lo assim, algum amigo que, desconfiando que eles se amavam, só se arriscava a dizer insignificâncias a respeito dela, descrevendo-lhe o vulto de Odette que havia visto na mesma manhã, subindo a pé a rua Abbatucci com uma "visita" guarnecida de *skunks,* debaixo de um chapéu à Rembrandt e um buquê de violetas no seio. Este simples croqui perturbava Swann pois o fazia perceber de súbito que Odette tinha uma vida que não era totalmente sua; desejaria saber a quem ela buscava agradar com aquela toalete que ele não conhecia; prometia a si mesmo que iria lhe perguntar aonde ela ia naquele momento, como se em toda a vida incolor – quase inexistente, por lhe ser invisível – de sua amante houvesse apenas uma coisa além dos sorrisos a ele dirigidos: aquela saída de Odette debaixo de um chapéu à Rembrandt, com um buquê de violetas no seio.

Exceto o pedido para que tocasse a pequena frase de Vinteuil, em vez da *Valsa das Rosas,* Swann não procurava fazê-la tocar as músicas que preferia e, nem na música nem na literatura, tentava corrigir seu mau gosto. Percebia muito bem que ela não era inteligente. Ao dizer a Swann que gostaria muito de que ele lhe falasse de grandes poetas, Odette pensara que iria logo conhecer coplas heróicas e romanescas do tipo das do visconde de Borelli, ou ainda mais emocionantes. Quanto a Vermeer de Delft, perguntou a Swann se o pintor havia sofrido por alguma mulher, se era uma mulher quem o havia inspirado; tendo-lhe dito Swann que nada sabia a respeito, Odette se desinteressou de todo pelo pintor. Dizia muitas vezes: "Sim, a poesia... Não tenho dúvidas de que não haveria nada mais belo se fosse verdadeira, se os poetas pensassem tudo aquilo que dizem. Porém, muita vezes, não existe ninguém mais interesseiro do que eles. Sei disso, eu tinha uma amiga que se apaixonou por um tipo de poeta. Nos seus versos ele só falava do amor, do céu e das estrelas. Ah, que de nada adiantou a ela! Ele lhe roubou mais de trezentos mil francos." Se então Swann procurava lhe ensinar em que consistia a beleza artística, de que modo seria preciso admirar os versos ou os quadros, ao cabo de um instante, ela deixava de ouvir, dizendo: "Sim... eu não pensava que era desse jeito." E Swann sentia que Odette experimentava tal decepção que ele preferia mentir, afirmando que tudo aquilo ainda eram ninharias, que ele não tinha tempo de abordar o fundo, que havia outra coisa. Mas Odette replicou vivamente: "Outra coisa? O quê?... Diga, então", mas ele não dizia nada, sabendo o quanto aquilo lhe pareceria insignificante e diverso do que ela esperava, menos sensacional e menos emocionante, e receava que, desiludida da arte, também se desiludisse do amor.

E, de fato, ela achava Swann intelectualmente inferior ao que acreditara antes: "Sempre conservas teu sangue-frio, não posso te definir." O que mais a espantava era a indiferença de Swann em relação ao dinheiro, sua gentileza para com qualquer um, sua delicadeza. E na verdade acontece muitas vezes, com pessoas mais importantes que Swann, com um sábio, com um artista, quando é apreciado pelos que o rodeiam, que o sentimento que prova que a superioridade de sua inteligência se impôs a eles, não é a admiração por suas idéias, pois estas lhes fogem, e sim o respeito por sua bondade. Era também respeito o que sentia Odette pela situação de Swann na sociedade, mas ela não queria que ele procurasse introduzi-la naquele meio. Talvez sentisse que ele não poderia consegui-lo, e até mesmo temesse que, apenas falando do seu nome, ele fosse causar revelações que ela evitava. E o fato é que o fizera prometer jamais pronunciar seu nome. O motivo pelo qual não queria freqüentar a sociedade, segundo dissera a Swann, era um desentendimento que tivera outrora com uma amiga que, para se vingar, andara falando mal dela. Swann objetara: "Mas ninguém conhece a tua amiga." – "Mas sim, essas coisas se espalham como mancha de azeite, o mundo é tão mau." Por um lado, Swann não entendeu essa história, mas, por outro, sabia que aquelas expressões – "o mundo é tão mau" e "uma intenção caluniosa é como uma mancha de azeite" – são tidas em geral como verdadeiras; deveria haver casos a que elas se aplicassem. Seria um deles o de Odette? Ele se indagava, mas não por muito tempo, pois era igualmente sujeito a essa canseira de espírito que baixava sobre seu pai quando pensava num problema difícil. Além disso, a sociedade que tanto medo inspirava a Odette talvez não lhe provocasse grandes desejos, pois estava muito afastada daquela que conhecia para que pudesse representá-la com nitidez. No entanto, tendo permanecido de fato bastante simples em certos pontos (por exemplo, conservara como amiga uma pequena costureira aposentada, subindo, quase todos os dias, a escada íngreme, escura e fedorenta da casa dela), tinha avidez das coisas chiques, mas não lhes atribuía a mesma idéia que as pessoas da sociedade. Para estas, chique é uma emanação de certas pessoas, pouco numerosas, que o projetam até um grau bem distante – e mais ou menos enfraquecido à medida que a gente se afasta do centro de sua intimidade – no círculo de seus amigos ou dos amigos de seus amigos, cujos nomes formam uma espécie de repertório. As pessoas da sociedade o conservam na memória e têm sobre tais assuntos uma erudição de onde extraem uma espécie de gosto e de tato, apesar de que Swann, por exemplo, sem precisar apelar para seu saber mundano, caso lesse num jornal os nomes das pessoas que se achavam em um jantar, poderia dizer imediatamente o matiz de chique daquela reunião, como um literato, à simples leitura de uma frase, aprecia com exatidão a qualidade literária de seu autor. Mas Odette fazia parte dessas pessoas (bastante numerosas, apesar do que pensa a respeito a alta sociedade) que não possuem tais noções, imaginam um chique bem diverso, que assume vários aspectos conforme o meio a que pertencemos, mas que tem como característica especial – seja o chique com que sonhava Odette, seja aquele a que se inclinava a Sra. Cottard – o fato de ser diretamente acessível a todos. O outro, o das pessoas da alta sociedade, também o é, mas leva algum tempo. Odette dizia de alguém:

– Só vai aos lugares chiques.

E se Swann perguntasse o que ela entendia por "lugares chiques", ela respondia com um certo desdém:

– Ora, os lugares chiques! Se na tua idade é preciso te ensinar quais são os lugares chiques, que queres que te diga? Por exemplo, aos domingos de manhã a Avenida da Imperatriz, às cinco horas a torre do Lago, às quintas o Teatro Éden, às sextas o Hipódromo, os bailes...

– Porém, quais bailes?

– Ora, os bailes que se dão em Paris, os bailes chiques quero dizer. Veja, Herbinger, sabes, o que trabalha com um agiota? Sim, deves saber, é um dos homens mais em moda em Paris, um rapaz louro, alto, que é tão esnobe, e tem sempre uma flor na botoeira, uma raia nas costas, e usa paletós claros; anda com aquela velha que leva a todas as estréias. Muito bem, ele deu um baile, na outra noite, e compareceu tudo o que havia de chique em Paris. Como eu gostaria de ter ido! Mas era necessário apresentar o convite à porta e eu não pude consegui-lo. No fundo, preferi mesmo não ter ido, havia lá tanta gente que eu não teria podido ver nada. Seria mais para poder dizer que estivera na casa de Herbinger. Sabes, é a vaidade! Afinal, podes acreditar, de cem pessoas que contaram ter estado lá, cerca da metade estava mentindo. Mas o que me espanta é que tu, um homem tão *pschutt,* não estavas lá.

Mas Swann não tentava de forma alguma fazer com que Odette mudasse esse conceito de chique; pensando que o seu não era mais verdadeiro, era também imbecil como o dela, desprovido de importância, não sentia nenhum interesse em instruir a amante, embora, depois de alguns meses, ela só se interessasse pelas relações de Swann quanto às entradas que ele poderia obter para o hipódromo ou as estréias teatrais. Desejava que ele cultivasse relações tão úteis, mas, por outro lado, tendia a considerá-las pouco chiques, desde que vira passar na rua a marquesa de Villeparisis de vestido de lã negro, com uma touca de fitas.

– Mas ela tem o ar de uma operária, de uma velha porteira, *darling*! Isso é uma marquesa? Eu não sou marquesa, mas seria preciso que me pagasse muito caro para me fazerem sair dessa maneira!

Odette não compreendia que Swann morasse na casa do cais de Orléans que, sem ousar confessá-lo, achava indigno dele.

Certamente, ela tinha a pretensão de amar as "antigüidades" e assumia um ar deslumbrado e cheio de finura para dizer que adoraria passar um dia inteiro a "bibelotar", a procurar bricabraques, coisas "antigas". Embora teimasse, por uma questão de ponto de honra (e parecesse praticar algum preceito de família), em não responder jamais às perguntas nem "prestar contas" do emprego de seus dias, falou certa vez a Swann de uma amiga que a convidara e em cuja residência era tudo "de época". Porém Swann não logrou fazer com que dissesse de que época se tratava. Entretanto, após refletir um pouco, ela respondeu que era "medieval". Com isso, dava a entender que havia revestimento de madeira nas paredes. Algum tempo depois, Odette voltou a falar nessa amiga e acrescentou, no tom hesitante e o ar entendido das pessoas que citam alguém com quem jantaram na véspera e cujo nome jamais ouviram antes, mas que os anfitriões pareciam considerar alguém tão célebre que se espera que o interlocutor saiba perfeitamente de quem se trata: "Ela tem uma sala de jantar... do... século dezoito!" Aliás, achava aquilo horroroso, muito despido, como se a casa não estivesse pronta, as mulheres pareciam horrendas e a moda nunca haveria de pegar. Enfim, numa terceira vez, ela voltou a falar no assunto e mostrou a Swann o endereço do homem que fizera aquela sala de jantar e que ela desejava mandar buscar, quando tivesse dinheiro, para ver se não poderia lhe fazer, não uma igual, mas aquela dos seus sonhos e que, infelizmente, as dimensões de seu pequeno apartamento não comportavam, com grandes guarda-louças, móveis renascentistas e lareiras como as do castelo de Blois. Nesse dia, deixou escapar, diante de Swann, o que pensava do seu aposento do cais de Orléans; como ele criticasse que a amiga de Odette desse agora, não para o estilo Luís XVI, pois, dizia ele, embora seja coisa que já não se fabrique, pode muito bem ser um encanto, mas para o falso antigo: "Não haverias de querer que ela vivesse como tu, no meio de móveis quebrados e tapetes gastos", retrucou ela, visto que respeito humano da burguesia ainda uma vez predominava nela sobre o diletantismo da cocote.

Dentre os que apreciavam objetos de arte, que amavam os versos, desprezavam os cálculos vis, sonhavam com a honra e o amor, ela formava uma elite superior ao restante da humanidade. Não era preciso que tivessem de fato aqueles gostos, desde que os afirmassem; de um homem que lhe confessara, no jantar, que gostava de andar à toa, de sujar os dedos nas velhas lojas, que nunca seria apreciado por este século mercantil, pois não se preocupava com os interesses desta época e portanto pertencia a outro tempo, dizia ela ao voltar: "É uma alma adorável, uma pessoa sensível, eu não tinha desconfiado disso!" e sentia por ele uma imensa e repentina amizade. Mas em compensação, aqueles que, como Swann, tinham tais gostos mas não os externavam, deixavam-na indiferente. Certo, era forçada a confessar que Swann não ligava para o dinheiro, mas acrescentava com ar entediado: "Mas no caso dele, é outra coisa"; e, de fato, o que falava à sua imaginação não era a prática do desinteresse, e sim o seu vocabulário.

Percebendo que muitas vezes não podia realizar o que ela imaginava, Swann pelo menos procurava que ela se sentisse agradavelmente em sua companhia, e não contrariava suas idéias vulgares, o seu mau gosto que se espelhava em todas as coisas, e que, aliás, ele apreciava como a tudo que vinha dela, que o encantavam mesmo, pois eram aspectos particulares graças aos quais a essência de Odette lhe surgia, tornava-se visível. Assim, quando Odette mostrava-se feliz porque iria à *Reine Topaze,* ou quando o olhar se fazia sério, inquieto e voluntarioso, se temia perder a festa das flores ou simplesmente a hora do chá, com *muffins e toasts,* no "Chá da Rue Royale", onde ela julgava ser indispensável a assiduidade para consagrar a reputação de elegância de uma mulher, Swann, transportados como somos nós pela naturalidade de uma criança ou pela veracidade de um retrato que só falta falar, tão bem sentia a alma de sua amante aflorar-lhe ao rosto que não podia resistir em tocá-lo com os lábios. "Ah, quer dizer que a pequena Odette deseja fazer-se admirar; muito bem, vamos levá-la, temos que aceder a seus desejos." Como fosse um tanto fraco da vista, Swann teve de se resignar a usar pincenê para trabalhar em casa e andar de monóculo em público, o que o desfigurava menos. Da primeira vez que o viu com ele, Odette não coube em si de alegria: "Acho que para um homem, não há o que dizer, é muito, muito chique! Como ficas bem assim! Pareces um verdadeiro *gentleman.* Só te falta um título!", acrescentou, com um tom de pesar. Swann gostava que Odette fosse assim mesmo, exatamente como, se estivesse apaixonado por uma bretã, teria ficado feliz ao vê-la de touca e ouvi-la dizer que acreditava em espectros. Até então, como em muitos homens cujo gosto pelas artes se aprofunda independentemente da sensualidade, existira uma estranha disparidade entre as satisfações que ele atribuirá a uma coisa e outra, desfrutando, em companhia de mulheres cada vez mais rudes, a sedução de obras cada vez mais requintadas, por exemplo, levando uma empregadinha para um camarote reservado para assistir à representação de uma peça decadentista que tinha vontade de ouvir ou a uma exposição de pintura impressionista, convencido, aliás, que uma mulher da sociedade intelectualizada não entenderia muito mais do que a criada, mas não teria sabido ficar calada com tanta gentileza. Ao contrário, porém, desde que amava Odette era-lhe tão gratificante simpatizar com ela, tentar possuir só uma alma para os dois, que procurava gostar das coisas que ela apreciava, e encontrava um prazer tanto mais profundo, não só em imitar seus hábitos, mas em adotar suas opiniões, que, como não tinham nenhum fundamento em sua própria inteligência, recordavam-lhe somente o seu amor, pelo qual lhes dava preferência. Se voltava para ver *Serge Panine,* se procurava uma ocasião para ver Olivier Métra na regência, era pela doçura de ser iniciado nas concepções de Odette, de se sentir partícipe de todos os seus gostos. Esse encanto de o aproximar dela, que tinham as obras ou os lugares que ela amava, parecia-lhe mais misterioso que o encanto intrínseco a coisas mais belas, mas que não lhe recordavam Odette. Além disso, tendo deixado enfraquecerem as crenças intelectuais da juventude, e seu ceticismo de homem mundano tendo penetrado até elas à sua revelia, Swann pensava (ou, pelo menos, havia pensado durante tanto tempo que ainda o afirmava) que os objetos de nossos gostos não têm em si mesmo um valor absoluto, mas que tudo é uma questão de época, de classe, consistindo em modas, e as mais vulgares valem tanto quanto as que passam por serem as mais distintas. E como julgasse que a importância atribuída por Odette à obtenção de convites para a *vernissage* não era em si mais ridícula que o prazer que ele tinha outrora em almoçar com o Príncipe de Gales, assim também não achava que a admiração que ela professava por Monte-Carlo ou pelo Righi fosse mais despropositada que o gosto que ele sentia pela Holanda, que ela imaginava detestável, e por Versalhes, que ela considerava triste. Portanto, privava-se desses lugares, tendo satisfação em dizer consigo que o fazia por ela, que somente com ela desejava sentir e amar as coisas.

Como tudo aquilo que rodeava Odette e que era, de certa forma, apenas o modo pelo qual podia vê-la e conversar com ela, Swann gostava da sociedade dos Verdurin. Ali, como no fundo de todos os divertimentos, jantares, música, jogos, ceias à fantasia, passeios pelo campo, noites de teatro, e até os raros "grandes saraus" em honra dos "maçantes", Odette estava presente, ele falava com Odette, via Odette, dom inestimável que os Verdurin faziam a Swann ao convidá-lo, e ele se sentia ali melhor do que em qualquer outro ponto do "pequeno núcleo", ao qual buscava atribuir méritos reais, pois pensava assim que, por seu gosto, o freqüentaria pelo resto da vida. Ora, não se atrevendo a confessar, por receio de não acreditar, que amaria Odette para sempre, pelo menos supondo que freqüentaria sempre os Verdurin (proposição que, *a priori,* levantava menos objeções de princípio por parte de sua inteligência), Swann via-se no futuro a encontrar-se com Odette todas as noites; o que talvez não quisesse dizer absolutamente o mesmo que a amaria para sempre, mas no momento, enquanto a amava, tudo o que pedia era acreditar que não a deixaria de ver um só dia na vida. "Que ambiente encantador", dizia consigo, "e como é verdadeira, no fundo, a vida que ali se leva! Como ali se é mais inteligente, mais artista do que na alta sociedade! Como a Sra. Verdurin, apesar de pequenos exageros um tanto risíveis, tem um amor sincero pela pintura, pela música, que paixão pelas obras, que desejo de agradar aos artistas! Ela se faz uma idéia inexata das pessoas da sociedade; mas com isto, a sociedade tem uma idéia ainda mais falsa dos ambientes artísticos! Talvez eu não tenha grandes necessidades intelectuais a saciar nas conversações, porém dou-me perfeitamente com Cottard, embora ele faça trocadilhos infames. E quanto ao pintor, se seu ar pretensioso é desagradável quando procura causar efeito, em compensação é uma das mais belas inteligências que já conheci. E depois, principalmente, a gente se sente livre ali, faz o que quer sem se constranger, sem cerimônia. Como se gasta bom humor por dia naquele salão! Decididamente, a não ser algumas raras exceções, eu jamais irei senão a esse ambiente. É ali que formarei, cada vez mais, os meus hábitos e minha vida."

E, como as qualidades que acreditava intrínsecas aos Verdurin eram apenas o reflexo, sobre ele, dos prazeres desfrutados pelo seu amor por Odette naquela casa, tais qualidades tornaram-se mais sérias, mais profundas, mais vitais, quando os prazeres também o eram. Como a Sra. Verdurin dava às vezes a Swann o que, sozinho, poderia constituir para ele a felicidade; como, na noite em que ele se sentia angustiado porque Odette conversara com um convidado mais do que com outro, e em que ele, irritado com ela, não quisera tomar a iniciativa de lhe indagar se voltariam juntos para casa, a Sra. Verdurin lhe trouxera a paz e a alegria dizendo espontaneamente: "Odette, vai voltar com o Sr. Swann, não é?", como, às vésperas do veraneio, inquieto, primeiro se perguntara se Odette se ausentaria sem ele, se poderia continuar a vê-la todos os dias, a Sra. Verdurin os convidara a ambos para passar os dias em sua casa de campo, Swann, deixando sem querer que o reconhecimento e a gratidão se infiltrassem em sua inteligência e influíssem sobre suas idéias, chegava ao ponto de afirmar que a Sra. Verdurin era uma grande alma. De algumas pessoas requintadas ou ilustres a que se referiam certos antigos camaradas seus da Escola do Louvre, ele dizia: "Prefiro mil vezes os Verdurin." E, com uma solenidade que era nova nele: "São criaturas magnânimas, e a magnanimidade é, no fundo, a única coisa que de fato importa e que nos distingue neste mundo. Veja, só há duas classes de pessoas: os magnânimos e os outros; e cheguei a uma idade em que é preciso tomar partido, decidir de uma vez por todas a quem amar, e a quem desdenhar; juntar-se àqueles a quem amamos e, para recuperar o tempo perdido com os outros, não mais deixá-los até a morte. Pois bem!", acrescentava com a leve emoção que experimentamos quando, mesmo sem nos apercebermos bem disso, dizemos uma coisa, não porque seja verdadeira, mas porque temos prazer em dizê-la e a escutamos com nossa própria voz como se viesse de outrem, "a sorte está lançada, eu escolhi gostar dos únicos seres magnânimos e viver apenas na magnanimidade. Você me pergunta se a Sra. Verdurin é de fato inteligente. Asseguro-lhe que ela me deu provas de uma nobreza de coração, de uma altivez de alma que não se atinge senão com idêntica altivez de pensamento. É claro que tem uma profunda compreensão das artes. Mas não é talvez nisto que ela se mostra mais admirável; e tal ou qual ação engenhosa, delicadamente boa, que praticou para mim, tal ou qual atenção de gênio, ou tal ou qual gesto familiarmente sublime, revelam uma compreensão mais profunda da existência que todos os tratados de filosofia."

Ele poderia, entretanto, dizer consigo que havia velhos amigos de seus pais tão simples como os Verdurin, companheiros de juventude também apreciadores da arte, que conhecia outras pessoas de grande coração, e que, no entanto, desde que ele optara pela simplicidade, pelas artes e pela magnanimidade, não via jamais. Mas estes não conheciam Odette e, se a tivessem conhecido, não se incomodariam em aproximá-la dele.

Assim, não havia com certeza, em todo o meio dos Verdurin, um único fiel que os amasse ou julgasse amar tanto como Swann. E no entanto, quando o Sr. Verdurin dissera que Swann não lhe agradava, não só exprimira o próprio pensamento, mas adivinhara o de sua mulher. Sem dúvida, Swann externava por Odette um afeto muito particular e do qual não se dignara em fazer a Sra. Verdurin a confidente do dia-a-dia: claro, a própria discrição com que se valia da hospitalidade dos Verdurin, evitando muitas vezes comparecer a um jantar por uma razão de que eles não faziam a menor idéia, e em lugar do qual eles viam o desejo de não faltar a um convite dos "maçantes"; claro, também, e apesar de todas as precauções que Swann tomara para lhes ocultar a descoberta progressiva que faziam de sua brilhante posição na sociedade, tudo isto contribuía para a irritação deles contra Swann. Mas o motivo mais profundo era outro. É que haviam sentido nele, e bem depressa, um espaço reservado, impenetrável, onde ele continuava a professar, silenciosamente, para si próprio, que a princesa de Sagan não era grotesca e que as graçolas de Cottard não tinham graça nenhuma; enfim, embora ele jamais deixasse de lado a amabilidade e nunca se revoltasse contra os seus dogmas, a impossibilidade de impô-los a ele, de convertê-lo por completo, como nunca haviam encontrado em qualquer pessoa. Poderiam lhe ter perdoado que freqüentasse os "maçantes" (aos quais, do fundo do coração, aliás, Swann preferia mil vezes os Verdurin e todo o pequeno núcleo), se houvesse consentido, para dar o exemplo, em renegá-los em presença dos fiéis. Mas aquilo era uma abjuração que compreenderam não poderiam lhe arrancar.

Que diferença em relação a um "novo" que Odette lhes pedira para convidar, conquanto só o tivesse encontrado poucas vezes, e no qual depositavam muitas esperanças, o conde de Forcheville! (Ocorria que se tratava exatamente do cunhado de Saniette, o que encheu de espanto os fiéis: o velho arquivista tinha modos tão humildes que eles sempre o julgaram pertencer a um nível social inferior ao seu e não esperavam que fizesse parte de um mundo rico e relativamente aristocrático.) Sem dúvida, Forcheville era grosseiramente esnobe, ao passo que Swann não o era; como Swann, sem dúvida, estava bem longe de colocar o meio dos Verdurin acima de todos os outros. Mas não possuía a delicadeza natural que impedia Swann de se associar às críticas visivelmente falsas que a Sra. Verdurin dirigia às pessoas que ele conhecia. Quanto às tiradas pretensiosas e vulgares que o pintor lançava em certos dias, às graçolas de caixeiro-viajante que Cottard arriscava, as quais Swann, que simpatizava com os dois, desculpava facilmente mas não tinha a coragem e a hipocrisia de aplaudir, Forcheville, ao contrário, era de um nível intelectual que lhe permitia espantar-se e encantar-se com umas, aliás sem entendê-las, e deleitar-se com as outras. E justamente o primeiro jantar em casa dos Verdurin a que compareceu Forcheville evidenciou todas estas diferenças, fez salientar suas qualidades e precipitou a queda de Swann.

Nesse jantar havia, além dos convivas de costume, um professor da Sorbonne, Brichot, que conhecera os Verdurin na estação de águas e que, se seus trabalhos universitários e obras de erudição não lhe tornassem bem raros os instantes de liberdade, compareceria de bom grado mais vezes; pois possuía a curiosidade, a superstição da vida que, unida a um certo ceticismo relativamente ao assunto de seus estudos, resulta, em qualquer profissão, no caso de alguns homens inteligentes, em médicos descrentes da medicina, professores de ginásio que não crêem no tema latino, dando-lhes reputação de espíritos arejados, brilhantes e até mesmo superiores. Na casa dos Verdurin, ao falar de filosofia e de história, afetava procurar suas comparações no que havia de mais atual, primeiro porque achava que tais temas são apenas uma preparação para a vida e supunha encontrar naquele ambiente de "pequeno clã" o que até então só conhecera nos livros; depois, talvez também porque, como antigamente lhe haviam feito criar respeito bem grande a certos assuntos, respeito que havia conservado sem saber, julgava despir-se de sua condição de universitário, tomando com esses assuntos liberdades que, pelo contrário, não lhe pareciam liberdades senão porque permanecia universitário.

Desde o princípio da refeição, como o Sr. de Forcheville, sentado à direita da Sra. Verdurin que, em atenção ao "novato", muito cuidara da toalete, lhe dissesse: "É bem original esse vestido branco", o doutor, que não cessara de observá-lo, tão curioso se mostrava para saber como era que ele chamaria um "de", e que procurava uma oportunidade de atrair sua atenção e entrar mais em contato com o conde, colheu no ar a palavra "branco" e, sem erguer a cara do prato, disse: "branca? Branca de Castela?", e depois, sem mover a cabeça, lançou furtivamente, à direita e à esquerda, olhares incertos e risonhos. Enquanto Swann, pelo esforço vão e doloroso que fez para sorrir, testemunhava considerar idiota aquele trocadilho, Forcheville mostrava ao mesmo tempo que apreciava a finura do mesmo e que sabia viver, contendo nos devidos limites uma alegria cuja franqueza encantara a Sra. Verdurin.

– Que me diz de um sábio como este? – perguntara a Forcheville. – Não há meio de conversar a sério dois minutos com ele. Será que o senhor tem essas tiradas no hospital? – acrescentara voltando-se para o doutor. – Desse jeito, não deve ser muito aborrecido lá, todos os dias. Estou vendo que terei de pedir que me internem.

– Creio ter ouvido que o doutor falava daquela velha harpia, Branca de Castela, se ouso me expressar desse modo. Não é verdade, madame? –, perguntou Brichot à Sra. Verdurin que, sem fôlego, olhos fechados, mergulhou o rosto nas mãos, de onde se escaparam gritos sufocados. – Meu Deus, madame, eu não queria alarmar as almas respeitosas, se existe alguma em torno desta mesa, *sub rosa*... Aliás, reconheço que nossa inefável república ateniense – e quanto! – poderia honrar naquela obscurantista Capeto o primeiro dos chefes de polícia de pulso. É verdade, meu caro anfitrião, é bem verdade – prosseguiu com sua voz bem modulada que destacava cada sílaba, em resposta a uma objeção do Sr. Verdurin. – A *Crônica de Saint-Denis,* cuja segurança de informação não podemos contestar, não deixa dúvida alguma a respeito. Mulher nenhuma poderia ser mais bem escolhida como padroeira por um proletariado laicizante do que essa mãe de um santo, a quem, de resto, fez passar maus momentos, como diz Suger e outros S. Bernardos, pois com ela cada um tinha o seu.

– Quem é este senhor? – perguntou Forcheville à Sra. Verdurin. – Parece-me de primeira.

– Como, o senhor não conhece o famoso Brichot? É célebre em toda a Europa.

– Ah, é Bréchot! – exclamou Forcheville, que não ouvira bem. – Que está me dizendo? – acrescentou, encarando o homem célebre com olhos arregalados. – É sempre interessante jantar com um homem que está em evidência. Mas, diga-me, só convidam gente escolhida? Pelo jeito, ninguém se aborrece nesta casa.

– Oh, o que sucede – disse a Sra. Verdurin com modéstia – é que aqui se sentem à vontade. Falam do que querem, e a conversa se faz verdadeiramente esfuziante. E Brichot não está hoje nos seus melhores dias; já o vi extraordinário aqui em casa, da gente se pôr de joelhos diante dele; muito bem, na casa dos outros não é o mesmo homem, deixa de ter espírito, é necessário arrancarem-lhe as palavras, chega a ser tedioso.

– Curioso – replicou Forcheville espantado.

Um gênero de espírito como o de Brichot seria tomado como pura idiotice no grupo em que Swann havia passado a juventude, embora seja compatível com uma inteligência verdadeira. E a do professor, vigorosa e bem nutrida, teria provavelmente causado inveja a muitas pessoas da sociedade que Swann considerava espirituosas. Porém de tal forma estas tinham logrado imbuí-lo de seus gostos e suas repugnâncias, ao menos em tudo aquilo que diz respeito à vida mundana, e até numa de suas partes anexas que pertenceria antes ao domínio da inteligência, ou seja, a conversação, que Swann só pôde achar os gracejos de Brichot pedantes, vulgares e intolerantemente rudes. Depois, sentia-se chocado, no seu hábito das boas maneiras, pelo tom áspero e militar que afetava para com todos o ardoroso acadêmico. Por fim, talvez Swann perdesse principalmente, naquela noite, sua indulgência ao ver a amabilidade com que a Sra. Verdurin tratava aquele Forcheville, que Odette tivera a singular idéia de trazer. Um pouco incomodada em face de Swann, ela lhe perguntara ao chegar:

– Então, que tal meu convidado?

E ele, percebendo pela primeira vez que Forcheville, a quem de há muito conhecia, poderia ser agradável a uma mulher e era um homem bem bonito, respondera: "Imundo!" Certo, não imaginava ter ciúmes de Odette, mas não se sentia tão feliz como de hábito e quando Brichot, tendo começado a contar a história da mãe de Branca de Castela que "vivera vários anos com Henrique Plantageneta antes de desposá-lo", quis que Swann o confirmasse, indagando: "Não é mesmo, Sr. Swann?", com um tom marcial que se emprega para pôr-se ao alcance de um camponês ou dar ânimo a um soldado; Swann cortou o efeito de Brichot, para grande fúria da dona da casa, respondendo que o desculpassem por pouco se importar com Branca de Castela, mas que tinha algo a perguntar ao pintor. Este, de fato, fora de tarde visitar a exposição de um artista, amigo da Sra. Verdurin, recentemente falecido, e Swann queria saber por intermédio dele (pois apreciava o seu gosto) se de fato havia em suas últimas obras mais do que o incrível virtuosismo que já assombrava nas anteriores.

– Sob este aspecto era extraordinário, mas não me parecia uma arte, conforme se diz, muito "elevada" – disse Swann sorrindo.

– Elevada... ao pináculo da fama – interrompeu Cottard, erguendo os braços com gravidade fingida.

Toda a mesa rebentou de riso.

– Quando eu dizia que a gente não pode ficar séria com ele – disse a Sra. Verdurin a Forcheville. – No momento em que menos se espera, lá vem ele com uma das suas.

Mas reparou que Swann fora o único a não ter rido. Aliás, ele não estava nada contente que Cottard gracejasse à sua custa diante de Forcheville. Mas o pintor, em vez de responder de modo que interessasse a Swann, o que provavelmente teria feito se estivessem a sós, preferiu fazer-se admirar pelos convivas com uma tirada sobre a habilidade do mestre falecido.

– Aproximei-me daquela coisa – disse ele – para ver como era feita, e meti o nariz. Qual! Não se podia dizer se era feito com cola, rubis, com sabão, com bronze, com o sol ou com meleca!

– Onze e um doze – exclamou o doutor um pouco tarde demais; sua interrupção não foi entendida por ninguém.

– Não se parece com nada – prosseguiu o pintor – mas não é possível descobrir o truque a não ser em *A Ronda* ou *Os Regentes,* e é ainda mais forte do que em Rembrandt ou Hals. Juro que ali existe de tudo.

E como os cantores que, tendo chegado à mais alta nota que podem dar, continuam em voz de falsete, *piano,* ele se contentou em murmurar, rindo, como se de fato aquela pintura fosse irrisória à força de beleza:

– Aquilo cheira bem, sobe à cabeça, corta a respiração, dá coceiras, não há modo de saber de que é feito, é obra de um bruxo, é velhacaria, é um milagre (desatando a rir): é desonesto! – E parando, erguendo a cabeça com gravidade, assumindo um tom de baixo profundo que tentou fazer harmonioso, acrescentou: – E é tão leal!

Salvo no momento em que dissera "mais forte que *A Ronda*", blasfêmia que provocara um protesto da Sra. Verdurin, que considerava *A Ronda* a maior obra-prima do universo junto com a *Nona* e a *Samotrácia*, e o seu "feito com meleca", que fizera Forcheville lançar um olhar pela mesa para ver se aquele termo passava, e em seguida esboçou um sorriso indulgente e conciliador, todos os convivas, à exceção de Swann, haviam pregado no pintor os olhos fascinados pela admiração.

– Como ele me diverte quando vai nessa batida! – exclamou a Sra. Verdurin quando ele acabou. Mostrava-se orgulhosa de que a mesa estivesse tão interessante exatamente no dia em que o Sr. de Forcheville comparecia pela primeira vez. – E tu? Que é que fazes aí de boca aberta como um idiota? – disse ela ao marido. – Já sabes que ele fala muito bem; parece até que é a primeira vez que o ouves. Se o senhor o tivesse visto enquanto falava: bebia as suas palavras. E amanhã nos dirá tudo o que o senhor disse sem faltar uma só vírgula.

– Mas não, não é blague – disse o pintor, encantado com seu sucesso. – Parece achar que estou me exibindo, contando vantagem; vou levá-la à exposição para que veja, dirá se fui exagerado; aposto o meu ingresso como voltará mais entusiasmada que eu.

– Mas nós não achamos que esteja exagerando, queremos apenas que o senhor coma, e que meu marido coma igualmente; sirva de novo o linguado normando ao senhor, está vendo que seu prato já esfriou. Não estamos tão apressados, você serve como se a casa estivesse incendiada; espere um pouco para trazer a salada.

A Sra. Cottard, que era modesta e pouco falava, se tornava desembaraçada quando uma feliz inspiração lhe sugeria uma frase correta. Sentia que faria sucesso, o que lhe dava confiança, e o que fazia então era menos para brilhar do que para ser útil à carreira do marido. Assim, não deixou escapar a palavra "salada", que a Sra. Verdurin acabava de pronunciar.

– Não será a salada japonesa? – disse baixinho, voltando-se para Odette.

E, encantada e confusa com a oportunidade e a audácia de fazer desse modo uma alusão discreta, porém clara, à nova e estrondosa peça de Dumas, desatou num riso encantador de ingênuo, pouco ruidoso, mas tão irresistível que ficou alguns instantes sem poder dominá-lo.

– Quem é essa senhora? Ela tem espírito – indagou Forcheville.

– Não, não é salada japonesa. Mas prepararemos uma, se vierem todos jantar na sexta-feira.

– Vou parecer-lhe muito provinciana, senhor – disse a Sra. Cottard a Swann, –, mas ainda não vi essa famosa *Francillon* da qual todos falam. O doutor já foi, (lembro-me até que ele disse ter tido muito prazer de passar a noite em sua companhia) e confesso não julguei razoável que comprasse entradas para voltar lá comigo. Evidentemente, no Théâtre-Français jamais se tem uma noite por perdida, todas as peças são sempre bem representadas, mas como temos amigos muito amáveis (a Sra. Cottard raramente pronunciava um nome próprio, contentando-se em dizer "nossos amigos", "uma de minhas amigas", por "distinção", num tom artificial e com o ar de importância de quem só designa pelo nome a quem quer) que muitas vezes dispõem de camarotes e têm a boa idéia de nos levar a todas as novidades que mereçam ser vistas, tenho a certeza de ver *Francillon* mais cedo ou mais tarde, e de formar uma opinião a respeito. No entanto, devo confessar que me sinto desatualizada, pois em todos os salões a que compareço, só se fala naturalmente dessa infeliz salada japonesa. A gente começa a ficar até um tanto cansada disso – acrescentou ela, vendo que Swann não se mostrava tão interessado como ela supunha diante de tão candente atualidade. – É preciso confessar, entretanto, que isto às vezes serve de pretexto a idéias bem divertidas. O caso é que uma de minhas amigas, que é bastante original, apesar de ser mulher muito bonita, e muito requestada, muito na moda, diz ter mandado fazer em casa a tal salada japonesa, mas com tudo o que Dumas filho indica na peça. Convidou algumas amigas para experimentá-la. Infelizmente eu não estava entre elas. Porém depois ela me contou; parece que saiu uma coisa horrível, ela nos fez rir até as lágrimas. Mas o senhor sabe, é tudo uma forma de contar – disse ela, vendo que Swann mantinha um ar grave.

E supondo que fosse porque Swann talvez não gostasse de *Francillon*:

– De resto, acho que vou ter uma decepção. Não creio que a peça valha *Serge Panine,* o ídolo da Sra. de Crécy. Ao menos este traz um assunto que tem fundo, que faz refletir; mas dar uma receita de salada em pleno palco do Théâtre-Français! Ao passo que *Serge Panine!* Aliás, é como tudo que vem da pena de Georges Ohnet, sempre bem escrito. Não sei se o senhor conhece *Le Maître des Forges*, que ainda prefiro a *Serge Panine.*

– Perdoe-me – respondeu Swann com ar de ironia –, mas confesso minha falta de admiração, que é quase igual quanto a essas duas obras-primas.

– Verdade? Que é que lhes censura? Simples antipatia? Acha que talvez seja um tanto triste? Aliás, como digo sempre, não convém jamais discutir os romances nem as peças de teatro. Cada qual tem sua forma de ver e o senhor pode achar detestável aquilo de que mais gosto.

Foi interrompida por Forcheville, que interpelava Swann. De fato, ao passo que a Sra. Cottard falava de *Francillon,* Forcheville externava à Sra. Verdurin a sua admiração pelo que chamara o pequeno *speech* do pintor.

– Este senhor tem uma facilidade para falar, uma memória tal – dissera à Sra. Verdurin quando o pintor acabou – como raramente tenho visto. Quem me dera algo assim. Daria um excelente pregador. Pode-se dizer que, com Bréchot, a senhora tem aqui dois números que se equivalem, e até nem sei se, em matéria de palavreado, este não levaria o professor de vencida. É mais natural, menos rebuscado. Embora tenha dito de passagem algumas coisas meio realistas (mas está no gosto da moda), poucas vezes vi alguém manter uma conversa com tanta destreza, como dizíamos no regimento, onde, entretanto, tive um camarada que esse senhor justamente me faz lembrar um pouco. A propósito de qualquer coisa, nem sei o que lhe dizer, este copo, por exemplo, ele podia discorrer durante horas, não, não a propósito deste copo, o que digo é bobagem; mas a propósito da batalha de Waterloo, de tudo o que a senhora quiser, e, de passagem, falava-nos de coisas em que nunca teríamos pensado. Aliás, Swann estava no mesmo regimento; deve tê-lo conhecido.

– O senhor vê o Sr. Swann muitas vezes? – perguntou a Sra. Verdurin.

– Oh, não – respondeu o Sr. de Forcheville e, como desejasse ser agradável a Swann, para poder mais facilmente se aproximar de Odette, querendo aproveitar a ocasião para lisonjeá-lo, referiu-se às suas boas relações, porém como homem mundano, em tom de crítica cordial e sem parecer felicitá-lo por um êxito imprevisto: – Não é mesmo, Swann, que nunca nos vemos? Além do mais, como fazer para vê-lo? Esse animal está o tempo todo metido na casa dos La Trémoïlle, na casa dos Laumes, na casa de todo mundo dessa laia!... – Imputação tanto mais falsa, aliás, porquanto fazia um ano que Swann não ia senão à casa dos Verdurin. Mas a pura menção de pessoas que não conheciam era por eles acolhida com um silêncio de reprovação. O Sr. Verdurin, temendo a penosa impressão que esses nomes de "maçantes", sobretudo lançados assim sem tato algum à face de todos os fiéis, deveria produzir sobre a esposa, lançou-lhe de soslaio um olhar de inquieta solicitude. Viu então que, em sua resolução de não tomar nenhuma atitude, de não se abalar pela novidade que lhe fora notificada, de não só permanecer muda, mas também surda, como fingimos quando um amigo em falta procura introduzir na conversa uma desculpa que poderíamos parecer estar aceitando se a escutássemos sem protesto, ou quando pronunciam à nossa frente o nome proibido de um ingrato, a Sra. Verdurin, para que seu silêncio não fosse tido como consentimento, mas parecesse o silêncio ignorante das coisas inanimadas, despojara de repente o rosto de qualquer sinal de vida, de toda motilidade; sua fronte arqueada era apenas um belo estudo de alto-relevo onde o nome desses La Trémoïlle, em cuja casa Swann andava sempre enfurnado, não pudera penetrar; seu nariz, levemente franzido, mostrava uma chanfradura que parecia calcada sobre o natural. Dir-se-ia que sua boca entreaberta ia falar. Não passava de um molde de cera, uma máscara de gesso, uma maquete para um monumento, um busto para o Palácio da Indústria, diante do qual o público certamente haveria de parar a fim de admirar de que forma o escultor, exprimindo a imprescritível dignidade dos Verdurin, oposta à dos La Trêmoïlle e dos Laumes que, certamente como todos os maçantes da terra, não estão à sua altura, conseguira atribuir uma majestade quase papal à brancura e à rigidez da pedra. Mas o mármore acabou por se animar e deu a entender que era necessário ser indelicado para com a casa dessas pessoas, pois a mulher estava sempre bêbada e o marido era tão ignorante que dizia "pobrema" em vez de problema.

– Nem que me pagassem bem caro, eu deixaria essa gente entrar na minha casa... – concluiu a Sra. Verdurin, encarando Swann com um ar imperioso.

É claro que ela não esperava que Swann se submetesse ao ponto de imitar a santa simplicidade da tia do pianista que acabava de exclamar:

– Estão vendo? O que me espanta é que ainda encontrem pessoas que consintam em conversar com eles! Creio que teria medo! Quando menos a gente espera, nos fazem alguma! Como é que há gente tão boba que ainda corre atrás deles?

Mas que respondesse pelo menos como Forcheville: "Senhora, trata-se de uma duquesa; há pessoas a quem isto ainda impressiona", o que teria permitido, ao menos, que a Sra. Verdurin replicasse: "Bom proveito lhes faça". Em vez disso, Swann se contentou em rir, com ar que indicava que sequer podia levar a sério semelhante extravagância. O Sr. Verdurin, continuando a lançar olhares furtivos à mulher, via com tristeza e compreendia muito bem que ela experimentava a cólera de um grande inquisidor que não consegue extirpar a heresia; e para tentar levar Swann a uma retratação, já que a coragem das próprias opiniões sempre parece uma covardia e um cálculo aos olhos daqueles contra quem se dialogue, o Sr. Verdurin o interpelou:

– Diga com franqueza o seu pensamento, que não iremos repetir a eles.

Ao que Swann respondeu:

– Mas não é por medo da duquesa absolutamente, se é que estão falando dos La Trémoïlle. Asseguro-lhes que todos gostam de freqüentar a casa dela. Não digo que ela seja "profunda" (pronunciou a palavra como se se tratasse de um termo ridículo, pois sua linguagem conservava os hábitos do espírito, que uma certa renovação, marcada pelo amor à música, fizera-o perder momentaneamente – às vezes exprimia suas opiniões com calor) mas, sinceramente, ela é inteligente e o marido é um verdadeiro letrado. São pessoas encantadoras.

Desse modo, a Sra. Verdurin, sentindo que por esse único infiel não conseguiria efetivar a unidade moral do pequeno núcleo, não pôde evitar, em sua raiva contra aquele obstinado que não via o quanto suas palavras a faziam sofrer, de lhe gritar do fundo do coração:

– Ache o que bem entender, mas pelo menos não venha dizê-lo a nós.

– Tudo depende do que quer dizer com inteligência – disse Forcheville, que desejava brilhar por seu turno. – Vejamos, Swann, o que entende por inteligência?

– Eis aí! – exclamou Odette. – Aí estão as grandes coisas sobre as quais peço que me fale, mas ele nunca diz nada.

– Mas como não?... – protestou Swann.

– Nada, nada... – disse Odette.

– Quem nada é peixe – interpôs-se o doutor.

– Para o senhor – volveu Forcheville – a inteligência é o mexerico da sociedade, as pessoas que sabem se insinuar?

– Acabe logo, para que possam retirar seu prato – disse a Sra. Verdurin em tom áspero, dirigindo-se a Saniette, que parara de comer, envolto em suas reflexões. E talvez um tanto envergonhada com o tom que assumira: – Não tem importância, esteja à vontade, estou falando assim por causa dos outros, porque isso me impede de servir.

– Existe – disse Brichot, martelando as sílabas – uma definição bem curiosa da inteligência nesse bom anarquista, o Fénelon...

– Ouçam! – disse a Sra. Verdurin para Forcheville e o doutor. – Ele vai nos dar a definição da inteligência por Fénelon; é interessante, nem sempre temos oportunidade de aprender coisas assim.

Mas Brichot esperava que Swann desse a sua definição. Este não respondeu e, pondo-se de lado, fez gorar a brilhante disputa que a Sra. Verdurin se rejubilava em oferecer a Forcheville.

– Naturalmente, é o mesmo que faz comigo – disse Odette em tom amuado. – Não me incomodo de não ser a única pessoa que ele não considera estar à altura...

– Esses de La Trémouaïlle, que a Sra. Verdurin nos apresentou como tão pouco recomendáveis – perguntou Brichot, articulando com força –, descendem porventura dos que a boa esnobe Sra. de Sévigné confessava ser feliz em conhecer, porque isso a elevava no conceito de seus camponeses? É verdade que a marquesa tinha outro motivo, e que para ela deveria ser o principal, pois literata até a alma, como era, punha a forma escrita acima de tudo. Ora, no diário que enviava regularmente à filha, era a Sra. de La Trémouaïlle, bem documentada por suas grandes alianças, quem fazia a política do exterior.

– Mas não, não creio que seja da mesma família – disse casualmente a Sra. Verdurin.

Saniette que, desde que entregara precipitadamente ao mordomo o seu prato ainda cheio, voltara a mergulhar num silêncio pensativo, despertou enfim para contar, rindo, a história de um jantar na companhia do duque da La Trémoïlle e do qual resultara que este não sabia que Georges Sand era o pseudônimo de uma mulher. Swann, que simpatizava com Saniette, julgou dever lhe dar, sobre a cultura do duque, pormenores que mostravam que semelhante ignorância da parte deste era materialmente impossível; mas de súbito se interrompeu, pois acabava de perceber que Saniette não tinha necessidade daquelas provas e sabia que a história era falsa, pela simples razão de que acabara de inventá-la momentos antes. Aquele excelente homem se desgostava por ser considerado tão tedioso pelos Verdurin; e tendo consciência de ter sido ainda mais sem graça naquele jantar do que de costume, não quisera deixá-lo terminar sem ter conseguido tornar-se divertido. Capitulou tão depressa, com um aspecto de tanta infelicidade por ver fracassado o efeito que esperava obter e respondeu a Swann num tom de tal modo acovardado, para que este não se encarniçasse numa réplica agora inútil: "Está bem, está bem; de qualquer forma, mesmo que eu esteja enganado, não se trata de um crime, acho", que Swann gostaria de lhe poder dizer que a história era verdadeira e deliciosa. O doutor, que os ouvira, teve a impressão de que era o caso de dizer *se non é vero,* mas não tinha muita certeza quanto às palavras e temia se atrapalhar.

Depois do jantar, Forcheville encaminhou-se para o doutor.

– Ela não deve ter sido nada feia, a Sra. Verdurin; e além disso é uma mulher com quem se pode conversar, e isto para mim é o que importa. Evidentemente, ela começa a virar uma pipa. Mas a Sra. de Crécy, eis aí uma mulherzinha bem inteligente, caramba! A gente vê logo que ela tem olho vivo! Estamos falando da Sra. de Crécy – disse ele ao Sr. Verdurin, que se aproximara de cachimbo na boca. – Creio que como corpo de mulher...

– Antes encontrá-lo no meu leito do que encontrar o demo – disse Cottard com precipitação, pois há instantes esperava em vão que Forcheville tomasse fôlego para dizer esse velho gracejo, com medo de perder a oportunidade se a conversa se desviasse para outros assuntos, e pronunciando-o com o excesso de espontaneidade e segurança que busca disfarçar a frieza e o nervosismo inseparáveis de um recitativo. Forcheville conhecia o gracejo, compreendeu-o e divertiu-se muito. Quanto ao Sr. Verdurin, não poupou sua hilaridade, pois achara havia pouco uma forma de simbolizá-la, muito diferente da que usava sua mulher, mas também simples e clara. Mal começara a fazer o movimento da cabeça e dos ombros de alguém que não agüenta mais, logo se punha a tossir como se, rindo com muita força, tivesse engolido a fumaça do cachimbo. E, conservando-o sempre no canto da boca, prolongava indefinidamente o simulacro da sufocação e da hilaridade. Assim, ele e a Sra. Verdurin, a qual, em frente, ouvindo o pintor narrar-lhe uma história, fechava os olhos antes de mergulhar o rosto nas mãos, davam ambos a impressão de duas máscaras de teatro que figurassem diversamente a alegria.

O Sr. Verdurin, aliás, fizera muito bem em não tirar o cachimbo da boca, pois Cottard, que precisava se afastar por um instante, disse a meia voz uma frase que aprendera recentemente e que repetia toda vez que ia ao mesmo local: "Preciso ir falar um instante com o duque de Aumale" – o que provocou novo acesso de tosse do Sr. Verdurin.

– Vamos, tira esse cachimbo da boca, estás vendo que vais te afogar se ficas contendo o riso desse jeito – disse a Sra. Verdurin, que vinha oferecer licores.

– Que homem encantador o seu marido, tem espírito como quatro! – declarou Forcheville à Sra. Cottard. – Obrigado, madame. Um velho soldado como eu, jamais recusa pinga.

– O Sr. de Forcheville acha Odette encantadora – disse o Sr. Verdurin à esposa.

– Mas justamente ela gostaria de almoçar um dia com o senhor. Vamos combinar isso, mas não é preciso que Swann fique sabendo. O senhor entende, ele dá uma certa frieza. Isto não o impedirá de vir jantar, naturalmente, esperamos que o senhor apareça com freqüência. Com o bom tempo que vai chegar agora, muitas vezes jantamos ao ar livre. Não se incomodaria em jantar no Bois? Muito bem, é muita gentileza sua. E você, não vai trabalhar no seu ofício? – gritou ela para o jovem pianista, para mostrar, diante de um novato do calibre de Forcheville, ao mesmo tempo seu espírito e seu poder tirânico sobre os fiéis.

– O Sr. de Forcheville estava em vias de falar mal de ti – disse a Sra. Cottard ao marido quando este retornou ao salão.

E Cottard, mantendo a idéia da nobreza de Forcheville que o preocupava desde o começo do jantar, disse-lhe:

– No momento, estou cuidando de uma baronesa, a baronesa Putbus; os Putbus estavam nas Cruzadas, não é mesmo? Na Pomerânia, eles possuem um lago, que é dez vezes maior que a Praça da Concórdia. Cuido da sua artrite seca, é uma mulher fascinante. Aliás, creio que ela conhece a Sra. Verdurin.

O que permitiu a Forcheville, quando se encontrou, momentos depois, a sós com a Sra. Cottard, completar o juízo favorável que fizera a respeito do marido dela:

– E depois, é interessante ver que ele conhece tantas pessoas. Pombas, sabem tanto esses médicos!

– Vou tocar a frase da sonata para o Sr. Swann – anunciou o pianista.

– Bolas, que ao menos fosse a *Serpent à sonates* – disse o Sr. de Forcheville para fazer efeito.

Mas o doutor Cottard, que jamais escutara esse trocadilho, não o compreendeu e o julgou um engano de Forcheville. Aproximou-se com vivacidade para corrigi-lo:

– Não é *serpent à sonates* que se diz, e sim *serpent a sonnettes* – afirmou com um tom zeloso, impaciente e triunfal.[4]

[4]Trocadilho intraduzível em português. *Serpent à sonnettes* é cascavel. (N. do T.)

Forcheville lhe explicou o trocadilho. O doutor enrubesceu.

– Confesse que é engraçado, doutor.

– Oh, eu já o conhecia há muito tempo – respondeu Cottard.

Porém calaram-se; sob a agitação dos *tremolos* de violino, que a protegiam com seu ligeiro frêmito a duas oitavas de distância – e como numa região montanhosa, detrás da aparente imobilidade vertiginosa de uma cascata, percebe-se, duzentos pés abaixo, o vulto minúsculo de uma passeante –, a pequena frase acabava de surgir, longínqua, graciosa, protegida pelo longo desfraldar da cortina transparente, incessante e sonora. E Swann, do fundo do coração, dirigiu-se a ela como a uma confidente de seu amor, como a uma amiga de Odette que deveria lhe dizer que não se preocupasse com esse Forcheville.

– Ah, o senhor chegou tarde – disse a Sra. Verdurin a um fiel que só fora convidado como um "palito" –, tivemos "um" Brichot incomparável, de uma eloqüência! Mas já foi embora. Não é mesmo, Sr. Swann? Creio que é a primeira vez que o senhor se encontra com ele – disse ela para fazê-lo notar que era a ela que Swann devia o ter conhecido. – Não é verdade que esteve delicioso o nosso Brichot?

Swann se inclinou polidamente.

– Não? Ele não o interessou? – inquiriu a Sra. Verdurin com secura.

– Claro que sim, madame. Muito mesmo, fiquei deslumbrado. Ele talvez seja um tanto peremptório e um pouco jovial para o meu gosto. Preferia que tivesse, às vezes, um pouquinho de hesitação e de suavidade, mas a gente percebe que ele conhece tantas coisas e dá a impressão de ser um homem excelente.

Todos se retiraram bem tarde. As primeiras palavras de Cottard à mulher foram:

– Raras vezes vi a Sra. Verdurin com tanta verve como hoje.

– O que é exatamente essa Sra. Verdurin, uma mulher desfrutável? – indagou Forcheville ao pintor, a quem convidara para saírem juntos.

Odette viu-o se afastar com pena. Não teve coragem de não regressar em companhia de Swann, mas foi de mau humor no carro e, quando ele perguntou se devia entrar na casa dela, lhe disse: "É claro", dando de ombros com impaciência. Quando todos os convidados haviam saído, a Sra. Verdurin disse ao marido:

– Notaste como Swann riu sem graça quando falamos da Sra. Trémouïlle?

Ela havia reparado que diante desse nome Swann e Forcheville tinham várias vezes suprimido a partícula. Não duvidando que aquilo se devia a que eles desejavam mostrar que não se intimidavam com os títulos, ela aspirava a imitar-lhes a altivez, mas não percebera bem por que forma gramatical deveria traduzi-lo. E, como sua viciosa forma de falar podia mais que sua intransigência republicana, dizia ainda os "de La Tremoïlle", ou melhor, com uma abreviatura em uso nas letras das canções de café-concerto e nas legendas dos caricaturistas e que dissimulava os "de", em "os d'La Trémoïlle", mas logo caía em si, dizendo: "Madame La Trémoïlle".

– A duquesa, como diz Swann – acrescentou com ironia, num riso que provava que nada mais fazia que citar e não coonestava uma denominação tão ingênua e ridícula.

– Digo que o achei extremamente bobo.

E o Sr. Verdurin respondeu:

– Não é franco, é um sujeito cauteloso, sempre entre o sim e o não. Quer sempre poupar a cabra e a couve. Que diferença de Forcheville! Pelo menos, aí está um homem que diz na cara tudo o que pensa. Agrade ou não agrade. Não é como o outro, que nunca é branco nem preto. Aliás, Odette parece ter uma certa queda por Forcheville, e lhe dou toda a razão. E além disso, já que Swann quer bancar o aristocrata com a gente, o defensor das duquesas, ao menos o outro tem seu título: sempre será conde de Forcheville – acrescentou sutilmente, como se, a par da história desse condado, lhe avaliasse minuciosamente o teor particular.

– Afirmo – disse a Sra. Verdurin – que ele julgou dever lançar contra Brichot algumas insinuações venenosas e bem ridículas. Naturalmente, como viu que Brichot era querido na casa, aquilo era uma forma de nos atingir, de arruinar nosso jantar. Imagine o que não dirá de nós ao sair.

– Mas já te disse – respondeu o Sr. Verdurin. – É um fracassado, um sujeitinho que tem inveja de tudo o que é um pouco grande.

Na realidade, não havia um só fiel que não fosse mais malévolo que Swann; porém todos tinham o cuidado de temperar suas maledicências com gracejos bem sabidos, com uma ponta de emoção e de cordialidade; ao passo que a menor reserva que Swann se permitia, despojada das fórmulas convencionais do tipo: "Não é por mal que falo, mas...", e às quais não se dignava abaixar-se, pareciam uma perfídia. Existem autores originais em quem a menor ousadia causa revolta porque eles antes não tiveram o cuidado de lisonjear os gostos do público e não lhes serviram os lugares-comuns a que ele está habituado; da mesma forma é que Swann indignava o Sr. Verdurin. No caso de Swann, como no daqueles autores, era o novo da linguagem que fazia com que acreditassem na perversidade das intenções.

Swann ainda ignorava a desgraça que o ameaçava em casa dos Verdurin, e continuava a ver os ridículos do casal com bons olhos, através do seu amor por Odette.

Na maioria das vezes, só se encontrava com Odette à noite; mas de dia, tendo medo de cansá-la indo a sua casa, queria pelo menos não deixar de ocupar-lhe os pensamentos, e em todos os instantes buscava uma oportunidade para fazer-se lembrado, porém de modo que fosse agradável a ela. Se, na vitrina de um florista ou de um joalheiro, a visão de um arbusto ou de uma jóia o encantava, logo pensava em enviá-los a Odette, imaginando que o prazer que sentira ao vê-los ela igualmente o sentiria, e viria aumentar o afeto que sentia por ele, e as mandava enviar imediatamente para a rua La Pérouse a fim de não retardar o momento em que, quando Odette recebia algo de sua parte, pudesse ele se sentir de alguma forma perto dela. Queria sobretudo que ela os recebesse antes de sair, para que o reconhecimento que experimentava lhe valesse uma acolhida mais carinhosa quando se encontrassem nos Verdurin, ou até, quem sabe, se o entregador fosse bastante rápido, talvez um bilhete que ela lhe mandaria antes do jantar, ou mesmo a sua vinda em pessoa à casa dele, numa visita suplementar de agradecimento. Como antigamente, quando sentia as reações do despeito em Odette, procurava extrair dela as de gratidão, parcelas íntimas de um sentimento que Odette ainda não revelara.

Muitas vezes ela estava com embaraços financeiros e, pressionada por uma dívida, pedia-lhe auxílio. Swann ficava feliz com isso, como com tudo o que pudesse dar a Odette uma grandiosa idéia do amor que lhe tributava, ou simplesmente uma grande idéia de sua influência, do quanto útil lhe poderia ser. Sem dúvida, se lhe houvessem dito no começo: "É a tua situação que lhe agrada", e agora: "É pela tua fortuna que ela te ama", ele não o teria acreditado, embora não ficasse muito aborrecido pelo fato de imaginarem que estivesse presa a ele – que os sentissem unidos um ao outro – por algo tão forte como o esnobismo ou o dinheiro. Mas, mesmo que imaginasse fosse verdade, talvez não tivesse sofrido ao descobrir, no amor de Odette, esse estado mais duradouro que o carinho ou as qualidades que ela pudesse achar nele: o interesse, o interesse que jamais deixaria chegar o momento em que ela pudesse ser tentada a não vê-lo em definitivo. Por enquanto, cumulando-a de presentes, prestando-lhe favores, Swann podia repousar nas vantagens exteriores à sua pessoa, à sua inteligência, do cuidado exaustivo de lhe agradar por si mesmo. E essa volúpia de estar apaixonado, de viver apenas de amor, de cuja realidade às vezes duvidava, o preço que em resumo lhe custava, como diletante de sensações imateriais, aumentava-lhe ainda mais o valor – como se vêem pessoas, incertas quanto à delícia do espetáculo do mar e o rumor das ondas, se convencerem disto tão logo, bem como da rara qualidade de seus gostos desinteressados, ao alugarem por cem francos diários o aposento do hotel que lhes permita desfrutá-los.

Um dia em que reflexões desse tipo lhe recordavam ainda outra vez o tempo em que lhe haviam falado de Odette como de uma mulher sustentada e em que mais uma vez se divertia contrastando essa personificação estranha, a mulher sustentada – ondulado amálgama de elementos desconhecidos e diabólicos, engrinaldado, como uma aparição de Gustave Moreau, de flores venenosas entrelaçadas a pedras preciosas – e aquela Odette em cujo rosto ele vira passarem os mesmos sentimentos de piedade por um desgraçado, de revolta contra uma injustiça, de gratidão por um benefício, que outrora vira sentirem sua própria mãe e seus amigos, aquela Odette, cujas frases tantas vezes se referiam às coisas que ele próprio conhecia melhor, às suas coleções, ao seu quarto, ao seu velho criado, ao banqueiro a quem confiara seus títulos, ocorreu que esta última imagem do banqueiro lhe recordou que precisava tirar dinheiro do banco. De fato, se naquele mês não fosse tão prodigamente em auxílio de Odette como no mês anterior, quando lhe dera cinco mil francos, e não lhe ofertasse o colar de diamantes que ela desejava, não renovaria nela essa admiração pela sua generosidade, esse reconhecimento, que o deixavam tão feliz, e até se arriscaria a fazê-la crer que seu amor por ela havia diminuído, pelo fato de se tornarem menores as suas manifestações. Então de súbito perguntou-se se aquilo não seria exatamente "sustentá-la" (como se, com efeito, a noção de sustentar pudesse se extrair de elementos não misteriosos nem perversos, mas que pertencessem ao substrato cotidiano e privado da sua vida, tais como aquela nota de mil francos, doméstica e familiar, rasgada e colada de novo, que o seu criado, depois de pagar o aluguel e as contas do mês, havia fechado na gaveta da velha escrivaninha em que Swann a fora pegar para enviá-la com outras quatro a Odette) e se era possível aplicar-se a ela, desde que a conhecera (pois não suspeitou por um momento sequer que ela pudesse alguma vez ter recebido dinheiro de outra pessoa antes dele), essa designação, que julgara tão inconciliável com ela, de "mulher sustentada". Não pôde aprofundar essa idéia, pois um acesso de preguiça de espírito, congênito nele, veio naquele instante extinguir toda a luz da sua inteligência, da mesma forma tão brusca com que, mais tarde, quando se instalou em toda parte a iluminação elétrica, se pôde cortar a eletricidade de uma casa. Seu pensamento tateou por um instante na escuridão, ele tirou os óculos, enxugou as lentes, esfregou os olhos e só reviu a luz quando se achou em presença de uma idéia completamente diversa, ou seja, que era necessário tentar enviar, no mês seguinte, seis ou sete mil francos a Odette em vez de cinco, devido à alegria e à surpresa que aquilo lhe daria.

À noite, quando não ficava em casa a esperar a hora de se encontrar com Odette nos Verdurin, ou melhor, em algum dos restaurantes de verão do Bois ou de Saint-Cloud de que tanto gostavam, ia jantar numa dessas casas elegantes de onde fora outrora um conviva habitual. Não desejava perder o contato com pessoas que – sabe-se lá – poderiam talvez ser úteis a Odette um dia, e graças às quais, por ora, conseguia muitas vezes ser-lhe agradável. E depois, o costume antigo de freqüentar a sociedade e de exigir seu luxo lhe haviam dado, junto com o desdém, a necessidade de tais coisas, de modo que a partir do momento em que lhe surgissem no mesmo plano os prédios mais modestos e as mansões mais principescas, seus sentidos estavam de tal forma acostumados às segundas que Swann teria experimentado um certo mal-estar em se achar nos primeiros. Tinha a mesma consideração – num grau de identidade que não acreditariam – pelos pequenos burgueses que davam um baile num quinto andar, escada D, porta à esquerda, como pela princesa de Parma que dava as mais belas festas de Paris; porém não tinha a sensação de estar no baile quando ficava com os pais de família no quarto da dona da casa, e a vista dos lavabos cobertos de toalhas, das camas transformadas em vestiários e onde se amontoavam capas e chapéus, lhe dava a mesma sensação de sufocamento que pode causar hoje em dia, a pessoas acostumadas a vinte anos de eletricidade, o cheiro de uma lâmpada que fumega ou de uma vela que escorre. No dia em que jantava na cidade, mandava atrelar o carro para estar pronto às sete e meia; vestia-se pensando sempre em Odette e assim não se sentia só, pois a lembrança constante de Odette dava aos momentos em que estava longe dela o mesmo encanto particular que o daqueles em que estavam juntos. Subia para o carro, porém sentia que essa lembrança igualmente subira e se instalava sobre seus joelhos como um animal de estimação que se leva a toda parte e que será conservado à mesa com o dono, à revelia dos convivas. Acariciava-a, aquecia-se nela e, sentindo uma espécie de languidez, deixava-se possuir de um leve frêmito que lhe arrepiava o pescoço e o nariz, e era novo para ele, enquanto ia fixando na botoeira o ramo de ancólias. Desde algum tempo sentindo-se triste e indisposto, sobretudo depois que Odette apresentara Forcheville aos Verdurin, Swann teria preferido descansar um pouco no campo. Mas não teria coragem de abandonar Paris um só dia enquanto aí estivesse Odette. O ar estava quente; eram os mais belos dias de primavera. E embora cruzasse uma cidade de pedra para meter-se em algum recinto fechado, o que não deixava de ter diante dos olhos era um parque de sua propriedade nos arredores de Combray, onde, desde as quatro da tarde, antes de chegar à plantação de aspargos, graças ao vento que sopra dos campos de Méséglise, era possível gozar, debaixo de uma latada, de tanta frescura como à beira do tanque rodeado de miosótis e gladíolos, e onde, quando jantava, corriam em torno da mesa, enlaçadas pelo jardineiro, ramos de groselhas e de rosas.

Depois do jantar, se o encontro no Bois ou em Saint-Cloud era para logo, ele saía tão depressa da mesa – principalmente se a chuva ameaçava cair, obrigando os "fiéis" a voltarem mais cedo para casa – que certa vez a princesa de Laumes (uma vez em que se jantara bem tarde em sua casa e Swann fora embora sem esperar que servissem o café, para se encontrar com os Verdurin na ilha do Bois) observou:

– Francamente, se Swann fosse trinta anos mais velho e doente da bexiga, a gente poderia desculpá-lo por correr assim. Mas desse jeito já é fazer pouco de nós.

Swann dizia para si mesmo que o encanto da primavera, que não podia ir desfrutar em Combray, ele o encontraria pelo menos na ilha dos Cisnes ou em Saint-Cloud. Mas, como só podia pensar em Odette, nem mesmo sabia se sentira o odor das folhas ou se houvera luar. Era acolhido pela pequena frase da Sonata, tocada no jardim pelo piano do restaurante. Se ali não houvesse piano, os Verdurin teriam enorme trabalho para mandar descer um de um quarto ou de uma sala de jantar. Não que Swann tivesse caído de novo em suas boas graças, pelo contrário. Mas a idéia de organizar um engenhoso prazer para alguém que não lhes agradava, despertava-lhes, nos momentos necessários a tais preparativos, sentimentos efêmeros e ocasionais de simpatia e cordialidade. Às vezes Swann pensava que era mais uma noite de primavera que passava, e constrangia-se a atentar nas árvores, no céu. Porém a agitação que lhe causava a presença de Odette, e também uma leve indisposição febril que não o largava há algum tempo, privavam-no do sossego e do bem-estar que são o fundamento indispensável às impressões que a natureza pode oferecer.

Uma noite em que Swann aceitara jantar com os Verdurin, como dissesse durante a refeição que no dia seguinte iria a um banquete com antigos colegas, Odette lhe respondera diante de todos, diante de Forcheville, que era agora um dos fiéis, diante do pintor, diante de Cottard:

– Sim, eu sei que você tem o seu banquete, de forma que só o verei em minha casa; mas não vá muito tarde.

Conquanto Swann nunca se sentisse enciumado, a sério, com as provas de amizade que Odette dava a um ou outro dos fiéis, experimentou uma profunda ternura ao ouvi-la confessar assim, diante de todos, com aquele tranqüilo impudor, seus encontros diários à noite, a situação privilegiada que desfrutava em sua casa e a preferência que isso implicava. Certo, Swann pensara muitas vezes que Odette não era de modo algum uma mulher notável, e a supremacia que ele exercia sobre uma criatura que lhe era tão inferior nada tinha que lhe parecesse tão lisonjeiro vê-lo assim proclamado em face dos "fiéis"; mas desde que percebera que para muitos homens Odette parecia uma mulher encantadora e desejável, o encanto que seu corpo lhe trazia despertara-lhe uma necessidade dolorosa de admirá-lo inteiramente nas partes mais íntimas do seu coração. E começara a dar um valor inestimável aos momentos passados na casa dela à noite, onde sentava-a em seus joelhos e a fazia dizer o que estava pensando sobre uma coisa ou outra, quando recenseava os únicos bens a cuja posse agora se apegava neste mundo. Assim, depois desse jantar, chamou-a de parte e não deixou de lhe agradecer com efusão, procurando fazer com que compreendesse, de acordo com os graus da gratidão que lhe testemunhava, a escala dos prazeres que ela poderia lhe causar, o maior dos quais seria garanti-lo contra os acessos de ciúme, enquanto durasse o seu amor e, em conseqüência, a vulnerabilidade em que estaria a tal sentimento.

Quando saiu do banquete, na noite seguinte, chovia a cântaros e ele só tinha a sua vitória à disposição; um amigo sugeriu levá-lo até em casa de cupê e, como Odette, pelo fato de lhe haver pedido que comparecesse, dera-lhe a certeza de que não esperava ninguém, era de ânimo tranqüilo e coração em festa que Swann, em vez de sair assim na chuva, entraria em casa para se deitar. Mas quem sabe Odette, vendo que ele não fazia questão de passar sempre com ela, sem exceção, o fim da noite, não negligenciaria reservá-la para ele justamente uma vez em que ele estivesse particularmente desejoso de tal.

Swann chegou à casa dela depois das 11 da noite e, como se desculpasse de não ter podido vir mais cedo, Odette se queixou de que na verdade era bem tarde, a tempestade a deixara indisposta, tinha dores de cabeça e o preveniu de que não o reteria mais de meia hora, pois à meia-noite o mandaria embora. E pouco depois, alegou que estava cansada e ia dormir.

– Então, nada de catléias esta noite? – indagou ele. – E logo eu que esperava uma boa catleiazinha.

E ela, com ar um tanto amuado e nervoso, respondeu:

– Não, meu querido, nada de catléias esta noite, não está vendo que estou indisposta?

– Isso poderia até lhe fazer bem, mas enfim não vou insistir.

Odette lhe pediu que apagasse a luz antes de ir-se, e ele próprio fechou as cortinas da cama e saiu. Mas quando chegou em casa, veio-lhe bruscamente a idéia de que talvez Odette esperasse alguém aquela noite, que simplesmente simulara o cansaço e que só lhe pedira que apagasse a luz para que julgasse que iria dormir; e, que logo que ele partisse, acendera de novo as luzes e fizera entrar aquele que deveria passar a noite com ela. Olhou a hora. Fazia mais ou menos uma hora e meia que a deixara. Tornou a sair, pegou um fiacre e parou perto da casa dela, numa ruazinha perpendicular à que ficava atrás da sua residência, e onde ele ia às vezes bater à janela do seu quarto para que ela viesse abrir; desceu do carro, tudo estava negro e deserto no quarteirão, bastaram-lhe alguns passos para se achar quase diante da casa dela. No meio da escuridão de todas as janelas, há muito apagadas na rua, viu uma única de onde fluía – dentre os postigos que lhe apertavam a polpa misteriosa e dourada – a luz que enchia o quarto e que, em outras tantas noites, por mais longe que a avistasse ao chegar ao princípio da rua, de súbito o alegrava ao anunciar-lhe: "aí está ela te esperando", e que agora o torturava ao dizer: "lá está ela com aquele a quem esperava". Ele queria saber de quem se tratava; deslizou ao longo da parede até a janela, mas entre as tabuinhas oblíquas dos postigos não distinguia nada; ouvia apenas, no silêncio da noite, o murmúrio de uma conversação. Certamente sofria por ver aquela claridade em cuja atmosfera de ouro se movia, por detrás dos postigos, o casal invisível e detestado; por ouvir aquele murmúrio que revelava a presença daquele que viera após a sua partida, a falsidade de Odette, o prazer que ela iria gozar com esse sujeito.

E no entanto Swann estava contente por ter vindo: o tormento que o obrigara a sair de casa já perdera em acidez o que ganhara em precisão, agora que a outra vida de Odette, de que tivera naquele momento a brusca e impotente suspeita, tinha-a ali, iluminada em cheio pela lâmpada, prisioneira sem o saber daquele quarto no qual, quando quisesse, entraria para surpreendê-la e capturá-la; ou melhor, iria bater nos postigos como fazia muitas vezes quando chegava muito tarde; assim, pelo menos, Odette ficaria sabendo que ele percebera tudo, que vira a luz e ouvira a conversa; e ele, que há pouco a imaginara rindo com o outro de suas ilusões, era agora ele quem os via, confiantes no seu engano, em suma enganados por ele a quem julgavam estar longe dali e que já sabia que ia bater nos postigos. E talvez o que sentisse naquele momento de quase agradável também fosse outra coisa que não o apaziguamento de uma dúvida e de uma dor: um prazer da inteligência. Se, desde que estava apaixonado, as coisas tinham recuperado para ele um pouco do delicioso interesse que lhes encontrava antigamente, mas apenas quando iluminadas pela lembrança de Odette, agora era uma outra faculdade de sua juventude estudiosa que seu ciúme despertava, a paixão pela verdade, mas por uma verdade que também se interpusesse entre ele e sua amante, só recebendo luz dela, verdade bem individual, cujo único objetivo, de um valor infinito e quase de uma beleza desinteressada, eram as ações de Odette, suas relações, seus projetos, seu passado. Em qualquer outra época da sua vida, os acontecimentos sem importância e os gestos cotidianos de uma pessoa sempre tinham parecido sem valor para Swann; caso viessem lhe trazer mexericos, julgava-os insignificantes e, enquanto ouvia, era somente sua mais vulgar atenção que mostrava interesse; era um dos momentos em que se sentia mais medíocre. Mas nesse estranho período de amor, o individual assume algo de tão profundo que essa curiosidade, que sentia despertar dentro dele em relação às menores ocupações de uma mulher, era a mesma que tivera antigamente pela História. E tudo aquilo de que até então tivera vergonha, espiar por uma janela, quem sabe amanhã talvez sondar habilmente os indiferentes, subornar os criados, escutar às portas, já não lhe parecia, tanto como a decifração de textos, a comparação de testemunhos e a interpretação de monumentos, senão formas de investigação científica de um genuíno valor intelectual e apropriadas à pesquisa da verdade.

A ponto de bater nos postigos, teve um momento de vergonha ao pensar que Odette iria saber que ele tinha suspeitas, que voltara, que estava a postos na rua. Muitas vezes ela falara do horror que lhe causavam os ciumentos, os amantes que espionam. Era bem ridículo o que ia fazer, e ela o detestaria daí em diante, ao passo que naquele momento, enquanto não batia, talvez mesmo que o enganasse, ela o amava ainda. Quantas venturas possíveis não sacrificamos desse modo à impaciência de um prazer imediato! Mas o desejo de saber a verdade era mais forte e lhe pareceu mais nobre. Sabia que a realidade das circunstâncias, a cuja restituição exata teria dado a própria vida, era legível por detrás daquela janela estriada de luz, como debaixo da capa de um desses preciosos manuscritos, iluminada a ouro, e a cuja riqueza artística não pode ficar indiferente o sábio que os consulta. Sentia grande volúpia em conhecer a verdade que o apaixonava naquele exemplar único, efêmero e precioso, de uma matéria translúcida, tão cálida e bela. E depois a vantagem que sentia – que tinha tanta necessidade de sentir – sobre eles era talvez menos de saber do que de poder mostrar-lhes que sabia. Ergueu-se na ponta dos pés. Bateu. Não o ouviram. Bateu com mais força, a conversa parou. Uma voz masculina, que ele procurou descobrir a qual dos amigos de Odette pertencia, perguntou:

– Quem está aí?

Swann não tinha certeza de conhecê-la. Bateu outra vez. Abriram a janela, depois os postigos. Agora, não havia mais como recuar e, já que ela ia saber de tudo, para não parecer muito infeliz, muito ciumento e curioso, ele se contentou em gritar num tom negligente e alegre:

– Não se incomode, eu passava por aqui, vi a luz e quis saber se você já não estava indisposta.

Olhou. Diante dele, dois velhos senhores estavam à janela, um empunhando uma lâmpada, e então viu o quarto, um quarto desconhecido. Tendo o hábito, quando ia à casa de Odette a desoras, de reconhecer sua janela por ser a única iluminada entre as janelas iguais, enganara-se e batera na janela seguinte que era da casa vizinha. Afastou-se com escusas e voltou para casa, feliz porque a satisfação da curiosidade mantivera intato o seu amor e, depois de ter simulado há tanto tempo, face a Odette, uma espécie de indiferença, por não lhe ter dado, devido ao ciúme, aquela prova de que a amava demais, a qual, entre dois amantes, dispensa, para todo o sempre, de amar bastante aquele que a recebe. Não lhe falou desse episódio mal-aventurado, nem mesmo pensou mais nele. Mas, por momentos, um movimento de suas idéias vinha encontrar a lembrança daquilo, feria-o, aprofundava-o mais, e Swann chegava a sentir uma dor súbita e profunda. Como se tratasse de uma dor física, os pensamentos de Swann não podiam minorá-la; mas pelo menos a dor física, por ser independente do pensamento, este pode se fixar nela, constatar que diminuiu, que cessou temporariamente. Mas aquela dor, era bastante relembrá-la para que o pensamento a criasse outra vez. Querer não pensar nela era pensá-la ainda, sofrê-la ainda. E quando, conversando com amigos, esquecia-se do seu mal, de súbito uma palavra dita por alguém fazia-o mudar de fisionomia, como um ferido que um desajeitado acaba de tocar sem cuidado no membro dolorido. Quando deixava Odette sentia-se feliz, tranqüilo, lembrava-se dos sorrisos dela, zombeteiros ao falar de um ou outro, eternos para ele, o peso da sua cabeça que ela destacava do eixo para incliná-la, deixá-la cair, quase sem querer, sobre os lábios dele, como fizera da primeira vez no carro, os olhares lânguidos que lhe lançara enquanto estava em seus braços, sempre apertando medrosamente contra seu ombro a cabeça inclinada.

Mas logo o ciúme, como se fosse a sombra do amor, se completava com a duplicidade daquele novo sorriso que ela lhe dirigira naquela mesma noite – e que, inverso agora, zombava de Swann e enchia-se de amor por outro —, daquela inclinação da cabeça voltada para outros lábios e, dadas a um outro, de todas as marcas de ternura que ela tivera para com ele. E todas as lembranças voluptuosas que ele trazia da casa dela eram outros tantos esboços, "projetos" semelhantes aos que nos submete um decorador, e que permitiam a Swann se fazer uma idéia das atitudes ardentes ou lânguidas que ela poderia ter com outros. De modo que ele chegava a lamentar todo prazer que desfrutara com ela, toda carícia inventada e cuja doçura tivera a imprudência de lhe apontar, toda graça que lhe descobria, pois sabia que um instante após iria enriquecer de novos instrumentos seu suplício.

Este se tornava tanto mais cruel ainda quando lhe vinha a recordação de um breve olhar que havia surpreendido, alguns dias antes, e pela primeira vez, nos olhos de Odette. Fora depois do jantar, na casa dos Verdurin. Seja porque Forcheville, sentindo que Saniette, seu cunhado, não estava em favores entre os Verdurin, quis tomá-lo como bode expiatório e brilhar à sua custa diante deles, seja que estivesse irritado por uma frase infeliz que Saniette acabava de dizer e que, aliás, passara despercebida dos assistentes, que não sabiam que alusão malcriada podia conter, contra a vontade daquele que a pronunciara sem qualquer malícia, seja enfim que buscasse há algum tempo uma oportunidade para fazer expulsar da casa alguém que o conhecia tão bem e que ele sabia ser muito delicado para que sua presença não o incomodasse em certas ocasiões, Forcheville respondeu às palavras de Saniette com tamanha grosseria que, pondo-se a insultá-lo, animou-se cada vez mais, à medida que vociferava, com o pasmo, a mágoa e as súplicas do outro, e fez com que o infeliz, depois de ter perguntado à Sra. Verdurin se devia permanecer, não tendo recebido resposta, retirou-se balbuciando, com lágrimas nos olhos. Odette assistira impassível à cena, mas quando a porta se fechou sobre Saniette, fazendo descer de certo modo em vários graus a expressão costumeira do rosto, para poder nivelar-se na baixeza de Forcheville, ela acendeu um sorriso maroto nas pupilas, felicitando-o pela audácia que tivera, e de ironia por aquele que fora sua vítima; lançara-lhe um olhar de cumplicidade no mal, que bem desejava dizer: "Eis uma execução, ou não entendo disso. Viu o aspecto dolorido dele? Ele chorava", que Forcheville, quando seus olhos encontravam aquele olhar, repentinamente despido da cólera, ou do simulacro de cólera, que ainda o aquecia, sorriu e respondeu:

– Seria bastante que fosse amável, e ainda estaria aqui. Um bom corretivo faz bem em qualquer idade.

Um dia em que Swann tinha saído no meio da tarde para fazer uma visita, não tendo achado em casa a pessoa que esperava encontrar, teve a idéia de ir à casa de Odette, naquela hora em que jamais fora visitá-la, mas que sabia que ela se achava sempre recolhida para fazer a sesta ou escrever cartas antes da hora do chá, e ele teria o prazer de vê-la um pouco sem incomodá-la. O porteiro lhe dissera que achava que ela estava em casa; Swann tocou a campainha, julgou ouvir um rumor, passos, mas ninguém abriu. Ansioso, irritado, ele foi para a ruazinha para onde dava o outro lado do prédio, e ali se postou, diante da janela do quarto de Odette; as cortinas impediam-no de ver coisa alguma, bateu com força nas vidraças, chamou; ninguém atendeu. Percebeu que os vizinhos o olhavam. Foi embora, pensando que, depois de tudo, talvez se enganasse ao julgar ouvir passos; mas ficou tão preocupado que não podia pensar em outra coisa. Passada uma hora, voltou e encontrou-a; ela lhe disse que estava em casa há pouco, quando ele tocara, porém dormia; a campainha a despertara, ela adivinhara que fosse Swann, correra para encontrá-lo mas ele já se fora. Ouvira perfeitamente as batidas na vidraça. Swann reconheceu imediatamente nessas palavras um desses fragmentos de um fato correto que os mentirosos em aperto se consolam em fazer entrar na narração de fatos falsos que eles inventam, julgando que assim têm alguma vantagem e furtam sua semelhança à Verdade. Claro que quando Odette acabava de fazer algo que não desejava revelar, escondia-o no fundo de si mesma. Mas desde que se encontrasse em presença daquele a quem queria enganar, era tomada de uma perturbação, todas as suas idéias lhe fugiam, suas faculdades de invenção e de raciocínio ficavam paralisadas, ela não encontrava na cabeça senão o vazio; no entanto, era preciso dizer alguma coisa, e ela achava em suas mãos exatamente aquilo que desejara dissimular e que, sendo verdade ficara ali sozinho. Destacava um pedacinho, desimportante em si mesmo, dizendo consigo que, enfim, era melhor desse jeito visto que era um detalhe verdadeiro que não oferecia os mesmos perigos de um detalhe falso. "Pelo menos isto é verdade", dizia para si mesma, "é sempre uma vantagem, ele pode se informar, vai reconhecer que é verdade, não será isto que vai me trair." Ela se enganava, era aquilo exatamente o que a traía, pois não se dava conta de que esse detalhe verdadeiro apresentava ângulos que só podiam se encaixar nos detalhes contíguos do fato verdadeiro do qual o destacara de forma arbitrária e que, fossem quais fossem os detalhes inventados entre os quais ela o colocasse, revelariam sempre pela matéria excedente e os vazios não preenchidos que ali não era o seu posto. "Ela confessa que me ouviu tocar a campainha, depois bater, e que julgara fosse eu, que tinha vontade de me ver", dizia Swann consigo. "Mas isto não combina com o fato de não me ter aberto a porta."

Porém não lhe assinalou essa contradição, pois pensava que entregue a si mesma, Odette talvez inventasse alguma mentira que seria um fraco indício da verdade; ela falava; ele não a interrompia, acolhia com uma piedade ávida e dolorosa as palavras que ela dizia e que ele sentia (justamente porque ela, ao falar, a ocultava por trás delas) conservarem vagamente, como um véu sagrado, a forma, delinearem o molde impreciso dessa realidade infinitamente preciosa e infelizmente inencontrável – o que fazia Odette às três horas quando ele havia chegado – da qual ele jamais possuiria senão essas mentiras, vestígios divinos e ilegíveis, e que só existia na lembrança escamoteadora dessa criatura que a contemplava sem saber apreciá-la, mas que nunca a revelaria. Certo, em alguns momentos suspeitava que os atos diários de Odette não eram por si sós apaixonadamente interessantes, e que as relações que ela pudesse ter com outros homens não faziam emanar, naturalmente, de um modo universal e para todo ser pensante, uma tristeza mórbida, capaz de ocasionar a febre do suicídio. Então percebia que semelhante interesse, essa tristeza, só existia nele como uma doença e que, quando fosse curada, os atos de Odette, os beijos que ela pudesse dar, se tornariam inofensivos como os de tantas outras mulheres. Mas que a curiosidade dolorosa que Swann sentia agora não tivesse causa senão em si mesmo, não era motivo para que considerasse irracional achar essa curiosidade importante e de se empenhar para satisfazê-la. É que Swann chegara a uma idade cuja filosofia – favorecida pela da época, e também pela do meio em que tanto vivera, desse grupo da princesa des Laumes, onde se convencionara que alguém é inteligente na medida em que duvida de tudo e onde só se achava o real e o incontestável nos gostos de cada um – já não é a da juventude, e sim uma filosofia positiva, quase médica, de homens que, em vez de exteriorizarem os objetos de suas aspirações, tentam tirar dos anos passados um resíduo fixo de hábitos, de paixões, que possam considerar, neles, como característicos e permanentes, e aos quais, de forma deliberada, hão de querer, primeiro, que o tipo de vida que levam possa satisfazer. Swann julgava sensato aceitar na vida a parte de sofrimento que sentia por ignorar o que havia feito Odette, como aceitava a parte de agravamento que um clima úmido causava ao seu eczema; aceitava prever no seu orçamento uma quantia respeitável para obter dados relativos ao emprego dos dias por Odette, sem o que se sentiria bastante infeliz, da mesma maneira como reservava dinheiro para outras despesas que sabia lhe iriam proporcionar prazer, pelo menos antes de se apaixonar, como o gosto das coleções e da boa culinária.

Quando quis despedir-se de Odette a fim de voltar para casa, ela lhe pediu que ficasse ainda um pouco e o reteve até com vivacidade, pegando o seu braço no momento em que ele ia abrir a porta para sair. Porém Swann não o percebeu, pois, na multidão de gestos, frases e pequenos incidentes que preenchem uma conversação, é inevitável que deixemos passar, sem notar coisa alguma que desperte nossa atenção, aqueles que escondem uma verdade que nossas suspeitas procuram ao acaso, e que, pelo contrário, nos fixemos nos que onde nada existe. Ela lhe repetia o tempo todo: "É uma pena que tu, que nunca vens à tarde, eu não tenha podido te ver exatamente na única vez que vieste." Swann percebia muito bem que ela não estava tão enamorada dele para demonstrar mágoa tão grande por ter falhado tal visita, mas como ela era bondosa, e desejava agradar-lhe, e muitas vezes ficava triste quando ele a contrariava, achou natural que agora também se entristecesse por havê-la privado do prazer de passarem juntos uma hora, prazer tão grande, não para ela e sim para ele. Entretanto, era uma coisa de tão pouca importância que Swann por fim se espantou com o ar dolorido que Odette continuava a ostentar. Daquele modo, Odette lembrava, ainda mais que de costume, as figuras femininas do pintor da Primavera. Naquele momento, tinha a mesma face abatida e dolorosa, como que sucumbindo ao peso de uma dor por demais pesada para elas, simplesmente quando deixam o Menino Jesus brincar com uma romã ou observam Moisés derramar água numa tina. Já lhe vira uma vez semelhante tristeza, mas não sabia mais quando. E de repente, lembrou-se: fora quando Odette mentira, ao falar à Sra. Verdurin no dia seguinte daquele jantar a que não comparecera sob o pretexto de que estava adoentada, na verdade, para poder ficar com Swann. Certo que mesmo que fosse a mais escrupulosa das mulheres não poderia ter remorsos por uma tão inocente mentira. Mas as mentiras costumeiras de Odette eram menos inocentes e serviam para impedir descobertas que lhe poderiam criar dificuldades terríveis com outras pessoas. Assim, quando ela mentia, tomada de pânico, sentindo-se mal armada para se defender, incerta quanto ao êxito, tinha vontade de chorar de cansaço, como ocorre com certas crianças que não dormiram. Além disso, sabia que sua mentira lesava de ordinário o homem a quem a pregava, ficando à sua mercê caso mentisse mal. Então sentia-se ao mesmo tempo humilde e culpada diante dele. E, quando precisava dizer uma mentira insignificante, mundana, por uma questão de associação de sensações e lembranças, ela experimentava o mal-estar de um esgotamento e a mágoa de uma malvadez.

Que mentira deprimente estaria ela em vias de dizer a Swann para que ostentasse aquele olhar doloroso, aquela voz lamurienta que parecia se abater sob o esforço que a si mesma se impunha, e pedir perdão? Swann imaginou que era não apenas a verdade acerca do incidente da tarde mas que ela se esforçava por esconder também algo mais atual, talvez ainda não ocorrido e bastante próximo, e que poderia esclarecê-lo quanto a essa verdade. Naquele momento, ouviu um toque de campainha. Odette não parava mais de falar, mas suas palavras não passavam de um gemido: sua pena de não ter visto Swann à tarde, de não lhe ter aberto a porta, se transformara num legítimo desespero.

Ouviu-se a porta de entrada se fechar de novo e o rumor de um carro, como se alguém tivesse ido embora – provavelmente alguém que Swann não deveria encontrar – e a quem teriam dito que Odette saíra. Então, pensando que bastava ter vindo numa hora que não lhe fosse habitual para atrapalhar tantas coisas que ela não queria que soubesse, Swann sentiu-se invadido por um desânimo, quase desespero. Porém, como amava Odette, como tivesse o hábito de voltar para ela todos os pensamentos, a compaixão que poderia ter sentido por si mesmo, foi por ela que a sentiu, e murmurou: "Pobre querida!" Quando a deixou, Odette pegou várias cartas que estavam sobre a mesa e lhe pediu que as pusesse no correio. Swann as levou e, logo ao chegar em casa, viu que ainda trazia as cartas consigo. Voltou ao correio, tirou-as do bolso e, antes de as depositar na caixa, leu os endereços. Eram todas para fornecedores, salvo uma para Forcheville. Segurou-a na mão, dizendo para si: "Se consigo ver o que está aí dentro, saberei como ela o chama, como lhe fala, se existe algo entre os dois. Talvez mesmo, não a lendo, cometa uma indelicadeza com Odette, pois é a única forma de me livrar de uma suspeita, quem sabe caluniosa para ela, destinada, em todo caso, a fazê-la sofrer e que nada mais poderia destruir tão logo a carta seja remetida."

Voltou para casa ao deixar o correio, mas guardara consigo a última carta. Acendeu uma vela e lhe aproximou o envelope que não tivera a coragem de abrir. A princípio nada pôde ler, mas o envelope era delgado e, apertando-o contra o cartão do interior, pôde ler as últimas palavras devido à transparência. Era uma fórmula de despedida, bastante fria. Se, em vez de ser ele quem estivesse lendo uma carta a Forcheville, fosse este quem lesse uma carta a Swann, veria expressões muito mais ternas! Manteve imóvel a carta que dançava dentro do envelope, bem maior que ela; depois, fazendo-a deslizar com o polegar, foi trazendo sucessivamente as diversas linhas para a parte do envelope que não era forrada, a única através da qual era possível ler.

Apesar disso, não distinguia bem; aliás, isto não queria dizer nada, pois já vira o suficiente para ter certeza de que se tratava de uma coisa sem importância e que de modo algum se referia a relações amorosas; era algo que se ligava a um tio de Odette. Swann lera muito bem no começo da linha: "Fiz bem em", mas não entendia o que Odette fizera bem, quando de súbito, uma palavra que a princípio não conseguira decifrar apareceu e iluminou o sentido da frase inteira: "Fiz bem em abrir, era meu tio." Abrir! Então Forcheville lá se achava quando Swann tocara a campainha, e ela o mandara embora; de onde o rumor que ouvira.

Então leu toda a carta; no fim, ela se desculpava por ter agido tão sem-cerimônia com Forcheville, e lhe dizia que ele havia esquecido seus cigarros em casa dela, a mesma frase que escrevera a Swann numa das primeiras vezes em que a fora visitar. Mas para Swann ela havia acrescentado: "Se tivesse deixado seu coração, eu não o teria devolvido." Para Forcheville nada semelhante: nenhuma alusão que desse a entender uma relação entre eles. Aliás, para falar a verdade, em tudo aquilo o mais enganado era Forcheville, visto que Odette lhe escrevia para convencê-lo de que o visitante era seu tio. Em suma, era ele, Swann, o homem a quem ela dava mais importância e por quem mandara embora o outro. E no entanto, se nada havia entre ela e Forcheville, por que não abrira logo, por que dissera: "Fiz bem em abrir, era meu tio"? Se nada fazia de mal naquela ocasião, como é que o mesmo Forcheville poderia explicar a si próprio que ela não tivesse podido abrir? Swann ficou ali, desolado, confuso e no entanto feliz, diante daquele envelope que Odette lhe confiara sem temor, tão absoluta era a confiança que depositava na sua delicadeza, mas através de cuja transparente vidraça a ele se revelava, com o segredo de um episódio que nunca julgaria possível conhecer, um pouco da vida de Odette, como em uma estreita fenda luminosa aberta em pleno desconhecido. E, além disso, seu ciúme se alegrava com tal fato, como se tivesse uma vida independente, egoísta, voraz de tudo o que o alimentava, mesmo às expensas do próprio Swann. Agora, o ciúme tinha um alimento e Swann ia poder começar a inquietar-se todos os dias com as visitas que Odette receberia às cinco da tarde, a indagar onde se achava Forcheville a essa hora. Pois a ternura de Swann continuava a conservar o mesmo caráter que lhe imprimira desde o princípio, ao mesmo tempo a ignorância em que se encontrava acerca do emprego do dia por Odette e a preguiça cerebral que o impedia de suprir a ignorância com a imaginação. No começo, não se sentiu enciumado de toda a vida de Odette, mas apenas dos momentos em que uma circunstância, talvez mal interpretada, o levara a supor que Odette pudesse enganá-lo. Seu ciúme, como um polvo que lança um primeiro tentáculo, depois um segundo e um terceiro, se fixava solidamente àquele momento de cinco horas da tarde, depois a um outro, depois a um terceiro ainda. Mas Swann não sabia inventar seus sofrimentos. Estes eram apenas a recordação, a permanência de um sofrimento que lhe vinha de fora.

Porém tudo que vinha de fora lhe causava sofrimento. Quis afastar Odette de Forcheville, levá-la por alguns dias para o sul. Mas achava que Odette era desejada por todos os homens que se encontrassem no hotel e que ela mesma os desejava. De forma que ele, que antigamente, nas viagens, procurava novas pessoas, os grupos numerosos, era visto agora como um selvagem, fugindo ao convívio dos homens como se eles o tivessem ferido cruelmente. E como não seria misantropo, se em todo homem que via enxergava um amante possível para Odette? E assim o ciúme de Swann, mais ainda que o fizera o prazer voluptuoso e risonho que tivera no começo por Odette, alterava o caráter dele e transformava por completo, aos olhos dos outros, o próprio aspecto dos sinais exteriores pelos quais esse caráter se manifestava.

Um mês depois do dia em que lera a carta dirigida por Odette a Forcheville, Swann foi a um jantar que os Verdurin ofereciam no Bois. No momento em que se preparavam para sair, ele notou conciliábulos entre a Sra. Verdurin e vários dos convidados e julgou compreender que recomendavam ao pianista que não deixasse de comparecer no dia seguinte a uma reunião no Chatou; ora, ele, Swann, não fora convidado.

Os Verdurin só haviam falado a meia voz e em termos vagos, mas o pintor, sem dúvida distraído, exclamou:

– Não será preciso luz nenhuma e que ele toque a *Sonata ao Luar* para, no escuro, iluminar melhor as coisas.

A Sra. Verdurin, vendo que Swann estava a dois passos, assumiu a expressão em que o desejo de fazer calar quem fala e de manter um ar inocente aos olhos de quem ouve se neutraliza numa intensa nulidade do olhar, onde o signo imóvel da inteligência do cúmplice se dissimula sob os sorrisos do ingênuo e que, por fim, comum a todos os que se apercebem de uma gafe, revela-a instantaneamente, se não àqueles que a cometem, ao menos àquele que lhe serviu de objetivo. Odette assumiu de repente o ar de uma desesperada que renuncia a lutar contra as dificuldades esmagadoras da vida, e Swann contava ansiosamente os minutos que o separavam do momento em que, após ter deixado aquele restaurante, durante a volta na companhia dela, iria poder lhe pedir explicações, conseguir dela que não fosse no dia seguinte a Chatou ou que ela o fizesse ser convidado, e apaziguar em seus braços a angústia que experimentava. Enfim, chamaram os carros. A Sra. Verdurin disse a Swann: "Então, adeus, até breve, não é mesmo?", tentando, com a amabilidade do olhar e a força do sorriso, impedir que Swann percebesse que ela não lhe dizia, como sempre o fizera até ali: "Até amanhã em Chatou, depois de amanhã lá em casa."

O Sr. e a Sra. Verdurin fizeram que Forcheville embarcasse com eles. O carro de Swann estava atrás do deles, cuja partida ele esperava para fazer subir Odette no seu.

– Odette, vamos levar você – disse a Sra. Verdurin –, temos um lugarzinho para você ao lado do Sr. de Forcheville.

– Sim, senhora – respondeu Odette.

– Mas como, eu julgava que ia levar você de volta – gritou Swann, dizendo, sem dissimular, as palavras necessárias, pois a portinhola estava aberta, os segundos eram contados e ele não podia voltar sem ela do jeito em que estava.

– Mas a Sra. Verdurin me pediu...

– Ora, o senhor pode muito bem voltar sozinho, nós o temos deixado uma porção de vezes – disse a Sra. Verdurin.

– Mas é que eu tenho uma coisa importante para dizer a Odette...

– Muito bem, escreva-lhe...

– Adeus – disse Odette, estendendo-lhe a mão.

Swann tentou sorrir, mas tinha um aspecto apavorado.

– Viste os modos que Swann se permite ter agora conosco? – observou a Sra. Verdurin ao marido ao chegarem em casa. – Pensei que fosse me comer porque levávamos Odette. Francamente, é de uma incoveniência! É melhor, então, que diga que mantemos um bordel! Não compreendo como é que Odette suporta tais maneiras. Ele dá impressão de estar dizendo: você me pertence. Vou dizer a Odette o meu modo de pensar e espero que ela compreenda.

E ainda acrescentou, um momento depois, cheia de cólera: – Não se enxerga, esse excomungado! – empregando, sem saber, talvez obedecendo ao mesmo obscuro desejo de se justificar (como Françoise, em Combray, quando o frango não queria morrer), as palavras que as últimas convulsões de um animal inofensivo, que agoniza, arrancam ao camponês prestes a matá-lo.

E quando o carro da Sra. Verdurin partiu e o de Swann avançou, o cocheiro, olhando-o, perguntou se ele não estaria doente ou se lhe acontecera alguma desgraça.

Swann mandou-o embora, queria caminhar, e foi a pé pelo Bois. Falava sozinho, em voz alta, e no mesmo tom artificial que assumira até ali quando pormenorizava os encantos do pequeno núcleo e exaltava a magnanimidade dos Verdurin. Mas assim como as palavras, os sorrisos e os beijos de Odette se lhe tornavam tão odiosos como outrora os achara doces, se dirigidos a outras pessoas que não ele, assim o salão dos Verdurin, que ainda há pouco lhe parecera agradável, respirando um verdadeiro gosto pela arte e até uma espécie de nobreza moral, agora que era um outro que Odette ali iria encontrar e amar livremente, manifestava-lhe toda a sua imbecilidade, seus ridículos e sua ignomínia.

Imaginava com desgosto a reunião do dia seguinte em Chatou. "Primeiro, essa idéia de ir a Chatou! Como comerciantes que acabam de fechar sua loja! Na verdade, essas pessoas são sublimes na sua burguesia, não devem existir de fato, devem sair do teatro de Labiche!"

Lá estariam os Cottard, talvez Brichot. "É bem grotesca, essa vida de pessoas insignificantes, que não conseguem viver uns sem os outros, que se julgariam perdidos, palavra, se não fossem amanhã a *Chatou!*" Infelizmente, lá estaria também o pintor, o pintor que gostava de "arrumar casamentos", que convidaria Forcheville com Odette ao seu ateliê. Via Odette com um vestido luxuoso demais para uma reunião no campo, "pois ela é tão vulgar, pobrezinha, e sobretudo tão idiota!".

Ouvia os gracejos que a Sra. Verdurin faria após o jantar, os gracejos que, fosse qual fosse o maçante a que tivessem por alvo, tinham-no divertido sempre, pois via Odette a rir, rir com ele, quase dentro dele. Agora sentia que talvez fosse dele que iam fazer rir Odette. "Que alegria fétida!", dizia, dando à boca um esgar de desgosto tão intenso que ele próprio teve a sensação muscular de sua careta até no pescoço retorcido contra o colarinho da camisa. "E como é que uma criatura, cujo rosto é feito à imagem de Deus, pode se divertir com esses gracejos nauseantes? Toda narina um pouquinho delicada se revoltaria com horror para não se deixar invadir por semelhantes emanações. Na verdade, é inacreditável pensar que um ser humano possa não compreender que, permitindo-se sorrir de um semelhante que lhe estendeu lealmente a mão, está se degradando até um lamaçal de onde não será mais possível, mesmo com a melhor boa vontade do mundo, reerguê-lo. Moro a muitos milhares de metros acima da escória onde grulham e gralham essas sujas verborréias, para que possa ser respingado com as gracinhas de um Verdurin", exclamou, erguendo a cabeça e retesando orgulhosamente o peito. "Deus é testemunha de que sinceramente quis arrancar Odette de lá, e educá-la numa atmosfera mais nobre e pura. Mas a paciência humana tem limites, e a minha está acabando", disse consigo, como se essa missão de arrancar Odette a uma atmosfera de sarcasmos datasse de muito tempo e não de poucos minutos, e como se não se impusera semelhante tarefa apenas quando imaginara que tais sarcasmos talvez tivessem ele próprio como objeto e cujo propósito seria afastar Odette dele.

Via o pianista prestes a tocar a *Sonata ao Luar* e os esgares da Sra. Verdurin, assustada com os males que a música de Beethoven ia causar a seus nervos: "Idiota, mentirosa!", exclamou. "E essa mulher crê amar a *Arte*!" Ela diria a Odette, depois de lhe ter insinuado habilmente algumas palavras elogiosas sobre Forcheville, como tantas vezes fizera com ele: "Você vai reservar um lugarzinho a seu lado para o Sr. de Forcheville." – "E na escuridão! Intrometida, alcoviteira!" "Alcoviteira" era também o nome que ele dava à música que os convidava a se calarem, a sonharem juntos, a se contemplarem, a se darem as mãos. E dava razão à severidade contra as artes demonstrada por Platão, por Bossuet, e pela velha educação francesa.

Em suma, a vida que se levava nos Verdurin e que ele tantas vezes chamara a "vida verdadeira" parecia-lhe a pior de todas, e o pequeno núcleo, o último dos ambientes. "Na verdade", dizia consigo, "é o que existe de mais baixo na escala social, é o último círculo de Dante. Não há dúvidas de que o texto augusto se refere a Verdurin! No fundo, como as pessoas aristocratas, das quais se pode dizer mal, mas que assim mesmo são algo bem diverso desses grupos de gente vulgar, mostram sua sabedoria profunda em recusar-se a conhecê-los, até mesmo em sujar com eles as pontas dos dedos! Que poder de adivinhação nesse *noli me tangere* do bairro Saint-Gemain!" Há muito já deixara as alamedas do Bois, estava quase chegando em casa e, ainda sofrendo a dor e o brotar da insinceridade, cuja embriaguez era renovada com abundância a cada instante pelas entonações mentirosas e a sonoridade artificial de sua própria voz, continuava ainda a discursar em voz alta no silêncio da noite: "As pessoas da alta sociedade têm seus defeitos, ninguém os reconhece melhor que eu, mas enfim trata-se de gente com quem algumas coisas são impossíveis. Aquela mulher elegante que eu conheci estava longe de ser perfeita, mas afinal ainda assim havia nela um fundo de delicadeza, uma lealdade no comportamento que a fariam incapaz, acontecesse o que acontecesse, de uma felonia e que era suficiente para cavar um abismo entre ela e uma megera como a Verdurin. Verdurin! Que nome! Ah, pode-se dizer que são completos, que são belos no seu gênero! Graças a Deus já era tempo de não mais condescender na promiscuidade com essa infâmia, com tais baixezas."

Mas, como as virtudes que ele atribuía há pouco aos Verdurin não teriam bastado, mesmo se as possuíssem de verdade, se não tivessem favorecido e dado proteção ao seu amor, para provocar em Swann semelhante embriaguez, na qual se enternecia a respeito da magnanimidade do casal e que, mesmo alardeada através de outras pessoas, só poderia lhe chegar por meio de Odette – do mesmo modo, a imoralidade, ainda que real, que agora ele encontrava nos Verdurin, seria impotente, se eles não tivessem convidado Odette com Forcheville e sem ele, para desencadear a indignação de Swann e fazê-lo vergastar a "sua infâmia". E sem dúvida a voz de Swann tinha mais clarividência que ele próprio, ao se recusar a pronunciar essas palavras cheias de nojo pelo grupo dos Verdurin e de alegria de ter acabado com aquilo, a não ser num tom artificial e como que escolhidas antes para apaziguar-lhe a cólera do que para expressar seu pensamento. De fato, este, enquanto ele se entregava às invectivas, estava provavelmente, sem que ele se apercebesse de tal, ocupado com um assunto inteiramente diverso, pois logo que chegara em casa, mal fechara a porta, bateu de súbito na testa e, abrindo a porta de novo, voltou a sair, gritando agora com voz natural: "Acho que encontrei um meio de ser convidado amanhã a jantar em Chatou!" Porém esse meio deveria ser ruim, pois Swann não foi convidado: o doutor Cottard que, chamado à província por um caso grave, não via os Verdurin há vários dias e não pudera ir a Chatou, comentou, no dia seguinte a esse jantar, ao sentar-se à mesa com eles:

– Não veremos o Sr. Swann esta noite? É bem o que se chama um amigo pessoal do...

– Espero que não! – exclamou a Sra. Verdurin. – Deus nos preserve de tal coisa. Ele é um maçante, um tolo, mal-educado.

A estas palavras, Cottard manifestou ao mesmo tempo o seu espanto e a sua submissão, como diante de uma verdade contrária a tudo o que havia acreditado até então, porém de uma evidência irresistível; e, baixando o nariz para o prato, com ar emocionado e medroso, contentou-se em responder: "Ah, ah, ah, ah!", atravessando aos recuos, em sua retirada de boa ordem, até ao fundo de si mesmo, ao longo de uma escala descendente, todo o registro de sua voz. E não se falou mais em Swann entre os Verdurin.

E então aquele salão, que reunira Swann e Odette, se transformou num obstáculo a seus encontros. Ela já não lhe dizia, como nos primeiros tempos de seus amores: "Em todo caso, nós nos veremos amanhã à noite, há uma ceia nos Verdurin" e sim: "Não podemos nos ver amanhã à noite, há uma ceia nos Verdurin." Ou então os Verdurin deviam levá-la à Ópera-Cômica para ver *Uma Noite de Cleópatra,* e Swann lia nos olhos de Odette o medo de que ele lhe pedisse para não ir, que antigamente não se conteria em beijar de passagem no rosto da amante e que agora o exasperava. "Não é raiva, entretanto", dizia consigo, "o que sinto ao ver a vontade dela de ir ciscar naquela música estercorária. É desgosto, não certamente por mim, mas por ela; desgosto de ver que depois de ter vivido mais de seis meses em contato diário comigo, ela não conseguiu tornar-se uma mulher bem diversa para eliminar espontaneamente Victor Massé! Principalmente por não ter chegado a compreender que há noites em que uma criatura de essência um pouquinho delicada deve saber renunciar a um prazer, quando lhe pedem. Ela deveria saber dizer 'não irei', nem que fosse apenas por cálculo, já que é baseado em sua resposta que se pode classificar, de uma vez por todas, a qualidade de sua alma." E, persuadindo-se de que era somente para fazer um juízo mais favorável acerca do valor espiritual de Odette que ele desejava que naquela noite ela ficasse em sua companhia em vez de ir à Ópera-Cômica, expunha-lhe o mesmo raciocínio, com o mesmo grau de insinceridade que a si mesmo, e talvez até num grau a mais, pois então obedecia também ao desejo de retê-la por uma questão de amor-próprio.

– Juro-te – dizia ele, um pouco antes que ela saísse para o teatro – que, ao te pedir que não vás, todos os meus anseios, se eu fosse egoísta, seriam para que me recusasses, pois tenho mil coisas a fazer esta noite e cairei eu mesmo na própria armadilha e ficarei bem aborrecido se, contra toda expectativa, me responderes que não irás. Porém minhas ocupações, meus prazeres, não são tudo, devo pensar em ti. Poderá chegar um dia em que, vendo-me separado de ti para sempre, não terás o direito de me censurares por não ter te avisado nos minutos decisivos em que eu sentia que ia fazer a teu respeito um desses juízos severos aos quais o amor não resiste muito tempo. Vê, *Uma Noite de Cleópatra* (que título!) não concorre em nada para o caso. O que interessa saber é se tu és esta criatura que se situa no último degrau do espírito, e até do encanto, o ser desprezível que é incapaz de renunciar a um prazer. Então, se és isto, como seria possível te amar, pois não chegas sequer a ser uma pessoa, uma criatura definida, imperfeita mas pelo menos passível de perfeição? Tu és uma água informe que corre segundo a inclinação que se lhe oferece, um peixe sem memória e sem raciocínio que, enquanto viver sozinho no aquário, há de se ferir mil vezes contra o vidro que continuará a pensar que é água. Compreende que tua resposta, não quero dizer que terá como efeito que eu deixarei de te amar imediatamente, é claro, mas vai te tornar menos sedutora a meus olhos quando eu compreender que não és uma pessoa, que estás abaixo de todas as coisas e não saberei colocar-te acima de coisa alguma? Evidentemente, preferiria pedir-te, como algo sem importância, que renunciasses a *Uma Noite de Cleópatra* (já que me obrigas a sujar os lábios com esse nome abjeto), na esperança de que no entanto fosses. Porém, decidido a passar tudo a limpo, a tirar algumas conseqüências da tua resposta, achei que era mais leal te prevenir.

Fazia alguns momentos que Odette dava sinais de emoção e de incerteza. Apesar de não entender o sentido daquele discurso, percebia que podia pertencer ao gênero comum da "lengalenga" e das cenas de recriminações ou de súplicas, sendo que a experiência que tinha dos homens lhe permitia, sem se ater aos detalhes das palavras, concluir que não as pronunciariam se não estivessem apaixonados, e que, no momento em que estavam apaixonados, era inútil obedecer-lhes, e ainda ficariam mais apaixonados depois. E, assim, teria escutado Swann com a maior tranqüilidade se não percebesse que a hora passava e que, por pouco que ele ainda falasse, ela iria, como ele o dissera com um sorriso terno, obstinado e confuso, "acabar por faltar à *ouverture*!"

Em outras ocasiões, Swann lhe dizia que o que, acima de tudo, era motivo para que ele deixasse de amá-la, seria que ela não quisesse desistir de mentir. "Mesmo do simples ponto de vista da coqueteria", dizia-lhe, "então não compreendes o quanto perdes de tua sedução, abaixando-te para mentires? Com uma confissão, quantas faltas não seriam perdoadas? Na verdade, és bem menos inteligente do que eu supunha!" Mas era em vão que Swann lhe expunha assim todos os motivos que ela teria para não mentir; pois teriam podido arruinar, em Odette, um sistema geral de mentira; mas Odette não possuía sistema algum; contentava-se apenas, diante de uma situação em que desejasse que Swann permanecesse na ignorância do que ela fizera, em nada lhe dizer. Assim a mentira era, para Odette, um expediente de ordem particular; e a única coisa que podia decidi-la se deveria ou não servir-se dela, ou contar a verdade, era uma razão de ordem particular também, a maior ou menor probabilidade de que Swann descobrisse que ela não dissera a verdade.

Fisicamente, ela atravessava uma fase ruim; e o encanto expressivo e dolente, os olhares espantados e sonhadores que tivera outrora, pareciam ter desaparecido com a primeira juventude. De modo que tão querida se tornara a Swann no momento, por assim dizer, em que precisamente ele a achava bem menos bonita. Encarava-a longamente para tentar descobrir nela o charme que lhe conhecera, e não o encontrava. Mas saber que sob esta nova crisálida era sempre Odette que vivia, sempre a mesma vontade fugaz, inatingível e sorrateira, era suficiente para que Swann continuasse com o mesmo ardor na tentativa de captá-la. Depois, olhava as fotos de dois anos antes, lembrava-se de como fora deliciosa. E isso o consolava um pouco de sofrer tanto por ela.

Quando os Verdurin a levavam a Saint-Germain, a Chatou, a Meulan, muitas vezes, se fazia bom tempo, propunham que todos pernoitassem ali mesmo e só voltassem no dia seguinte. A Sra. Verdurin tentava acalmar os escrúpulos do pianista, cuja tia ficara em Paris.

– Ela ficará encantada em se livrar de você por um dia. E por que haveria de se inquietar, se sabe que está conosco? Aliás, assumo toda a responsabilidade.

Mas, se não conseguisse o que queria, o Sr. Verdurin saía a campo, encontrava um posto telegráfico ou um mensageiro, e perguntava quais os fiéis que tinham alguém que devesse ser prevenido. Mas Odette agradecia, dizendo que não tinha despacho telegráfico para ninguém, pois dissera a Swann, de uma vez por todas, que ficaria comprometida aos olhos de todos se lhe enviasse um despacho. Às vezes se ausentava por vários dias, os Verdurin a levavam para ver as tumbas de Dreux, ou para Compiègne, a fim de admirar, a conselho do pintor, os ocasos do sol na floresta, e seguiam até o castelo de Pierrefonds.

"E pensar que ela poderia visitar monumentos de verdade comigo, que estudei arquitetura durante dez anos e que seguidamente sou tentado a conduzir a Beauvais ou a Saint-Loup-de-Naud pessoas de alto valor e só o faria por ela, e em vez disso ela vai, com os últimos brutos, extasiar-se sucessivamente diante das dejeções de Luís Filipe e de Viollet-le-Duc! Parece-me que não é preciso ser artista para tanto e que, mesmo sem ter um olfato especialmente fino, ninguém vai tirar férias em latrinas para ter melhores condições de aspirar excrementos!"

Mas quando ela partia para Dreux ou Pierrefonds – infelizmente, sem permitir que ele fosse, como por acaso, pois "isto teria um efeito deplorável", dizia ela – ele mergulhava no mais embriagador dos romances de amor, o guia das estradas de ferro, que lhe ensinava os meios de ir juntar-se a ela, à tarde, à noite, naquela manhã mesmo! O meio? Quase mais: a autorização. Pois enfim o guia e os próprios trens não eram feitos para cães. Se faziam saber ao público, por meio de impressos, que às oito da manhã partia um trem que chegava a Pierrefonds às dez, quer dizer então que ir a Pierrefonds era um ato lícito, para o qual a permissão de Odette era supérflua e também era um ato que podia ter um motivo bem diverso que o desejo de encontrar Odette, já que as pessoas que não a conheciam o praticavam todos os dias, em número bastante grande para que aquilo valesse a pena de aquecer as locomotivas.

Em suma, ela sequer poderia impedi-lo de ir a Pierrefonds se ele tivesse vontade! Ora, justamente estava sentindo que tinha vontade de ir, e que se não tivesse conhecido Odette certamente iria até lá. Fazia muito tempo que queria ter uma idéia mais precisa dos trabalhos de restauração de Viollet-le-Duc. E, com o tempo que fazia, experimentava o desejo imperioso de um passeio pela floresta de Compiègne.

E, na verdade, era muito pouca sorte que ela lhe proibisse o único lugar que o tentava hoje. Hoje! Se lá chegasse, apesar da sua proibição, poderia vê-la *hoje mesmo*! O problema é que se Odette encontrasse em Pierrefonds algum indiferente, lhe diria com júbilo: "Oh, o senhor aqui!" E o convidaria para ir vê-la no hotel onde se hospedara com os Verdurin; pelo contrário, se encontrasse Swann, ficaria constrangida, diria que estava sendo seguida, passaria a amá-lo menos, talvez se desviasse dele, encolerizada, ao avistá-lo. "Então, não tenho mais direito de viajar?", indagaria ela na volta, ao passo que, em resumo, era ele quem não tinha mais direito de viajar.

Por um momento teve a idéia, para não parecer que ia a Compiègne e a Pierrefonds a fim de encontrar Odette, de ser levado até lá a convite de um amigo, o marquês de Forestelle, que possuía um castelo nas vizinhanças. Este, a quem dera ciência de seu projeto sem lhe confessar o motivo, não cabia em si de contente e ficara deslumbrado que Swann, pela primeira vez em 15 anos, consentisse por fim em visitar sua propriedade e, conquanto, segundo dizia, não pretendesse demorar, prometeu ao menos que fariam excursões e dariam passeios juntos durante vários dias. Swann já se imaginava lá com o Sr. de Forestelle. Mesmo antes de ver Odette, mesmo se não conseguisse vê-la, que felicidade seria andar a pé naquela terra onde, não sabendo localizar Odette com exatidão por enquanto, sentia palpitar por toda parte a possibilidade de sua brusca aparição: no pátio do castelo, que agora lhe parecia mais bonito porque fora vê-lo devido a Odette; em todas as ruas da cidade, que lhe parecia romanesca; em cada trilho da floresta, rosada por um ocaso profundo e ameno; asilos inumeráveis e alternativos, onde vinha simultaneamente se refugiar, na incerta ubiqüidade de suas esperanças, seu coração feliz, vagabundo e multiplicado. "Sobretudo", diria ao Sr. de Forestelle, "tenhamos o cuidado de não dar com Odette ou os Verdurin. Acabo de saber que estão justamente hoje em Pierrefonds. Temos bastante tempo para nos vermos em Paris, não valeria a pena deixá-la para não poder dar um passo sem nos toparmos uns com os outros." E seu amigo não entenderia por que, uma vez se achando lá, Swann mudaria vinte vezes de planos, inspecionaria os refeitórios de todos os hotéis de Compiègne sem se decidir a sentar-se em nenhum deles, onde, no entanto, não vira sinal dos Verdurin, dando a impressão de procurar aqueles de quem dizia querer fugir e, aliás, fugindo tão logo os tivesse encontrado, pois se encontrasse o pequeno grupo dele se afastaria com afetação, contente por ter visto Odette e que ela o tivesse visto, principalmente que o tivesse visto despreocupado dela. Mas não, ela bem que adivinharia que era por sua causa que ele ali se achava. E, quando o Sr. de Forestelle foi procurá-lo para partirem, Swann lhe disse: "Infelizmente não, não posso ir hoje a Pierrefonds, Odette se encontra bem ali." E Swann estava feliz, apesar de tudo, por sentir que, se entre todos os mortais era o único a não ter o direito de ir a Pierrefonds, era porque, de fato, para Odette, ele era alguém diferente dos outros, seu amante, e que essa restrição particular ao direito universal de livre circulação não era mais que uma dessas formas dessa escravatura, desse amor que lhe era tão caro. Decididamente, valia mais não arriscar uma briga com ela, ter paciência, esperar o seu regresso. Passava os dias debruçado a um mapa da floresta de Compiègne como se fosse o mapa do Sentimento, rodeava-se de fotografias do castelo de Pierrefonds. Quando chegou um dia em que era possível que ela regressasse, Swann voltou a abrir o guia, calculou que trem ela tomaria, e, se ela se atrasasse, aqueles que ainda restariam. Não saiu de medo de perder um telegrama, não se deitou para o caso em que, tendo vindo no último trem, ela tivesse querido lhe fazer a surpresa de ir vê-lo no meio da noite. Justamente ouvia baterem à porta da rua, parecia-lhe que demoravam a atender, queria acordar o porteiro, punha-se à janela para chamar Odette se fosse ela, pois apesar das recomendações que fizera ao descer mais de dez vezes em pessoa, eram capazes de lhe dizer que não se encontrava em casa. Era um criado que voltava. Notou o rodar intérmino dos carros que passavam, a que nunca prestara atenção antes. Escutava cada um vir ao longe, aproximar-se, ultrapassar o seu portão sem parar e levar além uma mensagem que não era para ele. Esperou a noite inteira inutilmente, pois tendo os Verdurin antecipado o seu regresso, Odette estava em Paris desde o meio-dia; não tivera a idéia de preveni-lo; não sabendo o que fazer, passara a noite sozinha no teatro e fazia muito que voltara para casa, e já estava dormindo.

É que nem ao menos pensara nele. E esses momentos em que até se esquecia da existência de Swann eram mais úteis a Odette, serviam melhor para prendê-lo a ela que toda a sua coqueteria. Pois assim Swann vivia naquela agitação dolorosa que já fora bem possante para fazer eclodir o seu amor quando não encontrara Odette na casa dos Verdurin e a procurara a noite inteira. E ele tinha, como tive em Combray na minha infância, dias felizes que fizessem esquecer os sofrimentos que renasceriam à noite. Durante os dias, Swann passava-os sem Odette; e por momentos dizia a si mesmo que deixar sair sozinha em Paris uma mulher tão bonita era tão imprudente como depor um escrínio cheio de jóias no meio da rua. Então indignava-se contra todos os transeuntes como se fossem outros tantos ladrões. Mas a fisionomia coletiva e informe destes escapava à sua imaginação e não alimentava o seu ciúme. Aquilo cansava o pensamento de Swann, o qual, passando a mão pelos olhos, exclamava: "Seja o que Deus quiser", como os que, depois de se encarniçarem em abranger o problema da realidade do mundo exterior ou da imortalidade da alma, concedem ao cérebro exausto a trégua de um ato de fé. Mas a lembrança da ausente estava sempre mesclada indissoluvelmente aos atos mais simples da vida de Swann – almoçar, receber o correio, sair, deitar-se – pela própria tristeza que sentia em cumpri-los sem ela, como essas iniciais de Philibert, o Belo, que, na igreja de Brou, por causa da mágoa que por ele sofria, Margarida da Áustria mandara entrelaçar por toda parte às suas. Certos dias, em vez de ficar em casa, Swann ia almoçar num restaurante próximo, cuja boa cozinha apreciara outrora, e onde agora já não ia senão por uma destas razões, a um tempo místicas e extravagantes, que se denominam romanescas; é que o restaurante (que ainda existe) trazia o mesmo nome que a rua em que morava Odette: *Lapérouse*. Às vezes, quando ela estava ausente por pouco tempo, era só depois de vários dias que pensava em fazê-lo ciente de que voltara a Paris. E dizia-lhe, muito simplesmente, sem mais ter o cuidado, como outrora, de se resguardar ao acaso com um pedaço retirado à realidade, que voltara naquele mesmo instante pelo trem da manhã. Tais palavras eram mentirosas; pelo menos para Odette eram mentirosas, inconsistentes, não tendo, caso fossem verdadeiras, um ponto de apoio na lembrança de sua chegada à estação; ela até se achava impedida de se representá-las no momento em que as dizia pela imagem contraditória daquilo que fizera de totalmente diverso no momento em que pretendia ter saído do trem. Mas no espírito de Swann, pelo contrário, tais palavras não encontravam qualquer obstáculo e vinham incrustar-se e adquirir a inamovibilidade de uma verdade tão isenta de dúvida, que se um amigo lhe dissesse ter vindo pelo mesmo trem e não ter visto Odette ele se convenceria de que o amigo é que se enganava no dia ou na hora, já que sua afirmativa não combinava com as palavras de Odette. Estas só lhe pareceriam mentirosas se no começo já tivesse desconfiado que o fossem. Para que acreditasse que ela mentia, uma suspeita prévia era a condição necessária. Aliás, era uma condição bastante. Então, tudo o que Odette dissesse lhe pareceria suspeito. Ouvindo-a citar um nome, certamente seria o de um dos amantes; uma vez levantada essa hipótese, passava semanas a se lastimar. Certa ocasião, chegou até a contratar uma agência de investigações para saber o endereço e o emprego do tempo do desconhecido que só o deixava respirar quando tivesse viajado, e que acabou por descobrir ser um tio de Odette, falecido há vinte anos.

Conquanto Odette em geral não permitisse que ele a abordasse em lugares públicos dizendo que aquilo daria o que falar, ocorria que se encontravam às vezes numa reunião para a qual ambos tinham sido convidados – na casa de Forcheville, na do pintor, ou num baile de caridade num ministério. Via-a, mas não ousava ficar com medo de irritá-la, dando a impressão de que estivesse a espioná-la, a ver os prazeres que ela desfrutava com os outros e que – ao passo que voltava solitário e ia deitar-se ansioso como eu mesmo o faria alguns anos depois nas noites em que havia visitas em casa, em Combray – lhe pareciam ilimitados porque não lhes vira o fim. E uma vez ou outra ele conheceu, nessas noites, as alegrias que seríamos tentados, não fosse sofrerem com tanta violência o choque da brusca parada da inquietação, a denominar alegrias tranqüilas, pois consistem num apaziguamento: fora passar por um instante numa reunião na casa do pintor e já se preparava para ir embora; deixava ali Odette mudada numa ilustre desconhecida, no meio de homens a quem seus olhares e sua alegria, que não eram para ele, Swann, pareciam falar de alguma volúpia a ser desfrutada ali ou em outra parte (talvez no "Baile dos Incoerentes", aonde receava que ela fosse logo após) e que provocava em Swann maior ciúme do que a própria união carnal, pois que a imaginava com maior dificuldade; já estava prestes a passar pela porta do ateliê quando ouviu que o chamavam com estas palavras (que, retirando à festa aquele final que o aterrorizava, tornavam-na retrospectivamente inocente, transformando a volta de Odette em algo não mais tremendo e inconcebível, porém suave e conhecido, que ficaria a seu lado no carro, parecendo um pouco de sua vida diária, e despojava a própria Odette de sua aparência por demais brilhante e alegre, mostrando que era apenas um disfarce que pusera por um instante, para ele mesmo, e não tendo em vista prazeres misteriosos, e do qual já se sentia cansada), estas palavras que Odette lhe lançava, quando ele já transpunha a soleira da porta: "Espere uns cinco minutos, estou saindo, podemos voltar juntos e você me deixaria em casa."

É verdade que um dia Forcheville pedira para ser levado de volta ao mesmo tempo, porém, como tivesse chegado à porta de Odette e solicitasse permissão para também entrar, Odette lhe respondera mostrando Swann:

– Ah, isso depende deste senhor, peça-lhe. Enfim, entre um instante, se o desejar, mas não por muito tempo, pois previno-o de que ele gosta de conversar tranqüilamente comigo, e que não lhe agradam visitas quando vem. Ah, se conhecesse essa pessoa como eu conheço! Não é mesmo, *my love,* não é verdade que só eu é que o conheço bem?

E Swann ainda mais se comovia, talvez, ao vê-la dirigir, desse modo a ele em presença de Forcheville, não apenas estas frases de ternura, de predileção, mas ainda certas críticas, como: "Estou certa de que você ainda não respondeu a seus amigos sobre o jantar de domingo. Não vá, se não quiser, mas seja ao menos delicado", ou: "Não terá deixado aqui o seu estudo sobre Vermeer para poder adiantá-lo um pouco amanhã? Que preguiçoso! Vou fazê-lo trabalhar", o que provava que Odette se mantinha ao corrente de seus convites sociais e de seus estudos de arte, e que de fato possuíam os dois uma vida em comum. E dizendo aquilo, ela lhe endereçava um sorriso no fundo do qual ele a sentia completamente sua.

Então nesses momentos, enquanto ela preparava a laranjada, de súbito, como quando um refletor mal regulado projeta primeiro na parede, em torno do objeto, grandes sombras fantásticas que a seguir vêm incidir e se anular nele, todas as idéias terríveis e indecisas que ele fazia de Odette, se desvaneciam, juntando-se ao corpo atraente que Swann tinha diante de si. Sentia a brusca suspeita de que essa hora passada com Odette, à luz da lâmpada, talvez não fosse uma hora artificial, para uso dele (destinada a mascarar aquela coisa tremenda e deliciosa em que pensava sem cessar, não podendo imaginá-la bem, uma hora da verdadeira vida de Odette, da vida de Odette quando ele não se achava presente), com acessórios de teatro e frutas feitas de papelão, mas era talvez uma hora mesmo da vida de Odette, e se ele não estivesse ali, ela teria oferecido a mesma poltrona a Forcheville, e lhe teria preparado não uma bebida desconhecida e sim aquela mesma laranjada; pois o mundo em que Odette morava não era esse outro universo aterrador e sobrenatural onde ele passava o tempo a situá-la e que talvez só existisse em sua imaginação, mas o universo real, sem qualquer tristeza especial, comportando essa mesa onde ele ia poder escrever e aquela bebida que lhe seria permitido degustar, todos os objetos que contemplava não só com curiosidade e admiração mas também com gratidão idêntica, pois, se o haviam livrado de seus sonhos ao absorvê-los, em compensação tinham se enriquecido com eles, mostrando-lhe a sua realização palpável, e interessavam seu espírito e ganhavam relevo a seus olhos ao mesmo tempo que acalmavam-lhe o coração. Ah, se o destino permitisse que Odette e ele tivessem apenas uma só morada, que ele, estando em casa de Odette se sentisse como em seu próprio apartamento, se, perguntando ao criado o que havia para almoçar, obtivesse como resposta o cardápio de Odette, se quando Odette quisesse ir passear de manhã na alameda Bois de Boulogne, seu dever de bom marido o obrigasse, mesmo sem vontade, a acompanhá-la, carregando-lhe o casaco quando ela estivesse com calor e, à noite, depois do jantar, se ela sentisse vontade de ficar em casa, de chambre, se ele fosse forçado a ficar ali junto dela, a fazer o que desejasse; então, como os nadas da vida de Swann, que lhe pareciam tão tristes, assumiriam, ao contrário, porque ao mesmo tempo fariam parte da vida de Odette, mesmo os mais familiares – como esta lâmpada, esta laranjada, esta poltrona que continham tantos sonhos, materializavam tantos desejos –, uma espécie de doçura excessiva e uma densidade misteriosa.

No entanto, duvidava que aquilo que assim lastimava fosse sossego, uma atmosfera de paz que favorecesse o seu amor. Quando Odette deixasse de ser para ele uma criatura sempre ausente, desejada, imaginária, quando o sentimento que tivesse por ela já não fosse aquela mesma turbação misteriosa que lhe causava a frase da sonata, mas somente afeição e reconhecimento, quando se estabelecessem entre eles relações normais que pusessem fim à sua loucura e à sua tristeza, então sem dúvida os atos da vida de Odette lhe pareceriam pouco interessantes em si mesmos, como já diversas vezes o suspeitara, por exemplo no dia em que lera através do envelope a carta dirigida a Forcheville. Considerando seu mal com tanta sagacidade, como se o tivesse inoculado em si próprio para estudá-lo, dizia consigo que, quando estivesse curado, seria indiferente ao que Odette pudesse fazer. Mas do íntimo de seu mórbido estado, por assim dizer, tinha medo, como à morte, dessa cura, que de fato seria a morte de tudo o que ele era no momento.

Depois daquelas noites de sossego, as suspeitas de Swann se acalmaram; abençoava Odette e, na manhã seguinte, mandava para a casa dela as mais belas jóias, pois as atenções dela na véspera haviam excitado ou a sua gratidão, ou o desejo de vê-las se renovarem, ou um paroxismo de amor que precisava se expandir.

Mas em outras ocasiões o sofrimento lhe voltava, e ele imaginava que Odette era amante de Forcheville e que, quando os dois o tinham visto, do fundo do landô dos Verdurin, no Bois, na véspera da festa de Chatou para a qual não fora convidado, pedir-lhe sem êxito que voltasse com ele, com aquele ar de desespero que até seu cocheiro percebera, voltando depois solitário e derrotado, ela devia ter dito, mostrando-o a Forcheville: "Como está furioso, hein!" com aquele olhar brilhante, malicioso, baixo e oblíquo, como no dia em que Forcheville expulsara Saniette da casa dos Verdurin.

Então Swann a detestava. "Mas também eu sou muito idiota", dizia consigo, "estou pagando com meu dinheiro o prazer dos outros. Bem faria ela em tomar cuidado e não puxar tanto a corda, pois posso muito bem não lhe dar mais nada. Em todo caso, renunciemos por enquanto às gentilezas suplementares! E pensar que, ainda ontem, como ela dissesse ter vontade de assistir à temporada de Bayreuth, fiz a asneira de lhe propor alugar, para nós ambos, um dos lindos castelos do rei da Baviera, nas redondezas. E aliás ela não pareceu muito encantada, ainda não falou nem sim nem não; queira Deus que ela recuse! Ouvir Wagner durante quinze dias com ela, que se preocupa com aquilo tanto quanto um peixe com uma maçã, seria engraçado!" E seu ódio, bem como seu amor, tendo necessidade de se manifestar e de agir, fazia com que ele se comprouvesse em levar cada vez mais longe suas pérfidas imaginações, porque, devido às perfídias que atribuía a Odette, detestava-a mais e poderia, se descobrisse que eram verdadeiras – o que tentava imaginar–, ter ocasião de castigá-la e de extravasar sobre ela sua raiva crescente. Assim, ia ao ponto de supor que receberia uma carta dela em que lhe pedisse dinheiro para alugar aquele castelo perto de Bayreuth, mas prevenindo-o de que ele não poderia ir, porque prometera convidar Forcheville e os Verdurin. Ah, como teria gostado de que ela fosse tão audaciosa! Que alegria teria em recusar, em redigir a resposta vingativa cujos termos se comprazia em escolher, em enunciar em voz alta, como se tivesse de fato recebido essa carta!

Ora, foi o que aconteceu bem no dia seguinte. Ela lhe escreveu que os Verdurin e seus amigos tinham manifestado o desejo de assistir a tais representações da obra de Wagner e que, se fizesse o favor de enviar o dinheiro, ela teria enfim, depois de ter sido tantas vezes recebida na casa deles, o prazer de convidá-los por sua vez. Não dizia uma só palavra a respeito dele, ficava subentendido que a presença dos Verdurin excluía a sua.

Então, aquela terrível resposta que havia redigido, palavra por palavra, na véspera, sem ousar esperar que jamais pudesse ter serventia, teria ele a alegria de mandar entregar a Odette. Infelizmente, sentia muito bem que com o dinheiro que ela possuía, ou que arranjaria facilmente, poderia mesmo alugar casa em Bayreuth, ela que não sabia distinguir entre Bach e Clapisson. Mas, apesar de tudo, ela viveria mais modestamente. Não teria meios de organizar todas as noites, num castelo (a não ser que lhe enviasse desta vez algumas cédulas de mil francos), aquelas ceias refinadas após as quais talvez lhe ocorresse a fantasia – que era bem possível não lhe ter ocorrido ainda – de cair nos braços de Forcheville. E pelo menos essa viagem execrada, não seria ele, Swann, quem a haveria de pagar! Ah, se pudesse impedi-la! Se ela torcesse o pé antes de partir! Se o cocheiro do carro que a levasse à estação concordasse, por qualquer preço, em conduzi-la a um local onde ela permanecesse seqüestrada por algum tempo, aquela mulher pérfida de olhar iluminado por um sorriso de cumplicidade endereçado a Forcheville, que era Odette para Swann nas últimas 48 horas!

Mas ela não o era assim por muito tempo; ao fim de alguns dias o olhar brilhante e falso perdia o brilho e a duplicidade, e aquela imagem de uma Odette execrada dizendo a Forcheville: "Como está furioso!" começava a empalidecer, a apagar-se. Então, aos poucos aparecia e se elevava, brilhando docemente, a fisionomia de outra Odette, daquela que também dirigia um sorriso a Forcheville, porém um sorriso onde só havia ternura para com Swann, quando ela dizia: "Não fique muito tempo, pois este senhor não gosta de que eu receba visitas quando quer ficar junto comigo. Ah, se conhecesse essa pessoa como eu conheço!", o mesmo sorriso que tinha para agradecer a Swann algum sinal de sua delicadeza, que ela tanto estimava, algum conselho que lhe pedira numa das graves circunstâncias em que só nele confiava.

Indagava-se, então, como pudera escrever aquela carta injuriosa a esta última Odette, de que até ali ela o julgara incapaz e que deveria tê-lo feito cair do posto elevado, único, que conquistara, por sua bondade e lealdade, em sua estima. Tornar-se-ia menos querido para ela, pois devia a essas qualidades, que ela não achara nem em Forcheville nem em qualquer outro, o fato de ela o amar. Era devido a elas que Odette tantas vezes lhe demonstrara uma gentileza que ele não levava em conta no momento do ciúme, porque não era um sinal de desejo e denotava mais afeto do que amor, mas cuja importância ele recomeçava a sentir à medida que a suspensão espontânea das suspeitas, muitas vezes acentuada pela distração que lhe proporcionava uma leitura de arte ou a palestra de um amigo, fazia sua paixão menos exigente quanto às reciprocidades.

Agora que, após semelhante oscilação, Odette voltara naturalmente ao posto de onde a afastara por um momento, ao ângulo do qual a achava encantadora, figurava-a cheia de ternura, com um olhar de consentimento, tão bonita assim, que ele não podia evitar estender-lhe os lábios como se Odette estivesse ali e ele a pudesse beijar; e conservava-lhe tanto reconhecimento, por aquele olhar encantador e bom, como se ela acabasse de lho dirigir de verdade, e não a sua imaginação apenas que o pintara para satisfazer o seu desejo naquele instante.

Como deveria tê-la magoado! É claro que descobria motivos válidos para seu ressentimento contra ela; porém, tais motivos não lhe inspirariam tanto ódio se não a amasse muito. Não tinha tido queixas igualmente graves contra outras mulheres, às quais, não obstante, prestaria serviços hoje de boa vontade, sem qualquer ódio por elas, justo por ter deixado de lhes sentir amor? Se algum dia devesse encontrar-se no mesmo grau de indiferença quanto a Odette, compreenderia que somente o ciúme é que o fizera achar algo de atroz e imperdoável nesse desejo, no fundo tão natural, resultado de um pouco de infantilidade e também de uma certa delicadeza de alma, e de por sua vez, já que a ocasião se apresentava, poder retribuir as gentilezas dos Verdurin, fazer o papel de dona de casa.

Voltava àquele ponto de vista – oposto ao do amor e do ciúme, e no qual se postava, às vezes, por uma espécie de eqüidade intelectual e para jogar com as diversas probabilidades – do qual tentava julgar Odette como se não a tivesse amado, como se, para ele, se tratasse de uma mulher como as outras, como se a vida de Odette, quando ele já não estava em sua companhia, não fosse diversa, tramada às escondidas dele, urdida contra ele.

Por que acreditar que ela gozaria, com Forcheville ou com outros, os prazeres embriagadores que não conhecera com ele e que somente o ciúme forjava em todos os detalhes? Em Bayreuth, como em Paris, se acontecesse que Forcheville nele pensasse, só poderia ser como alguém que valia muito na vida de Odette, a quem seria obrigado a ceder o lugar quando ambos se encontrassem na casa dela. Se Forcheville e Odette julgavam um triunfo estarem em Bayreuth contra a vontade dele, era ele próprio o culpado ao procurar inutilmente impedi-los de viajar, ao passo que se tivesse aprovado o projeto de Odette, aliás defensável, ela daria a impressão de lá se achar a conselho seu, iria sentir-se enviada por ele, alojada por ele, e o prazer que teria experimentado em receber essas pessoas que tanto a haviam recebido, era a Swann que o devia agradecer.

E – em vez de ir brigada com ele, sem ter voltado a vê-lo – se lhe enviasse o dinheiro, se a animasse a semelhante viagem e se se preocupasse em torná-la agradável a Odette, ela iria acorrer, feliz, agradecida, e ele teria aquela alegria de vê-la, de que não desfrutara há quase uma semana e que nada podia substituir. Pois, tão logo Swann podia imaginá-la sem horror, e que revia a bondade do seu sorriso, e o desejo de arrebatá-la a qualquer outro não se somava ao seu amor por meio do ciúme, esse amor se tornava sobretudo um gosto, pelas sensações que lhe proporcionava a pessoa de Odette, pelo prazer que sentia em admirar, como um espetáculo, ou em interrogar, como um fenômeno, o erguer-se de um de seus olhares, a formação de um de seus sorrisos, a emissão de uma entonação de sua voz. E esse prazer, diferente de todos os outros, acabara por criar nele uma necessidade dela e que somente ela poderia satisfazer com sua presença ou suas cartas, quase tão desinteressada, quase tão artística, tão perversa, como a outra necessidade que caracterizava esse novo período da vida de Swann, onde a secura e a depressão dos anos anteriores haviam cedido a uma espécie de plenitude espiritual, sem que ele soubesse mais a que deveria esse enriquecimento inesperado de sua vida interior do que uma pessoa de saúde delicada que, a partir de certo momento, se fortifica, engorda e parece durante algum tempo se encaminhar para uma cura completa; esta outra necessidade, que também se desenvolvia fora do mundo real, era a de ouvir e conhecer música.

Assim, pela própria química do seu mal, depois de produzir ciúme com o seu amor, recomeçava a produzir ternura e piedade por Odette. Ela se tornava de novo a boa e encantadora Odette. Sentia remorsos por ter sido duro com ela. Queria que ela se aproximasse dele, porém antes desejava dar-lhe algum prazer, para ver o reconhecimento iluminar-lhe o rosto e modelar o seu sorriso.

E assim Odette, certa de tê-lo de volta dentro de alguns dias, tão terno e submisso como antes, pedindo-lhe a reconciliação, acostumava-se a não mais temer desagradá-lo e até de o irritar, recusando-lhe, quando lhe aprouvesse, os favores que ele mais desejava.

Talvez não soubesse o quanto Swann fora sincero, durante a briga, ao dizer-lhe que não mandaria dinheiro e tentaria lhe fazer todo o mal possível. Talvez também não soubesse de sua sinceridade, senão com ela, ao menos consigo mesmo, em outros casos em que, no interesse do futuro de sua ligação, para mostrar a Odette que era capaz de passar sem ela, que sempre seria possível um rompimento, decidia Swann passar algum tempo sem visitá-la.

Às vezes, ocorria depois de alguns dias em que ela não lhe causara nenhuma nova preocupação; e como sabia que, nas visitas seguintes que lhe faria, não podia extrair nenhuma grande alegria mas sim, com toda a probabilidade, algum desgosto que poria fim à tranqüilidade em que se encontrava, Swann escrevia-lhe dizendo que, por estar muito ocupado, não poderia ir vê-la em nenhum dos dias em que havia prometido. Ora, uma carta dela, cruzando-se com a sua, rogava-lhe exatamente que adiasse um encontro. Ele se perguntava por que; suas suspeitas, sua dor, voltavam a magoá-lo. Já não podia manter, nesse novo estado de agitação em que se achava, a decisão tomada no estado anterior de relativo sossego, corria até à casa dela e exigia vê-la todos os dias seguintes. E mesmo se ela não fosse a primeira a escrever, se apenas respondesse, concordando com seu pedido para uma curta separação, isso teria bastado para que ele já não mais pudesse ficar sem vê-la. Pois, contrariamente ao cálculo de Swann, o consentimento de Odette mudara tudo dentro dele. Como todos aqueles que possuem algo, Swann, para verificar o que aconteceria se deixasse um instante de possuí-lo, tirara-o do espírito, deixando tudo ali no mesmo estado em que se encontrava quando o possuía. Ora, a ausência de uma coisa não é somente isso, não é apenas uma falta parcial, é uma subversão de todo o resto, um estado novo impossível de prever no antigo.

Mas de outras vezes, ao contrário – Odette estava prestes a sair de viagem –, era depois de uma pequena rusga, cujo pretexto ele inventara, que Swann se decidia a não lhe escrever e a não revê-la antes do seu regresso, dando assim as aparências e esperando pelas vantagens de um sério rompimento, que ela acreditaria ser definitivo, a uma separação cuja maior parte era inevitável devido à viagem e que ele apenas fazia principiar um pouco mais cedo. Já imaginava Odette inquieta, aflita por não ter recebido nem visita nem carta, e essa imagem, acalmando o seu ciúme, tornava-lhe fácil desacostumar-se de vê-la. É claro que, por uns instantes, bem no limite do espírito, para onde a sua resolução a afastava graças a todo o espaço interposto de três semanas de separação aceita, era com prazer que considerava a idéia de rever Odette quando ela regressasse; mas era também com tão pouca impaciência, que começava a indagar-se se não duplicaria voluntariamente a duração de uma abstinência tão fácil. E essa ausência ainda não datava de três dias, tempo muito inferior ao que já passara muitas vezes sem ver Odette, e sem planejá-lo como agora. E, no entanto, eis que uma ligeira contrariedade ou um mal-estar físico – estimulando-o a considerar o tempo presente como um momento excepcional, fora de série, em que a própria sabedoria admitiria acolher o apaziguamento que traz o prazer e daria trégua à vontade, até a retomada útil do esforço – suspendia a ação desta, que deixaria de exercer sua compressão; ou, ainda menos, a recordação de um esclarecimento que esquecera de pedir a Odette, se ela escolhera a cor de que tencionava pintar seu carro, ou quanto a um determinado valor da Bolsa, se eram ações ordinárias ou preferenciais o que ela desejava adquirir (seria muito bonito mostrar-lhe que podia ficar sem vê-la; mas depois de tudo, se fosse preciso repintar o carro ou se as ações não dessem dividendos, nada teria adiantado), eis que, como se solta um elástico distenso, ou como o ar em uma máquina pneumática que se entreabre, a idéia de revê-la, das distâncias em que se mantinha, voltava de um salto para o terreno do presente e das possibilidades imediatas.

Voltava-lhe sem mais achar resistência, e, além disso, tão irresistível que Swann sentia menos dor ao se aproximarem, um a um, os quinze dias que deveria permanecer separado de Odette, do que esperar os dez minutos que seu cocheiro levava para atrelar o carro que o iria levar à casa dela, e que ele passava em assomos de impaciência e de alegria, e retomava mil vezes, com ternura, a idéia de tornar a vê-la, que, por uma reviravolta tão brusca, no momento em que a julgava tão distante, Odette encontrava-se de novo perto dele, na sua mais próxima consciência. É que desaparecera, como obstáculo, o desejo de tentar lhe resistir de imediato, que já não existia em Swann desde que provara a si mesmo – era o que acreditava, pelo menos – que aquilo lhe era tão fácil, que não via mais inconveniente algum em adiar uma tentativa de separação que estava certo agora de pôr em andamento quando quisesse. É também que essa idéia de revê-la lhe voltava com um toque de novidade, de sedução, dotada de uma virulência que o hábito havia desgastado, mas que se haviam retemperado naquela privação não de três mas de quinze dias (pois a duração de uma renúncia deve ser calculada, por antecipação, de acordo com o termo fixado), e daquilo que, até então, tinha sido um prazer esperado que facilmente se sacrifica, fizera uma felicidade inesperada contra a qual não se tem forças. É que, por fim, voltava embelezada pela ignorância de Swann quanto ao que poderia ter pensado ou talvez feito Odette, vendo que ele não dava sinais de vida, se bem que o que ele ia encontrar era a revelação apaixonante de uma Odette quase desconhecida.

Porém ela, assim como julgara que a recusa de enviar dinheiro não passava de um engodo, não via senão um pretexto na informação que Swann vinha lhe pedir sobre a pintura do carro ou o valor a comprar. Pois não reconstituía as diversas fases de semelhantes crises que Swann atravessava e, na idéia que ela formava de tudo isso, deixava de compreender-lhe o mecanismo, acreditando apenas no que conhecia de antemão, ou seja, a fatal, infalível e sempre a mesma conclusão. Idéia incompleta – e talvez por isso mais profunda – se a considerarmos do ponto de vista de Swann, que certamente se julgaria incompreendido por Odette, como um morfinômano ou um tuberculoso, convencidos que foram detidos, um, por um acontecimento exterior no momento em que ia livrar-se de seu hábito inveterado, o outro, por uma indisposição acidental, no instante em que ia enfim ser reabilitado, se sentem incompreendidos pelo médico, que não atribui a mesma importância que eles a essas pretensas contingências, simples disfarces, segundo ele, de que se reveste o vício ou o estado mórbido para novamente se fazerem sensíveis aos doentes, e que, de fato, não deixaram de pesar incuravelmente sobre eles, enquanto se embalavam em sonhos de cura ou regeneração. E, na verdade, o amor de Swann chegara àquele grau em que o médico e, em certas afecções, o cirurgião mais ousado, perguntam a si mesmos se privar um doente do seu vício ou lhe extirpar seu mal ainda será razoável ou até mesmo possível.

Certamente Swann não tinha consciência direta da amplitude desse amor. Quando buscava medi-lo, parecia-lhe às vezes que diminuíra, estava quase reduzido a nada; por exemplo, o pouco de gosto, quase o desgosto, que lhe haviam inspirado, antes de amar Odette, seus traços expressivos, sua pele sem frescor, voltavam-lhe em certos dias. "Verdadeiramente há um progresso sensível", pensava no dia seguinte, "para colocar as coisas com exatidão, eu quase não sentia prazer nenhum, ontem, em estar na cama com ela: é curioso, achava-a até feia." E decerto estava sendo sincero, mas seu amor se estendia muito além das regiões do desejo físico. A própria pessoa de Odette não ocupava um grande lugar nesse amor. Quando via o retrato de Odette sobre sua mesa, ou quando ela vinha vê-lo, ele custava a identificar a figura de carne ou de cartão com a constante e dolorosa perturbação que o habitava. Dizia consigo, quase com espanto: "É ela", como se de repente nos mostrassem, exteriorizada diante de nós, uma de nossas doenças e que não a achássemos semelhante àquela de que sofremos. "Ela", ele tentava indagar de si mesmo o que seria; pois é uma parecença com o amor e a morte, mais do que essas, tão fluidas, que se repetem sempre: a de nos fazer interrogar mais à frente, de medo que se escape sua realidade, o mistério da personalidade. E essa doença, que era o amor de Swann, multiplicara-se de tal maneira, estava tão estreitamente unida a todos os seus hábitos, a todos os seus atos, seu pensamento, sua saúde, seu sono, sua vida, até ao que ele desejava depois da morte, formava de tal modo um todo só com ele, que não seria possível arrancá-lo de Swann sem o destruir quase por inteiro: como se diz em cirurgia, seu amor não era mais operável.

Por causa desse amor Swann fora de tal forma destacado de seus interesses, que quando, por acaso, voltava à sociedade, dizendo consigo que suas relações, como uma cravação elegante que aliás ela não saberia estimar com exatidão, podiam lhe render algum proveito aos olhos de Odette (o que talvez fosse verdadeiro, de fato, se não tivessem sido aviltados por esse mesmo amor, que, para Odette, depreciava todas as coisas que tocava devido a que parecia proclamá-las menos preciosas), experimentava ali, junto com o abandono de estar nesses locais, no meio de pessoas que ela não conhecia, o prazer descompromissado que teria em ler um romance ou em ver um quadro em que são pintados os divertimentos de uma classe ociosa; como, em casa, agradava-lhe considerar o funcionamento de sua vida doméstica, a elegância do seu guarda-roupa e da criadagem, o bom investimento do seu dinheiro, da mesma maneira que ler em Saint-Simon, que era um de seus escritores prediletos, a mecânica dos dias, o cardápio das refeições de Mme. de Maintenon, ou a prudente avareza e a suntuosidade de Lulli. E na frágil medida em que semelhante destacar-se não era absoluto, a razão desse novo prazer, que Swann desfrutava, consistia em poder emigrar, durante um momento, para as raras partes de si mesmo que permaneciam quase estranhas a seu amor e ao seu desgosto. Sob tal aspecto, a personalidade que lhe atribuía a minha tia-avó, de "filho de Swann", distinta de sua personalidade mais individual de Charles Swann, era aquela onde ele agora mais se comprazia. Um dia em que, pelo aniversário da princesa de Parma (e porque ela poderia muitas vezes ser indiretamente agradável a Odette, obtendo-lhe convites para espetáculos de gala e comemorações), quisera mandar-lhe umas frutas, não sabendo como encomendá-las, encarregou disso uma prima de sua mãe que, encantada por lhe prestar um serviço, escrevera-lhe comunicando que não comprara todas as frutas no mesmo local: as uvas no Crapote, por serem sua especialidade, os morangos no Jauret, as peras no Chevet, onde eram mais bonitas, etc., "cada fruta visitada e examinada uma a uma por mim". E de fato, pelos agradecimentos da princesa, Swann pudera avaliar o perfume dos morangos e a maciez das peras. E, sobretudo, o "cada fruta visitada e examinada uma a uma por mim" tinha sido um alivio à sua mágoa, reportando-lhe a consciência para uma região aonde ele ia raramente, conquanto lhe pertencesse por direito, na condição de herdeiro de uma família da rica e boa burguesia, em que se conservavam hereditariamente, prontos a se porem a seu serviço assim que o desejasse, o conhecimento dos "bons endereços" e a arte de bem saber fazer uma encomenda.

De fato esquecera há muito que era o "filho de Swann" para que não sentisse, quando tornava a sê-lo por um instante, um prazer mais vivo do que os que pudera experimentar no restante do tempo e a respeito dos quais já se mostrava entediado; e se a amabilidade dos burgueses, para os quais continuara sendo principalmente um Swann, era menos viva que a da aristocracia (porém, aliás, mais elogiosa, pois ao menos entre eles nunca se separa da consideração), uma carta de uma alteza, alguns divertimentos principescos que esta lhe propusesse, não podia lhe ser tão agradável como a que lhe pedisse para testemunhar, ou apenas assistir, a um casamento na família de velhos amigos de seus pais, alguns dos quais tinham continuado a vê-lo – como meu avô que, no ano anterior, convidara-o para o casamento da minha mãe – e outros que mal o conheciam pessoalmente mas se julgavam obrigados pela polidez para com o filho, digno sucessor do falecido Sr. Swann.

Mas, pelas intimidades já velhas que tinham entre eles, as pessoas da sociedade, em certa medida, faziam também parte de sua casa, de sua criadagem e de sua família. Sentia, considerando suas brilhantes amizades, o mesmo apoio externo, o mesmo conforto que em olhar as terras bonitas, a bela prataria, o lindo jogo de mesa que lhe chegara dos seus. E a idéia de que, se caísse em casa vítima de um ataque, seria naturalmente ao duque de Chartres, ao príncipe de Reuss, ao duque de Luxemburgo e ao barão de Charlus que seu criado recorreria, dava-lhe o mesmo consolo que à nossa velha Françoise o fato de saber que seria amortalhada em finos lençóis de sua propriedade, marcados, não cerzidos (ou cerzidos tão habilmente que poderiam dar a mais alta idéia do trabalho da costureira), mortalha de cuja imagem freqüente ela extraía uma certa satisfação, se não de bem-estar, ao menos de amor-próprio. Mas sobretudo, como em todas as ações e pensamentos sobre Odette, Swann estava constantemente dominado e dirigido pelo sentimento inconfesso de que lhe era, talvez não menos caro, porém menos agradável de ver que qualquer um, que o mais tedioso fiel dos Verdurin – quando se reportava a um mundo onde era tido como pessoa distinta por excelência, onde faziam tudo para atraí-lo, onde ficavam tristes por não vê-lo, e recomeçava a crer na existência de uma vida mais feliz, quase experimentando-lhe o apetite, como se dá com um enfermo acamado, há meses em dieta, e que lê num jornal o cardápio de um almoço oficial ou o anúncio de uma excursão à Sicília.

Se era obrigado a dar desculpas às pessoas da sociedade para não visitá-las, era justamente de visitá-la que procurava escusar-se com Odette. Tais visitas, ainda as pagava (perguntando-se no fim do mês, por pouco que tivesse abusado da paciência de Odette, indo vê-la amiúde, se bastava enviar-lhe quatro mil francos), e para cada uma encontrava um pretexto, um presente para lhe dar, uma informação de que ele precisava, o Sr. de Charlus, a quem encontrara no meio da rua indo à casa dela e exigira que Swann o acompanhasse. E à falta de pretexto, pedia ao Sr. de Charlus que corresse à casa de Odette, e lhe dissesse espontaneamente, durante a conversação, que se lembrava de ter falado com Swann e que ela, Odette, fizesse o favor de mandar chamá-lo de imediato; porém no mais das vezes Swann esperava em vão e o Sr. de Charlus lhe dizia, à noite, que seu ardil fracassara. De forma que Odette, além de se ausentar agora com freqüência, mesmo em Paris, via-o poucas vezes, e ela, que, quando o amava, costumava dizer-lhe: "Estou sempre livre" e "Que me importa a opinião alheia", agora, a cada vez que ele desejava vê-la, recorria às conveniências ou pretextava estar ocupada. Quando Swann falava em ir a uma festa de caridade, a uma *vernissage*, a uma estréia a que ela iria comparecer, Odette retrucava que ele queria proclamar a sua ligação, que a tratava como uma mulher à-toa. A tal ponto que, para não se ver em toda parte privado de encontrá-la, Swann, que sabia que ela conhecia e gostava muito de meu tio-avô Adolphe, de quem também fora amigo, foi vê-lo um dia no seu pequeno apartamento da rua de Bellechasse, a fim de pedir-lhe que usasse sua influência sobre Odette. Como ela sempre assumisse ares poéticos, ao falar a Swann sobre meu tio, dizendo: "Ah, ele não é como você; é coisa muito mais bela, tão imensa, tão bonita a sua amizade para mim! Não seria ele a me dar tão pouco valor a ponto de se mostrar comigo em todos os lugares públicos", Swann ficava embaraçado e não sabia que tom adotar para falar sobre ela ao meu tio. Primeiro, estabeleceu a excelência, *a priori,* de Odette, o axioma de sua supra-humanidade seráfica, a revelação de suas virtudes indemonstráveis e cuja noção não podia derivar da experiência. "Quero lhe falar. O senhor bem sabe que mulher superior a todas, que criatura adorável, que anjo é Odette. Mas sabe o que é a vida de Paris. Nem todos conhecem Odette sob os aspectos que a conhecemos, o senhor e eu. Então, há pessoas que acham que desempenho um papel um tanto ridículo; ela não admite sequer que a encontre fora, no teatro. O senhor, em quem ela deposita tanta confiança, não poderia dizer-lhe algumas palavras a meu favor, e dar-lhe a certeza de que está exagerando o mal que pode lhe causar um cumprimento de minha parte?"

Meu tio aconselhou que Swann passasse uns dias sem ver Odette, o que faria aumentar o amor dela, e a Odette que deixasse que Swann a encontrasse onde lhe aprouvesse. Dias depois, Odette dizia a Swann que acabava de se decepcionar ao ver que meu tio era igual a todos os homens, pois tentara possuí-la à força. Acalmou Swann, que no primeiro instante quis ir desafiar meu tio, e recusou-se a apertar-lhe a mão quando o encontrou de novo. Swann tanto mais lastimou esse rompimento com meu tio Adolphe, pois desejara, se o houvesse visto mais algumas vezes, conversar confiadamente com ele, e tentar esclarecer alguns rumores relativos à vida que Odette levara outrora em Nice. Ora, meu tio Adolphe passava o inverno em Nice e Swann pensava que fora ali talvez que ele tivesse conhecido Odette. O pouco que escapara a alguém diante dele, em relação a um homem que teria sido amante de Odette, abalara Swann profundamente. Mas as coisas que ele, antes de as conhecer, teria considerado mais terríveis de saber e mais impossíveis de acreditar, tão logo as conhecia eram incorporadas para sempre à sua tristeza, admitia-as, não mais podia compreender que não tivessem acontecido. Unicamente, cada uma vinha dar, à idéia que Swann fazia de sua amada, um retoque inapagável. Certa vez acreditou mesmo compreender que essa leviandade de costumes de Odette, da qual não suspeitara, era bem conhecida e que, em Bade ou em Nice, quando ela ali passara antigamente alguns meses, adquirira uma notoriedade galante. Swann buscou aproximar-se de certos estroinas, para interrogá-los; porém estes sabiam que ele conhecia Odette; e depois, Swann tinha medo de os fazer pensarem de novo nela, de pô-los no seu rastro. Mas ele, a quem até então nada parecera mais aborrecido do que tudo o que se referisse à vida cosmopolita de Bade ou de Nice, sabendo que Odette levara uma vida de festas nessas cidades de prazeres, sem que ele nunca devesse descobrir se era apenas para satisfazer necessidades de dinheiro que, graças a ele, Odette já não tinha, ou caprichos que poderiam renascer – ele agora se debruçava com angústia impotente, cega e vertiginosa, sobre o abismo sem fim aonde tinham ido se engolfar esses anos do começo do Septenato[4A], durante os quais passava-se o inverno no Passeio dos Ingleses, e o verão sob as tílias de Bade, e encontrava-lhes uma esplêndida porém dolorosa profundeza, como a que lhes teria atribuído um poeta; e teria se empenhado em reconstituir os pequenos fatos da crônica da Côte d'Azur da época, se ela o pudesse ajudar a compreender algo dos sorrisos ou dos olhares de Odette – entretanto tão simples e honestos – com mais paixão que o esteta que interroga os documentos subsistentes da Florença do século XV para penetrar mais fundamente no espírito da Primavera, da bela Vanna, ou da Vênus, de Botticelli. Muitas vezes, sem lhe dizer nada, olhava-a

[4A] *Septenato*: na França republicana, período de sete anos do governo de um presidente. No caso, Proust parece aludir ao governo de Mac-Mahon (1873-1879). (N. do T.)

pensativo; ela dizia: "Como estás triste." Não fazia muito tempo que, da idéia de que ela era uma pessoa bondosa, semelhante às melhores que conhecia, Swann passara à idéia de que Odette era uma mulher sustentada; de modo inverso, sucedera-lhe depois voltar, da Odette de Crécy talvez bem conhecida dos aproveitadores, dos mulherengos, àquela fisionomia de expressão por vezes tão doce, àquela natureza tão humana. Pensava: "Que significa isso de que em Nice todo mundo sabe quem é Odette de Crécy? Essas reputações, mesmo sendo verdadeiras, são estabelecidas com as idéias alheias"; pensava que essa lenda – mesmo que fosse autêntica – era exterior a Odette, não fazia parte dela como uma personalidade irredutível e malfeitora; que a criatura que pudera ser levada a proceder mal era uma pessoa de olhos bonitos, coração cheio de piedade pelos sofrimentos, uma mulher de corpo suave que ele havia possuído, que apertara nos braços e manejara, uma mulher que um dia poderia chegar a possuir inteiramente, se conseguisse tornar-se indispensável a ela. Ali estava ela, muitas vezes cansada, o rosto por um momento vazio da preocupação febril e alegre das coisas desconhecidas que faziam Swann sofrer; ela afastava os cabelos com as mãos; sua testa e seu rosto pareciam mais amplos; então, de súbito, alguma idéia simplesmente humana, um bom sentimento como os que há em todas as criaturas, quando, num instante de repouso ou de recolhimento, se entregam a si mesmas, brotava de seus olhos como um raio amarelo de ouro. E logo toda a sua fisionomia se iluminava como uma campina cinzenta, coberta de nuvens que subitamente se afastam, para sua transfiguração no momento do sol poente. A vida que estava em Odette nesse momento, e até o futuro que ela parecia contemplar sonhadoramente, Swann teria podido compartilhá-los com ela; nenhuma agitação malsã parecia ter deixado qualquer resíduo ali. Por mais raros que se tornassem, tais momentos não foram inúteis. Por meio da recordação, Swann ligava essas parcelas, abolia os intervalos, fundia como em ouro uma Odette de bondade e calma para a qual fez mais tarde (como veremos na terceira parte desta obra) sacrifícios que a outra Odette não teria conseguido. Mas como eram raros tais momentos e como ele a via pouco agora! Mesmo quanto aos seus encontros à noite, ela só dizia no último minuto se poderia estar com ele, pois, certa de que Swann estaria sempre livre, ela primeiro queria ter certeza de que nenhuma outra pessoa lhe proporia ir visitá-la. Odette alegava que era obrigada a esperar uma resposta da máxima importância e até mesmo se, depois de mandar vir Swann, já no começo da noite, amigos seus lhe pediam que os encontrasse no teatro ou num restaurante, ela dava um salto de alegria e começava a se arrumar às pressas. À medida que adiantava a toalete, cada movimento que fazia aproximava Swann do instante em que teria de deixá-la, em que ela fugiria num ímpeto irresistível; e quando, pronta enfim, mergulhava uma vez mais no espelho os olhares tensos e iluminados pela atenção, recomeçava a pôr um pouco de batom nos lábios, fixava uma mecha de cabelos na testa e pedia sua capa de azul-celeste com borlas de ouro,

Swann tinha uma cara tão triste que ela não podia reprimir um gesto de impaciência e dizia: "É assim que me agradeces por ter te deixado ficar comigo até o último momento. E eu que julgava ter feito algo gentil. É bom saber disso para a próxima vez!" Às vezes, arriscando-se a enfurecê-la, Swann prometia a si mesmo procurar saber aonde ela fora, imaginava uma aliança com Forcheville, que talvez lhe desse informações. Aliás, quando sabia com quem Odette saíra à noite, era bem raro que não pudesse achar entre seus amigos alguém que conhecesse, mesmo indiretamente, o homem que a acompanhara, e lhe pudesse obter algum esclarecimento. E enquanto ele escrevia a um dos amigos para pedir que procurasse esclarecer este ou aquele ponto, experimentava a necessidade de descansar e deixar de se fazer perguntas sem respostas, e de transferir a outros a fadiga de proceder a um interrogatório. É verdade que Swann não ficava mais a par dos acontecimentos depois de receber certas informações. Saber nem sempre permite impedir, mas pelo menos as coisas que sabemos, temo-las senão entre as mãos, ao menos em nosso pensamento, onde dispomos delas à vontade, o que nos dá a ilusão de uma espécie de poder sobre elas. Swann sentia-se feliz todas as vezes em que o Sr. de Charlus estava com Odette. Entre ela e o Sr. de Charlus, sabia Swann que nada podia se passar, que, quando o Sr. de Charlus saía com Odette, era por amizade a ele e não oporia dificuldades para lhe contar o que ela havia feito. Algumas vezes ela declarava tão categoricamente a Swann que era-lhe impossível vê-lo em certa noite, dava a impressão de estar tão interessada em sair, que Swann achava de suma importância que o Sr. de Charlus estivesse livre para acompanhá-la. No dia seguinte, sem ousar fazer muitas perguntas a Charlus, obrigava-o, fingindo não ter entendido suas primeiras respostas, a lhe fornecer novas, sentindo-se mais aliviado depois de cada uma, pois logo ficava sabendo que Odette ocupara-se de noite com prazeres bem inocentes. "Mas como, meu caro Mémé, não entendo direito... não foi ao saírem da casa dela que vocês foram ao museu Grévin? Tinham estado em outro lugar antes. Não? Engraçado. Nem sabe como você me diverte, Mémé... Mas que idéia esquisita a dela de ir em seguida ao Chat Noir. É uma idéia bem dela... Não? Foi de você mesmo? Curioso. Afinal, não é má idéia, ela devia ter muitos conhecidos lá. Não? Não falou com ninguém? É incrível. Então vocês ficaram lá sozinhos os dois? Vejo daqui uma cena dessas. Você é gentil, meu caro Mémé, gosto muito de você." Swann sentia-se aliviado. Para ele, a quem ocorrera em conversas com indiferentes que mal o ouviam, escutar às vezes certas frases (esta, por exemplo: "Ontem vi a Sra. de Crécy, ela estava com um senhor que não conheço."), frases que no coração de Swann logo passavam ao estado sólido, e aí endureciam como uma incrustação, e o dilaceravam, frases que não mais se moviam, como eram doces, ao contrário, estas palavras: "Ela não conhecia ninguém, não falou com ninguém", como elas circulavam com facilidade dentro dele, como se faziam fluidas, fáceis, respiráveis! E no entanto, ao cabo de um momento ele dizia que Odette deveria achá-lo bastante tedioso para serem esses os prazeres que ela preferia à sua companhia. E se a insignificância deles o sossegava, mortificava-o também como uma traição.

Mesmo quando Swann não lograva saber aonde ela fora, teria lhe bastado, para acalmar a angústia que então sentia, e contra a qual a presença de Odette, a doçura de estar a seu lado era o único específico (um específico que por fim agravava o mal pelo excesso de remédios, mas ao menos momentaneamente acalmava o sofrimento), teria bastado, caso simplesmente Odette o tivesse permitido, permanecer na casa dela enquanto ela ali não estivesse, esperá-la até a hora da volta, em cuja tranqüilidade vinham fundir-se todas as horas que um prestígio ou um malefício tinham feito com que julgasse que eram diferentes das outras. Mas ela não deixava; ele voltava para seu apartamento; forçava-se, no caminho, a elaborar diversos projetos, cessava de pensar em Odette; chegava até, ao se despir, a pensar em coisas bem divertidas; era com o coração cheio de esperança de ir no dia seguinte ver alguma obra-prima que se metia na cama e apagava a luz; porém, logo que, preparando-se para dormir, deixava de exercer sobre si mesmo um controle de que não tinha consciência, de tal forma se lhe tornara habitual, eis que no mesmo momento sentia um frêmito gelado refluindo dentro dele e punha-se a soluçar. Não queria nem saber o motivo, enxugava os olhos, e murmurava rindo: "Muito engraçado, estou virando um nevropata!" Depois, não podia pensar sem um grande cansaço que no dia seguinte era preciso recomeçar a procurar saber o que Odette havia feito, a pôr em campo as influências para tentar vê-la. Essa necessidade de uma ação sem tréguas, sem mudanças, sem resultados, era-lhe tão cruel que um dia, percebendo uma grossura sobre o ventre, sentiu uma verdadeira alegria à idéia de que talvez tivesse um tumor fatal, que não iria mais se ocupar de coisa alguma, que a doença é que iria comandá-lo, fazer dele um joguete, até o fim próximo. E se, com efeito, por essa época, lhe aconteceu com freqüência confessar a si mesmo o desejo de morrer, era menos por escapar à intensidade dos sofrimentos que à monotonia de seu esforço. E no entanto desejaria viver até a época em que não amaria mais Odette, em que ela não teria qualquer motivo para lhe mentir e quando ele, Swann, poderia enfim saber dela se no dia em que fora vê-la à tarde, ela estava ou não na cama com Forcheville. Muitas vezes, durante alguns dias, a suspeita de que ela amava algum outro desviava-o da questão relativa a Forcheville, tornava-a quase indiferente, como aquelas formas novas de um mesmo estado doentio que parecem momentaneamente nos livrar das precedentes. Havia dias até em que ele não era atormentado por suspeita alguma. Julgava-se curado. Porém na manhã seguinte, ao despertar, sentia a mesma dor no mesmo ponto em que, durante o dia, na véspera, como que diluíra a sensação na torrente de impressões diversas. Mas ela não mudara de local. E até fora a intensidade dessa dor que despertara Swann.

Como Odette não lhe dava nenhuma informação sobre as coisas tão importantes que tanto a ocupavam todos os dias (embora ele já fosse vivido o bastante para saber que só existem prazeres), Swann não podia levar muito tempo seguido para imaginá-las, seu cérebro funcionava no vácuo; então, ele passava o dedo nas pálpebras cansadas, como teria enxugado as lentes do pincenê, deixando inteiramente de pensar. No entanto, sobrenadavam naquele ponto desconhecido certas ocupações que reapareciam de vez em quando, vagamente ligadas por Odette a alguma obrigação quanto a parentes afastados ou amigos de outrora, que, devido a serem os únicos que ela citava com freqüência como impedimentos para que se vissem, pareciam a Swann formar o quadro fixo, necessário, da vida de Odette. Devido ao tom com que ela lhe dizia, de tempos em tempos, "No dia em que vou com minha amiga ao hipódromo", se, sentindo-se indisposto e pensando: "Talvez Odette deseje passar aqui em casa", lembrava-se, de súbito, que era justamente aquele dia, e murmurava: "Ah, não, não vale a pena pedir-lhe que venha, eu devia ter pensado nisto antes, é o dia em que ela vai com a amiga ao hipódromo. Reservemo-nos para o que for possível; é inútil a gente se cansar em propor coisas inaceitáveis e recusadas de antemão." E esse dever que se incumbia Odette de ir ao hipódromo, e diante do qual Swann se inclinava daquele modo, não lhe parecia apenas inelutável; mas o caráter de necessidade, de que se revestia, parecia tornar plausível e legítimo tudo aquilo que, de perto ou de longe, se relacionasse a ele. Se Odette, na rua, ao receber um cumprimento de um transeunte que despertasse o ciúme de Swann, respondesse às perguntas deste ligando a existência do desconhecido a um desses dois ou três grandes deveres de que lhe falava, se, por exemplo, ela dissesse: "É um senhor que estava no camarote de minha amiga no hipódromo", esta explicação acalmava as suspeitas de Swann, que na verdade achava inevitável que a amiga devesse ter outros convidados além de Odette em seu camarote no hipódromo, mas nunca tentara ou conseguira imaginá-los. Ah, como teria gostado de conhecer essa amiga que ia ao hipódromo e consigo levava Odette! Como teria trocado todas as suas amizades por qualquer pessoa que tivesse o costume de ver Odette, fosse uma manicura ou uma caixeira de loja! Dar-lhes-ia melhor tratamento do que a rainhas. Pois não dariam elas, com o que continham da vida de Odette, o único calmante eficaz para suas dores? Com que alegria não teria corrido a passar dias inteiros na casa dessa gente humilde com quem Odette mantinha relações, fosse por interesse, fosse por verdadeira simplicidade! Com que gosto não teria ido morar para sempre no quinto andar de uma casa sórdida e invejada, aonde Odette não o levava nunca e onde, se ali habitasse com a costureirinha aposentada, de quem de boa vontade passaria por amante, teria quase todos os dias recebido a sua visita! Nesses bairros quase populares, que vida modesta, abjeta, porém doce, porém nutrida de calma e de felicidade, ele teria aceitado viver indefinidamente!

Ocorria também, às vezes, que, estando com Swann, ela via se aproximar alguém que ele não conhecia, e então podia notar no seu rosto aquela tristeza que Odette apresentara no dia em que ele fora vê-la quando Forcheville se achava lá. Mas era raro; pois esses dias em que, apesar de tudo o que ela precisava fazer e do receio do que haveria de pensar a sociedade, chegava a se encontrar com Swann, o que predominava agora na sua atitude era a segurança: grande contraste, talvez desforra inconsciente ou reação natural da emoção temerosa que, nos primeiros dias em que a conhecera, Odette experimentava junto dele, e até longe dele, quando iniciava uma carta com estas palavras: "Meu amigo, a mão me treme tanto que mal posso escrever." (Pelo menos era o que Odette pensava, e um pouco daquela emoção devia ser sincera para que tentasse exagerá-la.) Swann lhe agradava então. Ninguém treme senão por si mesmo, ou por aqueles a quem ama. Quando a nossa felicidade já não está em suas mãos, que tranqüilidade, que audácia, que desembaraço desfrutamos junto deles! Falando-lhe e escrevendo-lhe já não usava aqueles termos com os quais procurava dar Odette a si mesma a ilusão de que ele lhe pertencia, proporcionando os momentos de dizer "meu", quando se tratava dele: "Você é o meu amor, é o perfume da nossa amizade, eu o guardo", de lhe falar no futuro, até mesmo da morte, como de uma só coisa para ambos. Naquele tempo, a tudo o que ele dizia ela respondia com admiração: "Você não será nunca como os outros." Odette olhava sua cabeça um tanto calva, da qual as pessoas que sabiam do sucesso de Swann pensavam: "Ele não tem uma beleza harmoniosa, se quiserem, mas é chique: o topete, o monóculo, o sorriso!", e, mais curiosa talvez de saber o que ele era do que com desejos de ser sua amante, ela dizia: "Se eu pudesse saber o que existe nessa cabeça!"

Agora, a todas as palavras de Swann ela respondia com um tom às vezes irritado, às vezes indulgente: "Ah, nunca hás de ser como todo mundo!" Contemplava aquela cabeça que apenas as preocupações tinham envelhecido um pouco (mas a cujo respeito todos agora pensavam, em virtude dessa mesma aptidão que permite descobrir as intenções de uma peça sinfônica, cujo programa já foi lido, e as semelhanças de uma criança quando conhecemos sua parentela: "Ele positivamente não é feio, se quiserem, mas é ridículo; esse monóculo, esse topete, esse sorriso!", realizando na sua imaginação sugestionada a demarcação imaterial que separa, a alguns meses de distância, uma cabeça de amante de coração e uma cabeça de amante traído), e dizia: "Ah, se eu pudesse mudar, tornar razoável o que está dentro dessa cabeça." Sempre disposto a acreditar no que anelava, por muito pouco que os modos de Odette não deixassem lugar a dúvidas, Swann se lançava com avidez sobre estas palavras: "Tu podes, se quiseres", dizia-lhe.

E ele tentava lhe mostrar que acalmá-lo, comandá-lo, fazê-lo trabalhar seria uma nobre tarefa a que outras mulheres só pediriam para se consagrar, mas entre cujas mãos é forçoso dizer que tal nobre tarefa não lhe pareceria mais que uma usurpação indiscreta e insuportável de sua liberdade. "Se ela não me amasse um pouco", imaginava Swann, "não sonharia em transformar-me. Para me transformar, seria preciso que me visse mais vezes." Assim, ele encontrava na censura que Odette lhe fazia, uma como que prova do seu interesse, talvez do seu amor; e de fato, dava-lhe agora tão poucas provas de amor que ele era obrigado a considerar como tais as proibições que ela lhe fazia de uma coisa ou outra. Um dia, Odette declarou que não gostava do cocheiro de Swann, que talvez o indispusesse contra ela, que em todo caso não se comportava com seu amo com a correção e a deferência que ela desejaria. Sentia Odette que Swann gostaria de ouvir dela: "Não o traga mais quando vier à minha casa", como teria desejado um beijo. Já que ela estava de bom humor, disse isto mesmo; Swann se enterneceu. À noite, conversando com o Sr. de Charlus, com quem tinha a suavidade de poder falar abertamente a respeito de Odette (pois as menores frases que pronunciava, mesmo dirigindo-se às pessoas que não a conheciam, se referiam de alguma forma a ela), disse: "No entanto, creio que ela me ama; é tão gentil comigo, e o que eu faço com certeza não lhe é indiferente." E se, no momento de ir à casa dela, subindo em seu carro com um amigo que deveria deixar no trajeto, o outro lhe dizia: "Ora, então Lorédan não está na boléia?" com que alegria melancólica replicava Swann: "Oh, por Deus não! Aqui entre nós, não posso levar Lorédan quando vou à rua de La Pérouse. Odette não gosta que eu leve Lorédan, não acha que ele esteja à minha altura; afinal, que quer você, as mulheres, sabe como é... eu sei que isto lhe desagradaria muito. Ora, bem... era só levar Rémi! Mas isso já é outra história..."

Essas novas formas de ser, indiferentes, distraídas, irritáveis, que eram as de Odette agora para com ele, certamente faziam Swann sofrer; porém ele não tinha conhecimento dessa mágoa; como fosse progressivamente, dia-a-dia, que Odette se tornava fria com ele, só comparando o que ela era hoje com o que fora no começo é que Swann poderia sondar a profundidade da mudança corrida. Ora, tal mudança era a profunda e secreta ferida que lhe causava mal dia e noite, e logo que ele sentia que seus pensamentos iam se aproximando muito dela, dirigia-os vivamente para outro ponto com receio de sofrer demasiado. Dizia a si mesmo de maneira bem abstrata: "Houve um tempo em que Odette me amava muito", porém ele nunca recordava esse tempo. Da mesma forma que havia no seu quarto uma cômoda que ele sempre evitava olhar, chegando a fazer um desvio para não tocá-la ao entrar ou sair, porque numa das gavetas estavam guardados o crisântemo que ela lhe dera na primeira noite em que a levara para casa, e as cartas em que ela dizia: "Pena que também não tivesse esquecido o coração, que eu não teria devolvido" e "A qualquer hora do dia e da noite em que precisar de mim, faça-me um sinal e disponha da minha vida", assim também havia nele um ponto do qual não deixava nunca seu espírito se aproximar, obrigando-o, sempre que necessário, a fazer um enorme desvio de raciocínio para não ter de passar por ali: era o local onde vivia a lembrança dos dias felizes.

Mas sua prudência, tão cautelosa, foi lograda uma noite em que Swann assistia a uma recepção.

Era na casa da marquesa de Saint-Euverte, a última, aquele ano, das reuniões que ela dava para fazer ouvir os artistas que lhe serviam, a seguir, para seus concertos de caridade. Swann, que desejara ir sucessivamente a todas as precedentes, e não pudera decidir-se a comparecer, recebera, enquanto se vestia para sair, a visita do barão de Charlus que vinha lhe propor que fossem juntos à casa da marquesa, caso a sua companhia o ajudasse a aborrecer-se um pouco menos lá, ou a sentir-se menos triste. Mas Swann lhe respondera:

– Não tenha dúvida quanto ao prazer que eu teria em ir com você. Porém o maior prazer que poderia me dar era o de ir, de preferência, ver Odette. Sabe da excelente influência que você tem sobre ela. Creio que ela não sai esta noite antes de ir à casa de sua antiga costureira, onde, aliás, ficará bem contente de que você a acompanhe. Em todo caso, poderia encontrá-la em casa antes. Procure distraí-la e falar-lhe à razão. Se puder arrumar alguma coisa para amanhã que lhe agrade e que nós três possamos fazer juntos... E vamos ver se você consegue ajeitar as coisas para o verão, se ela não tem algum projeto, alguma excursão talvez, que nós três faríamos juntos... Quanto a esta noite, não pretendo mais vê-la; agora, se ela o desejar ou se vocês arranjarem um meio, basta enviar-me um recado para a casa da Sra. de Saint-Euverte até a meia-noite, e depois disso para minha casa. Obrigado por tudo o que tem feito por mim, sabe perfeitamente que o estimo bastante.

O barão prometeu ir fazer a visita que ele desejava depois de o conduzir até a porta do palacete Saint-Euverte, onde Swann chegou tranqüilizado com a idéia de que o Sr. de Charlus passaria as horas da recepção na casa da rua La Pérouse, mas num estado de melancólica indiferença com relação a todas as coisas que não se referissem a Odette, principalmente as coisas mundanas, que lhe vinham com o encanto daquilo que nos surge em si mesmo, quando já não são um objetivo para a nossa vontade. Desde que desceu do carro, no primeiro plano daquele resumo fictício da vida doméstica que as donas-de-casa pretendem oferecer aos convidados nos dias de cerimônia, e em que procuram respeitar a verdade do costume e da decoração, Swann sentiu prazer em ver os herdeiros dos "tigres" de Balzac, os *grooms,* em geral seguidores dos amos nos passeios, e que, de chapéu e botas, ficavam do lado de fora diante do palacete, na avenida, ou à frente das cavalariças, como os jardineiros ficariam enfileirados à entrada de suas hortas. A disposição particular que sempre tivera Swann para descobrir analogias entre os seres vivos e os retratos dos museus se exercia ainda, porém de uma forma mais geral e constante; era a vida mundana por inteiro, agora que ele se desligara dela, que se apresentava a Swann como uma espécie de seqüência de quadros. No vestíbulo em que, outrora, quando ele era um mundano, entrava envolto no sobretudo para sair de fraque, mas sem saber o que ali se passara, pois se achava em pensamento, nos poucos instantes em que o atravessava, ou ainda na festa que acabava de deixar, ou já na festa em que o iriam introduzir, reparou pela primeira vez, desperto pela vinda inopinada de um convidado tardio, na malta esparsa, magnífica e ociosa dos grandes lacaios que dormiam aqui e ali sobre banquetas e arcas e que, erguendo seus nobres perfis agudos de lebreiros, se levantaram e, juntos, formaram um círculo à sua volta.

Um deles, de aspecto particularmente feroz e bem semelhante ao carrasco de certos quadros da Renascença que retratam suplícios, avançou para ele com um ar implacável a fim de lhe apanhar os pertences. Porém a dureza de seu olhar de aço era compensada pela suavidade das luvas de algodão, embora, ao se aproximar de Swann, parecesse evidenciar desprezo pela sua pessoa e consideração pelo seu chapéu. Tomou-o com um cuidado, ao qual a exatidão do movimento emprestava algo de meticuloso, e uma delicadeza que fazia quase tocante a aparelhagem de sua força. Remeteu-o depois a um dos ajudantes, jovem e tímido, que exprimia o seu pavor rolando em todos os sentidos os olhos selvagens e mostrava a agitação de um animal cativo nas primeiras horas de sua domesticação.

A alguns passos, um enorme rapaz de libré sonhava, imóvel, escultural, inútil, como o guerreiro puramente decorativo que a gente vê nos quadros mais tumultuosos de Mantegna, sonhando, apoiado no escudo, enquanto as pessoas se arremessam e se trucidam a seu redor; destacado do grupo dos companheiros que se apressavam em torno de Swann, parecia tão disposto a se desinteressar daquela cena, a qual seguia vagamente, com os olhos glaucos e cruéis, como se fosse o massacre dos Inocentes ou o martírio de São Tiago. Parecia justamente fazer parte daquela raça extinta – ou que talvez nunca tenha existido senão no retábulo de São Zeno e nos afrescos dos Eremitani aonde Swann a conhecera e onde ainda sonha – nascida da fecundação de uma estátua antiga por algum modelo paduano do Mestre ou algum saxão de Albrecht Dürer. E as mechas de seus cabelos ruivos, naturalmente crespos mas alisados pela brilhantina, estavam amplamente cuidadas como o são na escultura grega que o pintor de Mântua estudava sem parar, e que, embora na Criação só tome como modelo o homem, sabe ao menos tirar das formas simples riquezas tão variadas, e como que tomadas de empréstimo a toda natureza viva, de forma que uma cabeleira, no liso enrolamento e nas pontas agudas de seus anéis, ou na superposição do triplo diadema florescente de suas tranças, dá impressão, ao mesmo tempo, de um montão de algas, de uma ninhada de pombos, de uma guirlanda de jacintos e de um ninho de serpentes.

Outros ainda, também colossais, estavam postados nos degraus de uma escadaria monumental a que sua presença decorativa e imobilidade marmórea poderiam atribuir o nome, como no Palácio Ducal, de "Escadaria dos Gigantes", e pela qual Swann subiu com tristeza ao pensar que Odette jamais a pisara. Ah, com que alegria, ao contrário, teria grimpado os andares negros, malcheirosos e escorregadios da pequena costureira aposentada, onde, no quinto piso, se sentiria feliz em pagar mais caro que um proscênio semanal na Ópera o direito de passar o serão quando Odette ali se encontrasse, e até nos outros dias, para poder falar sobre ela, conviver com as pessoas que ela costumava ver quando ele não se achasse presente e que por essa razão lhe pareciam guardar, da vida de sua amante, algo mais real, mais inacessível e mais misterioso. Enquanto que naquela escada pestilenta e desejada da velha costureira, como não havia outra de serviço, via-se à noitinha, diante de cada porta, uma garrafa de leite vazia e suja sobre o capacho, na magnífica e desprezada escadaria que Swann subia naquele momento, de um lado e outro, em diferentes alturas, diante de cada anfractuosidade que na parede fazia a janela do porteiro ou a porta de um aposento, representando o serviço interno que dirigiam e prestando homenagem aos convidados, um porteiro, um mordomo, um despenseiro (excelentes pessoas que viviam, no resto da semana, um pouco independemente em seus domínios, e jantavam em casa como pequenos lojistas e estariam amanhã talvez ao serviço burguês de um médico ou de um industrial), atentos para não falharem às recomendações que lhes haviam feito antes de vestir a aparatosa libré, que só raramente usavam e na qual não se sentiam a gosto, mantinham-se sob a arcada de seu pórtico com um brilho pomposo temperado de bonacheirice popular, como os santos em seus nichos; e um enorme suíço, trajado como na igreja, batia nas lajes com seu bastão à passagem de todos que chegavam. Chegando ao alto da escadaria, ao longo da qual o seguira um criado de face lívida, com um pequeno rabicho amarrado com uma fita atrás da cabeça, como um sacristão de Goya ou um tabelião do repertório, Swann passou diante de uma escrivaninha, onde lacaios, assentados como notários diante de grandes livros de registro, se ergueram e inscreveram seu nome. Atravessou depois um pequeno vestíbulo que – como certas peças arrumadas pelo dono de maneira a servirem de abrigo a uma só obra de arte, da qual tiram seu nome, e que mais nada contêm na sua nudez intencional – exibia na entrada, tal como uma preciosa efígie de Benvenuto Cellini representando um vigia, um jovem lacaio de corpo ligeiramente inclinado para diante, elevando, acima de sua alta gola rubra, uma fisionomia ainda mais rubra, de onde fugiam torrentes de fogo, de zelo e timidez, e que, varando com o olhar impetuoso, vigilante, desvairado, as tapeçarias Aubusson penduradas à entrada do salão onde se ouvia música, parecia mirar, com impassibilidade militar ou fé sobrenatural – alegoria do alarme, encarnação da espera, comemoração do toque de prontidão –, anjo ou vigia, de uma torre de fortim ou de catedral, o surgimento do inimigo ou a hora do Juízo Final. A Swann só lhe restava penetrar na sala do concerto, cujas portas lhe franqueou um lacaio carregado de correntes, inclinando-se como se lhe houvesse confiado as chaves de uma cidade. Mas Swann pensava na casa em que poderia se achar naquele instante mesmo, se Odette o permitisse, e a lembrança entrevista de uma vasilha de leite sobre o capacho apertou-lhe o coração.

Retornou rapidamente a Swann o sentimento da feiúra masculina, quando, além da cortina de tapeçaria, ao espetáculo dos criados sucedeu o dos convidados. Porém, essa mesma feiúra dos rostos, que aliás ele conhecia muito bem, parecia-lhe nova desde que seus traços – ao invés de serem para ele sinais praticamente utilizáveis para a identificação de determinada pessoa que até então lhe significava um feixe de prazeres a buscar, de aborrecimentos a evitar ou de gentilezas a fazer – repousavam, coordenadas agora apenas em relações estéticas, na autonomia de suas linhas. E nesses homens, em cujo meio Swann se achava encerrado, mesmo nos monóculos que alguns levavam (e que antigamente quando muito teriam permitido a Swann dizer que usavam um monóculo), desprovidos do significado de um hábito, idêntico a todos, nada havia agora que não lhe parecesse indicar uma espécie de individualidade. Talvez porque só encarasse o general de Froberville e o marquês de Bréauté, que conversavam no saguão, como dois personagens em um quadro, enquanto que eles tinham sido durante muito tempo, para Swann, os amigos úteis que o haviam apresentado no Jockey e testemunhado em duelos – o monóculo do general, encravado entre suas pálpebras como um estilhaço de obus em seu rosto vulgar, triunfal e cheio de cicatrizes, no meio da testa, que ele vazava como o único olho do cíclope, apareceu a Swann como uma ferida monstruosa, que o general podia sentir-se glorioso por ter recebido, mas que era indecente exibir; ao passo que o que o Sr. de Bréauté acrescentava, como sinal de festividade, às luvas cinzento-pérola, à cartola, à gravata branca, e substituía o binóculo familiar (como o fazia o próprio Swann) para o caso de uma reunião social, trazia, pregado às costas, como uma preparação de história natural sob um microscópio, um olhar infinitesimal e buliçoso de amabilidade, que não parava de sorrir para o teto, para a beleza das festas, para o interesse dos programas e para a qualidade dos refrescos.

– Vejam, aqui está você; faz uma eternidade que não o vemos – disse o general a Swann; reparando no aspecto cansado deste e supondo que talvez fosse uma doença o que o afastava da sociedade, acrescentou: – Mas você está com uma cara! – ao passo que o Sr. de Bréauté indagava: – Como, você, meu caro, que veio fazer aqui? – a um romancista mundano que acabava de pôr no olho um monóculo, seu único órgão de investigação psicológica e de análise implacável, e respondeu com ares de importância e mistério, carregando no *r*:

– Eu observo.

O monóculo do marquês de Forestelle era minúsculo, sem nenhum aro, e obrigava o olho a uma crispação dolorosa e incessante, incrustando-se nele como uma cartilagem supérflua, cuja presença é inexplicável, e de matéria rebuscada, dando ao rosto do marquês uma delicadeza melancólica e fazendo com que as mulheres o julgassem capaz de sofrer grandes mágoas de amor. Mas o monóculo do Sr. de Saint-Candé, cercado de um aro gigantesco, como o planeta Saturno, era o centro de gravidade de um rosto que a todo instante se regulava por ele, e cujo nariz fremente e rubro, bem como a boca beiçuda e sarcástica, tentavam, com seus trejeitos, estar à altura dos tiroteios do espírito que o disco de vidro faiscava, e via ser o preferido, em detrimento dos mais belos olhares da sociedade, das jovens senhoras esnobes e depravadas, a quem ele mergulhava em sonhos de encantos artificiais e de requintes de volúpia; e no entanto, atrás do seu, o Sr. de Palancy que, com sua grossa cabeça de carpa de olhos redondos, se deslocava lentamente no meio das festas, descerrando de momento em momento as suas mandíbulas como que para procurar orientar-se, dava impressão de transportar consigo unicamente um fragmento acidental, e talvez puramente simbólico, dos vidros de seu aquário, parte destinada a representar o todo, que lembrou a Swann, grande admirador das Virtudes e dos Vícios de Giotto em Pádua, aquele Injusto a cujo lado um ramo folhudo evoca as florestas onde se esconde o seu covil.

Por insistência da Sra. de Saint-Euverte, Swann tinha se adiantado e, para ouvir uma ária do *Orfeu,* executada por um flautista, colocara-se a um canto onde tinha como perspectiva, infelizmente, apenas duas damas já maduras, sentadas lado a lado, a marquesa de Cambremer e a viscondessa de Franquetot, que, visto serem primas, passavam todo o seu tempo em reuniões festivas, levando suas bolsas e seguidas das filhas, procurando-se como se estivessem numa estação de trem, só se tranqüilizando quando marcavam, com os leques ou os lenços, dois lugares vizinhos: a Sra. de Cambremer, como tivesse muito poucas relações, ficava bem feliz por ter uma companheira; a Sra. de Franquetot, que ao contrário era bastante relacionada, achava algo de elegante e original no fato de mostrar a todas as suas belas conhecidas que a elas preferia uma dama obscura, com quem tinha em comum as recordações da juventude. Cheio de melancólica ironia, Swann as olhava enquanto ouviam o interlúdio de piano *(São Francisco de Assis Falando aos Pássaros,* de Liszt), que sucedera à ária de flauta, e seguiam o desempenho vertiginoso do *virtuose*: a Sra. de Franquetot com ansiedade, os olhos perdidos como se as teclas sobre as quais corria com agilidade fossem uma espécie de trapézio de onde ele pudesse cair de uma altura de oitenta metros, e não sem lançar à sua vizinha olhares de espanto e recusa, que significavam: "É incrível, nunca pensei que um homem pudesse fazer coisa semelhante"; e a Sra. de Cambremer, como mulher que recebeu excelente educação musical, marcando o compasso com a cabeça que se transformava em pêndulo de metrônomo, cuja amplitude e rapidez de oscilações eram tais, de um ombro a outro (com aquele tipo de desvario e abandono do olhar que causam as dores desconhecidas, e nem se procura dominar, quando a gente diz: "O que é que se há de fazer?"), que, a todo instante, ela enganchava nos solitários as presilhas do corpinho e era obrigada a endireitar os negros cachos de uva que ostentava nos cabelos, sem por isso deixar de acelerar o movimento. Do outro lado da Sra. de Franquetot, porém um pouco mais à frente, estava a marquesa de Gallardon, ocupada com seu pensamento predileto, a aliança que tinha com os Guermantes e da qual extraía, para a sociedade e para si mesma, muita glória e um tanto de vergonha, sendo que os membros mais brilhantes da família deixavam-na um tanto de lado, talvez porque fosse aborrecida, ou porque era má, ou porque era de um ramo inferior, ou talvez por motivo nenhum. Quando a marquesa de Gallardon se achava junto de alguém que não conhecia, como naquele momento junto da Sra. de Franquetot, sofria pelo fato de que a consciência que tinha de seu parentesco com os Guermantes não pudesse se manifestar externamente em caracteres visíveis, como os que, nos mosaicos das igrejas bizantinas, uns colocados sob os outros, inscrevem numa coluna vertical, ao lado de um santo personagem, as palavras que se supõe ele tenha pronunciado. Naquele momento, ela pensava que jamais recebera um convite nem uma visita de sua jovem prima, a princesa des Laumes, desde que esta se casara havia seis anos. Tal pensamento a enchia de cólera, mas também de orgulho; pois, de tanto dizer às pessoas, que se admiravam de não vê-la na casa da Sra. des Laumes, que isso se devia a que ela estaria exposta a encontrar ali a princesa Mathilde – o que sua família ultralegitimista jamais lhe teria perdoado –, acabara por acreditar que era essa de fato a razão pela qual não ia à casa da jovem prima. Entretanto, lembrava-se de que havia perguntado várias vezes à Sra. des Laumes para saber como poderia proceder para encontrá-la, mas lembrava-se apenas de maneira confusa, e aliás neutralizava em muito essa lembrança um pouco humilhante murmurando: "Ainda assim, não me cabe dar os primeiros passos, sou vinte anos mais velha." Graças à virtude dessas palavras interiores, empinava orgulhosamente os ombros destacados do busto, e sobre os quais a cabeça, em posição quase horizontal, fazia pensar na cabeça "aumentada" de um orgulhoso faisão que é servido à mesa com todas as plumas. Não é que não fosse, por natureza, atarracada, mulherona e gorducha; mas as humilhações a haviam aprumado como essas árvores que, nascidas em má posição à beira de um precipício, são forçadas a crescer para trás a fim de manter o equilíbrio. Obrigada, para se consolar de não ser inteiramente igual aos demais Guermantes, a dizer constantemente a si mesma que era por intransigência de princípios e por orgulho que os via pouco, tal idéia acabara por modelar seu corpo e criar-lhe uma espécie de imponência que, aos olhos dos burgueses, passava por um sinal de estirpe e às vezes perturbava com um desejo fugitivo o olhar fatigado dos homens do grupo. Se houvessem submetido à conversação da Sra. de Gallardon essas análises que, elevando a freqüência maior ou menor de cada termo, permitem descobrir a chave de uma linguagem cifrada, seria possível perceber que nenhuma expressão, mesmo a mais banal, voltaria com tanta freqüência como "em casa de minhas primas de Guermantes", "na casa da minha tia de Guermantes", "a saúde de Elzéar de Guermantes", "a banheira da minha prima de Guermantes". Quando lhe falavam de um personagem ilustre, ela respondia que, sem conhecê-lo pessoalmente, encontrara-o mil vezes na casa de sua tia de Guermantes; porém dizia isto com um tom tão glacial e com uma voz tão surda que ficava evidente que, se ela não o conhecia pessoalmente, era devido a todos os princípios inextirpáveis e teimosos aos quais seus ombros se empinavam para trás, como essas escadas sobre as quais os professores de ginástica obrigam a gente a se estender para nos desenvolver o tórax.

Ora, a princesa des Laumes, que ninguém esperava ver na residência da Sra. de Saint-Euverte, acabava precisamente de chegar. Para mostrar que não procurava fazer sentir num salão, onde só comparecia por condescendência, a superioridade de sua estirpe, ela entrara encolhendo os ombros mesmo onde não havia multidão nenhuma a atravessar nem pessoa alguma para a deixar passar, ficando bem no fundo, como se ali fosse o seu lugar, feito um rei que se põe na fila à porta do teatro enquanto as autoridades não são avisadas de sua presença; e, restringindo simplesmente o seu olhar – para não dar impressão de assinalar sua presença e de reclamar olhares – à consideração de um desenho da tapeçaria ou da própria saia, ela se mantinha de pé no local que lhe parecera mais modesto (e de onde bem sabia que uma exclamação extasiada da Sra. de Saint-Euverte iria tirá-la tão logo esta a vislumbrasse), ao lado da Sra. de Cambremer, a quem não conhecia. Observava a mímica de sua vizinha melômana, porém não a imitava. Não é que, já que viera passar cinco minutos na casa da Sra. de Saint-Euverte, a princesa des Laumes não tivesse aspirado a ser, para que a gentileza que lhe faziam fosse retribuída em dobro, o mais amável possível. Porém, por temperamento, guardava horror ao que denominava "exageros" e cuidava de mostrar que "não tinha" que se entregar a manifestações que não combinavam com o "gênero" do grupo em que vivia, mas que, no entanto, por outro lado, não deixavam de impressioná-la, em virtude desse espírito de imitação, vizinho da timidez, que o ambiente de um meio novo, ainda que inferior, faz nascer nas pessoas mais seguras de si mesmas. Ela começava a se indagar se aquela gesticulação não se fizera necessária devido ao trecho musical executado e que talvez não se enquadrava na música que ouvira até aquele dia, e se abster-se não seria dar provas de incompreensão da obra e de inconveniência em face à dona da casa: de modo que para exprimir por uma "conta aproximada" os seus sentimentos contraditórios, ora ela se contentava em alçar as presilhas das ombreiras do vestido ou repregar nos cabelos louros as bolinhas de coral ou de esmalte rosado, salpicadas de diamante, que lhe faziam um penteado simples e encantador, examinando com fria curiosidade sua fogosa vizinha, ora batia o compasso por um instante com o leque, mas, para não abdicar de sua independência, fora de tempo. Tendo terminado o trecho de Liszt, o pianista começara um prelúdio de Chopin; a Sra. de Cambremer lançou à Sra. de Franquetot um sorriso carinhoso de satisfação competente e de alusão ao passado. Aprendera, na juventude, a acariciar as frases de Chopin, de colo comprido, sinuoso e desmesurado, tão livres, tão flexíveis, tão táteis, que principiam por procurar e experimentar seu posto fora e bem longe da direção de sua partida, bem longe do ponto em que se poderia esperar que seu toque alcançasse, e que só se executam nesse afastamento da fantasia para voltar mais deliberadamente – num retorno mais premeditado, com maior precisão, como sobre um cristal que ressoaria até fazer gritar – a nos bater no coração.

Vivendo numa família provinciana de poucas relações, quase não indo a bailes, a Sra. de Cambremer se embriagava na solidão do seu solar fazendo precipitar ou retardar a dança de todos esses pares imaginários, desfolhando-os como flores, deixando por um instante o baile para ouvir soprar o vento nos pinheiros, à beira do lago, e ver ali de repente se aproximar, mais diverso de tudo o que jamais se sonhou que fosse um apaixonado nesta terra, um rapaz delgado de voz um tanto cantante, estranha e falsa, de luvas brancas. Mas, hoje, a beleza fora de moda daquela música parecia desbotada. Privada, desde alguns anos, da estima dos conhecedores, ela perdera sua honra e seu charme, e aqueles mesmos cujo gosto musical é ruim não lhe achavam senão um prazer inconfesso e medíocre. A Sra. de Cambremer lançou um olhar furtivo para trás. Sabia que sua jovem nora (cheia de respeito por sua nova família, salvo no que tocava às coisas do espírito, sobre as quais, conhecedora até de harmonia e grego, tinha luzes especiais) desprezava Chopin e sofria quando o ouvia ser tocado. Porém longe da vigilância dessa wagneriana, que estava mais distante com um grupo de pessoas da sua idade, a Sra. de Cambremer se deixava levar por impressões deliciosas. A princesa des Laumes também as sentia. Sem ser naturalmente dotada para a música, recebera havia quinze anos as aulas que uma professora de piano do bairro de Saint-Germain, mulher de gênio que no fim da vida fora reduzida à miséria, tinha recomeçado a dar, na idade de setenta anos, às filhas e às netas de suas antigas alunas. Estava morta agora. Porém seu método e seu bom ouvido renasciam, às vezes, nos dedos de suas alunas, mesmo daquelas que para tudo o mais se tinham transformado em pessoas medíocres, tendo abandonado a música, e que quase nunca abriam um piano. Também a Sra. des Laumes pôde balançar a cabeça com pleno conhecimento de causa, com uma apreciação exata do modo pelo qual o pianista tocava aquele prelúdio, que ela sabia de cor. O fim do trecho iniciado ela o cantou para si mesma movendo os lábios. E murmurou: "É sempre *ch*armoso", com uma acentuação do *ch* no começo da palavra, que era um sinal de delicadeza e com a qual sentia os lábios tão romanescamente frisados como uma bela flor, que instintivamente harmonizou o olhar com eles, dando-lhe naquele momento uma espécie de sentimentalismo e vaguidão. Entretanto, a Sra. de Gallardon estava a ponto de confessar a si mesma que era uma pena que só raramente encontrasse oportunidade de ver a princesa des Laumes, pois desejava lhe dar uma lição não respondendo ao seu cumprimento. Não sabia que sua prima ali se encontrava. Um movimento de cabeça da Sra. de Franquetot fê-la ver. E logo se precipitou para ela, atrapalhando todo mundo; mas desejosa de manter um ar altivo e glacial, que lembrasse a todos que ela não desejava ter relações com uma pessoa em cuja casa poderiam se encontrar com a princesa Mathilde, e ao encontro de quem não precisava ir, pois não era "sua contemporânea", quis entretanto compensar essa altivez e essa reserva por alguma frase que justificasse o passo dado e forçasse a princesa a entabular a conversação; assim, uma vez chegada perto de sua prima, a Sra. de Gallardon, com um rosto duro, uma mão estendida como um cartão de visitas forçado, lhe disse: "Como vai seu marido?", com a mesma voz preocupada como se o príncipe estivesse gravemente doente. A princesa, desatando num riso que lhe era particular e que se destinava, ao mesmo tempo, a mostrar aos outros que ela zombava de alguém e também para se fazer mais linda, concentrando os traços do rosto ao redor da boca animada e do olhar brilhante, respondeu:

– Maravilhosamente bem!

E ria ainda. Entretanto, endireitando-se e acalmando-se, embora ainda inquieta com o estado do príncipe, a Sra. de Gallardon disse à sua prima:

– Oriane (e aqui a Sra. des Laumes encarou com ar espantado e risonho uma terceira pessoa invisível, a qual parecia tomar como testemunha de que nunca autorizara a Sra. de Gallardon a chamá-la pelo prenome), faço questão de que vá por instante, amanhã à noite, à minha casa para ouvir um quinteto com clarineta de Mozart. Gostaria de ter a sua apreciação.

Ela parecia não fazer um convite e sim pedir um favor, e ter necessidade da opinião da princesa acerca do quinteto de Mozart, como se se tratasse de um prato de culinária preparado por uma nova cozinheira, sobre cujos talentos lhe seria importante recolher a opinião de um *gourmet.*

– Mas eu já conheço esse quinteto e posso lhe afiançar imediatamente que o adoro!

– Você sabe, meu marido não está bem, o seu fígado... isto lhe dará um grande prazer em vê-la de novo – replicou a Sra. de Gallardon, fazendo agora à princesa um pedido de caridade para que comparecesse à sua recepção.

A princesa não gostava de dizer às pessoas que não queria visitá-las. Todos os dias escrevia um bilhete lastimando ver-se privada – por uma visita inopinada da sogra, por um convite do seu cunhado, pela Ópera, por uma excursão ao campo – de uma recepção à qual jamais teria pensado em comparecer. Assim, dava a muita gente a alegria de acreditar que fazia parte de suas relações, que teria estado com muito gosto em casa delas, que só fora impedida de fazê-lo por contratempos da nobreza os quais elas sentiam-se lisonjeadas ao ver que entravam em concorrência com suas recepções. Depois, fazendo parte dessa sociedade espiritual dos Guermantes, onde sobrevivia algo do espírito alerta, desprovido de lugares-comuns e de sentimentos convencionais, que descende de Mérimée e encontrou sua última expressão no teatro de Meilhac e Halévy, a princesa des Laumes adaptava-o até as relações sociais, transpunha-o à sua polidez, que se esforçava por tornar positiva, precisa, e aproximá-la da humilde verdade. Não desenvolvia longamente a uma dona-de-casa a expressão do desejo de ir à sua reunião; considerava mais gentil expor-lhe algumas poucas circunstâncias das quais dependia que fosse ou não possível comparecer.

– Escute, vou lhe dizer – falou à Sra. de Gallardon –, preciso ir, amanhã de noite, à casa de uma amiga com quem há muito tempo estou comprometida. Se formos ao teatro, por mais boa vontade que eu tenha, não haverá possibilidade que eu vá à sua casa; mas se ficarmos em casa, como sei que estaremos sós, poderei deixá-la.

– Bem, já viu o seu amigo Sr. Swann?

– Não, esse amor de Charles, eu nem sabia que estivesse aqui; vou fazer com que me veja.

– É curioso que ele tenha vindo exatamente à casa da tia Saint-Euverte – disse a Sra. de Gallardon. – Oh, eu sei que ele é inteligente – acrescentou, querendo dizer intrigante – mas isto não faz diferença, um judeu na casa da irmã e cunhada de dois arcebispos!

– Confesso, para minha vergonha, que não estou chocada – disse a princesa des Laumes.

– Sei que ele é convertido, e até seus pais e avós já o eram. Porém diz-se que os convertidos permanecem mais ligados à sua religião que os outros, que é um fingimento a sua conversão. É verdade?

– Não tenho luzes a tal respeito.

O pianista, que tinha de tocar duas peças de Chopin, depois de terminar o prelúdio iniciara imediatamente uma *polonaise.* Mas desde que a Sra. de Gallardon fizera ver à prima a presença de Swann, o próprio Chopin ressuscitado teria podido vir tocar todas as suas obras que a Sra. des Laumes não lhe prestaria a mínima atenção. Ela formava parte de uma dessas duas metades da humanidade onde a curiosidade que a outra metade tem pelos seres que não conhece é substituída pelo interesse pelos que conhece. Como muitas damas do bairro Saint-Germain, a presença, no local em que se achava, de alguém do seu grupo, e a quem, aliás, nada de particular tinha a dizer, monopolizava a sua atenção em detrimento de tudo mais. A partir desse momento, na esperança de que Swann a percebesse, a princesa, como uma ratinha branca aprisionada a que se estende e se furta um torrão de açúcar, não fez mais que virar o rosto, cheio de mil sinais de conivência desprovidos de relações com o sentimento da *polonaise* de Chopin, na direção em que estava Swann, e, se este mudava de lugar, ela deslocava paralelamente o seu sorriso magnetizado.

– Oriane, não se zangue – retornou a Sra. de Gallardon, que nunca podia evitar o sacrifício de suas maiores esperanças sociais e de deslumbrar um dia o mundo, ao prazer obscuro, imediato e privado de dizer algo desagradável –, há pessoas que pretendem que este Sr. Swann é alguém que não se pode receber em casa; é verdade?

– Mas... você deve saber que é verdade – respondeu a princesa des Laumes –, pois já o convidou cinqüenta vezes e ele jamais compareceu à sua casa.

E deixando a prima mortificada, desatou de novo a rir um riso que escandalizou as pessoas que ouviam a música, mas atraiu a atenção da Sra. de Saint-Euverte, que, por gentileza, ficara perto do piano e que só então reparou na princesa. A Sra. de Saint-Euverte estava tanto mais encantada em ver a Sra. des Laumes, pois julgava-a ainda em Guermantes a cuidar do sogro enfermo.

– Mas como, princesa, está aqui?

– Sim, fiquei num cantinho e ouvi coisas bem bonitas.

– Como, você já chegou há muito tempo?

– Sim, um longo tempo que me pareceu bem curto, longo apenas porque não a via.

A Sra. de Saint-Euverte quis ceder sua poltrona à princesa, que respondeu:

– De jeito nenhum! Por que motivo? Estou bem em qualquer lugar.

E mostrando intencionalmente, para melhor manifestar sua simplicidade de grande dama, um pequeno assento sem encosto:

– Veja, este *pouf* é tudo de que preciso. Vai me fazer ficar bem reta. Oh, meu Deus, ainda faço barulho, vou me cobrir de vergonha!

Entretanto o pianista, redobrando de velocidade, fazia a emoção musical atingir seu máximo; um criado passava com refrescos num prato, fazendo tilintar colheres e, como em toda semana, a Sra. de Saint-Euverte fazia-lhe, sem que ele a visse, um sinal para que fosse embora. Uma recém-casada, a quem lhe haviam ensinado que uma mulher jovem não deve ter um ar blasê, sorria de prazer e procurava com os olhos a dona da casa para lhe testemunhar, com o olhar, seu reconhecimento de ter "pensado nela" para semelhante recepção. No entanto, embora com mais calma que a Sra. de Franquetot, não era sem inquietação que ela seguia a música; mas sua atenção não se centrava no pianista e sim no piano, sobre o qual uma vela estremecia a cada *fortissimo* e arriscava, senão de pôr fogo no abajur, ao menos causar manchas na madeira de jacarandá. Por fim não se conteve mais e, galgando os dois degraus do estrado onde estava colocado o piano, precipitou-se para segurar a arandela. Porém mal suas mãos a tocaram, o pianista, com um último acorde, terminou a peça e se ergueu. Não obstante, a iniciativa ousada dessa jovem senhora, a breve promiscuidade que disso resultou entre ela e o instrumentista, produziram uma impressão geralmente favorável.

– Reparou no que fez esta pessoa, princesa? – comentou o general de Froberville para a princesa des Laumes, a quem acabara de cumprimentar e que a Sra. de Saint-Euverte deixou por um instante. – É curioso. Trata-se de uma artista?

– Não, é uma pequena Sra. de Cambremer – respondeu estouvadamente a princesa, acrescentando com vivacidade: – Repito-lhe o que me disseram, não tenho a menor noção de quem seja, dizem que eram vizinhos da Sra. de Saint-Euverte no campo, mas não creio que alguém os conheça. Deve ser "gente da roça". De resto, não sei se o senhor está bem enfronhado na brilhante sociedade que aqui se encontra, mas não faço idéia do nome de todas estas pessoas espantosas. Em que julga que passam o seu tempo fora dos saraus da Sra. de Saint-Euverte? Deve tê-los feito vir junto com os músicos, as cadeiras e os refrescos. Confesse que estes "convidados da casa Belloir"[4B] são magníficos. Será que, de fato, ela tem a coragem de alugar esses figurantes todas as semanas? Não é possível!

– Ah! Mas Cambremer é um nome autêntico e antigo – disse o general.

– Não vejo nenhum mal em que seja antigo – respondeu secamente a princesa –, mas em todo caso não é *eufônico* – acrescentou, destacando a palavra como se ela estivesse entre aspas, pequena afetação no falar próprio do clã Guermantes.

– Acha? Ela é linda de morrer – disse o general, que não perdia a Sra. de Cambremer de vista. – Não lhe parece, princesa?

– Ela se exibe demais, e acho que no caso de uma mulher tão jovem não fica nada bem, pois não creio que seja minha contemporânea – respondeu a Sra. des Laumes (tal expressão era comum aos Gallardon e aos Guermantes).

Mas a princesa, vendo que o Sr. de Froberville continuava a observar a Sra. de Cambremer, acrescentou, meio por maldade quanto a esta, meio por amabilidade com o general:

– Não fica bem... para o seu marido! Lamento não conhecê-la, pois se ela lhe interessa tanto eu a teria apresentado – disse a princesa, que provavelmente nada teria feito se conhecesse a jovem senhora. – Vou ser obrigada a lhe dar boa-noite, pois se trata da festa de uma amiga a quem devo cumprimentar – disse ela num tom modesto e sincero, reduzindo a reunião mundana a que ia à simplicidade de uma cerimônia tediosa mas onde era obrigatório e emocionante comparecer. – Aliás, devo lá encontrar Basin que, enquanto eu estava aqui, foi ver os amigos que o senhor conhece, acho, que têm nome de ponte, os Iéna.

– Foi primeiro um nome de vitória, princesa – disse o general. – Que quer, para um velho soldado como eu – acrescentou, tirando o monóculo para enxugá-lo, como se trocasse um curativo, enquanto a princesa instintivamente desviava os olhos – é claro que essa nobreza do Império é outra coisa, mas enfim, seja como for, é muito bela no seu gênero; em suma, trata-se de pessoas que se bateram com heroísmo.

– Mas eu tenho todo o respeito pelos heróis – disse a princesa num tom ligeiramente irônico –, se não vou à casa dessa princesa de Iéna, com Basin, é simplesmente porque não os conheço e não por causa dos heróis de Iéna. Basin os conhece, gosta deles. Oh, não! Não é o que o senhor poderia pensar, não se trata de um flerte, nada tenho a opor! Ademais, de que me serviria que eu me opusesse!

[4B] A Casa Belloir, em Paris, alugava artigos para bailes e saraus. (N. do T.)

– acrescentou com melancolia, pois todos sabiam que desde o dia seguinte em que o príncipe des Laumes desposara sua deslumbrante prima, não cessara de traí-la. – Mas enfim, não se trata disso, são pessoas que ele conheceu antigamente, ele se diverte com isso, acho muito bem. Primeiro lhe direi que nada que ele disse da casa deles... Imagine só que todos os móveis são "Império"!

– Mas princesa, isto é natural, já que é o mobiliário dos seus avós.

– Não digo que não, mas não são menos feios por isso. Compreendo muito bem que não seja possível ter coisas bonitas, mas que pelo menos que não se tenha coisas ridículas. Que quer? Não conheço nada mais pretensioso, mais burguês do que esse estilo horrível, com suas cômodas que têm cabeças de cisnes como frisas.

– Mas eu creio que eles têm coisas bem bonitas, devem ter a famosa mesa de mosaico em que se assinou o tratado...

– Ah, que tenham coisas interessantes do ponto de vista histórico, não discuto. Mas isso não pode ser belo, já que é horrível! Eu também tenho coisas desse tipo, que Basin herdou dos Montesquiou. Unicamente, estão nos sótãos de Guermantes onde ninguém as vê. Enfim, não se trata disto, eu iria correndo à casa deles com Basin, iria vê-los até no meio de suas esfinges e do seu cobre se os conhecesse, mas... não os conheço! Quanto a mim, sempre me disseram, quando eu era criança, que não era de boa educação ir à casa das pessoas que não conhecemos – disse ela assumindo um tom pueril. – Então, faço o que me ensinaram. Imagine só como ficaria essa boa gente se visse entrar em sua casa uma pessoa a quem não conheciam? Talvez me recebessem muito mal.

E por coqueteria. embelezou o sorriso que semelhante suposição lhe provocava, dando aos olhos azuis fixos no general uma expressão sonhadora e suave.

– Ah, princesa, bem sabe que não caberiam em si de contentes...

– E por quê? – perguntou ela com extrema vivacidade, ou para não ter o ar de quem sabe que era porque ela estava entre as principais damas da França, ou para ter o prazer de ouvi-lo do general. – Por quê? Que sabe o senhor a respeito? Isto lhes seria talvez tudo o que há de mais desagradável. Eu não sei, mas se julgar por mim, já me aborrece tanto ver as pessoas que conheço que, se fosse necessário ver pessoas desconhecidas, mesmo "heróicas", acho que ficaria louca. Além disso, veja, a não ser quando se trata de velhos amigos como o senhor, que a gente conhece sem ser por isso, não sei se o heroísmo seria suficientemente portátil na sociedade. Incomoda-me com freqüência dar jantares, mas se é preciso oferecer o braço a Espártaco para ir à mesa... Verdadeiramente não, jamais chamaria Vercingetórix para completar o décimo quarto lugar à mesa. Sinto que o reservaria para as grandes festas. E como não as dou...

– Ah, princesa, a senhora não é uma Guermantes por acaso. Possui igualmente o espírito de Guermantes!

– Mas dizem sempre o espírito *dos* Guermantes, nunca pude compreender o motivo. O senhor então conhece *outros* que o possuem – acrescentou ela com uma risada espumante e alegre, os traços do rosto concentrados, reunidos na trama de sua animação, os olhos faiscantes, inflamados de uma insolação radiosa de alegria que, sozinhos, tinham o poder de fazer luzir desse modo as frases que, mesmo lançadas pela própria princesa, eram um louvor ao seu espírito ou à sua beleza. – Olhe, eis aí Swann que parece saudar a sua Cambremer. Ali... está ao lado da tia Saint-Euverte, não está vendo? Peça-lhe que a apresente. Mas, despache-se, ele está quase indo embora!

– Reparou que cara horrível que ele tem? – indagou o general.

– Meu querido Charles! Ah, por fim ele chega; começava a pensar que ele já não queria me ver!

Swann gostava muito da princesa des Laumes; e, depois, ela lhe recordava Guermantes, terra vizinha de Combray, região que amava tanto e à qual não voltava mais para não se afastar de Odette. Empregando formas meio-artísticas, meio-galantes, com as quais sabia agradar à princesa e que reencontrava de maneira natural quando se envolvia por um momento em seu antigo ambiente – e, por outro lado, querendo exprimir por si mesmo a nostalgia do campo:

– Ah! – disse, em aparte, para ser ouvido ao mesmo tempo pela Sra. de Saint-Euverte, a quem falava, e pela Sra. des Laumes, sobre quem falava. – Eis a encantadora princesa! Vejam, ela veio diretamente de Guermantes para ouvir o *São Francisco de Assis,* de Liszt, e não teve tempo, como um belo pássaro, de apanhar, para pôr na cabeça, algumas ameixinhas e frutinhas de espinheiro; ainda há mesmo umas gotinhas de orvalho, um pouco de geada que deve fazer gemer a duquesa. É muito bonito, minha cara princesa.

– Como! A princesa veio diretamente de Guermantes? Mas isto é demais! Eu não sabia, estou confusa – exclamou ingenuamente a Sra. de Saint-Euverte, pouco habituada aos jogos de espírito de Swann. E examinando o penteado da princesa: – Mas é verdade, isto imita... como direi, não as castanhas, não... oh! é uma excelente idéia, mas como é que a princesa podia conhecer o meu programa! Os músicos não o comunicaram nem a mim.

Swann, acostumado, quando estava junto a uma mulher com quem conservava hábitos amáveis de linguagem, a dizer coisas delicadas que muitas pessoas da alta sociedade não compreendiam, não se dignou a explicar à Sra. de Saint-Euverte que falara apenas por metáforas. Quanto à princesa, ela se pôs a dar risadas porque o espírito de Swann era muito apreciado no seu grupo e também porque não podia ouvir um cumprimento à sua pessoa sem lhe achar as mais finas graças e um cômico irresistível.

– Muito bem! Estou encantada, Charles, que meus frutinhos de espinheiro lhe agradem. Por que cumprimentava aquela Cambremer, também é sua vizinha no campo?

Vendo que a princesa mostrava satisfação em conversar com Swann, a Sra. de Saint-Euverte se afastara.

– Mas a senhora é que é vizinha deles, princesa.

– Eu? Mas então eles têm terrenos por toda parte! Mas como gostaria de estar no lugar deles!

– Não são os Cambremer; eram os pais dela: ela é uma Srta. Legrandin, que vinha a Combray. Não sei se sabe que a senhora é uma condessa de Combray e que o capítulo lhe dá uma renda?

– Não sei o que me deve o capítulo, mas sei que o cura me cobra cem francos todos os anos, o que eu dispensaria. Enfim, esses Cambremer têm um nome bem espantoso. Acaba bem a tempo, mas acaba mal! – concluiu ela rindo.

– Não começa melhor – acrescentou Swann.

– De fato, esta abreviatura dupla...[5]

– É alguém muito furioso e muito conveniente, que não ousou ir até o fim da primeira palavra.

– Porém, desde que não podia deixar de começar a segunda, seria melhor que terminasse a primeira, para acabá-la de uma vez. Estamos fazendo gracejos de um gosto encantador, meu querido Charles, mas como é aborrecido não vê-lo mais – acrescentou ela em tom carinhoso –, gosto tanto de conversar com você. Imagine se eu teria condições de fazer que esse idiota do Froberville entendesse que o nome de Cambremer é espantoso. Confesse que a vida é uma coisa horrível. Só quando vejo você é que deixo de estar aborrecida.

E sem dúvida aquilo não era verdade. Mas Swann e a princesa tinham uma mesma forma de julgar as pequeninas coisas que tinham por efeito – a menos que não fosse por causa – uma analogia bem grande no modo de se exprimir e até na maneira de pronunciar as palavras. Tal semelhança não causava espécie porque nada era mais diferente que suas vozes. Mas se se chegasse, pelo pensamento, a eliminar das frases de Swann a sonoridade que as envolvia, os bigodes dentre os quais elas saíam, perceberiam todos que eram as mesmas frases, as mesmas inflexões, os torneios do grupo Guermantes. Quanto às coisas importantes, Swann e a princesa não concordavam sobre nada. Mas desde que Swann estava tão triste, sentindo sempre esse frêmito que precede o momento do choro, tinha a mesma necessidade de falar de sua mágoa como um assassino de discorrer sobre seu

[5] Para entender bem a que Swann e a princesa se referem, note-se que *Cambremer* se inicia com as primeiras letras de *Cambronne,* nome do general francês que, intimado a render-se em Waterloo, respondeu com o palavrão que o tornou célebre; e termina com as três letras iniciais desse mesmo palavrão. Por outro lado, pode Proust ter tirado esse nome tanto de uma aldeia no departamento de Calvados, como, mais provavelmente, de um personagem de Balzac, na novela *Um drama à beira-mar.* (N. do T.)

crime. Ao ouvir a princesa dizer que a vida era uma coisa horrível, sentiu a mesma doçura que se ela lhe tivesse falado de Odette.

– Oh, sim, a vida é uma coisa horrível. É preciso que nos vejamos, minha cara amiga. O que existe de agradável na senhora, é que não é alegre. Podemos passar juntos alguma recepção.

– Creio que sim. Por que não vai a Guermantes, minha sogra ficará louca de alegria. Aquilo tem fama de muito feio, mas digo-lhe que a terra não me desagrada, tenho horror às regiões "pitorescas".

– Acho que sim, é admirável – respondeu Swann –, é quase belo demais, vivo demais para mim neste momento; é uma região para a gente ser feliz. Talvez porque vivi ali, mas as coisas lá me falam de tal modo! Logo que se ergue uma brisa, que os trigais começam a balançar, parece que vai chegar alguém, que vou receber notícias; e as casinhas à beira d'água... eu me sentiria muito infeliz!

– Oh, meu pobre Charles, tome cuidado, olhe a tremenda Rampilon que já me viu, esconda-me, lembre-me então o que sucedeu a ela, eu confundo tudo, ela casou a filha ou seu amante, já nem sei mais; talvez a ambos... e juntos! Ah, não, já me lembro, ela foi repudiada pelo seu príncipe... finja que está falando comigo, para que essa Bérénice não venha me convidar para jantar. Afinal, estou salva. Escute, meu caro Charles, uma vez que o vi, não quer deixar raptar-se e que eu o leve à casa da princesa de Parma, que ficará bem contente, e Basin também, que deve encontrar-se lá comigo? Se a gente não tivesse notícias suas por Mémé... Pense que há muito não o tenho visto!

Swann recusou; tendo prevenido o Sr. de Charlus que, ao deixar a casa da Sra. de Saint-Euverte, voltaria diretamente para casa, não lhe convinha, indo à casa da princesa de Parma, arriscar perder um recado que esperara o tempo todo, durante a recepção, que um criado lhe viesse dar e que talvez fosse encontrá-lo com o porteiro. – Este pobre Swann – disse a Sra. des Laumes ao marido naquela noite – é sempre gentil mas estava com um aspecto muito infeliz. Você o há de ver, pois ele prometeu vir jantar um dia desses. No fundo, acho ridículo que um homem da sua inteligência sofra por uma pessoa desse tipo e que nem mesmo é interessante, pois me disseram que é uma idiota – acrescentou, com a sabedoria das pessoas não amorosas que acham que um homem de espírito só deveria sentir-se infeliz por uma mulher que valesse a pena; é mais ou menos como espantar-se pelo fato de dignar-se alguém a sofrer de cólera devido a um ser vivo tão pequeno como o vibrião.

Swann queria partir, mas no momento em que ia por fim se escapar, o general de Froberville lhe pediu para ser apresentado à Sra. de Cambremer, e ele foi obrigado a voltar com ele ao salão para procurá-la.

– Diga, meu caro Swann, eu gostaria mais de ser o marido dessa mulher do que ser massacrado pelos selvagens, não lhe parece?

Estas palavras, "massacrado pelos selvagens", feriram dolorosamente o coração de Swann; e logo sentiu necessidade de continuar a conversa com o general:

– Ah – disse-lhe –, houve muitas vidas que findaram desse modo... O senhor sabe... aquele navegador cujas cinzas Dumont d'Urville trouxe, La Pérouse... – E Swann já sentia-se feliz, como se houvesse falado de Odette. – É um belo caráter e que me interessa muito, o de La Pérouse... – ajuntou melancolicamente.

– Ah, perfeitamente, La Pérouse – disse o general – E um nome conhecido. Tem uma rua.

– Conhece alguém na rua La Pérouse? – indagou Swann com ar agitado.

– Só conheço a Sra. de Chanlivault, irmã daquele bravo Chaussepierre. Outro dia ela nos deu um belo sarau de comédia. Verá que é um salão que um dia será muito elegante!

– Ah, ela mora na rua La Pérouse. É simpática, é uma rua bonita, tão triste.

– Mas não, é que o senhor não vai lá faz algum tempo; não é mais triste, começam construções em todo aquele quarteirão.

Quando enfim Swann apresentou o Sr. de Froberville à jovem Sra. de Cambremer, como fosse a primeira vez que ouvia o nome do general, ela esboçou o sorriso de alegria e de surpresa que apresentaria se jamais tivessem pronunciado diante dela outro nome senão esse, pois, não conhecendo os amigos de sua nova família, cada pessoa que lhe apresentavam pensava que fosse um deles, e julgava dar provas de tato dando a entender que muito ouvira falar nele desde que se casara, e assim estendia a mão com um ar hesitante destinado a provar a reserva aprendida, que tinha de vencer, e a simpatia espontânea que conseguia triunfar dessa reserva. Assim, os sogros, que ela ainda considerava as pessoas mais brilhantes da França, declaravam que ela era um anjo; tanto mais que eles preferiam parecer, fazendo-a casar com seu filho, ter cedido antes ao fascínio de suas qualidades que ao de sua grande fortuna.

– Vê-se que tem alma de musicista, senhora – disse o general, inconscientemente aludindo ao episódio da arandela.

Mas o concerto recomeçou e Swann compreendeu que não mais poderia sair antes do final desse novo número do programa. Sofria por estar encerrado no meio dessas pessoas, cuja estupidez e ridicularias o magoavam tanto mais dolorosamente que, ignorando o seu amor, incapazes, se o tivessem conhecido, de se interessar por ele e proceder de outra forma que não dar um sorriso, como se se tratasse de algo pueril, ou de lastimá-lo, como se fosse uma loucura, faziam-no aparecer sob o aspecto de um estado subjetivo que para ele não existia, do qual coisa alguma exterior lhe afirmasse a sua realidade; sofria principalmente, e a ponto de que até o som dos instrumentos lhe dava vontade de chorar, por prolongar seu exílio naquele lugar aonde Odette jamais viria, onde ninguém nem nada a conhecia, de onde ela estava inteiramente ausente.

Mas de súbito foi como se ela tivesse entrado, e tal aparição foi para ele um sofrimento tão dilacerante que teve de levar a mão ao peito. É que o violino se erguera a notas altas onde permanecia, como que à espera, espera que se prolongava sem que ele deixasse de sustentá-las, na exaltação em que estava de já perceber o objeto de sua espera, que se aproximava, e com um esforço desesperado para tentar durar até a sua chegada, de acolhê-lo antes de morrer, de lhe manter, ainda por um momento, com todas as suas últimas forças, o caminho aberto para que ele pudesse passar, como a gente sustém uma porta, que sem isso cairia. E antes que Swann tivesse tempo de compreender e dizer a si próprio: "É a pequena frase da sonata de Vinteuil, não ouçamos!" – todas as lembranças do tempo em que Odette o amava, e que até esse dia ele conseguira manter invisíveis nas profundezas de seu ser, iludidas por esse brusco luzeiro do tempo de amor que julgaram estar de volta, tinham despertado e, em vôo rápido, subiram para lhe cantar perdidamente, sem piedade pela sua desgraça atual, os refrões esquecidos da felicidade.

Em vez das expressões abstratas "tempo em que eu era feliz", "tempo em que eu era amado", que ele muitas vezes pronunciara até então e sem muito sofrimento, pois sua inteligência só encerrara, do passado, pretensos extratos que não conservavam nada dele, Swann reencontrou tudo aquilo, que dessa felicidade perdida, fixara para sempre a essência volátil e específica; reviu tudo, as pétalas nivosas e frisadas do crisântemo que ela lhe lançara no carro, e que ele conservara entre os lábios – o endereço, em relevo, da Maison Dorée na carta em que ele havia lido: "Minha mão treme tanto enquanto escrevo" – a aproximação das sobrancelhas dela quando lhe dissera com ar súplice: "Não levará muito tempo para me fazer sinal?"; sentiu o cheiro do ferro do cabeleireiro, com o qual mandava alisar a escovinha enquanto Lorédan ia buscar a pequena operária, as chuvas tempestuosas que tinham caído com tanta freqüência naquela primavera, o retorno glacial na sua vitória, ao luar, todas as malhas de hábitos mentais, de impressões sazonais, de reações cutâneas, que haviam estendido numa série de semanas uma rede uniforme na qual seu corpo se achava preso. Naquele momento, Swann satisfazia uma curiosidade voluptuosa ao conhecer os prazeres das pessoas que vivem pelo amor. Achara que poderia parar por aí, que não mais seria obrigado a lhe conhecer os sofrimentos; e como agora o encanto de Odette representava pouco para ele, diante desse terror tremendo que o prolongava como um halo perturbador, essa angústia imensa de não saber o que ela havia feito em todos os momentos, de não possuí-la sempre e em toda parte! Infelizmente, ele se recordava do tom em que ela exclamara: "Mas poderei vê-lo sempre, estou sempre livre!", ela que já não o seria nunca mais! O interesse, a curiosidade que ela tivera pela vida dele, o desejo apaixonado de que ele lhe fizesse o favor – aliás temido por ele, naquele tempo, como causa de transtornos aborrecidos – de deixá-la penetrar em sua vida; como ela fora obrigada a lhe implorar para que ele se deixasse conduzir à casa dos Verdurin; e quando ele a fazia vir a sua casa uma vez por mês, como fora necessário, antes que se deixasse vencer, que ela lhe repetisse que delícia seria aquele costume de se verem todos os dias, coisa com que ela sonhava então, ao passo que para ele só lhe parecia uma preocupação fastidiosa, costume que depois a desgostara e com o qual rompera em definitivo, ao passo que ela se lhe tornara uma necessidade tão invencível e dolorosa. Não saberia dizer o quanto fora sincero quando, na terceira vez em que a vira, como ela lhe repetisse: "Mas por que não me deixa vir mais vezes seguidas?", dissera-lhe rindo, com um galanteio: "Por medo de sofrer." Agora, infelizmente, acontecia ainda que ela lhe escrevesse de um restaurante ou de um hotel, num papel timbrado; mas era como letras de fogo que o queimavam. "Este escrito do Hotel Vouillemont? Que é que ela pode ter ido fazer ali? Com quem? Que aconteceu?" Lembrou-se dos bicos de gás que eram apagados no bulevar dos Italianos quando a encontrara, contra toda expectativa, em meio às sombras errantes, naquela noite que lhe parecera quase sobrenatural e que, de fato – noite de um tempo em que nem precisava se indagar se não a teria contrariado ao procurá-la, ao encontrá-la, de tanta certeza que tinha de que ela não teria maior alegria do que vê-lo e voltar para casa com ele – pertencia a um mundo misterioso ao qual não se pode regressar jamais depois que suas portas se fecharam. E Swann percebeu, imóvel diante dessa felicidade revivida, um desgraçado que lhe causou piedade porque o não reconheceu de imediato, se bem que teve de baixar os olhos para que não vissem que estavam cheios de lágrimas. Era ele próprio.

Quando compreendeu aquilo, sua piedade cessou, mas teve ciúmes do outro eu que Odette havia amado, teve ciúmes daqueles de quem dissera muitas vezes, sem muito sofrer, "ela ama-os talvez", agora que havia mudado a vaga idéia de amar, na qual não existe amor, pelas pétalas do crisântemo e o "reservado" da Maison d'Or, que estavam cheios de amor. Depois, como seu sofrimento se tornasse muito acerbo, passou a mão pela testa, deixou cair o monóculo, enxugou as lentes. E, sem dúvida, se se visse naquele momento, o teria ajuntado à coleção daqueles cujos monóculos examinara, o monóculo que afastava como a um pensamento importuno e sobre cuja superfície embaciada experimentava apagar as preocupações com um lenço.

Existem no violino – se, sem ver o instrumento, não podemos ligar o que ouvimos à sua imagem, a qual modifica a sonoridade – acentos que lhe são tão comuns a certas vozes de contralto, que temos a ilusão de que uma cantora foi acrescentada ao concerto. Erguemos os olhos, vemos somente os estojos, preciosos como caixas chinesas, mas, por instantes, ainda somos enganados pelo chamado ilusório das sereias; às vezes, também, julgamos ouvir um gênio cativo que se debate no fundo da sábia caixa, feiticeira e fremente, como um demônio numa pia de água benta; às vezes, enfim, é no ar que o sentimos, como um ser sobrenatural e puro que passa desenrolando sua mensagem invisível.

Como se os instrumentistas muito menos tocassem a pequena frase do que executavam os ritos exigidos por ela para que aparecesse, e procediam aos sortilégios necessários para obter e prolongar alguns instantes o prodígio de sua evocação, Swann, que não podia mais vê-la, como se ela pertencesse a um mundo ultravioleta, e como que desfrutava do frescor de uma metamorfose na cegueira temporária que o atingia ao se aproximar dela, Swann a sentia presente, como uma divindade protetora e confidente de seu amor, e que, para poder chegar até ele no meio da multidão e tomá-lo à parte para lhe falar, adotara aquele disfarce de uma aparência sonora. E enquanto ela passava, leve, calmante e murmurada como um perfume, dizendo-lhe o que tinha para dizer, e de quem ele escrutava todas as palavras, lamentando vê-las se evolarem tão depressa, Swann fazia involuntariamente com os lábios o movimento de beijar na passagem o corpo harmonioso e fugidio. Já não se sentia sozinho e exilado, visto que ela, que a ele se dirigia, lhe falara a meia voz de Odette. Pois Swann já não tinha, como outrora, impressão de que Odette e ele eram ignorados da pequena frase. E ela fora tantas vezes testemunha de suas alegrias! É verdade que também muitas vezes o havia advertido da fragilidade dessas alegrias. E embora naquele tempo ele adivinhasse o sofrimento no sorriso, na sua entonação límpida e desencantada, hoje achava-lhe antes a graça de uma resignação quase alegre. Desses desgostos de que ela falava antigamente e que ele a via arrastar sorrindo em sua trajetória sinuosa e veloz, sem ser atingida por eles, desses desgostos que agora se haviam tornado os seus, sem que tivesse a esperança de jamais se livrar deles, ela parecia lhe dizer como outrora de felicidade: "Que é isto? Tudo isto não é nada." E o pensamento Swann dirigiu-se, pela primeira vez, a um impulso de piedade e ternura, para aquele Vinteuil, aquele irmão desconhecido e sublime que também devia ter sofrido tanto; como teria sido a sua vida? Do fundo de que mágoas pudera extrair essa força de um deus, essa potência ilimitada de criação? Quando era a pequena frase que lhe falava da vaidade de seus sofrimentos, Swann achava doce essa mesma sabedoria que, no entanto, há pouco lhe parecera intolerável quando acreditava lê-la nos rostos dos indiferentes que consideravam o seu amor como uma divagação sem importância. É que, ao contrário, a pequena frase fosse qual fosse a opinião que pudesse ter sobre a brevidade desses estados de alma, via ali algo, não como o faziam todas essas pessoas, menos sério que a vida positiva, mas, opostamente, tão superior a ela que somente isso valia a pena ser expresso. Tais encantos de uma tristeza íntima era o que ela tentava imitar, recriar, e até mesmo a essência deles que, no entanto, é a de serem incomunicáveis e de parecerem frívolos a todo aquele que não os sente, a pequena frase a captara e tornara visível. De modo que ela fazia confessar seu preço e desfrutar sua doçura divina por todos esses mesmos assistentes – bastando que tivessem um mínimo de inclinação para a música – que a seguir os desconheceriam na vida, em cada amor particular que vissem nascer perto deles. Sem dúvida a forma sob a qual os codificara não podia se resolver em raciocínios. Porém, fazia mais de um ano que, revelando a si mesmo tantas riquezas de sua alma, o amor à música nascera-lhe, ao menos por algum tempo, e Swann considerava os temas musicais como verdadeiras idéias, de um mundo diverso, de uma outra ordem, idéias envoltas em trevas, desconhecidas, impenetráveis à inteligência, mas que nem por isso são menos distintas umas das outras, desiguais de valor e de significado entre si. Quando, depois do sarau dos Verdurin, mandara tocar de novo a pequena frase, procurava descobrir como, à maneira de um perfume ou de uma carícia, ela o aliciava e envolvia, e percebera que aquela impressão de doçura retraída e friorenta era devida à leve separação entre as cinco notas que a compunham e à evocação constante de duas delas; mas, na realidade, sabia que raciocinava assim não sobre a própria frase porém sobre simples valores, que substituíam, para comodidade de sua inteligência, a entidade misteriosa que ele havia percebido, antes de conhecer os Verdurin, naquela recepção onde ouvira a sonata pela primeira vez. Sabia que a própria lembrança do piano falseava ainda o plano em que via as coisas relativas à música, que o campo aberto ao músico não é um teclado mesquinho de sete notas, mas um teclado incomensurável, ainda quase totalmente desconhecido, em que apenas aqui e ali, separados por espessas trevas inexploradas, alguns dos milhões de toques de ternura, de paixão, de coragem, de serenidade que o compõem, cada um tão diferente dos outros como um universo de outro universo, foram descobertos por alguns grandes artistas que nos prestam o serviço, despertando em nós o correspondente do tema que encontraram, de nos mostrar quanta riqueza, quanta variedade, sem que saibamos, oculta essa grande noite impenetrada e desencorajadora da nossa alma que tomamos por vazio e nada. Vinteuil fora um desses músicos. Em sua pequena frase, conquanto apresentasse à razão uma superfície obscura, sentia-se um conteúdo tão consistente, tão explícito, ao qual dava uma força tão nova, tão original, que aqueles que a tivessem ouvido a conservariam em si no mesmo nível das idéias da inteligência. Swann se reportava a ela como a uma concepção do amor e da felicidade, cuja particularidade ele sabia logo, e muito bem, de que se tratava, assim como o sabia quanto à *Princesa de Clèves* ou ao *René,* quando o seu nome se lhe apresentava à memória. Mesmo quando não pensava na pequena frase, ela existia latente em seu espírito, na mesma condição de certas outras noções sem equivalente, como as noções de luz, de som, de relevo, de volúpia física, que são as ricas posses com que se diversifica e ganha expressão o nosso domínio interior. Talvez as percamos, talvez elas se apaguem, se volvermos ao nada. Mas enquanto vivermos, e assim como ocorre quanto a qualquer objeto real, não podemos fazer de conta que não as conhecemos, como não podemos, por exemplo, duvidar da luz da lâmpada que acendemos diante dos objetos metamorfoseados de nosso quarto, de onde se escapou até a lembrança da escuridão. Por esse fato, a frase de Vinteuil, como determinado tema do *Tristão,* por exemplo, que também nos representa uma certa aquisição sentimental, havia esposado nossa condição mortal, adquirido algo de humano que era bem tocante. Sua sorte estava ligada ao futuro, à realidade da nossa alma, de que ela era um dos ornatos mais particulares, mais bem diferenciados. Talvez esse nada é que seja verdadeiro, e todo o nosso sonho é inexistente, mas então sentimos que será necessário que semelhantes frases musicais, essas noções que existem, relativas a elas, também não sejam coisa alguma. Morreremos, mas temos como reféns essas prisioneiras divinas que seguirão nosso destino. E, com elas, a morte possui algo de menos amargo, de menos inglório, talvez até de menos provável.

Portanto, Swann não estava errado em acreditar que a frase da sonata existisse realmente. Certo, humana sob este ponto de vista, ela no entanto pertencia a uma ordem de criaturas sobrenaturais e que nunca vimos, mas que, apesar disso, reconhecemos deslumbrados quando algum explorador do invisível consegue captar uma, trazê-la do mundo divino a que teve acesso para brilhar por poucos momentos sobre o nosso. Fora o que Vinteuil fizera quanto à pequena frase. Swann sentia que o compositor se contentara, com seus instrumentos musicais, em revelá-la, torná-la visível, seguir e respeitar o desenho com mão tão macia, tão prudente, tão delicada e tão segura que o som se alterava a todo instante, esfumando-se para indicar uma sombra, revivendo quando lhe fosse necessário andar no encalço de um contorno mais arrojado. E uma prova de que Swann não se enganava ao crer na existência real dessa pequena frase, era que todo amador um tanto perspicaz perceberia de imediato a impostura, caso Vinteuil, tendo menos força para ver e reproduzir suas formas, tivesse procurado dissimular, acrescentando aqui e ali traços de sua lavra, as lacunas de sua visão ou a incapacidade de suas mãos.

Ela havia desaparecido. Swann sabia que retornaria no fim do primeiro movimento, depois de um longo trecho que o pianista da Sra. Verdurin sempre saltava. Ali havia idéias admiráveis que Swann não distinguira na primeira audição e que agora percebia, como se elas, no vestíbulo de sua memória, se tivessem desembaraçado do disfarce uniforme da novidade. Swann escutava todos os temas esparsos que entravam na composição da frase, como as premissas na conclusão necessária, assistia à sua gênese. "Oh, audácia tão genial, talvez", dizia consigo, "como a de um Lavoisier ou de um Ampère, audácia de um Vinteuil experimentando, descobrindo as leis secretas de uma força desconhecida, conduzindo através do inexplorado, rumo ao único fim possível, a aparelhagem invisível em que confia e que não verá jamais!" Que belo diálogo Swann ouviu entre o piano e o violino no princípio do último trecho! A supressão das palavras humanas, longe de deixar reinar ali a fantasia, como se poderia crer, eliminara-a; nunca a linguagem falada foi tão inflexivelmente fatal, não conheceu a esse ponto a pertinência das perguntas, a evidência das respostas. Primeiro o piano solitário se queixava, como um pássaro abandonado pela companheira; o violino o ouviu, respondeu-lhe como de uma árvore vizinha. Era como no começo do mundo, como se só existissem eles dois sobre a terra, ou melhor, naquele mundo fechado a tudo o mais, construído pela lógica de um criador, e onde só os dois existiriam para todo o sempre: aquela sonata. Era um pássaro, era a alma incompleta ainda da pequena frase, era uma fada aquele ser invisível e lastimoso cuja queixa o piano a seguir repetia com ternura? Seus gemidos eram tão repentinos que o violinista deveria se precipitar sobre seu arco para recolhê-los. Maravilhoso pássaro! O violinista parecia querer encantá-lo, aprisioná-lo, captá-lo. Já havia passado para sua alma, já a pequena frase evocada agitava, como a de um médium, o corpo verdadeiramente possuído do violinista. Swann sabia que ela ia falar uma vez mais. E tão bem se duplicara a personalidade dele que a espera do instante iminente em que iria se reencontrar diante dela sacudiu-o com um desses soluços que um belo verso ou uma notícia triste nos provocam, não quando estamos sozinhos, mas quando a comunicamos a amigos nos quais nos sentimos refletidos como uma outra pessoa cuja provável emoção os enternece. Ela reapareceu, mas desta vez para suspender-se no ar e tocar por um momento sozinha, como que imóvel, e expirar depois. Portanto, Swann não perdia nada desse tempo tão curto em que ela se prolongava. Ela ainda estava ali como uma bolha irisada que se mantém. Assim como um arco-íris, cujo brilho se enfraquece, diminui, depois aumenta e, antes de se extinguir, se exalta por um instante como ainda não o fizera: às duas cores que até então deixara transparecer, acrescentou outras cordas matizadas, todas as do prisma, fazendo-as cantarem. Swann não ousava se mexer e gostaria de manter tranqüilas também as outras pessoas, como se o menor movimento houvesse podido comprometer o prestígio sobrenatural, delicioso e frágil que estava prestes a se desvanecer. Para dizer a verdade, ninguém sonhava em falar. A palavra inefável de um único ausente, talvez de um morto (Swann não sabia se Vinteuil ainda era vivo), evolando-se acima dos ritos daqueles oficiantes, bastava para manter em xeque a atenção de trezentas pessoas e transformava o estrado em que uma alma era daquele modo evocada num dos mais nobres altares em que se pudesse realizar uma cerimônia sobrenatural. De forma que, quando por fim a frase se desfez, flutuando em farrapos nos motivos seguintes que já tinham ocupado o seu posto, se Swann, no primeiro momento, se irritou por ver a condessa de Monteriender, célebre por sua ingenuidade, se inclinar para ele a fim de confiar-lhe suas impressões antes mesmo que a sonata estivesse concluída, não pôde evitar um sorriso e talvez também achar um sentido profundo, que ela não percebia, nas palavras que empregara. Maravilhada com o virtuosismo dos instrumentistas, a condessa exclamou, dirigindo-se a Swann:

– É prodigioso, nunca vi nada tão impressionante... – Mas um escrúpulo de exatidão fê-la corrigir a primeira assertiva e acrescentou com reserva: – Nada tão impressionante... desde as mesas giratórias!

A partir daquele sarau, Swann compreendeu que o sentimento que Odette nutrira por ele não renasceria jamais, que suas esperanças de felicidade não mais se cumpririam. E nos dias em que, por acaso, ela ainda se mostrava gentil e carinhosa com ele, se lhe dedicasse alguma atenção, Swann reparava nesses sinais aparentes e enganadores de um breve retorno para ele, com aquela solicitude enternecida e descrente, aquela alegria desesperada dos que, cuidando de um amigo nos últimos dias de uma enfermidade incurável, relatam como fatos preciosos: "Ontem, ele mesmo fez as contas e foi quem descobriu um erro de soma que tínhamos feito; comeu com prazer um ovo; se o digerir bem, vamos experimentar amanhã uma costeleta", embora saibam que são desprovidos de significado às vésperas de uma morte inevitável. É claro que Swann tinha certeza de que, se vivesse agora longe de Odette, ela acabaria por tornar-se-lhe indiferente, de maneira que ele ficaria satisfeito se ela deixasse Paris para sempre; Swann teria coragem de permanecer; mas não tinha a de partir.

Pensara nisso muitas vezes. E agora que retomara o ensaio sobre Vermeer, teria necessidade de voltar, ao menos por alguns dias, a Haia, a Dresde e a Brunswick. Estava convencido de que uma *Toalete de Diana,* que fora comprada pelo Mauritshuis no leilão Goldschmidt como sendo de Nicolas Maes, era na verdade de autoria de Vermeer. E gostaria de estudar o quadro no mesmo lugar para firmar sua convicção. Mas deixar Paris enquanto Odette aí estava e até quando estivesse ausente – pois nos novos lugares, onde as sensações não são amortecidas pelo hábito, a gente retempera e reanima um sofrimento – era-lhe um projeto de tal modo cruel que ele não se sentia capaz de pensar nisso sem parar, pois sabia-se resolvido a não pô-lo jamais em execução. Mas ocorria que, ao dormir, a intenção de realizar a viagem renascia nele – sem que ele se lembrasse que essa viagem era impossível – e ali se realizava. Um dia, sonhou que partia por um ano; debruçado à portinhola do vagão para um rapaz que da plataforma lhe dava adeus chorando, Swann tentava convencê-lo a ir consigo. Punha-se em marcha o trem, a ansiedade o despertou, ele se lembrou que não viajava, que veria Odette naquela noite, no dia seguinte e quase todos os dias. Então, ainda impressionado com o sonho, abençoou as circunstâncias particulares que o tornavam independente, graças às quais podia ficar junto de Odette e também conseguir que ela lhe permitisse vê-la às vezes; e, recapitulando todas essas vantagens: sua situação – sua fortuna, da qual muitas vezes ela necessitava para não recuar diante de uma ruptura (tendo mesmo, segundo se dizia, a idéia preconcebida de fazer com que ele a desposasse) –, essa amizade do Sr. de Charlus que, a bem dizer, nunca lhe fizera obter grande coisa de Odette, mas dava-lhe a doçura de sentir que ela ouvia falar dele de modo elogioso por aquele amigo comum, a quem Odette devotava uma tão grande estima – e até, por fim, sua inteligência, que Swann empregava inteiramente para combinar a cada dia uma nova intriga que fizesse sua presença, senão agradável, ao menos necessária a Odette –, imaginou o que teria acontecido se tudo aquilo lhe faltasse, imaginou que se tivesse sido, como tantos outros, pobre, humilde, cheio de privações, obrigado a aceitar qualquer trabalho, ou ligado a parentes, a uma esposa, poderia ter sido obrigado a deixar Odette, que aquele sonho, cujo pavor ainda era tão recente, poderia ter sido verdadeiro, e disse consigo: "Ninguém conhece a sua felicidade. Nunca se é tão infeliz como se pensa." Mas calculou que aquela existência já durava há vários anos, que tudo o que podia esperar era que ela durasse sempre, que ele sacrificaria seus trabalhos, seus prazeres, seus amigos, e finalmente toda a sua vida à espera cotidiana de um encontro que nada podia lhe trazer de felicidade, e indagou a si mesmo se não se enganava, se o que havia favorecido sua ligação e impedira a ruptura por acaso não prestara um desserviço ao seu destino, se o acontecimento desejável não teria sido aquele que ele tanto se regozijara haver ocorrido apenas em sonho: a sua partida; disse consigo que ninguém conhece sua felicidade, que nunca se é tão infeliz como se pensa.

Às vezes Swann esperava que ela morresse sem sofrimento em um acidente, ela que estava fora, da manhã à noite, nas ruas e nas estradas. E, como ela voltasse sã e salva, ele admirava-se de que o corpo humano fosse tão robusto e forte a ponto de poder continuamente manter em xeque e frustrar todos os perigos que o cercam (e Swann os achava inumeráveis desde que seu desejo secreto os havia computado) e assim permitisse às pessoas se entregarem todos os dias, quase impunemente, à sua obra de mentira, à sua busca de prazer. E Swann sentia bem próximo ao coração aquele Maomé II, de quem admirava o retrato feito por Bellini e que, tendo sentido que se apaixonara loucamente por uma de suas mulheres, apunhalou-a a fim de, segundo confessa ingenuamente seu biógrafo veneziano, reencontrar sua liberdade de espírito. Depois indignava-se de só pensar assim a seu respeito, e os sofrimentos que experimentara lhe pareciam não merecer piedade alguma, visto que ele próprio não dava tanta importância à vida de Odette.

Não podendo se separar dela irremediavelmente, pelo menos se a visse sem separações sua mágoa acabaria por se acalmar e o seu amor, talvez, por se extinguir. E desde o momento em que ela não queria deixar Paris para sempre, desejaria que Odette nunca saísse de Paris. Pelo menos, como sabia que a única ausência prolongada de Odette era a de agosto e setembro todos os anos, ele tinha, vários meses antes, o lazer de lhe dissolver a idéia amarga em todo o tempo a vir que carregava consigo por antecipação e que, composto de dias homogêneos aos atuais, circulava transparente e frio em seu espírito, onde mantinha a tristeza, mas sem que lhe causasse sofrimentos muito vivos. Porém esse futuro interior, esse rio, incolor e livre, eis que uma única palavra de Odette vinha feri-lo até em Swann e, como um pedaço de gelo, o imobilizava, endurecia sua fluidez, gelava-o por inteiro; e Swann sentia-se de súbito cheio de uma massa enorme e inquebrável que pesava nas paredes interiores de seu ser até fazê-lo estalar: é que Odette lhe dissera, com um olhar risonho e manhoso que o contemplava: "Forcheville vai fazer uma boa viagem, pelo Pentecostes. Vai ao Egito" e Swann logo compreendeu que aquilo significava: "Vou ao Egito, pelo Pentecostes, em companhia de Forcheville." E de fato, se alguns dias depois Swann lhe dizia: "Vejamos, a propósito dessa viagem que me disseste que farias com Forcheville ", ela respondia, estouvada: "Sim, meu caro, partimos no dia dezenove, mandaremos um cartão postal das Pirâmides." Então, ele queria saber se ela era amante de Forcheville, perguntar a ela mesma. Sabia que, supersticiosa como era, haveria certos perjúrios que Odette não faria, e depois o medo, que mantivera até então, de irritá-la com um interrogatório, de fazer-se detestado por ela, já não existia agora que perdera toda e qualquer esperança de ser amado.

Um dia recebeu uma carta anônima que lhe dizia que Odette fora amante de numerosos homens (dos quais citava alguns, dentre eles Forcheville, o Sr. de Bréauté e o pintor), de mulheres, e que freqüentava bordéis. Atormentou-se ao pensar que havia entre seus amigos um ser capaz de lhe ter enviado semelhante carta (pois, devido a certos pormenores, ela revelava, da parte de quem a escrevera, um conhecimento familiar da vida de Swann). Procurou quem poderia ser. Mas jamais tivera suspeita alguma de ações desconhecidas das pessoas, ações que não têm laços visíveis com seus propósitos. E quando quis saber se era antes sob o caráter aparente do Sr. de Charlus, do Sr. des Laumes, do Sr. d'Orsan, que devia situar a região desconhecida onde aquele ato ignóbil havia nascido, como nenhum desses homens tivesse jamais aprovado, em sua presença, as cartas anônimas e que tudo o que eles lhe haviam dito implicava que as reprovavam, não viu motivo para ligar essa infâmia ao caráter de um ou de outro. O do Sr. de Charlus era um tanto o de um anormal mas essencialmente bom e carinhoso; o do Sr. des Laumes, um pouco seco, porém saudável e correto. Quanto ao Sr. d'Orsan, Swann jamais encontrara alguém que, mesmo nas mais tristes circunstâncias, lhe tivesse vindo com uma palavra mais sentida, um gesto mais discreto e mais justo. A tal ponto que ele não podia compreender o papel pouco delicado que atribuíam ao Sr. d'Orsan em sua ligação com uma senhora rica, e cada vez que Swann pensava nele era obrigado a pôr de lado essa má reputação inconciliável com tantos testemunhos seguros de sua delicadeza. Por um instante, Swann sentiu que seu espírito se obscurecia e pensou em outra coisa para reencontrar um pouco de luz. Depois teve a coragem de regressar a essas reflexões. Mas então, após não ter podido suspeitar de ninguém, lhe foi necessário suspeitar de todo mundo. Afinal de contas, o Sr. de Charlus gostava dele, tinha bom coração. Mas era um nevropata, talvez amanhã chorasse por sabê-lo doente, e hoje, por ciúme, por ódio, levado por alguma idéia súbita que se apoderasse dele, teria desejado lhe causar mal. No fundo, essa raça de homens é a pior de todas. Certo, o príncipe des Laumes estava bem longe de gostar de Swann tanto como o Sr. de Charlus. Mas, por isto mesmo, não tinha para com ele as mesmas suscetibilidades; e depois era uma natureza fria sem dúvida, mas tanto incapaz de vilezas como de ações grandiosas. Swann se arrependia de não se ter ligado na vida apenas a tais pessoas. Depois, imaginava que o que impede os homens de fazerem mal ao próximo é a bondade, que ele só podia, no fundo, aplicar a naturezas análogas à sua, como era, com respeito ao coração, a do Sr. de Charlus. A simples idéia de causar semelhante mágoa a Swann o teria revoltado. Mas com um homem insensível, de outra natureza humana, como era o príncipe des Laumes, como prever a que ações o poderiam levar motivos de essência diversa? Possuir um coração é tudo, e o Sr. de Charlus o possuía. O Sr. d'Orsan também o possuía e suas relações cordiais porém pouco íntimas com Swann, nascidas da satisfação que, pensando da mesma forma sobre todas as coisas, tinham em conversar juntos, eram mais de repouso que de afeição exaltada como a do Sr. de Charlus, capaz de praticar atos de paixão, bons ou maus. Se havia alguém pelo qual Swann sempre se sentira compreendido e delicadamente amado, esse era o Sr. d'Orsan. Sim, mas e essa vida pouco honrosa que ele levava? Swann lamentava não ter levado isso em conta, e muitas vezes ter confessado, gracejando, que jamais experimentara tão vivamente sentimentos de simpatia e de estima que não na companhia da gentalha. Não é sem motivo, pensava agora, que, desde que os homens julgam o seu próximo, o fazem por seus atos. Somente isto é que significa alguma coisa e nada do que dizemos ou que pensamos. Charlus e des Laumes podem ter tais ou quais defeitos, mas são pessoas honestas. Orsan talvez não os tenha, mas não é um homem honesto. Pode ter agido mal mais uma vez. Depois Swann suspeitou de Rémi que, na verdade, só poderia ter inspirado a carta, mas essa pista lhe pareceu boa. Primeiro, Lorédan tinha motivos para querer mal a Odette. E depois, como não suspeitar que nossos criados, vivendo numa situação inferior à nossa, ajuntando à nossa fortuna e aos nossos defeitos riquezas e vícios imaginários, pelos quais nos invejam e desprezam, serão fatalmente levados a agir de maneira diferente que as pessoas da nossa sociedade? Suspeitou igualmente do meu avô. Cada vez que Swann lhe pedira um favor, acaso ele não o recusara sempre? Depois, com suas idéias burguesas, podia ter julgado agir para o bem de Swann. Suspeitou ainda de Bergotte, do pintor, dos Verdurin, admirou ainda uma vez, de passagem, a sabedoria das pessoas da alta sociedade em não quererem conviver com esse meio de artistas onde tais coisas são possíveis, talvez até confessadas sob o nome de boas farsas; mas lembrava-se de sinais de retidão moral desses boêmios e comparou-os com a vida de expedientes, quase patifarias, a que a falta de dinheiro, a necessidade do luxo, a corrupção dos prazeres levam muitas vezes a aristocracia. Em suma, essa carta anônima provava que ele conhecia alguém capaz de perversidade, mas já não via razão para que essa perversidade estivesse escondida no âmago – inexplorado por outrem – do caráter do homem carinhoso ou do homem frio, do artista ou do burguês, do fidalgo ou do criado. Qual critério adotar para julgar os homens? No fundo, não havia uma só das pessoas que conhecia que não fosse capaz de uma infâmia. Seria preciso deixar de vê-los a todos? Seu espírito se nublou; Swann passou duas ou três vezes a mão pela testa, enxugou as lentes do pincenê com o lenço e, pensando que, afinal, pessoas como ele freqüentavam o Sr. de Charlus, o príncipe des Laumes e os demais, comentou de si para si que aquilo significava, senão que fossem capazes de uma infâmia, pelo menos que se tratasse de uma necessidade da vida à qual cada um se submete, a de freqüentar pessoas que talvez não fossem incapazes de tal procedimento. E continuou a apertar as mãos de todos os amigos de que havia suspeitado, com aquela reserva de puro estilo, por se tratar de pessoas que talvez tivessem procurado lançá-lo em desespero. Quanto ao próprio conteúdo da carta, aquilo não o inquietou, pois nenhuma das acusações formuladas contra Odette apresentava qualquer sombra de verossimilhança. Swann, como muitas pessoas, tinha um espírito preguiçoso e falta de invenção. Conhecia muito bem, como uma verdade geral, que a vida dos seres é cheia de contrastes, mas para cada ser em particular ele imaginava toda a parte da vida que não conhecia como idêntica à parte que conhecia. Imaginava o que lhe calavam com o auxílio do que lhe diziam. Nos momentos em que Odette estava junto dele, se por acaso falassem ambos de uma ação indelicada cometida ou de um sentimento indelicado sofrido por um terceiro, ela os verberava em função dos mesmos princípios que Swann sempre ouvira professar pelos pais e aos quais permanecera fiel; e, além disso, ela cuidava de suas flores, bebia uma taça de chá, inquietava-se com os trabalhos de Swann. Logo, Swann estendia tais hábitos ao resto da vida de Odette, repetia esses gestos quando queria figurar os momentos em que ela estava longe dele. Se a tivessem retratado para ele tal qual era, ou melhor, tal como fora durante tanto tempo com ele, porém com outro homem, ele teria sofrido, pois essa imagem lhe teria parecido verossímil. Mas que ela fosse à casa de alcoviteiras, se entregasse a orgias com mulheres, que levasse a vida crapulosa de criaturas abjetas, que divagação insensata, para cuja realização, graças a Deus, os crisântemos imaginados, os chás sucessivos, as indignações virtuosas não deixavam nenhum lugar! Unicamente, de vez em quando, ele dava a entender a Odette, que, por maldade, lhe contavam tudo o que ela fazia; e, servindo-se a propósito de um detalhe insignificante porém verdadeiro, de que soubera por acaso, e como fosse o único pedacinho que deixava passar, contra sua vontade, entre tantos outros, de uma reconstituição completa da vida de Odette que guardara consigo, levava-a a supor que estava informado de coisas de que na realidade não sabia e sequer supunha, pois conquanto muitas vezes suplicasse a Odette que não alterasse a verdade, fazia-o apenas, quer se desse ou não conta daquilo, para que Odette lhe dissesse tudo o que fazia. Sem dúvida, como dizia a Odette, amava a sinceridade, mas amava-a como um proxeneta que o mantivesse ao corrente da vida de sua amante. Assim, o seu amor pela sinceridade, não sendo desinteressado, não o fizera melhor. A verdade que ele adorava era a que lhe dissesse Odette; mas ele próprio, para obter tal verdade, não temia recorrer à mentira, a mentira que ele não cessava de mostrar a

Odette como levando à degradação toda criatura humana. Em suma, mentia tanto quanto Odette porque, mais infeliz que ela, não era menos egoísta. E ela, ouvindo Swann lhe contar assim, a ela mesma, coisas que fizera, olhava-o com ar desconfiado, e por fim zangado, para não dar idéia de que se humilhava e se envergonhava de seus atos.

Um dia, no mais longo período de calma que ainda podia atravessar sem sofrer de novo um acesso de ciúme, aceitara ir à noite ao teatro com a princesa des Laumes. Tendo aberto o jornal para procurar o que se representava, a vista do título *As Moças de Mármore,* de Théodore Barrière, afligiu-o tão cruelmente que ele recuou e desviou a cabeça. Iluminada como pela luz da ribalta, no lugar novo onde figurava, essa palavra "mármore", a qual ele perdera a faculdade de distinguir, tanto era o costume de a ter freqüentemente diante dos olhos, se lhe tornou novamente visível, fazendo-o lembrar-se logo daquela história que Odette lhe contara antigamente, a respeito de uma visita que ela fizera ao Salão do Palácio da Indústria com a Sra. Verdurin e onde esta lhe dissera: "Toma cuidado, sou capaz de te degelar, tu não és de mármore." Odette lhe afirmara que aquilo não passava de um gracejo, e Swann não lhe dera nenhuma importância. Mas então tinha mais confiança nela do que hoje. E justamente a carta anônima falava de amores desse tipo. Sem ousar erguer os olhos para o jornal, desdobrou-o, virou uma página para não ver mais aquela frase, *As Moças de Mármore,* e começou a ler maquinalmente as notícias dos departamentos. Houvera uma tempestade na Mancha, foram assinalados destroços em Dieppe, em Cabourg, em Beuzeval. E logo ele teve outro movimento de recuo.

O nome de Beuzeval fizera-o recordar o de outra localidade dessa região, Beuzeville, que traz unido a seu nome, por um hífen, um outro nome, o de Bréauté, que ele vira muitas vezes nos mapas, e que agora, pela primeira vez, notava que era o de seu amigo, o Sr. de Bréauté, de quem a carta anônima dizia ter sido amante de Odette. Afinal de contas, quanto ao Sr. de Bréauté, a acusação não era inverossímil; mas no que concernia à Sra. Verdurin havia uma impossibilidade. Pelo fato de Odette mentir às vezes, não podia deduzir daí que ela nunca dissesse a verdade e, nas frases que trocara com a Sra. Verdurin e que ela própria contara a Swann, este reconhecera os gracejos inúteis e perigosos que, por inexperiência da vida e ignorância do vício, as mulheres praticam e das quais revelam a inocência, e que – como por exemplo Odette – estão mais longe do que ninguém de sentir uma ternura exaltada por outra mulher. Ao passo que, ao contrário, a indignação com que ela rechaçara as suspeitas que havia feito nascer involuntariamente nele por um momento com sua narrativa, combinava com tudo o que ele sabia acerca dos gostos e do temperamento da amante. Mas naquele instante, por uma dessas inspirações dos ciumentos, análogas à que leva ao poeta e ao sábio, que só dispõe de uma rima ou de uma observação, a idéia ou a lei que lhes dará toda a sua força, Swann se lembrou pela primeira vez de uma frase que Odette lhe dissera há dois anos: "Oh, a Sra. Verdurin, neste momento eu sou tudo para ela, eu sou um amor, ela me beija, quer que eu faça passeios com ela, quer que a trate por tu." Longe de ver, então, nessa frase uma ligação qualquer com as proposições absurdas destinadas a simular o vício que lhe haviam sido contadas por Odette, Swann a acolhera como prova de calorosa amizade. Agora, eis que a lembrança daquela ternura da Sra. Verdurin viera bruscamente juntar-se à recordação de sua conversa de mau gosto. Já não mais podia separá-las em seu espírito e viu-as mescladas também na realidade, a ternura conferindo algo de sério e importante a esses gracejos que, em compensação, lhe retiravam sua inocência. Foi à casa de Odette. Sentou-se longe dela. Não ousava beijá-la, sem saber se nela ou nele, era afeição ou a cólera o que um beijo revelaria. Calava-se, olhava seu amor morrer. De repente, tomou uma decisão.

– Odette – disse –, meu amorzinho, sei que sou odioso, mas é preciso que te pergunte algumas coisas. Lembras-te da idéia que eu tive a respeito de ti e da Sra. Verdurin? Dize-me se era verdade, com ela ou com outra.

Ela sacudiu a cabeça e franziu a boca, sinal freqüentemente empregado pelas pessoas para mostrar que não irão responder, que aquilo as aborrece, a alguém que as interrogou: "Vai assistir ao desfile, vai assistir à Revista?" Mas tal sacudir da cabeça, destinado de costume a um acontecimento futuro, por esse motivo mescla um tanto de incerteza à negação de um acontecimento pessoal em vez de reprovação ou impossibilidade moral. Vendo Odette assim fazer o sinal que era falso, Swann compreendeu que talvez fosse verdadeiro.

– Eu te disse, tu bem sabes – acrescentou ela com um ar irritado e infeliz.

– Sim, eu sei, mas tens certeza? Não digas: "Tu bem sabes", e sim: "Eu nunca fiz esse tipo de coisas com mulher alguma."

Ela repetiu como uma lição, num tom irônico, e como se quisesse se livrar dele:

– Eu nunca fiz esse tipo de coisas com mulher alguma.

– Podes jurá-lo sobre tua medalhinha de Nossa Senhora de Laghet?

Swann sabia que Odette não cometeria perjúrio sobre aquela medalha.

– Oh, tu me deixas infeliz – gritou ela, furtando-se com um sobressalto ao aperto da questão. – Já terminaste? Que é que tens hoje? Então decidiste que é preciso que eu te deteste, que te execre? Aí está, eu queria retomar contigo o bom tempo de antigamente e eis o teu agradecimento.

Porém, sem deixá-la em paz, como um cirurgião espera o fim do espasmo que interrompe sua intervenção, mas não o faz desistir dela:

– Estás enganada em pensar que eu haveria de te querer mal por isso, Odette – insistiu Swann com uma doçura persuasiva e mentirosa. – Nunca te falo senão do que sei, e sobre isso sei muito mais do que digo. Mas tu somente é que podes suavizar pela confissão o que me faz odiar-te de tal maneira pelo fato de o ter sabido através dos outros. Minha cólera contra ti não provém dos teus atos, perdôo-te tudo visto que te amo, mas da tua falsidade absurda que te faz insistir em negar fatos que conheço. Porém como queres que eu possa continuar a te amar, quando te vejo sustentar e jurar uma coisa que sei que é falsa? Odette, não prolongues este instante que é uma tortura para nós ambos. Se quiseres, estará tudo acabado em um minuto, ficarás livre para sempre. Jura-me sobre a tua medalhinha, sim ou não, que nunca fizeste essas coisas.

– Mas eu não sei nada – exclamou ela, colérica. – Talvez há muito tempo, sem me dar conta do que estava fazendo, talvez duas ou três vezes.

Swann havia avaliado todas as possibilidades. A realidade, então, é algo que nada tem a ver com as possibilidades, não mais que uma facada que recebemos com os ligeiros movimentos das nuvens acima da cabeça, visto que aquelas palavras, "duas ou três vezes", marcaram em carne viva uma cruz no seu coração. Coisa estranha que essas palavras, "duas ou três vezes", apenas palavras, palavras pronunciadas no ar, a distância, possam dessa forma dilacerar o coração como se o tocassem de verdade, possam fazer adoecer como um veneno absorvido. Involuntariamente Swann pensou na frase que ouvira em casa da Sra. de Saint-Euverte: "Foi o que vi de mais impressionante desde as mesas giratórias." O sofrimento que sentia não se assemelhava a nada do que havia imaginado. Não só porque, em seus momentos de maior desconfiança, raramente pensara tão fundamente no mal, mas também porque, mesmo quando imaginava semelhante coisa, ela permanecia vaga, incerta, desprovida desse horror particular que se desprendia das palavras: "talvez duas ou três vezes", despida dessa crueldade específica tão diferente de tudo o que ele havia conhecido, como uma doença que a gente pega pela primeira vez. E no entanto esta Odette, de quem lhe vinha todo esse mal, não lhe era menos cara; muito pelo contrário, era mais preciosa, como se à medida que o sofrimento aumentasse, também aumentasse o preço do calmante, do contraveneno que só essa mulher possuía. Ele queria lhe prestar mais cuidados, como a um doente cujo estado de repente descobrimos que é mais grave. Queria que a coisa horrível que Odette lhe dissera ter feito "duas ou três vezes" não pudesse renovar-se. Para tanto, era preciso vigiar Odette. Com freqüência, diz-se que, denunciando a um amigo os deslizes da amante, só o que se consegue é fazê-lo aproximar-se mais dela, pois ele não lhes dá crédito, mas tanto mais se aproxima quanto acredita na denúncia. Mas, dizia-se Swann, como fazer para protegê-la? Podia talvez preservá-la de uma determinada mulher, mas haveria centenas de outras, e ele compreendeu que loucura lhe passara pela cabeça quando, na noite em que não encontrara Odette nos Verdurin, tinha começado a desejar a posse, sempre impossível, de outra criatura. Felizmente para Swann, sob os novos sofrimentos que acabavam de entrar em sua alma como hordas de invasores, existia um fundamento de natureza mais antiga, mais suave e silenciosamente laboriosa, como as células de um órgão ferido que logo se põem a trabalhar para refazer os tecidos lesados, como os músculos de um membro paralisado que tendem a retomar seus movimentos. Esses habitantes mais antigos e mais autóctones de sua alma empregaram por um momento todas as forças de Swann nesse trabalho obscuramente reparador, que dá a ilusão do repouso a um convalescente, a um operado. Desta vez agora, foi menos como de costume no cérebro de Swann que se produziu essa trégua por esgotamento, e sim antes no seu coração. Porém todas as coisas da vida que existiram uma vez tendem a recriar-se, e como um animal agonizante que se agita de novo nos arrancos de uma convulsão que parecia finda, sobre o coração de Swann, poupado por um instante, o mesmo sofrimento foi retraçar a mesma cruz. Ele se lembrou daquelas noites de luar em que, estendido em sua vitória que o levava para a rua La Pérouse, cultivava em si, voluptuosamente, as emoções do homem amoroso, sem saber que frutos envenenados seriam necessariamente produzidos. Mas todos esses pensamentos não duraram mais que um segundo, tempo bastante para levar a mão ao coração, retomar fôlego e conseguir dar um sorriso para dissimular sua tortura. E já recomeçava a fazer perguntas, pois o seu ciúme, que se dera a um trabalho que um inimigo não se daria para lhe assestar um golpe, para lhe dar conhecimento da dor mais cruel que jamais tivesse conhecido, o seu ciúme achava que ele não sofrera bastante e tentava fazê-lo receber uma ferida ainda mais profunda. Assim, como uma divindade malvada, o ciúme inspirava Swann e o impelia à sua perda. E se o suplício não se agravou no princípio não foi por culpa sua e sim por causa de Odette.

– Minha querida – disse ele –, está acabado. Foi com uma pessoa que eu conhecia?

– Mas não, juro-te; aliás, acho que exagerei, não cheguei a esse ponto.

Ele sorriu, insistindo:

– Que queres? Isto não significa nada, mas é uma desgraça que não possas dizer o nome. Se pudesse imaginar a pessoa, não pensaria mais no assunto. Falo por ti, pois não te aborreceria mais. É tão tranqüilizador representar as coisas! O horrível é que não se pode imaginar. Mas já tens sido tão gentil, não quero te cansar. Agradeço-te do coração todo o bem que me fizeste. Está acabado. Apenas mais uma pergunta: Há quanto tempo?

– Oh, Charles, mas não vês que estás me matando? É tudo tão antigo! Nunca pensara nisso de novo, parece que desejas absolutamente que eu recomece com essas idéias. Vais ganhar muito com isso – disse Odette com bobagem inconsciente e maldade intencional.

– Ora, eu só quero saber se foi depois que nos conhecemos. Mas seria tão natural, passou aqui por acaso? Não podes me dizer se foi numa certa noite, que eu me figuraria o estava fazendo então; compreendes que não é possível que não te lembres com quem foi, Odette, meu amor.

– Mas eu não sei, acho que era no Bois, uma noite em que vieste nos encontrar na Île. Tinhas jantado na casa da princesa des Laumes – disse ela, feliz por aduzir um pormenor preciso que atestaria sua veracidade. – Numa mesa vizinha havia uma mulher que eu não via há muito tempo. Ela me disse: "Vem ver, detrás da pequena rocha, o efeito do luar sobre a água." Primeiro, bocejei e respondi: "Não, estou cansada e fico bem aqui." Ela assegurou que jamais houvera um luar semelhante. E eu disse: "Mentira!"; sabia muito bem aonde ela queria chegar.

Odette contava aquilo quase rindo, ou porque lhe parecesse muito natural, ou porque julgasse com isso atenuar a importância do fato, ou ainda para não parecer humilhada. Vendo a fisionomia de Swann, mudou de tom:

– És um miserável, tens prazer em me torturar, em me fazer dizer mentiras que afinal acabo dizendo para que me deixes em paz.

Este segundo golpe assestado em Swann era ainda mais atroz que o primeiro. Jamais supusera que se tratasse de um fato tão recente, oculto a seus olhos, que não tinha sabido descobri-lo, e não um passado que não conhecera, mas em noites de que bem se lembrava, que havia vivido com Odette, noites que julgava ter conhecido tanto e que agora assumiam, retrospectivamente, um aspecto velhaco e desumano; de repente, no meio delas, abria-se um abismo escancarado, um momento da ilha do Bois. Sem ser inteligente, Odette possuía o charme da naturalidade. Recontara aquela cena, representara-a com tanta simplicidade que Swann, ofegante, via Lido: o bocejo de Odette, o pequeno rochedo. Ouvia-a respondendo – ai, alegremente – "Mentira!" Sentia que ela não haveria de dizer mais nada aquela noite, que não havia nenhuma nova revelação a esperar naquele momento; disse-lhe:

– Minha queridinha, perdoe-me, sinto que estou te magoando, está acabado, não penso mais nisso.

Porém ela viu que os olhos dele permaneciam fixos nas coisas que não conhecia e sobre esse passado do amor de ambos, doce e monótono em sua memória, porque era vago, e que se dilacerava agora, como uma ferida, por causa daquele minuto na ilha do Bois, o luar, depois do jantar, na casa da princesa des Laumes. Mas de tal modo ele se habituara a achar a vida interessante – de admirar as curiosas descobertas que nela se podem fazer – que, sofrendo a ponto de achar não poder suportar durante muito tempo uma dor assim, dizia consigo: "A vida é verdadeiramente espantosa e reserva boas surpresas; em suma, o vício é algo muito mais difundido do que se crê. Eis uma mulher em quem eu confiava, de aspecto tão simples, tão honesto em todo caso, que, mesmo sendo leviana, parecia bem normal e sã nos seus gostos; diante de uma denúncia inverossímil, interrogo-a e o pouco que ela me confessa revela muito mais do que seria possível supor." Mas Swann não podia se limitar a essas observações desinteressadas. Tentava apreciar exatamente o valor daquilo que Odette lhe contara, a fim de saber se devia concluir que Odette fizera essas coisas muitas vezes, que elas se renovariam. Repetia consigo as palavras que Odette dissera: "Sabia muito bem aonde ela queria chegar", "Duas ou três vezes", "Mentira!", mas tais palavras não voltavam desarmadas à memória de Swann, cada uma portava seu cutelo e lhe dava um novo golpe. Durante muito tempo, como um enfermo que não pode evitar de tentar fazer, a todo instante, o movimento que lhe é doloroso, ele repetia estas palavras: "Fico bem aqui", "Mentira!", mas era tão grande o sofrimento que Swann sentia-se obrigado a parar. Admirava-se de que atos que sempre julgara com tanta ligeireza e divertimento se tornassem agora, para ele, mais graves, como uma enfermidade da qual se pode morrer. Conhecia muitas mulheres às quais podia pedir que vigiassem Odette. Porém como esperar que elas adotassem o seu ponto de vista e não permanecessem naquele que fora o seu durante tanto tempo, que sempre norteara sua vida voluptuosa, e não lhe dissessem rindo: "Diabo de ciumento que quer privar os outros de um prazer"? Por que alçapão subitamente abaixado (ele que outrora só tivera prazeres delicados no seu amor por Odette), fora ele bruscamente precipitado nesse novo círculo do inferno, de onde não via como poderia sair alguma vez. Pobre Odette! Não lhe queria mal. Era só meio culpada. Não diziam que fora entregue pela própria mãe, em Nice, quase criança ainda, a um rico inglês? E que verdade dolorosa assumiam para ele estas linhas do *Diário de um Poeta* de Alfred de Vigny, que antigamente havia lido com indiferença: "Quando a gente se apaixona por uma mulher, devemos dizer: De que forma ela está cercada? Qual foi a sua vida? Toda a felicidade da vida se apóia nisto." Swann se assombrava de que meias frases soletradas pelo pensamento, como "Mentira!", "Sabia muito bem aonde ela queria chegar" pudessem lhe causar tanto mal. Mas compreendia que o que julgava simples frases não passavam de peças da armação entre as quais se continha, podendo lhe ser devolvido, o sofrimento que experimentara durante a narrativa de Odette. Pois era exatamente esse sofrimento que ele sentia de novo. Por mais que soubesse agora – mesmo que, com o passar do tempo, tivesse esquecido um pouco, pudesse ter perdoado –, no momento em que repetia consigo tais palavras, o sofrimento antigo se refazia tal como era antes que Odette tivesse falado: ignorante, confiante; seu ciúme cruel punha-o novamente, para magoá-lo com a confissão de Odette, na posição de alguém que ainda não sabe, e ao fim de vários meses aquela velha história o perturbava sempre como uma revelação. Admirava-se do terrível poder recriador da memória. Só do enfraquecimento dessa geratriz, cuja fecundidade diminui com o tempo, é que ele podia esperar um apaziguamento da sua tortura. Mas quando parecia esgotado o poder de fazê-lo sofrer, que tinham as palavras pronunciadas por Odette, eis que uma delas, em que o espírito de Swann menos se demorara até então, uma palavra quase nova, vinha substituir as outras, golpeando-o com vigor renovado. A lembrança da noite em que havia jantado na casa da princesa des Laumes era-lhe dolorosa, mas formava apenas o centro do seu mal. Este irradiava confusamente à sua volta, em todos os dias próximos. E em qualquer ponto dela que Swann quisesse tocar em suas recordações, era toda a temporada, em que os Verdurin haviam jantado tantas vezes na ilha do Bois, que lhe fazia mal. Aquilo magoava-o tanto que pouco a pouco as curiosidades que o ciúme suscitava nele foram sendo neutralizadas pelo medo de novas torturas que ele se infligiria se as satisfizesse. Dava-se conta que todo o período da vida de Odette transcorrido antes que se conhecessem, período que jamais buscara imaginar, não era a extensão abstrata que ele via vagamente, mas tinha sido feito de anos particulares, repleto de incidentes concretos. Tomando conhecimento deles, Swann temia que aquele passado incolor, fluido e suportável, adquirisse um corpo tangível e imundo, uma fisionomia individual e diabólica. E continuava a não tentar imaginá-lo, não mais por preguiça de pensar, mas por temor de sofrer. Esperava que um dia acabasse por poder ouvir o nome da ilha do Bois e da princesa des Laumes sem sentir o dilaceramento antigo, e achava imprudente provocar Odette para que lhe fornecesse novas indicações, nomes de locais, de circunstâncias diversas que, mal tendo se acalmado a sua pena, a fariam renascer sob outra forma.

Porém muitas vezes as coisas que ele não conhecia, que agora receava conhecer, era a própria Odette que as revelava espontaneamente e sem perceber que o feria; de fato, a diferença que o vício punha entre a vida real de Odette e a vida relativamente inocente que Swann acreditara, e muitas vezes acreditava ainda, ser a de sua amante, essa diferença, Odette ignorava-lhe a extensão; um ser vicioso, afetando sempre a mesma virtude diante das criaturas que não desejam que suspeitem de seus vícios, não se controla a ponto de perceber o quanto estes, cujo crescimento contínuo é insensível por si mesmo, arrastam-no aos poucos para longe das formas normais de viver. Em sua coabitação, no íntimo do espírito de Odette, com a lembrança das ações que ela ocultava a Swann, outras ações suas aos poucos recebiam o reflexo daquelas, eram contagiadas por elas, sem que Odette lhes achasse nada de estranho sem que destoassem no ambiente particular em que ela as fazia viver dentro de si; mas, se ela as contava a Swann, este se espantava pela revelação da ambiência que traíam. Um dia, ele procurou, sem ferir Odette, perguntar se ela jamais freqüentava alcoviteiras. Na verdade, estava convencido que não; a leitura da carta anônima introduzira tal suposição no seu espírito, porém de modo mecânico; não encontrara aí nenhum crédito, mas o fato é que permanecera, e Swann para se livrar da presença puramente material, e no entanto incômoda, da suspeita, desejava que Odette a extirpasse. "Oh, não! E não é que não tenha sido tentada a isso", acrescentou, revelando no sorriso uma satisfação de vaidade que ela já não percebia não poder parecer legítima a Swann. "Houve uma, ontem, que ainda levou mais de duas horas a me esperar, me propunha a qualquer preço. Parece que há um embaixador que lhe disse: 'Eu me mato se você não consegui-la.' Disseram-lhe que eu tinha saído, e acabei tendo eu mesma de lhe falar para que fosse embora. Gostaria que visses como o recebi; minha camareira, que me ouvia do quarto ao lado, me disse que eu gritava com toda a força: 'Mas não vê que estou dizendo que não quero? Uma idéia dessas não me agrada. Acho que sou livre para fazer o que quiser, ora! Se eu tivesse necessidade de dinheiro, ainda compreendo...' O porteiro tem ordem de não mais deixá-lo entrar. Dirá que estou no campo. Ah, gostaria que estivesses escondido em algum lugar. Creio que terias ficado contente, meu querido. Mesmo assim, tem coisas boas a tua pequena Odette, como vês, embora a julguem tão detestável."

Aliás, suas próprias confissões, quando Odette as fazia, de faltas que ela supunha Swann houvesse descoberto, antes serviam a este como ponto de partida para novas dúvidas em vez de porem fim às antigas. Pois as confissões nunca estavam em exata proporção com as dúvidas. Por mais que Odette restringisse sua confissão ao essencial, restava nas partes acessórias algo que Swann jamais imaginara, cuja novidade o acabrunhava e ia permitir que mudasse os termos do problema do seu ciúme. E tais confissões, não podia esquecê-las. Sua alma as carregava, rejeitava-as, embalava-as como a cadáveres. E estava envenenada por elas.

Uma vez ela lhe falou de uma visita que Forcheville lhe fizera no dia da festa de Paris-Múrcia. – Como, já o conhecias? Ah, sim, é verdade – disse ele, emendando-se, para não parecer tê-lo ignorado. E de súbito, pôs-se a tremer à idéia de que no dia dessa festa de Paris-Múrcia, em que dela recebera a carta que tão ciosamente guardara, ela talvez jantasse com Forcheville na Maison d'Or. Ela lhe jurou que não. – No entanto, a Maison d'Or me lembra algo que soube não ser verdadeiro – disse ele para assustá-la. – Sim, que eu não estava lá na noite em que te disse que saíra de lá quando me tinhas procurado no Prévost – retrucou ela (julgando, pelo seu jeito, que ele o sabia), com uma decisão ditada antes pelo medo de contrariar Swann, do que pela timidez ou o cinismo, e que por amor-próprio queria ocultar, e depois pelo desejo de lhe mostrar que podia ser franca. Assim, fulminou-o com a limpeza e a energia de um carrasco, isentas de crueldade, pois Odette não tinha noção do mal que causava a Swann; e até se pôs a rir, é verdade que talvez, acima de tudo, para não ter aspecto humilhado e confuso. – É verdade que não tinha estado na Maison Dorée, que saía da casa de Forcheville. De fato estivera no Prévost, não era uma mentira, ele se encontrou lá comigo e me pediu que fosse à sua casa para olhar as gravuras. Mas chegou alguém para vê-lo. Eu te disse que vinha da Maison d'Or porque temia que aquilo te aborrecesse. Vê bem, era antes uma gentileza da minha parte. Digamos que eu tenha agido errado, pelo menos digo-o sem cerimônia. Qual o interesse que eu poderia ter tido em não te dizer que havia almoçado com ele no dia da festa de Paris-Múrcia, não é mesmo? Tanto mais que naquela época nós dois ainda não nos conhecíamos muito bem, querido. Swann lhe sorriu com o súbito cansaço da criatura sem forças que tinham feito dele essas palavras acabrunhantes. Assim, mesmo nos meses em que ele nunca mais ousara pensar, pois tinham sido tão felizes, naqueles meses em que ela o havia amado, mesmo aí ela já lhe mentia!

Assim como aquele momento (a primeira noite em que haviam "feito catléia") em que ela lhe dissera ter saído da Maison Dorée, como devia haver momentos iguais, que também ocultavam uma mentira insuspeitada por Swann. Ele se recordava que Odette lhe dissera um dia: "Basta que eu diga à Sra. Verdurin que meu vestido não ficou pronto, que meu carro se atrasou. Há sempre um jeito de arrumar as coisas." A ele também, provavelmente, quantas vezes em que ela lhe soprara tais palavras que explicam um atraso, justificam uma mudança de hora num encontro, elas deveriam esconder, sem que ele então desconfiasse, alguma coisa que ela fizera com um outro, com um outro a quem dissera: "Basta que eu diga a Swann que meu vestido não ficou pronto, que meu carro se atrasou, há sempre um jeito de arrumar as coisas." E sob todas as lembranças mais doces de Swann, sob as palavras mais simples que Odette lhe dissera outrora, e nas quais acreditara como em palavras do Evangelho, sob as ações cotidianas que ela lhe contara, sob os laços mais costumeiros, a casa da sua costureira, a avenida do Bois, o hipódromo, ele sentia, dissimulada a favor desse excedente de tempo, que nos dias mais detalhados deixa ainda espaço e folga e pode servir de esconderijo para certos atos, sentia insinuar-se a presença possível e subterrânea de mentiras que lhe tornavam ignóbil tudo o que lhe restara de mais caro (suas melhores noites, a própria rua de La Pérouse que Odette sempre tivera que deixar em horas diversas das que lhe havia dito), fazendo circular por toda parte um pouco do tenebroso horror que sentira ao ouvir a confissão relativa à Maison Dorée, e, como as bestas imundas na Desolação de Nínive, abalando pedra a pedra todo o seu passado. Se agora Swann se desviasse cada vez que a memória lhe dissesse o nome cruel da Maison Dorée, já não seria, como ainda bem recentemente no sarau da Sra. de Saint-Euverte, porque ela lhe lembrasse uma felicidade que perdera há muito, e sim uma desgraça que só agora acabava de conhecer. Depois, ocorreu com o nome da Maison Dorée o mesmo que ocorrera antes com o da ilha do Bois: deixou pouco a pouco de fazê-lo sofrer. Pois aquilo que julgamos ser o nosso amor, nosso ciúme, não é uma paixão contínua, indivisível. Eles se compõem de uma infinidade de amores sucessivos, de ciúmes diferentes, que são efêmeros, mas, devido à multitude ininterrupta, dão a impressão de continuidade, a ilusão da unidade. A vida do amor de Swann, a fidelidade do seu ciúme, eram formados pela morte e pela infidelidade de inumeráveis desejos, de inumeráveis dúvidas, todos tendo tido por objeto a Odette. Se ele ficasse muito tempo sem vê-la, aqueles que iam morrendo não eram substituídos por outros. Mas a presença de Odette continuava a semear o coração de Swann de carinhos e suspeitas alternados.

Certas noites ela de repente se tornava muito gentil para com ele, advertindo-o duramente de que devia aproveitar-se logo, sob pena de não ver tal sentimento renovar-se durante anos; era-lhe necessário voltar para casa com ela, "fazer catléia" e esse desejo que ela pretendia ter por ele era tão súbito, tão inexplicável, tão imperioso, as carícias que ela lhe prodigalizava a seguir eram tão demonstrativas e insólitas, que aquela ternura brutal e sem verossimilhança dava tanto desgosto a Swann quanto uma mentira ou uma maldade. Uma noite que ele voltava, dessa maneira, às ordens dela, e com ela, e que Odette entremeava seus beijos com palavras apaixonadas que contrastavam com sua secura habitual, Swann julgou de súbito ouvir um rumor; ergueu-se, procurou por toda parte, não achou ninguém, mas não se sentiu com ânimo para retomar seu posto ao lado dela; Odette, então, no auge da raiva, quebrou um vaso e disse a Swann: "A gente não pode nunca fazer nada contigo!" E ele ficou sem saber se ela escondera alguém ao qual quisesse atiçar o ciúme ou espicaçar os sentidos.

Às vezes ele ia aos bordéis, esperando saber um pouco a respeito de Odette, mas sem ousar nomeá-la. "Tenho uma garota que vai lhe agradar" dizia a dona do estabelecimento. E Swann ficava uma hora a conversar tristemente com uma pobre moça, espantada de que ele não fizesse outra coisa. Uma delas, muito jovem e deslumbrante, lhe disse um dia: – O que eu queria era encontrar um amigo; então ele poderia estar certo de que eu nunca mais iria com ninguém. – Na verdade, você acha que seja possível que uma mulher se sensibilize se é amada, e que nunca nos engane? – perguntou Swann com ansiedade. – Claro que sim! Depende do caráter! Swann não podia evitar dizer a essas mulheres as mesmas coisas que teriam agradado à princesa des Laumes. A essa que procurava um amigo, disse a sorrir: – É agradável, você arrumou uns olhos azuis da mesma cor do seu cinto. – Você também, está com punhos da camisa azuis. – Que bela conversa a gente teve para um lugar destes! Não estou sendo aborrecido? Talvez você tenha mais que fazer, não? – Não, tenho todo o tempo livre. Se estivesse me aborrecendo, lhe diria. Ao contrário, estou gostando muito de ouvi-lo falar. – Sinto-me bastante elogiado. Não é verdade que estamos conversando amavelmente? – disse ele à cafetina que acabara de entrar. – Claro que sim, é justamente o que dizia para mim mesma. Como são sossegados! Aí está! Agora vêm para conversar em minha casa. O Príncipe dizia, outro dia, aqui é melhor que em casa com sua mulher. Parece que agora, na sociedade, as mulheres vieram para inventar moda, é um verdadeiro escândalo! Vou indo, sou discreta. – E deixou Swann com a moça de olhos azuis. Mas em breve ele se levantou, despediu-se. Ela lhe era indiferente, não conhecia Odette.

Já que o pintor andara adoentado, o Dr. Cottard lhe aconselhou uma viagem marítima; vários fiéis falaram em partir com ele; os Verdurin não puderam se conformar em ficar sozinhos, alugaram um iate que depois compraram, e assim Odette fez diversas excursões. De cada vez que ela partia por algum tempo, Swann sentia que principiava a separar-se dela, mas como se aquela distância moral fosse proporcional à distância material, tão logo sabia que Odette estava de volta não podia ficar sem vê-la. Certa ocasião, tendo partido apenas por um mês segundo achavam, fosse por terem sido tentados no meio do caminho, fosse porque o Sr. Verdurin tivesse arranjado sorrateiramente as coisas por antecipação para agradar à mulher, só avisando aos fiéis aos pouquinhos, de que iriam de Argel a Túnis, depois à Itália, depois à Grécia, a Constantinopla, à Ásia Menor, a viagem durou perto de um ano. Swann se sentia absolutamente tranqüilo, quase feliz. Ainda que a Sra. Verdurin procurasse convencer o pianista e o Dr. Cottard que a tia de um e os doentes do outro não tinham qualquer necessidade deles e que, em todo caso, era imprudente deixar a Sra. Cottard voltar a Paris, que o Sr. Verdurin assegurava estar em plena revolução, ela foi obrigada a lhes conceder a liberdade em Constantinopla. E o pintor partiu com eles. Um dia, pouco após o regresso desses três viajantes, Swann, vendo passar um ônibus para o Luxemburgo, onde tinha o que fazer, embarcara nele e se achou sentado defronte da Sra. Cottard, que realizava o seu giro de visitas "de dias" em traje de gala, pluma no chapéu, vestido de seda, regalo, sombrinha, porta-cartões e luvas brancas lavadas. Coberta dessas insígnias, quando o tempo era bom, ela ia a pé de uma casa à outra num mesmo bairro, mas, para ir em seguida a outro bairro utilizava-se de ônibus com baldeação. Nos primeiros instantes, enquanto a amabilidade natural da mulher não rompia a casca da pequena burguesa, e aliás sem bem saber se devia falar dos Verdurin a Swann, a Sra. Cottard expressou naturalmente, com sua voz demorada, canhestra e suave, que às vezes o ônibus cobria completamente com seu estrondejar, frases escolhidas entre as que ouvia e repetia nas vinte e cinco residências cujas escadas subia num único dia:

– Não lhe pergunto, Senhor Swann, se um homem tão em dia como o senhor viu, nos Mirlitons, o quadro de Machard que faz sucesso em toda a cidade. Muito bem, que me diz? Pertence ao grupo dos que o aprovam ou dos que o censuram? Em todos os salões só se fala do quadro de Machard, ninguém pode ser considerado chique, nem fino, nem estar por dentro das coisas se não der sua opinião sobre o quadro de Machard.

Tendo Swann respondido que não vira o tal quadro, a Sra. Cottard receou tê-lo magoado ao obrigar a confessá-lo.

– Ah, muito bem, pelo menos o senhor o confessa com franqueza, não se considera desonrado por não ter visto o quadro de Machard. Acho isso muito bonito da sua parte. Ora bem, eu o vi, as opiniões estão divididas, há os que o acham que é meio mal-acabado, meio presumido, mas, quanto a mim, acho-o ideal. Evidentemente, não se parece às mulheres azuis e amarelas do nosso amigo Biche. Mas devo confessar com sinceridade, não me achará muito *fin-de-siècle*, mas digo como estou pensando, não o compreendo. Meu Deus, reconheço as qualidades existentes no retrato de meu marido, é menos estranho que aquilo que ele faz de costume, mas tinha de pintar bigodes azuis... Ao passo que Machard! Olhe, justamente o marido da amiga a cuja casa estou indo neste momento (e tenho muito prazer em fazer o caminho com o senhor), lhe prometeu, se for eleito para a Academia (é um dos grandes colegas do doutor), mandar fazer o seu retrato por Machard. Evidente que é um belo sonho! Tenho outra amiga que afirma gostar mais de Leloir. Não passo de uma pobre profana e Leloir talvez seja ainda superior como conhecimento. Porém creio que a primeira qualidade de um quadro, sobretudo quando custa dez mil francos, é dar uma certa semelhança, e uma semelhança agradável.

Tendo colocado tais proposições que lhe inspiravam a altura de seu penacho, a marca de seu porta-cartões, o pequeno número traçado a tinta nas luvas pelo tintureiro e o embaraço de assim falar a Swann dos Verdurin, a Sra. Cottard, vendo que ainda estavam longe da esquina da rua Bonaparte, onde o condutor devia fazê-la saltar, ouviu seu coração, que lhe aconselhava outras palavras.

– As orelhas devem lhe arder, senhor – disse ela –, durante a viagem que fizemos com a Sra. Verdurin só se falava do senhor.

Swann ficou muito espantado, pois supunha que seu nome nunca era pronunciado diante dos Verdurin.

– Aliás – acrescentou a Sra. Cottard – a Sra. de Crécy estava presente e isso diz tudo. Quando Odette está em algum lugar, ela não pode ficar muito tempo sem falar no senhor. E não pense que fale mal. Como! O senhor duvida? – disse ela ao notar um gesto descrente de Swann.

E arrebatada pela sinceridade de sua convicção, não abrigando, aliás, nenhum mau pensamento acerca dessa palavra, que empregava apenas no sentido usual para falar da afeição que une os amigos:

– Mas ela o adora! Ah, julgo não ser necessário dizer isso do senhor diante dela! Ficaríamos bem arrumados! A propósito de tudo, se a gente vê um quadro, por exemplo, ela diria: "Ah, se ele estivesse aqui, ele é que saberia dizer se é ou não autêntico. Não há ninguém como ele para tanto." E a todo instante indagava: "Que é que ele pode estar fazendo neste momento? Se ao menos trabalhasse um pouco! É uma pena que seja tão preguiçoso, tão dotado que é!" (O senhor me perdoa, não é mesmo?) "Neste momento eu o vejo, está pensando em nós, imagina onde estamos." Chegou a dizer uma frase que achei bem bonita; o Sr. Verdurin lhe dizia: "Mas como pode ver o que ele faz neste momento, já que está a oitocentas léguas daqui?" Então Odette respondeu: "Nada é impossível ao olho de uma amiga." Não, juro, não estou dizendo isto para lisonjeá-lo, o senhor tem nela uma amiga de verdade como não há muitas. De resto, direi que, caso o senhor não o saiba, o senhor é o único. A Sra. Verdurin dizia-o, ainda ontem (o senhor sabe, nas vésperas das partidas a gente conversa melhor): "Não digo que Odette não nos ame, mas tudo o que lhe dizemos não vale muito junto do que lhe diria o Sr. Swann." Oh, meu Deus, está na hora de saltar, conversando consigo já ia deixando passar a rua Bonaparte... Pode me fazer o obséquio de dizer se a minha *aigrette* está direita?

E a Sra. Cottard tirou do regalo, para estendê-la a Swann, a mão enluvada de branco de onde se evolou, correspondentemente, uma visão da alta sociedade que encheu o ônibus, misturada ao odor do tintureiro. E Swann se sentiu repleto de ternura por ela, tanto como pela Sra. Verdurin (e quase tanto como por Odette, pois o sentimento que experimentava por esta última, não mais estando mesclado de dor, já não era quase amor), enquanto a seguia da plataforma com olhar enternecido, vendo-a enfiar-se corajosamente pela rua Bonaparte, a *aigrette* alta, erguendo a saia com uma das mãos, na outra a sombrinha e o porta-cartões, deixando ver o monograma e com o regalo balançando à sua frente.

Para fazer concorrência aos sentimentos doentios que Swann nutria por Odette, a Sra. Cottard, melhor terapeuta que o marido, inserira ao lado deles outros sentimentos, estes normais, de gratidão, de amizade, sentimentos que no espírito de Swann tornavam Odette mais humana (mais semelhante às outras mulheres, porque as outras mulheres também podiam inspirá-los), apressando sua transformação definitiva naquela Odette amada de uma afeição pacífica, que o levara uma noite, depois de uma festa, à casa do pintor para beber um copo de laranjada com Forcheville, e junto à qual Swann havia entrevisto a possibilidade de ser feliz.

Outrora, tendo muitas vezes pensado com terror que um dia deixaria de estar enamorado de Odette, prometera a si mesmo ser vigilante e, ao sentir que seu amor começasse a abandoná-lo, agarrar-se a ele, retê-lo. Porém, eis que ao enfraquecimento do seu amor correspondia simultaneamente um enfraquecimento do desejo de permanecer apaixonado. Pois não é possível mudar, isto é, tornar-se uma outra pessoa, e continuar a obedecer aos sentimentos da pessoa que se deixou de ser. Por vezes, vendo no jornal o nome de um dos homens que supunha ter sido um dos amantes de Odette, voltava a sentir ciúmes. Mas eram ciúmes bem ligeiros, e como provavam que Swann ainda não deixara de todo aquele tempo em que tanto sofrera – mas também quando conhecera uma forma de sentir tão voluptuosa – e cujas belezas os acasos do caminho talvez lhe permitissem percebê-las ainda furtivamente e de longe, tais ciúmes lhe causavam antes uma excitação agradável, como ao parisiense melancólico que deixa Veneza para redescobrir a França, um último mosquito prova que a Itália e o verão ainda não se distanciaram muito. Porém no mais das vezes, o tempo tão especial de sua vida, de onde estava saindo, percebia Swann que já não o agüentava quando fazia esforços, senão para ali permanecer, ao menos para dele ter uma imagem clara enquanto ainda fosse possível; gostaria de ver como uma paisagem que ia desaparecer, aquele amor que acabava de deixá-lo; mas é tão difícil ser duplo e dar-se o espetáculo verídico de um sentimento que se deixou de ter, que em breve, obscurecendo-se o seu cérebro, ele não via mais nada, renunciava à contemplação, retirava seu pincenê e enxugava as lentes; dizia consigo que era melhor descansar um pouco, que dali a pouco ainda era tempo, e punha-se a um canto, incurioso, no entorpecimento do viajante cheio de sono que abaixa o chapéu sobre os olhos para dormir no vagão que sente o está levando, cada vez mais depressa, para longe da terra onde viveu tanto tempo e que prometera a si mesmo não deixar desaparecer sem lhe dar um último adeus. Mesmo – como esse viajante, se vai despertar somente na França – quando Swann reuniu por acaso as provas de que Forcheville tinha sido amante de Odette, percebeu que não sentia dor alguma, que o amor agora estava longe, e lamentou não se ter dado conta do momento em que o amor o deixava para sempre. Da mesma forma como, antes de beijar Odette pela primeira vez, procurara imprimir na memória o rosto que ela tivera durante tanto tempo para ele, e que a recordação daquele beijo ia transformar, assim teria gostado, ao menos em pensamento, de fazer suas despedidas, enquanto ela ainda existia, àquela Odette que lhe inspirara amor e ciúme, àquela Odette que o fizera sofrer e que agora não veria nunca mais. Enganava-se. Devia vê-la ainda uma vez, algumas semanas depois. Foi dormindo, no crepúsculo de um sonho. Estava ele passeando com a Sra. Verdurin, o Dr. Cottard, um rapaz de fez que não podia identificar, o pintor, Odette, Napoleão III e meu avô, num caminho que bordejava o mar e lhe ficava a pique, ora de muito alto, ora de poucos metros apenas, de modo que subia-se e descia-se constantemente; os que desciam já não eram visíveis aos que ainda subiam, o pouco da claridade do dia que restava ia enfraquecendo e parecia então que uma noite negra ia cair imediatamente. Por momentos, as ondas saltavam até a beira do caminho e Swann sentia salpicos gelados no rosto. Odette lhe dizia que os enxugasse, ele não podia e sentia-se confuso diante dela, bem como por estar de camisola de dormir. Esperava que, devido à escuridão, ninguém percebesse, e no entanto a Sra. Verdurin o olhou com assombro por um longo instante, durante o qual Swann viu o rosto dela se deformar, seu nariz alongar-se e ela possuía grandes bigodes. Swann virou-se para olhar Odette, as faces dela estavam pálidas, com pequenos pontinhos vermelhos, os traços cansados, pisados, mas ela o olhava com olhos cheios de ternura, prestes a caírem como lágrimas sobre ele, e Swann sentiu que a amava tanto que teria preferido levá-la dali imediatamente. De repente Odette girou o pulso, consultou um relojinho e disse: "Preciso ir embora"; pediu licença a todos da mesma maneira, sem tomar Swann à parte, sem lhe dizer onde o veria de novo à noite ou noutro dia. Ele não teve coragem de lhe perguntar, gostaria de tê-la seguido e era obrigado, sem se virar para ela, a responder sorrindo a uma pergunta da Sra. Verdurin, mas seu coração batia desesperadamente, sentia ódio por Odette, teria gostado de furar os olhos dela, que tanto amara há pouco, esmagar suas faces sem frescor. Continuava a subir com a Sra. Verdurin, ou seja, a afastar-se a cada passo de Odette, que descia em sentido inverso. Após um segundo, fazia muitas horas que ela se fora. O pintor observou a Swann que Napoleão III se eclipsara um momento depois dela. "Certamente estavam combinados", acrescentou ele, "devem ter se encontrado na parte baixa da costa mas não quiseram se despedir juntos devido às conveniências. Ela é sua amante." O rapaz desconhecido pôs-se a chorar. Swann tentou consolá-lo. "Afinal, ela tem razão", disse enxugando-lhe os olhos e tirando-lhe o fez para que ficasse mais à vontade. "Eu a aconselhei dez vezes. Por que ficar triste? Era exatamente o homem que podia compreendê-la." Assim Swann falava a si próprio, pois o rapaz que a princípio não pudera identificar era também ele; como certos romancistas, Swann havia distribuído sua personalidade para duas personagens, o que elaborava o sonho e o outro que estava vendo à sua frente com um fez à cabeça.

Quanto a Napoleão III, devia esse nome a Forcheville por alguma associação de idéias, e depois a uma certa modificação na fisionomia habitual do barão, enfim, à grande fita da Legião de Honra a tiracolo; mas na realidade, e por tudo o que o personagem presente no sonho representava para ele e o fazia recordar, era efetivamente Forcheville. Pois, de imagens incompletas e cambiantes, Swann, adormecido, extraía falsas deduções, aliás tendo momentaneamente um tal poder de criação que se reproduzia por simples divisão como certos organismos inferiores; com o calor da própria palma da mão, modelava o côncavo de mãos estranhas que julgava apertar e, de sentimentos e impressões de que ainda não tinha consciência, fazia nascer como que peripécias, as quais, pelo seu encadeamento lógico, levariam, em dado momento, o seu sono, o personagem necessário para receber seu amor ou para despertá-lo. Uma noite negra se produziu de súbito, soou um toque de alarme, moradores passaram correndo, fugindo de casas em chamas; Swann ouvia o rumor das ondas que se levantavam e seu coração que, com a mesma violência, batia de ansiedade no peito. Repentinamente, as palpitações do coração redobraram de velocidade, sentiu uma dor, uma náusea inexplicável; um camponês cheio de queimaduras lhe gritou ao passar: "Vá perguntar a Charlus onde Odette acabou a noitada com seu amigo; ele esteve com ela antigamente e ela lhe conta tudo. Foram eles que puseram fogo." Era o seu criado de quarto que vinha despertá-lo dizendo:

– Senhor, são oito horas e o cabeleireiro está aí; eu lhe disse que voltasse dentro de uma hora.

Estas palavras, porém, penetrando nas ondas do sono em que Swann estava mergulhado, só tinham chegado à sua consciência sofrendo o desvio que faz com que, no fundo da água, um raio pareça um sol, assim como, um momento antes, o ruído da campainha, assumindo no fundo desses abismos uma sonoridade de rebate, produzira o episódio do incêndio. Entretanto, o cenário que tinha à sua frente se desfez em pó, ele abriu os olhos, ouviu uma última vez o rumor de uma das ondas do mar que se afastava. Passou a mão pelo rosto. Estava seco. E no entanto ele se lembrava da sensação da água fria e do gosto de sal. Ergueu-se, vestiu-se. Mandara vir cedo o cabeleireiro, pois na véspera escrevera a meu avô, avisando que iria à tarde a Combray, tendo sabido que a Sra. de Cambremer – Srta. Legrandin – deveria passar lá alguns dias. Em sua lembrança, associando o encanto daquele rosto jovem ao de um campo aonde não ia há tanto tempo, ambos lhe ofereciam, juntos, um atrativo que o decidira enfim a deixar Paris durante uns dias. Como os diferentes acasos que nos põem em presença de certas pessoas não coincidem com o tempo em que as amávamos, mas, ultrapassando-o, podem ocorrer antes que comece a se repetir depois que terminou, as primeiras aparições que em nossa vida faz uma criatura destinada mais tarde a nos agradar, tomam a nossos olhos, retrospectivamente, o valor de um aviso, de um presságio. Era dessa forma que Swann se reportara muitas vezes à imagem de Odette reencontrada no teatro, naquela primeira noite em que não pensava em vê-la nunca mais – e como agora se lembrava do sarau da Sra. de Saint-Euverte, em que apresentara o general de Froberville à Sra. de Cambremer. Os interesses da nossa vida são tão múltiplos que não é raro que, numa mesma circunstância, as marcas de uma felicidade que ainda não existe sejam postas lado a lado com o agravamento de um desgosto que estamos sofrendo. E sem dúvida isso poderia ocorrer a Swann em qualquer lugar que não na casa da Sra. de Saint-Euverte. Quem sabe até, caso naquela noite ele se encontrasse em outra parte, se outras felicidades, outros desgostos lhe ocorreriam, e que, logo a seguir, lhe parecessem ter sido inevitáveis? Mas o que lhe parecia inevitável era o que havia acontecido, e ele não estava longe de ver algo de providencial no fato de ter decidido ir ao sarau da Sra. de Saint-Euverte, pois seu espírito, desejoso de admirar a riqueza de invenção da vida e incapaz de meditar por muito tempo numa questão difícil, como a de saber o que teria sido melhor, considerava haver entre os desgostos por que passara naquela noite e os prazeres ainda insuspeitados que já desabrochavam – e entre os quais era tão difícil estabelecer o equilíbrio – uma espécie de encadeamento necessário.

Mas enquanto, uma hora depois de acordar, dava indicações ao cabeleireiro no sentido de que suas mechas não se desalinhassem no vagão, voltou a pensar no sonho; reviu, conforme os sentira bem de perto, a tez pálida de Odette, as faces demasiado magras, os traços cansados, os olhos pisados, tudo aquilo que – no decurso de ternuras sucessivas que tinham feito de seu durável amor por Odette um longo esquecimento da primeira imagem que dela recebera – deixara de notar desde os primeiros tempos de sua ligação, e dos quais, sem dúvida, enquanto dormia, sua memória tinha ido buscar a sensação exata. E com aquela grosseria intermitente, que reaparecia nele quando já não se sentia infeliz e que, no mesmo instante, baixava o nível de seu comportamento moral, exclamou para si mesmo: "E dizer que desperdicei anos da minha vida, que desejei morrer, que vivi o meu maior amor, por uma mulher que não me agradava, que não fazia o meu tipo!"

TERCEIRA PARTE

Nomes de Lugares: o Nome

Dentre os quartos cuja imagem eu relembrava com mais freqüência em minhas noites de insônia, nenhum se assemelhava menos aos quartos de Combray, polvilhados de uma atmosfera granulada, polinizada, comestível e devota, que o do Grande Hotel da Praia, em Balbec, cujas paredes esmaltadas continham, como os azulejos polidos de uma piscina onde a água azulece, um ar puro, cerúleo e salino. O decorador bávaro que fora encarregado dos arranjos do hotel tinha variado a decoração das peças e, na que eu ocupava, fizera correr em três lados umas estantes baixas com vidraças nas vitrinas, nas quais, conforme o lugar que ocupavam, e por um efeito que ele não havia previsto, tal ou qual porção do quadro mutável do mar se refletia, desenrolando um friso de marinhas claras, únicas a interromperem o espaço tomado pelo mogno. De modo que a peça inteira tinha o aspecto de um desses dormitórios modelos que são apresentados nas exposições *modern style* do mobiliário, onde são ornamentados de obras de arte que se supõe sejam capazes de agradar aos olhos daquele que há de deitar-se ali e às quais se dá assuntos que se relacionem com o tipo de local em que a habitação deve se encontrar.

Mas tampouco nada se parece menos à Balbec real que aquela com que muitas vezes sonhei, nos dias de tempestade, quando o vento era tão forte que Françoise, levando-me aos Champs-Élysées, me recomendava não caminhar muito perto das paredes para não levar com telhas na cabeça e falava gemendo dos grandes sinistros e naufrágios anunciados pelos jornais. Eu não tinha maior desejo do que ver uma tempestade no mar, menos como um belo espetáculo do que como um momento revelado da vida real da natureza; ou melhor, para mim não havia belos espetáculos senão os que sabia não serem artificialmente organizados para meu divertimento, e sim os que eram necessários, imutáveis – a beleza das paisagens ou da grande arte. Só estava curioso, ávido de conhecer, aquilo que julgava mais verdadeiro que eu próprio, o que para mim possuía o valor de me mostrar um pouco do pensamento de um grande gênio, ou da força ou mesmo da graça da natureza, tal como se manifesta quando entregue a si mesma, sem a intervenção dos homens. Assim como o belo som da voz de nossa mãe, reproduzido isoladamente pelo fonógrafo, não nos consolaria de a termos perdido, também uma tempestade, mecanicamente imitada, teria me deixado tão indiferente como as fontes luminosas da Exposição. Para que a tempestade fosse absolutamente verídica, eu desejava também que a costa fosse uma costa natural, e não um dique criado recentemente por algum poder municipal. Aliás a natureza, por todos os sentimentos que despertava em mim, parecia-me o que houvesse de mais contrário às produções mecânicas do homem. Quanto menos trouxesse a marca humana, mais espaço oferecia à expansão da minha alma. Ora, eu guardara o nome de Balbec, citado por Legrandin, como o de uma praia bem próxima daquelas "costas fúnebres, famosas por tantos naufrágios, envoltas durante seis meses por ano no lençol de brumas e na espuma das vagas".

Dizia ele que ali "se sente ainda sob os passos, bem mais que na própria Finisterra (e ainda que muitos hotéis se superpusessem agora, sem poder modificar a mais antiga ossatura da terra), sente-se ali a verdadeira extremidade da terra francesa, européia, da Terra antiga. E é o último acampamento de pescadores, semelhantes a todos os pescadores que viveram, desde o começo do mundo, em frente ao reino eterno dos nevoeiros marinhos e das sombras". Um dia em Combray, quando falei dessa praia de Balbec diante do Sr. Swann, a fim de saber por ele se era o melhor ponto para ver as mais fortes tempestades, ele me respondera: "Creio que conheço bem Balbec! A igreja de Balbec, dos séculos XII e XIII, ainda meio romana, é talvez a melhor amostra do gótico normando, e tão singular que se diria de arte persa." E esses lugares que até então me haviam parecido ser de natureza imemorial, contemporâneos dos grandes fenômenos geológicos – e também fora da história humana, como o Oceano ou a Ursa Maior, com seus pescadores selvagens, para os quais, tanto como para as baleias, não houve a Idade Média –, adquiriram para mim um grande fascínio por vê-los entrarem de súbito para a seqüência dos séculos, tendo conhecido a época romana, e por ficar sabendo que o trevo gótico viera nervurar também aqueles rochedos selvagens em determinada hora, como essas plantas frágeis porém vivazes que, ao chegar a primavera, recamam de estrelas, aqui e ali, a neve dos pólos. E se o gótico levava a tais lugares e a tais homens uma determinação que lhes faltava, em compensação estes lhe conferiam outra determinação. Tentava imaginar como teriam vivido esses pescadores, a tímida e insuspeitada tentativa de relações sociais que houvessem experimentado ali, durante a Idade Média, reunidos sobre um ponto das costas do Inferno, aos pés das falésias da morte; e o gótico me parecia mais vivo agora do que separado das cidades onde eu sempre o havia imaginado até então, e eu podia ver como, em um caso particular, sobre rochedos selvagens, ele germinara e florira num fino campanário. Levaram-me para ver reproduções das mais famosas estátuas de Balbec – os apóstolos de crespos cabelos e nariz curto, a Virgem do pórtico, e, de pura alegria, a respiração se me parava no peito quando eu pensava que poderia vê-los modelarem-se em relevo sobre o eterno nevoeiro salgado. Então, nas noites suaves e tempestuosas de fevereiro, o vento – soprando no meu coração, que não fazia tremer menos que a lareira do meu quarto ou o projeto de uma viagem a Balbec – misturava em mim o desejo de conhecer a arquitetura gótica com o de ver uma tempestade no mar.

Gostaria de ter tomado logo no dia seguinte o belo trenzinho generoso de uma e vinte e dois minutos, de que nunca podia ler a hora da partida, nos anúncios das companhias de estrada de ferro, sem que meu coração palpitasse; pois parecia-me fixar, num ponto preciso da tarde, um entalhe saboroso, uma misteriosa marca a partir da qual as horas afastadas conduziam ainda à noite, à manhã do dia seguinte, mas na qual a gente estaria, em vez de Paris, numa dessas cidades por onde o trem passa e entre as quais nos permitia escolher; pois ele parava em Bayeux, em Coutances, em Vitré, em Questambert, em Pontorson, em Balbec, em Lannion, em Lamballe, em Benodet, em Pont-Aven, em Quimperlé, e prosseguia magnificamente sobrecarregado dos nomes que me oferecia e dentre os quais eu não sabia qual teria preferido, devido à impossibilidade de escolher algum. Mas sem sequer esperá-lo, teria conseguido, vestindo-me às pressas, partir na mesma noite se meus pais o tivessem permitido, e chegar a Balbec quando o dia mal estivesse clareando sobre as águas enfurecidas, e contra cujas escumas arrebatadas iria me refugiar na igreja de estilo oriental. Mas com a aproximação das férias da Páscoa, quando meus pais me prometeram passá-las uma vez no norte da Itália, eis que a esses sonhos de tempestade que me tomavam por inteiro, fazendo que eu não desejasse senão ver as ondas correndo por todos os lados, sempre cada vez mais altas, sobre a costa mais selvagem, perto das igrejas escarpadas e rugosas como falésias e em cujas torres gritariam os pássaros marinhos, eis que de súbito, apagando-os, tirando-lhes todo o encanto, eliminando-os porque eram-lhe opostos e só poderiam enfraquecê-lo, substituía-se em mim o sonho contrário da primavera mais matizada, não a primavera de Combray, que ainda pinicava asperamente com todas as agulhas da geada, mas a que já cobria de lírios e anêmonas os campos de Fiesole e maravilhava Florença com os fundos dourados semelhantes aos de Fra Angelico. Daí então, somente os raios, os perfumes e as cores me pareciam ter valor; pois a alternância de imagens produzira em mim uma mudança de frente de desejo, e – tão repentina como as que por vezes ocorrem na música – uma completa mudança de tom na minha sensibilidade. Depois, aconteceu que uma simples variação atmosférica bastou para causar dentro de mim essa modulação sem que houvesse necessidade de esperar o retorno de uma estação. Pois muitas vezes, em uma delas, encontra-se extraviado um dia típico de outra que nos faz viver, evoca-a imediatamente, faz desejar os prazeres peculiares a ela e interrompe os sonhos que estávamos quase elaborando, colocando aquém ou além do seu posto, no calendário interpolado da Ventura, esta página destacada de outro capítulo. Mas, em breve, como esses fenômenos naturais de que o nosso conforto ou a nossa saúde só podem extrair um benefício acidental e bem escasso até o dia em que a ciência se aposse deles, produzindo-os à vontade, colocando em nossas mãos a possibilidade de sua aparição, subtraída à tutela e dispensando a concordância do acaso, assim também a produção desses sonhos do Atlântico e da Itália deixou de estar submetida apenas às mudanças das estações e do tempo. Para fazê-los renascerem bastou-me pronunciar estes nomes: Balbec, Veneza, Florença, em cujo interior acabara por se acumular o desejo que me haviam inspirado os lugares que designavam. Mesmo na primavera, achar num livro o nome de Balbec era suficiente para despertar em mim o desejo das tempestades e do gótico normando; mesmo num dia tempestuoso, o nome de Florença ou de Veneza me davam desejos do sol, dos lírios, do palácio dos doges e de Santa Maria das Flores.

Porém, se tais nomes absorveram para sempre a imagem que eu me fazia dessas cidades, isto só ocorreu transformando aquela imagem, submetendo seu reaparecimento em mim a suas leis próprias; assim, tiveram como resultado tornar essa imagem mais bela, mas também mais diversa do que poderiam ser na realidade as cidades da Normandia ou da Toscana, e, acrescentando as alegrias arbitrárias de minha imaginação, agravar a futura decepção de minhas viagens. Tais nomes exaltaram a idéia que eu me fazia de certos lugares da Terra, tornando-os mais particulares e portanto mais reais. Então eu imaginava as cidades, as paisagens, os monumentos não como quadros mais ou menos agradáveis, recortados aqui e ali de uma mesma matéria, e sim, cada um, como um desconhecido, essencialmente diferente dos outros, de que tinha sede a minha alma e que teria se beneficiado em conhecer. E pelo fato de terem assumido algo de mais individual ainda, o serem designados por nomes, nomes que só existiam para eles, nomes como os das pessoas. As palavras nos apresentam das coisas uma pequena imagem clara e usual, como as que são suspensas nas paredes das escolas para dar às crianças o exemplo do que é um banco, uma ave, um formigueiro, coisas concebidas como semelhantes a todas da mesma espécie. Porém os nomes apresentam das pessoas – e das cidades às quais eles nos habituam a julgar individuais e únicas, como as pessoas – uma imagem confusa que tira delas, de sua sonoridade sombria ou deslumbrante, a cor com que se pinta uniformemente como um desses cartazes, totalmente azuis ou totalmente rubros, em que, devido aos limites da técnica empregada ou por um capricho do decorador, são azuis ou vermelhos não só o céu e o mar, mas os barcos, a igreja e os transeuntes. O nome de Parma, uma das cidades aonde eu mais desejava ir, desde que lera a *Cartuxa*, surgia-me compacto, liso, suave e cor de malva; e se me falassem de uma casa qualquer de Parma onde eu seria recebido, dava-me prazer pensar que eu iria morar numa casa lisa, compacta, suave e malva, que não tinha qualquer relação com as casas de nenhuma cidade da Itália, visto que só conseguia imaginá-la com o auxílio dessa sílaba pesada do nome de Parma, onde não circula ar nenhum, e de tudo o que eu fizera com que absorvesse da doçura stendhaliana e do reflexo das violetas. E, quando eu pensava em Florença, era como numa cidade miraculosamente embalsamada e parecida com uma corola, pois que ela se chamava cidade dos lírios e sua catedral, Santa Maria das Flores. Quanto a Balbec, era um desses nomes onde, como sobre uma velha cerâmica normanda que conserva a cor da terra de onde foi extraída, vê-se pintada ainda a representação de algum costume abolido, de algum direito feudal, da antiga situação de um lugar, de uma forma desusada de pronunciar que tinham formado as sílabas heteróclitas e que eu não duvidava ir reencontrar até no estalajadeiro que me serviria café com leite à minha chegada, e me levaria para ver o mar enfurecido diante da igreja e ao qual eu atribuiria o aspecto contestador, solene e medieval de um personagem de *fabliau*.

Se minha saúde se fortalecesse e meus pais me permitissem, senão passar as férias em Balbec, ao menos tomar uma vez, para conhecer, junto com a arquitetura e as paisagens da Normandia ou da Bretanha, aquele trenzinho de uma e vinte e duas, ao qual subira tantas vezes em pensamento, teria preferido parar nas cidades mais bonitas; mas, por mais que as comparasse, como escolher entre seres individuais, que não são intercambiáveis, entre Bayeux, tão alta em seu nobre rendilhado avermelhado e cuja cumeeira era iluminada pelo velho ouro de sua última sílaba; Vitré, cujo acento agudo dividia em losangos de madeira preta a vidraça antiga; a doce Lamballe que, no seu tom branco, vai do amarelo casca de ovo ao cinzento pérola; Coutances, catedral normanda, cujo ditongo nasal, gordo e amarelado, a coroava com uma torre de manteiga; Lannion, com o rumor, em seu silêncio aldeão, do coche seguido da mosca[6]; Questambert, Pontorson, risíveis e ingênuos, plumas brancas e bicos amarelos espalhados sobre a estrada desses lugares poéticos e fluviais; Benodet, nome mal atracado que parece querer arrastar o rio no meio de suas algas; Pont-Aven, impulso branco e róseo da asa de uma touca leve que se reflete, trêmula, numa água esverdeada de canal; Quimperlé, este mais preso, e desde a Idade Média, entre os ribeirões com que gorjeia e se cobre de pérolas, numa grisalha semelhante às que desenham, através das teias de aranha de um vitral, os raios de sol transmudados em pontos desbotados de prata brunida?

Tais imagens eram falsas ainda por outro motivo; é que eram, forçosamente, muito simplificadas; sem dúvida, aquilo a que aspirava minha imaginação e que meus sentidos só percebiam incompletamente e sem prazer no presente, eu havia retrancado no refúgio dos nomes; sem dúvida, porque havia acumulado sonhos, os nomes agora magnetizavam meus desejos; porém os nomes não são muito amplos; quando muito, poderia fazer entrar duas ou três das "curiosidades" principais da cidade, que ali se justapunham sem nada no meio; no nome de Balbec, como no vidro de aumento desses tinteiros que a gente compra nos balneários, eu percebia ondas erguidas ao redor de uma igreja de estilo oriental. Talvez até mesmo a simplificação dessas imagens tenha sido uma das causas do domínio que elas

[6] Ocorre aqui um jogo de palavras com a expressão francesa *mouche du coche*, literalmente mosca da carruagem (ou do coche), mas que significa "intrometido". (N. do T.)

possuíram sobre mim. Quando meu pai decidiu, num daqueles anos, que iríamos passar as férias da Páscoa em Florença e em Veneza – não tendo mais lugar para fazer entrar no nome de Florença os elementos que compõem de hábito as cidades –, fui obrigado a extrair uma cidade sobrenatural do estado de fecundação por aromas primaveris, daquilo que julgava ser em essência o gênio de Giotto. Quando muito – e porque não é possível manter em um nome mais duração do que espaço –, como certos quadros do próprio Giotto, que mostram a ação de um mesmo personagem em dois momentos diferentes, aqui deitado na cama, além preparando-se para montar a cavalo, o nome de Florença era dividido em dois compartimentos. Num deles, sob uma cobertura arquitetônica, eu contemplava um afresco ao qual se superpunha parcialmente um reposteiro de sol matinal, empoeirado, oblíquo e progressivo; no outro (pois não pensando nos nomes como em um ideal inacessível e sim como em um meio real no qual eu iria mergulhar, a vida ainda não vivida, a vida intacta e pura que ali eu trancava, conferia aos gozos mais materiais, às cenas mais simples, esse atrativo que têm as obras dos primitivos), eu atravessava rapidamente – para ir mais depressa ao encontro do almoço que me esperava com frutas e vinho Chianti – a Ponte Vecchio atulhada de junquilhos, narcisos e anêmonas. Eis aí (mesmo que estivesse em Paris) o que eu via e não o que estava a meu redor. Mesmo de um ponto de vista realista, as terras que desejamos compreendem a cada momento muito mais espaço, na nossa vida verdadeira, que a terra em que de fato nos encontramos. Sem dúvida, se então eu tivesse prestado mais atenção no que havia em meu pensamento quando pronunciava as palavras "ir a Florença, a Parma, a Pisa, a Veneza", teria percebido que aquilo que via não era de modo algum uma cidade, porém algo tão diverso de tudo que conhecia, tão delicioso, como poderia ser, para uma humanidade cuja vida se escoasse sempre nos fins de tarde de inverno, esta maravilha desconhecida: uma manhã de primavera. Aquelas imagens irreais, fixas, sempre semelhantes, a encher meus dias e minhas noites, diferenciaram essa época da minha vida daquelas que a tinham precedido (e que teriam podido confundir-se com elas aos olhos de um observador que só vê as coisas do lado de fora, ou seja, não vê coisa alguma), como numa ópera um motivo melódico introduz uma novidade que não se poderia conceber se apenas lêssemos o libreto, e menos ainda se a gente ficasse fora do teatro, contando apenas os quartos de hora que escorrem. Ainda assim, mesmo do ponto de vista da simples quantidade, em nossa vida os dias não são iguais. Para percorrer os dias, os temperamentos um pouco nervosos, como era o meu, dispõem, como os automóveis, de "velocidades" diferentes. Há dias acidentados e penosos que a gente leva um tempo infinito a transpor, e dias em declive que se deixam descer a toda velocidade cantando. Durante aquele mês – em que repeti como uma melodia, sem nunca me saciar, essas imagens de Florença, de Veneza e de Pisa, das quais o desejo que em mim excitavam conservava algo de ato profundamente individual como se se tratasse de um amor, um amor por uma pessoa – não deixei de acreditar que elas correspondiam a uma realidade independente de mim, e me fizeram conhecer uma tão bela esperança como a que poderia nutrir um cristão desde os primeiros tempos até a véspera da entrada no Paraíso. Assim, sem me preocupar com a contradição existente em querer olhar e tocar, com os órgãos dos sentidos, o que fora elaborado pela fantasia e não percebido por eles – e tanto mais tentador para eles, por ser mais diverso de tudo o que conheciam –, isto mesmo era o que me recordava a realidade dessas imagens, que inflamava ao máximo o meu desejo, porque era como uma promessa de que seria satisfeita. E, ainda que minha exaltação tivesse por motivo um desejo de gozos artísticos, os guias a satisfaziam ainda mais que os livros de estética e, mais que os guias, os horários das estradas de ferro. O que me emocionava era pensar que aquela Florença que eu via próxima porém inacessível em minha imaginação, se o trajeto que a separava de mim, dentro de mim, não era viável, poderia eu atingi-la por um estratagema, por um desvio, tomando o "caminho por terra". Certamente, quando repetia para mim mesmo, dando assim tanto valor ao que iria ver, que Veneza era a "escola de Giorgione, a residência de Ticiano, o mais completo museu da arquitetura doméstica na Idade Média", eu me sentia feliz. Era-o mais, todavia, quando, tendo saído para um passeio, caminhando depressa por causa do tempo que, depois de alguns dias de primavera precoce voltara a ser um tempo de inverno (como o que se nos deparava habitualmente em Combray, pela Semana Santa) – vendo nos bulevares os castanheiros que, mergulhados num ar glacial e líquido como a água, nem por isso deixavam de começar, convidados pontuais, já preparados, e que não se deixam desanimar, a arredondar e esculpir, em seus blocos congelados, o irresistível verdor, cujo ímpeto progressivo o poder abortivo do frio lograva contrariar mas não conseguia refrear –, eu pensava que a Ponte Vecchio já estava fartamente juncada de jacintos e de anêmonas, e que o sol da primavera já tingia as ondas do Grande Canal, de um azul tão sombrio e de tão nobres esmeraldas que, vindo quebrar-se aos pés das pinturas de Ticiano, podiam rivalizar com elas as suas ricas tonalidades. Não pude mais conter a alegria quando meu pai, sempre consultando o barômetro e lastimando o frio, começou a procurar quais seriam os melhores trens, e quando compreendi que, penetrando depois do almoço no laboratório enfumaçado, no quarto mágico que se encarregava de operar a transmutação a seu redor, a gente poderia despertar na manhã seguinte na cidade de ouro e mármore "calçada de jaspe e pavimentada de esmeraldas". Assim ela e a cidade dos lírios não eram apenas quadros fictícios que a gente podia pôr à vontade na imaginação, e sim existiam a uma certa distância de Paris, que era absolutamente necessário transpor se se quisesse vê-las, num determinado local da Terra e em nenhum outro; em suma, eram bem reais. Tornaram-se ainda mais reais para mim, quando meu pai, dizendo: "Enfim, você poderia ficar em Veneza de 20 a 29 de abril e chegar em Florença na manhã do domingo de

Páscoa", fê-las sair não apenas do Espaço abstrato mas daquele Tempo imaginário, em que situamos não uma só viagem de cada vez, mais outras, simultâneas e sem muita emoção, já que são apenas possíveis – esse Tempo que se reconstrói tão bem que a gente pode ainda passá-lo em uma cidade depois de o haver passado em outra – e lhes consagrou aqueles dias particulares que são o certificado de autenticidade dos objetos aos quais eles se empregam, pois esses dias únicos se consomem pelo uso, não voltam mais, não se pode mais vivê-los aqui quando foram vividos ali; senti que era para a semana que principiava na segunda-feira em que a lavadeira devia trazer o colete branco que eu manchara de tinta, que se dirigiam, para ali se absorverem ao sair do tempo ideal em que ainda não existiam, as duas Cidades Rainhas, cujos domos e torres eu ia inscrever, pela mais emocionante das geometrias, no plano de minha própria vida. Mas ainda só estava a caminho para o último grau de alegria; atingi-o por fim (tendo então somente a revelação de que nas ruas marulhosas, avermelhadas pelo reflexo dos afrescos de Giorgione, não eram, como o imaginava apesar de tantas advertências, os homens "majestosos e terríveis como o mar, trajando sua armadura de reflexos de bronze sob as pregas de seus mantos sangrentos" que passeariam em Veneza na próxima semana, às vésperas da Páscoa, mas que poderia ser eu o personagem minúsculo que, numa grande fotografia de São Marcos que me haviam emprestado, o ilustrador representara de chapéu-coco, diante do pórtico), quando ouvi meu pai me dizer: "Deve estar frio ainda no Grande Canal. Será melhor que você ponha na mala o sobretudo de inverno e o seu casaco grosso." A essas palavras elevei-me a uma espécie de êxtase; aquilo que julgara impossível até então, senti na verdade que penetrava entre aqueles "rochedos de ametista semelhantes a um recife do mar das Índias"; por uma suprema ginástica, superior às minhas forças, despindo-me como de uma carapaça sem préstimo do ar do meu quarto que me cercava, substituí-o por partes iguais de ar veneziano, aquela atmosfera marinha, indizível e especial como a dos sonhos, que minha imaginação encerrara no nome de Veneza, senti operar-se em mim uma miraculosa desencarnação; e logo ela se duplicou com o vago desejo de vomitar que a gente experimenta quando sente uma forte dor de garganta, e tive de ficar de cama com uma febre tão pertinaz, que o médico declarou que era preciso renunciar não só a me deixarem partir agora para Florença e Veneza, como, até mesmo quando estivesse inteiramente restabelecido, que me evitassem, pelo menos durante um ano, todo e qualquer projeto de viagem e toda causa de agitação.

Infelizmente, proibiu também, e de modo absoluto, que me deixassem ir ao teatro para ouvir a Berma; a artista sublime, que Bergotte considerava genial, poderia, fazendo que eu conhecesse algo que talvez fosse tão importante e tão belo, consolar-me de não ter estado em Veneza e Florença, e de não ir a Balbec. Deviam contentar-se em me mandar todos os dias aos Champs-Élysées, sob a vigilância de uma pessoa que me impediria que me cansasse, e a escolhida foi Françoise, que entrara para o nosso serviço depois da morte da tia Léonie. Ir aos Champs-Élysées foi insuportável. Se Bergotte os houvesse descrito num de seus livros, é claro que teria desejado conhecê-los, como a todas as coisas cujo *duplo* tinham começado a introduzir na minha imaginação. Ela as reaquecia, dava-lhes uma personalidade, fazia-as viverem, e eu queria encontrá-las na realidade; mas nesse jardim público nada se ligava a meus sonhos.

Um dia, como eu me aborrecesse no nosso lugar de costume, ao lado dos cavalos de madeira, Françoise me levara em excursão – para além da fronteira que conservam em intervalos iguais os pequenos bastiões dos vendedores de balas de cevada – às regiões vizinhas mas estranhas, onde os rostos são desconhecidos, onde passa o carro tirado por cabras; depois voltou para apanhar suas coisas na cadeira encostada a um maciço de loureiros; enquanto a esperava, ia calcando o grande relvado raso e enfermiço, amarelado pelo sol, no fim do qual o lago é dominado por uma estátua, quando, da alameda, dirigindo-se a uma garota de cabelos ruivos que jogava peteca diante da fonte, uma outra, pondo o casaco e segurando sua raquete, lhe gritou com voz rápida: "Adeus, Gilberte, vou voltar, não esqueça que esta noite vamos à sua casa depois do jantar." Este nome de Gilberte passou perto de mim, evocando tanto mais a existência daquela a quem nomeava visto não designá-la apenas como a um ausente de quem se fala, e sim a interpelava; passou também perto de mim, em ação por assim dizer, com uma força aumentada pela curva do seu jato e a aproximação de seu objetivo; transportando consigo, eu o sentia, o conhecimento e as noções que tinha acerca daquela a quem era dirigido, não eu, mas a amiga que chamava, tudo o que, enquanto o pronunciava, ela revia ou pelo menos retinha na memória, da intimidade cotidiana de ambas, das visitas que elas faziam uma à casa da outra, de todo aquele desconhecido ainda mais inacessível e doloroso para mim e que era, ao contrário, tão familiar e flexível para aquela menina felizarda que roçava por mim esse nome sem que eu pudesse penetrá-lo e o lançava em pleno ar com um grito; deixando já flutuar na atmosfera a deliciosa emanação que fizera desprender-se, tocando com precisão alguns pontos invisíveis da vida da Srta. Swann, da noite vindoura, tal como seria, após o jantar, em casa dela; formando, passageiro celeste em meio a crianças e criadas, uma nuvenzinha de preciosa cor, semelhante àquela que, abaulada acima de um belo jardim de Poussin, reflete minuciosamente como uma nuvem de ópera, cheia de carros e cavalos, alguma aparição da vida dos deuses; lançando, enfim, sobre aquela erva desgastada, no local em que se achava, ao mesmo tempo, uma porção do relvado murcho e um momento da tarde da ruiva jogadora de peteca (que não parou de jogar até que a governanta de pluma azul no chapéu a chamasse), uma pequena faixa maravilhosa cor de girassol, impalpável como um reflexo e superposta como um tapete, sobre o qual não me cansava de andar nos meus passos demorados, nostálgicos e profanadores, enquanto Françoise me gritava: "Vamos, abotoe seu paletó e corramos" e eu reparava pela primeira vez, com irritação, que ela empregava uma linguagem vulgar e infelizmente não tinha pluma azul no chapéu.

Voltaria ela sozinha aos Champs-Élysées? No dia seguinte ela não estava; mas vi-a ali nos dias seguintes; perambulava o tempo todo próximo do local onde ela brincava com as amigas, de sorte que de uma vez em que elas não eram em número suficiente para a sua partida de barras, ela mandou perguntar se eu queria completar sua equipe; e daí em diante joguei do seu lado todas as vezes em que ela vinha. Mas não era todos os dias; às vezes, ela ficava impedida de vir devido às aulas, o catecismo, um lanche, toda aquela vida separada da minha que por duas vezes, condensada no nome de Gilberte, eu sentira passar tão dolorosamente junto a mim, na ladeira de Combray e no relvado dos Champs-Élysées. Nesses dias, ela anunciava antecipadamente que não a veriam; se era por causa dos estudos, dizia: " É chato; não vou poder vir amanhã; você vai ter de brincar sozinho" com um ar de desgosto que me consolava um pouco; mas em compensação, quando era convidada para uma matinê, e que, sem o saber, eu lhe perguntava se voltaria para jogar, ela respondia: "Espero que não! Espero que mamãe me deixe ir à casa da minha amiga." Pelo menos, naqueles dias eu sabia que não a veria, ao passo que de outras vezes era inesperadamente que sua mãe a levava para dar passeios com ela, e no dia seguinte Gilberte dizia: "Ah, sim; saí com mamãe" como uma coisa natural, e que não representasse para alguém a maior desgraça possível. Também havia os dias de mau tempo em que sua governanta, que tinha medo da chuva, não queria levá-la aos Champs-Élysées.

Portanto, se o céu era nublado, eu não cessava de perscrutá-lo desde a manhã e levava em consideração todos os presságios. Se visse a senhora que morava em frente pôr o chapéu junto à janela, dizia comigo: "Esta senhora vai sair; portanto, está fazendo um tempo em que se pode sair: por que Gilberte não faria como esta senhora?" Mas o tempo se arruinava, minha mãe dizia que podia ainda melhorar, que para tanto bastava um raio de sol, mas que provavelmente iria chover; e, se chovesse, para que ir aos Champs-Élysées? Assim, desde o almoço meus olhares ansiosos já não deixavam o céu incerto e nublado. Continuava sombrio. Diante da janela, a varanda estava cinzenta. De repente, sobre sua pedra aborrecida, eu não via uma só cor menos fosca, mas sentia como que um esforço no sentido de uma cor menos embaciada, a pulsação de um raio hesitante que desejava liberar a sua luz. Um instante após, a varanda estava pálida e espelhante como uma água matinal, e mil reflexos dos ferros de sua treliça vinham pousar ali. Um sopro de vento os dispersava, a pedra se ensombrecia de novo, mas, como que aprisionados, os reflexos voltavam; ela recomeçava imperceptivelmente a embranquecer e, por um desses *crescendos* contínuos como os que, em música, no final de uma Abertura, levam uma só nota até o *fortissimo* supremo, fazendo-a passar rapidamente por todos os graus intermediários, eu a via atingir aquele ouro inalterável e fixo dos dias lindos, sobre o qual a sombra recortada do corrimão trabalhado da balaustrada se destacava em negro feito uma vegetação caprichosa, com uma tenuidade no delineamento dos menores detalhes que parecia trair uma consciência aplicada, um prazer de artista, e com tal relevo, tal veludo no repouso de suas massas sombrias e venturosas que na verdade tais reflexos largos e folhudos que repousavam sobre esse lago de sol pareciam saber que eram testemunhos de calma e felicidade.

Hera instantânea, flora parietária e fugitiva! A mais incolor, a mais triste, ao sabor de muitas, daquelas que podem trepar pelos muros ou decorar a janela; para mim, de todas a mais cara desde o dia em que aparecera na nossa varanda, como a própria sombra da presença de Gilberte, que talvez já estivesse nos Champs-Élysées, e logo que eu chegasse me diria: "Comecemos logo a jogar as barras, você está do meu lado"; frágil, levada por um sopro, mas também em relação não com a estação e sim com a hora; promessa de felicidade imediata que o decorrer do dia recusa ou haverá de cumprir, e além da felicidade imediata por excelência, a felicidade do amor; mais doce, mais quente sobre a pedra do que o próprio musgo; vivaz, à qual basta um raio para nascer e fazer brotar a alegria, até no auge do inverno.

E mesmo nesses dias em que todo tipo diverso de vegetação desapareceu, em que o belo couro verde que envolve o tronco das velhas árvores está oculto sob a neve, quando esta deixava de cair, mas o tempo permanecia por demais fechado para que eu pudesse esperar que Gilberte saísse, então de súbito, fazendo minha mãe dizer: "Ora, aí está justamente fazendo bom tempo. Você poderia talvez tentar ir aos Champs-Élysées", sobre o manto de neve que cobria a varanda, o sol aparecido entrelaçava fios de ouro e bordava reflexos negros. Nesse dia não encontramos ninguém ou sequer uma só menina que, prestes a ir embora, me assegurasse que Gilberte não viria. As cadeiras, desertas, tinham sido abandonadas pela assembléia majestosa, mas friorenta, das governantas. Unicamente, perto do relvado, estava sentada uma senhora de certa idade, que vinha com qualquer tempo, sempre adornada de uma toalete igual, magnífica e sombria; e para travar conhecimento com ela eu teria, naquela época, sacrificado, se o intercâmbio me fosse permitido, todas as grandes vantagens futuras da minha vida. Pois Gilberte ia todos os dias cumprimentá-la; e a senhora lhe pedia notícias de "seu amor de mãe"; e parecia-me que se a conhecesse, ficaria sendo para Gilberte alguém muito diferente, alguém que conhecia as relações de seus pais. Enquanto seus netinhos brincavam um pouco longe, ela estava lendo sempre os *Débats* a que denominava "meus velhos Debates" e, por presunção aristocrática, dizia ao falar do agente da polícia ou da locadora de cadeiras: "Meu velho amigo o agente de polícia", "a locadora de cadeiras e eu, que somos velhas amigas."

Françoise estava com frio demais para ficar imóvel, e fomos até a ponte da Concorde ver o Sena congelado, do qual todos e até as crianças se aproximavam sem medo, como de uma imensa baleia encalhada, indefesa, e que iriam esquartejar.

Voltávamos aos Champs-Élysées; eu desfalecia de dor entre os cavalos de madeira imóveis e o relvado branco, gelado na rede negra das aléias, cuja neve fora tirada, e sobre o qual a estátua tinha na mão um acréscimo de gelo que parecia a explicação de seu gesto. A própria velha senhora, tendo dobrado os seus *Débats,* perguntou a hora a uma criada com crianças que passava no momento, a quem agradeceu dizendo: "Como você é gentil!"; depois, pedindo ao zelador que dissesse aos netos que voltassem, pois sentia frio, acrescentou: "É uma grande bondade sua. Estou tão confusa!" De repente, o ar se dilacerou: entre os fantoches e o circo, no horizonte embelezado, sobre o céu entreaberto, acabava de perceber, como um sinal fabuloso, a pluma azul da governanta. E Gilberte já corria a toda pressa na minha direção, cintilante e rubra debaixo de um barrete de peles, animada pelo frio, pelo atraso e pelo desejo de jogar; um pouco antes de chegar até mim, deixou-se deslizar no gelo e, fosse para conservar melhor o equilíbrio, fosse por achar aquilo mais gracioso, ou para fingir a atitude de uma patinadora, era com os braços bem abertos que ela avançava sorrindo, como se quisesse receber-me neles. "Bravo! Bravo! Está muito bom, eu diria que é chique, que é distinto, se eu não fosse de uma outra época, do tempo do Antigo Regime", gritou a velha senhora tomando a palavra, em nome dos Champs-Élysées silenciosos, para agradecer a Gilberte por ter vindo sem se deixar intimidar pelo tempo. "Você é como eu, apesar de tudo fiel aos nossos velhos Champs-Élysées; somos duas intrépidas. Confesso que gosto deles mesmo assim. Esta neve, você vai rir de mim, me lembra o arminho!" E a velha senhora se pôs a rir.

O primeiro desses dias – aos quais a neve, imagem das potências que podiam me privar de ver Gilberte, dava a tristeza de um dia de separação e até mesmo o aspecto de um dia de partida, porque mudava a fisionomia e quase impedia o uso do lugar habitual de nossos únicos encontros, atualmente mudado, todo envolto em telas, esse dia, entretanto, fez progredir o meu amor, pois foi como um primeiro desgosto que ela tivesse partilhado comigo. Do nosso grupo só havia nós dois, e ser assim o único a estar com ela era não apenas como um princípio de intimidade, mas também de sua parte – como se ela tivesse vindo só por minha causa num tempo daqueles – aquilo me parecia tão comovente como se num desses dias em que ela fosse convidada para uma matinê, tivesse renunciado a ela para vir se encontrar comigo nos Champs-Élysées; e eu tinha mais confiança na vitalidade e no futuro de nossas relações de amizade, que permanecia viva em meio ao entorpecimento, à solidão e à ruína das coisas que nos cercavam; e, enquanto ela me punha bolas de neve no pescoço, eu sorria enternecido ao que me parecia, a um tempo, uma predileção com que ela me marcava, tolerando-me como companheiro de viagem nessa região nova e invernal, e uma espécie de fidelidade que ela me guardava em meio ao infortúnio. Em breve, uma após outra, como pardais hesitantes, suas amigas todas chegaram, negras sobre a neve. Começamos a jogar e como aquele dia, tão tristemente principiado, devesse acabar em alegria, quando eu me aproximava, antes de jogar as barras, da amiga de voz breve a quem ouvira no primeiro dia gritar o nome de Gilberte, ela me disse: "Não, não, a gente sabe muito bem que você gosta mais de ficar na equipe de Gilberte; aliás, olhe, ela está acenando." De fato, Gilberte me chamava para que eu fosse, pelo relvado de neve, jogar no seu campo, que o sol, dando-lhe reflexos róseos e o desgaste metálico dos brocados antigos, transformava num lençol de ouro.

Esse dia, que eu tanto temera, foi ao contrário um dos únicos em que não me senti muito infeliz.

Pois para mim, que só pensava em nunca mais ficar um dia sem ver Gilberte (a tal ponto que uma vez, não tendo minha avó regressado à hora do jantar, não pude evitar logo dizer comigo que se ela tivesse sido esmagada por um carro, eu passaria algum tempo sem ir aos Champs-Élysées; não se ama a ninguém mais quando se ama), no entanto, aqueles momentos em que estava junto dela e que desde a véspera esperara com tanta impaciência, pelos quais havia estremecido, aos quais teria sacrificado tudo o mais, não eram de forma alguma felizes; e eu bem o sabia, pois eram os únicos momentos da minha vida nos quais eu concentrava uma atenção meticulosa, encarniçada, e ela não me descobria neles um átomo de prazer.

O tempo inteiro em que eu estava longe de Gilberte, sentia necessidade de vê-la, pois, procurando sem cessar representar-me a sua imagem, acabava por não consegui-lo, e sem saber exatamente a que correspondia o meu amor. Depois, ela ainda não me dissera que me amava. Muito pelo contrário, com freqüência afirmara ter amigos que preferia a mim, que eu era um bom companheiro com quem jogava de bom grado, embora distraído demais, desatento ao jogo; enfim, dera-me várias vezes sinais aparentes de frieza que poderiam ter abalado a minha crença de que eu era, para ela, um ser diferente dos outros, se essa crença se originasse de um amor que Gilberte tivesse por mim e não, como ocorria, do amor que eu lhe tinha, o que aliás a tornava resistente, visto que isso a fazia depender da própria forma como eu era obrigado, por uma necessidade interior, a pensar em Gilberte. Porém os sentimentos que nutria por ela, eu mesmo ainda não os havia externado. Certo, em todas as páginas do meu caderno eu escrevia indefinidamente o seu nome e seu endereço, mas à vista das vagas linhas que traçava sem que por isso ela pensasse em mim, que a faziam assumir ao meu redor tanto espaço aparente sem que se mesclasse mais à minha vida, eu me sentia desencorajado, pois tais linhas não me falavam de Gilberte, que nem sequer as via, mas de meu próprio desejo, que elas pareciam mostrar como algo puramente pessoal, irreal, tedioso e impotente. O mais urgente era que nos víssemos, Gilberte e eu, e que pudéssemos confessar mutuamente o nosso amor, que até então, por assim dizer, não teria começado. Sem dúvida, as diversas razões que me faziam tão impaciente por vê-la teriam sido menos imperiosas para um homem maduro. Mais tarde, ocorre que, mais hábeis no cultivo de nossos prazeres, contentamo-nos com aquele que sentimos ao pensar numa mulher, como eu pensava em Gilberte, sem nos inquietarmos em saber se essa imagem corresponde à realidade, e também com o de amá-la, sem ter necessidade de estarmos certos de que ela nos ama; ou ainda, que renunciemos ao prazer de lhe confessar nossa inclinação por ela, a fim de manter mais viva a inclinação que ela tem por nós, imitando esses jardineiros japoneses que, para obter uma flor mais bonita, sacrificam-lhe várias outras. Mas, na época em que eu amava Gilberte, eu ainda acreditava que o Amor existia realmente fora de nós; que, permitindo quando muito que afastemos os obstáculos, ofertava suas venturas em uma ordem que não se seria livre para mudar; parecia-me que, se tivesse por mim mesmo substituído a doçura da confissão pelo simulacro de indiferença, não seria apenas privado de uma das alegrias com que mais sonhara, mas também construído, à minha maneira, um amor falso e sem valor, sem comunhão com o verdadeiro, cujos caminhos misteriosos e preexistentes teria renunciado a seguir.

Mas, quando chegava aos Champs-Élysées – e que de imediato ia poder confrontar meu amor, para lhe fazer sofrer as retificações necessárias, com sua causa viva, independente de mim –, desde que estava na presença daquela Gilberte Swann, com cuja vista eu contava para refrescar as imagens que minha memória cansada já não encontrava, daquela Gilberte Swann com quem jogara ontem, e que um instinto cego acabava de me fazer saudar e reconhecer, como o que, ao caminhar, nos põe um pé diante do outro antes de termos tempo de pensar nisso, logo tudo se passava como se ela e a menina que era o objeto de meus sonhos fossem duas pessoas diferentes. Por exemplo, se desde a véspera eu levasse na memória dois olhos de fogo nas faces cheias e brilhantes, o rosto de Gilberte me apresentava agora, com insistência, algo de que não me lembrava com exatidão, um certo afilamento agudo do nariz que, associando-se instantaneamente com outros sinais, assumia a importância desses caracteres que, na história natural, definem uma espécie, e a transmutavam numa garota do gênero das de nariz comprido. Enquanto eu me preparava para desfrutar daquele instante desejado para me entregar, sobre a imagem de Gilberte que havia preparado antes de vir e que não reencontrava mais em minha cabeça, ao ajustamento que me permitiria, nas longas horas em que estava sozinho, estar seguro de que era bem dela que me lembrava, que era exatamente o meu amor por ela que aumentava aos poucos, como uma obra que se compõe, ela me passava uma bola; e como o filósofo idealista, cujo corpo leva em conta o mundo exterior e em cuja realidade sua inteligência não crê, assim eu, que a saudara antes de a ter identificado, apressava-me a agarrar a bola que ela me estendia (como se ela fosse uma companheira com quem fora jogar, e não uma alma irmã a quem viera me juntar), obrigava-me a dizer, por conveniência, mil frases amáveis e insignificantes que assim me impediam, ou de manter silêncio, durante o qual teria podido enfim repor a mão na imagem urgente e extraviada, ou de lhe dizer as palavras que poderiam dar ao nosso amor os progressos decisivos, e que me via, de cada vez, obrigado a adiar para a tarde seguinte. Entretanto, havia algum progresso. Um dia fomos com Gilberte até a tenda da nossa vendedora, que era particularmente amável conosco – pois era em sua loja que o Sr. Swann mandava comprar sua broa de mel e, por estar fazendo regime, consumia muitas delas, porque sofria de um eczema racial e da prisão de ventre dos Profetas. Gilberte me apontou rindo dois menininhos que eram como o pequeno colorista e o pequeno naturalista dos livros infantis. Pois um não queria o pirulito vermelho porque preferia o roxo, e o outro, com lágrimas nos olhos, recusava uma ameixa que a criada queria comprar porque, acabou por dizer com voz apaixonada: "Gosto mais da outra porque tem bicho!" Comprei duas bolinhas de um tostão. Olhava com admiração, luminosas e cativas numa vasilha isolada, as bolinhas de ágata que me pareciam preciosas por serem risonhas e ruivas como as moças e porque custavam cinqüenta cêntimos cada. Gilberte, a quem davam muito mais dinheiro que a mim, perguntou-me qual eu achava mais bonita. Tinham a transparência e o esbatido da vida. Eu não queria fazer com que ela sacrificasse qualquer uma. Gostaria que pudesse comprar, liberar todas. Entretanto, designei-lhe uma da cor de seus olhos. Gilberte pegou-a, procurou seu raio dourado, acariciou-a, pagou-lhe o preço exigido, mas logo me deu sua cativa dizendo: "Tome, é sua. Dou-lhe, guarde-a como lembrança."

Outra vez, sempre preocupado pelo desejo de ouvir a Berma numa peça clássica, perguntara-lhe se não possuía uma brochura em que Bergotte falava de Racine, e que já estava esgotada. Ela me pedira que lhe lembrasse o título exato, e à noite lhe passei um telegrama breve escrevendo no envelope este nome de Gilberte Swann que tantas vezes traçara nos meus cadernos. No dia seguinte ela me trouxe, num pacote atado com uma fitinha de seda malva e com lacre branco, a brochura que mandara procurar. "Veja se é exatamente o que me pediu", disse ela, tirando do regalo o telegrama que lhe enviara. Mas no endereço daquele *pneumático*[7] – que ainda ontem não era nada, não passava de um bilhete que lhe escrevera, e que desde que um telegrafista o remetera ao porteiro de Gilberte e um criado o levara até o quarto dela, se transformara naquela coisa sem preço, um dos bilhetinhos que ela havia recebido naquele dia – mal pude reconhecer as linhas inúteis e solitárias da minha escrita sob os círculos impressos que o Correio apusera, debaixo das inscrições a lápis que lhe acrescentara um dos carteiros, sinais de realização efetiva, carimbos do mundo exterior, cintas roxas simbólicas da vida, que pela primeira vez vinham abraçar, manter, reanimar, alegrar o meu sonho.

---

[7] *Pneumático:* forma reduzida de *Correio pneumático,* antigo meio de transporte de cartas, através de tubos em que circulava o ar comprimido a grande velocidade. (N. do T.)

E também houve um dia em que ela me disse: "Sabe, você pode me chamar de Gilberte, e de qualquer modo vou chamá-lo pelo seu nome de batismo. É mais cômodo." Entretanto, contentou-se por algum tempo em me chamar de "você", e como eu a advertisse ela sorriu e, compondo, construindo uma frase como as que nas gramáticas estrangeiras não têm outro objetivo que o de nos fazerem empregar um novo termo, ela a terminou com meu prenome. E mais tarde, lembrando-me do que sentira então, extraí do episódio a impressão de ter estado por um instante em sua boca, eu próprio, nu, sem quaisquer das modalidades sociais que também pertenciam, ou a suas outras companheiras, ou, quando ela dizia meu nome de família, a meus pais, e de que seus lábios – no esforço que fazia, um tanto como seu pai, para articular as palavras que desejava sublinhar – pareciam despojar-me, desnudar-me, como de sua casca uma fruta da qual só se pode engolir a polpa, ao passo que seu olhar, colocando-se no mesmo grau novo de intimidade de suas palavras, me atingia mais diretamente, não sem testemunhar a consciência, o prazer e até a gratidão que nele havia, fazendo-se acompanhar por um sorriso.

Mas no próprio momento, eu não podia apreciar o valor desses prazeres novos. Eles não eram ofertados pela menina que eu amava ao eu que a amava, mas pela outra, por aquela com quem eu jogava, àquele outro eu que não possuía nem a recordação da verdadeira Gilberte, nem o coração indisponível que seria o único a poder saber o preço de uma felicidade, pois era o único a tê-la desejado. Mesmo depois de ter voltado para casa, não cheguei a desfrutá-los, pois, todos os dias, a necessidade que me fazia esperar que no dia seguinte eu teria a contemplação exata, calma e feliz de Gilberte, e ela enfim me confessaria o seu amor, explicando por que motivo o ocultara até agora, essa mesma necessidade me forçava a dar o passado por nada, a só olhar à minha frente, a considerar as pequenas vantagens que me dera não em si mesmas e como se bastassem, e sim como degraus novos para pôr os pés, e que iam me permitir dar um passo além e atingir finalmente a felicidade que eu ainda não encontrara.

Se às vezes ela me dava essas marcas de amizade, magoava-me também aparentando não sentir nenhum prazer em me ver, e isso ocorria muitas vezes nos próprios dias em que eu mais contava em realizar as minhas esperanças. Estava certo de que Gilberte viria aos Champs-Élysées e sentia uma alegria que dava a impressão de ser apenas a vaga antecipação de uma grande felicidade, quando – tendo entrado de manhã cedo no salão para beijar mamãe, que já estava pronta para sair, o coque dos cabelos negros inteiramente acabado, e suas belas mãos brancas e gordinhas ainda cheirando a sabonete – fiquei sabendo, ao ver uma coluna de poeira erguida acima do piano, e ao ouvir um realejo tocando debaixo da janela *Voltando da Parada,* que o inverno recebia até a noite a visita inesperada e radiosa de um dia de primavera. Enquanto almoçávamos, abrindo sua janela, a senhora da casa em frente afugentara num piscar de olhos, de junto da minha cadeira – riscando num único salto toda a extensão da nossa sala de jantar –, um raio de sol que ali começara a sua sesta e em seguida voltava para continuá-la. No colégio, na aula de uma hora, o sol me fazia entorpecer de impaciência e tédio, deixando passar um clarão dourado até a minha carteira, como um convite à festa aonde eu não podia chegar antes das três da tarde, até o momento em que Françoise fosse me buscar à saída, e de onde nos encaminhávamos para os Champs-Élysées pelas ruas decoradas de luz, atulhadas pela multidão, e onde as varandas, escancaradas devido ao sol, e vaporosas, flutuavam diante das casas como nuvens de ouro. Ai de mim! Gilberte não se achava nos Champs-Élysées, ainda não tinha chegado. Imóvel no relvado nutrido pelo sol invisível que aqui e ali fazia flamejar a ponta de uma relva, e sobre o qual os pombos que ali haviam pousado pareciam antigas esculturas que o enxadão de um jardineiro trouxesse à superfície de um sol augusto, permaneci com os olhos fixos no horizonte, esperando a todo instante ver surgir a imagem de Gilberte seguindo sua governanta, por detrás da estátua que parecia oferecer a criança, que carregava e que escorria luz, à bênção do sol. A velha leitora dos *Débats* estava sentada em sua poltrona, sempre no mesmo lugar, interpelava um guarda a quem fazia um gesto amistoso com a mão, exclamando: "Que dia lindo!" E tendo vindo a encarregada das cadeiras efetuar a cobrança da poltrona, ela fazia mil dengos ao meter na abertura da luva o talão de dez cêntimos, como se se tratasse de um buquê, para o qual procurava, por amabilidade com o doador, o lugar mais lisonjeiro possível. E, depois de o encontrar, imprimia ao pescoço uma evolução circular, endireitava o boá e lançava à mulher das cadeiras, mostrando a ponta do papel amarelo que ultrapassava o seu punho, o belo sorriso com que uma mulher, indicando seu colo a um rapaz, lhe diz: "Não está reconhecendo suas rosas?"

Eu levava Françoise ao encontro de Gilberte até o Arco do Triunfo, não a encontrávamos lá, e voltava para o relvado convencido de que ela não viria mais, quando, diante dos cavalinhos de madeira, a menina de voz breve corria para mim: "Depressa, venha depressa, já faz quinze minutos que Gilberte chegou. E vai voltar logo. A gente está esperando você para uma partida de barras." Enquanto eu subia a avenida dos Champs-Élysées, Gilberte viera pela rua Boissy-d'Anglas, já que sua governanta decidira aproveitar o bom tempo para dar umas voltas; e o Sr. Swann tinha vindo buscar a filha. Portanto, era culpa minha; eu não devia ter me afastado do campo de relva; pois nunca se sabia com certeza de que lado Gilberte viria, se chegaria mais cedo ou mais tarde, e aquela espera acabava por me tornar mais emocionantes não só os Champs-Élysées inteiros e toda a duração da tarde, como uma imensa extensão de espaço e tempo sobre cada um desses pontos e cada um desses momentos em que seria possível que surgisse a imagem de Gilberte, e ainda essa mesma imagem, porque detrás dela eu sentia ocultar-se o motivo pelo qual me fora ela arremessada em pleno coração, às quatro horas da tarde em vez de o ser às duas e meia, sob um chapéu de visitas em vez de um barrete para jogos, diante dos "Embaixadores" e não entre os dois teatrinhos de fantoches, e adivinhava uma dessas ocupações em que não podia segui-la e que a forçavam a sair ou ficar em casa, e estava em contato com o mistério de sua vida ignorada. Era também esse mistério que me perturbava quando, correndo sob o comando da menina de voz breve para começar imediatamente a nossa partida de barras, enxergava Gilberte, tão viva e rude conosco, fazendo uma reverência à senhora dos *Débats*, que lhe dizia: "Que belo sol, parece fogo" – falando-lhe com um sorriso tímido e um ar afetado, que me fazia lembrar a meninazinha diferente que ela devia ser em casa dos pais, nas visitas, em toda a sua outra existência que me fugia. Porém dessa existência ninguém me dava tanta impressão como o Sr. Swann, que vinha um pouco depois para buscar a filha. E que ele e a Sra. Swann – porque a filha deles morava na casa dos pais, porque seus estudos, seus jogos, suas amizades dependiam deles – assumiam para mim, como Gilberte, talvez mais que Gilberte, como convinha a deuses todo-poderosos dos quais ela se originara, um mistério inacessível, um encanto doloroso. Tudo o que lhes dizia respeito era, de minha parte, objeto de uma preocupação tão constante como nos dias em que, como aquele, o Sr. Swann (que eu vira tantas vezes outrora sem que excitasse a minha curiosidade, quando ele se relacionava com meus pais) vinha buscar Gilberte nos Champs-Élysées, uma vez serenadas as batidas do coração que em mim excitavam a aparição do seu chapéu cinzento e da sua capa de pelerine, seu aspecto me impressionava ainda como o de uma personagem histórica sobre quem acabamos de ler uma série de obras e cujas menores particularidades nos apaixonam. Suas relações com o conde de Paris que, quando nelas ouvira falar em Combray, me deixavam indiferente, assumiam agora algo de maravilhoso para mim, como se ninguém mais conhecesse os Orléans; faziam-no destacar-se vivamente sobre o fundo vulgar dos transeuntes de diversas classes que enchiam aquela alameda dos Champs-Élysées, e em meio aos quais eu me admirava que ele consentisse figurar sem deles reclamar olhares especiais, que aliás ninguém pensava em lhe dar, tamanho era o incógnito em que se envolvia.

Respondia polidamente aos cumprimentos das companheiras de Gilberte, e até ao meu, embora estivesse de relações cortadas com minha família, mas sem dar impressão de me conhecer. (Aquilo me recordou que, todavia, ele me vira muitas vezes no campo; lembrança, porém, que eu conservara na sombra, porque desde que voltara a ver Gilberte, Swann era para mim sobretudo o seu pai e não mais o Swann de Combray; como as idéias nas quais agora eu reunia o seu nome eram diversas daquelas em cuja trama ele estivera compreendido outrora, e que eu nunca utilizava quando tinha de pensar nele, Swann se tornara um novo personagem; entretanto, eu o ligava ao nosso convidado de antes por uma linha artificial, transversal e secundária; e como nada para mim tinha valor senão na medida em que meu amor pudesse daí tirar proveito, foi com um movimento de vergonha e lamentando não poder apagá-los que reencontrei os anos em que, aos olhos deste mesmo Swann, que naquele momento estava diante de mim nos Champs-Élysées e a quem Gilberte felizmente não pudera talvez ter dito meu nome, eu me tornara muitas vezes ridículo à noite ao mandar pedir a mamãe que subisse para o meu quarto a fim de me dar boa-noite, enquanto ela tomava café em sua companhia, com meu pai e meus avós na mesinha do jardim.) Ele estava dizendo a Gilberte que a deixava jogar uma partida, pois podia esperar um quarto de hora e, sentando-se como todos numa cadeira de ferro, pagava o *ticket* com a mesma mão que Filipe VII retivera tantas vezes nas suas, enquanto nós começávamos a jogar no relvado, fazendo revoar os pombos cujos belos corpos irisados, que têm forma de coração e são como os lilases do reino dos pássaros, vinham se refugiar, como em asilos, este sobre o grande vaso de pedra a que ele, mergulhando ali o seu bico, dava o aspecto e a destinação de oferecer com abundância os frutos ou os grãos que parecia estar comendo ali; este outro, sobre a cabeça da estátua, que ele dava a impressão de coroar com um desses objetos de esmalte cuja policromia faz variar, em certas obras antigas, a monotonia da pedra, e com um atributo, que, quando a deusa o traz consigo, lhe vale um epíteto particular e, de fato, como para um mortal um prenome diferente, uma nova divindade.

Num daqueles dias de sol, em que não se realizaram as minhas esperanças, não tive coragem de ocultar minha decepção a Gilberte.

– Eu tinha exatamente muitas coisas a lhe perguntar – disse. – Achava que este dia contaria muito na nossa amizade. E você logo que chegou já vai embora! Trate de vir amanhã bem cedo, para que enfim eu possa lhe falar.

Sua fisionomia resplandeceu e foi pulando de alegria que ela me respondeu:

– Amanhã? Espere sentado, meu amiguinho, porque não virei! Tenho um belo de um lanche. Depois de amanhã, também não; vou à casa de uma amiga para assistir da janela a chegada do rei Teodósio; será magnífico, e no outro dia vou ao *Miguel Strogoff* e depois estamos perto do Natal e das férias de fim de ano. Talvez me levem para o Sul. Será chique! Embora vá me faltar uma árvore de Natal; em todo caso, se ficar em Paris, não voltarei aqui, pois vou fazer visitas com mamãe. Adeus, papai está me chamando.

Voltei com Françoise pelas ruas que ainda estavam ornamentadas de sol, como na noite de uma festa que terminou. Mal me arrastava nas pernas.

– Não é de espantar – disse Françoise –, não é tempo da ação, faz calor demais! Ai meu Deus, por toda parte deve haver pobres doentes; é de crer que lá em cima tudo também está desarranjado.

Eu me repetia, sufocando os soluços, as palavras com que Gilberte deixara explodir sua alegria de não voltar por muito tempo aos Champs-Élysées. Porém o encanto de que se enchia o meu espírito, pelo seu mero funcionamento, logo que eu pensava nela, a posição particular, única, ainda que aflitiva, em que inevitavelmente me colocava em relação a Gilberte, a contração interna de uma prega mental, tinham começado a acrescentar, mesmo àquele sinal de indiferença, algo de romanesco, e em meio às lágrimas se formava um sorriso que nada mais era que o tímido esboço de um beijo. Quando chegou a hora do correio, disse comigo aquela noite, como em todas as outras: "Vou receber uma carta de Gilberte, ela vai dizer enfim que nunca deixou de me amar, e me explicará o motivo misterioso pelo qual foi forçada a me ocultá-lo até hoje, de dar a impressão de ser feliz sem me ver, o motivo por que assumiu a aparência da Gilberte como simples camarada."

Todas as noites eu me comprazia em imaginar essa carta, julgava lê-la, recitava para mim mesmo cada frase dela. De repente, parava assombrado. Compreendia que, se devesse receber uma carta de Gilberte, em todo caso não poderia ser aquela, pois que fora eu mesmo que acabara de redigi-la. E desde então esforçava-me por desviar o pensamento das palavras que apreciaria tivesse ela me escrito, de medo de, pronunciando-as, excluir justamente aquelas – as mais caras, mais desejadas – do terreno das realizações possíveis. Mesmo se, por uma incrível coincidência, fosse exatamente a carta que eu inventara a que, por seu turno, me escrevesse Gilberte, reconhecendo nela a minha palavra eu não teria a impressão de receber alguma coisa que não viesse de mim, alguma coisa real, nova, uma felicidade exterior a meu espírito, independente da minha vontade, verdadeiramente doada pelo amor.

Esperando, eu relia uma página que Gilberte não me escrevera, mas que pelo menos provinha dela, aquela página de Bergotte acerca da beleza dos velhos mitos, que inspirou Racine e que, junto com a bolinha de ágata, conservava sempre a meu lado. Estava comovido pela bondade da minha amiga, que a mandara procurar para mim; e como todos têm necessidade de encontrar razões para sua paixão, até se sentirem felizes em reconhecer na pessoa amada as qualidades que a literatura ou a conversação lhes ensinaram serem dignas de excitar o amor, ao ponto de as assimilar por imitação e delas fazendo razões novas para o seu amor, tais qualidades, mesmo sendo as mais opostas às que esse amor houvesse procurado quando era espontâneo – como Swann outrora, quanto ao caráter estético da beleza de Odette –, eu, que amara Gilberte primeiro, desde Combray, devido ao incógnito que envolvia a sua vida, na qual gostaria de me precipitar, encarnar-me, abandonando a minha que não me valia mais nada, eu pensava agora como numa vantagem inestimável que, desta minha vida tão conhecida e desdenhada, Gilberte poderia se tornar um dia a serva humilde, a cômoda e confortável colaboradora, que à noite, ajudando-me nos trabalhos, ajuntaria os cadernos para mim. Quanto a Bergotte, este velho infinitamente sábio e quase divino, devido a quem eu no começo amara Gilberte, antes mesmo de a ter visto, agora era principalmente por causa de Gilberte que o amava. Com tanto prazer como as páginas que ele escrevera sobre Racine, eu olhava o papel selado com grandes sinetes de lacre branco e atado com uma enormidade de fitas malvas nas quais ela as enviara. Beijava a bolinha de ágata que era a melhor parte do coração da minha amiga, a parte que não era frívola e sim fiel, e conquanto ornada pelo encanto misterioso da vida de Gilberte, permanecia junto a mim, habitava meu quarto, dormia em minha cama. Mas a beleza dessa bolinha, como também a daquelas páginas de Bergotte, que eu me sentia tão feliz em associar à idéia do meu amor por Gilberte, como se, nos momentos em que esse amor não me parecia ser coisa nenhuma elas lhe conferissem uma espécie de consistência, eu percebia que eram anteriores a esse amor, que não se pareciam com ele, que seus elementos tinham sido fixados pelo talento ou pelas leis mineralógicas antes que Gilberte me conhecesse, que nada no livro nem na pedrinha seria diverso caso Gilberte não me houvesse amado e que nada, em conseqüência, me autorizava a ler neles uma mensagem de felicidade. E enquanto meu amor, esperando incessantemente no dia de amanhã a confissão do amor de Gilberte, anulava, desfazia todas as noites o trabalho malfeito do dia, nas sombras de mim mesmo uma operária desconhecida não deixava de lado os fios arrancados, dispondo-os, sem se preocupar em me agradar e trabalhar pela minha felicidade, em uma ordem diversa que ela dava a todas as suas obras. Não tendo nenhum interesse especial pelo meu amor, não principiando por decidir que eu era amado, ela recolhia as ações de Gilberte que me haviam parecido inexplicáveis e suas faltas que eu desculpara. Então, umas e outras adquiriam um sentido. Esta nova ordem parecia dizer que, ao ver Gilberte ir à matinê ou fazer compras com a governanta, em vez de ir aos Champs-Élysées, e preparar-se para uma ausência durante as férias de fim de ano, eu fazia mal em pensar: "É que ela é frívola ou dócil." Pois ela teria deixado de ser uma coisa ou outra caso me amasse; e se fosse forçada a obedecer, seria com o mesmo desespero que eu passaria os dias em que não a via. Dizia ainda, essa nova ordem, que no entanto eu devia saber o que era amar, visto que amava Gilberte; ela me fazia notar a permanente preocupação que eu tinha em me fazer valer a seus olhos, devido a que tentava convencer minha mãe a comprar uma capa de borracha e um chapéu de pluma azul para Françoise, ou melhor, a não me mandar mais para os Champs-Élysées com essa criada que me envergonhava (ao que minha mãe respondia que eu era injusto com Françoise, que ela era uma boa mulher, muito devotada a todos nós), e também aquela necessidade única de ver Gilberte que fazia com que, com meses de antecipação, eu só pensasse em saber em que época ela deixaria Paris e aonde iria, achando um exílio a região mais agradável caso ela não devesse ali estar, e só desejando ficar sempre em Paris enquanto pudesse vê-la nos Champs-Élysées; e não tinha dificuldade em me demonstrar que tal preocupação, como aquela necessidade, eu não as encontraria nas ações de Gilberte. Ela, ao contrário, gostava da governanta, sem se preocupar com o que eu pensasse a respeito. Achava natural não ir aos Champs-Élysées, se fosse para fazer compras com ela, agradável faltar se fosse para sair com a mãe. E supondo que ela me permitisse ir passar as férias no mesmo local em que estaria, ao menos na escolha desse local influiria o desejo dos pais, mil divertimentos de que lhe haviam falado e de forma alguma que se tratasse daquele ao qual minha família tivesse a intenção de me enviar. Quando às vezes ela me assegurava gostar de mim menos que a um de seus amigos, menos do que gostava na véspera porque a fizera perder a partida devido a uma negligência, eu lhe pedia perdão, perguntava-lhe o que era preciso fazer para que voltasse a me preferir, para que gostasse de mim mais que aos outros; queria que me dissesse que já estava tudo certo, suplicava-lhe como se ela pudesse modificar à vontade sua afeição por mim, ou a minha, só para me dar prazer, apenas pelas palavras que ela diria, segundo minha boa ou má conduta. Não sabia eu então que o que sentia por ela não dependia nem de seus atos nem de minha vontade?

Essa ordem nova, delineada pela operária invisível, dizia enfim que se podemos desejar que as ações de uma pessoa que nos desgostaram até agora não tenham sido sinceras, há na sua seqüência uma clareza contra a qual nosso desejo nada pode e à qual, mais do que ao desejo, devemos indagar quais serão as suas ações de amanhã.

Essas novas palavras, meu amor as ouvia; elas o convenciam de que o dia seguinte não seria diverso do que haviam sido todos os outros; que o sentimento de Gilberte por mim, bastante velho para poder mudar, era de indiferença; que na minha amizade com Gilberte, era eu apenas quem amava. "É verdade", respondia meu amor, "não há mais nada a fazer com essa amizade, ela não vai mudar." Então, desde o dia seguinte (ou esperando uma festa, caso houvesse uma próxima, um aniversário, talvez o dia de Ano-Novo, um desses dias que não são iguais aos outros, em que o tempo recomeça em novas bases, rejeitando a herança do passado, não aceitando o legado de suas tristezas), eu pedia a Gilberte que renunciasse à nossa amizade antiga e lançasse os fundamentos de uma nova amizade.

Sempre trazia à mão um mapa de Paris que, porque ali podia-se distinguir-se a rua em que moravam o Sr. e a Sra. Swann, me parecia conter um tesouro. E por prazer, por uma espécie de fidelidade cavalheiresca igualmente, a propósito de qualquer coisa dizia o nome dessa rua, se bem que meu pai me perguntasse, não estando como minha mãe e minha avó ao corrente do meu amor:

– Mas por que você fala sempre dessa rua? Ela nada tem de extraordinário, é muito agradável para se morar porque está a dois passos do Bois, porém há dez outras no mesmo caso.

Sob qualquer pretexto, arrumava um jeito de fazer com que meus pais pronunciassem o nome de Swann; certamente eu o repetia para mim mesmo sem cessar; porém também tinha necessidade de ouvir sua sonoridade deliciosa e de fazer-me tocar essa música cuja leitura muda não me bastava. Aliás, esse nome de Swann, que eu conhecia há tanto tempo, era agora para mim, bem como ocorre com certas pessoas afásicas em relações às palavras mais comuns, um nome novo. Estava presente sempre em meu pensamento, que no entanto não podia habituar-se a ele. Eu o decompunha, soletrava-o, sua ortografia era uma surpresa para mim. E, ao mesmo tempo que era familiar, deixara de me parecer inocente. As alegrias que sentia ao ouvi-lo, julgava-as tão culposas que me parecia que adivinhariam meu pensamento e que mudariam de conversa se tentasse levá-lo para tal nome. Restringia-me aos assuntos que ainda diziam respeito a Gilberte, repisava sem fim as mesmas palavras, e por mais que soubesse que não passavam de palavras – palavras pronunciadas longe dela, que ela não ouvia, palavras sem virtude que repetiam aquilo que era, mas sem poder modificá-lo – parecia-me, no entanto, que à força de remexer e manusear assim tudo o que se avizinhava de Gilberte faria talvez sair dali alguma coisa feliz. Repetia a meus pais que Gilberte gostava muito da sua governanta, como se tal frase, enunciada pela centésima vez, tivesse por fim, como conseqüência, fazer entrar Gilberte bruscamente para viver para sempre conosco. Eu retomava o elogio da velha senhora que lia os *Débats* (insinuara a meus pais que se tratava de uma embaixatriz ou talvez de uma alteza) e continuava a celebrar sua beleza, sua magnificência e sua nobreza, até o dia em que disse que, de acordo com o nome que Gilberte pronunciara, ela devia chamar-se Sra. Blatin.

– Oh, já sei de que se trata – gritou minha mãe enquanto eu me sentia avermelhar de vergonha. – Em guarda! Em guarda! Como teria dito o teu pobre avô. E é ela que tu achas bonita! Mas ela é horrorosa, sempre foi. É viúva de um chefe de portaria. Não te lembras, quando eras pequeno, das manobras que eu fazia para evitá-la na aula de ginástica onde, sem me conhecer, ela queria falar comigo a pretexto de me dizer que eras "bonito demais para um menino"? Ela sempre teve mania de travar relações e é preciso que seja uma louca, como sempre achei, se de fato conhece a Sra. Swann. Pois se proveio de um ambiente bastante medíocre, pelo menos nunca houve nada que a desabonasse, que eu saiba. Mas ela sempre teve necessidade de travar relações. É horrível, terrivelmente vulgar, e portanto causadora de embaraços.

Quanto a Swann, para tentar parecer-me com ele, eu passava o tempo todo, quando estava sentado à mesa, a puxar o nariz e esfregar os olhos. Meu pai dizia: "Este menino é idiota, vai ficar horrível." Eu queria principalmente ser tão calvo como Swann. Ele me parecia uma criatura tão extraordinária, que achava maravilhoso que as pessoas que eu costumava freqüentar também o conhecessem, e que nos acasos de um dia qualquer a gente pudesse ser levado a encontrá-lo. E uma vez, minha mãe, preparando-me para nos contar, como todas as noites ao jantar, as voltas que dera durante a tarde, disse: "A propósito, adivinhem quem foi que encontrei nos Trois Quartiers, na seção dos guarda-chuvas: Swann", fazendo desabrochar no meio da narrativa, bem árida para mim, uma flor misteriosa. Que volúpia melancólica, saber que naquela tarde, desfilando na rua a sua forma sobrenatural, Swann havia comprado um guarda-chuva. Em meio aos acontecimentos grandes e mínimos, igualmente indiferentes, esse despertava em mim as vibrações especiais de que perpetuamente se sentia comovido o meu amor por Gilberte. Meu pai dizia que não me interessava por nada porque não o escutava quando se falava das conseqüências políticas que podia acarretar a visita do rei Teodósio, naquele momento hóspede da França e, segundo se dizia, seu aliado. Mas, em compensação, quanta vontade sentia de saber se Swann usava a sua capa de pelerine!

– Disse-lhe bom dia? – perguntei.

– Naturalmente – respondeu minha mãe, que sempre dava a impressão de recear que se confessasse que estávamos estremecidos com Swann, alguém tentasse uma reconciliação além do que teria desejado, por causa da Sra. Swann, que ela não queria conhecer. – Foi ele quem veio me cumprimentar, não o tinha visto.

– Mas então não estavam brigados?

– Brigados? Mas por que motivo queres que estejamos brigados? – retrucou ela com vivacidade, como se eu tivesse descoberto a ficção de suas boas relações com Swann e tentasse uma "reaproximação".

– Ele poderia lhe querer mal por não ter sido mais convidado a vir.

– A gente não pode convidar todo mundo; por acaso ele me convida? Não conheço a sua mulher.

– Mas ele vinha tanto quando estávamos em Combray.

– Muito bem, sim; ele vinha à nossa casa em Combray; depois, em Paris ele tem mais o que fazer e eu também. Mas te asseguro que de modo nenhum parecíamos duas pessoas brigadas. Ficamos juntos por um instante porque custaram a lhe entregar o seu embrulho. Pediu-me notícias tuas, e me disse que brincavas com a filha dele – acrescentou minha mãe, encantando-me com o prodígio de que eu existisse no espírito de Swann e, acima de tudo, de forma tão completa que, quando eu estremecia de amor diante dele nos Champs-Élysées, soubesse o meu nome, quem era minha mãe, e pudesse consolidar em torno de minha condição de companheiro de sua filha algumas informações sobre meus avós, sua família, o lugar em que morávamos, certas particularidades de nossa vida de antigamente, talvez até desconhecidas de mim. Porém minha mãe não parecia ter achado um encanto especial naquela seção dos Trois Quartiers onde representara para Swann, no momento em que este a vira, uma pessoa definida com quem partilhava lembranças em comum que lhe haviam motivado o movimento de se aproximar dela, e o gesto de cumprimentá-la.

Aliás, nem ela nem meu pai já pareciam tampouco encontrar, ao falar sobre os avós de Swann, sobre o título de corretor de câmbio honorário, uma satisfação que ultrapassasse as demais. Minha imaginação isolara e consagrara, na sociedade de Paris, uma certa família, como o fizera, na Paris de pedra, com certa casa, cuja porta de entrada esculpira, ornamentando-lhe as janelas. Tais ornamentos, porém, eu era o único a vê-los. Assim como meus pais achavam a casa em que morava Swann semelhante às outras casas construídas na mesma ocasião no bairro do Bois, da mesma forma a família de Swann lhes parecia do mesmo tipo de muitas outras famílias de corretores de câmbio. Julgavam-na mais ou menos favoravelmente conforme o grau em que ela participara dos méritos comuns ao resto do mundo e não lhe achavam nada de especial. Ao contrário, o que nela apreciavam, encontravam em outra parte num mesmo nível, ou talvez em nível mais elevado. Assim, depois de ter achado a casa bem localizada, falavam de outra que o era melhor, mas que nada tinha a ver com Gilberte, ou de financistas de um grau superior ao de seu avô; e se, por um momento dessem a impressão de serem da mesma opinião que eu, era por um mal-entendido que não tardaria a se dissipar. É que, para perceber em tudo o que rodeava Gilberte uma qualidade desconhecida, análoga, no mundo das emoções, à que pode existir no das cores infravermelhas, meus pais eram destituídos daquele sentido suplementar e momentâneo que me conferira o amor.

Nos dias em que Gilberte me avisara que não iria aos Champs-Élysées, eu procurava dar passeios que me aproximassem um pouco dela. Às vezes eu levava Françoise em romaria até diante da casa em que moravam os Swann. Fazia-a repetir sem cessar o que ela soubera, pela governanta, acerca da Sra. Swann. "Parece que ela tem muita confiança em medalhas. Nunca viajaria se ouvisse um pio de coruja, ou então um tique-taque de relógio na parede, ou se visse um gato à meia-noite, ou se estalasse um móvel. Ah, é uma pessoa muito crédula!" Eu estava tão apaixonado por Gilberte que, se avistasse o seu velho mordomo passeando com um cão a emoção me obrigaria a parar, lançando às suíças brancas olhares cheios de paixão. Françoise indagava:

– Que é que você tem?

Depois, continuávamos o caminho até diante da porta de entrada, onde um porteiro diferente de todos e possuído até os galões da libré pelo mesmo encanto doloroso que eu sentira no nome de Gilberte, parecia saber que eu era daqueles a quem uma indignidade original interditava sempre o acesso à vida misteriosa que ele era encarregado de guardar e sobre a qual as janelas do sótão pareciam conscientes de estarem fechadas, assemelhando-se muito menos, na nobre recaída de suas cortinas de musselina, a quaisquer outras janelas do que aos olhares de Gilberte. De outras vezes, íamos pelas alamedas e eu me postava à entrada da rua Duphot; tinham me dito que ali se podia ver muitas vezes passar o Sr. Swann a caminho do dentista; e minha imaginação diferenciava de tal modo o Sr. Swann do resto da humanidade, sua presença no meio do mundo real introduzia nele tantas maravilhas, que, antes mesmo de chegar à Madeleine, eu me sentia emocionado à idéia de me aproximar de uma rua onde poderia se dar, de inopino a aparição sobrenatural.

Porém, no mais das vezes – quando não deveria ver Gilberte –, como soubera que a Sra. Swann passeava quase todos os dias na alameda das "Acácias", ao redor do grande lago, e na alameda da "Rainha Margarida", eu dirigia os passos de Françoise para os lados do Bois de Boulogne. Para mim, era como um desses jardins zoológicos em que se vêem amontoadas flores diversas e paisagens que se opõem; onde, após uma colina, encontra-se uma gruta, um prado, rochedos, um regato, uma cova, uma colina, um pântano, mas onde a gente sabe que eles só estão ali para fornecer um ambiente apropriado ou um quadro pitoresco aos divertimentos do hipopótamo, das zebras, dos crocodilos, dos coelhos russos, dos ursos e da garça-real; ele, o Bois, também complexo, reunindo pequenos mundos diferentes e fechados – fazendo suceder alguma fazenda cultivada de árvores rubras, de carvalhos da América, como um estabelecimento agrícola na Virgínia, a uma plantação de pinheiros à beira do lago, ou a um bosque de onde surge de repente, no seu macio agasalho de peles, com os belos olhos de um animal, uma transeunte rápida–, era o Jardim das mulheres; e – como a alameda das Mirtes na *Eneida* –, plantada, para elas, de árvores de uma só essência, a alameda das Acácias era freqüentada pelas Beldades célebres. Assim como, de longe, do alto do rochedo de onde ela se lança na água, arrebata de alegria as crianças que sabem que vão ver a otária, bem antes de alcançar a alameda das Acácias, o aroma delas, irradiando-se ao redor, fazia sentir de longe a aproximação e a singularidade de uma poderosa e branda individualidade vegetal; depois, quando me aproximava, avistava o topo de sua fronde leve e dengosa, de uma elegância natural, de um talhe faceiro e de uma delgada textura, sobre a qual centenas de flores se haviam abatido feito colônias aladas e vibráteis de valiosos parasitas; enfim, até o seu nome feminino, inativo e suave, fazia-me bater o coração mas de um desejo mundano, como essas valsas que só nos evocam o nome das belas convidadas que o porteiro anuncia à entrada de um baile. Tinham-me dito que eu veria na alameda determinadas mulheres elegantes que, embora nem todas fossem casadas, eram habitualmente citadas ao lado da Sra. Swann, porém mais freqüentemente sob seu nome de guerra; seu novo nome, quando houvesse um, não passava de uma espécie de incógnito, que aqueles que queriam falar delas tomavam o cuidado de revelar para se fazerem compreender. Pensando que o Belo – na ordem das elegâncias femininas – era regido por leis ocultas, em cujo conhecimento elas tinham sido iniciadas e que tinham o poder de realizá-lo, eu aceitava previamente, como uma revelação, o aparecimento de seus vestidos, suas carruagens, de mil detalhes em cujo seio punha toda a minha crença, como uma alma interior que desse a tal conjunto efêmero e móvel a coesão de uma obra-prima. Mas era a Sra. Swann que eu queria ver, e esperava que passasse, emocionado como se se tratasse de Gilberte, cujos pais, impregnados de seu encanto com tudo o que a rodeava, excitavam-me tanto amor quanto ela, e até uma perturbação mais dolorosa (pois seu ponto de contato com ela era aquela parte secreta de sua vida que me era defesa), e por fim (pois soube em breve, como se verá, que eles não gostavam que eu brincasse com ela), aquele sentimento de veneração que sempre votamos aos que exercem sem freios o poder de nos fazer mal.

Eu consignava o primeiro lugar à simplicidade, na ordem dos méritos estéticos e das grandezas mundanas, quando percebia a Sra. Swann a pé, numa polonesa de pano, tendo na cabeça um bonezinho ornado de uma asa de faisão-de-penacho, um buquê de violetas no corpinho, apressada, atravessando a alameda das Acácias, como se esta fosse apenas o caminho mais curto para voltar para casa, e respondendo com um piscar de olhos aos senhores de carro, que, reconhecendo de longe a sua silhueta, cumprimentavam-na, dizendo consigo que ninguém era tão chique. Mas, em vez da simplicidade, era o luxo o que eu colocava no mais alto nível, se, depois de ter forçado Françoise, que não agüentava mais e dizia que as pernas "entravam para dentro", a caminhar cem passos durante uma hora, eu visse por fim, desembocando da alameda que começa na porta Dauphine – imagem, para mim, de um prestígio real, de uma chegada de soberana, cuja impressão nenhuma rainha verdadeira pôde me dar depois, porque eu tinha de seu poder uma noção menos vaga e mais experimental –, transportada pela corrida de dois cavalos árdegos, delgados e de perfil pronunciado, como os que se vêem nos desenhos de Constantin Guys, e levando à boléia um enorme cocheiro, agasalhado como um cossaco, ao lado de um pequeno *groom* que lembrava o "tigre" do "falecido Beaudenord", visse – ou antes, sentisse imprimir-se sua forma em meu coração por uma nítida ferida extenuadora – uma incomparável vitória, intencionalmente um pouco alta e deixando passar através do seu luxo de última moda as alusões às antigas formas, em cujo fundo repousava languidamente a Sra. Swann, os cabelos agora louros com uma única mecha grisalha, cingidos por uma fina grinalda de flores, na maioria das vezes violetas, de onde pendiam longos véus, uma sombrinha cor de malva na mão, nos lábios um sorriso ambíguo onde eu só enxergava a benevolência de uma Majestade e onde havia sobretudo a provocação da cocote, e que ela inclinava suavemente para as pessoas que a cumprimentavam. Aquele sorriso, na realidade, dizia a uns: "Lembro-me muito bem, era delicioso!", a outros: "Como teria gostado! Foi má sorte!", a outros ainda: "Se quiser! Vou seguir a fila por um momento e logo que puder, cortarei." Quando passavam desconhecidos, ela no entanto deixava pairar nos lábios um sorriso ocioso, como se voltado para a espera ou a lembrança de um amigo e que dizia: "Como ela é bonita!" E só para certos homens ela mostrava um sorriso amargo, constrangido, tímido e frio, que significava: "Sim, seu patife, sei que tem uma língua de víbora, que não pode deixar de falar dos outros! Por acaso me ocupo de você?" Coquelin passava discursando no meio de amigos que o escutavam e saudava as pessoas de carro com um gesto de mão teatral. Mas eu só pensava na Sra. Swann e fingia não a ter visto, pois sabia que ao chegar à altura do Tiro-aos-pombos ela diria ao cocheiro que cortasse a fila e parasse, para que ela descesse e seguisse a pé. E, nos dias em que me sentia com coragem de passar a seu lado, arrastava Françoise naquela direção. De fato, num dado momento, era na alameda dos peões, caminhando na nossa direção, que eu avistava a Sra. Swann, deixando se desdobrar atrás dela a longa cauda de seu vestido cor de malva, coberta, como o povo imagina as rainhas, de tecidos e ricos adornos que as demais mulheres não usam, por vezes baixando o olhar para o cabo da sombrinha, prestando quase nenhuma atenção às pessoas que passavam, como se seu grande negócio e seu objetivo fossem fazer exercício, sem pensar que era vista e que todas as cabeças se viravam para ela. Entretanto, às vezes, quando se virava para chamar seu galgo, lançava imperceptivelmente um olhar ao redor.

Mesmo aqueles que não a conheciam eram advertidos por algo singular e excessivo – ou talvez por uma radiação telepática como as que desencadeiam aplausos entre a multidão ignorante nos momentos em que a Berma está sublime – de que se tratava de uma pessoa conhecida. E se perguntavam: "Quem é?". Às vezes interrogavam um passante, ou prometiam a si mesmos recordar a toalete como um ponto de referência para amigos mais informados que logo os esclareceriam. Outros transeuntes, meio que parando, diziam:

– Sabe quem é? A Sra. Swann! Isto não lhes diz nada? Odette de Crécy?

– Odette de Crécy? Bem que eu me dizia, esses olhos pisados... Mas saiba que ela já não deve estar muito nova! Lembro-me que fui para a cama com ela no dia da demissão de Mac-Mahon.

– Fará bem em não lhe recordar isso, pois ela é agora a Sra. Swann, esposa de um cavalheiro do Jockey, amigo do Príncipe de Gales. De resto, é magnífica.

– Sim, mas se a tivesse conhecido naquele tempo, como era bonita! Morava num hotelzinho estranho com chinesices. Lembro que nos aborrecíamos com o barulho dos gritos dos jornaleiros, ela acabou por me fazer levantar.

Sem perceber as reflexões, eu escutava a seu redor o murmúrio indistinto da celebridade. Meu coração batia de impaciência quando pensava que ainda iria decorrer um momento antes que todas aquelas pessoas, em meio às quais notava, entristecido, que não se achava um banqueiro mulato pelo qual me sentia desprezado, vissem o rapaz desconhecido a quem não prestava nenhuma atenção, cumprimentar (sem conhecê-la, na verdade, mas a isso me julgava autorizado porque meus pais conheciam seu marido e eu era camarada da sua filha) aquela mulher cuja reputação de beleza, de leviandade e de elegância era universal. Porém já estava bem perto da Sra. Swann, e então tirei-lhe o chapéu num gesto largo, tão extenso, tão prolongado, que ela não podia evitar o sorriso. As pessoas riam. Quanto a ela, jamais me havia visto com Gilberte, não sabia meu nome, mas eu era para ela –

como um dos guardas do Bois, ou o barqueiro, ou os patos do lago aos quais ela atirava pedaços de pão – uma das personagens secundárias, familiares, anônimas, tão desprovidas de caracteres individuais como um "figurante de teatro", de seus passeios no Bois. Em certos dias, quando não a via na alameda das Acácias, acontecia-me encontrá-la na alameda da Rainha Margarida, para onde vão as mulheres que procuram estar sozinhas, ou que desejam parecer que o estão; não ficava só por muito tempo, pois em breve algum amigo ia encontrar-se com ela, muitas vezes com uma cartola cinzenta, a quem eu não conhecia e ficava conversando longamente com ela, enquanto seus carros prosseguiam.

Esta complexidade do Bois de Boulogne, que o transforma num lugar factício e, no sentido mitológico ou zoológico do termo, num Jardim, reencontrei-a este ano quando o atravessava para ir ao Trianon, numa das primeiras manhãs deste mês de novembro em que, em Paris, nas residências, a proximidade e a privação do espetáculo do outono que está terminando tão depressa sem que a isto se assista, dão uma nostalgia, uma verdadeira febre de folhas mortas que pode chegar a impedir o sono. No meu quarto fechado, elas se interpunham há cerca de um mês, evocadas pelo meu desejo de vê-las, entre meu pensamento e qualquer objeto a que eu me dedicasse, e turbilhonavam como essas manchas amarelas que às vezes, para onde quer que olhemos, dançam diante dos olhos. E naquela manhã, já não ouvindo a chuva cair como nos dias anteriores, vendo o bom tempo sorrir nos cantos das cortinas fechadas, como nos cantos de uma boca cerrada que deixa escapar o segredo de sua felicidade, sentira que podia olhar essas folhas amarelas atravessadas pela luz, em sua beleza suprema; e não podendo mais resistir de ir ver as árvores como antigamente, quando o vento soprava com muita força na minha lareira, não podia deixar de partir para o litoral, saíra para ir ao Trianon, passando pelo Bois de Boulogne. Era a hora e o tempo em que o Bois parece talvez o mais múltiplo, não só porque é mais subdividido, mas ainda porque o é de outra forma. Mesmo nas partes descobertas de onde se abrange uma grande área, aqui e ali em face às sombrias massas longínquas das árvores sem folhas ou que ainda conservavam sua folhagem de verão, uma dupla fila de castanheiros alaranjados parecia, como num quadro apenas principiado, a única a ter sido pintada pelo decorador que ainda não colorira o resto, e estendia sua aléia em plena luz para o passeio eventual de personagens que só mais tarde seriam acrescentados.

Mais além, lá onde todas as folhas verdes cobriam as árvores, uma única, pequena, atarracada, desfolhada e teimosa, sacudia ao vento uma ordinária cabeleira rubra. Noutro ponto ainda ocorria o primeiro despertar daquele mês de maio das folhas, e as de um ampelópsis maravilhoso e sorridente como um espinheiro-rosa de inverno desde manhã cedo estavam todas em flor. E o Bois apresentava o aspecto provisório e artificial de um viveiro ou de um parque, onde, fosse por interesse da botânica, fosse para a preparação de uma festa, acabassem de instalar, no meio das árvores de igual destino que ainda não tivessem sido arrancadas, duas ou três espécies preciosas de fantástica folhagem e que parecem reservar um espaço vazio, arejar e dar claridade a seu redor. Assim era a estação em que o Bois de Boulogne revela as mais diferentes essências e justapõe ao máximo as partes distintas numa assembléia compósita. Era também a hora. Nos lugares em que as árvores ainda conservavam suas folhas, elas pareciam sofrer uma alteração de matéria a partir do ponto em que eram tocadas pela luz do sol, quase horizontal de manhã, assim como o voltaria a ser algumas horas depois no momento em que, ao iniciar-se o crepúsculo, se ilumina como uma lâmpada, projeta a distância, sobre a folhagem, um reflexo artificial cálido, e faz flamejar as folhas mais altas de uma árvore que permanece como o candelabro incombustível e fosco de seu topo incendiado. Aqui, espessava-se como tijolos e, como uma alvenaria persa de desenhos azuis, cimentava grosseiramente contra o céu as folhas dos castanheiros; ali, ao contrário, destacava-as do céu, para o qual crispavam seus dedos de ouro. A meia altura de uma árvore vestida de vinha virgem, enxertava e fazia expandir-se, impossível de distinguir com nitidez na ofuscação, um ramalhete imenso como que de flores rubras, talvez uma variedade de cravo. As diversas partes do Bois, melhor confundidas durante o verão na espessura e monotonia das verduras, achavam-se desembaraçadas. Espaços pouco iluminados deixavam perceber a entrada de quase todas, ou então uma ramaria suntuosa a indicava como uma auriflama. Distinguiam-se, como num mapa colorido, Armenonville, o Pré Catelan, Madri, o Campo de Corridas, as margens do Lago. Por instantes aparecia alguma construção inútil, uma gruta falsa, um moinho ao qual as árvores, afastando-se, davam lugar ou que um relvado mostrava em seu macio tabuleiro. Sentia-se que o Bois não era apenas um bosque, que correspondia a uma destinação estranha à vida de suas árvores; a exaltação que eu experimentava não era só causada pela admiração do outono, e sim por um desejo. Grande fonte de uma alegria que a alma sente primeiro sem lhe conhecer a causa, sem compreender que nada fora dela a motiva. Assim, eu contemplava as árvores com uma ternura insatisfeita que as sobrepujava e, sem que eu soubesse, se transportava para aquela obra-prima das belas transeuntes e que elas fechavam todos os dias por algumas horas. Ia para a alameda das Acácias. Atravessava bosques onde a luz da manhã, que lhes impunha novas divisões, podava as árvores, associava os diferentes caules e compunha ramalhetes. Atraía habilmente duas árvores; com ajuda da potente tesoura do raio e da sombra, cortava de cada uma a metade do tronco e dos galhos e, entrançando juntas as duas metades restantes, delas fazia ora um único pilar de sombra, que delimitava o ensolaramento ao redor, ora um único espectro de claridade do qual uma trama de negra sombra cingia o contorno vacilante e artificial. Quando um raio de sol dourava os mais altos ramos, as árvores pareciam, mergulhadas numa unidade cintilante, emergir sozinhas da atmosfera líquida e esmeraldina onde todo o bosque estava submerso como sob as águas do mar. Pois as árvores continuavam a viver sua própria vida e, quando não tinham mais folhas, a luz brilhava melhor sobre o forro de veludo verde que envolvia os troncos ou no branco esmalte das esferas de visgo semeadas no topo dos álamos, redondas como o sol e a luz na *Criação* de Michelangelo. Mas há tantos anos forçadas por uma espécie de enxerto a viver em comum com a mulher, elas me evocavam a dríade, a bela mundana rápida e colorida que, ao passar, cobrem com seus ramos e obrigam a sentir como elas a força da estação; lembravam-me o tempo feliz da minha juventude confiante, quando eu ia avidamente aos lugares onde as obras-primas da elegância feminina se manifestavam durante alguns momentos por entre as folhagens inconscientes e cúmplices. Mas a beleza que os abetos e as acácias do Bois de Boulogne faziam desejar, sob esse aspecto mais perturbadores que os castanheiros e lilases do Trianon que eu ia ver, não estava fixada fora de mim nas lembranças de uma época histórica, nas obras de arte, num pequeno templo ao Amor ao pé do qual se amontoavam as folhas palmadas de ouro. Eu chegava às margens do lago, ia até o Tiro-aos-pombos. A idéia de perfeição que levava em mim, atribuíra-a então à altura de uma vitória, à magreza daqueles cavalos furiosos e ligeiros como vespas, olhos injetados de sangue como os cruéis cavalos de Diomedes, e que agora, tomado por um desejo de rever aquilo que amara, desejo tão ardente como o que me impelira muitos anos antes pelos mesmos caminhos, queria ter de novo diante dos olhos, no momento em que o enorme cocheiro da Sra. Swann, acompanhado por um *groom* tão pequenino como um punho, e tão infantil como São Jorge, tentava submeter suas asas de aço que se debatiam assustadas e palpitantes. Ai de mim! Só havia automóveis conduzidos por motoristas bigodudos acompanhados de grandes lacaios. Desejava ter diante de meus olhos corpóreos, para saber se eram tão encantadores como os viam os olhos da memória, os pequenos chapéus femininos tão baixos que me pareciam simples coroas. Todos agora eram imensos, cobertos de frutos e flores e de pássaros variados. Em vez dos belos vestidos, com os quais a Sra. Swann tinha o ar de uma rainha, túnicas greco-saxãs realçavam, com as pregas de Tanagra, e às vezes no estilo da época do Diretório, tecidos *liberty* semeados de flores como um papel pintado. Sobre a cabeça dos senhores que poderiam ter passeado com a Sra. Swann na alameda da Rainha Margarida, não encontrava mais o chapéu cinzento de outrora, nem mesmo qualquer outro. Eles saíam de cabeça descoberta. E todas aquelas partes novas do espetáculo, eu já não tinha mais fé para lhes introduzir, a fim de que adquirissem consistência, umidade e existência; elas passavam esparsas por mim, ao acaso, sem verdade, não contendo em si nenhuma beleza que meus olhos pudessem, como outrora, tentar compor. Eram mulheres quaisquer, em cuja elegância não depositava nenhuma fé e cujos vestidos me pareciam desimportantes. Mas, quando desaparece uma crença, sobrevive-lhe – e cada vez mais vivo para mascarar a falta da força que perdemos de conferir realidade às coisas novas – um apego fetichista às coisas antigas que ela animara, como se fosse nelas e não em nós que residisse o divino e como se a nossa incredulidade atual tivesse uma causa contingente, a morte dos deuses.

"Que horror!" dizia comigo: como se pode achar tão elegantes esses automóveis, como as antigas carruagens? Sem dúvida estou muito velho – mas não sou feito para um mundo em que as mulheres se embaraçam em vestidos que nem sequer são de fazenda. Para que vir aqui sob estas árvores, se não existe nada mais daquilo que se reunia debaixo dessas delicadas ramas vermelhas, se a vulgaridade e a loucura substituíram o que elas envolviam de finura? Meu consolo é pensar nas mulheres que conheci, hoje que já não existe elegância. Mas como é que as pessoas que contemplam essas horríveis criaturas sob seus chapéus cobertos de um aviário ou de uma horta poderiam sequer sentir o que havia de encantador em ver a Sra. Swann com uma simples touquinha malva ou um chapeuzinho onde só aparecia uma flor de íris bem reta? Poderia sequer fazê-los compreender a emoção que eu sentia nas manhãs de inverno, ao encontrar a Sra. Swann a pé, de casaquinho de lontra, com um simples gorro de duas lâminas de penas de perdiz, mas que relembrava a quentura artificiosa de seu apartamento apenas com o buquê de violetas apertado no seio e cujo florescer vivo e azul em face do céu cinzento, do ar gelado, das árvores de ramos despidos, tinha o mesmo encanto de não tomar a estação e o tempo senão como um quadro, e de viver numa atmosfera humana, na atmosfera daquela mulher– o mesmo encanto que, nos vasos e jardineiras do seu salão, perto do fogo aceso, diante do canapé de seda, apresentavam as flores que olhavam pela janela fechada a neve cair? Aliás, não me teria bastado que as roupas fossem as mesmas daqueles anos. Devido à solidariedade que têm entre si as partes diversas de uma lembrança e que nossa memória mantém equilibradas em uma assembléia onde não nos é permitido dividir nem recusar nada, gostaria de poder ir terminar o dia na casa de uma dessas mulheres, diante de uma taça de chá, num apartamento com paredes pintadas de cores sombrias, como era ainda o da Sra. Swann (no ano seguinte àquele em que se encerra a primeira parte desta narrativa) e onde luziriam os fogos alaranjados, a combustão vermelha, a chama rósea e branca dos crisântemos no crepúsculo de novembro, durante momentos semelhantes àqueles em que (como se verá mais tarde) eu não soubera descobrir os prazeres que desejava. Mas agora, mesmo não me levando a nada, esses momentos me pareciam ter tido, em si mesmos, um extraordinário encanto. Gostaria de reencontrá-los assim como os recordava. Ai de mim! Só existiam apartamentos Luís XVI, todos brancos, esmaltados de hortênsias azuis. Além disso, a gente só voltava muito tarde a Paris. A Sra. Swann me teria respondido, de um castelo, que só voltaria em fevereiro, bem depois da época dos crisântemos, caso eu lhe houvesse pedido que reconstituísse para mim os elementos dessa lembrança que sentia ligada a um ano distante, de um milésimo ao qual não me era permitido remontar, os elementos daquele desejo, ele próprio tornado inacessível como o prazer que outrora havia perseguido em vão. E me teria sido necessário que se tratasse das mesmas mulheres, aquelas cuja toalete me interessava, porque, à época em que eu ainda acreditava, minha imaginação as individualizara e dotara de uma legenda. Ai de mim! Na avenida das Acácias – a aléia das Mirtes – revi algumas, velhas, e que eram mais que as sombras terríveis daquilo que haviam sido, errando, procurando desesperadamente não se sabe o quê nos bosques virgilianos. Há muito haviam desaparecido e eu ainda estava interrogando em vão os caminhos desertos. O sol já se pusera. A natureza recomeçava a reinar sobre o Bois, de onde se evolara a idéia de que era o Jardim elísio da Mulher; acima do moinho artificial, o céu verdadeiro se mostrava cinzento; o vento arrepiava o Grande Lago com pequenas ondinhas, como um lago; grandes pássaros percorriam rapidamente o Bois, como um bosque, e soltando gritos agudos pousavam, um após o outro, nos grandes carvalhos que, debaixo de sua coroa druídica e com uma majestade dodônea[8], pareciam proclamar o vazio inumano da floresta desocupada, e me ajudavam a compreender melhor a contradição que existe em procurar a realidade nos quadros da memória, aos quais sempre faltaria o encanto que lhes advém da própria memória e do fato de não serem percebidos pelos sentidos. A realidade que eu conhecera já não existia. Bastava que a Sra. Swann não chegasse exatamente igual no mesmo momento, para que a Avenida fosse outra. Os lugares que conhecemos não pertencem sequer ao mundo do espaço, onde os situamos para maior facilidade. Não passam de uma de lgada fatia em meio às impressões contíguas que formavam nossa vida de então; a recordação de uma certa imagem não é mais que a saudade de um determinado instante; e as casas, os caminhos, as avenidas, infelizmente são fugitivos como os anos.

[8] Dodônea: relativo a Dodone, antiga cidade do Épiro, onde os sacerdotes do santuário faziam oráculos, interpretando o rumor do vento nos carvalhos sagrados como sendo a voz de Zeus. (N. do T.)

À SOMBRA DAS MOÇAS EM FLOR

marcel proust

EM BUSCA DO TEMPO PERDIDO

PREFÁCIO | por Fernando Py

À Sombra das Moças em Flor

Em *À Sombra das Moças em Flor,* segundo romance da obra cíclica *Em Busca do tempo perdido,* Marcel Proust realiza aquele que é talvez o mais lírico de seus livros. A leitura do texto, entretanto, permanece no mesmo nível de complexidade de análise psicológica, com seu estilo caudaloso de movimento em espiral compósita, suas longas frases e períodos de enorme extensão, construídos todavia com grande rigor.

O lirismo é a tônica: o Narrador, já adolescente, conhece as moças do "pequeno grupo" na estância balneária de Balbec, onde vai passar algumas semanas. Anteriormente, apaixonado por Gilberte, filha de Charles Swann e Odette de Crécy, sofre o desamor dela. Mas são os nomes de pessoas e lugares que o encantam, como na parte final do livro anterior; só que, desta vez, simetricamente, os lugares têm maior relevo, especialmente o das cidadezinhas próximas a Balbec. E, a partir do momento em que conhece e passa a integrar-se ao "grupo" das moças, é que seu esquecimento de Gilberte se torna praticamente definitivo.

Uma das moças, Albertine, é que lhe vai chamar a atenção de modo especial. Percebe que a deseja mais do que às outras, e tenta iniciar um romance com ela. Aqui, como em muitos outros trechos, Marcel Proust esboça os temas subseqüentes de sua obra, prefigurando os dramas que ocorrerão nos volumes restantes. De qualquer modo, em *À Sombra das Moças em Flor* tudo é ainda expectativa de raízes recém-plantadas na terra. Os vícios nefandos, a anormalidade sexual e psicológica, as decepções do Narrador, sua plena constatação de que o Tempo tudo destrói, inclusive o sentimento amoroso – tudo isto ainda está no futuro, e o livro é de uma fluência tranqüila, apesar do estilo minuciosamente detalhista do autor. Requer-se uma leitura constante, de atenção presa, sem preocupação de conhecer os fatos narrados: afinal Proust não se deixa ler como autor realista comum. A importância de *À Sombra das Moças em Flor* pode ser atestada pelo fato de ter propiciado ao autor o seu único prêmio literário: o prêmio Goncourt, de melhor romance, em 1919.

PRIMEIRA PARTE

Ao Redor da Sra. Swann

Quando se cuidou de receber ao jantar, pela primeira vez, o Sr. de Norpois, tendo minha mãe lamentado que o professor Cottard estivesse viajando e que ela própria tivesse deixado completamente de freqüentar Swann, pois ambos teriam sem dúvida interessado o antigo embaixador, meu pai respondeu que um conviva eminente, um sábio ilustre, como Cottard, jamais poderia fazer má figura num jantar, ao passo que Swann, com sua ostentação, sua mania de alardear aos quatro ventos as suas relações, era um vulgar fanfarrão que o marquês de Norpois sem dúvida teria achado, conforme sua própria expressão, "nauseante". Ora, a resposta de meu pai necessita de algumas palavras de explicação, já que algumas pessoas talvez se lembrem de um Cottard bastante medíocre e de um Swann de extrema delicadeza, em matéria mundana, primor de modéstia e discrição. Mas, pelo que diz respeito a este, ocorrera que o "filho de Swann", e também o Swann do Jockey, adquirira uma personalidade nova (e que não deveria ser a última), a de marido de Odette. Afeiçoando às humildes ambições dessa mulher o instinto, o desejo e a habilidade de que sempre fora dotado, empenhara-se em construir, bem por baixo da antiga, uma posição nova e apropriada à companheira que a ocuparia com ele. Ora, mostrava-se aí um novo homem. Visto que (sempre continuando a freqüentar sozinho os amigos pessoais, aos quais não queria impor Odette quando não lhe pedissem espontaneamente para conhecê-la) era uma segunda vida que ele começava em comum com sua mulher, em meio a criaturas novas, ainda se compreenderia que, para avaliar o nível destas e, conseqüentemente, o prazer de amor-próprio que poderia sentir em recebê-las, ele se servisse, como ponto de comparação, não das pessoas mais brilhantes que formavam sua sociedade antes do casamento, mas das relações anteriores de Odette. Porém, mesmo quando se sabia que era com funcionários deselegantes, com mulheres de má fama, adorno dos bailes de ministérios, que ele desejava ligar-se, ficava-se espantado por ouvi-lo proclamar em alto e bom som (ele que outrora e, mesmo ainda hoje, dissimulava tão graciosamente um convite de Twickenham ou do Palácio de Buckingham) que a mulher de um subchefe-de-gabinete viera fazer uma visita à Sra. Swann. Dir-se-á talvez que aquilo se devia a que a simplicidade do Swann elegante não passara nele de uma forma mais requintada de vaidade e que, como certos judeus, o antigo amigo de meus pais pudera apresentar, de cada vez, os estágios sucessivos por onde haviam passado os membros de sua raça, desde o mais ingênuo esnobismo e a patifaria mais grosseira, até a mais fina polidez. Mas o motivo principal, aplicável à humanidade como um todo, era que nossas próprias virtudes não são algo livre, flutuante, de que conservemos a disponibilidade permanente; elas acabam por se associar tão estreitamente, no nosso espírito, às ações perante as quais nos impusemos o dever de exercê-las, que, se nos aparece uma atividade de outra ordem, esta nos pega totalmente desprevenidos e sem que tenhamos sequer a idéia de que poderia nos valer para praticar essas mesmas virtudes. Swann, solícito para com essas novas relações e citando-as com orgulho, era como aqueles grandes artistas modestos ou generosos que, se, no fim da vida, se dedicam à culinária ou à jardinagem, exibem uma ingênua satisfação com os elogios conferidos a seus pratos ou platibandas, para os quais não admitem a crítica que aceitam facilmente quanto a suas obras-primas; ou então que, ofertando de graça uma de suas telas, não podem em compensação perder quarenta *sous* no dominó sem mau humor.

Quanto ao professor Cottard, voltaremos a vê-lo com a patroa, longamente, bem mais distante, no castelo de la Raspelière. No momento, será bastante, quanto a ele, observar primeiro o seguinte: quanto a Swann, a rigor, a mudança pode surpreender, pois que já estava efetivada, sem que dela eu desconfiasse, quando via o pai de Gilberte nos Champs-Élysées, onde, aliás, ele não me dirigia a palavra e não podia exibir, diante de mim, suas relações políticas (é verdade que, se o tivesse feito, eu talvez não percebesse logo a sua vaidade, pois a idéia que nós fazemos de uma pessoa conhecida há tanto tempo como que nos tapa os olhos e os ouvidos; minha mãe, durante três anos, não distinguiu a pintura que uma das sobrinhas punha nos lábios, como se tivesse sido dissolvida inteira e invisivelmente num líquido; até o dia em que uma porção suplementar, ou alguma outra causa, provocou o fenômeno chamado supersaturação; toda a pintura não percebida antes se cristalizou e minha mãe, diante daquele súbito deboche de cores, declarou, como teriam feito em Combray, que aquilo era uma vergonha e rompeu quase totalmente as relações com a sobrinha). Mas ao contrário, no caso de Cottard, a época em que o vimos assistir aos começos de Swann em casa dos Verdurin já estava bem distante; ora, as honrarias, os títulos oficiais, chegam com os anos. Em segundo lugar, uma pessoa pode ser iletrada, fazer trocadilhos idiotas e possuir um dom peculiar que nenhuma cultura geral substitui, como o do grande estrategista ou do grande clínico. De fato, não era apenas como um prático obscuro, que com o tempo se tornara uma celebridade na Europa, que seus confrades consideravam Cottard. Os mais inteligentes dentre os jovens médicos declararam – ao menos durante alguns anos, pois as modas mudam, tendo nascido elas próprias da necessidade de mudanças – que, se alguma vez caíssem doentes, Cottard era o único mestre a quem confiariam a carcaça. É claro que preferiam a troca de idéias com certas cabeças mais cultas, mais artistas, com quem podiam falar de Nietzsche e Wagner. Quando se tocava música no salão da Sra. Cottard, nos saraus em que ela recebia os colegas e alunos do marido, com esperança de vê-lo um dia decano da faculdade, este, em vez de ouvir, preferia jogar cartas no salão vizinho. Porém gabavam-lhe a prontidão, a profundeza, a segurança de seu olho clínico, de seu diagnóstico. Em terceiro lugar, no que diz respeito ao conjunto de maneiras que o professor Cottard mostrava a um homem como meu pai, notemos que a natureza que fazemos surgir na segunda parte da nossa vida não é sempre, se o é muitas vezes, nossa natureza primária desenvolvida ou murcha, exagerada ou atenuada; trata-se às vezes de uma natureza oposta, uma verdadeira roupa às avessas. Salvo no caso dos Verdurin, que tinham se fartado dele, o aspecto hesitante de Cottard, sua timidez e amabilidade excessivas lhe tinham valido, na juventude, constantes ditos mordazes. Qual o amigo caridoso que lhe aconselhara adotasse um ar glacial? A importância da sua posição tornou-lhe mais fácil assumi-lo. Em toda parte, se não nos Verdurin aonde voltava instintivamente, ele se fez frio e, sem custo, silencioso, peremptório quando fosse necessário falar, não se esquecia de dizer coisas desagradáveis. Pôde ensaiar essa nova atitude diante de clientes que, não o tendo visto ainda, não tinham sequer como fazer comparações e ficariam bastante espantados se soubessem que ele não era homem de natureza rude. Esforçava-se sobretudo em ser impassível e, até no seu serviço do hospital, quando dizia alguns daqueles trocadilhos que faziam rir a todos, desde o chefe da clínica até o mais recente externo, fazia-o sempre sem que um só músculo se movesse no rosto, rosto aliás irreconhecível desde que rapara a barba e o bigode.

Para terminar, digamos quem era o marquês de Norpois. Tinha sido ministro plenipotenciário antes da guerra e embaixador no 16 de Maio, e, apesar disso, para assombro de muitos, encarregado diversas vezes, desde então, de representar a França em missões extraordinárias – e até mesmo como fiscal da Dívida, no Egito, onde, graças às suas grandes aptidões financeiras, prestara serviços importantes – por gabinetes radicais que um simples burguês reacionário recusaria servir, e aos quais o passado do Sr. de Norpois, suas ligações e opiniões teriam tornado suspeito. Mas esses ministros avançados pareciam dar-se conta de que mostrariam com semelhante nomeação a sua largueza de espírito, desde que se tratasse dos interesses superiores da França; punham-se acima da política e mereciam até que mesmo o *Journal des Débats* os qualificasse de estadistas e se beneficiassem por fim do prestígio que se ajunta a um nome aristocrático e do interesse que desperta, como um lance teatral, uma escolha inesperada. E sabiam também que, tais vantagens, eles as podiam recolher apelando ao Sr. de Norpois, sem temer da parte deste uma quebra de lealdade política, contra a qual o nascimento do marquês devia não pô-los de sobreaviso, e sim garanti-los. E nisso o governo da República não se enganava. Primeiro, porque uma certa aristocracia, educada desde a infância no sentido de considerar o próprio nome como uma vantagem interior que nada lhe pode tirar (e cujo valor os seus pares, ou aqueles que de nascença pertencem a um nível ainda superior, conhecem perfeitamente bem), sabe que pode evitar, pois não lhe acrescentariam nada, os esforços que fazem tantos burgueses, sem apreciável resultado ulterior, para professar unicamente opiniões da moda e só freqüentar pessoas de bons sentimentos. Em compensação, preocupada em engrandecer-se aos olhos das famílias principescas ou ducais, abaixo das quais está imediatamente situada, essa aristocracia sabe que não pode fazê-lo a não ser aumentando seu nome com aquilo que ele não contém, com aquilo que faz que, diante de um nome igual, ele prevaleça: uma influência política, uma reputação literária ou artística, uma grande fortuna. E os cuidados de que abre mão quanto a um inútil fidalgo provinciano requestado pelos burgueses e a cuja amizade sem proveito um príncipe não daria o menor valor, a aristocracia há de tê-los para com os políticos, ainda que sejam franco-maçons, que podem lhe abrir as portas das embaixadas ou patrociná-la nas eleições, com os artistas ou com os sábios, cujo apoio a ajuda a "furar", no setor em que se distinguem, para todos aqueles, enfim, que estão em condições de conferir uma nova distinção ou favorecer um casamento rico.

Porém, no que dizia respeito ao Sr. de Norpois, ocorria sobretudo que, numa longa prática da diplomacia, ele se havia imbuído desse espírito negativo, rotineiro, conservador, dito "espírito de governo" e que, de fato, é o de todos os governos e, em especial, está sob todos os governos, o espírito das chancelarias. Na carreira diplomática, adquirira a aversão, o temor e o desprezo desses procedimentos, cada vez menos incorretos, que são o modo de agir das oposições. A não ser no caso de alguns iletrados do povo e da alta sociedade, para quem a diferença de gêneros é letra morta, o que reaproxima não é a identidade de opiniões, e sim a consangüinidade dos espíritos. Um acadêmico do tipo de Legouvé e que seria adepto dos clássicos aplaudiria com a melhor boa vontade o elogio de Victor Hugo por Maxime Du Camp ou Mézières, do que o de Boileau por Claudel. Um mesmo nacionalismo bastou para aproximar Barrès de seus eleitores, que não devem fazer muita diferença entre ele e o Sr. Georges Berry, porém não de seus colegas da Academia que, tendo suas mesmas opiniões políticas mas um outro tipo de espírito, lhe preferirão até adversários como os senhores Ribot e Deschanel, de quem, por sua vez, monarquistas fiéis se sentem muito mais próximos do que de Maurras e Léon Daudet, que, no entanto, sonham também com o regresso do rei. Avaro de suas palavras não só por hábito profissional de prudência e reserva, mas também porque elas têm mais valor, oferecem mais matizes aos olhos de homens cujos esforços de dez anos para reaproximar dois países se resumem e se traduzem – num discurso, num protocolo – por um simples adjetivo, de aparência banal, mas no qual vêem um mundo inteiro, o Sr. de Norpois passava por ser muito frio na Comissão, onde ocupava um cargo ao lado de meu pai, a quem todos ali cumprimentavam pela amizade que lhe dedicava o antigo embaixador. Meu pai era o primeiro a espantar-se daquilo. Pois, sendo em geral pouco amável, tinha o hábito de não ser procurado fora do círculo da intimidade e o confessava com simplicidade. Era cônscio de que havia, nas aproximações do diplomata, um efeito sob este ponto de vista inteiramente individual, onde cada um se põe para decidir acerca de suas simpatias, e dentro do qual todas as qualidades intelectuais ou a sensibilidade de uma pessoa serão para alguém, a quem ela aborrece e irrita, uma recomendação tão boa como a franqueza e a alegria de outra, que passaria aos olhos de muitos como vazia, frívola e nula. "De Norpois me convidou de novo para jantar; é extraordinário; todos ficaram estupefatos na Comissão, onde ele não tem relações íntimas com ninguém. Tenho certeza de que ele ainda vai me contar coisas palpitantes sobre a guerra de 70." Meu pai sabia que só talvez o Sr. de Norpois avisara o imperador do poder crescente e das intenções belicosas da Prússia, e que Bismarck estimava particularmente a sua inteligência. Ainda recentemente, na ópera, durante o baile de gala oferecido ao rei Teodósio, os jornais haviam assinalado a longa entrevista que o soberano tivera com o Sr. de Norpois. "Preciso saber se essa visita do rei teve real importância", disse-nos meu pai, que se interessava muito pela política estrangeira. "Sei muito bem que o velho Norpois é fechado como uma ostra, mas comigo ele se abre todinho."

Quanto à minha mãe, talvez o embaixador não lhe apresentasse o tipo de inteligência que mais a atraísse. E devo dizer que a conversação do Sr. de Norpois era um repertório tão completo das formas antiquadas de linguagem particulares a uma carreira, a uma classe e a uma época – uma época que, para aquela carreira e para aquela classe, poderia muito bem não estar inteiramente abolida – que lamento às vezes não ter guardado pura e simplesmente as frases que lhe ouvi. Teria, desse modo, obtido um efeito *démodé* tão bem e da mesma maneira que aquele ator do Palais-Royal a quem indagavam onde podia encontrar seus surpreendentes chapéus e que respondia: "Não encontro os meus chapéus. Eu os conservo." Numa palavra, creio que minha mãe julgava o Sr. de Norpois um tanto antiquado, o que estava longe de lhe parecer desagradável do ponto de vista de seus modos, mas a encantava menos no terreno, senão das idéias – pois as do Sr. de Norpois eram bem modernas – mas das expressões. Apenas, ela sentia que seria lisonjear o marido de forma delicada se lhe falasse com admiração do diplomata que o tratava com tão rara predileção. Fortalecendo no espírito de meu pai a boa opinião que ele professava sobre o Sr. de Norpois, e levando-o assim a formar uma tão boa opinião sobre si mesmo, ela tinha consciência de cumprir um de seus deveres, que consistia em tornar agradável a vida do marido, como fazia quando vigiava para que a cozinha fosse bem cuidada e o serviço silencioso. E, como fosse incapaz de mentir a meu pai, ela mesma procurava admirar o embaixador para poder elogiá-lo com sinceridade. Aliás, apreciava naturalmente seu ar de bondade, sua polidez um tanto desusada (e tão cerimoniosa que, caminhando empertigado, ao perceber minha mãe que passava de carro, antes de lhe tirar o chapéu jogava longe o charuto mal começado), sua conversa tão comedida, na qual falava de si mesmo o menos possível e sempre levava em consideração o que poderia ser agradável ao interlocutor, sua pontualidade de tal modo surpreendente em responder a uma carta que meu pai, quando acabara de lhe enviar uma, reconhecendo a escrita do Sr. de Norpois no envelope, tinha a primeira impressão de que a correspondência de ambos se cruzara: poderia se dizer que, para ele, existiam no correio luxo e coletas suplementares. Minha mãe se maravilhava de que ele fosse tão exato, embora tão ocupado, tão amável, conquanto tão relacionado, sem pensar que os "emboras" e os "conquantos" são sempre "porquês" mal conhecidos, e que (assim como os velhos espantam pela idade, os reis cheios de simplicidade e os provincianos sabendo de tudo) eram os próprios hábitos do Sr. de Norpois que lhe permitiam satisfazer tantos encargos e ser tão regular em suas respostas, agradar à sociedade e ser amável conosco. Ademais, o erro de minha mãe, como o de todas as pessoas que são excessivamente modestas, provinha de que ela colocava as coisas que lhe diziam respeito abaixo e, conseqüentemente, fora dos outros. A resposta que a fazia atribuir tanto mérito ao amigo de meu pai em dirigi-la a nós com rapidez, porque ele escrevia muitas cartas por dia, ela a excetuava do grande número de cartas que, no entanto, não passavam de uma; da mesma forma, ela não considerava que um jantar em nossa casa fosse para o Sr. de Norpois um dos atos inumeráveis de sua vida social: não imaginava que o embaixador antigamente se acostumara, na diplomacia, a considerar os jantares citadinos como fazendo parte de suas funções e a empregar nisso uma graça inveterada, da qual seria demais pedir-lhe que se desfizesse excepcionalmente quando vinha à nossa casa.

O primeiro jantar a que o Sr. de Norpois compareceu em nossa casa, num ano em que eu ainda jogava nos Champs-Élysées, ficou na minha lembrança porque a tarde desse mesmo dia foi aquela em que eu ia enfim ouvir a Berma, numa "matinê", representando a *Fedra,* e também porque, palestrando com o Sr. de Norpois, percebi de súbito, e de uma forma nova, de que modo os sentimentos despertados em mim por tudo o que se relacionasse com Gilberte Swann e seus pais divergiam daqueles que essa mesma família inspirava a qualquer outra pessoa.

Sem dúvida, foi reparando no abatimento em que me afundava a aproximação das férias de Ano-Novo, durante as quais, como ela própria me anunciara, eu não deveria ver Gilberte, que um dia, para me distrair, mamãe me disse: "Se ainda tens o mesmo desejo tão grande de ouvir a Berma, acho que teu pai permitiria talvez que fosses: tua avó poderia te acompanhar."

Mas porque o Sr. de Norpois lhe dissera que deveria deixar-me ouvir a Berma, que aquilo seria, para um rapazinho, uma boa recordação a conservar, é que meu pai, até então hostil à idéia que eu fosse perder tempo e me arriscasse a contrair uma grave doença devido ao que chamava, para grande escândalo de minha avó, uma inutilidade, não estava longe de considerar aquele programa preconizado pelo embaixador como fazendo vagamente parte de um conjunto de receitas preciosas para o bom êxito de uma brilhante carreira. Minha avó que, renunciando por mim ao benefício que, segundo ela, me daria a audição da Berma, fizera um enorme sacrifício no interesse da minha saúde, espantava-se de que tudo aquilo se tornasse desprezível a uma só palavra do Sr. de Norpois. Pondo suas esperanças invencíveis de racionalista no regime de ar livre e de deitar cedo que me haviam prescrito, deplorava como uma calamidade a infração que eu ia fazer e, num tom enervado, dizia: "Como você é leviano" a meu pai, ao que este, furioso, respondia: "Como! Agora é a senhora que não quer que ele vá? É demais, logo a senhora que repetia o tempo todo que isso lhe poderia ser útil."

Mas o Sr. de Norpois mudara as intenções de meu pai num ponto bem mais importante para mim. Desejara sempre que eu fosse diplomata e eu não podia suportar a idéia de que, mesmo se devesse permanecer por algum tempo adido ao ministério, me arriscaria um dia a ser enviado como embaixador às capitais onde não moraria Gilberte. Teria preferido voltar aos projetos literários que fizera outrora, os quais abandonara no decurso de meus passeios pelos caminhos de Guermantes. Porém meu pai mantivera uma oposição constante a que eu me destinasse à carreira das letras, que julgava bastante inferior à diplomacia, rejeitando-lhe mesmo o nome de carreira, até o dia em que o Sr. de Norpois, que não gostava muito dos agentes diplomáticos das novas fornadas, lhe assegurara que era possível a alguém, enquanto escritor, atrair tanta consideração, exercer tanta ação e conservar mais independência do que nas embaixadas.

– Quem diria! Eu não teria acreditado, o velho Norpois não é de todo contrário à idéia que te fazes da literatura – me dissera meu pai. E, como ele próprio fosse bastante influente, julgava não haver nada que não se arranjasse, que não encontrasse uma solução favorável na conversação de pessoas importantes: – Vou trazê-lo para jantar uma noite destas, saindo da Comissão. Vais falar um pouquinho com ele, a fim de que ele possa te avaliar. Escreve alguma coisa que possas lhe mostrar; é muito relacionado com o diretor da *Revista dos Dois Mundos,* conseguirá que faças parte dela, arranjará isso, é um velho esperto; e, por Deus, dá a impressão de que a diplomacia hoje...

A felicidade que sentia em não me ver separado de Gilberte me tornava desejoso, porém não capaz, de escrever algo bem bonito para ser mostrado ao Sr. de Norpois. Depois de algumas páginas preliminares, com o tédio me fazendo cair a pena das mãos, eu chorava de raiva pensando que jamais teria talento, que não era dotado e nem poderia sequer aproveitar a oportunidade que a próxima visita do Sr. de Norpois me ofereceria de permanecer sempre em Paris. Somente a idéia de que iam me deixar ouvir a Berma me aliviava o desgosto. Mas assim como só desejava contemplar tempestades nos litorais onde eram mais violentas, da mesma forma só queria ouvir a grande atriz num daqueles papéis clássicos em que Swann me afirmara que ela atingia a sublimidade. Pois quando estamos na esperança de uma preciosa descoberta e desejamos receber certas impressões da natureza ou da arte, sentimos algum escrúpulo em deixar nossa alma acolher, em vez delas, certas impressões menores que poderiam nos enganar quanto ao exato valor do Belo. A Berma em *Andrômaca,* nos *Caprichos de Marianne,* em *Fedra,* era uma dessas coisas famosas que minha imaginação tanto desejara. Teria o mesmo deslumbramento que no dia em que uma gôndola me conduzisse para junto do Ticiano dos Frari ou dos Carpaccio de San Giorgio dei Schiavoni, se alguma vez ouvisse recitados pela Berma os versos:

Diz-se que uma súbita partida vos afasta de nós, Senhor, etc.

Eu os reconhecia pela simples reprodução em preto-e-branco que dão às edições impressas; mas meu coração batia quando pensava, como na realização de uma viagem, que por fim os veria banharem-se de fato na atmosfera e no ensolaramento da voz dourada. Um Carpaccio em Veneza, a Berma em *Fedra,* obras-primas da arte pictórica ou dramática cujo prestígio que se lhes atribuía as fazia tão vivas em mim, isto é, tão indivisíveis, que, se eu tivesse ido ver os Carpaccio numa sala do Louvre ou a Berma em alguma peça da qual jamais ouvira falar, não teria experimentado o mesmo espanto delicioso de ter enfim os olhos abertos diante do objeto inconcebível e único de tantos milhares de sonhos meus. Depois, esperando do desempenho da Berma revelações sobre certos aspectos da nobreza, da dor, parecia-me que o que houvesse de grande e verdadeiro nesse desempenho deveria sê-lo ainda mais se a atriz o superpusesse a uma obra de valor legítimo, em vez de ornar, em suma, verdade e beleza sobre uma trama medíocre e vulgar.

Por fim, se fosse ouvir a Berma numa peça nova, não me seria fácil julgar sua arte, sua dicção, visto que não poderia fazer distinção entre um texto não conhecido previamente e aquele que lhe acrescentariam entonações e gestos que me pareciam formar um só corpo com ele; ao passo que as obras antigas que eu sabia de cor, surgiam-se como vastos espaços reservados e prontos, onde poderia apreciar em plena liberdade as invenções de que a Berma as cobriria, como que a fresco, com os permanentes achados de sua inspiração. Infelizmente, fazia vários anos que ela deixara os grandes palcos e fazia a fortuna de um teatro de bulevar, do qual era a estrela, e já não representava os clássicos, e por mais que eu consultasse os cartazes, eles nunca anunciavam senão peças recentes, escritas expressamente para ela pelos autores em voga; quando, certa manhã, procurando na coluna dos teatros as matinês da semana do Ano-Novo, vi pela primeira vez – no fim do espetáculo, depois de um erguer de pano provavelmente insignificante, cujo título me pareceu opaco, pois continha todo o pormenor de uma ação que eu ignorava – dois atos da *Fedra* com a Sra. Berma, e nas matinês seguintes *O Démi-Monde, Os caprichos de Marianne,* nomes que, como o de *Fedra,* eram transparentes para mim, preenchidos unicamente de claridade, de tanto que a obra me era conhecida, iluminados até o fundo por um sorriso de arte. Eles me pareceram acrescentar nobreza à própria Sra. Berma quando li nos jornais, após o programa desses espetáculos, que fora ela quem resolvera mostrar-se novamente ao público em algumas de suas antigas criações. Portanto, a artista sabia que determinados papéis têm um interesse que sobrevive à novidade de seu aparecimento ou ao sucesso da reprise; considerava-os, interpretados por ela, como obras-primas de museu que podia ser instrutivo repor aos olhos da geração que a havia admirado, ou daquela que não a vira. Colocando assim em cartazes, no meio de peças que só eram destinadas a fazer passar o tempo de um sarau, *Fedra,* cujo título não era maior que o das outras e nem se imprimia em caracteres diferentes, ela o acrescentava ali como o subentendido de uma dona de casa que, ao apresentá-lo aos convivas no momento de ir para a mesa, lhes diz, em meio aos nomes dos convidados que são apenas convidados, e no mesmo tom com que citou os outros: Sr. Anatole France.

O médico que me tratava – o que me proibira qualquer viagem – desaconselhou a meus pais que me deixassem ir ao teatro; voltaria para casa doente, talvez por muito tempo, e afinal sentiria mais sofrimento do que prazer. Esse temor poderia me fazer desistir, se aquilo que esperava de uma tal representação fosse unicamente um prazer que, em suma, um sofrimento posterior pode anular. Porém – assim como no caso da viagem a Balbec e a Veneza, que desejara tanto – o que eu pedia àquela manhã era algo bem diverso de um prazer: eram verdades pertencentes a um mundo mais real que aquele em que eu vivia, e as quais, uma vez processada a aquisição, não poderiam mais ser subtraídas por incidentes insignificantes da minha vida ociosa, mesmo que fossem dolorosos ao meu corpo. Quando muito, o prazer que sentiria durante o espetáculo se me afigurava como a forma talvez necessária da percepção dessas verdades; e era o bastante para que eu desejasse que as moléstias previstas só começassem depois de finda a representação, para que esta não fosse comprometida e falseada por elas. Implorava a meus pais que, desde a visita do médico, já não queriam permitir que fosse à *Fedra.* Recitava para mim mesmo, sem parar, a tirada:

Diz-se que uma súbita partida vos afasta de nós... procurando todas as entonações possíveis, a fim de melhor avaliar o inesperado da que a Berma acharia. Oculta como o Santo dos Santos sob o pano de boca que a disfarçava e por trás do qual eu lhe atribuía a cada instante um novo aspecto, segundo estas palavras de Bergotte – na plaqueta encontrada por Gilberte – que me voltavam ao espírito: "nobreza plástica, cilício cristão, palidez jansenista, princesa de Trézène e de Clèves, drama miceniano, símbolo délfico, mito solar", a divina Beleza que devia me revelar o desempenho da Berma, noite e dia, sobre um altar perpetuamente iluminado, pontificava no fundo da minha alma, a cujo respeito meus pais severos e levianos iam decidir se ela encerraria ou não, e para sempre, as perfeições da Deusa revelada nesse mesmo lugar onde se erguia sua forma invisível. E, com os olhos fixos na imagem inconcebível, eu lutava da manhã à noite contra os obstáculos que minha família me opunha. Porém, quando todos foram vencidos, quando minha mãe – ainda que aquela matinê tivesse lugar precisamente no dia da sessão da Comissão após a qual meu pai devia trazer o Sr. de Norpois para jantar – me disse: "Muito bem, não queremos te aborrecer; se achas que terás tanto prazer, então deves ir", quando aquele dia de teatro, até então proibido, só dependeu de mim, então, pela primeira vez, já não tendo que me preocupar que deixasse de ser impossível, perguntei-me se seria desejável, se outros motivos além da proibição de meus pais não me levariam a renunciar a ele. Em primeiro lugar, após ter detestado a sua crueldade, o consentimento deles os tornava tão caros para mim que a idéia de lhes causar desgosto me aborrecia, e, através desse aborrecimento, a vida já não me surgiu como tendo por objetivo a verdade, e sim o carinho, e não me parecia mais boa ou má senão conforme os meus pais fossem felizes ou infelizes. "Preferia não ir, se isto os aflige", disse a minha mãe, a qual, ao contrário, se esforçava por me fazer perder essa idéia preconcebida de que ela pudesse se entristecer com aquilo, o que, dizia, acabaria por estragar o prazer que eu teria em ouvir a *Fedra* e em cuja consideração ela e meu pai tinham voltado atrás em sua proibição. Aí então, aquela espécie de obrigação de sentir prazer me parecia bem pesada. Depois, se eu voltasse adoentado, estaria curado suficientemente rápido para poder ir aos Champs-Élysées, ao acabarem as férias, logo que Gilberte voltasse? Para decidir do que devia ultrapassá-la, a todas essas razões eu confrontava a idéia, invisível por trás de seu véu, da perfeição da Berma. Punha num dos pratos da balança "sentir mamãe triste, arriscar-me a não poder ir aos Champs-Élysées", no outro, "palidez jansenista, mito solar"; porém essas mesmas palavras acabavam se obscurecendo em meu espírito, não me diziam mais nada, perdiam todo seu peso; pouco a pouco minhas hesitações se tornavam tão dolorosas que, se agora optasse pelo teatro, seria apenas para fazê-las cessar e livrar-me delas de uma vez por todas. Seria para abreviar meu sofrimento e não mais na esperança de um benefício intelectual e cedendo à atração da perfeição, que me deixaria levar não para a Sábia Deusa e, sim, para a implacável Divindade sem rosto e sem nome que a substituíra sub-repticiamente debaixo do véu. Porém bruscamente tudo se mudou, meu desejo de ir ouvir a Berma recebeu novo impulso que me permitiu esperar com impaciência e alegria aquela "matinê": tendo ido fazer diante da coluna dos teatros a minha parada diária de estilista, tão cruel ultimamente, vira, úmido ainda, o cartaz detalhado da *Fedra* que tinham acabado de colar pela primeira vez (e onde, na verdade, o resto da distribuição não me trazia nenhum atrativo novo que pudesse me fazer tomar uma decisão). Mas ele dava a um dos objetivos, entre os quais oscilava a minha indecisão, uma forma mais concreta e – já que o cartaz estava datado não do dia em que o lia, mas daquele em que ocorreria a representação, e com a própria hora em que se ergueria o pano – quase iminente, já em vias de realização, de modo que pulei de alegria diante da coluna ao pensar que, naquele dia, exatamente naquela hora, estaria prestes a ouvir a Berma, sentado no meu lugar; e, com medo que meus pais já não tivessem tempo de encontrar duas criadas para mim e minha avó, dei um pulo até em casa, impelido como estava por estas palavras mágicas que haviam substituído, em meu pensamento, as expressões "palidez jansenista" e "mito solar": "As damas não serão recebidas de chapéu na orquestra, e as portas serão fechadas às duas horas."

Infelizmente, essa primeira representação foi grandemente decepcionante. Meu pai propôs-se a nos levar, a minha avó e a mim, ao teatro, quando fosse para a Comissão. Antes de sair de casa, disse à minha mãe: "Trata de fazer um bom jantar; estás lembrada que vou trazer o Sr. de Norpois?" Minha mãe não se havia esquecido. E desde a véspera, Françoise, feliz por entregar-se à arte culinária, para a qual com certeza possuía um dom, e aliás estimulada pelo anúncio de um novo conviva, sabendo que teria de preparar, segundo os métodos só dela conhecidos, carne de vaca na geléia, vivia na efervescência da criação; como desse extrema importância à qualidade intrínseca dos materiais que deveriam entrar no preparo de sua obra, ia ela mesma aos Halles para obter os mais belos pedaços de alcatra, de pernil de vaca e de mocotó de vitela, tal como Michelangelo quando passava oito meses nas montanhas de Carrara para escolher os blocos de mármore mais perfeitos para o monumento de Júlio II. Françoise empregava, nessas idas e vindas, um tal ardor que mamãe, vendo o seu rosto inflamado, temia que a nossa velha criada caísse doente de exaustão como o autor do túmulo dos Médicis nas pedreiras de Pietrasanta. E, desde a véspera, Françoise mandara cozer, no forno do padeiro, protegido por uma camada de miolo de pão como um mármore cor-de-rosa, o que ela denominava presunto de Nev'York. Julgando o idioma menos rico do que é e seus próprios ouvidos não muito confiáveis, sem dúvida na primeira vez que ouvira falar do presunto de York pensara – achando um desperdício inacreditável do vocabulário que pudesse existir, ao mesmo tempo, York e Nova York – não ter ouvido direito e que lhe tinham querido dizer o nome que ela já conhecia. Assim, desde então a palavra York se fazia preceder, nos seus ouvidos, ou diante de seus olhos se a lesse num anúncio, de um "Nova", que ela pronunciava Nev'. E era com a maior boa-fé do mundo que ela dizia à criada de cozinha: "Vá buscar presunto no *Olida*. A senhora me recomendou que seja de Nev'York." Naquele dia, se Françoise possuía a ardente certeza dos grandes criadores, meu quinhão era a cruel inquietude do pesquisador. Sem dúvida, enquanto não ouvi a Berma senti prazer. Senti-o no pequeno largo que precedia o teatro e cujos castanheiros desfolhados iriam, duas horas depois, luzir com reflexos metálicos assim que os bicos de gás acesos iluminassem em detalhe os seus ramos; diante dos encarregados da fiscalização, cuja escolha, promoção e destino dependiam da grande artista – pois só ela detinha o poder dessa administração, a cuja testa diretores efêmeros e puramente nominais se sucediam obscuramente – e que pegaram nossas entradas sem nos olhar, na preocupação de saber se todas as prescrições da Sra. Berma tinham sido bem transmitidas ao pessoal novo, se ficara bem claro que a claque nunca devia aplaudi-la, que as janelas deviam estar abertas enquanto ela não estivesse em cena e a menor porta fechada depois, com um pote de água quente dissimulado perto dela para fazer cair a poeira do palco: e, de fato, dali a um instante a sua carruagem tirada por dois cavalos de longa crina ia parar diante do teatro, e ela desceria envolta em peles, respondendo com um gesto entediado aos cumprimentos, e enviaria uma de suas acompanhantes para se informar sobre o proscênio, reservado para seus amigos, sobre a temperatura da sala, o arranjo dos camarotes, o traje das arrumadeiras, teatro e público sendo para ela apenas um segundo meio, mais ou menos bom condutor, que seu talento teria de atravessar. Senti-me feliz também na própria sala; desde que soubera que – ao contrário do que me fora durante tanto tempo representado pela minha imaginação infantil – só haveria um palco para todo o mundo, pensava que os outros espectadores deviam impedir a gente de ver direito, como quando estamos no meio de uma multidão; ora, percebi que, pelo contrário, graças a uma disposição que é como o símbolo de toda percepção, cada um se sente o centro do teatro; o que me explicou que, de uma vez que tinham mandado Françoise ver um melodrama na terceira galeria, ela houvesse assegurado, ao voltar, que o seu posto era o melhor que podia haver, e em vez de se encontrar muito longe sentira-se intimidada pela viva e misteriosa proximidade do pano de boca. Meu prazer aumentou ainda mais quando comecei a distinguir, atrás do pano abaixado, rumores confusos como os que a gente ouve sob a casca do ovo quando o pinto vai nascer, rumores que logo aumentaram e, de repente, daquele mundo impenetrável ao nosso olhar mas que nos via do seu, dirigiram-se indubitavelmente a nós sob a forma imperiosa de três pancadas tão emocionantes como sinais vindos do planeta Marte. E – tão logo se ergueu o pano – quando, no palco, uma escrivaninha e uma lareira, aliás bem ordinárias, indicaram que as personagens que iam entrar seriam, não atores que tivessem vindo para recitar, como vira uma vez numa recepção, porém homens dispostos a viver um dia de suas vidas nas quais eu penetrava por arrombamento sem que pudessem me ver, meu prazer continuou a durar; foi interrompido por uma breve inquietação: justo quando eu aguçava os ouvidos antes que a peça começasse, dois homens entraram no palco, furiosos, visto que falavam com força bastante para que naquela sala, onde havia mais de mil pessoas, se entendessem todas as suas palavras, ao passo que num barzinho a gente é obrigado a perguntar ao garçom o que dizem dois indivíduos que se engalfinham; mas, no mesmo instante, espantado por ver que o público os ouvia sem protestar, mergulhado como estava num silêncio unânime sobre o qual em breve veio sussurrar um riso aqui, um outro ali, compreendi que esses insolentes eram atores e que a pecinha, chamada anteato, acabava de começar. Foi seguida por um entreato tão longo que os espectadores, de volta a seus lugares, se impacientavam e batiam com os pés. Aquilo me assustou; pois, assim como no sumário de um processo, quando eu lia que um homem de coração generoso vinha, a despeito de seus interesses, testemunhar em favor de um inocente, eu temia sempre que não fossem suficientemente amáveis com ele, que não se mostrassem bastante reconhecidos, que não o recompensassem largamente, e que, desgostoso, ele se pusesse ao lado da injustiça – da mesma forma, assimilando naquilo o gênio à virtude, temia eu que a Berma, aborrecida com os maus modos de um público tão mal-educado – no qual, pelo contrário, gostaria que ela pudesse reconhecer com satisfação algumas celebridades a cuja crítica ela atribuía importância –, exprimisse o seu descontentamento e seu desdém atuando mal. E olhava com ar súplice aqueles brutamontes turbulentos que, no seu furor, iam quebrar a preciosa e frágil impressão que eu viera buscar. Por fim, os últimos momentos de meu prazer ocorreram durante as primeiras cenas de *Fedra*. A personagem Fedra não aparece nesse começo do segundo ato; e, no entanto, desde que se ergueu o pano e um segundo pano, este de veludo vermelho, se afastou, aumentando o tamanho do palco em todas as peças em que atuasse a estrela, uma atriz entrou pelos fundos, com o rosto e a voz que me haviam dito serem os da Berma. Provavelmente haviam mudado a distribuição dos papéis, tornava-se inútil o cuidado que eu tivera em estudar o papel da mulher de Teseu. Mas uma outra atriz replicou à primeira. Enganara-me tomando esta pela Berma, pois a segunda se parecia ainda mais com ela e, mais que a outra, possuía a sua dicção. Além disso, ambas acrescentavam nobres gestos a seu papel – gestos que eu percebia claramente, compreendendo sua relação com o texto, enquanto elas erguiam seus belos peplos[1] –, e também engenhosas entonações, ora passionais, ora irônicas, que me faziam entender o significado de um verso que havia lido em casa sem prestar muita atenção ao que dizia. Mas de súbito, na separação do pano vermelho do santuário, como num quadro, surgiu uma mulher e, a seguir, pelo medo que senti, muito mais ansioso que o podia ser o da Berma, de que a incomodassem abrindo uma janela, de que alterassem o som de uma de suas palavras amarrotando um programa, de que a indispusessem aplaudindo suas companheiras e não a aplaudissem, a ela, de forma suficiente; à minha maneira, mais absoluta ainda que a da Berma, de não considerar, desde aquele instante, sala, público, atores, peça, e meu próprio corpo, senão como um meio acústico que só tivesse importância na medida em que fosse favorável às inflexões daquela voz, compreendi que as duas atrizes que admirava há poucos minutos não tinham qualquer semelhança com a que acabava de ouvir. Mas, ao mesmo tempo, todo meu prazer cessara; por mais que estendesse para

[1]Na Grécia antiga, *peplo* era uma túnica sem mangas, presa ao ombro por um broche, deixando descobertos um dos lados do corpo e os braços. (N. do T.)

Berma os meus olhos, meus ouvidos, meu espírito, para não deixar escapar uma só migalha dos motivos que ela me daria para admirá-la, não logrei recolher uma única sequer. Nem podia, como no caso de suas companheiras, distinguir em sua dicção e no jogo das inflexões inteligentes, os belos gestos. Escutava-a como se estivesse lendo a *Fedra,* ou como se a própria Fedra dissesse naquele momento as coisas que eu ouvia, sem que o talento da Berma parecesse lhe ter acrescentado coisa nenhuma. Gostaria – para poder aprofundá-la, para tentar descobrir o que nela havia de belo – de parar, imobilizar cada inflexão da artista, cada expressão de sua fisionomia; pelo menos, à força de agilidade mental, tendo, antes de um verso, toda a minha atenção instalada e alerta, tentava não distrair em preparativos uma parte da duração de cada palavra, de cada gesto, e, graças à intensidade da minha atenção, chegar a descer tão profundamente nelas como o teria feito se tivesse longas horas à minha disposição. Mas como era breve essa duração! Mal meus ouvidos recebiam um som, e já este era substituído por outro. Numa cena em que a Bermas permanece imóvel por um instante, o braço erguido à altura do rosto, banhada numa luz esverdeada graças a um artifício de iluminação, diante do cenário que representa o mar, a sala rompeu em aplausos, mas a atriz já havia mudado de lugar e o quadro que eu desejaria estudar não mais existia. Disse a minha avó que não via bem, e ela me passou o binóculo. Apenas, quando se crê na realidade das coisas, usar um meio artificial para fazer com que se mostrem não equivale inteiramente a sentir-se próximo delas. Achava que já não era a Berma a quem via, e sim a sua imagem na lente de aumento. Deixei o binóculo; mas talvez a imagem que meu olho recebia, diminuída pela distância, não fosse mais exata; qual das duas Berma era a verdadeira? Quanto à declaração a Hipólito, eu confiara muito nesse trecho em que, a julgar pelos sentidos engenhosos que suas companheiras me revelavam a todo momento nas partes menos belas, ela certamente teria entonações mais surpreendentes que, em casa, lendo-o, tentara imaginar; mas ela não alcançou sequer as que Oenone ou Aricie teriam encontrado, passou pela plaina de uma melopéia uniforme toda a tirada onde se acham confundidos todos os contrastes, todavia tão ressaltados, cujos efeitos uma atriz trágica medianamente inteligente, e até alunos do colégio, não deixariam de acentuar; além disso, ela o declamou tão depressa que somente quando chegou ao último verso é que meu espírito se conscientizou da monotonia intencional que havia imposto aos primeiros.

Por fim, rompeu meu primeiro sentimento de admiração: foi provocado pelos aplausos frenéticos dos espectadores. Misturei os meus aos deles, tentando prolongá-los para que, por reconhecimento, a Berma se superasse e eu tivesse a certeza de a ter ouvido num de seus melhores dias. O que, de resto, é curioso é que o momento em que se desencadeou esse entusiasmo do público foi, como o soube depois, aquele em que a Berma teve um de seus melhores achados. Parece que certas realidades transcendentes emitem, a seu redor, radiações a que a multidão é sensível. É assim, por exemplo, quando ocorre um incidente, quando na fronteira um exército está em perigo, batido ou vitorioso, as notícias bastante obscuras que recebemos e de onde o homem culto não sabe extrair grande coisa, excitam na turba uma emoção que o surpreende e na qual, uma vez que os especialistas o tenham posto ao corrente da verdadeira situação militar, reconhece a percepção, pelo povo, daquela "aura" que envolve os grandes acontecimentos e que pode ser visível a centenas de quilômetros. Tem-se notícia da vitória, ou muito mais tarde, quando a guerra acaba, ou imediatamente, pela alegria do porteiro. Descobre-se um traço genial do desempenho da Berma oito dias depois de a ter ouvido, pela crítica, ou de imediato, devido às aclamações da platéia. Porém, estando essa consciência imediata da multidão mesclada a outras cem completamente erradas, os aplausos muitas vezes soavam falso, sem contar que eram levados mecanicamente pela força dos aplausos anteriores, como numa tempestade, uma vez que o mar esteja tão revolto que continua a engrossar, mesmo que o vento não aumente. Não importa; à medida que eu aplaudia, parecia-me que a Berma representava melhor. – Pelo menos – dizia a meu lado uma mulher bem vulgar –, ela se consome, se bate de dar pena, corre; isto sim é que é representar! – E feliz por encontrar estas razões da superioridade da Berma, embora duvidando que elas fossem bastante para explicá-la, como não bastava para explicar a da Gioconda ou do Perseu de Benvenuto a exclamação de um camponês: – É tudo muito bem-feito! Tudo em ouro, e bonito! Que trabalho! – compartilhei, ébrio, o vinho grosseiro daquele entusiasmo popular. Ao baixar o pano, fiquei meio desapontado porque o prazer que tanto desejara não fora maior, mas ao mesmo tempo senti a necessidade de prolongá-lo, de não deixar mais, ao sair da sala, essa vida do teatro que por algumas horas fora a minha, e da qual teria me arrancado como se partisse para o exílio, ao voltar diretamente para casa, se ali não alimentasse esperanças de aprender muito sobre a Berma com seu admirador, a quem devia a permissão de ter ido ver a *Fedra,* o Sr. de Norpois. Fui-lhe apresentado, antes do jantar, por meu pai, que me chamou para tanto ao seu gabinete. Quando entrei, o embaixador se ergueu, estendeu-me a mão, inclinou sua grande estatura, fixando em mim, atentamente, seus olhos azuis. Como os estrangeiros de passagem, que lhe eram apresentados, no tempo em que representava a França, eram mais ou menos – até mesmo os cantores da moda – pessoas de importância e de quem sabia então que poderia dizer mais tarde, quando falassem nos seus nomes em Paris ou S. Petersburgo, que se lembrava perfeitamente da noite que passara com eles em Munique ou em Sófia, assumira o hábito de fazê-los notar pela afabilidade a satisfação que sentia em encontrá-los; mas, além disso, persuadido de que na vida das capitais, ao contato a um tempo das individualidades interessantes que as percorrem e dos costumes do povo que ali habita, adquire-se um conhecimento aprofundado, que os livros não dão, da história, da geografia, dos costumes das diferentes nações, do movimento intelectual da Europa, ele exercia sobre cada recém-chegado suas agudas faculdades de observador a fim de saber de imediato com que tipo de homem estava tratando. Há muito tempo, o governo já não lhe confiava qualquer posto no estrangeiro, mas logo que lhe apresentavam alguém, seus olhos, como se não tivessem recebido notificação de sua disponibilidade, principiavam a observar proveitosamente, enquanto em todas suas atitudes ele procurava mostrar que o nome do estranho não lhe era desconhecido. Assim, falando-me sempre com bondade e com o ar de importância de um homem que conhece sua vasta experiência, não cessava de me examinar com uma curiosidade sagaz e para seu próprio benefício, como se eu fosse algum hábito exótico, algum monumento instrutivo, ou uma estrela em *tournée.* E desse modo dava provas, para comigo, ao mesmo tempo, da majestosa amabilidade do sábio Mentor e da curiosidade estudiosa do jovem Anacársis.

Não me ofereceu absolutamente nada para a *Revista dos Dois Mundos,* mas fez-me um certo número de perguntas sobre minha vida e meus estudos, sobre meus gostos, dos quais ouvi falar pela primeira vez como poderia ser razoável segui-los, ao passo que acreditara até então que seria um dever contrariá-los. Visto que meus gostos me inclinavam para a literatura, ele não se desviou dela; falou-me ao contrário com deferência, como de uma pessoa venerável e encantadora de cujo círculo seleto, em Roma ou em Dresde, se conserva a melhor lembrança e que se lastima encontrar tão poucas vezes depois, devido às circunstâncias da vida. Parecia invejar-me, sorrindo com um ar quase licencioso, os bons momentos que, mais feliz que ele, e mais livre, a literatura me faria passar. Mas os próprios termos de que se servia me mostravam a literatura como bem diversa da imagem que eu imaginara em Combray, e compreendi que tinha tido duplamente razão em renunciar a ela. Até aqui eu percebera apenas que não possuía o dom da escrita; agora, o Sr. de Norpois me matava até o desejo de praticá-la. Quis lhe explicar o que havia fantasiado; trêmulo de emoção, tinha o maior escrúpulo em que todas as minhas palavras fossem o mais sincero equivalente possível do que havia sentido e que jamais tentara formular; o que significa que minhas palavras não tinham qualquer clareza. Talvez por hábito profissional, talvez em virtude da tranqüilidade que adquire todo homem importante a quem se pede conselho e que, sabendo que terá em mãos a direção da conversa, deixa o interlocutor se agitar, se esforçar, sofrer à vontade, talvez também para fazer valer os aspectos de sua cabeça (segundo ele grega, apesar das grandes suíças), o Sr. de Norpois, enquanto eu lhe expunha algo, conservava uma imobilidade fisionômica tão absoluta como se a gente estivesse falando diante de um busto antigo – e surdo – em uma gliptoteca. De repente, caindo como o martelo do leiloeiro, ou como um oráculo de Delfos, a voz do embaixador que nos respondia impressionava, tanto mais que nada em seu rosto deixara suspeitar a espécie de impressão que havíamos deixado nele, nem a opinião que iria dar.

– Exatamente – disse de súbito, como se a causa estivesse julgada e após me haver deixado gaguejar diante dos olhos imóveis que não me largavam um só instante –, conheço o filho de um de meus amigos que, *mutatis mutandis*, é como você – (e, para falar de nossas inclinações comuns, assumiu o mesmo tom tranqüilizador como se se tratasse não de tendências para a literatura e sim para o reumatismo, e quisesse mostrar que a gente não morria disso). – Ele também preferiu largar o Quai d'Orsay, onde no entanto o caminho já lhe fora aberto pelo pai e, sem se preocupar com o que diriam, pôs-se a escrever. E certamente não teve ocasião de se arrepender. Publicou há dois anos – além disso, naturalmente, ele é muito mais velho que você – uma obra relativa ao sentimento do Infinito na margem ocidental do lago Vitória-Nianza e, este ano, um opúsculo menos importante, mas traçado com pena hábil, às vezes até acerada, sobre o fuzil de repetição no exército búlgaro, que o puseram numa situação verdadeiramente única. Já percorreu um belo caminho, não é homem de parar no meio, e sei que, sem que tenha sido considerada a idéia de uma candidatura, aventaram seu nome duas ou três vezes na conversação, e de um modo que nada era desfavorável, à Academia de Ciências Morais. Em suma, sem poder dizer ainda que ele esteja no auge, o fato é que conquistou com muita luta uma posição bastante boa e o sucesso, que nem sempre acorre aos agitados e espertalhões, aos bisbilhoteiros que quase sempre são uns farsantes, o sucesso recompensou os seus esforços.

Meu pai, já me vendo acadêmico dentro de alguns anos, respirava uma satisfação que o Sr. de Norpois levou ao máximo quando, após um momento de hesitação, durante o qual parecia calcular as conseqüências de seu ato, me disse estendendo-me seu cartão de visitas: – Portanto, vá vê-lo de minha parte, ele poderá lhe dar conselhos úteis – causando-me com tais palavras uma agitação tão penosa como se tivesse anunciado que no dia seguinte eu seria embarcado como grumete a bordo de um veleiro.

Minha tia Léonie me fizera herdeiro, ao mesmo tempo que de muitos objetos e móveis bastante incômodos, de quase toda a sua fortuna líquida – revelando assim, após a morte, um afeto por mim que eu estava longe de suspeitar enquanto ela vivera. Meu pai, que devia gerir essa fortuna até a minha maioridade, consultou o Sr. de Norpois sobre um certo número de investimentos. Este o aconselhou a empregar o dinheiro em títulos de escasso rendimento que julgava especialmente sólidos, notadamente os Consolidados ingleses e o 4% russo. – Com esses valores de primeiríssima qualidade – disse o Sr. de Norpois –, se o rendimento não é muito elevado, pelo menos você tem segurança de nunca ver em perigo o capital. – Quanto ao resto, meu pai lhe contou por alto o que havia comprado. O Sr. de Norpois teve um imperceptível sorriso de felicitações: como todos os capitalistas, considerava a fortuna uma coisa invejável, porém achava mais delicado só cumprimentar por um sinal de inteligência mal-confesso à pessoa que a possuía;

por outro lado, como ele próprio era fabulosamente rico, julgava de bom gosto dar a impressão de considerar enormes os rendimentos menores de outrem, não sem o reconhecimento alegre e confortável quanto à superioridade dos seus. Em troca, não hesitou em cumprimentar meu pai pela "composição" de seus papéis de crédito, "de um gosto seguro, delicado e fino". Poderia se dizer que atribuía às relações de valores de bolsa entre si, e até aos valores da Bolsa em si mesmos, algo como um mérito estético. De um deles, bem novo e desconhecido, de que lhe falou meu pai, o Sr. de Norpois, semelhante a essas pessoas que leram livros que a gente apenas achava conhecer, lhe disse: – Sim, e me diverti durante algum tempo a lhe seguir as cotações; era interessante – com o sorriso retrospectivamente fascinado de um assinante que leu o último romance de uma revista, aos pedaços, em folhetim. – Eu não o desaconselharia a subscrever a emissão que vai ser lançada proximamente. É atraente, pois os títulos são oferecidos a preços tentadores. – Ao contrário, para certos valores antigos, meu pai, não se recordando com exatidão dos nomes, fáceis de confundir com os de ações similares, abriu uma gaveta e mostrou os próprios títulos ao embaixador. A vista deles me encantou; eram enfeitados de flechas de catedrais e de figuras alegóricas, como certas publicações românticas antigas que eu outrora folheara. Tudo aquilo que pertence a um mesmo tempo se assemelha; os artistas que ilustram os poemas de uma época são os mesmos que têm trabalhos encomendados pelas Sociedades Financeiras. E nada lembrava tão bem certas brochuras da Notre Dame de Paris e das obras de Gérard de Nerval, tais como eram penduradas na fachada do armazém de Combray, como, em seu enquadramento retangular, florido, que divindades fluviais suportavam, uma ação nominativa da Companhia das Águas.

Meu pai sentia pelo meu tipo de inteligência um desprezo suficientemente temperado pela ternura para que, no total, seu sentimento sobre tudo o que eu fazia fosse de uma indulgência cega. Assim, não hesitou em me mandar buscar um pequeno poema em prosa que eu fizera antigamente em Combray, voltando de um passeio. Escrevera-o com uma exaltação que me parecia dever comunicar-se aos que o lessem. Porém, a peça não conseguiu seduzir o Sr. de Norpois, pois foi sem me dizer uma só palavra que ele ma restituiu.

Minha mãe, cheia de respeito pelas ocupações de meu pai, veio perguntar timidamente se poderia mandar servir. Tinha medo de interromper uma conversa na qual não teria de tomar parte. E, de fato, a todo o instante meu pai lembrava ao marquês alguma medida útil que tivessem decidido sustentar na próxima sessão da Comissão, e o fazia no tom particular de dois colegas que se encontram juntos num meio diferente – e nisso se assemelhavam a dois colegiais –, e cujos hábitos profissionais criam lembranças comuns onde não têm acesso os outros e aos quais se desculpam por se reportar em sua presença.

Mas a perfeita independência dos músculos da face, a que atingira o Sr. de Norpois, permitia-lhe escutar sem dar impressão de ouvir. Meu pai acabava por se atrapalhar: – Tinha pensado em pedir a opinião da Comissão... – dizia ao Sr. de Norpois depois de longos preliminares. Então, do rosto do aristocrata *virtuose* que guardara a inércia de um instrumentista ao qual ainda não chegou o momento de executar a sua parte, saía com fluência monótona, num tom agudo e como que só para encerrar, mas desta vez confiada a um outro timbre, a frase começada: – Que, fica entendido, você não hesitará em reunir, tanto mais que conhece individualmente os membros, que podem ser facilmente substituídos. – Em si mesma não era, evidentemente, um remate muito extraordinário. Mas a imobilidade que a precedera fazia-a destacar-se com a nitidez cristalina, o imprevisto quase malicioso dessas frases pelas quais o piano, silencioso até então, replica, no momento desejado, ao violoncelo que a gente acaba de ouvir, em um concerto de Mozart.

– Muito bem, ficaste contente com tua matinê? – perguntou meu pai enquanto íamos para a mesa, para me fazer brilhar e pensando que meu entusiasmo me faria ser bem avaliado pelo Sr. de Norpois. – Ele foi ouvir a Berma hoje cedo; lembra que tínhamos falado nisto juntos – disse, voltando-se para o diplomata com o mesmo tom de alusão retrospectiva, técnica e misteriosa como se se tratasse de uma sessão da Comissão.

– Deve ter ficado encantado, sobretudo se era a primeira vez que a ouvia. O senhor seu pai se alarmava com as conseqüências que essa pequena saída podia ter sobre seu estado de saúde, pois você é um tanto delicado, um tanto frágil, creio. Porém, tranqüilizei-o. Os teatros já não são hoje o que eram há apenas vinte anos. Temos lugares mais ou menos confortáveis, uma atmosfera renovada, embora ainda tenhamos muito que fazer para atingir a Alemanha ou a Inglaterra, que, a esse respeito, como a muitos outros, estão bastante avançadas quanto a nós. Não vi a Sra. Berma em *Fedra,* mas ouvi dizer que estava admirável. E você naturalmente ficou deslumbrado?

O Sr. de Norpois, mil vezes mais inteligente que eu, devia deter aquela verdade que eu não soubera extrair do desempenho da Berma, e ia revelá-la para mim; respondendo à sua pergunta, ia rogar-lhe que me dissesse em que consistia essa verdade; e ele justificaria assim o desejo que eu tivera de ver a atriz. Só desfrutava de um momento, era preciso aproveitá-lo e fazer encaminhar meu interrogatório sobre os pontos essenciais. Mas quais eram? Fixando toda minha atenção sobre as impressões tão confusas que tivera, e de modo algum pensando em me fazer admirar pelo Sr. de Norpois, e sim em obter dele a verdade ansiada, não buscava substituir as palavras que me faltavam por expressões feitas; balbuciei e finalmente, para tentar provocá-lo a declarar o que a Berma possuía de admirável, confessei que ficara decepcionado.

– Mas como – exclamou meu pai, preocupado com a impressão lastimável que minha alegada incompreensão poderia produzir sobre o Sr. de Norpois –, como podes dizer que não sentiste prazer? Tua avó nos contou que não perdias uma só palavra do que a Berma dizia, que teus olhos estavam fora das órbitas, que não havia ninguém na sala como tu.

– Mas sim, eu escutava com todas as forças para saber o que ela possuía de tão notável. É claro que ela está muito bem...

– Se ela está muito bem, que mais te falta?

– Uma das coisas que certamente contribuem para o sucesso da Sra. Berma – disse o Sr. de Norpois voltando-se com deferência para minha mãe para não deixá-la fora da conversa e a fim de cumprir conscienciosamente o seu dever de cortesia para com uma dona-de-casa – é o gosto perfeito que ela aplica na escolha de seus papéis e que lhe vale sempre êxito legítimo e de boa qualidade. Raramente faz o papel de mediocridades. Veja, ela se atirou ao papel de Fedra. Aliás, esse gosto ela o aplica em suas toaletes, no seu desempenho. Ainda que tenha feito freqüentes e proveitosas turnês na Inglaterra e na América, a vulgaridade, não diria de John Bull, o que seria injusto pelo menos para a Inglaterra da era vitoriana, mas de Tio Sam não se abateu sobre ela. Jamais cores muito berrantes, jamais gritos exagerados. E depois, aquela voz admirável que a serve tão bem e que ela emprega de modo fascinante, seria quase tentado a dizer musical!

Meu interesse pelo desempenho da Berma não cessara de aumentar desde o fim da representação porque não mais sofria a compressão e os limites da realidade; porém, eu experimentava a necessidade de lhe achar explicações; além disso, o interesse agira com igual intensidade, enquanto a Berma atuava, sobre tudo aquilo que ela oferecia, na indivisibilidade da vida, a meus olhos, aos meus ouvidos; não distinguira nem havia separado nada; assim, meu interesse ficou feliz ao descobrir um motivo racional naqueles elogios à simplicidade, ao bom gosto da artista, e os atraía para si pelo seu poder de absorção, apoderava-se deles como o otimismo de um bêbado se apodera das ações do próximo, nas quais enxerga um motivo de enternecimento. "É verdade", dizia comigo, "que voz bonita, que ausência de gritos, que vestidos simples, que inteligência em ter escolhido a *Fedra*! Não, não fiquei decepcionado."

Apareceu o rosbife com cenouras, deitado pelo Michelangelo da nossa cozinha sobre enormes cristais de geléia semelhantes a blocos de quartzo transparente.

– A senhora tem um mestre-cuca de primeira ordem, madame – disse o Sr. de Norpois. – E isso não é pouco. Eu que tive de sustentar no estrangeiro um certo padrão de vida doméstica, sei o quanto é freqüentemente difícil encontrar um perfeito mestre-cuca. A senhora nos convidou para um verdadeiro banquete.

E, de fato, Françoise, sobreexcitada pela ambição de realizar, diante de um convidado importante, um jantar semeado de dificuldades dignas dela, fizera um esforço a que não se entregava mais quando estávamos a sós e reencontrara sua forma incomparável de Combray.

– Eis o que não se pode encontrar nos restaurantes, e digo nos melhores: um prato de carne estufada e onde a geléia não cheire a cola, e em que a carne se impregne do odor das cenouras, é admirável! Permita-me repetir – acrescentou ele, fazendo sinal de que desejava mais geléia. – Teria curiosidade de julgar o seu Vatel agora numa iguaria inteiramente diversa; gostaria, por exemplo, de encontrá-lo às voltas com a carne à Strogonoff.

O Sr. de Norpois, para contribuir também de seu lado à satisfação do repasto, contou-nos várias histórias com que muitas vezes brindava os colegas de carreira, ora citando um discurso ridículo pronunciado por um político useiro e vezeiro nessas coisas e que os fazia longos e cheios de imagens incoerentes, ora determinada frase lapidar de um diplomata cheio de concisão. Mas, para falar a verdade, o critério que, para ele, distinguia essas duas espécies de frase em nada se parecia com o que eu aplicava à literatura. Muitas das nuanças me escapavam; as palavras que ele recitava às gargalhadas não me pareciam muito diferentes das que eu julgava notáveis. O Sr. de Norpois pertencia ao gênero de homens que, para as obras que eu amava, teria dito: "Então, compreende? Quanto a mim, confesso que não compreendo, não sou um iniciado", mas eu podia retrucar na mesma moeda, pois não alcançava o espírito, ou a asneira, a eloqüência ou o excesso que ele encontrava numa réplica ou num discurso, e a ausência de toda a razão perceptível para que isto fosse mau e aquilo fosse bom fazia com que essa espécie de literatura me parecesse mais misteriosa, mais obscura que qualquer outra. Percebi apenas que repetir o que todos pensavam não era em política um sinal de inferioridade mas de superioridade. Quando o Sr. de Norpois se utilizava de certas expressões que se encontram nos jornais, pronunciando-as com força, sentia-se que elas se transformavam em ação pelo simples fato de que as empregara, e uma ação que suscitaria comentários.

Minha mãe contava muito com a salada de ananás e trufas. Mas o embaixador, depois de exercer sobre as iguarias, por alguns instantes, a penetração de seu olhar de observador, comeu-as, permanecendo envolto em discrição diplomática sem nos externar seu pensamento. Minha mãe insistiu que ele repetisse, e o Sr. de Norpois concordou, dizendo apenas em vez do cumprimento que esperavam:

– Obedeço, madame, pois vejo que se trata de um verdadeiro ucasse[2] de sua parte.

– Lemos nas "folhas" que o senhor conversou longamente com o rei Teodósio – disse meu pai.

[2] *Ucasse.* No tempo do império czarista na Rússia, era o decreto, autoritário e sem apelação, expedido pelo czar. (N. do T.)

– De fato, o rei, que tem uma memória fisionômica rara, teve a bondade de se lembrar, ao me avistar no proscênio, que eu tivera a honra de vê-lo durante vários dias na corte da Baviera, quando ainda nem pensava no trono oriental (sabe que foi chamado por um congresso europeu, e até hesitou muito em aceitá-lo, considerando que essa soberania não estava à altura da sua linhagem, a mais nobre, do ponto de vista da heráldica, de toda a Europa). Um ajudante de campo veio me dizer que fosse saudar Sua Majestade, a cujas ordens, naturalmente, apressei-me a me colocar.

– Ficou satisfeito com os resultados de sua visita?

– Encantado! Era justo conceber algumas apreensões sobre a maneira como um monarca, tão jovem ainda, se sairia naquele passo tão difícil, sobretudo em conjunturas tão delicadas. De minha parte, eu tinha plena confiança no senso político do soberano. Mas confesso que minhas esperanças foram ultrapassadas. O brinde que ele pronunciou no Élysée, e que, de acordo com as informações que me deram de fontes de inteira confiança, fora redigido por ele mesmo da primeira à última palavra, era perfeitamente digno do interesse que despertou por toda a parte. É simplesmente um golpe de mestre; parece-me um tanto ousado, mas de uma audácia que, afinal, os acontecimentos justificaram plenamente. As tradições diplomáticas têm de fato o seu lado bom, mas, especificamente, acabaram por fazer o seu e o nosso país viverem numa atmosfera abafada que já não era respirável. Muito bem, uma das formas de renovar o ar, evidentemente uma daquelas que não se pode recomendar, mas que o rei Teodósio podia se permitir, era quebrar os vidros. E ele o fez com um bom humor que encantou a todos, e também com uma precisão de termos onde se reconheceu de imediato a estirpe dos príncipes letrados à qual ele pertence pelo lado materno. É certo que, quando falou das "afinidades" que unem seu país à França, a expressão, por mais desusada que seja no vocabulário das chancelarias, era singularmente feliz. Vejam que a literatura não faz mal, mesmo na diplomacia, mesmo sobre um trono – acrescentou, dirigindo-se a mim. – A situação era constatada há muito tempo, admito-o, e as relações entre as duas potências eram excelentes. Ainda assim, era necessário que a expressão fosse dita. A palavra era esperada, foi escolhida às maravilhas, vocês viram como deu resultado. De minha parte, aplaudi com entusiasmo.

– Seu amigo, o Sr. de Vaugoubert, que preparava a aproximação há tantos anos, deve ter ficado contente.

– Tanto mais que Sua Majestade, que tem o hábito de tais gestos, fizera questão de lhe preparar esta surpresa. De resto, a surpresa foi completa para todo o mundo, a começar pelo ministro das Relações Exteriores, que, ao que me disseram, não a achou a seu gosto. A alguém que lhe falava, teria respondido com nitidez, em voz bastante alta para ser ouvido pelas pessoas próximas: "Não fui consultado nem prevenido", indicando claramente assim que declinava de toda responsabilidade pelo ocorrido. É preciso confessar que o acontecimento causou grande barulho e não ousaria afirmar – acrescentou com um sorriso malicioso – que certos colegas, para quem a lei suprema parece ser a do menor esforço, não tenham sido perturbados no seu sossego. Quanto a Vaugoubert, vocês sabem que fora muito atacado por sua política de aproximação com a França, e tanto mais sofreria com isso porque é uma pessoa sensível, uma alma requintada. Posso ainda mais confirmá-lo, pois, embora seja bem mais moço que eu, temos grande convivência, somos amigos de longa data e conheço-o muito. Aliás, quem não o conheceria? É uma alma de cristal. É até o único defeito que se lhe pode censurar, não é preciso que o coração de um diplomata seja tão transparente como o seu. Isto não impede que se fale em enviá-lo a Roma, o que seria uma bela promoção, mas um problema sério. Entre nós, creio que Vaugoubert, por mais que seja destituído de ambição, ficaria bem contente e não pediria que afastassem dele esse cálice. Talvez operasse prodígios por lá; é o candidato da Consulta e, de minha parte, vejo-o muito bem, a ele que é tão artista, no ambiente do palácio Farnese e na galeria dos Carracci. Parece que pelo menos ninguém poderia odiá-lo; porém existe em torno do rei Teodósio toda uma camarilha mais ou menos enquistada na Wilhelmstrasse, cujas inspirações segue docilmente e que tem procurado de todas as maneiras criar-lhe obstáculos. Vaugoubert não tem apenas que enfrentar intrigas de bastidores, mas também as injúrias de foliculários pagos, que, mais tarde, covardes como todo jornalista venal, são os primeiros a pedir perdão, mas que, enquanto isso, não recuam em lançar, contra o nosso representante, ineptas acusações de pessoas irresponsáveis. Durante mais de um mês, os inimigos de Vaugobert dançaram a seu redor a dança do escalpo – disse o Sr. de Norpois, sublinhando com força a última palavra. – Mas um bom aviso vale por dois; essas injúrias, ele as repeliu com o pé – acrescentou de forma ainda mais enérgica e com um olhar tão feroz que paramos um instante de comer. – Como diz um belo provérbio árabe: "Os cães ladram e a caravana passa." – Após ter lançado esta citação, o Sr. de Norpois parou para nos olhar e avaliar o efeito que produzira em nós. Foi grande; o provérbio era conhecido: substituíra naquele ano, entre os homens de grande valor, este outro: "Quem semeia ventos, colhe tempestades", o qual necessitava de repouso, não sendo vivaz e infatigável como: "Trabalhar para o Rei da Prússia". Pois a cultura dessas pessoas eminentes era uma cultura alternada e geralmente trienal. Certo, as citações desse tipo e com as quais o Sr. de Norpois se esmerava em abrilhantar os seus artigos da *Revista,* não eram necessárias de modo algum para que eles parecessem sólidos e bem informados. Mesmo desprovidos do ornamento que tais citações lhe aportavam, bastava que o Sr. de Norpois escrevesse no momento adequado – o que ele nunca deixava de fazer : "O gabinete de Saint-James não foi o último a sentir o perigo", ou então "A emoção foi grande no Pont-aux-Chantres, onde seguia-se com inquietação a política egoísta, porém hábil, da monarquia bicéfala", ou "Um grito de alarme partiu de Montecitório", ou ainda "Este eterno jogo duplo que é bem próprio do Ballplatz". A tais expressões, o leitor profano reconheceria logo, e saudaria, o diplomata de carreira. Mas o que fazia com que dissessem que ele era mais do que isso, que possuía uma cultura superior, era o emprego racional de citações cujo modelo perfeito ficava sendo o seguinte: "Arranje uma boa política e eu lhe darei boas finanças, como costumava dizer o barão Louis." (Ainda não se havia importado do Oriente: "Entre dois adversários, a vitória será daquele que sabe sofrer um quarto de hora mais, como dizem os japoneses.") Essa reputação de grande letrado, unida a um verdadeiro gênio de intriga oculto sob a máscara da indiferença, fizera com que o Sr. de Norpois entrasse para a Academia de Ciências Morais. E algumas pessoas chegaram a pensar que não ficaria mal colocado na Academia Francesa, no dia em que, querendo dar a entender que só estreitando a aliança com a Rússia é que poderíamos chegar a um acordo com a Inglaterra, não hesitou em escrever: "Que o saibam bem no Quai d'Orsay, que o ensinem de ora em diante em todos os livros de geografia que se mostram incompletos a tal respeito, que recusem implacavelmente o diploma de bacharel a todo candidato que não souber dizer: Se todos os caminhos vão a Roma, em compensação o caminho que vai de Paris a Londres passa necessariamente por S. Petersburgo."

– Em resumo – continuou o Sr. de Norpois dirigindo-se a meu pai – Vaugoubert aí obteve um sucesso que ultrapassa até o que ele próprio imaginara. Com efeito, ele contava com um brinde correto (o que, depois das nuvens sombrias dos últimos anos, já era muito bom). Diversas pessoas que estavam entre os assistentes me asseguraram que não se pode, lendo este brinde, dar-se conta do efeito que produziu, pronunciado e detalhado às mil maravilhas pelo rei, que é mestre na arte de falar e que sublinhava de passagem todas as intenções, todas as sutilezas. A esse propósito, contaram-me um fato bem picante e que realça uma vez mais a gentileza juvenil do rei Teodósio, que tantos corações cativa. Afirmara-me que exatamente a esse termo "afinidades" que, em suma, era a grande inovação do discurso, e que permanecerá por muito tempo nos comentários das chancelarias, você vai ver, Sua Majestade, prevendo a alegria do nosso embaixador, que ali encontraria o justo coroamento de seus esforços, pode-se dizer de seus sonhos, e, afinal de contas, seu bastão de general, meio que se virou para Vaugoubert e fixando nele aquele olhar tão sedutor dos Oettingen, destacou esta palavra tão bem escolhida de "afinidades", expressão que era um verdadeiro achado, num tom que avisava a todos que era empregado com conhecimento de causa. Parece que Vaugoubert mal pôde dominar a emoção e, em certa medida, confesso que o compreendo. Uma pessoa digna de todo o crédito confiou-me até que o rei se aproximou de Vaugoubert depois do jantar, quando Sua Majestade formou círculo, e lhe teria dito à meia-voz: "Está contente com seu aluno, meu caro marquês?" É certo – concluiu o Sr. de Norpois – que semelhante brinde fez mais do que vinte anos de negociações para estreitar, entre os dois países, suas "afinidades", conforme a expressão pitoresca de Teodósio II. Não passa de uma palavra, se quiser, mas veja que destino tomou, como toda a imprensa européia a repete, o interesse que ela desperta, o quanto rendeu sua novidade. Aliás, é bem do jeito do soberano. Não chegarei a dizer que todos os dias ele acha diamantes lapidados como esse. Mas é muito raro que em seus discursos estudados, melhor ainda, no primeiro impulso da conversa, não deixe sua marca – quase diria a sua assinatura – por uma palavra sem rodeios. Tanto mais que sou menos suspeito de parcialidade na matéria por ser inimigo de toda inovação desse tipo. Dezenove vezes em vinte elas são perigosas.

– Sim, pensei que o telegrama recente do imperador da Alemanha não teria sido do seu gosto.

O Sr. de Norpois levantou os olhos para o céu como quem diz: "Ah, aquilo!" – Primeiro, é um ato de ingratidão. É mais que um crime, é um erro, e de uma estupidez que eu qualificaria de colossal! Aliás, se ninguém dá o alarme, o homem que destituiu Bismarck é bem capaz de repudiar aos poucos toda a política bismarckiana, e daí seria o salto no abismo.

– E meu marido me disse, senhor, que o senhor o levaria talvez num desses verões à Espanha. Fico encantada por ele.

– Ah, sim, é um projeto muito atraente, do qual me alegro. Gostaria muito de fazer essa viagem com o senhor, meu caro. E a senhora, madame, já pensou em empregar suas férias?

– Talvez vá com meu filho a Balbec, não sei.

– Ah! Balbec é agradável. Estive lá faz alguns anos. Estão começando a construir ali umas vilas bem atraentes: acho que o local lhes agradará. Mas posso perguntar o que os fez escolher Balbec?

– Meu filho deseja muito ver certas igrejas da região, sobretudo a de Balbec. Eu temia um pouco as canseiras da viagem e principalmente da estada, devido a sua saúde. Mas soube que terminaram de construir um excelente hotel que lhe permitirá viver nas condições de conforto exigidas pelo seu estado.

– Ah, será preciso dar esta informação a uma certa pessoa que não é mulher de desdenhá-la.

– A igreja de Balbec é admirável, não é mesmo, senhor? – Perguntei, superando a tristeza de ter sabido que uma das atrações de Balbec eram suas vilas bonitas.

– Não, ela não é de todo má, mas enfim não pode se comparar às verdadeiras jóias entalhadas que são as catedrais de Reims, de Chartres e, na minha opinião, a pérola de todas, a Santa Capela de Paris.

– Mas a igreja de Balbec é em parte romana?

– De fato, ela é do estilo românico, que, por si mesmo, já é bastante frio e em coisa alguma deixa pressagiar a elegância, a fantasia dos arquitetos góticos que escavam a pedra como se fizessem renda. A igreja de Balbec merece uma visita se lá nos encontramos, pois é bem curiosa; se num dia de chuva você não souber o que fazer, poderia entrar nela, e lá veria o túmulo de Tourville.

– Estava ontem no banquete das Relações Exteriores? Não pude comparecer – disse meu pai.

– Não – respondeu o Sr. de Norpois com um sorriso. – Confesso que renunciei a ele em favor de um sarau bem diverso. Jantei na casa de uma mulher de quem talvez tenham ouvido falar, a bela senhora Swann.

Minha mãe reprimiu um frêmito, pois, de uma sensibilidade mais ativa que a de meu pai, alarmava-se por ele com aquilo que só devia contrariá-lo um instante após. Os dissabores que a ele ocorreriam eram percebidos por ela primeiro, como as más notícias da França que são antes conhecidas no estrangeiro do que na nossa terra. Porém, curiosa de saber que tipo de pessoas os Swann poderiam receber, ela indagou do Sr. de Norpois sobre as que havia encontrado lá.

– Meu Deus... é uma casa aonde me parece que vão principalmente... cavalheiros. Havia alguns homens casados, mas suas esposas estavam doentes nessa noite e não tinham vindo – respondeu o embaixador com uma finura repassada de bonacheirice e lançando ao redor olhares cuja doçura e discrição as atenuavam, exagerando habilmente sua malícia.

– Devo dizer – acrescentou –, para ser perfeitamente justo, que, no entanto, havia mulheres, mas... pertencentes antes... como direi, ao mundo republicano do que à sociedade dos Swann (ele pronunciava Svann). Quem sabe? Talvez seja um dia um salão político ou literário. De resto, parece que estão contentes assim. Acho até que Swann o demonstra um pouquinho demais. Nomeava as pessoas a cuja casa ele e a mulher eram convidados para a semana seguinte, e de cuja intimidade, entretanto, não há motivos para se orgulhar, com uma falta de reserva e de gosto, quase que de tato, que me deixou assombrado em um homem tão fino. Repetia: "Não temos uma só noite livre", como se se tratasse de uma coisa gloriosa e no tom de um verdadeiro arrivista, o que ele todavia não é. Pois Swann tinha muitos amigos e até amigas, e sem arriscar demais, nem querer ser indiscreto, creio poder dizer que não todas, nem sequer o maior número delas, mas pelo menos uma e que é uma grande dama, não seria talvez totalmente refratária à idéia de travar relações com a Sra. Swann, caso em que, verossimilmente, mais de um carneiro de Panúrgio a teria seguido.[3] Mas parece que não houve, da parte de Swann, nenhum passo nesse sentido. Como? Mais um pudim à Messelrode? A cura em Carlsbad não será suficiente para me refazer de um festim de Lúculo como este. Talvez Swann sentis-

[3] *Carneiro de Panúrgio.* Alusão ao personagem Panúrgio, do romance *Pantagruel,* de Rabelais (1532). Viajando com Pantagruel e amigos de navio, Panúrgio lança ao mar um carneiro para provar a estupidez desses animais. Ato contínuo, o rebanho se atira ao mar atrás do primeiro. (N. do T.)

se que havia resistências demais para vencer. O casamento não agradou, isto é certo. Falou-se da fortuna da mulher, o que é uma grande balela. Mas enfim, tudo isto não pareceu nada agradável. E depois Swann tem uma tia excessivamente rica e de admirável posição social, mulher de um homem que, financeiramente falando, é uma potência. E não só ela se recusou a receber a Sra. Swann, mas iniciou uma campanha em regra para que suas amigas e conhecidas fizessem outro tanto. Não quero dizer com isso que algum parisiense da boa sociedade haja faltado com o respeito à Sra. Swann. Não, cem vezes não! Aliás, o marido é pessoa de erguer a luva. Em todo caso, há uma coisa curiosa: é ver como Swann, que conhece tanta gente e da mais escolhida sociedade, mostra uma solicitude para com uma sociedade da qual o menos que se pode dizer é que é bastante mista. Eu, que o conheci outrora, confesso que senti tanta surpresa como divertimento ao ver um homem tão bem-educado, tão na moda nos grupos mais seletos, agradecer com efusão ao chefe de gabinete do Ministro dos Correios por ter vindo à casa deles e perguntar-lhe se a Sra. Swann poderia *tomar a liberdade* de ir visitar sua esposa. E contudo deve sentir-se deslocado; evidentemente, já não se trata da mesma sociedade. Entretanto, não creio que se sinta infeliz. É verdade que ocorreram, nos anos que precederam o casamento, infames manobras de chantagem por parte da mulher; ela privava Swann de sua filha toda vez que ele lhe recusava algo. O pobre Swann, tão ingênuo quanto refinado, julgava sempre que o rapto da filha era uma coincidência e não queria enxergar a verdade. Além disso, ela lhe fazia cenas tão constantes que a gente pensava que, no dia em que alcançasse seus objetivos e se tornasse esposa de Swann, nada a deteria mais e a vida de ambos seria um inferno. Pois bem, foi o contrário o que aconteceu. Graceja-se muito sobre a forma como Swann fala da mulher, chega-se a troçar abertamente dele. Certamente não pediriam que, mais ou menos consciente de o ser (vocês sabem a frase de Molière), ele o fosse proclamar *urbi et orbi*; nada impede que o achem exagerado quando diz que sua mulher é uma excelente esposa. Ora, isto não é tão falso como julgam. À sua maneira, que não é a que todos os maridos prefeririam, mas enfim, cá entre nós, parece-me difícil que Swann, que a conhecia há muito tempo e está longe de ser um tolo, não soubesse com quem estava lidando; e é inegável que ela parece sentir afeição por ele. Não digo que ela não seja volúvel e o próprio Swann não se importa em sê-lo, a avaliar pelas más línguas que seguem seu caminho, como bem podem imaginar. Mas é grata pelo que Swann fez por ela e, contrariamente aos temores que todos sentiam, tornou-se de uma doçura de anjo.

Essa mudança talvez não fosse tão extraordinária como o achava o Sr. de Norpois. Odette não acreditara que Swann terminasse por desposá-la; todas as vezes que lhe anunciava, tendenciosamente, que um homem distinto acabava de se casar com sua amante, vira-o manter um silêncio glacial e, quando muito, se ela o interpelava diretamente, perguntando: "Então, não achas que é muito bom, que é ótimo o que ele fez por uma mulher que lhe dedicou sua juventude?" Respondia secamente: "Mas eu não digo que seja mau, cada qual age como quiser." Inclusive, ela não estava longe de crer que, como lhe dizia Swann nos momentos de cólera, ele a abandonaria de uma vez por todas, pois ouvira há pouco de uma escultora: "Pode-se esperar tudo dos homens, eles são tão patifes!", e, assustada pela profundidade dessa máxima pessimista, apropriara-se dela, repetia-a a qualquer pretexto com ar desanimado que parecia dizer: "Afinal, não seria nada impossível, é a minha oportunidade." E, conseqüentemente, perdera toda validade a máxima otimista que até então havia guiado Odette na vida: "Pode-se fazer tudo com os homens que amam, eles são tão imbecis", e que se expressava em seu rosto pelo mesmo piscar de olhos que acompanhara frases tais como: "Não tenham receio, que ele não vai quebrar nada." Esperando, Odette sofria ao pensar o que uma de suas amigas, casada com um homem com quem estivera menos tempo do que Swann com ela mesma, e que não tinha filhos, relativamente bem considerada agora, convidada para os bailes do Élysée, poderia pensar da conduta de Swann. Um analista mais profundo do que o era o Sr. de Norpois sem dúvida teria podido diagnosticar que fora o sentimento de humilhação e vergonha que havia amargurado Odette, que o caráter infernal que ela exibia não lhe era inerente, não era um mal sem remédio, e teria facilmente previsto o que aconteceria, a saber: que um regime novo, o regime matrimonial, faria cessar com uma rapidez quase mágica tais incidentes penosos, cotidianos, porém de modo algum orgânicos. Quase todos se espantaram com semelhante casamento, e isto é também espantoso. Claro que poucas pessoas compreendem o caráter puramente subjetivo do fenômeno que é o amor, e a espécie de criação, que ele faz, de uma pessoa suplementar, distinta da que usa o mesmo nome na sociedade e a maioria de cujos elementos são tirados de nós próprios. Há também poucas pessoas que possam considerar naturais as enormes proporções que acaba por adquirir para nós uma criatura que não é a mesma que elas vêem. No entanto, parece que, no que respeita a Odette, poderiam perceber que, embora jamais tivesse compreendido inteiramente a inteligência de Swann, pelo menos sabia os títulos e os pormenores de seu trabalho, a ponto que o nome de Vermeer lhe era tão familiar como o de sua costureira; de Swann, ela conhecia a fundo aqueles traços do caráter que o resto da sociedade ignora ou ridiculariza e dos quais somente uma amante ou uma irmã possuem a imagem semelhante e amada; e nos afeiçoamos de tal modo a essas características, mesmo àquelas que desejaríamos corrigir, que, se as velhas ligações possuem algo da doçura e da força das afeições de família, é porque uma mulher acaba por se acostumar a elas de forma indulgente e amigavelmente trocista, semelhante ao hábito que temos delas, bem como nossos pais. Os laços que nos unem a uma criatura se acham santificados quando ela se põe no mesmo ponto de vista de nós para julgar um de nossos defeitos. E entre esses traços particulares havia também os que pertenciam tanto à inteligência como ao caráter de Swann, e que todavia, em virtude das raízes que, apesar de tudo, tinham criado nele, Odette discernia com mais facilidade. Ela se queixava que, quando Swann estava escrevendo, quando publicava seus ensaios, tais traços não se reconheciam em seus escritos tanto como nas cartas ou na conversação, onde eram abundantes. Aconselhava-o a lhes dar mais espaço em seus trabalhos. Odette o desejava, pois eram o que preferia nele, mas como os preferia por serem os mais legitimamente dele, talvez não estivesse errada em desejar que os encontrassem no que ele escrevia. Talvez pensasse igualmente que mais vivas obras, trazendo-lhe por fim o sucesso, lhe permitiriam organizar o que, na casa dos Verdurin, aprendera a colocar acima de tudo: um salão.

Dentre as pessoas que achavam ridículo aquele casamento, pessoas que perguntariam, no próprio caso: "Que pensará o Sr. de Guermantes, que dirá Bréauté, quando me casar com a Srta. de Montmorency?", dentre as pessoas que cultivavam essa espécie de ideal social teria figurado, vinte anos antes, o próprio Swann, aquele Swann que fizera tantos esforços para ser admitido no Jockey e contara, naquele tempo, fazer um casamento deslumbrante que, consolidando sua situação, teria feito dele um dos homens mais requisitados de Paris. Apenas, as imagens que um tal casamento por interesse representa ao interessado, como todas as imagens, precisam, para não desaparecer e se apagar de todo, ser alimentadas de fora. Digamos que o seu sonho mais ardente seja humilhar o homem que o ofendeu. Porém, se você nunca mais ouve falar nele, caso ele tenha se mudado para outras terras, seu inimigo acabará por não ter mais nenhuma importância para você. Se perdermos de vista, durante vinte anos, todas as pessoas por causa de quem gostaríamos de entrar para o Jockey ou para o Instituto, a perspectiva de sermos membros de uma dessas associações já não nos tentará de modo algum. Ora, tanto como um retiro, uma doença, uma conversão religiosa, uma ligação prolongada substituem as imagens antigas por outras novas. Não houve, da parte de Swann, quando desposou Odette, renúncia às ambições mundanas, pois de há muito Odette o desprendera dessas ambições, no sentido espiritual da palavra. Aliás, se não fosse desse modo, maior seria o mérito. Geralmente os casamentos infamantes são os mais estimáveis de todos (e não se pode, com efeito, chamar de infamante um casamento por dinheiro, não havendo exemplo de um casal em que a mulher ou o marido se tenham vendido, ao qual não acabem por recepcionar, nem que seja devido à tradição e com fundamento em tantos casos semelhantes e para não usar de dois pesos e duas medidas), porque implicam o sacrifício de uma situação mais ou menos elogiosa a uma doçura puramente íntima. Por outro lado, talvez, como artista, senão como corrompido, Swann teria, de qualquer modo, experimentado uma certa volúpia em ligar a si próprio, num desses cruzamentos de espécies, como o fazem os seguidores de Mendel, ou como relata a mitologia, um ser de raça diferente, arquiduquesa ou cocote, em contrair uma aliança régia ou em fazer um mau casamento. Só havia uma pessoa na sociedade com quem se preocupava de cada vez que pensava no casamento possível com Odette, e era, e não por esnobismo, a duquesa de Guermantes. Ao contrário, com esta Odette se preocupava muito pouco, pensando apenas nas pessoas situadas imediatamente acima dela mesma, em vez de se incomodar com um tão vago empíreo. Mas, quando Swann, em suas horas de devaneio, via Odette como sua mulher, imaginava invariavelmente o momento em que a levaria, e sobretudo sua filha, à casa da princesa des Laumes, que há pouco se tornara duquesa de Guermantes pela morte do sogro. Não tinha desejos de apresentá-las em nenhum outro lugar, mas emocionava-se inventando, pronunciando até as palavras, tudo aquilo que a duquesa diria dele a Odette e esta à Sra. de Guermantes, a ternura que esta testemunharia a Gilberte, mimando-a, fazendo-o orgulhoso da filha. Representava para si mesmo a cena da apresentação com a mesma precisão no detalhe imaginário das pessoas que examinam como utilizariam, se ganhassem, um prêmio cuja cifra fixam arbitrariamente. Na medida em que uma imagem que acompanha uma de nossas resoluções a motiva, pode-se dizer que, se Swann casou com Odette, foi para apresentá-la e a Gilberte, sem que ninguém jamais o soubesse, e sem que ninguém estivesse presente, à duquesa de Guermantes. Iremos ver como esta única ambição mundana que havia desejado para a mulher e a filha foi justamente aquela cuja realização lhe seria proibida, e por uma negativa tão absoluta que Swann morreu sem supor que a duquesa alguma vez as conhecesse. Veremos também que, pelo contrário, a duquesa de Guermantes se ligou a Odette e Gilberte depois da morte de Swann. E talvez este tenha sido sábio – de tanta importância que atribuía a uma coisa que valia tão pouco – não fazendo uma idéia tão sombria do futuro, a tal respeito, e admitindo que a reunião sonhada poderia ocorrer quando ele já não estivesse ali para desfrutá-la. O trabalho de causalidade que acaba por produzir quase todos os efeitos possíveis, e, por conseguinte, também aqueles que a gente julgara menos viáveis, esse trabalho é às vezes moroso, e se torna ainda mais lento devido ao nosso desejo – que, buscando apressá-lo, o entrava –, devido à nossa própria existência e não chega a seu termo senão quando deixamos de desejar, e às vezes até de viver. Por acaso Swann não o sabia de experiência própria? E não seria, na sua vida – como uma prefiguração do que devia acontecer após a sua morte –, já uma felicidade póstuma esse casamento com aquela Odette, que ele amara apaixonadamente – embora ela não tivesse lhe agradado à primeira vista – e que ele desposara quando já não a amava, quando já era morto aquele ser que ele tinha dentro de si, aquele ser que, em Swann, tanto desejara e se desesperara de viver a vida toda com Odette?

Fiquei falando no conde de Paris, perguntando se não seria amigo de Swann, pois temia que a conversa se desviasse dele. Sim, de fato – respondeu o Sr. de Norpois voltando-se para mim e fixando em minha modesta pessoa o olhar azul onde flutuavam, como em seu elemento vital, suas grandes faculdades de trabalho e seu espírito de assimilação. – E, meu Deus – acrescentou, dirigindo-se de novo a meu pai –, não creio passar dos limites do respeito de que faço profissão pelo príncipe (sem, no entanto, manter com ele relações pessoais que fariam difícil a minha situação, por menos oficial que seja) se lhe contar um fato bem picante em que, há não mais de quatro anos, numa estaçãozinha de estrada de ferro de um dos países da Europa central, o príncipe teve oportunidade de ver a Sra. Swann. Certamente, nenhum dos íntimos de Sua Alteza se permitiu lhe indagar como a havia encontrado. Não seria oportuno. Mas quando, por acaso, a conversação tocava no nome dela, por alguns sinais, imperceptíveis se quiserem, mas que não enganam ninguém, o príncipe parecia dar a entender de bom grado que sua impressão, em suma, fora longe de ser desfavorável.

– Mas não haveria possibilidade de apresentá-la ao conde de Paris? – perguntou meu pai.

– Ora, não sei; com os príncipes nunca se sabe – respondeu o Sr. de Norpois –; os mais gloriosos, os que sabem render ao máximo o que se lhes deve, são também às vezes os que menos se atrapalham com os decretos da opinião pública, mesmo os mais justificados, por pouco que se cuide de recompensar determinadas afeições. Ora, é certo que o conde de Paris aceitou sempre com muita benevolência o devotamento de Swann, que é, aliás, um rapaz de espírito como poucos.

– E qual foi sua impressão pessoal, senhor embaixador? Indagou minha mãe por polidez e curiosidade.

Com a energia de um velho conhecedor que contrastava com a moderação habitual de suas frases:

– Excelente! – respondeu o Sr. de Norpois.

E, sabendo que a confissão de uma forte impressão causada por alguma mulher, desde que feita com humor, toma parte de uma certa forma bastante apreciada do espírito da conversa, ele desatou num pequeno riso que se prolongou durante alguns instantes, umedecendo os olhos azuis do velho diplomata e fazendo vibrar suas narinas, nervuradas de fibrilas rubras.

– Ela é absolutamente encantadora!

– Por acaso, senhor, um escritor de nome Bergotte estava presente? – indaguei timidamente, para tentar manter a conversa sobre o assunto dos Swann.

– Sim, Bergotte estava lá – respondeu o Sr. de Norpois, inclinando a cabeça para o meu lado com polidez, como se, no seu desejo de ser amável com meu pai, atribuísse verdadeira importância a tudo que lhe dissesse respeito, mesmo às perguntas de um menino da minha idade e que não estava habituado a ser tratado com tanta delicadeza pelas pessoas da idade do embaixador. – Conhece-o? – acrescentou, fixando em mim o olhar claro cuja agudeza Bismarck admirava.

– Meu filho não o conhece, mas o admira muito – disse minha mãe.

– Meu Deus – exclamou o Sr. de Norpois (que me inspirou, sobre minha própria inteligência, dúvidas mais sérias do que as que me atormentavam de costume, quando vi que aquele que punha milhares e milhares de vezes acima de mim, aquele que eu julgava ser o máximo em todo o mundo, achava-se, para ele, num ponto bem inferior em sua escala de admirações) –, não partilho desse modo de ver. Bergotte é o que chamo um tocador de flauta; de resto, deve-se reconhecer que a toca de modo agradável, embora com bastante maneirismo e afetação. Mas enfim, não passa disto, e isto não é lá grande coisa. Em suas obras sem músculos, jamais se encontra o que se poderia denominar um plano. Nada de ação – ou tão pouco – e principalmente nenhuma dimensão. Seus livros pecam pela base, ou melhor, não têm base nenhuma. Numa época feito a nossa, onde a complexidade crescente da vida mal deixa tempo para ler, onde o mapa da Europa sofre remanejamentos profundos e está às vésperas de sofrer talvez ainda maiores, onde tantos problemas ameaçadores, novos, se colocam em toda parte, hão de concordar comigo que temos o direito de pedir a um escritor de ser algo mais que um belo espírito que nos faça esquecer, nas discussões ociosas e bizantinas acerca dos méritos da forma pura, que podemos ser invadidos a qualquer instante por uma dupla onda de bárbaros, os de fora e os de dentro. Sei que isto é blasfemar contra a sacrossanta Escola daquilo que esses senhores denominam a Arte pela Arte, mas na nossa época existem tarefas mais urgentes do que agenciar palavras de maneira harmoniosa. A de Bergotte é às vezes bem sedutora, não nego, mas em suma tudo isso é muito afetado, muito frágil e bem pouco viril. Agora compreendo melhor, reportando-me à sua admiração totalmente exagerada por Bergotte, as breves linhas que me mostrou há pouco e sobre as quais passei os olhos por alto, já que você mesmo disse, com toda a simplicidade, que eram apenas rabiscos de criança (eu o dissera de fato, mas absolutamente não pensava assim). Misericórdia a todo pecado, sobretudo aos pecados da juventude. Afinal, outros também têm pecados destes na consciência, e você não é o único a se julgar poeta na sua idade. Mas, no que me mostrou, nota-se a má influência de Bergotte. Evidentemente, não lhe causarei espanto dizendo que não havia no seu escrito nenhuma de suas qualidades, pois é um mestre consumado na arte, aliás bastante superficial, de um certo estilo cujos rudimentos você não poderia possuir na sua idade. Mas já apresenta o mesmo defeito, o contra-senso de alinhar palavras muito sonoras e só depois se preocupar com seu sentido. É colocar o carro adiante dos bois. Até nos livros de Bergotte, todas estas chinesices de forma, essas sutilezas de mandarim decadente me parecem bastante vãs. Diante de alguns fogos de artifício, agradavelmente lançados por um escritor, já gritam todos que se trata de uma obra-prima. As obras-primas não são tão freqüentes assim! Bergotte não tem no seu ativo, em sua bagagem, se assim posso dizer, um romance de impulso um tanto mais alto, um desses livros que se colocam em destaque numa biblioteca. Não vejo um só em sua obra. O que não impede que, no seu caso, a obra seja infinitamente superior ao autor. Ah! Eis alguém que dá razão ao homem de espírito que achava que só se devem conhecer os escritores pelos seus livros. Impossível ter um indivíduo que corresponda menos aos seus, mais pretensioso, mais solene, menos um sujeito de boa companhia. Vulgar em certos momentos, falando em outros como um livro, e até nem mesmo como um livro seu, mas como um livro tedioso, o que ao menos não são os de sua autoria: assim é Bergotte. É um espírito dos mais confusos, alambicado, aquilo que os nossos pais chamavam um empolado, e que torna ainda mais desagradáveis as coisas que diz pela forma de enunciá-las. Não sei se é Loménie ou Saint-Beuve quem conta que Vigny padecia do mesmo defeito. Porém Bergotte nunca escreveu o *Cinq-Mars* nem *Le Cachet Rouge*, onde algumas páginas são verdadeiros trechos antológicos.

Apavorado pelo que o Sr. de Norpois acabara de dizer acerca do fragmento que lhe submetera, imaginando, por outro lado, as dificuldades que teria quando quisesse escrever um ensaio ou simplesmente me entregar a reflexões sérias, senti mais uma vez a minha nulidade intelectual e percebi que não nascera para a literatura. Antigamente, em Combray, sem dúvida certas impressões muito humildes, ou uma leitura de Bergotte, me haviam posto num estado de devaneio que me parecera ser muito valioso. Mas esse estado, meu poema-em-prosa o refletia; e, sem dúvida alguma, se o Sr. de Norpois não descobrira e percebera de imediato aquilo que eu julgava belo apenas devido a uma miragem totalmente enganosa, era porque não se deixava iludir. Ao contrário, acabava de me ensinar quão ínfima era minha posição (quando eu era julgado do exterior, objetivamente, pelo conhecedor mais aparelhado e esclarecido). Sentia-me consternado, diminuído; e meu espírito, como um fluido que só possui as dimensões do vaso que o contém, assim como se dilatara antigamente para preencher as imensas capacidades do gênio, agora, contraído, cabia todo na estreita mediocridade em que o Sr. de Norpois o trancara e restringira.

– As relações entre mim e Bergotte – acrescentou, voltando-se para meu pai – não deixaram de ser espinhosas (o que, afinal de contas, é uma forma de serem também divertidas). Há alguns anos, Bergotte fez uma viagem a Viena, quando eu era embaixador ali; foi-me apresentado pela princesa de Metternich, foi inscrever-se na embaixada e mostrou vontade de ser recebido em suas festas. Ora, sendo eu representante da França no estrangeiro, à qual em certa medida ele honra com seus escritos, digamos, para sermos exatos, numa medida bastante fraca, poderia passar por alto a triste opinião que tenho sobre sua vida privada. Mas ele não viajava sozinho e, além do mais, tinha a pretensão de ser convidado com sua companheira. Não creio ser mais pudico do que outro qualquer e, sendo celibatário, podia talvez abrir um pouco mais amplamente as portas da Embaixada do que se fosse casado e pai de família. Não obstante, confesso que há um grau de ignomínia ao qual não saberia me acomodar, e que se torna ainda mais repulsivo pelo tom mais que moral, falemos claro, moralizador, que assume Bergotte em seus livros, onde só se vêem análises perpétuas e, cá entre nós, um tanto frágeis, escrúpulos dolorosos, remorsos doentios e, como simples pecadilhos, verdadeiras lengalengas (sabemos por experiência própria), enquanto mostra tamanha inconsciência e cinismo em sua vida privada. Em suma, evitei a resposta, a princesa voltou à carga, porém sem maior êxito. De modo que julgo não estar muito em odor de santidade junto a este personagem, e não sei até que ponto ele apreciou a atenção de Swann em convidá-lo ao mesmo tempo que a mim. A não ser que ele o tenha pedido. Não se pode saber, pois no fundo é uma pessoa doente. Esta é mesmo sua única desculpa.

– E a filha da Sra. Swann estava nesse jantar? – perguntei ao Sr. de Norpois, aproveitando para fazer essa pergunta num momento em que, como passávamos para o salão, podia mais facilmente dissimular minha emoção, o que não teria feito à mesa, imóvel e em plena luz.

O Sr. de Norpois pareceu por um momento procurar lembrar-se:

– Sim, uma jovenzinha de catorze ou quinze anos? De fato, lembro-me de que me foi apresentada antes do jantar como a filha do nosso anfitrião. Direi que a vi pouco, pois foi se deitar cedo. Mas vejo que está bem a par dos Swann...

– Jogo com a Srta. Swann nos Champs-Élysées, ela é deliciosa.

– Aí está! Aí está! Mas a mim, de fato, me pareceu encantadora. No entanto, confesso que ela nunca chegará aos pés da mãe, se é que posso dizer isto sem lhe ferir um sentimento bastante vivo.

– Prefiro a fisionomia da Srta. Swann, mas também admiro enormemente sua mãe; vou passear no Bois somente na esperança de vê-la passar.

– Ah, mas eu vou lhes dizer isto; vão ficar muito lisonjeadas.

Enquanto falava assim, o Sr. de Norpois estava, por alguns segundos ainda, na situação das pessoas que, ouvindo-me falar de Swann como de um homem inteligente, de seus pais como honrados corretores de câmbio, de sua casa como de uma bela residência, acreditavam que falaria também de bom grado de outro homem tão inteligente, de outros corretores de câmbio tão honrados, de uma outra casa tão bonita; é o momento em que um homem de espírito são, a conversar com um louco, ainda não se deu conta de que está falando com um. O Sr. de Norpois sabia que não há nada tão natural como o prazer de observar as mulheres bonitas e que é bem-educado, quando alguém nos fala com calor de uma delas, dar a impressão de crer que ele está apaixonado, de brincar com ele e prometer auxiliá-lo em seus propósitos. Porém, dizendo que falaria de mim a Gilberte e a sua mãe (o que me permitiria, como uma divindade do Olimpo que assumiu a fluidez de um sopro, ou melhor, o aspecto de um velho de quem Minerva tomou emprestada a fisionomia, penetrar eu mesmo, invisível, no salão da Sra. Swann, atrair sua atenção, ocupar seus pensamentos, excitar sua gratidão pela minha admiração, aparecer-lhe como o amigo de um homem importante, parecer-lhe no futuro digno de ser convidado por ela e de entrar na intimidade de sua família), este homem importante que ia usar em meu benefício o grande prestígio que devia ter aos olhos da Sra. Swann, inspirou-me de súbito uma ternura tão grande que mal pude me conter e não beijar suas doces mãos brancas e engelhadas, que pareciam ter ficado muito tempo dentro d'água. Quase esbocei o gesto, que imaginei ter sido o único a notar. Com efeito, é difícil a cada um de nós calcular exatamente em que escala as palavras e os movimentos aparecem aos outros; de medo de exagerarmos nossa importância e aumentando em enormes proporções o campo em que são obrigadas a se estender as lembranças dos outros no decurso de sua vida, imaginamos que as partes acessórias de nosso discurso, de nossas atitudes, mal penetram na consciência das pessoas com quem conversamos, pela mais forte razão de que não permanecem em sua memória. Aliás, é a uma suposição desse tipo que se submetem os criminosos quando retocam mais tarde uma frase que disseram, variante que, pensam, ninguém poderá confrontar com qualquer outra versão. Mas é bem possível que, mesmo no que concerne à vida milenária da humanidade, a filosofia do folhetinista, segundo a qual tudo está fadado ao esquecimento, seja menos verdadeira que uma filosofia contrária, que preveja a conservação de todas as coisas. No mesmo jornal em que o moralista dos editoriais nos fala de um acontecimento, de uma obra-prima, e, com maior razão, de uma cantora que teve "seu instante de celebridade": "Quem se lembrará de tudo isto dentro de dez anos?" na terceira página, a recensão da Academia das Inscrições não fala muitas vezes de um fato por si mesmo menos importante, de um poema de pouco valor, que data da época dos faraós e que agora é conhecido integralmente? Talvez não ocorra exatamente o mesmo na curta vida humana. Entretanto, alguns anos mais tarde, numa casa em que o Sr. de Norpois, que ali se achava em visita, e onde me parecia o mais sólido apoio que poderia encontrar, porque era amigo de meu pai, indulgente, inclinado a nos querer bem a todos, e, além disso, habituado pela profissão e suas origens a ser discreto, quando, logo que o embaixador havia ido embora, contaram-me que ele fizera alusão a um sarau de antigamente, no qual tinha "visto o momento em que eu ia lhe beijar as mãos", não só enrubesci até as orelhas, como fiquei estupefato ao saber que era tão diferente do que julgara, não apenas a maneira como o Sr. de Norpois falava de mim, mas ainda a composição de suas recordações. Tal mexerico me esclareceu quanto às proporções inesperadas de distração e de presença de espírito, de memória e de esquecimento de que é feito o espírito humano; e fiquei tão maravilhosamente surpreendido como no dia em que li pela primeira vez, num livro de Maspero, que se sabia exatamente a lista dos caçadores que Assurbanípal convidava para suas batidas, dez séculos antes de Jesus Cristo.

– Oh, senhor! – disse eu ao Sr. de Norpois quando me anunciou que transmitiria a Gilberte e à sua mãe a admiração que lhes votava. – Se fizer isto, se falar de mim à Sra. Swann, toda minha vida não será bastante para lhe testemunhar meu reconhecimento e essa vida lhe pertenceria! Mas devo torná-lo ciente de que não conheço a Sra. Swann e nunca lhe fui apresentado.

Acrescentara estas últimas palavras por escrúpulo e para não dar a impressão de estar me gabando de uma relação que não existia. Mas, pronunciando-as, sentia que já eram inúteis, pois desde o princípio de meu agradecimento, de um ardor refrescante, vira passar pelo rosto do embaixador uma expressão de hesitação e descontentamento, e nos seus olhos um olhar vertical, estreito e oblíquo (como, no desenho em perspectiva de um sólido, a linha fugitiva de uma de suas faces), olhar que se dirige a esse interlocutor invisível que temos dentro de nós, no momento em que nos dizem algo que o outro interlocutor, a pessoa com quem até então se fala – no caso, eu – não deve ouvir. Logo percebi que as frases que pronunciara e que, ainda fracas diante da efusão de reconhecimento de que me achava invadido, me pareceram ir tocar o Sr. de Norpois e acabar de decidi-lo a uma intervenção que lhe teria custado tão pouco, e a mim daria tanta alegria, eram talvez (dentre todas as que as pessoas que me quisessem fazer mal teriam buscado diabolicamente) as únicas que pudessem ter como resultado fazê-lo renunciar a seu primeiro intento. De fato, ouvindo-as, assim como no momento em que um desconhecido, com quem acabamos agradavelmente de trocar impressões que achávamos semelhantes a respeito de transeuntes que concordávamos em considerar vulgares, mostra-nos de repente o abismo patológico que o separa de nós ao acrescentar, sempre tateando os bolsos: "É pena que eu não traga o meu revólver; não ficaria um só". O Sr. de Norpois, que sabia que nada era menos precioso nem mais fácil do que ser recomendado à Sra. Swann e ser introduzido em sua casa, e que viu que para mim, ao contrário, aquilo representava um enorme prêmio e, em conseqüência, sem dúvida uma grande dificuldade, pensou que o desejo, normal em aparência, que eu havia expressado, devia dissimular um pensamento diverso, um desígnio suspeito, alguma falta anterior em virtude da qual, na certeza de desagradar à Sra. Swann, ninguém até então quisera se encarregar de lhe transmitir um recado de minha parte. E compreendi que esse recado ele não o daria jamais, que poderia ver a Sra. Swann cotidianamente durante anos sem por isso falar uma só vez de mim. Entretanto, dias depois, pediu-lhe uma informação que eu desejava e encarregou meu pai de transmiti-la. Porém não julgara dever dizer a ela para quem a pedia. Portanto, ela não sabia que eu conhecia o Sr. de Norpois e que desejava tanto ir à sua casa; e isso foi talvez uma infelicidade menor do que eu imaginava. Pois a segunda dessas novidades não teria provavelmente acrescentado muito à eficiência da primeira, aliás incerta. Como para Odette, a idéia de sua própria vida e de sua residência não despertava nenhuma inquietação misteriosa, uma pessoa que a conhecesse, que fosse à sua casa, não lhe parecia um ente fabuloso como o parecia a mim, que teria jogado uma pedra nas janelas dos Swann, caso pudesse nela escrever que conhecia o Sr. de Norpois; estava convencido de que uma tal mensagem, mesmo transmitida de modo tão brutal, me teria dado muito mais prestígio aos olhos da dona da casa do que a má-vontade que pudesse ter contra mim. Mas, mesmo que eu pudesse perceber que a missão da qual não se encarregou o Sr. de Norpois fosse inútil, ou pior, que ela pudesse me trazer prejuízos aos olhos dos Swann, eu não teria coragem, se o Sr. de Norpois se mostrasse disposto a levá-la a termo, de encarregá-lo de tal e renunciar à volúpia, por mais funestas que fossem as conseqüências, de que meu nome e minha pessoa se encontrassem desse modo junto de Gilberte por um momento, em sua casa e em sua vida desconhecidas.

Quando o Sr. de Norpois partiu, meu pai deu uma olhada no jornal vespertino; eu pensava de novo na Berma. O prazer que sentira ao ouvi-la exigia tanto mais ser completado como estava longe de igualar aquele que eu me prometera; assim, assimilava imediatamente tudo o que fosse suscetível de nutri-la, por exemplo, os méritos que o Sr. de Norpois reconhecera na Berma e que meu espírito bebera de um só trago como um prado muito seco sobre o qual se lança água. Ora, meu pai me passou o jornal, mostrando-me uma nota concebida nestes termos: "A representação da *Fedra*, dada numa sala entusiasta onde se assinalaram as principais personalidades do mundo das artes e da crítica, foi para a Sra. Berma, que desempenhava o papel de Fedra, a ocasião de um triunfo como ela raramente conheceu de tão deslumbrante no decurso de sua prestigiosa carreira. Voltaremos mais longamente a essa representação, que constitui um verdadeiro acontecimento teatral; digamos somente que os mais abalizados juízes concordaram em declarar que uma tal representação renovava inteiramente o papel de Fedra, que é um dos mais belos e profundos de Racine, constituindo-se na mais pura e alta manifestação de arte à qual nos tenha sido dada a oportunidade de assistir em nosso tempo." Desde que meu espírito concebeu essa idéia nova da "mais pura e alta manifestação de arte", esta se aproximou do prazer imperfeito que eu sentira no teatro, acrescentou-lhe um pouco do que lhe faltava, e a união de ambos formou algo tão grandioso que exclamei: "Que grande artista!" Sem dúvida, pode-se achar que eu não fosse totalmente sincero. Mas imaginem o caso de tantos escritores que, descontentes com o trecho que acabam de escrever, lêem o elogio do gênio de Chateaubriand ou evocam um grande artista a quem desejariam igualar, cantarolando, por exemplo, um trecho de Beethoven cuja tristeza comparam à que quiseram pôr em sua prosa, impregnam-se de tal modo dessa idéia de gênio que a acrescentam às próprias produções ao pensar de novo nelas, não as vendo mais como lhes tinham aparecido antes, e dizem, arriscando-se a uma profissão de fé quanto ao valor de sua obra: "Finalmente!", sem perceber que, no total que determina sua satisfação final, incluem a lembrança de magníficas páginas de Chateaubriand, que assimilam às suas, mas que enfim não escreveram; imaginem tantos homens que acreditam no amor de uma amante da qual só conhecem as traições; imaginem, também, todos aqueles que esperam alternativamente, seja uma vida futura incompreensível desde que pensam, maridos inconsoláveis, numa mulher que perderam e que ainda amam, artistas, na glória futura da qual poderão gozar, seja num nada apaziguador, quando sua inteligência se reporta, ao contrário, às faltas que, sem ele, teriam de expiar após a morte; imaginem ainda os turistas que exaltam a beleza de uma viagem desfrutada em conjunto, cujo cotidiano contudo os aborrece; e veja-se depois se, na vida em comum que levam as idéias no seio do nosso espírito, existe uma só, dessas que nos fazem felizes, que não tenha ido antes, verdadeira parasita, pedir a uma idéia próxima e estranha o melhor da força que lhe faltava.

Minha mãe não pareceu ficar satisfeita pelo fato de meu pai não pensar mais na minha "carreira". Creio que, preocupada acima de tudo em que uma norma de existência disciplinasse os caprichos de meus nervos, o que ela lastimava era menos o me ver renunciar à diplomacia do que aplicar-me à literatura. – Ora, deixe-o – exclamava meu pai. – É preciso, antes de tudo, fazer as coisas com agrado. Ora, ele já não é uma criança. Sabe perfeitamente bem, agora, do que gosta. É pouco provável que mude, e é capaz de perceber o que o fará feliz na vida. Esperando que, graças à liberdade que me concediam, eu fosse ou não feliz na vida, as palavras de meu pai me magoaram muito naquela noite. Em todas as épocas, suas gentilezas imprevistas, ao se produzirem, tinham me dado uma tal vontade de beijar, acima da barba, suas faces coradas que, se não o fazia, era só por medo de lhe desagradar. Hoje, como um autor se assusta ao ver suas próprias fantasias, que lhe parecem de pouco valor por não conseguir separá-las de si mesmo, obrigarem um editor a escolher um tipo de papel, empregar caracteres talvez lindos demais para elas, eu me perguntava se meu desejo de escrever era algo suficientemente importante para que meu pai mostrasse tanta bondade por sua causa. Porém, sobretudo falando de meus gostos que não mudariam mais, daquilo que estava destinado a tornar feliz minha existência, insinuava em mim duas terríveis suspeitas. A primeira era que (enquanto me considerava todos os dias no limiar da minha vida ainda intacta e que só começaria na manhã do dia seguinte) minha existência já começara, e, mais ainda, que o que se seguiria não seria diferente do que havia ocorrido antes. A segunda suspeita, que, para falar a verdade, não passava de uma forma diversa da primeira, era que eu não estava situado fora do Tempo, porém achava-me submetido às suas leis, exatamente como aquelas personagens de romance que, devido a isso, me faziam mergulhar em grande tristeza quando lia as suas vidas, em Combray, na minha cadeira de vime. Teoricamente, sabe-se que a Terra gira, mas de fato não nos apercebemos disso, o chão sobre o qual caminhamos parece não se mexer e vivemos tranqüilos. O mesmo ocorre com o Tempo na vida. E, para tornarem sensível a sua fuga, os romancistas são obrigados, acelerando doidamente a marcha dos ponteiros, a fazer com que o leitor ultrapasse dez, vinte, trinta anos, em dois minutos. No alto da página deixamos um amante cheio de esperanças; ao pé da página seguinte, encontramo-lo octogenário, fazendo penosamente no pátio de um asilo o seu passeio cotidiano, mal respondendo às palavras que lhe dirigem, tendo esquecido o passado. Dizendo de mim: "Não é mais uma criança, seus gostos não mudarão mais, etc.", meu pai acabava de súbito de me fazer pensar em mim mesmo no Tempo, causando-me o mesmo tipo de tristeza de como se eu fosse, não o asilado decrépito, mas aquele herói sobre quem o autor, num tom indiferente que é particularmente cruel, nos diz no final de um livro: "Cada vez menos deixa o campo. Acabou por fixar-se ali definitivamente, etc."

Entretanto, meu pai, para antecipar-se às críticas que poderíamos fazer sobre nosso convidado, disse a mamãe:

– Confesso que o velho Norpois foi um tanto "medalhão", como vocês dizem. Quando ele diz que teria sido "pouco oportuno" fazer uma pergunta ao conde de Paris, tive receio de que vocês desatassem a rir.

– Mas de modo nenhum – contestou minha mãe –, gosto muito que um homem desse valor e dessa idade tenha conservado esta espécie de inocência que só dá provas de um fundo de honestidade e de boa educação.

– Creio que sim. Isto não impede que seja fino e inteligente; sei disso muito bem porque o vejo na Comissão bem diferente do que se mostrou aqui – exclamou meu pai, feliz por ver que mamãe apreciava o Sr. de Norpois, querendo convencê-la de que era ainda superior ao que ela julgava, pois a cordialidade sente o mesmo prazer em exagerar os méritos que a maledicência tem em diminuí-los. – E como ele disse aquilo de que "com os príncipes nunca se sabe..."

– É verdade, sim, exatamente como dizes. Já tinha reparado, é muito esperto. Vê-se que possui uma profunda experiência da vida.

– É extraordinário que tenha ido jantar em casa dos Swann e que ali haja encontrado boas pessoas, afinal de contas, funcionários. Onde será que a Sra. Swann vai pescar todo esse povo?

– Notaste com que malícia ele se referiu a: "É uma casa onde vão principalmente cavalheiros"?

E ambos procuravam reproduzir os modos com que Norpois dissera aquela frase, como o teriam feito quanto a alguma entonação de Bressant ou de Thiron em *A Aventureira* ou em *O Genro do Sr. Poirier*. Porém de todos, quem mais apreciou as palavras de Norpois foi Françoise, que, muitos anos depois, não "podia ficar séria" se lhe recordavam que fora tratada pelo embaixador como "mestre-cuca de primeira ordem", expressão que minha mãe lhe comunicou, como um ministro da Guerra transmite às forças armadas as felicitações de um soberano em visita, depois da parada. Aliás, eu a havia precedido na cozinha. Pois conseguira que Françoise, pacifista porém cruel, prometesse que não faria sofrer demais o coelho que ia matar, e não tivera notícias dessa morte; Françoise me assegurou que tudo se passara no melhor dos mundos e bem depressa: – Nunca vi um bicho assim; morreu sem soltar um guincho, poderia jurar que era mudo. – Sem estar ao corrente da linguagem dos animais, aleguei que o coelho talvez não gritasse como os frangos. – Conte com isso – retrucou Françoise, indignada com a minha ignorância. Ora se os coelhos não gritam tanto como os frangos; têm até voz mais forte. – Françoise aceitou os cumprimentos do Sr. de Norpois com a soberba simplicidade, o olhar alegre e – ainda que momentaneamente – inteligente de um artista a quem gabam sua arte. Minha mãe a enviara antigamente a certos restaurantes famosos para ver como se cozinhava ali. E naquela noite, ao ouvi-la chamar de frege-moscas os mais renomados restaurantes, senti o mesmo prazer de outrora ao saber, pelos artistas dramáticos, que a hierarquia de seus méritos não era a mesma de suas reputações. – O embaixador – disse-lhe minha mãe – assegura que em parte alguma se comem rosbifes e suflês como os seus. Françoise, com ar modesto e como quem rende homenagem à verdade, concordou, aliás sem ficar impressionada com o título de embaixador; dizia do Sr. de Norpois, com a amabilidade devida a alguém que considerava um "mestre-cuca": – É um bom velho, como eu. – Gostaria de ter avistado o Sr. de Norpois quando este chegara; mas, sabendo que minha mãe detestava que ficassem atrás das portas ou nas janelas a espiar, e pensando que mamãe saberia pelos outros criados ou pelos porteiros que estivera espreitando (pois Françoise só via por toda a parte "ciúmes" e "mexericos" que, na sua imaginação, desempenhavam o mesmo papel permanente e funesto das intrigas de jesuítas e judeus para outras pessoas), contentara-se em olhar da janela da cozinha "para não entrar em conflito com madame", e, na visão sumária que tivera do Sr. de Norpois, julgara-o "parecido com o Sr. Legrandin" por causa de sua *agelidade*, e embora não houvesse qualquer traço em comum entre eles. – Mas enfim – perguntou minha mãe –, como explica que ninguém faça geléia tão bem como você (quando quer)? – Não sei como decorre isso – respondeu Françoise, que não estabelecia uma diferença bem nítida entre o verbo ocorrer, ao menos em certas acepções, e o verbo decorrer. Aliás, em parte dizia a verdade e não se mostrava muito mais capaz (ou desejosa) de desvelar o mistério que formava a superioridade de suas geléias ou de seus cremes, do que uma elegante com relação a seus vestidos, ou uma grande cantora lírica relativamente a seu canto. Suas explicações não nos dizem grande coisa: o mesmo quanto às receitas da nossa cozinheira. – Eles mandam cozinhar depressa demais – respondeu ela falando dos grandes cozinheiros de restaurantes – e não cozinham tudo junto. É necessário que a carne de vitela fique como uma esponja, pois então bebe o suco até o fim. Entretanto, havia um desses cafés onde me parece que conheciam bastante sobre cozinha. Não digo que fosse inteiramente como a minha geléia, mas era preparado devagar e os suflês tinham muito creme. – É o Henry? –

indagou meu pai, que se juntara a nós e apreciava muito o restaurante da praça Gaillon, onde fazia em datas fixas refeições comemorativas. – Oh, não – respondeu Françoise com uma suavidade que ocultava um profundo desdém –, eu falava de um pequeno restaurante. Na casa desse Henry, a comida certamente é muito boa, mas não se trata de um restaurante, é mais uma... casa de pasto! – Weber? – Ah, não, senhor, eu queria dizer um bom restaurante. Weber fica na rua Royale, não é um restaurante, é uma cervejaria. Não sei nem se tem serviço. Parece que até nem tem toalha, botam as coisas de qualquer jeito na mesa, com toda a força. – Cirro? – Françoise sorriu: – Oh, lá, creio que em matéria de cozinha há principalmente damas da sociedade. ("Sociedade", para Françoise, significava "sociedade de reputação duvidosa".) Diabos, a juventude precisa disso. Percebíamos que, com seu ar de simplicidade, Françoise era, quanto aos cozinheiros célebres, uma "colega" mais terrível do que o pode ser a atriz mais invejosa e mais enfatuada. No entanto, verificamos que ela possuía um sentimento justo de sua arte e o respeito das tradições, pois acrescentou: – Não, quero dizer um restaurante onde parecia haver uma boa cozinha burguesa. É uma casa ainda considerável. Lá se trabalhava bastante. Ah, reuniam *sous* lá dentro! (Françoise, econômica, contava por *sous* e não por luíses, como os gastadores.) Madame sabe: lá embaixo, à direita, nos grandes bulevares, um pouco recuado... – O restaurante de que falava com imparcialidade mista de orgulho e bonomia era... o Café Anglais.

Quando chegou o dia 1º de janeiro, a princípio fiz visitas de família com minha mãe, que, para não me cansar, classificara-as antecipadamente (com a ajuda de um itinerário elaborado por meu pai) por bairro em vez de fazê-lo por graus de parentesco. Porém, mal entramos no salão de uma prima bem afastada, aonde íamos primeiro porque sua casa ficava bem próxima da nossa, ao contrário do seu parentesco, minha mãe ficou assombrada ao ver, trazendo seus *marrons-glacês* ou *deguisês, o* melhor amigo do mais suscetível de meus tios, ao qual contaria que não tínhamos iniciado nosso giro por ele. Esse tio ficaria seriamente ofendido; acharia natural que começássemos indo da Madeleine ao Jardim das Plantas, onde morava, antes de parar em Saint-Augustin, para ter de voltar logo à rua da Faculdade de Medicina.

Acabadas as visitas (minha avó nos dispensava que lá fôssemos, pois naquele dia jantaríamos com ela), corri aos Champs-Élysées a fim de levar à nossa vendedora, que por sua vez a entregaria à pessoa que vinha várias vezes na semana, da casa dos Swann, comprar pão de mel, a carta que, desde o dia em que minha amiga me causara tanta mágoa, decidira lhe enviar no dia de Ano-Novo, e na qual lhe dizia que nossa amizade antiga desaparecia com o ano findo, que esquecia minhas censuras e decepções e que, a partir de 1º de janeiro, era uma nova amizade que iríamos construir, tão sólida que nada a arruinaria, tão maravilhosa que esperava que Gilberte tivesse alguma faceirice em conservar toda a sua beleza e me avisasse de vez em quando, como eu prometia fazer também, logo que ocorresse o menor perigo capaz de destruí-la. Voltando para casa, Françoise me fez parar na esquina da rua Royale, diante de uma venda de mercadorias ao ar livre, onde escolheu, para dar de presente, fotos de Pio IX e de Raspail e onde, de minha parte, comprei uma da Berma. As numerosas admirações que a artista suscitava conferiam certa pobreza àquele rosto único que ela possuía para lhes retribuir, imutável e precário como a roupa dessas pessoas que não têm outra para trocar, rosto em que tinha de mostrar sempre a mesma ruga pequena sobre o lábio superior, o soerguimento das sobrancelhas, outras peculiaridades físicas, sempre as mesmas que, em suma, estavam à mercê de queimadura ou de um choque. Além disso, esse rosto não me teria parecido belo em si mesmo, porém dava-me a idéia e, por conseguinte, a vontade de beijá-lo por causa de todos os beijos que já recebera e que, do fundo do cartão de álbum, parecia solicitar ainda com aquele olhar de terna faceirice e o sorriso artificiosamente ingênuo. Pois a Berma devia efetivamente sentir para com muitos jovens os desejos que confessava, sob a capa da personagem Fedra, e que lhe seria bem fácil satisfazer por tudo, até pelo prestígio de seu nome que se acrescentava à sua beleza e prorrogava-lhe a juventude. A noite caía, e parei diante de uma coluna de teatro onde estava afixado o cartaz sobre a representação que a Berma fazia pelo dia 1º de janeiro. Soprava um vento úmido e suave. Era um tempo que eu conhecia; tive a sensação e o pressentimento de que o dia de Ano-Novo não era diferente dos outros, que não era o primeiro de um mundo novo em que teria podido, com uma oportunidade ainda intacta, refazer minhas relações com Gilberte como no tempo da Criação, como se ainda não existisse passado, como se tivessem sido aniquiladas, juntamente com os indícios que delas se pudessem tirar para o futuro, as decepções que ela me causara às vezes; um novo mundo onde não subsistisse nada do antigo... a não ser uma coisa: meu desejo de que Gilberte me amasse. Compreendi que meu coração desejava tal renovação, a seu redor, de um universo que não o satisfizera, porque ele, coração, não havia mudado, e disse para mim mesmo que não havia motivo algum para que o de Gilberte tampouco tivesse mudado; senti que aquela nova amizade era a mesma, como não são separados dos outros por um fosso, os anos novos que o nosso desejo, sem poder atingi-los e modificá-los, reveste, sem que o saibam, de um nome diferente. Por mais que eu dedicasse a Gilberte aquele ano, e da mesma forma como se superpõe uma religião às leis cegas da natureza, e tentasse imprimir ao dia do Ano-Novo a idéia particular que fazia dele, era tudo em vão; sentia que ele não sabia que o chamavam de dia do Ano-Novo, que terminava no crepúsculo de um modo que não me era novo: no vento suave que soprava ao redor da coluna de cartazes, eu reconhecera, sentira reaparecer a matéria eterna e comum, a umidade familiar, a ignorante fluidez dos dias antigos.

Voltei para casa. Acabava de viver o 1° de janeiro dos homens velhos que diferem este dia dos jovens, não porque não lhes dêem presentes, mas porque não acreditam mais no Ano-Novo. Ganhara presentes, mas não o único que teria me alegrado, um bilhete de Gilberte. No entanto, eu ainda era jovem, pois que lhe escrevera uma carta com a qual esperava, falando-lhe dos sonhos solitários da minha ternura, despertar-lhe sonhos idênticos. A tristeza dos homens que envelheceram é a de nem sequer pensar em escrever tais cartas, de que já conhecem a inutilidade.

Quando me deitei, os rumores da rua, que se prolongaram até mais tarde naquele dia de festa, mantiveram-me acordado e eu pensava em todas as pessoas que acabariam a noite no meio dos prazeres, pensava no amante; no grupo de devassos, talvez, que tinham ido procurar a Berma ao fim daquela representação que eu vira anunciada para a noite. Nem sequer podia, para acalmar a agitação que essa idéia fazia nascer em mim naquela noite de insônia, dizer comigo que a Berma não pensava talvez no amor, visto que os versos que recitava, que longamente estudara, lembravam-lhe a todo instante como era delicioso o amor, o que aliás ela bem sabia, tanto que mostrava suas muito conhecidas emoções – porém dotadas de uma violência nova e de uma doçura insuspeitada – a espectadores maravilhados, os quais, entretanto, já as haviam conhecido por si mesmos. Acendi a vela apagada para olhar ainda uma vez o seu rosto. À idéia de que ele era, naquele instante, sem dúvida, acariciado por esses homens a quem não podia impedir de dar à Berma, e dela receber, alegrias sobre-humanas e vagas, experimentei uma perturbação mais cruel, por não ser voluptuosa, uma nostalgia a que veio agravar o som da trompa, como o que se ouve na noite da Mi-Carême, e muitas vezes em outras festas e que, como então é destituído de poesia, é mais triste, saindo de uma taberna, do que "a noite no fundo das florestas". Nesse momento, talvez, um bilhete de Gilberte não seria o que mais me faltasse. Nossas aspirações vão se entrecruzando e, na confusão da existência, é raro que uma felicidade venha se colocar exatamente sobre o desejo que a reclamava.

Continuei a ir aos Champs-Élysées nos dias em que fazia bom tempo, pelas ruas cujas mansões elegantes e róseas se banhavam, já que era a época da grande voga de exposições de aquarelistas, em um céu móvel e tênue. Mentiria se dissesse que nesse tempo os palácios de Gabriel me pareceriam de maior beleza que os palácios vizinhos ou até mesmo de outra época. Eu julgava com mais estilo e teria achado mais antigo, senão o palácio da Indústria, ao menos o do Trocadéro. Mergulhada em sono agitado, minha adolescência envolvia num mesmo sonho todo o bairro por onde o levava, e eu jamais sonhara que pudesse haver um edifício do século XVIII na rua Royale, assim como teria ficado espantado se soubesse que a Porta Saint-Martin e a Porta Saint-Denis, obras-primas do tempo de Luís XIV, não eram contemporâneas dos imóveis mais recentes daqueles distritos sórdidos. Uma única vez um dos palácios de Gabriel me fez parar longamente; é que tendo a noite caído, suas colunas desmaterializadas pelo luar pareciam recortadas em papelão e, lembrando-me um cenário da opereta *Orfeu nos Infernos*, davam-me pela primeira vez uma impressão de beleza.

Entretanto, Gilberte não voltava aos Champs-Élysées. E, contudo, eu teria necessidade de vê-la, pois nem sequer me lembrava de seu rosto. A maneira indagadora, ansiosa, exigente com que encaramos a pessoa amada, nossa expectativa da palavra que nos dará ou matará a esperança de um encontro no dia seguinte, e, até que tal palavra seja dita, nossa imaginação alternativa, senão simultânea, da alegria e do desespero; tudo isso torna a nossa atenção, em face do ser amado, trêmula demais para que possa obter dele uma imagem bem nítida. Talvez, também, essa atividade de todos os sentidos ao mesmo tempo, e que tenta conhecer somente com os olhares aquilo que se encontra além deles, seja por demais indulgente para com as mil formas, sabores e movimentos da pessoa viva, que de costume tornamos inerte quando não estamos enamorados. O modelo querido, ao contrário, se movimenta; dele só possuímos fotografias defeituosas. Eu já não sabia de fato como eram os traços de Gilberte, salvo nos momentos divinos em que eles se desdobravam para mim: só me recordava do seu sorriso. E, não podendo rever aquele rosto bem-amado, a todo esforço que fizesse para me lembrar irritava-me por encontrar, desenhados em minha memória com precisão definitiva, os rostos inúteis e impressionantes do homem dos cavalos de madeira e da vendedora de pirulitos; assim, aqueles que perderam um ente querido que jamais revêem dormindo, se desesperam de encontrar sem cessar em seus sonhos tantas pessoas insuportáveis e que já é demais terem conhecido no estado de vigília. Em sua impotência de imaginarem o objeto de sua dor, quase se acusam de não sentir dor. Quanto a mim, não estava longe de crer que, não podendo me lembrar dos traços de Gilberte, esquecera a ela própria, não a amava mais. Por fim ela veio brincar quase todos os dias, pondo diante de mim novas coisas a desejar, a lhe pedir para o dia seguinte e fazendo cada dia, em tal sentido, de minha ternura uma ternura nova. Mas uma coisa veio mudar, e de modo brusco, a maneira como todas as tardes, cerca das duas horas, se colocava o problema do meu amor. Teria o Sr. Swann surpreendido a carta que escrevera a sua filha, ou Gilberte não fazia mais que me avisar muito depois sobre um estado de coisas já antigo, a fim de que eu fosse mais prudente? Como lhe dissesse o quanto admirava seu pai e sua mãe, ela assumiu este ar vago, cheio de reticências e segredo, que apresentava ao lhe falarem do que tinha de fazer, de seus passeios e visitas, e, de repente, acabou por dizer: "Sabe, eles acham você intragável!" e escorregadia como uma ondina – ela era assim – desatou a rir. Muitas vezes o seu riso, em desacordo com suas palavras, parecia, como o faz a música, descrever em outro plano uma superfície invisível. O Sr. e a Sra. Swann não pediam a Gilberte que deixasse de jogar comigo, mas teriam preferido, pensava ela, que aquilo não tivesse começado. Não viam favoravelmente minhas relações com ela, não me atribuíam grande moralidade e imaginavam que eu só poderia exercer uma influência malsã sobre a filha. Esse tipo de pessoas jovens e pouco escrupulosas, às quais Swann parecia comparar-me, eu as imaginava como detestando os pais da moça a quem amam, elogiando-os em sua presença mas troçando deles com ela, impelindo-a a desobedecê-los e, quando a conquistam, impedem-na até de vê-los. A esses traços (que nunca são aqueles sob os quais se enxerga o maior miserável), com que violência meu coração opunha os sentimentos de que estava animado em relação a Swann, ao contrário, tão apaixonados que já não duvidava de que, se ele os tivesse suspeitado, se arrependesse do julgamento a meu respeito como de um erro judiciário! Tudo o que sentia por ele, ousei escrever numa longa carta que confiei a Gilberte, pedindo que a fizesse lhe chegar às mãos. Ela consentiu. Ai de mim! Ele via então na minha pessoa um impostor maior ainda do que eu imaginara; dos sentimentos que eu acreditara pintar-lhe em dezesseis páginas, com tanta verdade, ele duvidava então: a carta que lhe escrevi, tão ardente e tão sincera como as palavras que havia dito ao Sr. de Norpois, não alcançara maior êxito. Gilberte me contou no dia seguinte, depois de me levar à parte para trás de um bosquete de loureiros, numa pequena alameda, onde cada um se sentou numa cadeira, que, ao ler a carta, que ela me devolvia, seu pai dera de ombros dizendo: "Tudo isso não quer dizer nada, apenas mostra o quanto eu tenho razão." Eu que conhecia a pureza de meus sentimentos, a bondade da minha alma, estava indignado que minhas palavras nem sequer tivessem abalado o absurdo erro de Swann. Pois que se tratava de um erro, já não tinha mais dúvidas. Sentia que descrevera com tanta exatidão certas características irrecusáveis de meus sentimentos generosos que, para que Swann, por meio delas, não as tivesse logo reconstituído, não me viesse pedir perdão e confessar que se enganara, era preciso que ele jamais tivesse sentido esses nobres sentimentos, o que deveria torná-lo incapaz de compreendê-los nos outros.

Ora, talvez Swann soubesse que a generosidade não passa, muitas vezes, do aspecto interior assumido pelos nossos sentimentos egoístas quando ainda não os denominamos e classificamos. Talvez reconhecesse, na simpatia que lhe expressava, um simples efeito – e uma confirmação entusiasta – do meu amor por Gilberte, pelo qual – e não pela minha veneração secundária por ele – seriam fatalmente dirigidos meus atos a seguir. Não podia partilhar de suas previsões, pois não conseguira abstrair de mim mesmo o meu amor, fazê-lo pertencer à generalidade dos outros, calcular-lhe experimentalmente as conseqüências; estava desesperado. Tive de deixar Gilberte por um instante; Françoise me chamava. Foi preciso acompanhá-la a um pequeno pavilhão com treliças verdes, bem parecido com os antigos escritórios da alfândega municipal da velha Paris, e onde há pouco instalaram o que na Inglaterra se chama *lavabo* e, na França, por uma anglomania malinformada, *water-closet*. As paredes úmidas e velhas da entrada, onde fiquei esperando Françoise, desprendiam um odor frio de coisa fechada que, distanciando-me logo das preocupações que acabavam de fazer nascerem mim as palavras de Swann contadas por Gilberte, invadiu-me de um prazer que não era do mesmo gênero dos outros, os quais nos deixam mais instáveis, incapazes de retê-los, possuí-los, mas, pelo contrário, de um prazer consistente, ao qual podia me apoiar, delicioso, pacífico, rico de uma verdade duradoura, certa e inexplicável. Teria querido, como antigamente em meus passeios pelos caminhos de Guermantes, tentar decifrar o encanto dessa impressão que me empolgara e ficar imóvel a interrogar aquela emanação envelhecida que me propunha, não desfrutar o prazer que ela só me dava por acréscimo, mas a descida na realidade que ela não me revelava. Mas a zeladora do estabelecimento, velha senhora de faces excessivamente pintadas e de peruca ruiva, pôs-se a falar comigo. Françoise achava-a "gente muito boa". Sua filha se casara com o que Françoise denominava "rapaz de família", portanto, alguém que ela julgava mais diferente de um operário do que Saint-Simon considerava um duque de um homem "saído da lama do povo". Sem dúvida a zeladora, antes de sê-lo, sofrera reveses. Mas Françoise assegurava que ela era marquesa e pertencia à família de Saint-Ferréol. Essa marquesa me aconselhou que não ficasse ao relento e até me abriu um gabinete dizendo: "Não quer entrar? Este aqui é bem limpinho, para você será grátis." Talvez o fizesse apenas como as senhoritas do Gouache; quando íamos fazer uma encomenda, ofereciam-me um dos bombons que tinham no balcão sob uma tampa de vidro e que mamãe infelizmente me proibia de aceitar; talvez também com menos inocência, como aquela velha florista que mamãe encarregava de nos encher as "jardineiras" e que me dava uma rosa revirando os olhos doces. Em todo caso, se a "marquesa" gostava de rapazes, abrindo-lhes a porta hipogéia daqueles cubos de pedra onde os homens estão acocorados como esfinges, ela devia procurar em sua generosidade menos a esperança de corrompê-los do que o prazer que se experimenta em se mostrar inutilmente pródigo à pessoa amada, pois nunca vi, junto dela, outro visitante que não um velho guarda-florestal do jardim.

Um momento depois, despedia-me da "marquesa", acompanhado de Françoise, e deixava esta para voltar para junto de Gilberte. Divisei-a imediatamente, numa cadeira, por detrás do bosquezinho de loureiros. Era para não ser vista pelas amigas: brincavam de esconde-esconde. Fui me sentar a seu lado. Usava um gorro achatado que caía sobre os olhos, dando-lhe aquele mesmo olhar "por baixo", sonhador e maroto que lhe vira da primeira vez em Combray. Perguntei-lhe se não havia meios de que eu tivesse uma explicação verbal com seu pai. Gilberte me disse que ela mesma a propusera, mas que ele a julgara inútil. – Olhe – acrescentou –, não esqueça sua carta; preciso me reunir às outras, pois elas não me encontraram.

Se Swann tivesse chegado então, antes mesmo que eu a tivesse pegado, essa carta sobre cuja sinceridade eu considerava que ele fora tão insensível que não se deixara persuadir, talvez tivesse visto que era ele quem estava com a razão. Pois, aproximando-me de Gilberte, que, inclinada para trás na cadeira, me dizia que pegasse a carta sem estendê-la a mim, senti-me tão atraído pelo seu corpo que lhe disse:

– Vamos, impeça-me de pegá-la; vamos ver quem é mais forte.

Ela escondeu a carta nas costas, passei minhas mãos pela sua nuca erguendo as tranças dos cabelos que ela usava sobre os ombros, fosse porque ainda era dessa idade, fosse porque sua mãe desejava fazê-la parecer criança por mais tempo, a fim de se rejuvenescer ela própria; lutamos, retesados. Tentava atraí-la, ela resistia; suas bochechas, inflamadas pelo esforço, estavam rubras e redondas como cerejas; ela ria como se eu lhe estivesse fazendo cócegas; mantinha-a presa entre minhas pernas como um arbusto ao qual quisesse trepar; e, no meio da ginástica que fazia, sem que ao menos aumentasse a sufocação que me dava o exercício muscular e o ardor do jogo, espalhei o meu prazer com algumas gotas de suor arrancadas pelo esforço, prazer no qual nem pude me deter o bastante para lhe sentir o gosto; e logo peguei a carta. Então, Gilberte me disse bondosamente:

– Sabe, se quiser podemos lutar um pouco mais.

Talvez ela tivesse obscuramente sentido que meu jogo tinha outro objetivo que não o que havia confessado, mas não soubera perceber que eu já o alcançara. Quanto a mim, que temia que ela o percebesse (e um certo movimento retraído e tenso de pudor ofendido, que ela teve um momento depois, me fez pensar que não estava errado ao temê-lo), aceitei continuar lutando, com medo que ela pensasse que não me propusera outro objetivo senão aquele cuja realização não me deu mais vontade de ficar quieto a seu lado.

Voltando para casa, percebi, recordei bruscamente a imagem, escondida até então, de que me aproximara sem me deixar vê-la nem reconhecê-la, o frescor, quase cheirando a fuligem, do pavilhão gradeado. Essa imagem era a do pequeno aposento do tio Adolphe, em Combray, o qual de fato exalava o mesmo aroma de umidade. Mas não pude compreender, e deixei para mais tarde o indagar por que a recordação de uma imagem tão insignificante me dera tanta felicidade. À espera, me pareceu que merecia na verdade o desdém do Sr. de Norpois; até então, preferira, a todos os escritores, logo aquele a quem de Norpois chamara de simples "tocador de flauta", e uma verdadeira exaltação me fora comunicada não por uma idéia importante, e, sim, por um cheiro de mofo. Desde algum tempo, em certas famílias, o nome de Champs-Élysées, se um visitante o pronunciava, era acolhido pelas mães com o ar maldoso que reservam para um médico renomado a quem julgam ter visto fazer diagnósticos errados em demasia para ainda terem confiança nele; asseguravam que esse parque não convinha às crianças, que podiam citar mais de uma dor de garganta, mais de um caso de sarampo e numerosas febres por que era responsável. Sem pôr abertamente em dúvida a ternura de mamãe, que continuava a me mandar para lá, certas amigas suas pelo menos deploravam a sua cegueira.

Os nevropatas são talvez, malgrado a expressão consagrada, os que menos "se escutam": ouvem dentro de si tantas coisas que depois compreendem não ser motivo de alarme, que acabam por não prestar mais atenção em nenhuma. Seu sistema nervoso gritou tantas vezes: "Socorro!" – como se se tratasse de uma doença grave, quando simplesmente ia nevar ou que iriam mudar de apartamento, que eles assumem o hábito de já não levar em conta esses avisos, como um soldado que, no ardor da batalha, percebe-os tão pouco que, já moribundo, é capaz de levar por alguns dias uma vida de homem saudável. Certa manhã, levando ordenados dentro de mim os meus males de costume, de cuja circulação constante e interna eu mantinha sempre o meu espírito desviado, bem como da circulação do sangue, eu corria alegremente para a sala de jantar onde meus pais já se achavam à mesa, e – dizendo a mim mesmo, como de hábito, que sentir frio pode significar, não que seja necessário aquecer-se, mas, por exemplo, que a gente foi repreendida, e que não ter fome, que vai chover e não que não se deva comer – estava me sentando à mesa quando, no momento de engolir o primeiro bocado de uma costeleta apetitosa, uma náusea, uma tonteira me interromperam, resposta febril do início de uma doença cujos sintomas o gelo da minha indiferença havia mascarado, retardado, mas que recusava obstinadamente o alimento que eu não estava em condições de absorver. Então, no mesmo minuto, a idéia de que me impediriam de sair se percebessem que estava doente me deu, como o instinto de conservação a um ferido, forças para me arrastar até meu quarto, onde vi que estava com 40 graus de febre, e em seguida para me preparar para ir aos Champs-Élysées. Através do corpo lânguido e permeável que o envolvia, meu pensamento sorridente aspirava, desejava o prazer tão doce de uma partida de barras com Gilberte, e uma hora mais tarde, mal me sustentando, porém feliz a seu lado, eu tinha ainda forças para desfrutá-lo.

Na volta, Françoise declarou que eu me "achara indisposto", que deveria ter tido uma "constipação", e o médico, chamado em seguida, declarou "preferir" a "severidade", a "virulência" da subida da febre, que acompanhava minha congestão pulmonar, e não passaria de "fogo de palha", a formas mais "insidiosas" e "larvadas". Há muito tempo eu estava sujeito a sufocações, e o nosso médico, apesar da desaprovação de minha avó, que já me via agonizando de coma alcoólico, me aconselhara, além da cafeína que me era prescrita para me ajudar a respirar, tomar cerveja, champanha ou conhaque quando sentisse se aproximar uma crise. Estas abortariam, dizia ele, na "euforia" causada pelo álcool. Muitas vezes eu era obrigado, para que minha avó consentisse em que dessem bebida, a não dissimular, a quase fazer exibição de meu estado de sufocação. Além disso, quando sentia aproximar-se uma crise, sempre incerto quanto às proporções que tomaria, ficava inquieto por causa da tristeza de minha avó, que eu temia muito mais que meu sofrimento. Mas ao mesmo tempo o meu corpo, ou por ser muito fraco para guardar sozinho o segredo da dor, ou por recear que na ignorância do mal iminente exigissem de mim um esforço que lhe fosse impossível ou perigoso, dava-me a necessidade de advertir minha avó de minhas indisposições com uma exatidão em que eu acabava colocando uma espécie de escrúpulo fisiológico. Logo, ao perceber em mim um sintoma incômodo que antes não discernira, meu corpo sentia-se aflito enquanto não o comunicava à minha avó. Se ela fingia não prestar atenção alguma, meu corpo me pedia que insistisse. Às vezes, eu ia longe demais; e o rosto amado, que já não era sempre senhor de suas emoções como antigamente, deixava transparecer uma expressão de piedade, uma contração dolorosa. Então meu coração se torturava à vista da mágoa que ela sentia: como se meus beijos devessem apagar essa mágoa, como se meu carinho pudesse dar à minha avó tanta alegria quanto o meu bem-estar, eu me lançava nos seus braços. E sendo os escrúpulos, por outro lado, serenados pela certeza de que ela conhecia o mal sentido, meu corpo já não fazia oposição a que a tranqüilizasse. Eu protestava que a indisposição nada tinha de penosa, que de modo algum precisava que tivessem pena de mim, que ela podia estar certa de que eu era feliz; meu corpo quisera obter exatamente aquilo que merecia de piedade e, desde que soubessem que sentia dores do lado direito, não via inconveniente em que eu declarasse que semelhante dor não era um mal e não oferecia obstáculo à felicidade, pois meu corpo não ligava para filosofia; não era sua especialidade. Quase todos os dias fui assaltado por aquelas crises de sufocação durante minha convalescença. Uma tarde em que minha avó me deixara em boas condições, voltou para o meu quarto já noite alta e, percebendo que me faltava a respiração: – Oh, meu Deus! Como estás sofrendo! – gritou, as feições transtornadas. Em seguida me deixou, ouvi bater a porta da frente, e ela voltou logo depois com conhaque: fora comprá-lo, pois não havia nenhum em casa. Em breve comecei a me sentir bem. Minha avó, um tanto vermelha, mostrava-se constrangida e em seus olhos notava-se uma expressão de cansaço e desânimo.

– Acho melhor te deixar para que possas gozar isto um pouco melhor – disse ela saindo bruscamente. Todavia, beijei-a e senti em suas frescas faces algo molhado, que não soube se era a umidade do ar noturno que ela acabara de receber. No dia seguinte, ela só veio à tardinha ao meu quarto, pois, segundo me disseram, tivera de sair. Achei que era mostrar muita indiferença por mim e contive-me para não censurá-la.

Tendo persistido minhas sufocações, não sendo possível atribuí-las à congestão, que já acabara há muito, meus pais mandaram vir o professor Cottard para consulta. A um médico chamado em casos deste gênero, não basta que seja instruído. Posto em presença de sintomas que podem ser os de três ou quatro doenças diversas, é afinal o seu faro e seu olho clínico que decidem com que doença terá de defrontar-se, malgrado as aparências mais ou menos semelhantes. Esse dom misterioso não implica superioridade em outros aspectos da inteligência, e uma criatura de grande vulgaridade, gostando da pior pintura, da pior música, não tendo qualquer curiosidade de espírito, pode perfeitamente possuí-lo. Em meu caso, o que era materialmente observável podia também ser causado por espasmos nervosos, por um começo de tuberculose, pela asma, por uma dispnéia tóxico-alimentar com insuficiência renal, pela bronquite crônica, por um estado complexo no qual entrariam vários desses fatores. Ora, os espasmos nervosos precisavam ser tratados com desprezo, a tuberculose com grandes cuidados e um gênero de superalimentação que teria sido ruim para um estado artrítico como a asma e poderia tornar-se perigoso em caso de dispnéia tóxico-alimentar, a qual exige um regime que, em compensação, seria nefasto para um tuberculoso. Mas as hesitações de Cottard foram breves e suas prescrições imperiosas: – Purgativos drásticos e violentos, leite durante vários dias, nada a não ser leite. Nada de carne, nada de álcool. Minha mãe, no entanto, murmurou que eu precisava me fortalecer, que já era bem nervoso, que aquele purgativo de cavalo e aquele regime certamente me deixariam muito abatido. Percebi nos olhos de Cottard, tão inquietos como se tivesse medo de perder o trem, que ele se indagava se não se deixara levar por sua doçura natural. Tratava de se lembrar se pensara em assumir a máscara de homem frio, como procuramos um espelho para ver se não esquecemos de dar o nó na gravata. Na dúvida, e à guisa de compensação, respondeu grosseiramente: – Não tenho o hábito de repetir duas vezes as minhas prescrições. Dêem-me uma caneta. E sobretudo não esqueçam o leite. Mais tarde, quando houvermos cortado as crises e a insônia, gostaria que lhe dessem um pouco de sopa, depois purê, mas sempre com leite, leite, o que o deleitará, visto que a Espanha está na moda, olê, olê! – (Seus alunos conheciam muito bem esse trocadilho que ele fazia no hospital todas as vezes que submetia um cardíaco ou um hepático a esse regime de leite.) – A seguir, façam-no voltar progressivamente à vida comum. Mas, sempre que recomeçarem a tosse e as sufocações: purgantes, lavagens intestinais, leite, leite. Ouviu com ar glacial, sem dar resposta, as últimas objeções de minha mãe e, como nos deixou sem se dignar explicar os motivos desse regime, meus pais o consideraram sem relação com o meu caso, inutilmente enfraquecedor, e não me mandaram tentá-lo. Evidentemente, procuraram ocultar do professor a sua desobediência, e, para consegui-lo com maior êxito, evitaram todas as residências onde poderiam se encontrar com ele. Depois, tendo-se agravado o meu estado, decidiram me fazer seguir ao pé da letra as prescrições de Cottard; ao cabo de três dias eu já não tinha mais arquejos, nem tosse, e respirava bem. Então compreendemos que Cottard, sem deixar de achar-me, como disse depois, bastante asmático e principalmente "maníaco", tinha percebido que o que, naquele momento, predominava em mim era a intoxicação, e que, lavando-me o fígado e os rins, descongestionaria meus brônquios, devolvendo-me a respiração, o sono e as forças. E compreendemos que aquele imbecil era um grande clínico. Enfim, pude me levantar. Mas falavam de não me enviar mais aos Champs-Élysées. Diziam que era devido ao ar insalubre; eu achava que aproveitavam o pretexto para que não pudesse mais ver a Srta. Swann e obriguei-me a repetir todo o tempo o nome de Gilberte, como o idioma natal que os habitantes de um país vencido se esforçam por manter para não esquecer a pátria que jamais voltarão a ver. Às vezes minha mãe passava a mão pelo meu rosto, dizendo:

– Então, os filhinhos não contam mais para a mamãe os seus desgostos?

Françoise se aproximava de mim todos os dias, observando: – O senhor está com uma cara! Não se olhou no espelho? Parece um defunto! É verdade que se eu tivesse uma simples gripe, Françoise teria assumido o mesmo aspecto fúnebre. Tais lamentações se originavam mais da sua "classe" do que de meu estado de saúde. Eu não distinguia, então, se esse pessimismo era, em Françoise, doloroso ou satisfeito. Provisoriamente, concluí que era social e profissional.

Um dia, à hora do correio, minha mãe deixou uma carta na minha cama. Abri-a distraído, pois que ela não podia levar a única assinatura que me faria feliz, a de Gilberte, com quem não me relacionava fora dos Champs-Élysées. Ora, na parte de baixo do papel, timbrado com um selo de prata representando um cavaleiro armado de capacete, sob o qual se retorcia esta divisa: *Per viam rectam,* no fim de uma carta, escrita com letra bem grande e onde quase todas as frases pareciam sublinhadas, simplesmente porque o traço dos *tt* eram feitos não cortando as letras, mas por cima delas, fazendo um traço debaixo da palavra correspondente da linha superior, foi justamente a assinatura de Gilberte o que vi. Mas porque a sabia impossível numa carta endereçada a mim, o fato de vê-la sem que fosse acompanhada de fé não me causou alegria. Por um momento, ela não fez mais que ferir de irrealidade tudo o que me cercava. Com vertiginosa velocidade, tal assinatura sem verossimilhança brincava de quatro-cantos com minha cama, a lareira e a parede. Via tudo vacilar como alguém que cai do cavalo, e me perguntava se não havia uma existência totalmente diferente da que eu conhecia, em contradição com ela, e que seria a verdadeira e que, sendo-me mostrada de súbito, enchia-me dessa hesitação que os escultores, ao modelar o Juízo Final, atribuíram aos mortos ressuscitados que se encontram no limiar do outro mundo. "Meu caro amigo – dizia a carta –, soube que você tem estado muito doente e que não vem mais aos Champs-Élysées. Eu também já não vou muito lá porque é extremamente doentio. Mas minhas amigas vêm lanchar todas as segundas e sextas aqui em casa. Mamãe me encarregou de lhe dizer que nos daria muito prazer se viesse também logo que estiver restabelecido, e poderíamos retomar em casa as nossas boas conversas dos Champs-Élysées. Adeus, meu caro amigo, espero que seus pais lhe permitam vir muitas vezes lanchar aqui; envio-lhe toda a minha amizade. Gilberte."

Enquanto lia estas palavras, meu sistema nervoso recebia com admirável cuidado a notícia que me trazia grande felicidade. Porém minha alma, isto é, eu mesmo, e em suma o principal interessado, ainda a ignorava. A felicidade, a felicidade por meio de Gilberte, era uma coisa com que sonhara constantemente, uma coisa toda em pensamentos, era, como dizia Leonardo a respeito da pintura, *cosa mentale*. Uma folha de papel coberta de caracteres, o pensamento não a assimila de imediato; porém, logo que terminei a carta, pensei nela, ela tornou-se um objeto de fantasia, tornou-se, ela também, *cosa mentale* e eu já a amava tanto que a cada cinco minutos precisava relê-la, beijá-la. Só então conheci minha felicidade.

A vida é semeada desses milagres que as pessoas que amam podem sempre esperar. É possível que este tenha sido causado artificialmente por minha mãe que, vendo que desde algum tempo eu perdera todo o ânimo de viver, talvez tivesse mandado pedir a Gilberte que me escrevesse, como, à época de meus primeiros banhos de mar, para me dar prazer em mergulhar, coisa que eu detestava por me cortar a respiração, ela entregava às escondidas ao meu instrutor banhista maravilhosas caixas de conchinhas e ramos de coral que eu próprio julgava descobrir no fundo das águas. Aliás, com relação a todos os acontecimentos que na vida e suas situações contrastantes se referem ao amor, o melhor é não tentar compreender, visto que, no que têm tanto de inexorável como de inesperado, parecem ser regidos por leis antes mágicas do que racionais. Quando um multimilionário, mesmo encantador, é mandado embora pela mulher pobre e sem atrativos com quem vive, e se volta, no seu desespero, para todas as forças do ouro e faz entrar em ação todas as influências da terra, sem conseguir que ela regresse, mais vale, diante da invencível teimosia da amante, supor que o Destino deseja abatê-lo e fazê-lo morrer de uma doença do coração, ao invés de procurar uma explicação lógica. Esses obstáculos, contra os quais os amantes têm de lutar e que sua imaginação sobreexcitada pelo sofrimento busca em vão adivinhar, residem às vezes em alguma singularidade do caráter da mulher que não conseguem trazer de volta a eles, na sua estupidez, na influência que adquiriram sobre ela os temores que lhe foram sugeridos por pessoas que o amante não conhece, no gênero de prazeres que ela pede momentaneamente à vida, prazeres que nem seu amante, nem a fortuna dele, podem lhe oferecer. Em todo caso, o amante não está em condições de conhecer a natureza dos obstáculos que a astúcia da mulher lhe oculta e que seu próprio julgamento falseado pelo amor o impede de apreciar com exatidão. Parecem-se com esses tumores que o médico acaba por reduzir mas sem lhes ter detectado a origem. Como eles, esses obstáculos permanecem misteriosos, mas são temporários. Unicamente, em geral duram mais que o amor. E, como este não é uma paixão desinteressada, o indivíduo amoroso que já não ama não procura saber por que motivo a mulher pobre e leviana a quem amava se recusara obstinadamente, durante anos, a que ele continuasse a mantê-la.

Ora, o mesmo mistério que disfarça muita vez aos olhos a causa das catástrofes, quando se trata do amor, envolve freqüentemente também certas repentinas soluções felizes (como a que me fora trazida pela carta de Gilberte). Soluções felizes ou que pelo menos parecem sê-lo, pois quase nenhuma o é de verdade quando se trata de um sentimento tal que toda satisfação que se lhe dê só serve para mudar de local o sofrimento. No entanto, às vezes propõe-se uma trégua e tem-se a ilusão de que se está curado.

No que respeita a essa carta, onde no final Françoise se recusou a reconhecer o nome de Gilberte, porque o *G*, muito enfeitado e apoiado num *i* sem ponto, parecia um *A*, ao passo que a última sílaba era indefinidamente prolongada com o auxílio de um rabisco serrilhado – se a gente procura uma explicação racional para a reviravolta que ela indicava e que me fazia tão contente, talvez possamos concluir que a devia em parte a um incidente que, ao contrário, eu pensava ser de molde a me perder para sempre no julgamento dos Swann. Pouco antes, Bloch tinha vindo me visitar, enquanto o professor Cottard, o qual, desde que eu seguia seu regime, fora mandado buscar novamente, se encontrava no meu quarto. A consulta havia acabado e Cottard, ficando apenas como visita porque meus pais o haviam retido para jantar, deixou entrar Bloch. Como estávamos todos conversando, tendo Bloch contado que ouvira dizer que a Sra. Swann gostava muito de mim, por uma pessoa com quem jantara na véspera, a qual era muito ligada à Sra. Swann, tive a intenção de responder que ele certamente se enganava, e de estabelecer, com o mesmo escrúpulo que me fizera declarar ao Sr. de Norpois e de medo que a Sra. Swann me tomasse por mentiroso, que não a conhecia e nunca lhe falara. Mas não tive coragem de retificar o erro de Bloch, pois compreendi muito bem que era voluntário, e que, se ele inventava algo que a Sra. Swann não poderia de fato ter dito, era para fazer saber, o que ele achava elogioso e não seria verdadeiro, que ele havia jantado com uma das amigas dessa senhora. Ora, aconteceu que, ao passo que o Sr. de Norpois, sabendo que eu não conhecia e gostaria de conhecer a Sra. Swann, esquivou-se a lhe falar a meu respeito, Cottard, que era médico dela, tendo deduzido, do que ouvira de Bloch, que ela me conhecia e me apreciava muito, pensou que, quando a visse, dizer que eu era um bom menino com quem se relacionava, não poderia me ser útil em nada e seria elogioso para ele, dois motivos que o decidiram a falar de mim a Odette tão logo encontrou uma oportunidade.

Foi então que conheci aquele apartamento, de onde se evolava até a escada o perfume de que se servia a Sra. Swann, mas que embalsamava bem mais ainda o encanto particular e doloroso que emanava da vida de Gilberte. O implacável porteiro, mudado numa benevolente Eumênide, habituou-se, quando lhe perguntava se podia subir, a me indicar, erguendo o gorro com mão propícia, que fora ouvida a minha prece. As janelas que, de fora, interpunham entre mim e os tesouros que não me eram destinados um olhar brilhante, distante e superficial que me parecia o próprio olhar dos Swann, aconteceu-me, quando no verão eu havia passado uma tarde inteira com Gilberte em seu quarto, abri-las eu mesmo para deixar entrar um pouco de ar e até a me debruçar a seu lado, se era dia de recepção de sua mãe, para ver chegar as visitas que muitas vezes, erguendo a cabeça ao descerem do carro, me faziam um aceno com a mão, tomando-me por um sobrinho da dona da casa. Nesses momentos, as tranças de Gilberte roçavam meu rosto. Pareciam-me, na finura de sua grama a um tempo natural e sobrenatural, e pela força de suas folhagens de arte, uma obra única, para a qual teriam utilizado a própria relva do Paraíso. A um fragmento mesmo ínfimo delas, que celeste herbário eu não teria dado como moldura? Porém, não esperando obter um pedaço de verdade daquelas tranças, se ao menos conseguisse uma fotografia delas, quanto mais preciosa não seria que a de florzinhas desenhadas pelo Da Vinci! Para obter uma, pratiquei, junto a amigos dos Swann e até fotógrafos, baixezas que não me alcançaram o que pretendia mas me ligaram para sempre a pessoas muito desagradáveis.

Os pais de Gilberte, que por tanto tempo me haviam impedido de vê-la, agora – quando eu entrava na sombria antecâmara onde pairava permanentemente, mais formidável e desejada que outrora, em Versalhes, o aparecimento do rei, a possibilidade de encontrá-la e onde habitualmente, depois de dar um encontrão num enorme cabide de sete braços como o Candelabro da Escritura, confundia-me em cumprimentos diante de um lacaio sentado, com seu longo casacão cinzento, sobre a arca de madeira e que, na escuridão, eu tomara pela Sra. Swann – os pais de Gilberte, se acaso um deles passasse no momento da minha chegada, longe de se mostrarem irritados, estendiam a mão sorrindo, e me diziam:

– Como vai você? – (*Comment allez-vous*, que pronunciavam 'commen allez-vous' sem fazer a ligação do *t* à vogal seguinte, ligação que logo se imagina que eu, uma vez entrado na casa, fazia um incessante e voluptuoso exercício por suprimir.) Gilberte sabe que já chegou? Então deixo-o à vontade.

Muito mais, os próprios lanches que Gilberte oferecia a suas amigas e que, por tanto tempo, me haviam parecido a mais intransponível das separações acumuladas entre ela e mim, tornavam-se agora uma ocasião para nos reunirmos, e ela me avisava por um bilhete, escrito (pois eu era uma relação ainda muito nova) num papel de cartas sempre diferente. Uma vez era enfeitado com o desenho de um cãozinho azul, em relevo, sobre uma legenda humorística escrita em inglês e seguida de um ponto de exclamação; outra vez, timbrado com uma âncora, ou com as iniciais G. S., desmedidamente alongadas em um retângulo que ocupava todo o alto da folha, ou ainda do nome "Gilberte", ora escrito transversalmente num canto em caracteres dourados que imitavam a assinatura da minha amiga e terminava por um rabisco, debaixo de um guarda-chuva aberto impresso em negro, ora encerrado em um monograma em forma de chapéu chinês que continha todas as letras do nome em maiúsculas, sem que fosse possível distinguir uma só. Enfim, como a série de papéis para cartas que Gilberte possuía, por mais numerosa que fosse, não era ilimitada, ao fim de um certo número de semanas, eu via retornar aquele que trazia, como da primeira vez que me escrevera, a divisa: *Per viam rectam,* acima do cavaleiro de capacete, num distintivo de prata brunida. E cada um era escolhido em certo dia e não em outro, em virtude de determinados ritos, pensava eu então, porém antes, creio-o atualmente, porque ela procurava se lembrar daqueles de que se servira em outras ocasiões, de modo a nunca enviar o mesmo a um de seus correspondentes, pelo menos àqueles por quem se dignava a dar-se a esse trabalho, senão em intervalos o mais possível afastados. Como, devido à diferença das horas de suas aulas, algumas das amigas que Gilberte convidava para esses lanches eram obrigadas a ir embora quando outras acabavam de chegar, desde a escada eu ouvia escapar-se da antecâmara um murmúrio de vozes que, na emoção que me causava a cerimônia imponente à qual iria assistir, rompia bruscamente, muito antes que eu alcançasse o patamar, os laços que ainda me ligavam à vida anterior e me tirava até a lembrança de ter de despir meu cachecol, uma vez que estaria bem aquecido, e de olhar a hora para não voltar atrasado. Essa escada, aliás, toda em madeira, como se fazia então em certas casas para alugar no estilo Henrique II, que fora durante tanto tempo o ideal de Odette e do qual em breve se desligaria, e provida de um cartaz sem equivalente em nossa casa, no qual se liam estas palavras: "Proibido usar o elevador para descer", parecia-me algo de tanto prestígio que disse a meus pais que era uma escada antiga trazida de muito longe pelo Sr. Swann. Meu amor pela verdade era tão grande que não teria hesitado em lhes dar essa informação mesmo se soubesse que era falsa, pois só ela poderia lhes permitir que tivessem pela dignidade da escada dos Swann o mesmo respeito que eu tinha. É assim que, diante de um ignorante que não pode compreender em que consiste o gênio de um grande médico, acreditar-se-ia ser bom não confessar que ele não sabe curar uma gripe. Mas, como eu não tinha nenhum espírito de observação, como em geral não sabia o nome nem a espécie das coisas que se achavam sob meus olhos, e só compreendia que elas, quando estavam próximas dos Swann, deveriam ser extraordinárias, não me pareceu adequado que, advertindo meus pais acerca do valor artístico e da longínqua proveniência daquela escada, dissesse uma mentira. Aquilo não me pareceu certo; porém, deve me ter parecido provável, pois me senti ficar muito vermelho quando meu pai me interrompeu dizendo: – Conheço essas casas; já vi uma delas, são todas iguais; Swann simplesmente ocupa vários andares, foi Berlier quem as construiu. – Acrescentou que quisera alugar uma delas, mas desistira daquilo, não as julgando cômodas e na entrada não suficientemente claras, disse-o; mas senti instintivamente que meu espírito devia fazer ao prestígio dos Swann e à minha felicidade os sacrifícios necessários e, num rasgo de autoridade interna, apesar do que acabara de ouvir, afastei de mim para sempre, como um devoto a *Vida de Jesus* de Renan, a idéia dissolvente de que o apartamento deles era um apartamento qualquer que poderíamos habitar.

Entretanto, naquelas tardes de lanche, subindo na escada degrau a degrau, já sem idéia e sem memória, não sendo mais que um brinquedo dos reflexos mais vis, chegava à região em que o perfume da Sra. Swann se fazia sentir. Acreditava já ver a majestade do bolo de chocolate, rodeado por um círculo de pratos de sequilhos e de pequenos guardanapos adamascados cinzentos, com desenhos, exigidos pela etiqueta e próprios dos Swann. Mas esse conjunto imutável e regular parecia, como o universo necessário de Kant, depender de um ato supremo de liberdade. Pois quando estávamos todos no pequeno salão de Gilberte, de súbito, olhando as horas, ela dizia:

– Olhem, já faz tempo que almocei, só janto às oito horas, mas tenho vontade de comer alguma coisa. Que dizem?

E ela nos fazia entrar na sala de jantar, sombria como o interior de um templo asiático pintado por Rembrandt, e onde um bolo arquitetônico, tão complacente e familiar quanto imponente, parecia reinar ao acaso como num dia qualquer, para o caso que desse na cabeça de Gilberte despojá-lo de suas ameias de chocolate e de abater suas muralhas de rampas fulvas e rígidas, cozidas ao fogo como os bastiões do palácio de Dario. Melhor ainda: para proceder à destruição da pastelaria ninivita, Gilberte não consultava apenas a sua fome; informava-se também sobre a minha, enquanto extraía para mim, do monumento desmoronado, um grande pedaço polido e engastado de frutos escarlates, ao gosto oriental. Perguntou-me até a hora em que meus pais jantavam, como se eu ainda o soubesse, como se a perturbação que me dominava deixasse persistir a sensação de inapetência ou de fome, a noção do jantar ou a imagem da família, na minha memória vazia e no meu estômago paralisado. Infelizmente essa paralisia era apenas momentânea. Chegaria o momento em que seria necessário digerir os doces que eu comia sem perceber o que estava fazendo. Mas esse momento ainda estava longe. Enquanto isso, Gilberte preparava o "meu chá". Bebi indefinidamente, ainda que uma única xícara me impedisse de dormir durante vinte e quatro horas. Era por isso que minha mãe costumava dizer: "É desagradável; este menino não pode ir à casa dos Swann sem voltar doente." Mas, quando me achava na casa dos Swann, sabia eu pelo menos que era chá o que estava bebendo? Ainda que soubesse, o tomaria assim mesmo, pois admitindo que tivesse por um instante recobrado o discernimento do presente, aquilo não teria me devolvido a lembrança do passado e a previsão do futuro. Minha imaginação não era capaz de ir até o tempo distante em que eu poderia ter a idéia de me deitar e sentir sono.

As amigas de Gilberte não estavam todas mergulhadas nesse estado de embriaguez onde é impossível tomar uma decisão. Algumas chegavam a recusar o chá! Então Gilberte dizia, frase muito em voga naquela época: – Decididamente, não faço sucesso com o meu chá! – E, para apagar ainda mais a idéia de cerimônia, desarrumava a ordem das cadeiras ao redor da mesa: – Parece uma festa de núpcias; meu Deus, como são idiotas os criados...

Mordiscava, sentada de lado num assento em forma de *X* colocado transversalmente. E como se fosse possível ter tantos doces à sua disposição sem ter pedido licença à mãe, até quando a Sra. Swann – cujos dias de recepção em geral coincidiam com os lanches de Gilberte –, depois de ter levado uma visita à porta, voltava um instante após, correndo, às vezes trajada de veludo azul, quase sempre com um vestido de cetim preto ornado de rendinhas brancas, dizia com ar assombrado:

– Olha, parece bom isto que estão comendo; me dá até fome ver vocês comendo *cake*.

– Muito bem, mamãe, está convidada – respondia Gilberte.

– Não, não, meu tesouro; o que diriam as minhas visitas? Ainda estou com a Sra. Trombert, a Sra. Cottard e a Sra. Bontemps; sabes que a prezada Sra. Bontemps não faz visitas muito rápidas e ela apenas acaba de chegar. Que diria toda essa boa gente se não me visse voltar? Se não vier mais ninguém, voltarei para conversar com vocês (e isso me dará muito mais prazer) logo que elas forem embora. Creio que mereço ter um pouco de sossego, tive quarenta e cinco visitas e, destas, quarenta e duas falaram do quadro de Gérôme! Mas venha qualquer dia destes – dizia-me ela – tomar o *seu* chá com Gilberte; ela o fará como você gosta, como está acostumado a tomar no seu pequeno *studio* – acrescentava, deixando-nos pelas suas visitas e como se eu tivesse vindo procurar naquele mundo misterioso algo tão conhecido como meus próprios costumes (como o hábito de tomar chá, que nunca tivera). Quanto a um *studio*, eu não tinha certeza de que o possuía ou não. – Quando voltará? Amanhã? Faremos *toasts* tão bons como os de Colombin. Não? Você é um malandro – dizia, pois desde que começara a ter igualmente um salão, assumia as maneiras da Sra. Verdurin, e seu tom de despotismo afetado. Os *toasts*, aliás, como me eram tão desconhecidos quanto Colombin, faziam com que esta última promessa não acrescentasse nada à minha tentação. Parecerá mais estranho, visto que o mundo todo fala assim e talvez hoje até em Combray, que eu não tivesse compreendido a que desejava se referir a Sra. Swann quando a ouvi fazer-me o elogio da nossa velha *nurse*. Eu não sabia inglês, mas compreendi logo que aquele termo designava Françoise. Eu que nos Champs-Élysées temera tanto a penosa impressão que ela deveria produzir, soube pela Sra. Swann que aquilo era tudo o que Gilberte contara a respeito de minha *nurse*, o que despertara em seus pais a simpatia por mim. – Sente-se que ela lhe é tão dedicada e tão boa! – E logo mudei inteiramente de opinião acerca de Françoise. Por outro lado, já não me pareceu tão necessário ter uma governanta dotada de impermeável e de pluma. Por fim compreendi, por algumas palavras que a Sra. Swann deixou escapar acerca da Sra. Blatin, cuja benevolência reconhecia, mas de quem temia as visitas, que as relações pessoais com essa senhora não me seriam tão úteis quanto havia pensado e não teriam melhorado em nada a minha situação com os Swann.

Se já principiara a explorar com esses sobressaltos de respeito e de alegria o domínio feérico que, contra toda expectativa, me abrira suas avenidas até então proibidas, era apenas, no entanto, como amigo de Gilberte. O reino onde fora acolhido era ele próprio contido em um outro ainda mais misterioso, onde Swann e sua mulher levavam sua vida sobrenatural, e para o qual se dirigiam depois de me terem apertado a mão, quando atravessavam a antecâmara ao mesmo tempo que eu, porém em sentido inverso. Em breve, porém, penetrei igualmente no Santuário. Por exemplo, Gilberte não estava em casa, onde só se achavam o Sr. e a Sra. Swann. Tinham perguntado quem tocara e, sabendo que era eu, mandaram-me pedir que ficasse um momento com eles, desejando que usasse em tal ou qual sentido, numa coisa ou outra, minha influência sobre a filha. Lembrei-me daquela carta tão completa, tão persuasiva, que escrevera fazia algum tempo a Swann, à qual ele nem sequer se dignara a responder. Admirava a incapacidade do espírito, do raciocínio e do coração para realizar a menor conversão, resolver uma só dessas dificuldades que a seguir a vida, sem que ao menos se saiba como o conseguiu, esclarece tão facilmente. Minha nova situação de amigo de Gilberte, dotado de excelente influência sobre ela, fazia-me agora beneficiário do mesmo favor que, se tivesse por amigo em um colégio, onde estava sempre em primeiro lugar, o filho de um rei, e devido a esse acaso obtivesse entradas no Palácio e audiências na sala do trono; Swann, com infinita benevolência e como se não fosse sobrecarregado de ocupações gloriosas, me fazia entrar em sua biblioteca e aí me deixava, durante uma hora, a responder com balbucios, silêncios de timidez cortados de breves e incoerentes impulsos de coragem, a perguntas às quais a minha emoção me impedia de compreender uma só palavra; mostrava-me objetos de arte e livros que achava que podiam me interessar e que eu previamente não duvidava ultrapassassem infinitamente em beleza todos os do Louvre e da Biblioteca Nacional, mas que me era impossível contemplar. Nessas ocasiões, o seu mordomo me teria dado grande prazer pedindo que lhe desse meu relógio de pulso, o alfinete de gravata, minhas botinas, e que assinasse um documento em que o reconhecesse como meu herdeiro: segundo a bela expressão popular da qual, como no caso das mais célebres epopéias, não se conhece o autor mas que, como elas e contrariamente à teoria de Wolf, certamente teve um (um desses espíritos inventivos e modestos que se encontram todos os anos, os quais fazem achados tais como "pôr um nome numa cara", mas que não dão a conhecer o seu próprio), *eu não sabia mais o que estava fazendo*. Quando muito, me espantava, ao se prolongar a visita, da nulidade de realização, da ausência de conclusão feliz, a que levavam aquelas horas vividas na residência encantada. Porém minha decepção não decorria nem da incapacidade das obras-primas mostradas, nem da impossibilidade de deter sobre elas um olhar distraído. Pois não era a beleza intrínseca das coisas que fazia, para mim, ser milagroso estar no gabinete de Swann, era a adesão a essas coisas – que podiam ter sido as mais feias do mundo – do sentimento particular, triste e voluptuoso que eu localizava ali há tantos anos e as impregnava ainda; da mesma forma, a multidão de espelhos, de escovas de prata, de oratórios de Santo Antônio de Pádua esculpidos e pintados pelos maiores artistas, seus amigos, não participavam em nada do sentimento de minha indignidade e de sua benevolência real que me eram inspirados quando a Sra. Swann me recebia por um momento em seu quarto, onde três belas e imponentes criaturas, sua primeira, segunda e terceira camareiras, preparavam sorrindo toaletes maravilhosas, e para o qual, de acordo com a ordem proferida pelo lacaio de calções curtos, de que a senhora desejava me dizer uma palavra, eu me dirigia pelo caminho sinuoso de um corredor todo embalsamado à distância pelas essências preciosas cujos eflúvios odoríferos se exalavam sem cessar do quarto de vestir.

Depois que a Sra. Swann voltava para junto de suas visitas, nós ainda a ouvíamos falar e rir, pois, mesmo diante de duas pessoas e como se estivesse com todos os "camaradas", ela erguia a voz e dizia frases, conforme ouvira fazer tantas vezes, no pequeno clã, a "patroa", nos momentos em que esta "dirigia a conversa". As expressões que recentemente tomamos emprestadas aos outros são, ao menos por algum tempo, aquelas que mais gostamos de empregar; a Sra. Swann escolhia ora as que aprendera com pessoas distintas que seu marido não pudera evitar de lhe apresentar (foi delas que adquiriu o maneirismo que consiste em suprimir o artigo ou o pronome demonstrativo diante de um adjetivo para qualificar uma pessoa), ora as mais vulgares (por exemplo: "E um nada!", expressão favorita de uma das amigas) e procurava pô-las em todas as histórias que, segundo um hábito adquirido no "pequeno clã", gostava de contar. A seguir, agradava-lhe dizer: "Gosto muito desta história", "ah, confessem que é uma história *muito bonita*!"; o que vinha, pelo marido, dos Guermantes que ela não conhecia.

A Sra. Swann deixara a sala de jantar, mas seu marido, que acabara de chegar, fazia por sua vez uma aparição junto a nós. – Sabes se tua mãe está sozinha, Gilberte? – Não, ela ainda tem visitas, papai. – Como, ainda? Às sete horas! É espantoso. A pobre mulher deve estar exausta. É odioso. (Em minha casa eu sempre ouvira "odioso" pronunciado com *o* longo, mas o casal Swann o pronunciava com *o* breve.) Imaginem, desde as duas da tarde! – continuou, voltando-se para mim. – E Camille me dizia que entre quatro e cinco horas tinham vindo bem umas doze pessoas. Doze? Creio que me disse quatorze. Não, doze; enfim, já nem sei mais. Quando entrei, nem pensava que era o seu dia de recepção e, vendo todos esses carros diante da porta, julguei que houvesse um casamento na casa. E, desde que entrei na biblioteca, os toques de campainha não cessaram; palavra de honra, fiquei com dor de cabeça. E ainda há muita gente com ela? – Não, duas visitas apenas. – E sabes quem são? – A Sra. Cottard e a Sra. Bontemps. – Ah, a esposa do chefe-de-gabinete do ministro das Obras Públicas. – Sei que o marido dela é empregado num ministério, mas não sei exatamente o que seja – respondeu Gilberte, bancando a criança.

– Mas como, bobinha, falas como se tivesses dois anos. Que é que dizes: empregado em um ministério? Ele é simplesmente chefe-de-gabinete, chefe de toda aquela coisa e muito mais... Onde estou com a cabeça? Palavra, sou tão distraído como tu, ele não é chefe-de-gabinete, é simplesmente *diretor* do gabinete.

– Não sei nada disso; então é muita coisa ser diretor do gabinete? – replicou Gilberte, que não perdia uma ocasião para manifestar sua indiferença por tudo aquilo que envaidecia os pais (e talvez pensasse que não fazia mais que ressaltar uma relação tão brilhante dando a impressão de não lhe atribuir muita importância).

– Quê! Se é muita coisa! – exclamou Swann, que preferia a semelhante modéstia, que poderia me deixar em dúvida, uma linguagem mais explícita. – Mas é simplesmente o primeiro abaixo do ministro! É até mais que o ministro, pois é quem faz tudo. Aliás, parece que se trata de um sujeito capaz, um homem de primeira linha, um indivíduo muito distinto. É oficial da Legião de Honra. É um homem delicioso, e até um belo rapaz.

Aliás, a mulher se casara com ele contra tudo e contra todos porque ele era "um encanto". Ele possuía, o que podia bastar para formar um conjunto raro e delicado, uma barba loura e sedosa, belas feições, uma voz nasal, respiração intensa e um olho de vidro.

– Eu lhe direi – acrescentou Swann dirigindo-se a mim – que me divirto bastante ao ver essa gente no governo atual, porque são os Bontemps, da casa Bontemps-Chenut, o tipo da burguesia reacionária, clerical, de idéias estreitas. Seu pobre avô conheceu muito bem, ao menos de reputação e de vista, o velho Chenut, que só dava um *sou* de gorjeta aos cocheiros, embora fosse rico para a época, e o barão Bréau-Chenut. Toda a fortuna deles se desfez no *crack* da *Union Générale,* você é muito jovem para ter conhecido isso, mas que diabo! Refizeram-na como puderam.

– Ele é tio de uma menina que freqüentava o meu curso, numa classe bem inferior à minha, a famosa "Albertine". Ela será com certeza muito *fast,* mas enquanto isto é muito divertida.

– Minha filha é assombrosa, conhece todo mundo.

– Não a conheço. Apenas a via passar, e gritavam Albertine daqui, Albertine dali. Mas conheço a Sra. Bontemps e ela também não me agrada.

– Enganas-te redondamente, pois ela é encantadora, bonita, inteligente. Chega a ser espirituosa. Vou cumprimentá-la, perguntar se seu marido acha que teremos guerra, e se podemos contar com o rei Teodósio. Ele deve saber disto, não é mesmo, logo ele que partilha do segredo dos deuses?

Não era assim que Swann falava outrora; mas quem não viu princesas reais muito simples que, se dez anos depois se deixam raptar por um lacaio e, buscando o convívio social, percebem que os outros não as visitam de boa vontade, assumem espontaneamente a linguagem de velhas aborrecidas e, quando lhes falam numa duquesa da moda, não as ouviu dizer: "Ela estava ontem na minha casa" e: "Vivo muito retirada"? Portanto, é inútil observar os costumes, visto ser possível deduzi-los das leis psicológicas.

Os Swann compartilhavam desse defeito das pessoas a cuja casa pouca gente acorre: a visita, o convite, uma simples palavra amável provinda de pessoas um tanto marcantes eram para eles um acontecimento ao qual desejavam dar publicidade. Se a má sorte fazia com que os Verdurin fossem a Londres quando Odette tinha tido um jantar de algum brilho, arrumava-se um jeito para que um amigo comum enviasse um cabograma para além da Mancha com a notícia. E nem as cartas nem os telegramas elogiosos recebidos por Odette os Swann eram capazes de guardar só para si. Falavam deles aos amigos, faziam-nos passar de mão em mão. Assim, o salão dos Swann se assemelhava a esses hotéis de balneários onde se expõem ao público os despachos telegráficos.

Além disso, as pessoas que não só haviam conhecido o antigo Swann fora da sociedade, como eu, mas na própria sociedade, naquele ambiente dos Guermantes onde, excetuando as altezas e as duquesas, todos eram de uma exigência infinita quanto ao espírito e ao encanto pessoal, de onde eram excluídos os homens eminentes considerados tediosos ou vulgares, tais pessoas se espantariam ao verificar que o antigo Swann deixara de ser não apenas discreto quando falava de suas relações, mas difícil quando se tratava de escolhê-las. Como é que a Sra. Bontemps, tão vulgar e tão maldosa, não o exasperava? Como podia declarar que ela era agradável? Parece que a recordação do ambiente dos Guermantes deveria impedi-lo de tal; na realidade, ajudava-o. Certamente, existia entre os Guermantes, ao contrário do que sucede em três quartos dos meios mundanos, um gosto até mesmo requintado, porém igualmente o esnobismo, de onde a possibilidade de uma interrupção momentânea no exercício do gosto. Se se tratasse de alguém que não fosse indispensável àquele grupo, de um ministro das Relações Exteriores, republicano um tanto solene, de um acadêmico tagarela, o gosto se exercia a fundo contra ele, Swann lamentava que a Sra. de Guermantes o tivesse feito jantar na companhia de semelhantes convivas numa embaixada, e mil vezes lhes preferiam um homem elegante, ou seja, um meio do ambiente dos Guermantes, inútil, mas que possuísse o espírito de Guermantes, alguém que pertencesse à mesma capelinha. Apenas, se uma grã-duquesa, uma princesa de sangue real jantava com freqüência em casa da Sra. de Guermantes, passava então a também fazer parte dessa capelinha, sem ter nenhum direito a isso, sem possuir em nada o seu espírito. Mas, com a ingenuidade das pessoas mundanas, no momento em que a recebiam, forcejavam por achá-la agradável, por não poderem afirmar que era porque a achavam agradável que a recebiam. Swann vinha em auxílio da Sra. de Guermantes e lhe dizia após a partida da alteza: – No fundo é uma boa mulher, chega mesmo a ter um certo senso do cômico. Meu Deus, não creio que tenha se aprofundado na *Crítica da Razão Pura*, mas não é desagradável.

– Sou absolutamente da sua opinião – respondia a duquesa. – Ela ainda estava intimidada, mas verá como pode ser encantadora. – É bem menos tediosa que a Sra. XJ (a esposa do acadêmico tagarela, e que era uma mulher notável), que cita vinte volumes. Mas nem há termo de comparação possível. – A faculdade de dizer estas coisas, de dizê-las sinceramente, Swann a adquirira na casa da duquesa, e a conservara. Utilizava-se dela, agora, em relação às pessoas que recebia. Esforçava-se por discernir e amar, nessa gente, as qualidades que todo ser humano revela se é examinado com predisposição favorável e não com o desgosto dos exigentes; valorizava os méritos da Sra. Bontemps como antigamente os da princesa de Parma, a qual devia ter sido excluída do meio dos Guermantes se não houvesse aí entradas de favor para certas altezas e se, mesmo quando se tratava delas, não se considerasse, na verdade, apenas o espírito e um certo encanto. Aliás, viu-se outrora que Swann possuía o gosto (do qual fazia agora um emprego apenas mais duradouro) de trocar sua posição mundana por uma outra que, em certas circunstâncias, era-lhe mais conveniente. Só as pessoas incapazes de decompor, em sua percepção, o que à primeira vista parece indivisível é que crêem que a posição forma um só corpo com a pessoa. Uma mesma criatura, vista em momentos sucessivos de sua vida, banha-se em diferentes graus da escala social nos meios que não são forçosamente cada vez mais elevados; e cada vez que, num outro período da existência, estabelecemos ou reatamos laços com um determinado meio, que aí nos sentimos cercados de atenções, começamos naturalmente a nos ligar a ele, e a lhe criarmos raízes humanas.

No que diz respeito à Sra. Bontemps, creio também que Swann, falando dela com toda essa insistência, não se aborrecia ao pensar que meus pais poderiam saber que ela ia visitar sua mulher. A falar a verdade, em casa, o nome das pessoas que Sra. Swann ia aos poucos conhecendo excitava mais curiosidade do que admiração. Ao nome da Sra. Trombert, minha mãe dizia:

– Ah, eis uma nova recruta, a qual arrastará outras.

E, como se comparasse a maneira um tanto sumária, rápida e violenta pela qual a Sra. Swann conquistava suas relações a uma guerra colonial, acrescentava:

– Agora que os Trombert estão submetidos, as tribos vizinhas não tardarão a se render.

Quando cruzava na rua com a Sra. Swann, dizia-nos ao voltar:

– Vi a Sra. Swann em pé de guerra, devia estar indo para uma ofensiva proveitosa na casa dos massechutos, dos cingaleses ou dos Trombert.

E, de todas as novas personalidades que lhe dizia ter visto naquele ambiente um tanto misturado e artificial, aonde muitas vezes tinham sido levadas com muita dificuldade e de mundos bastante diversos, adivinhava imediatamente a origem e falava delas como o teria feito de troféus penosamente comprados; dizia:

– Trazido de uma expedição à casa do Sr. Fulano.

Quanto à Sra. Cottard, meu pai se admirava de que a Sra. Swann pudesse achar alguma vantagem em atrair essa burguesa pouco elegante, e dizia: "Apesar da posição social do professor, confesso que não entendo". Minha mãe, ao contrário, percebia muito bem; sabia que uma boa parte dos prazeres que uma mulher acha em penetrar num ambiente diverso daquele em que vivia antes, lhe faltaria se ela não pudesse informar suas antigas relações sobre aquelas, relativamente mais brilhantes, pelas quais as substituíra. Para tanto, era preciso uma testemunha que se deixasse entrar naquele mundo novo e delicioso, como em uma flor um inseto zumbidor e inconstante que, a seguir, ao sabor de suas visitas, haverá de espalhar, ao menos assim se espera, o germe secreto da inveja e da admiração. A Sra. Cottard, perfeitamente adequada para preencher este papel, entrava naquela categoria especial dos convidados que mamãe, que possuía alguns traços da feição de espírito do pai, chamava: "Estrangeiro, vá a Esparta e diga...". Aliás – além de outra razão que só vim a conhecer anos depois –, a Sra. Swann, ao convidar essa amiga benévola, discreta e modesta, não tinha a temer o fato de introduzir em sua casa, nas brilhantes recepções, uma traidora ou concorrente. Sabia do número enorme de cálices burgueses que podia visitar numa só tarde, quando estava armada de plumas e cartões de visita, essa ativa operária. Conhecia-lhe o poder de disseminação e, baseando-se no cálculo das probabilidades, era levada a pensar que, muito provavelmente, certo comensal dos Verdurin ficava sabendo, no máximo dois dias depois, que o governador de Paris deixara cartões na casa dela, ou que o próprio Sr. Verdurin ouvira dizer que o Sr. Le Hault de Pressagny, presidente do Concurso hípico, os levara, a ela e a Swann, ao baile de gala do rei Teodósio; e se supunha que os Verdurin fossem informados apenas desses dois acontecimentos elogiosos para ela, era porque as materializações particulares, sob as quais representamos e perseguimos a glória, são pouco numerosas por culpa do nosso espírito que é incapaz de imaginar, ao mesmo tempo, todas as formas que esperamos – em conjunto – que a glória, simultaneamente, não deixará de revestir para nós.

Ademais, a Sra. Swann só obtivera bons resultados naquilo que se denominava "mundo oficial". As mulheres elegantes não a visitavam. Não era a presença de celebridades republicanas que as fizera fugir. Na minha primeira infância, tudo o que pertencia à sociedade conservadora era mundano, e num salão bem situado não seria possível receber um republicano. As pessoas que viviam num meio assim imaginavam que a impossibilidade de alguma vez convidar um "oportunista", e com muito maior razão um "radical" medonho, era uma coisa que duraria para sempre, como as lâmpadas de azeite e os ônibus puxados por cavalos. Mas, da mesma forma que os calidoscópios que giram de vez em quando, a sociedade dispõe sucessivamente de modo diverso os elementos que se julgara imutáveis e compõe uma outra figura. Ainda não fizera a minha primeira comunhão, quando senhoras bem pensantes tinham o espanto de encontrar, de visita à nossa casa, uma judia elegante. Essas novas disposições do calidoscópio são produzidas pelo que um filósofo chamaria de mudança de critério. O Caso Dreyfus provocou nova mudança, numa época um tanto posterior àquela em que principiei a freqüentar a casa da Sra. Swann, e o calidoscópio iria alterar mais uma vez seus pequenos losangos coloridos. Tudo o que era judeu passou para baixo, até a elegante dama, e nacionalistas obscuros assumiram o seu lugar. O salão mais brilhante de Paris foi o de um príncipe austríaco e ultracatólico. Se, em vez do Caso Dreyfus, tivesse ocorrido uma guerra com a Alemanha, o giro do calidoscópio tomaria outro sentido. Tendo os judeus mostrado, para espanto geral, que eram patriotas, teriam conservado sua posição e ninguém jamais gostaria de ir, nem mesmo confessar um dia ter ido, à casa do príncipe austríaco. Isto não impede que cada vez que a sociedade está momentaneamente imóvel, algumas pessoas que nela vivem pensem que nunca mais haverá qualquer mudança, de modo que, tendo visto os começos do telefone, não queiram acreditar no aeroplano. Entretanto, os filósofos do jornalismo caluniam o período precedente, não apenas o gênero de prazeres dessa época e que lhes parece a última palavra em matéria de corrupção, mas até mesmo as obras de artistas e filósofos que, a seus olhos, não têm mais valor, como se fossem ligadas indissoluvelmente às modalidades sucessivas da frivolidade mundana. A única coisa que não muda é que, a cada vez, parece que há "alguma coisa mudada na França". À época em que eu ia à casa da Sra. Swann, o Caso Dreyfus ainda não havia estourado e certos judeus importantes eram bem poderosos. Nenhum o era mais que sir Rufus Israels, cuja esposa, Lady Israels, era a tia de Swann. Pessoalmente, ela não tinha as amizades íntimas tão elegantes como as do sobrinho, o qual, por outro lado, por não amá-la, jamais a cultivara muito, embora devesse ser provavelmente o seu herdeiro. Mas era o único dos parentes de Swann que teve consciência da posição social deste, tendo os demais permanecido, a esse respeito, na mesma ignorância que fora a nossa durante muito tempo. Quando numa família um dos membros emigra para a alta sociedade – o que lhe parece um fenômeno único, mas que, a dez anos de distância, constata ter sido realizado de outra forma, e por motivos diversos, por mais de um rapaz com quem fora educado – descreve a seu redor uma zona de sombra, uma *terra incognita,* bastante visível em suas menores nuanças por todos os que a habitam, mas que não passa de noite e nada para aqueles que nela não penetram, e cuja existência bordejam sem se dar conta, bem perto deles. Não tendo nenhuma Agência Havas informado as primas de Swann acerca das pessoas que ele freqüentava, era (bem entendido, antes de seu horrível casamento) com sorrisos de condescendência que contavam, nos jantares em família, que tinham "virtuosamente" empregado o domingo indo ver o "primo Charles", pois, julgando-o um pouco invejoso e parente pobre, chamavam-no espirituosamente, fazendo um trocadilho com o título do romance de Balzac, de *O Primo Bestai*[3-A]. Lady Rufus Israels sabia perfeitamente quem eram essas pessoas

[3-A]Trocadilho de Proust, utilizando o título do romance de Balzac: em francês, *La Cousine Bette* (A prima Bette), aproveitando a semelhança fônica com a palavra *bête* (animal, ou imbecil). (N. do T.)

que prodigalizavam a Swann uma amizade da qual sentia ciúmes. A família de seu marido, mais ou menos equivalente aos Rothschild, há várias gerações cuidava dos negócios dos príncipes de Orléans. Lady Israels, excessivamente rica, dispunha de grande influência e a utilizara com o objetivo de que pessoa alguma de suas relações recebesse Odette. Uma única a desobedecera, às escondidas. Era a condessa de Marsantes. Ora, quisera o azar que Odette, tendo ido fazer uma visita à Sra. de Marsantes, chegou quase ao mesmo tempo que Lady Israels. A Sra. de Marsantes estava em brasas. Com a covardia das pessoas que, no entanto, poderiam permitir-se tudo, não dirigiu uma só vez a palavra a Odette, que não se sentiu estimulada a desde então levar adiante a incursão em um mundo que, aliás, não era de modo algum aquele em que gostaria de ser recebida. No completo desinteresse pelo *faubourg* Saint-Germain, Odette continuava a ser a cocote ignorante, bem diversa dos burgueses aferrados aos menores aspectos de genealogia e que iludem na leitura dos antigos memoriais a sede de relações aristocráticas que a vida real não lhes fornece. E Swann, por outro lado, continuava sem dúvida a ser o amante a quem todas essas particularidades de uma antiga companheira parecem agradáveis ou inofensivas, pois muitas vezes ouvi sua mulher proferir verdadeiras heresias mundanas sem que ele (por um resto de ternura, uma falta de estima ou pela preguiça de aperfeiçoá-la) procurasse corrigi-la. Talvez fosse também uma forma daquela simplicidade que nos enganara por tanto tempo em Combray, e que fazia com que, agora, embora continuasse a tratar, ao menos sozinho, com pessoas muito brilhantes, não se interessava em que, em conversa no salão de sua mulher, lhes atribuíssem qualquer importância. Aliás, para Swann tinham menos importância do que nunca, já que o centro de gravidade de sua vida se deslocara. Em todo caso, a ignorância de Odette em matéria mundana era tal que, se o nome da princesa de Guermantes surgisse na conversa depois do da duquesa, sua prima: – Ora, príncipes... Então subiram de posto – dizia ela. Se alguém dizia: "o príncipe", ao falar do duque de Chartres, ela retificava: – O duque, ele é duque de Chartres e não príncipe. Quanto ao duque de Orléans, filho do conde de Paris: – É engraçado, o filho é mais que o pai – acrescentando, visto ser anglômana: – A gente se embrulha com essas *royalties* – a uma pessoa que lhe perguntava de que província eram os Guermantes, respondeu: – do Aisne.

Ademais, Swann era cego no que dizia respeito a Odette, não só diante dessas lacunas de sua educação, mas também diante da mediocridade de sua inteligência. Ainda mais, cada vez que Odette contava uma história imbecil, Swann a escutava com uma complacência, uma alegria, quase com admiração, onde deveria entrar um restinho de volúpia; ao passo que, na mesma conversa, aquilo que ele próprio poderia dizer de fino, e até de profundo, era habitualmente ouvido por Odette sem interesse, às pressas, com impaciência e às vezes desmentido com severidade. E poder-se-á concluir que semelhante sujeição da elite à vulgaridade é de norma em muitos casais, se, por outro lado, pensamos, inversamente, em tantas mulheres superiores que se deixam fascinar por um grosseirão, implacável censor de suas mais delicadas palavras, enquanto elas se extasiam, com a indulgência sem fim da ternura, diante das graçolas mais estúpidas. Para voltar aos motivos que, nessa época, impediram Odette de penetrar no *faubourg* Saint-Germain, é preciso dizer que o mais recente giro do calidoscópio mundano fora provocado por uma série de escândalos. Senhoras a cuja casa ia-se em toda a confiança, tinham se revelado como prostitutas, espiãs inglesas. E durante algum tempo se exigia das pessoas, ou pelo menos assim se julgava, serem acima de tudo de boa posição social, de fortuna sólida... Odette representava exatamente tudo aquilo com que se acabava de romper relações, para reatá-las a seguir (pois os homens, não mudando de um dia para o outro, buscam sob um regime novo a continuação do antigo), mas buscando-o sob uma forma diferente que permita às pessoas serem enganadas e acreditarem que já não é a mesma sociedade de antes da crise. Ora, às senhoras "queimadas" dessa sociedade Odette muito se parecia. As pessoas da alta-roda são muito míopes; no momento em que cortam todas as relações com as damas judias que conheciam, enquanto se indagam como preencher esse vazio, percebem, levada até ali como graças a uma noite de tempestade, uma nova dama, também judia; porém, devido à sua novidade, ela não é associada em seu espírito, como as precedentes, ao que julgam dever detestar. Ela não pede que respeitem o seu Deus. Adotam-na. Não se tratava de anti-semitismo na época em que principiei a ir à casa de Odette. Mas a Sra. Swann se assemelhava àquilo de que se queria fugir por algum tempo.

Quanto a Swann, ia muitas vezes visitar pessoas de suas relações de antigamente e, conseqüentemente, pertencendo todas à mais alta sociedade. Entretanto, quando nos falava das pessoas que acabava de ir visitar, notei que, entre essas que conhecera outrora, ele fazia uma escolha guiada por aquele mesmo tipo de gosto, semi-artístico, semi-histórico, que inspirava nele o colecionador. E, reparando que lhe interessava com freqüência tal ou qual grande dama desclassificada, porque havia sido amante de Liszt, ou porque um romance de Balzac fora dedicado à sua avó (da mesma forma que compraria um desenho caso Chateaubriand o houvesse descrito), tive a suspeita de que, em Combray, tínhamos substituído o erro de julgarmos Swann um burguês que não freqüentava a sociedade, por um outro, o de considerá-lo um dos homens mais elegantes de Paris. Ser amigo do conde de Paris não significa nada. Quantos desses "amigos de príncipes" deixariam de ser recebidos num salão um pouco fechado? Os príncipes se sabem príncipes, não são esnobes e, aliás, julgam-se de tal modo acima de tudo quanto não é de seu sangue que os grão-senhores e burgueses, abaixo deles, lhes parecem quase do mesmo nível.

Além disso, Swann não se contentava em buscar na sociedade tal como ela existe, ao ligar-se a nomes que o passado nela inscreveu, e que ainda se podem ler, um simples prazer de letrado e de artista, e gozava de um divertimento bastante vulgar, o de formar como que ramalhetes sociais, agrupando elementos heterogêneos, reunindo pessoas tomadas aqui e ali. Tais experiências de sociologia divertida (ou que pelo menos Swann assim considerava) não tinham sobre todas as amigas de sua mulher – pelo menos de maneira constante – uma repercussão idêntica. – Tive a intenção de convidar juntos os Cottard e a duquesa de Vendôme – dizia rindo à Sra. Bontemps, com o ar guloso de apreciador que pretendeu e quis fazer a experiência de substituir, num molho, os cravos-da-índia por pimenta-de-caiena. Ora, esse projeto que, no velho sentido da palavra, ia parecer de fato divertido aos Cottard, tinha o dom de exasperar a Sra. Bontemps. Recentemente, fora apresentada pelos Swann à duquesa de Vendôme e achara-a tão natural como agradável. E gabar-se disso diante dos Cottard, contando o fato, não fora a parte menos saborosa de seu prazer. Mas, como os novos condecorados que, desde que o foram, gostariam de ver fechar-se em seguida a torneira das cruzes, a Sra. Bontemps desejava que depois dela ninguém da sua sociedade fosse apresentado à princesa. Maldizia interiormente o gosto depravado de Swann que, para realizar uma esquisitice estética miserável, dissipava de um golpe toda a poeira que ela havia lançado nos olhos dos Cottard ao lhes falar da duquesa de Vendôme. Como ia se atrever ela própria a anunciar ao marido que o professor Cottard e sua esposa iam por sua vez ter uma parte desse prazer que ela havia lhe gabado como único? Pelo menos se os Cottard soubessem que não eram convidados a sério e sim para diversão! É verdade que os Bontemps também o tinham sido; porém, como Swann adquirira na aristocracia o eterno dom-juanismo de fazer crer, a duas mulheres que para nada importam, que só a uma delas se ama com seriedade, falara à Sra. Bontemps da duquesa de Vendôme como de uma pessoa com quem era perfeitamente indicado que ela jantasse. – Sim, pretendemos convidar a princesa com os Cottard – disse a Sra. Swann algumas semanas depois – meu marido acha que essa conjunção poderá resultar em algo divertido –, pois, se ela conservara do "pequeno núcleo" alguns costumes caros à Sra. Verdurin, como o de gritar com força para ser ouvida por todos os fiéis, em compensação, empregava certas expressões, como "conjunção", caras ao ambiente dos Guermantes, cuja influência sofria à distância e a seu pesar, como o mar sofre a influência da lua sem no entanto se aproximar sensivelmente desta. – Sim, os Cottard e a duquesa de Vendôme, não acha que será engraçado? – perguntou Swann. – Acho que será muito ruim e só lhe causará aborrecimento; é bom não brincar com fogo – respondeu a Sra. Bontemps, furiosa. Ela e o marido, aliás, bem como o príncipe de Agrigento, foram convidados a esse jantar, que a Sra. Bontemps e Cottard narraram de duas maneiras diversas, conforme as pessoas a quem se dirigiam. Para uns, a Sra. Bontemps de um lado, Cottard de sua parte, diziam negligentemente ao lhes perguntarem se havia outras pessoas no jantar: "Só o príncipe de Agrigento, era muito íntimo". Outros, porém, arriscavam-se a ser mais bem informados (até, certa vez, alguém dissera a Cottard: – Mas os Bontemps também não se achavam presentes? – Esqueci-me deles – respondera Cottard, ruborizando-se, ao desastrado, a quem classificou daí em diante na categoria das más-línguas). Quanto a estes, os Bontemps e os Cottard adotaram, sem ser consultados, uma versão cuja moldura era idêntica e onde seus respectivos nomes eram reciprocamente mudados. Cottard dizia: – Muito bem, estavam unicamente os donos da casa, o duque e a duquesa de Vendôme – (sorrindo com presunção) –, o professor e a Sra. Cottard e, para o diabo se eu souber por que, pois estavam lá como Pilatos no credo, os Bontemps. – A Sra. Bontemps recitava exatamente a mesma frase, e apenas os Bontemps eram nomeados com ênfase satisfatória, entre a duquesa de Vendôme e o príncipe de Agrigento, e os Cottard, a quem ela acusava de se terem convidado a si próprios no final, eram os gatos-pingados que destoavam do conjunto.

De suas visitas, Swann voltava muitas vezes pouco antes do jantar. Naquele momento das seis horas da tarde, em que outrora se sentia tão infeliz, já não indagava a si mesmo o que poderia Odette estar maquinando e pouco lhe importava que estivesse com visitas ou que tivesse saído. Às vezes lembrava-se de que, muitos anos antes, tentara um dia ler através do envelope uma carta endereçada por Odette a Forcheville. Porém tal recordação não lhe era agradável e, em vez de aprofundar a vergonha que sentia, preferia fazer uma pequena careta com o canto da boca completada com um sacudir de cabeça que significava: "Que mal isso pode me causar?" Certo, calculava agora que a hipótese, a que se entregara tantas vezes outrora e segundo a qual eram as imaginações do seu ciúme as únicas a enegrecerem a vida, na verdade inocente, de Odette, que essa hipótese (em suma benéfica, visto que, enquanto durou sua enfermidade amorosa, havia diminuído seus sofrimentos fazendo-os parecerem imaginários) não era verdadeira, que fora o seu ciúme que a considerara certa, e que, se Odette o tivesse amado mais do que ele acreditara, também o teria traído mais. Antigamente, enquanto sofria tanto, havia jurado que, logo que não amasse mais a Odette e não temesse mais deixá-la zangada ou fazê-la crer que a amava bastante, ele se daria ao trabalho de elucidar com ela, por mero amor à verdade e como um ponto de história, se Forcheville dormira ou não com ela no dia em que tocara a campainha e batera à porta sem que lhe abrissem, e em que ela escrevera a Forcheville que era um tio dela que tinha vindo. Mas o problema tão interessante, que ele apenas esperava o fim de seu ciúme para tirar a limpo, perdera precisamente todo interesse aos olhos de Swann quando deixara de estar ciumento. Mas não imediatamente. Já não sentia ciúme, quanto a Odette, como no dia em que batera em vão à porta do pequeno apartamento da rua de La Pérouse, ciúme que a lembrança daquele dia continuava a despertar em si. Era como se o ciúme, um tanto semelhante nisso a essas doenças que parecem ter a sua sede, a sua fonte de contágio, menos em certas pessoas que em certos lugares, em certas casas, não tinham por objeto propriamente Odette e sim aquele dia, aquela hora do passado perdido em que Swann batera em todas as entradas do apartamento de Odette. Dir-se-ia que aquele dia e aquela hora tinham, sozinhos, fixado algumas últimas parcelas da personalidade amorosa que Swann tivera outrora e que ele só as reencontrava ali. Há muito já não se preocupava que Odette o tivesse enganado e o enganasse ainda. E, no entanto, continuara durante alguns anos a procurar antigos criados de Odette, de tanto que nele persistira a dolorosa curiosidade de saber se, naquele dia, de tal modo antigo, às seis horas, Odette estava deitada com Forcheville. Depois, essa mesma curiosidade desaparecera, sem que, no entanto, suas investigações terminassem. Continuava a tentar saber o que já não lhe interessava, porque o seu ego antigo, tendo chegado à extrema decrepitude, ainda agia de modo maquinal, segundo preocupações abolidas, a tal ponto que Swann já não conseguia sequer imaginar essa angústia, tão forte noutro tempo que supunha que jamais se livraria dela, e que somente a morte da mulher a quem amava (a morte que, como o mostrará mais adiante nesta obra uma cruel contraprova, não diminui em nada os sofrimentos do ciúme) lhe parecia capaz de liberar o caminho de sua vida, inteiramente obstruído.

Porém, esclarecer um dia os fatos relativos à vida de Odette, aos quais devera tais sofrimentos, não fora o único anseio de Swann; reservara-se também o de se vingar deles, quando, não amando mais a Odette, não a temesse mais; ora, quanto a este segundo desejo, a ocasião favorável apresentava-se justamente agora, pois Swann amava a outra mulher, uma mulher que não lhe dava motivos de ciúme porque ele já não era capaz de renovar seu modo de amar e aquele que usara com Odette é que lhe servia ainda para outra. Para que o ciúme de Swann renascesse, não era necessário que essa mulher fosse infiel, bastava, por uma razão qualquer, que ela estivesse longe dele, num sarau, por exemplo, e parecesse divertir-se ali. Era o bastante para redespertar nele a velha angústia, lamentável e contraditória excrescência de seu amor, e que afastava Swann do que ela era, como uma necessidade de atingir o sentimento real que aquela moça lhe dedicava, o desejo escondido de seus dias, o segredo de seu coração, pois, entre Swann e aquela que o amava, essa angústia interpunha um montão refratário de suspeitas anteriores, tendo sua causa em Odette, ou em alguma outra que talvez a houvesse precedido, e que só permitiam ao amante envelhecido conhecer sua amada de hoje através do fantasma antigo e coletivo da "mulher que excitava o seu ciúme", na qual encarnara, arbitrariamente, o seu novo amor. Entretanto, diversas vezes Swann acusava esse ciúme de fazê-lo crer em traições imaginárias; mas então lembrava-se que beneficiara Odette com o mesmo raciocínio, e erroneamente. Assim, tudo o que a moça fazia nas horas em que ele não se achava presente, deixava de lhe parecer inocente. Mas ao passo que, antigamente, jurara que, se alguma vez deixasse de amar aquela que não adivinhava seria um dia a sua mulher, lhe patentearia implacavelmente toda a sua indiferença, enfim sincera, para vingar seu orgulho que fora ferido durante tanto tempo, tais represálias que podia agora exercer sem qualquer risco (pois que lhe importava ser chamado às falas e que Odette o privasse daquelas intimidades que outrora lhe eram tão necessárias?), tais represálias não lhe interessavam mais; com o desaparecimento do amor, desaparecera igualmente o desejo de mostrar que já não sentia amor. Ele, que, quando sofria por Odette, tanto desejara lhe deixar ver um dia que estava apaixonado por outra, agora, que o podia, tomava mil precauções para que a mulher não suspeitasse desse novo amor.

Não só tomava agora parte naqueles lanches, devido aos quais tivera antigamente a tristeza de ver Gilberte me deixar e voltar mais cedo para casa, mas também nas saídas que ela dava com a mãe, seja para ir passear ou a uma sessão matinal, e que, impedindo-a de ir aos Champs-Élysées, me haviam privado dela nos dias em que eu ficava sozinho ao longo do relvado ou diante dos cavalinhos de madeira. O Sr. e a Sra. Swann me admitiam agora nessas saídas, eu tinha o meu lugar no seu landô e até era a mim que perguntavam se gostava mais de ir ao teatro, a uma aula de dança na casa de uma colega de Gilberte, a uma reunião mundana em casa de amigos de Swann (o que este denominava um "pequeno *meeting*") ou visitar os túmulos de Saint-Denis!

Nesses dias em que devia sair com os Swann, ia à casa deles para o almoço, que a Sra. Swann apelidava *lunch*; como só era convidado para meio-dia e meia e meus pais almoçavam às onze e quinze, era depois que eles saíam da mesa que eu me encaminhava para aquele bairro luxuoso, muito sozinho a qualquer hora, mas particularmente naquela em que todo mundo se achava em casa. Mesmo no inverno e com o frio intenso, se fazia bom tempo eu passeava ao longo das avenidas esperando que fosse meio-dia e vinte e sete, ajeitando de vez em quando o nó de uma magnífica gravata da casa Charvet e examinando se minhas botinas envernizadas não estavam se sujando. Via de longe, no jardinzinho dos Swann, o sol fazendo cintilar, como de geada, as árvores desnudas. É verdade que o jardinzinho só tinha duas. A hora inusitada tornava novo o espetáculo. A esses prazeres da natureza (avivados pela supressão do hábito e até pela fome), misturava-se a perspectiva emocionante do almoço em casa da Sra. Swann, o que não diminuía tais prazeres, porém dominava-os, escravizava-os, transformava-os em acessórios mundanos; de modo que se, naquela hora em que de ordinário eu não os percebia, parecia-me descobrir o bom tempo, o frio, a luz invernal, era como uma espécie de prefácio aos ovos com creme, como uma pátina, uma camada transparente, fresca e rósea aplicada ao revestimento daquela capela misteriosa que era a residência da Sra. Swann, em cujo seio se conservavam, ao contrário, tanto calor, tantos perfumes e flores.

Ao meio-dia e meia, eu me decidia, enfim, a entrar naquela casa, que, como um grande sapato de Natal, parecia-me dever trazer prazeres sobrenaturais. (Aliás, o nome de Natal era desconhecido da Sra. Swann e de Gilberte, que o haviam substituído pelo de Christmas, e só falavam do pudim de Christmas, e do que lhes haviam dado pelo seu Christmas, de ausentarem-se – o que me deixava louco de dor – pelo Christmas. Mesmo em casa, eu me julgaria desonrado se falasse do Natal e só dizia Christmas, o que meu pai achava extremamente ridículo.)

Primeiro, eu apenas encontrava um lacaio que, depois de me fazer atravessar diversos salões grandes, introduzia-me numa sala bem pequena, vazia, que já começava a sonhar com a tarde azul de suas janelas; ficava sozinho em companhia das orquídeas, das rosas e das violetas, que – semelhantes a pessoas que esperam ao nosso lado, mas não nos conhecem – mantinham um silêncio que sua individualidade de coisas vivas tornava ainda mais impressionante e recebiam, friorentamente, o calor de um fogo incandescente de carvão, sabiamente colocado detrás de uma vitrine de cristal, em uma cuba de mármore branco, onde fazia cair, de vez em quando, seus perigosos rubis.

Estava sentado, mas erguia-me com precipitação ao escutar a porta se abrir; era apenas um segundo lacaio, depois um terceiro, e o escasso resultado de suas idas e vindas inutilmente emocionantes era colocar um pouco de carvão no fogo ou de água nos jarros. Iam-se, e eu me encontrava de novo sozinho, uma vez fechada a porta que a Sra. Swann acabaria por abrir. E com certeza ficaria menos perturbado em uma caverna mágica do que naquela salinha de espera, onde o fogo me parecia proceder a transmutações, como no laboratório de Klingsor. Um novo rumor de passos ressoou; não me ergui, devia ser outro lacaio: era o Sr. Swann. – Como? Você está sozinho? Desculpe, minha pobre mulher nunca sabe as horas. Dez para uma. Cada dia é mais tarde. Vai ver que ela chegará sem pressa, julgando estar adiantada. – E como sofria de neurartritismo e tornara-se um tanto ridículo, ter uma mulher tão impontual, que voltava do Bois muito tarde, que se esquecia na casa da costureira e nunca estava em casa na hora do almoço, tudo isso inquietava Swann por causa de seu estômago, mas lisonjeava-o em seu amor-próprio.

Mostrava-me as novas aquisições que fizera, explicando o interesse que possuíam; porém, a emoção, aliada à falta de hábito de ainda estar em jejum àquela hora, sempre agitando meu espírito, causava-lhe um vazio, de modo que, sendo capaz de falar não conseguia compreender. Aliás, bastava para mim que as obras que Swann possuía estivessem localizadas em sua casa, fizessem parte da hora deliciosa que precedia o almoço. A *Gioconda*, mesmo que ali se encontrasse, não me teria dado maior satisfação que um chambre da Sra. Swann ou os seus frascos de sais.

Continuava a esperar, sozinho ou com Swann e muitas vezes com Gilberte, que vinha nos fazer companhia. A chegada da Sra. Swann, preparada por tantas entradas majestosas, parecia-me dever ser algo de imenso. Prestava atenção em cada ruído. Mas a gente jamais acha tão altos quanto esperava uma catedral, uma onda na tempestade, o salto de um bailarino; depois daqueles lacaios de libré, parecidos com os figurantes cujo desfile prepara e, por isso mesmo, diminui o aparecimento final da rainha, a Sra. Swann, entrando furtivamente com um casaquinho de lontra, o véu descido sobre um nariz avermelhado pelo frio, não sustentava as promessas prodigalizadas durante a espera à minha imaginação.

Mas, se tivesse ficado a manhã inteira em casa, ao entrar no salão estaria vestida com um *peignoir* de crepe da China, de cor clara, que me parecia mais elegante que todos os vestidos.

Às vezes, os Swann optavam por ficar em casa a tarde toda. E então, como tínhamos almoçado muito tarde, eu via bem depressa, no muro do jardinzinho, declinar o sol daquele dia que me parecera dever ser diferente dos outros, e, por mais que os criados trouxessem lampiões de todas as formas e tamanhos, cada qual ardendo no altar consagrado de um consolo, de uma mesa-de-pé-de-galo, de uma "cantoneira" ou de uma mesinha, como para a celebração de um culto desconhecido – nada de extraordinário surgia na conversa e eu ia embora decepcionado, como ficamos muitas vezes na infância após a Missa do Galo.

Mas aquele desapontamento era apenas espiritual. Eu ficava radiante naquela casa em que Gilberte, quando ainda não estava conosco, ia entrar e me daria num instante, durante horas, a sua palavra, seu olhar atento e risonho como o havia visto pela primeira vez em Combray. Quando muito, ficava um pouco enciumado ao vê-la desaparecer com freqüência em grandes quartos aos quais se subia por uma escada interna. Obrigado a ficar no salão, como o apaixonado por uma atriz que só tem a sua poltrona na platéia e imagina inquieto o que se passa nos bastidores, no *foyer* dos artistas, fiz a Swann, a respeito dessa outra parte da casa, perguntas sabiamente veladas, mas com um tom no qual não pude deixar que transparecesse uma certa ansiedade. Ele me explicou que a peça para onde ia Gilberte era a rouparia, ofereceu-se para mostrá-la e me prometeu que todas as vezes que Gilberte tivesse de ir para lá, a obrigaria a me levar junto. Por essas últimas palavras e a tranqüilidade que me deram, Swann suprimiu de chofre, para mim, uma dessas distâncias interiores horríveis em cujo termo uma mulher a quem amamos nos parece tão longínqua. Naquele momento, senti por Swann um carinho que julguei mais profundo do que o que dedicava a Gilberte. Pois, sendo pai dela, dava-me a filha, ao passo que ela se recusava às vezes, e eu não tinha diretamente sobre ela o mesmo domínio que, indiretamente, através de Swann. Enfim, amava-a, e não podia em conseqüência vê-la sem essa perturbação, sem esse desejo de algo superior, que retira, junto à criatura que se ama, a sensação de amar.

Mas em geral, na maioria das vezes, não ficávamos em casa e íamos passear. Às vezes, antes de ir se vestir, a Sra. Swann sentava-se ao piano. Suas belas mãos, saindo das mangas róseas ou brancas, muitas vezes de cores bastante vivas, do seu chambre de crepe da China, alongavam as falanges sobre o piano com a mesma melancolia que estava em seus olhos mas não no coração. Foi num desses dias que lhe ocorreu tocar para mim o trecho da Sonata de Vinteuil onde se acha a pequena frase que Swann amara tanto. Mas, as mais das vezes não se entendia nada, pois é uma música meio complicada para quem a ouve pela primeira vez. Entretanto, quando mais tarde me foi tocada duas ou três vezes esta sonata, achei que a conhecia perfeitamente. Assim, não é errado dizer "ouvir pela primeira vez". Se a gente, de fato, como julga, não entendeu nada na primeira audição, a segunda e a terceira seriam outras tantas primeiras e não haveria razão para que se compreenda algo a mais na décima. Provavelmente, o que falta na primeira vez não é a compreensão, e sim a memória. Pois a nossa, relativamente à complexidade das impressões com que se defronta enquanto ouvimos, é ínfima, tão breve quanto a memória de um homem que, ao dormir, pensa mil coisas que logo esquece, ou de um homem meio reduzido à infância, que não se recorda no minuto seguinte daquilo que acabamos de lhe dizer. A memória não é capaz de nos fornecer imediatamente a lembrança dessas impressões múltiplas. Mas esta lembrança se forma pouco a pouco na memória e, no tocante às obras que ouvimos duas ou três vezes, estamos como o colegial que releu diversas vezes antes de dormir um ponto que achava não saber e o recita de cor na manhã seguinte. Apenas, eu ainda não ouvira aquela sonata até esse dia, e onde Swann e sua mulher viam uma frase distinta, esta se achava tão longe de minha percepção nítida quanto um nome que a gente procura recordar e em cujo lugar só se encontra o vazio absoluto, vazio do qual, uma hora mais tarde, sem que se pense nelas, brotam por si mesmas, de um só golpe, as sílabas antes solicitadas em vão. E não apenas a gente não retém de imediato as obras verdadeiramente raras, porém até no íntimo de cada uma delas – e isto me aconteceu no caso da Sonata de Vinteuil – são as partes menos preciosas que percebemos em primeiro lugar. De modo que eu não me enganava apenas ao pensar que a obra não me reservava mais nada (o que fez com que eu ficasse muito tempo sem procurar ouvi-la) tão logo a Sra. Swann executou a frase mais famosa (eu era tão estúpido a esse respeito como aqueles que já não esperam ter surpresas diante da igreja de São Marcos, em Veneza, porque a fotografia lhes fez saber a forma de seus domos). Muito mais, porém; mesmo quando ouvi a sonata do princípio ao fim, ela me permaneceu quase totalmente invisível, como um monumento do qual a bruma ou a distância não deixam perceber senão partes diminutas. Daí a melancolia que se liga ao conhecimento de tais obras, como a tudo que se realiza no tempo. Quando o que era o mais oculto na Sonata de Vinteuil se desvelou para mim, então, arrastado pelo hábito para fora da minha sensibilidade, começava a escapar-me, a fugir-me, o que eu distinguira e preferira da primeira vez. Por só ter podido amar em tempos sucessivos tudo aquilo que a sonata me trazia, nunca a possuí completamente: ela assemelhava-se à vida. Porém, menos enganosas que a vida, estas grandes obras-primas não começam por doar o que possuem de melhor. Na Sonata de Vinteuil, as belezas que se descobrem mais rapidamente são também as que cansam mais cedo e sem dúvida pela mesma razão, ou seja, que elas diferem menos daquilo que já se conhece. Mas, quando estas são afastadas, resta-nos amar a tal frase, cuja ordenação, por demais nova para oferecer ao nosso espírito nada além de confusão, a mantivera indiscernível e conservara intacta; e aí então, ela, diante da qual passávamos todos os dias sem o saber e que se reservara, que pelo poder de sua exclusiva beleza se tornara invisível e permanecera desconhecida, ela nos chega por último. Mas também a deixaremos por último. E iremos amá-la durante muito mais tempo que às outras, pois teremos levado muito mais tempo até a amar. Ademais, esse tempo de que precisa um indivíduo – como me foi preciso a respeito dessa Sonata – para penetrar numa obra um pouco profunda, é a súmula e como que o símbolo dos anos, por vezes dos séculos, que se escoam antes que o público possa amar uma obra-prima verdadeiramente nova. Talvez por isso o homem de gênio, para evitar as incompreensões da turba, considere que, visto faltar aos contemporâneos a necessária distância, as obras escritas para a posteridade só deveriam ser lidas por ela, como certas pinturas que avaliamos incorretamente de muito perto. Mas na realidade, toda precaução desprezível para evitar os falsos julgamentos é inútil, eles não podem ser evitados. O que faz com que uma obra de gênio dificilmente seja admirada de imediato é que aquele que a escreveu é extraordinário, poucas pessoas se lhe assemelham. Sua própria obra é que, fecundando os raros espíritos capazes de compreendê-la, os fará crescer e se multiplicar. Foram os próprios quartetos de Beethoven (os de número XII, XIII, XIV e XV) que levaram cinqüenta anos para fazer nascer e crescer o público dos quartetos de Beethoven, realizando assim, como todas as obras-primas, um progresso senão do valor dos artistas, pelo menos na sociedade dos espíritos, hoje largamente composta daquilo que era impensável quando a obra-prima apareceu, ou seja, criaturas capazes de amá-la. O que denominamos posteridade, é a posteridade da obra. É necessário que a obra (não levando em conta, para simplificar, os gênios que na mesma época podem, paralelamente, preparar para o futuro um melhor público do qual os outros gênios se beneficiarão) crie ela mesma a sua posteridade. Se, no entanto, a obra era mantida em segredo, e se fosse apenas conhecida pela posteridade, esta, quanto a tal obra, não seria a posteridade e sim uma assembléia de contemporâneos que simplesmente tivessem vivido cinqüenta anos mais tarde. Assim, é preciso que o artista – e era o que havia feito Vinteuil –, se deseja que sua obra possa seguir seu caminho, lance-a, onde houver bastante profundidade, em pleno e longínquo futuro. E, no entanto, esse tempo a vir, verdadeira perspectiva das obras-primas, se não levá-lo em conta é o erro dos maus juízes, levá-lo em conta é por vezes o perigoso escrúpulo dos bons. Sem dúvida, é fácil imaginar, numa ilusão análoga à que uniformiza todas as coisas no horizonte, que todas as revoluções havidas até agora na pintura ou na música respeitavam todavia certas regras, e o que está imediatamente diante de nós, impressionismo, procura da dissonância, emprego exclusivo da gama chinesa, cubismo, futurismo, difere de modo ultrajante daquilo que o precedeu. É que aquilo que o precedeu é considerado sem levar em conta que uma longa assimilação o converteu para nós numa matéria variada, sem dúvida, mas afinal de contas homogênea, onde Victor Hugo se avizinha de Molière. Imaginemos apenas os disparates chocantes que nos apresentariam, se não levássemos em conta o tempo vindouro e as mudanças que ele acarreta, determinado horóscopo de nossa própria idade madura feito diante de nós durante a nossa adolescência. Apenas, nenhum horóscopo é verdadeiro e sermos obrigados, no caso de uma obra de arte, a computar em sua beleza o fator tempo mescla ao nosso julgamento algo tão casual e, por isso, tão desprovido de interesse verdadeiro como toda profecia cuja não-realização não implicará de forma alguma a mediocridade de espírito do profeta, pois o que chama à existência as possibilidades, ou dela as exclui, não é forçosamente da competência do gênio; pode-se ter tido gênio e não haver acreditado nas estradas de ferro nem nos aviões, ou, sendo grande psicólogo, na falsidade de uma amante ou de um amigo, cujas traições os mais medíocres conseguiram prever.

Se não compreendi a sonata, fiquei encantado por ouvir a Sra. Swann tocar. Seu toque me parecia, como seu *peignoir,* como o perfume de sua escada, como seus mantôs, como os crisântemos, fazer parte de um todo individual e misterioso, num mundo infinitamente superior àquele em que a razão pode analisar o talento. Não é bela mesmo esta Sonata de Vinteuil? – observou Swann. – É o momento em que anoitece sobre as árvores, em que os arpejos do violino espalham o frescor. Confesse que é bem bonito; aí vemos todo o lado estático do luar, que é o lado essencial. Não é nada extraordinário que um cuidado de luz como o que segue minha mulher aja sobre os músculos, visto que o luar impede as folhas de se mexerem. É isto que está tão bem pintado nessa pequena frase, é o Bois de Boulogne em estado de catalepsia. À beira-mar é ainda mais surpreendente, porque há fracas respostas das vagas que a gente ouve naturalmente muito bem, visto que o resto já não pode se mover. Em Paris é o contrário; quando muito, notam-se esses clarões insólitos sobre os monumentos, o céu iluminado como por um incêndio sem cores e sem perigo, esse tipo de imenso *fait-divers* adivinhado. Mas na pequena frase de Vinteuil e, aliás, em toda a Sonata, não se cuida disso. Tudo se passa no Bois; no *grupetto* ouve-se distintamente a voz de alguém que diz: "Quase se poderia ler um jornal." Estas palavras de Swann teriam podido falsear, para mais tarde, a minha compreensão da sonata, pois a música é bem pouco exclusiva para afastar de forma absoluta aquilo que se sugira que vejamos nela. Mas, por outras palavras de Swann, compreendi que essas folhagens noturnas eram pura e simplesmente aquelas sob cuja espessura, em muitas noites e em vários restaurantes das proximidades de Paris, ele ouvira a pequena frase. Em vez do sentido profundo que ele tantas vezes lhe pedira, o que ela trazia a Swann eram essas folhagens arrumadas, enroladas e pintadas ao redor dela (e que a frase lhe dava o desejo de rever, pois lhe parecia o seu ser interior, como uma alma), era toda uma primavera que ele não pudera desfrutar outrora, não tendo, nervoso e magoado como era naquele tempo, bem-estar suficiente para tal, e que ela lhe guardara (como se prepara, para um enfermo, bons pratos que ele não pôde comer). Os encantos que certas noites no Bois lhe haviam dado e sobre os quais a Sonata de Vinteuil podia lhe informar, ele não poderia, a tal respeito, interrogar Odette, que no entanto o acompanhara como a pequena frase. Mas Odette estava apenas a seu lado na ocasião (e não dentro dele como o motivo de Vinteuil) e, portanto, nada via – teria sido mil vezes mais compreensiva –, o que para nenhum de nós (pelo menos julguei por muito tempo que essa regra não tinha exceções) se pode exteriorizar. – No fundo é muito bonito, não é mesmo – disse Swann – que o som possa refletir, como a água, como um espelho. E repare que a frase de Vinteuil só me mostra aquilo a que eu não prestava atenção naquele tempo. De minhas preocupações, de meus amores dessa época, ela não me recorda mais nada; fez uma troca. – Charles, parece-me que não é nada amável para mim tudo o que estás dizendo. – Nada amável! As mulheres são ótimas! Queria dizer simplesmente a este rapaz o que a música mostra – pelo menos para mim –, o que não significa de maneira alguma a "Vontade em si" e a "Síntese do infinito", mas, por exemplo, o velho Verdurin de redingote no Palmarium do Jardim da Aclimação. Mil vezes sem sair deste salão, a pequena frase me levou consigo para jantar em Armenonville. Meu Deus, sempre é menos aborrecido do que lá comparecer com a Sra. de Cambremer. – A Sra. Swann se pôs a rir: – É uma dama que passa por ter sido muito apaixonada por Charles – explicou-me, com o mesmo tom em que, pouco antes, falando de Vermeer de Delft – e espantando-me que o conhecesse – me respondera: – E lhe digo que o Sr. Swann se ocupava muito desse pintor à época em que me cortejava. Não é, meu querido Charles? – Não fale a torto e a direito da Sra. de Cambremer – disse Swann, que no fundo se sentia bastante lisonjeado. – Mas não faço mais que repetir o que me disseram. Aliás, parece que ela é muito inteligente, não a conheço. Considero-a muito *pushing*, o que me espanta numa mulher inteligente. Mas todos dizem que ela foi louca por você, não tem nada de ofensivo. – Swann conservou um mutismo de surdo, que era uma espécie de confirmação e uma prova de fatuidade. – Já que o que eu toco lhe recorda o Jardim da Aclimação – continuou a Sra. Swann, fingindo-se zangada por gracejo – poderíamos tomá-lo como objetivo do nosso passeio, se isto diverte este menino. O tempo está magnífico e você poderia reencontrar suas mais caras lembranças. A propósito do Jardim da Aclimação, você sabe, este rapaz achava que gostávamos muito de uma pessoa que, pelo contrário, "corto" sempre que posso, a Sra. Blatin! Acho muito humilhante para nós que ela passe por ser nossa amiga. Imagina que o próprio Dr. Cottard, que nunca fala mal de pessoa alguma, declara que ela é infecta! – Que horror! Ela só tem a seu favor o fato de se parecer extraordinariamente a Savonarola. É exatamente o retrato de Savonarola por Fra Bartolomeo. – A mania de Swann de descobrir semelhanças no terreno da pintura era defensável, pois mesmo aquilo a que chamamos expressão individual é – como percebemos com tanta tristeza quando amamos e gostaríamos de acreditar na realidade única do indivíduo – algo bem geral e que pôde encontrar-se em épocas diversas. Mas a julgar por Swann, os cortejos dos Reis Magos, já tão anacrônicos quando Benozzo Gozzoli aí introduziu os Médicis, muito mais o seriam ainda, visto conterem o retrato de uma multidão de homens contemporâneos, não de Gozzoli mas de Swann, ou seja, posteriores não mais somente de quinze séculos à Natividade, mas de quatro séculos ao próprio pintor. Nesses cortejos não havia, segundo Swann, um só parisiense importante que estivesse faltando, como naquele ato de uma peça de Sardou, no qual, por amizade ao autor e à principal intérprete, e também por moda, todas as notabilidades parisienses, médicos célebres, homens políticos, advogados, vieram, para divertir-se, cada qual numa noite, apresentar-se em cena. – Mas que relação tem ela com o Jardim da Aclimação? –Todas! – O quê! Acha que ela tem um traseiro azul-celeste como os macacos? – Charles, você é de uma inconveniência! Não, eu pensava no termo que lhe disse o cingalês. Conte-lhe, é na verdade uma palavra espirituosa. – É uma idiotice. Você sabe que a Sra. Blatin gosta de interpelar todo mundo com um ar que julga ser amável e sobretudo protetor. – O que os nossos bons vizinhos do Tâmisa denominam *patronizing* – interrompeu Odette. – Ela foi ultimamente ao Jardim da Aclimação onde há negros, cingaleses, creio, disse minha mulher que é muito mais forte em etnografia do que eu. Ora, Charles, não caçoe. – Mas não estou caçoando de jeito nenhum. Afinal, ela se dirigiu a um desses negros: "Bom dia, negro!" – Não era nada! – Em todo caso, o qualificativo não agradou ao negro: "Eu negro", disse ele furioso à Sra. Blatin, "mas tu camelo!" – Acho muito engraçado! Adoro essa anedota. Não é "linda"? Parece que a gente vê a Sra. Blatin: "Eu negro, mas tu camelo!" – Manifestei muita vontade de ir ver os cingaleses, um dos quais chamara a Sra. Blatin de camelo. Eles absolutamente não me interessavam. Mas eu pensava que, para ir ao Jardim da Aclimação e voltar, atravessaríamos aquela alameda das Acácias onde admirara tanto a Sra. Swann, e que talvez o mulato amigo de Coquelin, a quem jamais pudera me mostrar saudando a Sra. Swann, me visse sentado ao lado dela no fundo de uma vitória.

Durante esses minutos em que Gilberte, tendo saído para se preparar, não estava conosco no salão, o Sr. e a Sra. Swann se agradavam em me revelar as raras virtudes da filha. E tudo o que observava parecia provar que falavam a verdade: notei que, como sua mãe me dissera, ela tinha não só com suas amigas, mas para os criados, para os pobres, atenções delicadas, demoradamente refletidas, um desejo de causar prazer, um medo de descontentar, que se traduziam por pequenas coisas que muitas vezes lhe faziam muito mal. Fizera um trabalho para a nossa vendedora dos Champs-Élysées e saiu pela neve para entregá-lo pessoalmente e sem um dia de atraso. – Você nem imagina o que é o seu coração, pois ela o oculta – dizia o pai. Tão jovem, parecia muito mais ajuizada que os pais. Quando Swann falava das grandes amizades da mulher, Gilberte desviava a cabeça e se calava, mas sem ar de censura, pois o pai não lhe parecia poder ser objeto da mais leve crítica. Um dia em que lhe falei da Srta. Vinteuil, ela me disse:

– Jamais a conhecerei, por um motivo: é que ela não era amável com o pai; pelo que se diz, causava-lhe desgosto. Não poderá você compreender isto melhor que eu, não é mesmo? Você que não poderia, sem dúvida, sobreviver a seu pai, como eu ao meu, o que aliás é muito natural. Como esquecer algum dia alguém a quem se amou sempre?

E certa vez em que se mostrou mais especialmente carinhosa com Swann, como lhe observei quando ele estava longe:

– Sim, pobre papai, foi por estes dias o aniversário da morte do pai dele. Você pode entender o que deve estar sentindo, compreende isto, sentimos o mesmo sobre essas coisas. Então procuro ser menos má que de costume. – Mas ele não a considera má, acha-a perfeita. – Pobre papai, é porque ele é muito bom.

Seus pais não me fizeram apenas o elogio da filha – essa mesma Gilberte que, mesmo antes que a tivesse conhecido, me aparecia diante de uma igreja, numa paisagem da Île-de-France, e que a seguir, evocando-me não mais os meus sonhos e sim minhas recordações, estava sempre diante da sebe de espinheiros-rosa, na ladeira por onde eu ia para os lados de Méséglise. Como perguntasse à Sra. Swann, esforçando-me para assumir o tom indiferente de um amigo da família, curioso das preferências de uma criança, quais eram, dentre os companheiros de Gilberte, aqueles de quem ela mais gostava, a Sra. Swann respondeu:

– Mas você deve estar mais adiantado que eu sobre tais confidências, você que é o predileto, o grande *crack*, como dizem os ingleses.

Sem dúvida, nessas coincidências tão perfeitas, quando a realidade torna a dobrar-se e incide sobre o que sonhamos por muito tempo, ela no-lo oculta por inteiro, se confunde com ele, como duas figuras iguais e superpostas que formam somente uma, enquanto, pelo contrário, para dar toda a sua significação à nossa alegria, gostaríamos de manter em todos os nossos desejos, no momento mesmo em que os tocamos – e para estarmos bem certos de que são eles próprios – o prestígio de serem intangíveis. E o pensamento não pode sequer reconstituir o antigo estado para confrontá-lo com o novo, pois já não dispõe de campo livre: o conhecimento que adquirimos, a lembrança dos primeiros minutos inesperados, as frases que ouvimos, são o que obstruem a entrada da nossa consciência e comandam muito mais as aberturas da nossa memória do que as da imaginação, e retroagem mais sobre o nosso passado que já não somos senhores de ver sem levá-los em conta, do que sobre a forma, ainda livre, do nosso futuro. Durante anos, eu acreditara que ir à casa da Sra. Swann era uma vaga quimera que jamais alcançaria; depois de haver passado um quarto de hora em sua casa, foi o tempo em que a não conhecia que se tornou quimérico e vago como uma possibilidade que a realização de outra possibilidade aniquilou. Como poderia sonhar ainda com a sala de jantar como se fosse um lugar inacessível, quando não podia fazer um movimento de espírito sem dar com os raios infrangíveis que dele emitia ao infinito, até o meu passado mais distante, a lagosta americana que acabava de comer? E Swann devia ter visto ocorrer algo semelhante, no que lhe dizia respeito: pois o apartamento em que me recebia podia ser considerado o lugar em que tinham ido confundir-se e coincidir, não só o apartamento ideal que minha imaginação havia engendrado, mas um outro ainda, o que o amor ciumento de Swann, tão inventivo como os meus sonhos, lhe descrevera tantas vezes, aquele apartamento comum a ele e a Odette que lhe parecera tão inacessível naquela noite em que Odette o levara com Forcheville para tomar laranjada em sua casa; e o que, para ele, viera absorver-se no plano da sala de jantar onde comíamos, era aquele paraíso inesperado onde outrora ele não podia imaginar, sem perturbar-se, que diria ao mordomo *deles* estas mesmas palavras: "Madame está pronta?", que eu lhe ouvia pronunciar agora com leve impaciência mesclada a uma certa satisfação de amor-próprio. E, sem dúvida, não mais do que o podia Swann, eu não chegava a conhecer a minha própria felicidade, e quando Gilberte exclamou: – Quem diria que a menininha que você olhava sem lhe falar, que jogava barras, seria a grande amiga em cuja casa você iria todos os dias que quisesse?! – Estava falando de uma mudança que eu era obrigado a considerar de fora, mas que não possuía internamente, pois se compunha de dois estados em que não conseguia pensar ao mesmo tempo, sob pena de que cessassem de ser distintos um do outro.

E, no entanto, esse apartamento, visto que fora desejado tão ardentemente por sua vontade, devia conservar para Swann uma certa doçura, se o julgasse por mim, para quem não perdera todo seu mistério. O encanto singular, no qual eu durante tanto tempo imaginara banhar-se a vida dos Swann, não o expulsara inteiramente da sua residência ao penetrar nela; fizera-o recuar, dominado que fora por esse estranho, esse pária que eu tinha sido e para o qual a Srta. Swann empurrava agora graciosamente, para que se sentasse, uma poltrona deliciosa, hostil e escandalizada; porém esse encanto, percebo-o ainda na minha recordação. Seria porque, nesses dias em que o Sr. e a Sra. Swann me convidavam para almoçar, e logo depois para sair com eles e Gilberte, eu imprimia com meu olhar – enquanto esperava sozinho – sobre o tapete, as poltronas, os consolos, os biombos, os quadros, a idéia, em mim gravada, de que a Sra. Swann ou o marido, ou Gilberte iam entrar? Seria porque tais coisas viveram desde então na minha memória ao lado dos Swann e acabaram por assumir alguma coisa deles? Seria porque, sabendo que eles passavam sua existência no meio delas, fazia de todas elas como que os emblemas de sua vida particular, de seus hábitos dos quais fora por tão longo tempo excluído que me continuaram a parecer estranhos mesmo quando me fizeram o favor de misturar-me a eles? E sempre que penso nesse salão que Swann (sem que semelhante crítica implicasse de sua parte a intenção de contrariar em nada os gostos de sua mulher) achava tão disparatado – pois sendo todo ele concebido ainda segundo o gosto meio estufa, meio ateliê, do apartamento em que conhecera Odette, ela entretanto começara a substituir naquela embrulhada um certo número de objetos chineses que agora julgava um tanto "artificiais", "fora de moda", por uma multidão de pequenos móveis forrados de velhas sedas Luís XVI (sem contar as obras-primas trazidas por Swann do apartamento do cais de Orléans) –, na minha lembrança existe, ao contrário, naquele salão compósito, uma coesão, uma unidade, um encanto individual que nunca sequer tiveram os mais intactos conjuntos que o passado nos legou, nem ainda os mais vivos onde se assinala a marca pessoal; pois somente nós podemos, pela crença de que têm uma existência própria, conferir a certas coisas que vemos uma alma, que a seguir conservam e que desenvolvem dentro de nós. Todas as idéias que eu me formava das horas, diversas das que existem para os outros homens, que os Swann passavam naquele apartamento que significava, para o tempo cotidiano de suas vidas, o que o corpo é para a alma, e que devia exprimir sua singularidade, todas essas idéias estavam repartidas, amalgamadas – por toda a parte igualmente perturbadoras e indefiníveis – no local dos móveis, na espessura dos tapetes, na orientação das janelas, no serviço dos criados. Quando, após o almoço, íamos tomar café ao sol, na grande janela do salão, enquanto a Sra. Swann me perguntava qual a quantidade de açúcar que eu queria no café, não era apenas o tamborete forrado de seda, que ela chegava para mim, que desprendia com o encanto doloroso que eu percebera outrora – debaixo do espinheiro-rosa e depois ao lado do bosque de loureiros – no nome de Gilberte, a hostilidade que me haviam testemunhado seus pais e que este pequeno móvel parecia ter sabido e partilhado tão bem, que eu não me sentia digno e me achava um tanto desprezível de impor meus pés no seu estofamento sem defesa; uma alma pessoal ligava-o secretamente à luz das duas horas da tarde, diferente da que era por toda a parte, além, no golfo, onde fazia brincar a nossos pés suas vagas de ouro em meio às quais os canapés azulados e as vaporosas tapeçarias emergiam como ilhas encantadas; e até o quadro de Rubens, pendurado sobre a lareira, possuía também o mesmo gênero e quase a mesma força de encanto que as botinas de laçadas do Sr. Swann e o mantô de pelerine, que eu tanto desejara ter um igual e que agora a Sra. Swann pedia ao marido que substituísse por outro, para ficar mais elegante, quando lhes dava a honra de sair com eles. Ela também ia se preparar, embora eu protestasse que nenhuma roupa de passeio nem de longe valesse o maravilhoso chambre de crepe da China ou de seda, rosa murcho, cereja, rosa Tiepolo, branco, malva, verde, vermelho, amarelo liso ou com desenhos, com que a Sra. Swann havia almoçado e que ia tirar. Ao dizer que ela deveria sair assim, a Sra. Swann ria, troçando da minha ignorância ou de prazer pelo meu cumprimento. Desculpava-se de possuir tantos *peignoirs,* por achar que somente com eles é que se sentia à vontade, e nos deixou para ir pôr um desses vestidos majestosos que se impõem a todos e entre os quais, no entanto, eu era por vezes chamado a escolher aquele que preferia que ela vestisse.

No Jardim da Aclimação, como eu me mostrava orgulhoso ao descer do carro e poder andar ao lado da Sra. Swann! Enquanto, em seu andar despreocupado, a Sra. Swann deixava flutuar a capa, lançava-lhe olhares de admiração aos quais ela correspondia, de maneira coquete, com um largo sorriso. Agora, se encontrávamos um ou outro dos companheiros, menino ou menina, de Gilberte, que de longe nos saudava, eu era por minha vez olhado por eles como uma dessas criaturas que tanto invejara, um dos amigos de Gilberte que conheciam sua família e estavam associados à outra parte de sua vida, a que não se passava nos Champs-Élysées.

Freqüentemente, nas alamedas do Bois ou do Jardim da Aclimação, cruzávamos e éramos saudados por esta ou aquela grande amiga de Swann, que ele não chegava a ver e que sua mulher lhe apontava: "Charles, não está vendo a Sra. de Montmorency?" E Swann, com o sorriso amistoso devido a uma longa familiaridade, no entanto se descobria largamente com uma elegância própria dele. Às vezes a dama parava, feliz por fazer uma gentileza à Sra. Swann, gentileza sem maiores conseqüências e da qual sabia que a Sra. Swann não se aproveitaria a seguir, pois Swann a acostumara a tomar uma atitude de reserva. Mas Odette assumira todas as maneiras da sociedade e, por mais elegante e nobre que fosse o porte da dama, ela a igualava sempre; parada por um instante junto da amiga que o marido acabava de encontrar, apresentava-nos, a mim e a Gilberte, com tanta desenvoltura, conservava tanta liberdade e tanta calma em sua gentileza, que teria sido difícil dizer qual das duas era a dama, a esposa de Swann ou a aristocrata a passeio. No dia em que fomos ver os cingaleses, percebemos, na volta, vindo em nossa direção e seguida de duas outras que pareciam escoltá-la, uma dama idosa mas bonita ainda, envolta num mantô escuro e com uma pequena touca presa ao pescoço por duas fitas. – Ah, eis alguém que vai lhe interessar! – Disse-me Swann. A velha senhora, já a poucos passos de nós, sorria com terna doçura. Swann se descobriu, Odette se inclinou numa reverência e quis beijar a mão da dama semelhante a um quadro de Winterhalter, que a ergueu e beijou. – Ora, ponha o seu chapéu – disse ela a Swann com voz grossa e um tanto zangada de amiga da família. – Vou lhe apresentar a Sua Alteza Imperial – disse-me a Sra. Swann. Swann me tomou à parte por um instante, enquanto Odette conversava com a alteza sobre o bom tempo e os novos animais recém-chegados ao Jardim da Aclimação. – É a princesa Mathilde – disse-me ele –; você sabe, a amiga de Flaubert, de Sainte-Beuve, de Dumas. Imagine, é a sobrinha de Napoleão I! Foi pedida em casamento por Napoleão III e pelo imperador da

Rússia. Não é interessante? Fale um pouco com ela. Mas preferia que ela não nos fizesse ficar parados aqui durante uma hora. – E, dirigindo-se à velha dama: – Encontrei-me com Taine. Disse-me que a princesa está zangada com ele. – Ele se portou como um porco [em francês, *cochon*] – disse ela em voz áspera e pronunciando a palavra como se se tratasse do nome do bispo contemporâneo de Joana d'Arc [*Cauchon*]. – Depois do artigo que escreveu sobre o Imperador, deixei-lhe um cartão de despedida. – Experimentei a surpresa que se sente quando se abre a correspondência da duquesa de Orléans, nascida princesa palatina. E, de fato, a princesa Mathilde, animada de sentimentos tão franceses, sentia-os com uma rudeza honesta, como a da Alemanha de antigamente e que herdara sem dúvida de sua mãe wurtemburguesa. Sua franqueza um tanto grosseira e quase masculina era adoçada, quando ela sorria, por um langor italiano. E o conjunto estava envolto numa toalete de tal modo à maneira do Segundo Império que, embora a princesa certamente a usasse apenas para ser fiel às modas de que gostara, parecia ter tido a intenção de não cometer um histórico erro de cor e de corresponder à expectativa dos que dela esperavam a evocação de uma outra época. Em segredo, pedi a Swann que lhe perguntasse se havia conhecido Musset. – Muito pouco, senhor – respondeu ela, fingindo-se aborrecida, e de fato era por gracejo que tratava Swann de senhor, sendo tão íntima dele. – Tive-o certa vez para jantar. Convidara-o para as sete horas. Às sete e meia, como ainda não tivesse chegado, fomos para a mesa. Ele chegou às oito, cumprimentou-me, sentou-se, não abriu a boca, e foi embora após o jantar sem que eu tivesse ouvido o som de sua voz. Estava caindo de bêbado. Aquilo não me animou a continuar. – Eu e Swann estávamos um tanto à parte. – Espero que esta pequena assembléia não se prolongue – disse-me ele –, doem-me as plantas dos pés. Também não sei por que minha mulher alimenta a conversa. Depois, ela é que vai se queixar de estar cansada e eu não posso mais agüentar essas paradas em pé. Com efeito, a Sra. Swann, que obtivera a informação da Sra. Bontemps, dizia à princesa que o governo, enfim compreendendo sua grosseria, decidira enviar-lhe um convite para que assistisse na tribuna à visita que o czar Nicolau devia fazer aos Inválidos, dois dias depois. Mas a princesa que, apesar das aparências, apesar do seu séquito, composto principalmente de artistas e homens de letras, continuara a ser no fundo, e de cada vez que precisava agir, a sobrinha de Napoleão: – Sim, madame, recebi o convite esta manhã e o mandei de volta ao ministro, que deve tê-lo consigo agora. Disse-lhe que não precisava de convites para ir aos Inválidos. Se o governo deseja que eu vá, não estarei numa tribuna, e, sim, no nosso subterrâneo, onde fica o túmulo do Imperador. Não tenho necessidade de convites para tanto. Tenho minhas chaves. Entro como quiser. O governo só precisa dizer se deseja que eu vá ou não. Mas, se eu for, será para ficar lá embaixo ou em parte alguma. Naquele instante fomos saudados, a Sra. Swann e eu, por um rapaz que lhe deu bom-dia sem parar e que eu não sabia que ela conhecia: Bloch.

Acerca de uma pergunta que lhe fiz, a Sra. Swann me disse que ele lhe fora apresentado pela Sra. Bontemps, e que era adido ao gabinete do ministro, coisa que eu ignorava. De resto, não devia vê-lo com freqüência – ou então não quisera tocar no seu nome, Bloch, que devia julgar pouco chique – pois disse que se chamava Sr. Moreul. Assegurei-lhe que estava confundindo, que ele se chamava Bloch. A princesa recolheu a cauda do vestido, que se desenrolava para trás e que a Sra. Swann contemplava com admiração. – É justamente uma pele que me enviou o imperador da Rússia – disse a princesa – e, como fui visitá-lo há pouco, coloquei-a para lhe mostrar que podia servir de mantô. – Parece que o príncipe Luís Napoleão se engajou no exército russo; a princesa vai ficar desolada por não tê-lo mais junto a si – disse a Sra. Swann, que não reparava nos sinais de impaciência do marido. – Para que precisava ele disso? É como lhe disse: "Não é motivo para fazeres semelhante coisa o fato de teres um militar na família" – respondeu a princesa, fazendo com essa brusca simplicidade uma alusão a Napoleão I. Swann já não se agüentava. – Madame, eu é quem vou bancar a Alteza e pedir permissão para nos despedirmos, porém minha esposa esteve muito doente e não quero que ela fique muito tempo imóvel. A Sra. Swann repetiu a reverência e a princesa teve para todos nós um sorriso divino que pareceu ter trazido do passado, dos encantos de sua juventude, dos saraus de Compiègne e que correu, intacto e doce, pelo rosto há pouco rabugento, e depois se afastou seguida das duas damas de companhia que só tinham feito, como intérpretes, como amas-secas ou enfermeiras, pontuar nossa conversação de frases insignificantes e de explicações inúteis. – Você deveria ir inscrever seu nome na casa dela, um dia destes – disse-me a Sra. Swann. – Não se dobra a ponta do cartão para tais *royautés*, como dizem os ingleses, mas ela o convidará se você se inscrever.

Às vezes, nesses últimos dias de inverno, nós entrávamos, antes de ir passear, numa das pequenas exposições que se abriam na época e onde Swann, colecionador de marca, era saudado com especial deferência pelos negociantes de quadros em cujo estabelecimento elas ocorriam. E, nesses dias ainda frios, meus velhos anseios de partir para o Sul e para Veneza eram despertados por essas salas onde uma primavera já adiantada e um sol ardente punham reflexos violáceos nos Alpilles rosados e davam a transparência carregada da esmeralda ao Grande Canal. Se o tempo estava feio, íamos ao concerto ou ao teatro e, a seguir, lanchar numa casa de chá. Quando a Sra. Swann queria me dizer algo que não desejava fosse compreendido pelas pessoas das mesas vizinhas ou até pelos garçons que nos serviam, falava-me em inglês como se se tratasse de uma língua conhecida apenas de nós dois. Ora, todo mundo sabia inglês, só eu é que ainda não o aprendera e era obrigado a dizê-lo à Sra. Swann para que ela parasse de fazer, a propósito das pessoas que bebiam chá ou sobre as que o traziam, reflexões que eu adivinhava serem bem descorteses sem compreendê-las e sem que a pessoa visada perdesse uma só frase.

Uma vez, a propósito de uma sessão matinal de teatro, Gilberte me causou profundo espanto. Era exatamente no dia em que me falara antes, o do aniversário da morte de seu avô. Eu e ela devíamos, com sua governanta, ir ouvir fragmentos de uma ópera e Gilberte se vestira com a intenção de ir a essa execução musical, conservando o ar de indiferença que costumava mostrar para as coisas que devíamos fazer, dizendo que podia ser qualquer coisa contanto que me agradasse e fosse agradável a seus pais. Antes do almoço, sua mãe nos chamou à parte para lhe dizer que seu pai ficara aborrecido por nos ver ir ao concerto naquele dia. Achei que era muito natural. Gilberte ficou impassível, mas fez-se pálida de uma cólera que não pôde ocultar e não disse mais uma palavra. Quando o Sr. Swann voltou, sua esposa o levou para a outra extremidade do salão e segredou-lhe ao ouvido. Ele chamou Gilberte e a levou para a peça ao lado. Ouviram-se vozes exaltadas. Todavia, eu não podia acreditar que Gilberte, tão submissa, tão terna, tão sensata, resistisse a um pedido do pai num dia daqueles e por um motivo tão insignificante. Por fim, Swann saiu dizendo-lhe:

– Sabes o que te disse. Agora, podes fazer o que quiseres.

O rosto de Gilberte permaneceu contraído durante todo o almoço, após o qual fomos para o seu quarto. Depois, de repente, sem hesitação e como se não a tivesse tido por um só momento, gritou: – Duas horas! Mas você sabe que o concerto começa às duas e meia. – E disse à governanta que se apressasse.

– Mas – disse eu – isso não aborrece o seu pai?

– De jeito nenhum.

– Entretanto, ele temia que isso parecesse estranho, por causa daquele aniversário.

– E que me importa o que os outros pensem? Acho ridículo que a gente se preocupe com os outros em matéria de sentimento. A gente sente para si e não para o público. Para Mademoiselle, que tem tão poucas distrações, é uma festa ir a esse concerto; não vou privá-la dele para dar satisfações ao público.

E pegou o chapéu.

– Mas Gilberte – observei, agarrando-a pelo braço – não se trata de dar satisfações ao público, é para atender a seu pai.

– Você não vai me fazer advertências, espero – retrucou ela com voz dura, libertando-se vivamente.

Favor ainda mais precioso que me levarem ao Jardim da Aclimação ou ao concerto, os Swann não me excluíam sequer de sua amizade por Bergotte, a qual estivera na origem do encanto que eu lhes achara quando, antes mesmo de conhecer Gilberte, pensava que sua intimidade com o velho divino faria dela, para mim, a mais apaixonante das amigas caso o desdém que lhe inspirava não me houvesse barrado a esperança de que alguma vez ela me levasse a visitar, na companhia dele, as cidades que ele amava. Ora, um dia a Sra. Swann me convidou para um grande almoço. Eu não sabia quais deveriam ser os convidados. Ao chegar, fiquei desconcertado no vestíbulo por um incidente que me intimidou. Raramente a Sra. Swann deixava de adotar os costumes tidos por elegantes durante uma temporada e que, não chegando a manter-se, são logo abandonados (como, muitos anos antes, tivera o seu *hansom cab,* ou mandara imprimir, num convite para almoço, que era para *to meet* um personagem mais ou menos importante). Muitas vezes tais costumes nada tinham de misterioso e não exigiam iniciação. Foi assim que, medíocre inovação daqueles anos, importada da Inglaterra, Odette encomendara para o marido cartões de visita em que o nome de Charles Swann era precedido de um *Mr.* Depois da primeira visita que lhe fizera, a Sra. Swann deixara em minha casa um desses *cartons,* como dizia. Jamais ninguém me mandara cartões de visita; senti tanto orgulho, tanta emoção e tanto reconhecimento que, reunindo todo o dinheiro que possuía, encomendei uma corbelha magnífica de camélias e a mandei à Sra. Swann. Roguei a meu pai que mandasse um cartão à casa dela, mas antes mandando imprimir às pressas alguns em que seu nome fosse precedido de um *Mr.* Ele não acedeu a nenhum de meus rogos; fiquei desesperado durante alguns dias e depois me perguntei se ele não tinha tido razão. Mas o uso do *Mr.*, apesar de inútil, era evidente. O mesmo não ocorria com outro que me foi revelado no dia daquele almoço, mas sem o seu significado. No momento em que ia passar da antecâmara para o salão, o mordomo me entregou um envelope delgado e comprido no qual estava escrito meu nome. Surpreso, agradeci, enquanto olhava o envelope. Não sabia o que fazer com ele, como um estrangeiro com um desses pequenos instrumentos que se dão aos convivas nos jantares chineses. Vi que estava fechado, receei ser indiscreto abrindo-o em seguida e o coloquei no bolso com ar entendido. A Sra. Swann me escrevera uns dias antes para que fosse almoçar "em família". No entanto estavam presentes 16 pessoas, entre as quais ignorava absolutamente que se encontrasse Bergotte. A Sra. Swann, que acabava de me "nomear", como dizia, a várias delas, de repente, logo após meu nome, da mesma forma como o acabara de falar (e como se fôssemos somente dois convidados do almoço que deviam estar mutuamente satisfeitos em se conhecer), pronunciou o nome do suave Cantor de cabelos brancos. Este nome de Bergotte me fez estremecer como o estampido de um revólver que houvessem descarregado em mim; mas instintivamente, para mostrar presença de espírito, cumprimentei-o; à minha frente, como esses prestidigitadores que a gente percebe estarem intactos e de sobrecasaca no meio da fumaça de um tiro, de onde sai voando uma pomba, meu cumprimento era retribuído por um homem jovem, rude, pequenino, robusto e míope, de nariz vermelho em forma de concha de caramujo e de barbicha preta. Sentia-me mortalmente triste, pois o que acabava de ser reduzido a pó não era apenas o langoroso velho, do qual nada mais restava, era igualmente a beleza de uma obra imensa que eu pudera acolher no organismo desfalecente e sagrado que, como um templo, havia construído expressamente para ela mas à qual nenhum espaço se reservava no corpo atarracado, cheio de vasos, de ossos, de gânglios, do homenzinho de nariz achatado e de barbicha preta que estava diante de mim. Todo o Bergotte que eu mesmo havia lenta e delicadamente elaborado, gota a gota, como uma estalactite, com a transparente beleza de seus livros, esse Bergotte, de um só golpe, não tinha mais qualquer utilidade, já que era preciso conservar o nariz em caracol e usar a barbicha preta; assim como de nada serve a solução que tínhamos encontrado para um problema cujo enunciado lêramos de forma incompleta, e sem levar em conta que o total devia dar uma certa cifra. O nariz e a barbicha eram elementos tão fatais e tanto mais incômodos que, obrigando-me a reedificar inteiramente a imagem de Bergotte, pareciam ainda implicar, produzir, secretar incessantemente um certo tipo de espírito ativo e satisfeito consigo mesmo, o que não era correto, pois esse espírito nada tinha a ver com a espécie de inteligência espalhada naqueles livros, que eu tão bem conhecia, e penetrados de uma suave e divina sabedoria. Partindo deles, eu jamais teria chegado àquele nariz de caracol; mas, partindo desse nariz, que não dava a impressão de se inquietar, mostrava-se altivo e caprichoso, eu ia numa direção totalmente diversa da obra de Bergotte, e parece-me que chegaria a uma mentalidade de engenheiro, apressado, do tipo daqueles que, quando recebem um cumprimento, julgam ser correto dizer: "Obrigado, e o senhor?" antes que lhe peçam notícias e, se lhes declaram terem ficado contentes em conhecê-los, respondem de modo abreviado – que acham elegante, inteligente e moderno, já que evita perda de tempo precioso em fórmulas vãs: "Igualmente". Sem dúvida, os nomes são desenhistas fantasiosos que nos dão, de pessoas e países, esboços tão pouco parecidos que muitas vezes sentimos uma espécie de assombro quando temos ante nós, em vez do mundo imaginado, o mundo visível (que, aliás, não é o mundo verdadeiro, pois nossos sentidos já não têm muito mais que a imaginação o dom da semelhança, tanto que os desenhos por fim aproximativos que se podem obter da realidade são pelo menos tão diversos do mundo visto como este o era do mundo imaginado). Mas, para Bergotte, o incômodo do nome prévio nada era diante do que me causava a obra conhecida, à qual via-me forçado a ligar, como a um balão, o homem de barbicha, sem saber se conservaria a força de ascensão. Parecia, no entanto, que fora ele mesmo quem escrevera os livros que eu tanto amara, pois, quando a Sra. Swann julgou dever falar-lhe de meu gosto por um deles, não mostrou nenhum espanto que o dissessem a ele e não a outro conviva, e não pareceu indicar que se tratava de um equívoco; porém, estufando a sobrecasaca que pusera em honra a todos os convidados, com um corpo ávido pelo almoço que se aproximava, tendo sua atenção ocupada por outras realidades importantes, foi apenas como a um episódio encerrado de sua vida anterior e como se houvessem aludido a uma roupa de duque de Guise que tivesse usado em certo ano num baile à fantasia, que ele sorriu, reportando-se à idéia de seus livros, os quais logo diminuíram de valor para mim (arrastando em sua queda todo o valor do Belo, do universo, da vida) até não passarem de mero divertimento do homem de barbicha. Dizia comigo que ele devia ter se aplicado a escrevê-los, mas que, se tivesse vivido em uma ilha cercada de bancos de ostras perlíferas, teria se dedicado com o mesmo sucesso ao comércio de pérolas. Sua obra já não me parecia tão inevitável. E então indaguei-me se a originalidade verdadeiramente prova que os grandes escritores sejam deuses a reinar cada qual em um reino que só a eles pertence, ou então se não existe em tudo isso um pouco de fingimento, se as diferenças entre as obras não seriam o resultado do trabalho, ao invés de uma diferença radical de essência entre as diversas personalidades.

Nesse meio tempo passara-se à mesa. Ao lado de meu prato encontrei um cravo cujo talo estava envolto em papel prateado. Fiquei menos embaraçado que diante do envelope entregue no vestíbulo e que já esquecera de todo. O costume, entretanto tão novo para mim, me pareceu mais inteligível quando vi todos os convidados masculinos pegarem um cravo idêntico, que acompanhava os talheres, e o colocarem na botoeira da sobrecasaca. Procedi como eles com aquele ar natural de um livre-pensador na igreja, que não conhece a missa mas se ergue quando todos se levantam e põe-se de joelhos um pouco depois de todos fazerem o mesmo. Um outro costume desconhecido e menos efêmero desagradou-me um tanto mais. Ao lado do meu prato havia outro menor, cheio de uma substância escura que eu não sabia ser caviar. Ignorava o que fazer com aquilo, mas estava resolvido a não comê-lo.

Bergotte não se sentava longe de mim; ouvia perfeitamente o que ele dizia. Compreendi então a impressão do Sr. de Norpois. Tinha, na verdade, uma voz estranha; nada altera tanto as qualidades materiais da voz como ter um conteúdo de pensamento; a sonoridade dos ditongos, a energia das labiais, tudo isto é influenciado por ele. E também a dicção. A sua parecia-me inteiramente diversa de sua forma de escrever, e até as coisas que dizia eram diferentes das que se achavam em suas obras. Porém, a voz sai de uma máscara sob a qual não é suficiente para nos fazer reconhecer um rosto que vimos primeiro a descoberto no estilo. Em certas passagens da conversa, quando Bergotte costumava falar de um modo que só parecia afetado e desagradável ao Sr. de Norpois, custou-me descobrir uma correspondência exata com as partes de seus livros em que a forma se tornava tão poética e musical. Então ele via, naquilo que falava, uma beleza plástica independente do significado das frases, e, como a palavra humana está relacionada com a alma, porém sem expressá-la como faz o estilo, Bergotte dava a impressão de falar quase sem atender ao sentido, salmodiando certos termos e como se perseguisse através deles uma única imagem, tecendo-os sem intervalos como um mesmo som, com monotonia cansativa. De modo que um recitativo pretensioso, enfático e monótono era o sinal da qualidade estética de suas frases e o efeito, na sua conversa, dessa mesma força que produzia em seus livros a seqüência das imagens e da harmonia. E, assim, tanto mais me custava perceber que o que ele dizia, nesses instantes, não parecia ser de Bergotte precisamente por ser o verdadeiro Bergotte. Era um desenvolvimento de idéias exatas, não incluídas naquele "gênero Bergotte" de que muitos cronistas se haviam apropriado; e aquela dessemelhança – percebida de forma confusa através da conversação, como uma imagem por trás de um vidro enfumaçado – era provavelmente um outro aspecto do fato de que, lendo-se uma página de Bergotte, ela nunca era semelhante ao que teria escrito qualquer de seus vulgares imitadores que, entretanto, no jornal e no livro, ornavam sua prosa com tantas imagens *à la* Bergotte. Tal diferença de estilo decorria de que "o Bergotte" era acima de tudo um elemento precioso e genuíno, oculto no âmago de cada objeto e, depois, extraído dele por aquele grande escritor devido a seu gênio, extração que era o objetivo do suave Cantor e não o de "fazer Bergotte". Para falar a verdade, ele o fazia malgrado seu, porque era Bergotte, e, nesse sentido, toda beleza nova de sua obra era a pequena quantidade de Bergotte oculta numa coisa e que ele daí retirara. Mas se, devido a isso, cada uma dessas belezas era aparentada às outras e fosse reconhecível, .permanecia no entanto particular, como a descoberta que a havia exposto à luz do dia; nova, por conseguinte diversa do que se denominava "o gênero Bergotte", que era uma vaga síntese dos Bergottes já encontrados e escritos por ele, os quais não permitiam de forma alguma que nenhum homem sem gênio adivinhasse o que Bergotte descobriria em outro local. O mesmo se dá com todos os grandes escritores: a beleza de suas frases é imprevisível, como é a de uma mulher que ainda não se conhece; ela é criação, visto aplicar-se a um objeto exterior no qual estão pensando – e não a si mesma – e que ainda não exprimiriam. Um autor de Memórias de hoje, querendo, sem dar muito a entender, fazer como Saint-Simon, a rigor poderá escrever a primeira linha do retrato de Villars: "Era um homem corpulento e moreno... com uma fisionomia viva, franca, que impressionava", mas que determinismo poderá lhe fazer encontrar a segunda linha que começa por: "e verdadeiramente um tanto amalucada"? A verdadeira variedade está nessa plenitude de elementos reais e inesperados, no ramo carregado de flores azuis que surge, contra toda expectativa, da sebe primaveril que parecia já superlotada, ao passo que a imitação puramente formal da variedade (e pode-se fazer o mesmo raciocínio quanto a todas as demais qualidades do estilo) é apenas vazia e uniforme, isto é, o extremo oposto da variedade, e os imitadores só podem dar a ilusão e a lembrança da legítima variedade àqueles que não a souberam compreender na obra dos mestres.

E assim – da mesma maneira como a dicção de Bergotte teria sem dúvida encantado se ele próprio não passasse de um amador que recitasse o pretenso Bergotte, em vez de estar ligada ao pensamento de Bergotte em trabalho e em ação por relações vitais que o ouvido não identificava de imediato –, assim também, porque Bergotte aplicava tal pensamento com precisão à realidade que lhe agradava, sua linguagem tinha algo de positivo, de muito substancioso, que decepcionava os que esperavam ouvi-lo falar somente da "torrente eterna das aparências" e dos "misteriosos frêmitos da beleza". Enfim, a qualidade sempre rara e nova daquilo que escrevia traduzia-se em sua conversa por uma forma tão sutil de abordar um assunto, negligenciando todos os seus aspectos já conhecidos, que dava a impressão de pegá-lo por um lado menor, estar enganado, fazer paradoxos, e assim suas idéias pareciam quase sempre confusas pois cada um considera claras as idéias que estão no mesmo grau de confusão que as próprias. Aliás, se toda novidade tem como condição a prévia eliminação do lugar-comum a que estávamos habituados e que nos parecia a realidade mesma, toda nova conversação, bem como toda pintura e toda música originais, parecerá sempre alambicada e cansativa. Baseia-se em figuras a que não estamos acostumados, o interlocutor só nos parece falar por metáforas, o que cansa e dá impressão de falta de verdade. (No fundo, as próprias formas antigas de linguagem foram outrora imagens difíceis de acompanhar quando o ouvinte não conhecia ainda o universo que pintavam. Mas há muito tempo imaginamos que era o universo real, e nos baseamos nele.) Assim, quando Bergotte, o que hoje entretanto me parece bem simples, dizia de Cottard que era um mergulhador em busca de equilíbrio, ou de Brichot, que "a ele lhe dá mais trabalho fazer o penteado do que à Sra. Swann, pois, duplamente preocupado com seu perfil e sua reputação, era necessário que a todo instante o arranjo de sua cabeleira lhe desse ao mesmo tempo o aspecto de um leão e de um filósofo", as pessoas logo sentiam-se fatigadas e gostariam de assentar o pé em algo mais concreto, dizia-se, para significar mais habitual. As palavras irreconhecíveis saídas da máscara que estava à minha frente, eram mesmo do escritor que eu admirava, mas não teriam sabido inserir-se em seus livros à maneira de um *puzzle* que se encaixa em outros; estavam em um plano diverso e necessitavam de uma transposição mediante a qual, num dia em que repetia comigo frases que ouvira Bergotte dizer, encontrei nelas toda a estrutura de seu estilo escrito, cujas diversas peças pude reconhecer e nomear naquele discurso falado que me parecera tão diferente.

Sob um ponto de vista mais acessório, a maneira especial, um pouco intensa e minuciosa demais, que possuía de pronunciar determinadas palavras, certos adjetivos que voltavam com freqüência em sua conversação e que não dizia sem uma certa ênfase, ressaltando todas as sílabas e fazendo cantar a última (como no caso da palavra *visage,* que usava sempre no lugar de *figure,* e à qual acrescentava um grande número de *w*, de *ss*, de *gg*, todos parecendo explodir de sua mão aberta nesses momentos), correspondia exatamente ao belo local em que, na sua prosa, ele punha em evidência essas palavras prediletas, precedidas de uma espécie de margem e compostas de tal ordem, no número total da frase, que era-se obrigado a contá-la em toda a sua "quantidade", sob pena de incidir numa falta de medida. Entretanto, não se achava na linguagem de Bergotte uma certa iluminação que nos seus livros, como nos de outros autores, modifica muitas vezes na frase a aparência das palavras. É que, sem dúvida, provém de grandes profundezas e não conduz seus raios até nossas palavras nas horas em que, abertos aos outros pela conversação, estamos até certo ponto fechados para nós mesmos. Sob esse aspecto, havia mais entonações, mais acento, em seus livros que em suas frases: acento independente da beleza do estilo, que o próprio autor sem dúvida não percebeu, pois não é separável de sua mais íntima personalidade. Era esse acento que, nos momentos em que nos seus livros Bergotte era totalmente natural, ditava o ritmo às palavras muitas vezes bem insignificantes que escrevia. Tal acento não é percebido no texto, nada aí o indica e, no entanto, ele se ajunta por si próprio às frases, não é possível dizê-las de outra forma; era o que havia de mais efêmero e, todavia, de mais profundo no escritor, e aquilo é que daria o testemunho sobre sua natureza e diria se, apesar de todas as durezas que exprimira, ele era suave e, apesar de todas as sensualidades, sentimental.

Certas particularidades de elocução, que existiam no estado de fracos vestígios na conversação de Bergotte, não lhe pertenciam como coisa particular, pois, quando mais tarde conheci seus irmãos e irmãs, encontrei-as neles bem mais acentuadas. Era algo brusco e rouco nas últimas palavras de uma frase alegre, algo enfraquecido e agonizante no final de uma sentença triste. Swann, que conhecera o Mestre quando era criança, disse-me que, naquele tempo, ouvia-se em sua casa, bem como na de seus irmãos e irmãs, tais inflexões de algum modo familiares, alternadamente gritos de alegria violenta, murmúrios de lenta melancolia e que, na sala em que brincavam todos juntos, ele fazia o seu papel melhor que ninguém, nos seus concertos sucessivamente ensurdecedores e desfalecentes. Por mais particular que seja, todo esse rumor que se evola dos seres é fugidio e não lhes sobrevive. Porém não ocorreu assim com a pronúncia da família Bergotte. Pois se é sempre difícil entender, mesmo nos *Mestres Cantores,* como pode um artista inventar a música ouvindo o gorjeio dos pássaros, Bergotte, no entanto, transpusera e fixara em sua prosa esse modo de prolongar-se nas palavras que se repetem em exclamações de alegria ou se esgotam em suspiros dolentes. Há em seus livros tais terminações de frases onde a acumulação de sonoridades se prolonga, como nos derradeiros acordes da abertura de uma ópera que não pode acabar e repete várias vezes sua cadência suprema antes que o maestro deponha a batuta, e nas quais encontrei mais tarde um equivalente musical dos metais fonéticos da família Bergotte. Quanto a ele, a partir do momento em que os transportou para seus livros, deixou inconscientemente de utilizá-los em seu discurso. No dia em que havia começado a escrever e, com muito maior razão mais tarde, quando o conheci, sua voz se desorquestrara para sempre.

Esses jovens Bergottes – o futuro escritor e seus irmãos e irmãs – sem dúvida não eram superiores, pelo contrário, aos jovens mais finos, mais espirituosos, que achavam os Bergottes muito ruidosos e até mesmo um tanto vulgares, irritantes nos seus gracejos que caracterizavam o "gênero" meio pretensioso, meio estúpido, da casa. Mas o gênio e até o grande talento decorrem menos de elementos intelectuais e de refinamento social superiores aos de outrem, que da faculdade de transformá-los, de transpô-los. Para aquecer um líquido com uma lâmpada elétrica, não é o caso de se ter a mais forte lâmpada possível, porém uma cuja corrente possa deixar de iluminar, ser desviada e fornecer calor em vez de luz. Para passear nos ares, não é preciso dispor do mais possante automóvel, e sim de um automóvel que, sem continuar a correr no solo e cortando com uma vertical a linha que seguia, seja capaz de converter em força ascensional a sua velocidade horizontal. Da mesma forma, aqueles que produzem obras geniais não são os que vivem no ambiente mais delicado, que têm a mais brilhante conversação, a mais extensa cultura, mas aqueles que tiveram a força de, cessando de viver bruscamente para si mesmos, tornar sua personalidade semelhante a um espelho, de tal forma que sua vida, aliás por mais medíocre que possa ser do ponto de vista mundano e até, num certo sentido, intelectualmente falando, nele se reflita, consistindo o gênio no poder refletor e não na qualidade intrínseca do espetáculo refletido. No dia em que o jovem Bergotte pôde mostrar ao mundo de seus leitores o salão de mau gosto em que passara a infância e as conversas não muito engraçadas que mantinha com os irmãos, nesse dia ele subiu mais alto que os amigos da família, mais espirituosos e distintos: estes, em seus belos Rolls-Royce, poderiam entrar em sua casa demonstrando um certo desprezo pela vulgaridade dos Bergottes; porém, ele, no seu modesto aparelho que por fim acabava de "decolar", ele os ultrapassava.

Não mais com os membros de sua família, mas com certos escritores de seu tempo é que ele apresentava determinados traços comuns de elocução. Os mais jovens, que principiavam a renegá-lo e pretendiam não ter qualquer parentesco intelectual com ele, manifestavam-no sem querer empregando os mesmos advérbios, as mesmas proposições que ele repetia sem cessar, construindo as frases da mesma maneira, falando com o mesmo tom amortecido, frouxo, em reação contra a linguagem eloqüente e fácil da geração anterior. Talvez esses jovens – e veremos quem estava nesse caso – não tivessem conhecido Bergotte. Mas o seu modo de pensar, inoculado neles, desenvolvera essas alterações da sintaxe e do acento que estão em relação necessária com a originalidade intelectual. Relação, aliás, que pede para ser interpretada. Assim Bergotte, se não devia nada a ninguém no seu modo de escrever, derivava o seu modo de falar de um dos antigos companheiros, conversador magnífico de quem sofrera a influência e a quem imitava sem querer na conversação, mas que, sendo menos dotado que ele, nunca escrevera livros verdadeiramente superiores. De modo que, se a gente se restringir à originalidade do enunciado, Bergotte tem de ser rotulado de discípulo, escritor de segunda mão, ao passo que, influenciado pelo amigo no terreno da conversação, fora original e criativo como escritor. Sem dúvida, ainda para se separar da geração precedente, muito amiga de abstrações, dos grandes lugares-comuns, quando Bergotte queria falar bem de um livro, o que valorizava e citava era sempre alguma cena que formasse uma imagem, algum quadro sem significado racional. "Ah, sim" – dizia – , "está bem! Há uma menina de xale cor de laranja, ah, está muito bem" – ou ainda: "Oh, sim, há uma passagem em que há um regimento que atravessa uma cidade, ah, sim; está muito bom!" Quanto ao estilo, não era inteiramente de sua época (aliás, era muito exclusivamente de seu país, detestava Tolstoi, George Eliot, Ibsen e Dostoievski), pois o vocábulo que empregava sempre, quando queria fazer o elogio de um estilo, era "suave": "Sim, todavia gosto mais do Chateaubriand de *Atala* que do de *René,* pois este me parece mais suave." Dizia essa palavra como um médico a quem um doente assegura que o leite lhe dá dor de estômago e que responde: "No entanto é bem suave." E é certo que havia no estilo de Bergotte uma espécie de harmonia semelhante àquela pela qual os antigos davam, a alguns de seus oradores, louvores cuja natureza dificilmente podemos conceber, acostumados que estamos às nossas línguas modernas onde não se busca esse tipo de efeito.

Ele dizia também, com um sorriso tímido, de páginas suas pelas quais lhe manifestavam admiração: – Creio que são bem verdadeiras, bem exatas, podem ser úteis – mas simplesmente por modéstia, como uma mulher a quem se diz que seu vestido, ou sua filha, é deslumbrante, e que responde, quanto ao primeiro: – É cômodo – e quanto à segunda: – Tem um bom caráter. – Mas o instinto do construtor era profundo demais em Bergotte para que ele ignorasse que a única prova que edificara de forma útil e de acordo com a verdade residia na satisfação que a obra lhe dera, a ele em primeiro lugar, e depois aos outros. Apenas muitos anos depois, quando já não tinha mais talento, todas as vezes que escrevia alguma coisa que não o satisfazia, para não a eliminar como deveria ter feito, para publicá-la, repetia consigo, desta vez para si próprio: "Apesar de tudo, é bem exato, não é inútil ao meu país." De forma que a frase murmurada outrora diante de seus admiradores por uma astúcia de sua modéstia, o foi, por fim, no segredo de seu coração, pelas inquietudes de seu orgulho. E as mesmas palavras que haviam servido a Bergotte como desculpa supérflua quanto ao valor de suas primeiras obras, se lhe tornaram uma espécie de consolo ineficaz pela mediocridade das últimas.

Uma espécie de severidade de gosto que ele possuía, de vontade de nunca escrever senão coisas das quais pudesse dizer: "É suave", e que o fizera ser tido, durante tantos anos, como um artista estéril, afetado, cinzelador de nadas, era, pelo contrário, o segredo de sua força, pois o hábito modela igualmente o estilo do escritor como o caráter do homem, e o autor que muitas vezes se contentou em atingir, na expressão do pensamento, um certo grau de satisfação, restringe, assim, para sempre os limites de seu talento, bem, como, cedendo muitas vezes ao prazer, à preguiça, ao medo de sofrer, a gente desenha em si mesmo, num caráter onde os retoques acabam por não ser mais possíveis, o retrato dos próprios vícios e os limites da própria virtude.

Se, entretanto, malgrado tantas correspondências que percebi a seguir entre o escritor e o homem, não acreditara no primeiro momento, na casa da Sra. Swann, que se tratasse de Bergotte, que era o autor de tantos livros divinos que se achava à minha frente, talvez eu não estivesse de todo errado, pois ele mesmo (no verdadeiro sentido da palavra) tampouco o acreditava. Não o acreditava visto demonstrar muita solicitude quanto às pessoas da sociedade (aliás, sem ser esnobe), às pessoas do mundo das letras, aos jornalistas, que lhe eram bem inferiores. Certo, agora sabia, devido ao sufrágio dos outros, que possuía gênio, diante do que não são nada a posição social e os cargos oficiais. Soubera que possuía gênio, porém não o acreditava, já que permanecia simulando deferência para com os escritores medíocres a fim de poder entrar para a Academia, enquanto esta ou o *faubourg* Saint-Germain não tem a ver com a parte do Espírito eterno que é o autor dos livros de Bergotte mais do que com o princípio de causalidade ou a idéia de Deus. Isto ele também sabia, como um cleptômano sabe inutilmente que é um crime roubar. E o homem de barbicha e nariz de caracol tinha astúcias de cavalheiro ladrão de garfos, para se aproximar da poltrona acadêmica esperada, de uma tal duquesa que dispunha de vários votos nas eleições; mas aproximar-se cuidando para que nenhuma pessoa que considerasse um vício pretender semelhante objetivo pudesse ver sua manobra. Só o conseguia pela metade, ouviam-se alternar as frases do verdadeiro Bergotte com as do Bergotte egoísta, ambicioso e que só pensava em falar dessas pessoas poderosas, nobres ou ricas para se valorizar, logo ele que em seus livros, quando era verdadeiramente ele mesmo, mostrara tão bem, puro como o de uma fonte, o encanto dos pobres.

Quanto aos outros vícios a que aludira o Sr. de Norpois, ao amor meio incestuoso que, diziam, era até complicado de indelicadeza em matéria de dinheiro, se contradiziam de forma chocante a tendência de seus últimos romances, cheios de uma preocupação tão escrupulosa, tão dolorosa, com o bem, que as menores alegrias de seus heróis eram por ela envenenadas e que, para o próprio leitor, se desprendia um sentimento de angústia através do qual a mais doce existência parecia difícil de suportar, tais vícios, entretanto, não provavam, mesmo que se os imputassem de modo justo a Bergotte, que sua literatura fosse mentirosa, e tanta sensibilidade, uma comédia. Do mesmo modo que, na patologia, certos estados de aparência semelhante são devidos, uns a um excesso, outros a uma insuficiência de tensão, de secreção, etc., assim pode haver vício por hipersensibilidade como há vício por falta de sensibilidade. Talvez seja apenas entre os vícios realmente viciosos que o problema moral pode se situar com toda sua força de ansiedade. E a esse problema o artista dá uma solução não no plano de sua vida individual, mas no daquela que é para ele sua vida verdadeira, uma solução geral, literária. Como os grandes doutores da Igreja começaram muitas vezes, mesmo sendo bons, conhecendo os pecados de todos os homens, daí tirando sua santidade pessoal, muitas vezes os grandes artistas, mesmo sendo malvados, servem-se de seus vícios para chegar a conceber a regra moral de todos. São os vícios (ou apenas as fraquezas e os ridículos) do ambiente em que vivem, as frases inconseqüentes, a vida frívola e chocante de sua filha, as traições de sua mulher ou suas próprias faltas, que os escritores vergastam com freqüência em suas diatribes sem por isso mudar a sua vida doméstica ou a linguagem grosseira que reina em seu lar. Mas este contraste chocava menos antigamente do que no tempo de Bergotte, porque, por um lado, à medida que a sociedade se corrompia, as noções de moralidade iam se depurando, e, por outro lado, o público se punha mais ao corrente da vida privada dos escritores do que o fizera até então; e em certas noites, no teatro, mostravam o autor que eu tanto admirara em Combray, sentado ao fundo de um camarote cujos componentes pareciam um comentário singularmente risível ou pungente, um desmentido vergonhoso da tese que ele acabara de sustentar em sua última obra. O que uns e outros puderam me dizer não me informou muita coisa sobre a bondade ou a maldade de Bergotte. Alguns de seus íntimos forneciam provas de sua dureza, certo desconhecido citava um rasgo (tocante, pois fora evidentemente destinado a permanecer oculto) de sua profunda sensibilidade. Agira cruelmente com a esposa. Mas numa estalagem de aldeia, aonde fora passar a noite, ficara acordado para velar uma mulher pobre que tentara se afogar, e, quando tinha sido obrigado a partir, deixara muito dinheiro com o estalajadeiro para que não expulsasse aquela infeliz e para que cuidasse dela. Talvez, quanto mais o grande escritor se desenvolvia em Bergotte, em detrimento do homem da barbicha, mais a sua vida individual mergulhava nas ondas de todas as vidas que ele imaginava e não lhe pareciam mais obrigá-lo a deveres efetivos, que eram substituídos pelo dever de imaginar essas vidas. Porém, ao mesmo tempo, pois que imaginava os sentimentos dos outros tão bem como se fossem seus, quando lhe era necessário dirigir-se a um infeliz, pelo menos de modo passageiro, fazia-o colocando-se não no seu ponto de vista pessoal, mas no da criatura que sofria, ponto de vista de onde lhe teria causado horror a linguagem dos que continuam a pensar em seus interesses mesquinhos diante da dor alheia. De forma que excitou à sua volta rancores justificados e gratidões inextinguíveis.

Era principalmente um homem que, no fundo, só amava de verdade certas imagens e (como uma miniatura no fundo de um estojo) gostava de compô-las e pintá-las sob as palavras. Por um nada que lhe houvessem mandado, se esse nada lhe desse a ocasião de aí entrelaçar algumas, ele se mostrava pródigo na expressão de seu reconhecimento, ao passo que não testemunhava gratidão alguma por um presente rico. E, se tivesse que se defender diante de um tribunal, teria, apesar de tudo, escolhido as palavras não de acordo com o efeito que pudessem produzir sobre o juiz, mas tendo em vista as imagens que o juiz certamente não perceberia.

Naquele primeiro dia em que o vi na casa dos pais de Gilberte, contei a Bergotte que ouvira recentemente a Berma em *Fedra;* disse-me que, na cena em que ela permanece com o braço erguido à altura dos ombros – exatamente uma das cenas que tanto haviam aplaudido –, soubera evocar, com uma arte muito nobre, obras-primas que aliás ela talvez nunca tivesse visto, uma Hespéride que faz esse gesto sobre uma métope de Olímpia, e também as belas virgens do antigo Erectêion.

– Pode se tratar de uma adivinhação; entretanto, creio que ela freqüenta os museus. Seria interessante "averiguar" isto ("averiguar" era uma das expressões habituais de Bergotte e que aqueles jovens que nunca o haviam encontrado lhe assimilaram, falando como ele por uma espécie de sugestão a distância).

– Está pensando nas cariátides? – indagou Swann.

– Não, não – respondeu Bergotte –, a não ser na cena em que ela confessa sua paixão a Oenone e onde faz com a mão o movimento de Hegeso na estrela do Cerâmico; é uma arte bem mais antiga que ela ressuscita. Eu falava das Corés do antigo Erectêion, e reconheço que não existe nada talvez tão distanciado da arte de Racine, porém há tantas coisas na *Fedra*... uma a mais... Oh! E depois, sim, é tão bonita essa pequena Fedra do séc. VI, a verticalidade do braço, os cachos do cabelo "imitando mármore", sim, todavia já é demais ter achado tudo isso. Ali existe muito mais antigüidade que em muitos livros que este ano são chamados "antigos".

Como Bergotte, num de seus livros, fizera uma célebre invocação a essas estátuas arcaicas, as palavras que dizia naquele instante eram bem claras para mim, dando-me uma nova razão para me interessar pelo desempenho da Berma. Tentava revê-la nas minhas recordações, exatamente como ela estivera naquela cena em que me lembrava que erguera o braço à altura do ombro. E dizia comigo: "Eis a Hespéride de Olímpia; eis a irmã de uma dessas admiráveis orantes da Acrópole; eis o que se chama uma arte nobre." Mas, para que esses pensamentos me embelezassem o gesto da Berma, teria sido necessário que Bergotte os fornecesse a mim antes da representação. Assim, enquanto aquela atitude da atriz se desenrolava de fato à minha frente, naquele momento em que a coisa ocorrida ainda possui a plenitude da realidade, eu poderia tentar extrair dela a idéia de uma escultura arcaica. Da Berma, porém, naquela cena, o que guardei era uma lembrança que já não podia modificar, tênue como uma imagem desprovida das camadas profundas do presente que se deixam escavar e de onde se pode extrair, com veracidade, algo de novo, uma imagem à qual não se pode impor, retroativamente, uma interpretação já não mais suscetível de verificação, de sanção objetiva. Para meter-se na conversa, a Sra. Swann me perguntou se Gilberte pensara em me dar o que Bergotte havia escrito acerca de *Fedra*. – Tenho uma filha tão estouvada – acrescentou. Bergotte teve um sorriso modesto e protestou que eram páginas sem importância. – Oh, não, é extraordinário o opúsculo, esse pequeno *tract*! – disse a Sra. Swann para se mostrar boa dona-de-casa, para fazê-lo crer que havia lido a brochura, e também porque não lhe agradava simplesmente cumprimentar Bergotte, mas fazer uma escolha entre as coisas que ele escrevia, dirigi-lo. E, na verdade, ela o inspirou, aliás de um modo que nem pensava. Mas enfim, existem, entre o que foi a elegância do salão da Sra. Swann e toda uma parte da obra de Bergotte, relações tais que ambos podem ser, alternativamente, para os velhos de hoje, um comentário um do outro.

Eu continuava contando minhas impressões. Muitas vezes Bergotte não as considerava justas, porém deixava-me falar. Disse-lhe que havia adorado aquela iluminação verde que se dá no momento em que Fedra ergue o braço. – Ah, daria muito prazer ao decorador, que é um grande artista; vou lhe contar isto, porque ele tem muito orgulho daquela luz. Quanto a mim, devo dizer que não gosto muito, pois banha tudo numa espécie de atmosfera glauca; a pequena Fedra lá dentro fica por demais parecida com um coral no fundo de um aquário. Você dirá que aquilo faz ressaltar o lado cósmico do drama. É verdade. Ainda assim, estaria melhor numa peça que se passasse no reino de Netuno. Sei bem que ali existe a vingança de Netuno. Meu Deus, não peço que só pensem em Port-Royal, mas, enfim, todavia, o que Racine contou não foi os amores dos ouriços-do-mar. Afinal, foi o que o meu amigo desejou e está muito bem assim, e no fundo é bem bonito. Sim, afinal você gostou, você compreendeu, não é? No fundo, pensamos da mesma maneira sobre isso; é um pouco insensato o que ele fez, não é, mas afinal é muito inteligente. – E, quando a opinião de Bergotte era desse modo contrária à minha, ele não me reduzia de forma alguma ao silêncio, à impossibilidade de responder algo, como o teria feito a opinião do Sr. de Norpois. Isto não prova que as opiniões de Bergotte fossem menos válidas que as do embaixador; ao contrário. Uma idéia vigorosa comunica um pouco da sua força ao adversário. Participando do valor universal dos espíritos, ela se insere, se implanta no espírito daquele a quem refuta, em meio às idéias adjacentes, com ajuda das quais, retomando alguma vantagem, ele a completa e retifica; de modo que a sentença final é de alguma forma a obra de duas pessoas que discutiam. É às idéias que não são propriamente idéias, às idéias que, não levando a nada, não encontram nenhum ponto de apoio, nenhum ramo fraterno no espírito do adversário, que este, às voltas com o puro vazio, não acha nada para responder. Os argumentos do Sr. de Norpois (em matéria de arte) não admitiam réplica porque estavam fora da realidade.

Visto que Bergotte não afastava as minhas objeções, confessei-lhe que tinham sido desprezadas pelo Sr. de Norpois. – Mas trata-se de um velho canário – respondeu. Deu-lhe bicadas, pois julga sempre ter pela frente um pastel ou uma siba. – Como! Você conhece Norpois? – perguntou-me Swann. – Oh, ele é tedioso como a chuva – interrompeu sua mulher, que depositava muita confiança no julgamento de Bergotte e temia, sem dúvida, que o Sr. de Norpois nos tivesse falado mal dela. – Quis conversar com ele depois do jantar; não sei se, por causa da idade ou da digestão, o fato é que o achei muito enjoado! Parece que é preciso dopá-lo. – Sim, de fato – disse Bergotte. – Muitas vezes é obrigado a calar-se para não esgotar, antes do fim da festa, a quantidade de asneiras que engomam o peitilho da camisa e sustentam o colete branco. – Acho Bergotte e minha mulher muito severos – comentou Swann, que assumira em sua casa o "papel" de homem de bom senso. – Reconheço que Norpois não pode interessá-los muito, mas sob um outro ponto de vista – (pois Swann gostava de recolher as belezas da "vida") –, trata-se de alguém bem curioso, bastante curioso mesmo, como "amante". Quando era secretário em Roma – acrescentou, depois de se certificar que Gilberte não podia ouvi-lo –, tinha em Paris uma amante pela qual estava apaixonado, e achava um meio de fazer a viagem duas vezes por semana para vê-la durante duas horas. Aliás, era uma mulher muito inteligente e deslumbrante naquela época; agora é uma senhora idosa. E ele teve muitas outras amantes nesse período. Quanto a mim, ficaria louco se fosse necessário que a mulher que eu amava morasse em Paris enquanto eu permanecesse retido em Roma. Para as pessoas nervosas, seria sempre necessário que amassem, como diz o povo, "gente de classe inferior", para que uma questão de interesse pusesse a mulher a quem amam à sua disposição. Nesse momento, Swann se apercebeu da aplicação que eu podia fazer dessa máxima ao caso dele e de Odette. E, como até entre as criaturas superiores, no momento em que parecem planar conosco acima das contingências da vida, o amor-próprio permanece mesquinho, Swann foi tomado de um grande mau humor contra mim. Porém, isto só se manifestou na inquietação do seu olhar. No momento, ele não me disse nada. Não devemos nos espantar muito de semelhante coisa. Quando Racine, segundo uma narrativa aliás controvertida, mas cujo assunto se repete todos os dias na vida parisiense, acusou Scarron diante de Luís XIV, o mais poderoso rei do mundo não disse nada ao poeta na mesma noite. E foi no dia seguinte que Racine caiu em desgraça.

Mas, como uma teoria deseja ser expressa por inteiro, Swann, após aquele minuto de irritação e tendo enxugado a lente do monóculo, completou seu pensamento com essas palavras que, mais tarde, deviam assumir, na minha lembrança, o valor de uma advertência profética e da qual não soube me dar conta. – Entretanto, o perigo desse gênero de amor é que a sujeição da mulher tranqüiliza por um instante o ciúme do homem, mas também a faz mais exigente. O homem chega a fazer a mulher viver como os prisioneiros que são iluminados dia e noite para serem mais bem vigiados. E isto, em geral, acaba em drama.

Voltei ao Sr. de Norpois. – Não confie nele; ao contrário, tem muito má-língua – disse a Sra. Swann com um acento que me pareceu tanto mais indicar que o Sr. de Norpois falara mal dela, porque Swann olhou a esposa com ar de repreensão e como que para impedi-la de falar mais.

Entretanto, Gilberte, a quem já tinham dito duas vezes que fosse se preparar para sair, ficava a nos ouvir, entre a mãe e o pai, a cujo ombro se apoiava carinhosamente. À primeira vista, nada era mais contrastante com a Sra. Swann, que era morena, do que aquela mocinha de cabelo ruivo e pele dourada. Mas, ao cabo de um instante, reconheciam-se em Gilberte diversos traços – por exemplo, o nariz talhado em brusca e infalível decisão pelo escultor invisível que trabalha com seu cinzel para várias gerações –, a expressão e os movimentos da mãe. Para fazer uma comparação em outra arte, Gilberte dava a impressão de um retrato pouco parecido ainda com a Sra. Swann, a quem o pintor, por um capricho de colorista, tivesse feito posar meio disfarçada, pronta para ir, vestida de veneziana, a um jantar à fantasia. E, como não só tivesse uma peruca loura, mas também como todo átomo sombrio fora expulso de sua pele, a qual, despida de seus véus escuros, parecia mais nua, recoberta apenas dos raios expelidos por um sol interior, a caracterização não era superficial, e sim personificada; Gilberte dava a impressão de retratar algum animal fabuloso, ou de vestir uma fantasia mitológica. Aquela pele ruiva era a de seu pai, a ponto que a Natureza parecia ter precisado, quando Gilberte fora gerada, resolver o problema de refazer aos poucos a Sra. Swann, sem ter à sua disposição como matéria-prima senão a pele do Sr. Swann. E a Natureza a utilizara com perfeição, como um mestre em marcenaria que faz questão de deixar visíveis as aparas e os nós da madeira. No rosto de Gilberte, no canto do nariz de Odette perfeitamente reproduzido, a pele se erguia para conservar intactos os dois grãos de beleza do Sr. Swann. Era uma variedade nova da Sra. Swann que se obtinha ali, ao lado dela, como um lilás branco ao lado de um lilás roxo. No entanto, era desnecessário representar a linha demarcatória entre as duas semelhanças, por ser absolutamente nítida. Em certos momentos, quando Gilberte ria, percebia-se o oval da face de seu pai no rosto da mãe, como se os pusessem juntos para ver no que daria a mistura; esse oval tornava-se preciso da mesma maneira como se forma um embrião, alongava-se obliquamente, inchava-se, e desaparecia após um instante. Nos olhos de Gilberte havia o bom olhar franco do pai; era este o olhar que mostrava quando me dera a bolinha de ágata, dizendo: "Guarde-a como lembrança da nossa amizade." Mas, quando lhe faziam uma pergunta sobre o que havia feito, então viam-se nos mesmos olhos o embaraço, a incerteza, a dissimulação, a tristeza que mostrava antigamente Odette, quando Swann lhe perguntava aonde tinha ido e ela lhe dava uma daquelas respostas mentirosas que desesperavam o amante e o faziam agora mudar bruscamente de assunto, como marido prudente e sem curiosidade. Muitas vezes, nos Champs-Élysées, sentira-me inquieto ao ver esse olhar de Gilberte. Porém, na maioria das vezes sem motivo. Pois nela, sobrevivência puramente física de sua mãe, aquele olhar – pelo menos o dos Champs-Élysées – já não correspondia a coisa alguma. Quando ela ia para o curso, quando devia voltar para uma aula, é que as pupilas de Gilberte faziam esse movimento que outrora, nos olhos de Odette, era provocado pelo medo de revelar que recebera, durante o dia, um de seus amantes ou que tinha pressa em comparecer a um encontro. Assim, viam-se as duas naturezas, do Sr. e Sra. Swann, ondular, refluir, invadir sucessivamente, uma sobre a outra, o corpo daquela Melusina.

É claro que se conhece bem que uma criança se parece com o pai e a mãe. Mesmo a distribuição das qualidades e dos defeitos que ela herda se faz de modo tão estranho que, de duas qualidades que parecem inseparáveis em um dos pais, só uma se encontra no filho, e esta mesma aliada a defeitos do outro pai, que parecia inconciliável com ela. E até a encarnação de uma qualidade moral em um defeito físico incompatível é muitas vezes uma das leis da parecença filial. De duas irmãs, uma terá, com a soberba estatura do pai, o espírito mesquinho da mãe; a outra, toda repleta da inteligência paterna, haverá de apresentá-la ao mundo sob o aspecto que possui a mãe; de sua mãe, o nariz grande, o ventre nodoso, e até a voz, são o revestimento de dons que se conheciam sob uma aparência magnífica. De modo que, de cada uma das irmãs, pode-se dizer com tanto mais razão que ela é quem herdou mais dos pais. É verdade que Gilberte era filha única, mas havia no mínimo duas Gilbertes. As duas naturezas, a de seu pai e de sua mãe, não faziam mais que misturar-se nela; disputavam-na, e isto ainda seria falar de modo inexato e levaria a supor que uma terceira Gilberte sofria, naquele tempo, o ser uma presa das outras duas. Ora, Gilberte era alternadamente uma e outra, e em cada instante nada mais que uma, isto é, incapaz, quando não era tão bondosa, de suportar aquilo, não podendo então a melhor Gilberte, devido à sua momentânea ausência, constatar aquela perda. Também a menos boa das duas era livre para desfrutar prazeres pouco nobres. Quando a outra falava carinhosamente do pai, tinha vistas largas, gostaríamos de dirigir com ela um belo e benéfico empreendimento, falávamos nisso, mas, quando íamos chegar a um acordo o coração de sua mãe já retomara seu posto; e era ele quem respondia; ficávamos decepcionados e irritados – quase intrigados como diante da substituição de uma pessoa – por uma reflexão mesquinha, uma troça manhosa, em que Gilberte se comprazia, pois saíam do que ela própria era naquele instante. A separação entre as duas Gilbertes era mesmo tão grande, às vezes, que a gente se perguntava, aliás em vão, o que lhe poderiam ter feito para que ficasse tão diferente. Não só não comparecia ao encontro que nos havia proposto, sem desculpar-se depois, mas, fosse qual fosse a influência que a tivesse feito mudar de idéia, ela se mostrava tão diferente a seguir que acreditaríamos que, vítima de uma semelhança como a que está no centro dos *Menecmos*, não estávamos diante da pessoa que nos pedira tão gentilmente o encontro, caso não nos testemunhasse um mau humor que revelava sentir-se em falta e desejar evitar explicações.

– Vamos, vais nos fazer esperar – disse-lhe a mãe.

– Estou muito bem junto do papaizinho, quero ficar ainda mais um pouco – respondeu Gilberte escondendo a cabeça nos braços do pai, que passou carinhosamente os dedos pela cabeleira ruiva.

Swann era um desses homens que, tendo vivido muito tempo nas ilusões do amor, viram o bem-estar que deram a muitas mulheres aumentar a felicidade delas sem criar, de sua parte, nenhum reconhecimento, nenhuma ternura quanto a eles; mas, no filho, julgam sentir uma afeição que, encarnada em seu próprio nome, fará com que permaneçam após a morte. Quando não houvesse mais Charles Swann, haveria ainda uma Srta. Swann, ou uma Sra. X, nascida Swann, que continuaria a amar o pai desaparecido. Talvez até a amá-lo ainda mais, pensava Swann sem dúvida, pois respondeu a Gilberte: – És uma boa filha – com esse tom enternecido pela inquietude que nos inspira para o futuro a ternura por demais apaixonada de uma criatura destinada a nos sobreviver. Para dissimular sua emoção, ele se meteu em nossa conversa sobre a Berma. Fez-me notar, mas num tom desligado, entediado, como se quisesse permanecer de algum modo de fora daquilo que dizia, com que inteligência, com que justiça imprevista a atriz falava a Oenone: "Tu o sabias!" Ele tinha razão: aquela entonação, pelo menos, era de um valor verdadeiramente inteligente e, portanto, deveria satisfazer meu desejo de encontrar motivos irrefutáveis de admirar a Berma. Mas era justamente devido à própria clareza que ela não o contentava. A entonação era tão engenhosa, de uma intenção e um sentido tão específicos, que parecia existir nela mesma e que toda artista dotada de inteligência poderia adquiri-la. Era uma bela idéia; mas qualquer um que a concebesse de forma tão plena a possuiria do mesmo modo. Restava à Berma o mérito de havê-la encontrado; mas pode-se empregar o vocábulo "encontrar", quando se trata de achar alguma coisa que não seria diferente se fosse recebida, alguma coisa que não se refere essencialmente ao nosso ser visto que um outro pode reproduzi-la a seguir?

– Meu Deus, mas como a sua presença eleva o *nível da conversa*! – disse-me, como para se desculpar junto a Bergotte, Swann, que adquirira no ambiente dos Guermantes o hábito de receber os grandes artistas como bons amigos, aos quais se busca apenas fazer com que comam os pratos que adoram, jogar jogos ou, no campo, entregarem-se aos esportes que lhes agradam. – Parece-me que falamos bem de *arte* – acrescentou. – Tudo bem, gosto muito disso – disse a Sra. Swann, lançando-me um olhar reconhecido, por bondade e também porque guardara suas velhas aspirações quanto a uma conversa mais intelectual. A seguir, foi com outras pessoas, particularmente com Gilberte, que Bergotte falou. Eu lhe dissera tudo o que sentia com uma liberdade que me espantara e que provinha de que tomara com ele, desde muitos anos (no decurso de tantas horas de solidão e de leitura, onde ele era para mim apenas a melhor parte de mim mesmo), o hábito da sinceridade, da franqueza, da confiança; ele me intimidava menos que uma pessoa com quem tivesse conversado pela primeira vez. E, no entanto, pela mesma razão, sentia-me bastante inquieto quanto à impressão que deveria ter produzido nele, visto não datar de hoje o desprezo que supusera que teria pelas minhas idéias, e sim de um tempo já antigo em que começara a ler seus livros em nosso jardim de Crombray. No entanto, deveria ter me ocorrido que, se fui sincero, se apenas me abandonei ao meu pensamento ao simpatizar tanto, por um lado, com a obra de Bergotte e ao sentir, por outro lado, no teatro, um desapontamento cujos motivos ignorava, esses dois movimentos instintivos que me haviam empolgado não deviam ser tão diversos um do outro, e sim obedecer às mesmas leis; e que esse espírito de Bergotte, que eu amara em seus livros, não devia ser algo inteiramente estranho e hostil à minha decepção e à incapacidade de expressá-la. Pois minha inteligência devia ser una, e talvez mesmo só exista uma única da qual todos são colocatários, uma inteligência sobre a qual cada um de nós, do fundo de seu corpo particular, lança os seus olhares, como no teatro, onde cada um tem seu lugar; em compensação, só existe um único cenário. Sem dúvida, as idéias que eu tivera o gosto de procurar desenredar não eram as que, em geral, Bergotte aprofundava em seus livros. Mas, se se trata da mesma inteligência que tanto eu como ele possuímos à nossa disposição, ele devia, ao ouvi-las expressas por mim, recordá-las, amá-las, sorrir-lhes, provavelmente conservando, apesar de minhas suposições, diante de seu olho interior, uma parte da inteligência bem diversa da outra parte que se projetara em seus livros, e segundo a qual eu havia imaginado todo o seu universo mental. Do mesmo modo que os padres, tendo a experiência mais profunda do coração, podem melhor perdoar os pecados que não cometem, assim também o gênio, tendo a maior experiência da inteligência, pode compreender melhor as idéias mais contrárias às que formam o fundo de sua própria obra. Eu deveria me ter dito tudo isso (que aliás nada tem de agradável, pois a benevolência dos grandes espíritos tem por corolário a incompreensão e a hostilidade dos medíocres; ora, somos muito menos felizes com a amabilidade de um grande escritor, que a rigor se pode encontrar em seus livros, do que sofremos com a hostilidade de uma mulher que não elegemos por sua inteligência, mas que não podemos evitar amar). Eu deveria me ter dito tudo isso, mas não o dizia; estava convencido de que parecera um estúpido a Bergotte, quando Gilberte me sussurrou ao ouvido:

– Estou louca de alegria, porque você conquistou meu grande amigo Bergotte. Ele disse a mamãe que o achou muito inteligente.

– Aonde vamos? – perguntei a Gilberte.

– Ora, aonde quiserem; quanto a mim, você sabe, ir para cá ou para lá...

Porém, desde o incidente ocorrido no dia do aniversário da morte de seu avô, eu me perguntava se o caráter de Gilberte não era diferente do que havia pensado, se essa indiferença pelo que fizessem, se aquele juízo, aquela tranqüilidade, aquela doce e constante submissão, não esconderiam, ao contrário, desejos muito passionais que, por amor-próprio, ela não queria dar a perceber e que só revelava em sua súbita resistência quando por acaso eram contrariados.

Como Bergotte morasse no mesmo bairro dos meus pais, saímos juntos; no carro, falou-me de minha saúde: – Nossos amigos me disseram que você é doente. Lamento-o bastante. E, apesar disso, não tanto assim, pois vejo que deve possuir os prazeres da inteligência e isso, provavelmente, é o que conta para você, como para todos aqueles que conhecem tais prazeres.

Ai de mim! O que ele falava, quão pouco verdadeiro eu sentia que era para mim, a quem todo raciocínio, por elevado que fosse, deixava frio, que não era feliz senão em momentos de simples lazer, quando sentia bem-estar; percebia quanto o que desejava na vida era puramente material e com que facilidade me absteria da inteligência. Como não distinguia, entre os prazeres, aqueles que me vinham de fontes diferentes, mais ou menos profundas e duráveis, pensei, no momento de lhe responder, que teria gostado de uma existência em que estivesse ligado à duquesa de Guermantes e na qual muitas vezes teria sentido, como no antigo escritório do imposto de trânsito dos Champs-Élysées, um frescor que me recordaria Combray. Ora, nesse ideal de vida que não ousava confiar-lhe, os prazeres da inteligência não ocupariam lugar algum.

– Não senhor, os prazeres da inteligência são muito pouco para mim; não são eles o que procuro. Nem sei mesmo se alguma vez os senti.

– Acha isso mesmo? – replicou ele. – Muito bem, escute; isto deve ser o que você prefere apesar de tudo, me parece. É o que acho.

Certo, ele não me convencia; no entanto, eu me sentia mais feliz, menos acanhado. Devido ao que me havia dito o Sr. de Norpois, considerara meus momentos de devaneio, de entusiasmo, de confiança em mim mesmo, como puramente subjetivos e sem verdade. Ora, segundo Bergotte, que dava impressão de conhecer o meu caso, parecia que o sintoma a desprezar eram ao contrário as minhas dúvidas, o desgosto que sentia por mim mesmo. Principalmente o que dissera acerca do Sr. de Norpois tirava muito da força de uma condenação que eu julgara irremediável.

– Você é bem cuidado? – indagou Bergotte. – Quem é que se ocupa de sua saúde? – Disse-lhe que era e voltaria a ser Cottard, sem dúvida. – Mas não é disso que você precisa! – respondeu. – Não o conheço como médico. Porém, vi-o na casa da Sra. Swann. É um imbecil. Supondo que isso não o impeça de ser um bom médico, o que me custa a acreditar, isso o impede de ser um bom médico para artistas, para pessoas inteligentes. Pessoas como você têm necessidade de médicos apropriados, direi quase de regimes, de medicamentos especiais. Cottard vai aborrecê-lo e o tédio por si só impedirá que seu tratamento seja eficaz. E depois, esse tratamento não pode ser o mesmo para você e para um indivíduo qualquer.

Três quartas partes dos males das pessoas inteligentes provêm de sua inteligência. Falta-lhes, pelo menos, um médico que os conheça. Como quer que Cottard possa tratá-lo? Ele previu a dificuldade de digerir molhos, a perturbação gástrica, mas não a leitura de Shakespeare... Assim, seus cálculos não são mais acertados com você, o equilíbrio está rompido, é sempre o pequeno ludião que sobe. Ele descobrirá em você uma dilatação do estômago, não tem necessidade de examiná-lo visto que já o fez previamente com o olho. Você pode vê-la, pois se reflete no seu pincenê. – Esta maneira de falar me cansava bastante, eu dizia comigo com a estupidez do bom senso: "Não existe mais dilatação do estômago refletida no pincenê do professor Cottard do que as tolices ocultas no colete branco do Sr. de Norpois." – Eu lhe aconselharia, de preferência, o doutor Boulbon – prosseguiu Bergotte. – É muito inteligente. – É um grande admirador de suas obras – disse-lhe. – Vi que Bergotte o sabia e concluí que os espíritos fraternais depressa se ajuntam, que a gente possui poucos "amigos desconhecidos". O que Bergotte me disse a respeito de Cottard me chocou por ser bem o oposto de tudo quanto eu acreditava. De modo algum me inquietava achar o meu médico um sujeito aborrecido; esperava dele que, graças a uma arte cujas leis me fugiam, proferisse a respeito de minha saúde um oráculo indiscutível ao consultar minhas entranhas. E pouco me importava que, com o auxílio de uma inteligência, auxílio que eu mesmo poderia lhe prestar, ele procurasse compreender a minha, que eu apenas imaginava como um meio, indiferente em si mesmo, de tentar alcançar verdades exteriores. Duvidava muito de que as pessoas inteligentes tivessem necessidade de uma higiene diversa da dos imbecis, e estava pronto a me submeter à desses últimos. – Se alguém precisa de um bom médico, é o nosso amigo Swann – disse Bergotte. E, como eu perguntasse se ele estava doente: – Pois bem, um homem que desposou uma mulher de vida fácil, que tem de aturar, por dia, cinqüenta desfeitas de senhoras que não querem ter relações com a sua, ou de homens que dormiram com ela. Vê-se isto, elas lhe retorcem a boca. Repare as sobrancelhas circunflexas que ele apresenta quando entra em casa, para ver quem está de visita. – A má vontade com que Bergotte falava a um estranho, sobre os amigos em cuja casa era recebido há tanto tempo, era tão nova para mim como o tom quase carinhoso com que, na casa dos Swann, ele assumia a todo instante com eles. Certamente, uma pessoa como a minha tia-avó, por exemplo, teria sido incapaz, com nenhum de nós, dessas gentilezas que ouvira Bergotte prodigalizar a Swann. Mesmo às pessoas a quem amava, ela gostava de dizer coisas desagradáveis. Mas, na ausência delas, não teria pronunciado uma só palavra que elas não pudessem ouvir. Nada era menos parecido com a alta sociedade do que a nossa de Combray. A dos Swann já era uma tendência para a alta-roda, para suas ondas versáteis. Ainda não era o mar alto, já era a laguna. – Tudo isto fica entre nós – disse-me Bergotte, ao me deixar diante de minha porta. Alguns anos depois, eu lhe teria respondido: "Nunca repito nada". É a frase ritual das pessoas da alta sociedade, pela qual o maldizente é falsamente assegurado. Ela é que eu já teria dirigido a Bergotte naquele dia, pois a gente não inventa tudo o que diz, sobretudo nos momentos em que age como pessoa social. Mas não a conhecia ainda. Por outro lado, a frase de minha tia-avó numa ocasião semelhante teria sido: "Se não quer que isto seja repetido, por que então está me dizendo?" É a resposta das pessoas insociáveis, das "cabeças-duras". Eu não o era. Inclinei-me em silêncio.

Os literatos que, para mim, eram personagens notáveis intrigavam durante anos antes de travar com Bergotte relações que permaneciam sempre obscuramente literárias e não saíam de seu gabinete de trabalho, ao passo que eu acabava de me instalar entre os amigos do grande escritor logo à primeira vista e tranqüilamente, como alguém que, em vez de fazer fila como todos para arranjar um mau lugar, ganha os melhores, tendo passado por um corredor fechado aos outros. Se Swann o abrira para mim daquele modo, era sem dúvida porque, feito um rei que acha natural convidar os amigos do filho para o camarote real, para o iate real, assim também os pais de Gilberte recebiam os amigos da filha no meio das coisas preciosas que possuíam e das intimidades, mais preciosas ainda, que ali estavam guardadas. Mas àquela época imaginei, e talvez com razão, que essa amabilidade de Swann era dirigida indiretamente a meus pais. Julgara ouvir outrora, em Combray, que ele se oferecera, vendo minha admiração por Bergotte, para me levar para jantar em sua casa, e que meus pais haviam recusado, alegando que eu era muito jovem e muito nervoso para "sair". Sem dúvida, meus pais representavam para certas pessoas, exatamente aquelas que me pareciam as mais maravilhosas, algo bem diverso que para mim mesmo, de modo que, como no tempo em que a dama cor-de-rosa dirigira a meu pai elogios de que ele se mostrara tão pouco digno, eu teria desejado que eles compreendessem que inestimável presente acabara de receber e testemunhassem o seu reconhecimento a esse Swann generoso e cortês que me havia, ou lhes havia, oferecido, sem parecer dar maior importância ao seu ato do que aquele delicioso rei mago do afresco de Luini, de nariz curvo e cabelos louros, e com quem, parece, lhe haviam achado grande semelhança antigamente.

Infelizmente, o favor que Swann me fizera e que, ao chegar em casa, antes mesmo de tirar o sobretudo, anunciei a meus pais na esperança de que lhes despertaria no coração um sentimento tão emocionado quanto o meu e os levasse a uma "cortesia" enorme e decisiva para com os Swann, tal favor não pareceu muito apreciado por eles. – Swann te apresentou a Bergotte? Belo conhecimento, encantadora relação! – exclamou ironicamente meu pai. – Não faltava mais nada! – Ai de mim, quando acrescentei que ele não gostava de modo algum do Sr. de Norpois: – Naturalmente! – Tornou ele. – Isto bem prova que se trata de um espírito falso e malévolo. Meu pobre filho, já não tinhas muito senso comum; estou triste por te ver cair num ambiente que vai acabar de te desequilibrar.

A simples freqüentação da casa dos Swann já estava longe de encantar meus pais. A apresentação a Bergotte lhes pareceu uma conseqüência nefasta, mas natural, de um primeiro erro, da fraqueza que haviam tido e que meu pai chamou de "falta de circunspecção". Senti que, para completar o mau humor dos pais, bastaria dizer-lhes que aquele homem perverso me achara extremamente inteligente. De fato, quando meu pai considerava que uma pessoa, um de meus companheiros, por exemplo, estava no mau caminho – como eu naquele momento – e tinha então a aprovação de alguém de quem meu pai não gostava, este via no fato a confirmação do seu diagnóstico irritado. O mal só lhe parecia ainda maior. Já ouvia o que ele exclamaria: "Necessariamente, *é tudo uma cambada*!", termo que me espantava pela imprecisão e a imensidade das reformas cuja iminente introdução em minha doce vida parecia anunciar. Mesmo que não dissesse o que Bergotte falara sobre mim, já nada poderia apagar a impressão ruim de meus pais; e que fosse um pouquinho pior, isto não me importava. Aliás, pareciam-me tão injustos, de tal maneira apegados ao erro, que não só não tinha esperança mas nem sequer o desejo de conduzi-los a uma visão mais eqüitativa. Entretanto, sentindo, no momento em que minhas palavras saíam da boca, como iriam meus pais se assustar em pensar que eu havia agradado a alguém que julgava idiotas os homens inteligentes, era objeto de desprezo da parte das pessoas honestas, e cujos louvores, parecendo-me invejáveis, me impeliriam ao mal – foi com voz baixa e com um ar meio envergonhado, que, ao terminar a narração, aduzi o arremate: – Ele disse aos Swann que me achara muitíssimo inteligente. – Como um cão envenenado que, no campo, se arremessa, sem o saber, precisamente sobre a erva que é o antídoto da toxina que absorveu, acabara eu de dizer a meus pais, sem ter noção de tal, a única palavra no mundo capaz de vencer, na opinião deles, o preconceito que alimentavam quanto a Bergotte, preconceito contra o qual todos os mais belos raciocínios que eu poderia ter feito, todos os louvores que fizesse, seriam em vão. No mesmo instante, a situação mudou de aspecto:

–Ah... ele disse que te achava inteligente? – exclamou minha mãe. – Isto me agrada, pois trata-se de um homem de talento.

– Como! Ele disse isso? – repetiu meu pai. – Não nego em nada o seu valor literário diante do qual todos se inclinam; apenas, é aborrecido que leve essa vida pouco honrosa da qual falou o velho Norpois com palavras encobertas – acrescentou, sem se aperceber de que, face à virtude soberana das palavras mágicas que eu acabara de pronunciar, já não podia lutar por muito tempo com a depravação dos costumes de Bergotte, nem a falsidade do seu julgamento.

– Oh, meu caro – interrompeu mamãe –, nada prova que isto seja verdade. Dizem tantas coisas. Além disso, o Sr. de Norpois é o que existe de mais gentil, mas nem sempre é muito benevolente, sobretudo para com as pessoas que não são de sua opinião.

– É verdade, eu também já havia reparado – respondeu meu pai.

– E, além disso, pode-se perdoar muito a Bergotte, visto que achou amável o meu filhinho – replicou mamãe, acariciando meus cabelos com os dedos e depondo em mim um longo olhar sonhador.

Aliás, minha mãe não havia esperado pelo veredito de Bergotte para dizer que eu podia convidar Gilberte para merendar quando recebesse meus amigos. Mas eu não ousava fazê-lo por dois motivos. Primeiro, porque na casa de Gilberte nunca serviam senão chá. Em minha casa, ao contrário, mamãe cuidava para que, junto com o chá, houvesse chocolate. Temia eu que Gilberte achasse aquilo vulgar e nos desprezasse. O outro motivo foi uma dificuldade de protocolo que jamais consegui revogar. Quando chegava à casa da Sra. Swann, ela me perguntava:

– Como vai a senhora sua mãe?

Sondara mamãe para saber se ela faria o mesmo à chegada de Gilberte, questão que me parecia mais grave que o título de "Monsenhor" na corte de Luís XIV. Porém mamãe não quis saber de nada.

– De jeito nenhum, pois não conheço a Sra. Swann.

– Mas ela também não te conhece.

– Não digo que não, mas nós não somos obrigados a proceder da mesma maneira em tudo. Quanto a mim, vou fazer outras gentilezas a Gilberte, gentilezas que a Sra. Swann não tem para contigo.

Mas não me convenci e preferi não convidar Gilberte.

Tendo deixado meus pais, fui trocar de roupa e, esvaziando os bolsos, encontrei de repente o envelope que o mordomo da casa dos Swann me entregara antes de me introduzir no salão. Agora, estava sozinho. Abri-o; dentro havia um cartão no qual indicavam-me a dama a quem deveria oferecer o braço para ir à mesa.

Foi por essa época que Bloch transtornou minha concepção do mundo, abrindo-me novas possibilidades de felicidade (que, de resto, deviam mudar-se mais tarde em possibilidades de sofrimento), ao me assegurar que, contrariamente ao que julgara no tempo de meus passeios para os lados de Méséglise, as mulheres não desejavam outra coisa senão fazer amor. Completou o serviço prestando-me um segundo que só mais tarde devia apreciar: foi ele quem me levou pela primeira vez a um bordel. Bem que me havia dito que ali havia muitas mulheres lindas que a gente podia possuir. Mas eu atribuía-lhes uma fisionomia vaga, que os bordéis me permitiriam substituir por rostos particulares. De modo que se devia a Bloch – por sua "boa nova" de que a felicidade e a posse da beleza não são coisas inacessíveis e que seria inútil renunciar a elas para sempre – um obséquio do mesmo tipo do que devemos a um médico ou a um filósofo otimista que nos fazem esperar pela longevidade neste mundo, e que não estaremos totalmente separados deste quando tivermos passado a um outro, os bordéis que freqüentei alguns anos depois – ao me fornecerem amostras de felicidade, e ao me permitirem acrescentar à beleza das mulheres o elemento que não podemos inventar, que não passa do resumo das belezas antigas, o presente verdadeiramente divino, o único que não poderíamos receber de nós mesmos, diante do qual expiram todas as criações lógicas de nossa inteligência e que só podemos pedir à realidade: um encanto individual – mereceram ser por mim classificados ao lado daqueles outros benfeitores de mais recente origem porém de utilidade análoga (antes dos quais imaginávamos sem calor a sedução de Mantegna, de Wagner, de Siena, através de outros pintores, outros músicos, outras cidades): as edições ilustradas de história da pintura, os concertos sinfônicos e os ensaios sobre as "Cidades de arte". Mas a casa aonde Bloch me levou e à qual não ia, aliás, há muito tempo, era de um nível bastante inferior, o pessoal era muito medíocre e bem pouco renovado para que eu pudesse satisfazer antigas curiosidades ou adquirir novas. A dona dessa casa não conhecia nenhuma das mulheres que lhe solicitavam e oferecia sempre uma que não lhe haviam pedido. Elogiou-me sobretudo uma, da qual, com um sorriso cheio de promessas (como se isso fosse uma raridade e um regalo), dizia: – É uma judia! Isto não lhe diz nada? – (Sem dúvida, era por isso que a chamava de Rachel.) E, com uma exaltação simplória e artificial, que esperava ser comunicativa e que acabava com um arquejo quase de gozo: – Pois pense, meu garoto, uma judia, parece-me que deve ser de enlouquecer! Ah! Essa Rachel, que examinei sem que me visse, era morena, nada bonita, mas tinha aspecto inteligente; e, não sem passar a língua pelos lábios, sorria com jeito bem impertinente para os fregueses que lhe apresentavam e que eu ouvia entabularem conversa com ela. Seu rosto comprido e magro era cercado de cabelos negros e crespos, irregulares como se traçados a nanquim numa aquarela. De cada vez eu prometia à patroa, que me propunha a moça com insistência particular, enaltecendo sua grande inteligência e instrução, que não deixaria de vir um dia expressamente para conhecer Rachel, a quem apelidei "Rachel-quando-do-Senhor". Mas, na primeira noite, ouvi-a no momento em que ia embora, dizendo à patroa:

– Então, fica entendido; amanhã estou livre e, se tiver alguém, não se esqueça de me mandar chamar.

E essas palavras impediram-me de ver nela uma pessoa, pois fizeram com que a classificasse logo numa categoria geral de mulheres cujo costume, comum a todas, era vir à noite para ver se não havia um ou dois luíses de ganho. Variava apenas a forma da frase, dizendo: "se tiver necessidade de mim" ou "se precisar de alguém".

A patroa, que não conhecia a ópera de Halévy, ignorava por que me acostumara a chamá-la de "Rachel-quando-do-Senhor". Mas não compreender não a impedia de achar engraçada a expressão e, todas as vezes, rindo às gargalhadas, ela dizia:

– Então, ainda não será esta noite que se juntará à "Rachel-quando-do-Senhor"? Como é que o senhor diz: "Rachel-quando-do-Senhor!" Ah, é muito bem achado. Vou fazê-lo noivo. Verá que não vai se lamentar.

Uma vez quase me decidi, mas ela estava "em apertos"; de outra vez, entre as mãos do "cabeleireiro", um velho senhor que só tratava as mulheres fazendo derramar óleo em seus cabelos soltos para penteá-los depois. E cansei-me de esperar, embora algumas freqüentadoras muito humildes, dizendo-se operárias mas sempre sem trabalho, viessem me fazer sala, mantendo comigo uma longa conversa à qual – apesar da seriedade dos assuntos abordados – a nudez parcial ou total de minhas interlocutoras dava uma saborosa simplicidade. Aliás, deixei de ir a esse bordel porque, desejoso de testemunhar meus bons sentimentos à dona da casa, a qual necessitava de móveis, dei-lhe alguns – notadamente um grande canapé – que herdara de minha tia Léonie. Não os via nunca, pois a falta de espaço impedira meus pais de acomodá-los em casa e eles achavam-se amontoados num depósito. Mas, desde que os encontrei na casa onde aquelas mulheres deles se serviam, todas as virtudes que se respiravam no quarto de minha tia em Combray, pareceram-me como que supliciadas pelo contato cruel a que os entregara sem defesa! Tivesse eu violado uma morta, não teria sofrido mais. Não voltei à casa da alcoviteira, pois eles pareciam-me viver e suplicar, como os objetos aparentemente inanimados de um conto persa, nos quais estão fechadas as almas que sofrem um martírio e imploram sua libertação. Além disso, como nossa memória em geral não nos apresenta as lembranças em ordem cronológica, e sim como um reflexo em que a ordem das partes está subvertida, só muito mais tarde é que me lembrei de que fora naquele mesmo canapé que, muitos anos antes, conhecera pela primeira vez os prazeres do amor com uma de minhas priminhas, com quem não sabia onde me meter e que me dera o conselho, bastante perigoso, de aproveitar uma hora em que a tia Léonie já se levantara.

Apesar da opinião contrária de meus pais, vendi uma outra parte inteira dos móveis, e principalmente uma antiga e magnífica baixela de prata da tia Léonie, a fim de poder dispor de mais dinheiro e enviar mais flores à Sra. Swann, que me dizia, ao receber imensos buquês de orquídeas: "Se eu fosse o senhor seu pai, abriria um inquérito judicial". Como podia adivinhar que um dia ainda haveria de lamentar muito particularmente aquela prataria e colocar certos prazeres bem acima deste, que se tornaria praticamente nulo, de fazer gentilezas aos pais de Gilberte? E fora mesmo por causa de Gilberte, e, para não deixá-la, que decidira não seguir carreira diplomática. É sempre devido a um estado de espírito, que não está destinado a durar muito, que tomamos resoluções definitivas. Mal imaginava que aquela substância estranha que se encontrava em Gilberte e se irradiava em seus pais, na casa, fazendo-me indiferente a todo o resto, que tal substância pudesse ser liberada, emigrar para outra criatura. Era, na verdade, a mesma substância, mas devendo ter sobre mim efeitos bem diversos. Pois a mesma doença evolui; e, do mesmo modo, um veneno delicioso já não é tolerado, quando, com o passar dos anos, a resistência do coração diminuiu.

Entretanto, meus pais teriam desejado que a inteligência que Bergotte reconhecera em mim se manifestasse por um trabalho notável. Quando não conhecia os Swann, acreditava que era impedido de trabalhar devido ao estado de agitação que provocava a impossibilidade de ver livremente Gilberte. Porém, quando sua casa me foi aberta, mal me sentava à escrivaninha e já me erguia e corria para a casa deles. E tão logo os deixava e voltava para casa, meu isolamento era só aparente, o pensamento já não podia remontar a corrente do fluxo das palavras pela qual me deixara levar maquinalmente durante horas. Sozinho, continuava a produzir as frases que poderiam ter agradado aos Swann e, para dar mais interesse ao jogo, ocupava o lugar dos comparsas ausentes, fazia a mim mesmo perguntas fictícias escolhidas de tal modo que meus brilhantes aspectos só lhes servissem de réplicas felizes. Silencioso, esse exercício era, no entanto, uma conversa e não uma meditação, e minha solidão uma vida mundana mental onde não era minha própria pessoa e sim alguns interlocutores imaginários que governavam minhas palavras e onde eu experimentava formar, em vez de pensamentos que julgava genuínos, os que me vinham sem esforço, sem regressão de fora para dentro, esse tipo de prazer todo passivo que alguém, empanzinado por má digestão, encontra em permanecer sossegado.

Se estivesse menos decidido a me pôr definitivamente a trabalhar, talvez tivesse feito um esforço para começar logo. Porém, visto que minha resolução era formal e que antes de 24 horas, nos limites vazios do dia seguinte, onde tudo se colocava tão bem porque ainda não me encontrava lá, minhas boas disposições se realizariam facilmente, valia mais não escolher uma noite em que estivesse indisposto para um começo a que os dias seguintes infelizmente não deviam se mostrar mais propícios. Mas eu era razoável. Da parte de quem esperara anos e anos, seria pueril não suportar um atraso de três dias. Certo de que dois dias depois já teria escrito algumas páginas, não dizia mais uma só palavra a meus pais acerca de minha decisão; preferia pacientar algumas horas e levar à minha avó, consolada e convencida, a obra em andamento. Infelizmente, o dia seguinte não foi aquela jornada exterior e ampla que havia febrilmente aguardado. Quando acabou, minha preguiça e a luta penosa contra certos obstáculos internos tinham simplesmente durado vinte e quatro horas a mais. E, ao cabo de alguns dias, não tendo realizado meus planos, já não tinha a mesma esperança de que o fossem de imediato; portanto, até me faltava coragem para subordinar tudo o mais a essa realização. Recomeçava a passar a noite em claro, já não tendo, para me obrigar a deitar cedo uma noite, a ilusão certa de ver a obra ser iniciada na manhã seguinte. Antes de retomar o meu impulso, necessitava de alguns dias de trégua, e a única vez em que minha avó ousou, num tom suave e desencantado, formular esta censura: "Muito bem, já não se fala mais nesse trabalho?" Aborreci-me com ela, persuadido de que, não tendo sabido ver que minha decisão estava irrevogavelmente tomada, ela talvez adiasse ainda, e por muito tempo, a execução do trabalho, por causa do nervosismo que sua negação de justiça me causava e sob cujo domínio eu não desejava começar minha obra. Ela sentiu que seu ceticismo acabava de ferir às cegas uma vontade. Desculpou-se, dizendo ao me beijar: – Perdão, não vou dizer mais nada. – E, para que não desanimasse, assegurou-me que, no dia em que me sentisse bem de saúde, o trabalho viria sozinho por acréscimo.

Além disso, dizia comigo, passando a minha vida na casa dos Swann eu não fazia o mesmo que Bergotte? A meus pais, quase parecia que, sempre sendo preguiçoso, eu levava a vida mais favorável ao meu talento, visto que me encontrava no mesmo salão de um grande escritor. Mas que alguém se dispense de formar esse talento internamente, por si próprio, e o receba de outra pessoa, é tão impossível quanto constituir uma boa saúde (apesar de não cumprir as regras da higiene e cometer os piores excessos) apenas jantando várias vezes seguidas na cidade na companhia de um médico. Aliás, a pessoa mais inteiramente enganada com a ilusão que dominava meus pais e a mim era a Sra. Swann. Quando lhe dizia que não podia ir, que era preciso que ficasse trabalhando, ela dava a impressão de achar que me fazia de rogado e que havia algo de bobo e pretensioso em minhas palavras:

– Mas Bergotte vem, certo? Será que você pensa que não está bem o que ele escreve? Está até melhor – acrescentou –, pois está mais agudo, mais concentrado no jornal do que no livro, onde se dissolve um pouco. Consegui que fizesse de agora em diante o *leader article* no *Figaro.* Será bem *the right man in the right place.*

E acrescentava:

– Venha, você dirá melhor que ninguém o que é necessário fazer.

E era como quem convidasse um voluntário juntamente com seu coronel, era no interesse da minha carreira e, como se as obras-primas se compusessem "por relações", é que ela me dizia que não faltasse no dia seguinte ao jantar em sua casa em companhia de Bergotte.

Assim, tanto da parte dos Swann como da parte de meus pais, isto é, da parte dos que, em momentos diversos, pareceram dever erguer obstáculos, não se fazia mais nenhuma oposição a essa doce vida em que podia ver Gilberte como quisesse, com enlevo, senão com calma. Porém calma é o que não pode haver no amor, visto que o que se obtém nunca passa de um novo ponto de partida para desejar mais. Enquanto não pudera ir à casa dela, os olhos fixos naquela ventura inacessível, não podia sequer imaginar novas causas de perturbação que ali me esperavam. Uma vez quebrada a resistência de seus pais, estando enfim resolvido o problema, este recomeçou a colocar-se, cada vez em termos diferentes. Neste sentido, a cada dia era de fato uma nova amizade que principiava. Todas as noites, voltando para casa, eu percebia que precisava dizer a Gilberte coisas capitais, das quais dependia nossa amizade, e essas coisas nunca eram as mesmas. Mas enfim sentia-me feliz, e já nenhuma ameaça se erguia contra minha felicidade. Viria uma, ai de mim, de um lado de onde jamais percebera qualquer perigo, do lado de Gilberte e de mim mesmo. No entanto, deveria estar atormentado pelo que, ao contrário, me dava segurança, pelo que julgava ser minha felicidade. Existe no amor um estado anormal, capaz de dar logo, ao acidente mais simples em aparência, e que pode sempre ocorrer, uma gravidade que, por si mesmo, tal acidente não comportaria. O que nos faz tão feliz é a presença, no coração, de alguma coisa instável que a gente procura constantemente manter em equilíbrio e que quase não percebemos enquanto não é deslocada. Na verdade, existe um sofrimento permanente no amor, que a alegria neutraliza, torna virtual, adia, mas que pode, a qualquer momento, transformar-se no que seria há muito tempo se a gente não tivesse obtido o que desejava: atroz.

Várias vezes senti que Gilberte desejava espaçar minhas visitas. É verdade que, quando queria muito vê-la, bastava-me fazer ser convidado por seus pais, que estavam cada vez mais convencidos de minha boa influência sobre ela. Graças a eles, pensava, meu amor não corre nenhum risco; no momento em que estão a meu favor, posso ficar tranqüilo já que eles têm toda a autoridade sobre Gilberte. Infelizmente, por certos sinais de impaciência que esta deixava escapar quando seu pai me mandava buscar de algum modo contra vontade dela, eu me indagava se o que havia considerado uma proteção para a minha felicidade não seria antes o motivo secreto pelo qual não poderia durar.

Da última vez que fui visitar Gilberte, estava chovendo. Ela fora convidada para uma aula de dança em casa de pessoas que mal conhecia e não podia me levar junto. Por causa da umidade, eu tomara mais cafeína que de costume. Talvez devido ao mau tempo, talvez por ter uma certa prevenção contra a casa onde aquela reunião matinal se realizaria, a Sra. Swann, no instante em que a filha ia sair, chamou-a com extrema vivacidade: – Gilberte! – e me apontou para indicar que eu viera para vê-la e que ela devia ficar comigo. O nome de "Gilberte" fora pronunciado, ou melhor, gritado, nas melhores intenções a meu respeito; mas, diante do erguer de ombros de Gilberte ao deixar suas coisas, compreendi que sua mãe, involuntariamente, havia acelerado a evolução, talvez até então possível de ser interrompida, que aos poucos separava de mim a minha amiga. – A gente não é obrigada a ir dançar todos os dias – disse Odette à filha, com uma sabedoria sem dúvida adquirida outrora com Swann. Depois, tornando a ser Odette, pôs-se a falar em inglês com a filha. E logo foi como se um muro me houvesse escondido uma parte da vida de Gilberte, como se um gênio malfazejo tivesse levado minha amiga para bem longe de mim. Em uma língua que conhecemos, substituímos a opacidade dos sons pela transparência das idéias. Mas um idioma desconhecido é um palácio trancado no qual aquela a quem amamos pode nos enganar, sem que, ficando de fora e desesperadamente crispados na nossa impotência, cheguemos a ver coisa alguma, sem poder impedir nada. Assim, aquela conversa em inglês, da qual teria apenas sorrido um mês antes e em meio à qual alguns nomes próprios franceses não deixavam de fazer crescer e orientar minhas inquietações, tinha, sustentada a dois passos de mim por duas pessoas imóveis, a mesma crueldade de um rapto, fazendo-me sentir abandonado e só. Por fim, a Sra. Swann nos deixou. Nesse dia, talvez por ódio contra mim, causa involuntária de não ter ido se divertir, talvez também porque, adivinhando que estava zangada, mostrei-me preventivamente mais frio que de hábito, o rosto de Gilberte, despido de qualquer alegria, nu, devastado, parecia, a tarde inteira, consagrar um lamento melancólico ao *pas de quatre* que minha presença a impedia de ir dançar e desafiar todas as criaturas, a começar por mim, a compreenderem as razões sutis que nela determinaram uma inclinação sentimental pelo bóston.[4] Limitou-se, em alguns instantes, a trocar comigo, acerca do tempo que fazia, o recrudescimento da chuva, o adiantamento do pêndulo, uma conversa pontuada de silêncios e monossílabos na qual eu próprio teimava, com uma espécie de raiva desesperada, em destruir os instantes que poderíamos ter dedicado à ventura e à amizade. E, a todas as nossas frases, uma espécie de suprema dureza era conferida pelo paroxismo de sua insignificância paradoxal, que entretanto me consolava, pois impedia Gilberte de se iludir com a banalidade de minhas reflexões e com a indiferença de meu tom. Era em vão que eu dizia: – Parece-me que no outro dia o pêndulo atrasava mais depressa –, pois ela traduzia evidentemente: "Como você é má!" Por mais que me obstinasse em prolongar, ao longo de todo aquele dia chuvoso, essas palavras sem aberturas, sabia que minha frieza não era algo tão definitivamente condensado como o fingia, e que Gilberte devia muito bem sentir que se, depois de já lhe ter dito três vezes, ousasse uma quarta vez repetir que os dias diminuíam, mal teria forças para evitar de me desmanchar em lágrimas. Quando ela estava assim, quando um sorriso não iluminava seus olhos e não lhe desanuviava o rosto, não se pode pintar que monotonia desoladora se imprimia em seus olhos tristes e nos traços pisados. A fisionomia, tornando-se quase feia, parecia então essas praias tediosas em que o mar, para bem longe afastado, nos cansa com um reflexo sempre igual que circunda um horizonte imutável e estreito. Por fim, não vendo ocorrer, da parte de Gilberte, a mudança feliz que esperava há muitas horas, disse-lhe que ela não era gentil: – Você é que não é gentil – retrucou ela –, claro que não! – Perguntei-me o que havia feito e, não descobrindo, indaguei dela mesma. – Naturalmente você se considera gentil! – respondeu, rindo longamente. Então percebi o que havia de doloroso para mim em não poder atingir aquele outro plano, mais inacessível, de seu pensamento, que seu riso descrevia. Riso que parecia significar: "Não, não, não me deixo prender a nada do que você me diz; sei que está louco por mim, mas isto não me dá calor nem frio, pois você pouco me importa." Mas eu dizia comigo que, afinal de contas, rir não é uma linguagem muito precisa para que pudesse me assegurar compreender bem aquilo. E as palavras de Gilberte eram afetuosas. – Mas em que não sou gentil? – perguntei – Diga-me,

[4] Bóston: valsa de origem americana. (N. do T.)

farei tudo o que você quiser. – Não, isto não adiantaria nada, não posso explicar. – Por um momento tive medo que ela achasse que não a amava, e aquilo foi para mim um outro sofrimento, não menos vivo, mas que exigia uma dialética diferente. – Se soubesse o desgosto que me dá, me diria. – Mas esse desgosto, que, se tivesse duvidado de meu amor, a alegraria, ao contrário irritou-a. Então, compreendendo meu erro, decidido a não mais levar em conta suas palavras, deixando-a dizer-me sem crer nela: – Eu o amava de verdade, você verá isso um dia – (esse dia em que os culpados afirmam que sua inocência será reconhecida e que, por motivos misteriosos, nunca é aquele em que são interrogados), tive a coragem de subitamente tomar a resolução de não mais vê-la, e sem anunciá-lo ainda, pois ela não me acreditaria.

Um desgosto causado por uma pessoa a quem amamos pode ser amargo, mesmo quando está metido no meio de preocupações, ocupações e alegrias que não têm essa pessoa por objeto, e das quais nossa atenção não se desvia a não ser de vez em quando para voltar a ele. Mas, quando semelhante desgosto nasce – como era o caso deste – num momento em que a felicidade de ver essa pessoa nos ocupa por inteiro, a brusca depressão que então se produz em nossa alma, até ali ensolarada, firme e tranqüila, determina em nós uma tempestade furiosa contra a qual não sabemos se seremos capazes de lutar até o fim. A tempestade que se desencadeava em meu coração era tão violenta que voltei para casa transtornado, mortificado, sentindo que só poderia recobrar fôlego arrepiando caminho, voltando sob qualquer pretexto para junto de Gilberte. Mas ela diria consigo: "Ele ainda! Decididamente, posso me permitir qualquer coisa, ele há de voltar todas as vezes, tanto mais dócil quanto mais infeliz sair daqui." Depois, era irresistivelmente arrastado para ela pelo pensamento, e essas orientações alternativas, o desvario da bússola interior, persistiram quando entrei em casa, traduzindo-se nos borrões das cartas contraditórias que escrevi a Gilberte.

Ia passar por uma dessas conjunturas difíceis, diante das quais a gente se encontra, geralmente, diversas vezes na vida e que, embora não tenhamos mudado de caráter ou de natureza – nossa natureza que cria, ela mesma, nossos amores e quase as mulheres que amamos, e até os seus erros –, não enfrentamos da mesma maneira a cada vez, ou seja, em todas as idades. Nesses momentos, nossa vida está dividida e como que distribuída numa balança em dois pratos opostos, onde é mantida por inteiro. Em um, existe o nosso desejo de não desagradar, de não parecer humilde demais aos olhos da criatura a quem amamos sem conseguir compreendê-la, mas que achamos mais próprio deixar um pouco de lado para que não cultive o sentimento de se julgar indispensável; no outro, há um sofrimento – não um sofrimento parcial e localizado – que, ao contrário, não poderia ser apaziguado senão se, renunciando a agradar a essa mulher e fazê-la crer que podemos passar sem ela, fôssemos ao seu encontro. Se retirarmos do prato onde está o orgulho uma pequena porção de vontade que tivemos a fraqueza de deixar gastar-se com a idade, e se acrescentarmos ao prato onde está o desgosto um sofrimento físico adquirido e que permitimos que se agravasse, logo, em vez da solução corajosa que teríamos vencido aos vinte anos, é a outra, muito pesada e sem bastante contrapeso, que nos dobra aos cinqüenta. Tanto mais que, mesmo repetindo-se, as situações mudam e há possibilidades de que, no meio ou no fim da vida, tenhamos para conosco a funesta complacência de complicar o amor com uma parte do hábito que a adolescência desconhece, retida demais por outros deveres e menos livre por si mesma.

Acabava de escrever a Gilberte uma carta em que bradava meu furor, não sem contudo lançar a lama de algumas palavras postas como que ao acaso e onde minha amiga poderia se firmar para obter uma reconciliação; um instante após, tendo mudado o vento, eram frases ternas que lhe dirigia, pela doçura de certas expressões desoladas, dos "nunca mais" tão emocionantes para os que os empregam, tão tediosos para aquela que os lerá, seja por julgá-los mentirosos e traduzir "nunca mais" por "esta noite mesmo, se você me permitir", seja por acreditá-los sinceros e que, então, lhe anunciam uma dessas separações definitivas exatamente iguais em nossa vida quando se trata de pessoas por quem não estamos apaixonados. Mas, visto que somos incapazes, enquanto amamos, de agir como dignos predecessores da próxima criatura que seremos e que não amará mais, como poderíamos inteiramente imaginar o estado de espírito de uma mulher a quem, mesmo sabendo que lhe somos indiferentes, temos emprestado perpetuamente em nossas fantasias, para nos embalar com belo sonho, ou consolar de um grande desgosto, as mesmas frases que diria se nos amasse? Diante dos pensamentos e das ações de uma mulher a quem amamos, ficamos tão desorientados como o poderiam estar, diante dos fenômenos da natureza, os primeiros físicos (antes que a ciência se constituísse e levasse um pouco de luz ao desconhecido). Ou, pior ainda, como uma criatura para cujo espírito o princípio de causalidade mal existia, uma criatura que não seria capaz de estabelecer um elo entre um fenômeno e outro e diante de quem o espetáculo do mundo seria incerto como um sonho. Certamente, eu me esforçava para sair dessa incoerência, por encontrar as causas. Procurava até ser "objetivo" e, para tanto, levar na devida conta a desproporção existente entre a importância que tinha Gilberte para mim e, não só a que eu tinha para ela, mas a que ela própria tinha para as outras criaturas além de mim, desproporção que, se a omitisse, me arriscaria a tomar uma simples amabilidade de minha amiga por um juramento apaixonado, e um passo grotesco e aviltante de minha parte pelo simples e gracioso movimento que nos dirige para uns belos olhos. Mas temia também cair no excesso oposto, onde veria na impontualidade de Gilberte a um encontro, no movimento de mau humor, uma hostilidade irremediável. Procurava buscar, entre estas duas óticas igualmente deformadoras, aquela que me daria a justa visão das coisas; os cálculos que para tanto precisava fazer me distraíam de minhas mágoas; e, ou por obediência à resposta dos números, ou porque os fiz dizerem o que desejava, decidi-me, no dia seguinte, a ir à casa dos Swann, feliz, mas da mesma forma daqueles que, tendo se atormentado durante muito tempo por causa de uma viagem que não desejavam realizar, não vão muito além da estação de trem e voltam para casa a fim de desfazerem as malas. E como, enquanto a gente hesita, a única idéia de uma resolução possível (a menos que tenhamos tornado inerte essa idéia, ao decidir não tomar qualquer resolução) desenvolve, como uma semente vivaz, os delineamentos, todo o detalhe das emoções que nasciam do ato executado – disse comigo que fora bastante absurdo, planejando nunca mais ver Gilberte, fazer tanto mal a mim mesmo como se houvesse realizado tal projeto e que, visto que, ao contrário, se era para acabar voltando à casa dela, bem poderia eu ter economizado tantas veleidades e aceitações dolorosas. Porém a retomada das relações de amizade só durou o tempo necessário para ir até os Swann; não porque o mordomo deles, que gostava muito de mim, me dissesse que Gilberte havia saído (de fato, soube, naquela mesma tarde, que aquilo era verdade, por intermédio de pessoas que a tinham encontrado), mas devido à maneira como me falou: – Senhor, a senhorita saiu, posso lhe afirmar que não estou mentindo. Se o senhor quer pedir informações, posso mandar buscar a criada de quarto. Senhor, veja bem que eu faria tudo o que estivesse a meu alcance para agradá-lo e que, se a senhorita estivesse presente, eu o levaria imediatamente para junto dela. – Tais palavras, da única forma que são importantes, ou seja, involuntárias, dando-nos pelo menos uma radiografia sumária da realidade insuspeita de um discurso estudado, provavam que, no ambiente que cercava Gilberte, tinha-se a impressão de que eu lhe era importuno; assim, mal o mordomo as pronunciou, elas desencadearam em mim um ódio a que preferi, em vez de Gilberte, dar como objeto o próprio mordomo; concentraram-se sobre ele todos os sentimentos de cólera que eu poderia ter em relação à minha amiga; desembaraçado deles graças a tais palavras, só meu amor subsistiu; mas essas palavras me mostraram, igualmente, que não devia por algum tempo procurar ver Gilberte. Certamente ela iria me escrever para se desculpar. Apesar disso, eu não voltaria imediatamente para vê-la, a fim de lhe provar que podia viver sem ela. Além disso, logo que tivesse recebido a carta de Gilberte, freqüentar minha amiga seria uma coisa da qual poderia facilmente me privar durante algum tempo, pois estaria certo de encontrar-me com ela quando quisesse. Para suportar com menos tristeza a ausência voluntária, precisava sentir meu coração desimpedido da terrível incerteza de saber se estávamos brigados para sempre, se ela estava noiva, viajando, ou se fora raptada. Os dias que se seguiram assemelharam-se aos daquela antiga semana do Ano-Novo que tive de passar sem Gilberte. Mas, acabada aquela semana, outrora, por um lado minha amiga voltaria aos Champs-Élysées, e eu voltaria a vê-la como antes, tinha certeza; e, por outro lado, sabia com não menor certeza que, enquanto durassem as férias de fim de ano, não valia a pena ir aos Champs-Élysées. De modo que, durante aquela triste semana já distante, suportara a tristeza com calma, pois ela não estava mesclada de temor nem de esperança. Ao contrário, agora, era este último sentimento que, quase tanto como o temor, fazia intolerável o meu sofrimento. Não tendo recebido carta de Gilberte naquela mesma noite, levei em conta sua negligência, suas ocupações, não duvidava de encontrar uma no correio da manhã. Esperei-o, todos os dias, com palpitações no coração a que sucedia um estado de abatimento quando descobria que na remessa havia apenas cartas de pessoas que não eram Gilberte, ou então nada, o que não era pior, pois as provas de amizade de uma outra me faziam ainda mais cruel as de sua indiferença. Punha-me a esperar o correio da tarde. Nem entre as horas das coletas das cartas eu me animava a sair, pois ela poderia ter mandado entregar em mão a sua. Depois, acabava por chegar o momento em que nem o carteiro nem o lacaio dos Swann já poderiam vir, era preciso deixar para o dia seguinte a esperança de ser tranqüilizado, e desse modo, por julgar que meu sofrimento não duraria muito, era obrigado, por assim dizer, a renová-la sem cessar. O desgosto talvez fosse o mesmo, mas, em vez de apenas prolongar uniformemente, como outrora, uma emoção inicial, recomeçava diversas vezes por dia, principiando por uma emoção tão freqüentemente renovada que terminava – estado tão puramente físico, tão momentâneo – por se estabilizar, de modo que as perturbações provocadas pela espera mal tinham tempo de se acalmar antes que sobreviesse outro motivo para esperar, e não havia mais um só minuto no dia em que eu não estivesse nessa angústia que, no entanto, era tão difícil de suportar durante uma hora. Assim, meu sofrimento era infinitamente mais cruel que no tempo daquele antigo 1º de janeiro, pois desta vez existia em mim, em lugar da aceitação pura e simples do sofrimento, a esperança, a cada instante, de vê-lo cessar. Contudo, acabei por chegar a esta aceitação; compreendi então que devia ser definitiva e renunciei a Gilberte para sempre, no próprio interesse do meu amor, e por desejar, antes de tudo, que ela não guardasse de mim uma lembrança desdenhosa. A partir desse momento, e para que ela não pudesse formar a idéia de um despeito amoroso de minha parte, mesmo quando, a seguir, ela me marcava encontros, eu os aceitava muitas vezes e, no último instante, escrevia-lhe dizendo que não podia ir, mas afirmando que me sentia desolado, como o teria feito com qualquer outro a quem não desejasse ver. Essas expressões de lástima, que reservamos em geral para as pessoas que nos são indiferentes, pareciam-me convencer melhor a Gilberte de minha indiferença do que o faria o tom de indiferença que se emprega unicamente para quem se ama. Quando, melhor que com palavras, por ações indefinidamente repetidas, eu lhe houvesse dado provas de que não sentia gosto em vê-la, talvez ela o voltasse a sentir por mim. Infelizmente, seria em vão: procurar, não vendo-a mais, renovar nela o gosto de me ver, era perdê-la para sempre; primeiro porque, quando ele principiasse a renascer, se eu quisesse que durassem, era preciso não lhe ceder tudo de imediato; além disso, as horas mais cruéis já teriam passado; nesse momento é que ela me era indispensável e eu gostaria de poder adverti-la que em breve ela só acalmaria, ao me rever, uma dor de tal modo diminuída que já não mais seria, como ainda teria sido naquele próprio momento, e para lhe pôr fim, um motivo de capitulação, de reconciliação e encontro. E mais tarde, quando enfim poderia me confessar sem perigo a Gilberte, de tal forma seu gosto por mim se teria fortalecido, o meu por ela, este não podendo resistir a uma tão longa ausência, já não existiria; Gilberte teria se tornado indiferente para mim. Eu o sabia, mas não podia lhe dizer; ela teria julgado que, se eu alegasse que deixaria de amá-la ficando muito tempo sem vê-la, era com o único objetivo de que ela me dissesse para voltar logo para junto dela. Enquanto esperava, o que me tornava mais fácil condenar-me a essa separação era que (para que ela ficasse bem ciente de que, apesar de minhas afirmações em contrário, era a minha vontade e não um impedimento, não o meu estado de saúde, o que me privava de vê-la) todas as vezes em que sabia, por antecipação, que Gilberte não estaria na casa dos pais, devia sair com uma amiga e não voltaria para jantar, ia ver a Sra. Swann (que se tornara para mim o que era no tempo em que eu via tão dificilmente sua filha, quando, nos dias em que esta não ia aos Champs-Élysées, eu passeava na avenida das Acácias). Desse modo ouviria falar de Gilberte e estava certo de que ela ia logo ouvir falar de mim, e de um modo que lhe mostraria que eu não ligava para ela. E achava, como todos os que sofrem, que minha triste situação poderia ser pior. Pois tendo entrada livre na casa em que Gilberte morava, dizia a mim mesmo que, embora decidido a não me utilizar dessa faculdade, se minha dor fosse um dia demasiado forte, poderia fazê-la cessar. Só me sentia infeliz com o passar dos dias. E é dizer muito, ainda. Quantas vezes por hora (mas agora sem a espera ansiosa das primeiras semanas após a nossa briga, antes de estar de volta à casa dos Swann) eu não recitava para mim mesmo a carta que Gilberte me mandaria um dia, e quem sabe me entregaria com suas próprias mãos! A visão constante dessa felicidade imaginária me ajudava a suportar a destruição da ventura real. Quanto às mulheres que não nos amam, como no caso dos "desaparecidos", saber que não há mais nada a esperar não nos impede de continuar a esperar. A gente vive à espreita, à escuta; mães cujos filhos partiram por mar para uma exploração perigosa imaginam, a todo instante, e mesmo depois de terem, há muito tempo, certeza de que morreram, que eles vão entrar em casa, miraculosamente salvos e bem de saúde. E essa espera, conforme o poder da lembrança e da resistência dos órgãos, ou lhes permite atravessar os anos até suportarem a idéia de que os filhos não mais existem, esquecer pouco a pouco e sobreviver, ou então as faz morrer. Por outro lado, meu desgosto era um tanto consolado pela idéia de que aproveitava ao meu amor. Toda visita que fazia à Sra. Swann sem ver Gilberte era-me cruel, mas eu sentia que melhorava muito a idéia que Gilberte formava a meu respeito.

Além disso, se eu procurava sempre estar certo da ausência de Gilberte, antes de ir à casa da Sra. Swann, isto se devia tanto à minha resolução de manter nosso rompimento, quanto à esperança de reconciliação que se superpunha à minha vontade de renunciar (bem poucas são absolutas, ao menos de modo contínuo, nesta alma humana, na qual uma das leis, fortificada pelos afluxos inesperados de lembranças diferentes, é a da intermitência) e disfarçava o que ela possuía de mais cruel. Tal esperança, eu bem sabia o que tinha de quimérico. Eu era como um pobre que mistura menos lágrimas a seu pão seco se diz a si mesmo que dali a pouco um estranho vai lhe deixar toda sua fortuna. Para tornar a realidade suportável, somos todos obrigados a alimentar algumas pequenas loucuras dentro de nós. Ora, minha esperança permanecia mais intacta – e ao mesmo tempo que a separação se realizava melhor – se não encontrava Gilberte. Se eu me encontrasse cara a cara com ela na casa da mãe, talvez trocássemos palavras irreparáveis que fizessem definitiva a nossa briga, matassem minha esperança e, por outro lado, criando uma nova ansiedade, despertassem meu amor e tornassem mais difícil a minha resignação.

Há muito tempo, e bem antes de minha briga com sua filha, a Sra. Swann me dissera: "Faz muito bem em vir ver Gilberte, mas também gostaria que às vezes viesse *por mim*, não ao meu Choufleury, onde você se aborreceria porque há muita gente, mas nos outros dias em que há de me encontrar sempre um pouco mais tarde". Assim, ao visitá-la, parecia apenas obedecer, muito tempo depois, a um desejo antigo expresso por ela. E bem tarde, já noite fechada, quase no momento em que meus pais se punham à mesa, eu ia fazer uma visita à Sra. Swann, visita durante a qual sabia que não veria Gilberte e em que, no entanto, só pensaria nela. Naquele bairro, então tido como afastado, de uma Paris mais sombria que a de hoje, e onde, mesmo no centro, não havia eletricidade na via pública e bem pouca nas casas, as lâmpadas de um salão situado no andar térreo ou num sótão bem baixo (como era o dos apartamentos onde a Sra. Swann normalmente recebia) bastavam para iluminar a rua e para fazer erguer os olhos dos transeuntes, que ligavam a sua claridade, como a sua causa aparente e velada, à presença diante da porta de alguns cupês bem atrelados. O transeunte acreditava, e não sem uma certa emoção, numa modificação ocorrida nessa causa misteriosa, quando via um desses cupês pôr-se em movimento; mas era apenas um cocheiro que, temendo que os animais ficassem com frio, fazia-os dar algumas voltas de vez em quando, voltas tanto mais impressionantes que as rodas forradas de borracha davam ao passo dos cavalos um fundo de silêncio sobre o qual ele se destacava mais distinto e explícito.

O "jardim de inverno" que naquele tempo o transeunte em geral observava, qualquer que fosse a rua, se o apartamento não estivesse em nível muito acima da calçada, só se via nas heliogravuras dos livros de P.-J. Stahl dados como brinde, nos quais, em contraste com os raros ornamentos florais dos salões Luís XVI de hoje – uma rosa ou um íris do Japão num jarro de cristal de gargalo comprido que não podia conter uma só flor a mais –, parece, devido à profusão das plantas caseiras que então havia – e da falta absoluta de estilização em seu arranjo, ter correspondido, para as donas de casa, mais a uma viva e deliciosa paixão pela botânica do que a uma fria preocupação com uma decoração sombria. Fazia pensar, em ponto maior, nos palacetes de então, nessas pequeninas estufas portáteis, colocadas na manhã de 1º de janeiro sob a lâmpada acesa – não tendo as crianças paciência para esperar que amanheça –, no meio de outros presentes do dia de Ano-Novo, e que, embora fosse dada, não às crianças e sim à Srta. Lili, heroína do livro, encantava-as a tal ponto que, sendo agora quase velhos, perguntavam-se se naqueles anos afortunados o inverno não teria sido a mais bela das estações. Afinal, no fundo desse jardim de inverno, através das arborescências de espécies variadas que faziam a janela iluminada parecer, vista da rua, a vidraça dessas estufas para crianças, desenhadas ou reais, o transeunte, pondo-se na ponta dos pés, em geral percebia um homem de sobrecasaca, com uma gardênia ou um cravo na botoeira, de pé diante de uma mulher sentada, ambos indefinidos como dois entalhes num topázio, ao fundo da atmosfera do salão, ambarizada pelo samovar – importação recente, à época – de vapores que dele se escapam talvez ainda hoje, mas em que, devido ao hábito, ninguém mais reparava. A Sra. Swann valorizava muito esse "chá"; julgava mostrar originalidade e irradiar encanto ao dizer a um homem: – O senhor me encontrará todos os dias um pouco tarde, venha tomar chá –, de modo que acompanhava com um sorriso fino e doce essas palavras, pronunciadas com um ligeiro acento inglês, e de que o seu interlocutor tomava nota, cumprimentando com ar grave, como se fossem algo importante e singular que impusesse a deferência e exigisse atenção. Havia um outro motivo além dos já mencionados e para o qual as flores só tinham um caráter de ornamento no salão da Sra. Swann; esse motivo não dizia respeito à época e sim, em parte, à vida que Odette levara antigamente. Uma grande cocote, como ela o fora, vive muito para seus amantes, ou seja, em casa, o que pode levá-la a viver para si mesma. As coisas que se vêem na casa de uma mulher honesta e que certamente podem também lhe parecer importantes, são as que, em todo caso, têm o maior valor para o cocote. O ponto culminante do seu dia é, não aquele em que se veste para a sociedade, mas aquele em que se despe para um homem. É necessário que seja tão elegante de chambre, de camisola, como em roupa de sair. Outras mulheres mostram suas jóias; porém, ela vive na intimidade de suas pérolas. Esse tipo de vida impõe a obrigação – e acaba por dar o gosto – de um luxo secreto, isto é, bem próximo de ser desinteressado. A Sra. Swann o estendia às flores. Perto de sua poltrona havia sempre uma imensa taça de cristal, totalmente cheia de violetas de Parma ou de margaridas desfolhadas na água e que parecia testemunhar aos olhos do recém-chegado alguma ocupação predileta e interrompida, como o teria sido a taça de chá que a Sra. Swann bebera a sós, para seu próprio prazer; uma ocupação até mais íntima e misteriosa, de tal modo que tinha-se vontade de pedir desculpas ao ver as flores ali expostas, como o faríamos ao olhar o título de um livro ainda aberto que tivesse revelado a recente leitura e, portanto, talvez o pensamento atual de Odette. E mais que o livro, as flores viviam; ficava-se constrangido, ao entrar para fazer uma visita à Sra. Swann, ao perceber que ela não estava sozinha ou, se se voltasse para casa com ela, por não encontrar o salão vazio, de tal forma essas flores aí ocupavam um lugar enigmático e referindo-se às horas da vida da dona da casa que não eram conhecidas, tais flores, que não tinham sido preparadas para as visitas de Odette mas ali estavam como que esquecidas por ela, tinham tido e ainda teriam com ela conversas particulares que a gente receava perturbar e cujo segredo em vão tentaria ler, fixando com os olhos a cor desbotada, líquida, malva e dissolvida das violetas de Parma. Desde fins de outubro, Odette voltava para casa o mais regularmente que podia para tomar chá, que naqueles tempos ainda era denominado *five o'clock tea,* tendo ouvido dizer (e gostando de repetir) que, se a Sra. Verdurin organizara um salão, era porque todos estavam sempre seguros de encontrá-la em casa à mesma hora. Imaginava Odette ter um, do mesmo gênero, porém mais livre, *senza rigore,* conforme gostava de dizer. Via-se, assim, como uma espécie de Lespinasse e julgava ter fundado um salão rival ao roubar ao pequeno grupo da Du Deffand seus mais agradáveis homens, especialmente Swann, que a seguira em sua separação e retirada, segundo uma versão que se compreende tenha conseguido fazer ser aceita pelos novos amigos, ignorantes do seu passado, mas não por ela própria. Mas certos papéis prediletos são desempenhados por nós tantas vezes perante a sociedade, e repassados outro tanto dentro de nós, que nos referimos mais facilmente ao seu depoimento fictício que ao de uma realidade quase inteiramente esquecida. Nos dias em que a Sra. Swann absolutamente não saía, podia ser encontrada vestindo um chambre de crepe da China, branco feito a primeira nevada, e às vezes também um desses longos encanudados de musselina de seda semelhantes a uma juncada de pétalas rosas ou alvas, e que hoje seriam considerados, sem motivo, pouco apropriados para o inverno. Pois tais fazendas leves e essas cores suaves davam à mulher – no grande calor dos salões, então fechados com reposteiros e sobre os quais o que os romancistas mundanos da época encontravam de mais elegante para dizer é que eram "delicadamente acolchoados" – o mesmo ar friorento das rosas que ali podiam ficar a seu lado, apesar do inverno, no encarnado de sua nudez, como na primavera. Por causa do abafamento dos sons pelos tapetes e pelo isolamento da dona da casa em recantos do salão, esta não era avisada da nossa entrada como hoje, e continuava a ler enquanto a gente já estava quase diante dela, o que vinha aumentar ainda essa impressão de romanesco, o encanto de uma espécie de segredo surpreendido, que hoje encontramos na lembrança daquelas roupas já então fora de moda, que a Sra. Swann era talvez a única a não ter ainda abandonado, e que nos dão a idéia de que a mulher que as usava devia ser uma heroína de romance, porque, em sua maioria, nós as vimos apenas em certos romances de Henry Gréville. Odette agora tinha em seu salão, no começo do inverno, enormes crisântemos de uma variedade de cores como Swann não vira outrora em sua casa. Minha admiração por eles – quando fazia à Sra. Swann uma daquelas tristes visitas em que, devido ao meu desgosto, reencontrava toda a sua misteriosa poesia de mãe dessa Gilberte a quem ela diria no dia seguinte: "Teu amigo me fez uma visita" provinha sem dúvida de que, cor-de-rosa pálido como a seda Luís XV de suas poltronas, de uma alvura de neve como seu chambre de crepe da China, ou de um rubro metálico feito o seu samovar, eles superpunham uma decoração suplementar à do salão, decoração de um colorido também rico e requintado, porém viva, e que só haveria de durar alguns dias. Mas eu me sentia tocado pelo que esses crisântemos possuíam menos de efêmero que de relativamente duradouro em relação a esses tons, tão róseos ou tão acobreados, que o sol posto exalta de modo tão suntuoso na névoa dos fins de tarde de novembro e que, depois de os ter visto extinguindo-se no céu, antes de entrar na casa da Sra. Swann, encontrava prolongados, transpostos na palheta inflamada das flores. Como fogos arrancados por um grande colorista à instabilidade da atmosfera e do sol, a fim de que fossem ornar uma residência humana, eles me convidavam, esses crisântemos, e apesar de toda minha tristeza, a desfrutar avidamente durante aquela hora do chá os prazeres tão curtos de novembro, cujo esplendor íntimo e misterioso faziam flamejar perto de mim. Infelizmente, não era nas conversas que ouvia que eu podia alcançá-los; pareciam-se bem pouco a eles. Mesmo na companhia da Sra. Cottard e apesar do adiantado da hora, a Sra. Swann se tornava carinhosa para dizer: – Mas não, não é tarde, não olhe para o pêndulo, não está na hora, está parado; que tem de tão urgente para fazer? – e oferecia uma tortazinha recheada à esposa do professor, que segurava o seu porta-cartões.

– Não se pode mais ir embora desta casa – dizia a Sra. Bontemps à Sra. Swann, ao passo que a Sra. Cottard, na surpresa de ouvir expressar sua própria opinião, exclamava: – É o que me digo sempre no meu juízo, no meu foro íntimo! – sendo aprovada pelos senhores do Jockey que se haviam confundido em saudações, e como que cumulados de tanta honra, quando a Sra. Swann os apresentara a essa burguesinha pouco amável, que, diante dos brilhantes amigos de Odette, mantinha-se na reserva, senão no que ela denominava "defensiva", pois sempre usava uma linguagem nobre para as coisas mais simples. – Quem diria? Faz três quartas-feiras que a senhora me rói a corda – dizia a Sra. Swann à Sra. Cottard. – É verdade, Odette, faz *séculos, eternidades* que não a vejo. Bem vê que me confesso culpada, mas devo dizer-lhe – acrescentava com ar recatado e vago, pois, embora mulher de médico, não ousaria falar, sem perífrases, do reumatismo ou das cólicas dos rins – que tenho tido pequenos *problemas.* Cada um tem os seus. E depois, tive uma crise em minha domesticidade masculina. Sem ter maior noção da minha autoridade que qualquer outra, tive, para dar um exemplo, de mandar embora o meu Vatel, que aliás creio que procurava um posto mais lucrativo. Mas sua partida arrastou a demissão de todo o ministério. Minha criada de quarto também não queria ficar, houve cenas homéricas. Apesar de tudo, mantive a direção do leme com firmeza; trata-se de uma verdadeira lição de coisas que não foi em vão para mim. Aborreço-a com essas histórias de criados, mas você sabe tão bem como eu que balbúrdia é ser a gente obrigada a proceder a remanejamento em nosso pessoal. E não veremos a sua deliciosa filha? – perguntava. – Não – respondia a Sra. Swann –, minha deliciosa filha está jantando na casa de uma amiga. – E acrescentava, voltando-se para mim: – Acho que ela lhe escreveu para que viesse vê-la amanhã. E seus *babies*? – Indagava à esposa do professor. Eu respirava fundo. Essas palavras da Sra. Swann, provando que poderia ver Gilberte quando quisesse, faziam-me exatamente o bem que ali fora procurar, e que me tornavam tão necessárias as visitas à Sra. Swann àquela época. – Não, vou lhe escrever um bilhete esta noite. Aliás, Gilberte e eu não podemos nos ver mais – acrescentava, dando a impressão de atribuir nossa separação a uma causa misteriosa, o que me dava ainda uma ilusão de amor, alimentada assim pela maneira carinhosa com que falava de Gilberte e com a qual ela falava de mim. – Você sabe que ela o ama infinitamente – dizia-me a Sra. Swann. – Não quer mesmo vir amanhã? – De súbito uma alegria me empolgava: acabava de dizer a mim mesmo: “Mas, depois de tudo, por que não, visto que é sua própria mãe que me faz a proposta?” Porém, logo recaí na minha tristeza. Temia que, ao me ver, Gilberte pensasse que minha indiferença dos últimos tempos fora simulada, e eu preferia prolongar a separação. Durante esses apartes, a Sra. Bontemps se queixava do aborrecimento que lhe causavam as mulheres dos políticos, pois ela afetava achar todo mundo maçante e ridículo, e de estar desolada com a posição do marido: – Então a senhora pode receber sem mais nem menos cinqüenta mulheres de médicos de enfiada – dizia ela à Sra. Cottard, a qual, ao contrário, era cheia de benevolência para todos e respeitava todas as obrigações. – Ah, a senhora é virtuosa. Quanto a mim, no Ministério, naturalmente sou obrigada, não é? Muito bem! É mais forte que eu, a senhora sabe, essas mulheres de funcionários, não posso deixar de lhes mostrar a língua. E minha sobrinha Albertine é como eu. Nem imagina como é atrevida essa menina. Na semana passada, tinha eu no meu dia a mulher do subsecretário de Estado das Finanças, que dizia não entender nada de cozinha. – Mas, minha senhora – respondeu minha sobrinha com seu sorriso mais gracioso –, deveria no entanto saber de que se trata, visto que seu pai era ajudante de cozinheiro. – Oh, gosto muito dessa história, acho-a bem deliciosa – dizia a Sra. Swann. – Mas, pelo menos para os dias de consulta do doutor, você deveria ter o seu pequeno *home*, com suas flores, seus livros, as coisas de que gosta – aconselhava ela à Sra. Cottard. – É como lhe digo: Pimba! Na cara, pimba! Ela não anda com meias medidas. E aquela pequena mascarada não me prevenira de coisa alguma; é astuta feito um macaco. A senhora tem a felicidade de saber conter-se; invejo as pessoas que sabem disfarçar seu pensamento. – Mas não tenho necessidade disso, senhora: não sou tão difícil – respondia com doçura a Sra. Cottard. – Primeiro, não tenho os mesmos direitos que a senhora – acrescentava com um tom de voz um pouco mais forte que assumia, a fim de as sublinhar, cada vez que insinuava na conversa algumas dessas amabilidades delicadas, desses engenhosos elogios que causavam admiração e ajudavam a carreira do marido. – E, além disso, faço com prazer tudo o que pode ser útil à carreira do professor.

– Mas é para quem pode. Provavelmente a senhora não é nervosa. Eu, quando vejo a senhora do ministro da Guerra fazer caretas, imediatamente me ponho a imitá-la. É terrível ter um temperamento assim.

– Ah, sim – disse a Sra. Cottard –, ouvi dizer que ela tem tiques; meu marido também conhece alguém altamente colocado e, naturalmente, quando esses senhores conversam entre si...

– Mas olhe, senhora; há ainda o chefe do Protocolo, que é corcunda. É inevitável! Mal está cinco minutos na minha casa e já vou tocar na sua corcunda. Meu marido diz que vou fazer com que o demitam. Ora bolas, abaixo o Ministério! Sim, abaixo o Ministério! Gostaria de botar isso como divisa em meu papel de cartas. Tenho certeza de que a estou escandalizando, porque é uma boa pessoa. Quanto a mim, confesso que nada me diverte tanto como as pequenas maldades. Sem isso, a vida seria bem monótona.

E continuava a falar o tempo todo do ministério como se se tratasse do Olimpo. Para mudar de conversa, a Sra. Swann virava-se para a Sra. Cottard:

– Mas você me parece bem bonita. *Redfern fecit*?

– Não, você sabe que sou adepta fervorosa do Raudnitz. Aliás, é uma reforma.

– Muito bem! É de um chique!

– Quanto acha que foi? Não, mude o primeiro algarismo.

– Como? Mas foi por nada, foi dado. Disseram-me três vezes mais.

– Eis como se escreve a História – concluía a esposa do doutor. E mostrando à Sra. Swann uma manta com que esta a presenteara:

– Olhe, Odette. Não está reconhecendo?

Na abertura de uma cortina, mostrava-se uma cabeça com cerimoniosa deferência, fingindo por gracejo estar com medo de incomodar: era Swann. – Odette, o príncipe de Agrigento, que está comigo no gabinete, pergunta se pode vir lhe prestar suas homenagens. Que devo lhe responder? – Ficaria encantada – dizia Odette com satisfação, sem abandonar a calma, o que lhe era tanto mais fácil visto que sempre, mesmo quando era cocote, recebera homens elegantes. Swann saiu para transmitir a autorização ao príncipe e, em sua companhia, voltava para junto da mulher, a menos que, no intervalo, entrasse a Sra. Verdurin. Quando se casara com

Odette, pedira-lhe que não mais freqüentasse o pequeno clã (tinha para tanto muitos motivos e, ainda que os não tivesse, teria procedido da mesma maneira, por obediência a uma lei de ingratidão que não suporta exceções e que faz ressaltar a negligência ou o desinteresse de todos os intermediários). Somente permitira que Odette trocasse com a Sra. Verdurin duas visitas por ano, o que ainda parecia excessivo a certos fiéis, indignados com a injúria feita à Patroa, que durante tantos anos havia tratado Odette, e mesmo Swann, como os filhos queridos da casa. Pois se continha falsos confrades que largavam certas noites para atender a um convite de Odette, sem dizer uma palavra, prontos, caso fossem descobertos, para se desculpar com a curiosidade de encontrar Bergotte (embora a Patroa afirmasse que ele não freqüentava os Swann, era destituído de talento e, apesar disso, procurasse, de acordo com uma expressão que lhe era cara, atraí-lo), o pequeno clã possuía também seus "radicais". E estes, ignorando conveniências particulares que muitas vezes desviam as pessoas das atitudes extremadas que gostariam de vê-las assumir para aborrecer a alguém, teriam desejado, sem consegui-lo, que a Sra. Verdurin interrompesse todas as relações com Odette, tirando-lhe, assim, a satisfação de dizer rindo: – Vamos tão raramente à casa da Patroa desde o Cisma. Ainda era possível quando meu marido era solteiro, mas, para um casal, nem sempre é fácil... Para falar a verdade, o Sr. Swann não suporta a mãe Verdurin e não gostaria muito que eu a freqüentasse habitualmente. E eu, esposa fiel... – Swann acompanhava a mulher aos saraus dos Verdurin, mas evitava estar presente quando a Sra. Verdurin vinha visitar Odette. Assim, se a Patroa estivesse no salão, o príncipe de Agrigento entrava sozinho. Aliás, era também sozinho que era apresentado por Odette, que preferia que a Sra. Verdurin não ouvisse nomes obscuros e, vendo mais de um rosto desconhecido dela, pudesse julgar-se num meio de notabilidades aristocráticas, cálculo que dava tão bom resultado que, à noite, a Sra. Verdurin dizia com mágoa ao marido: – Ambiente encantador! Estava presente toda a fina flor da Reação! – Odette, em comparação com a Sra. Verdurin, vivia numa ilusão inversa. Não que aquele salão tivesse recém começado o que o veremos tornar-se um dia. A Sra. Verdurin nem sequer estava no período de incubação, quando são suspensas as grandes festas em que os raros elementos brilhantes, recentemente recrutados, se afogariam na turba excessiva, e quando é preferível que o poder gerador dos dez justos que se conseguiu atrair tenha produzido setenta vezes dez. Como Odette não demoraria em fazê-lo, a Sra. Verdurin se propunha a "alta Sociedade" como objetivo; porém, suas regiões de ataque eram ainda tão limitadas e aliás tão afastadas daquelas por onde Odette apresentava alguma chance de alcançar um resultado idêntico, a furar, que esta vivia na mais completa ignorância dos planos estratégicos elaborados pela Patroa. E era com a melhor boa-fé do mundo que, quando falavam a Odette da Sra. Verdurin como sendo uma esnobe, ela se punha a rir e dizia: – Pelo contrário. Primeiro, ela não possui todos os elementos para isso, não conhece ninguém. Depois, é necessário fazer-lhe justiça que é assim mesmo que lhe agrada. Não, ela gosta mesmo é das suas quartas-feiras, dos que têm conversa agradável. – E, em segredo, invejava a Sra. Verdurin (embora não desesperasse de ter ela própria, em tão grande escola, acabado por assimilá-las) essas artes às quais a Patroa dava tanta importância, de modo que apenas matizassem o inexistente, esculpissem o vácuo, e sejam, propriamente falando, as Artes do Nada: a arte (para uma dona-de-casa) de saber "reunir", "agrupar", "pôr em evidência", de se "apagar", de servir de "traço-de-união".

Em todo o caso, as amigas da Sra. Swann ficavam impressionadas por verem em sua casa uma mulher que normalmente só era imaginada em seu próprio salão, cercada de um quadro inseparável de convidados, de todo um grupinho que assombrava-se ver assim evocado, resumido, apertado em um único sofá, sob as aparências da Patroa, transformada em visitante no abafamento de seu casacão forrado de plumas, tão penugento como os agasalhos de peles que revestiam o salão, em meio ao qual a própria Sra. Verdurin era um salão. As mulheres mais tímidas queriam retirar-se por discrição e, empregando o plural como quando se deseja fazer compreender aos outros que é mais sensato não cansar demais um doente que se levanta pela primeira vez, diziam: – Odette, já vamos te deixar. – Invejavam a Sra. Cottard, que a Patroa chamava pelo prenome. – Será que posso te levar? – perguntava-lhe a Sra. Verdurin, que não podia suportar a idéia de que uma fiel ficaria ali em vez de segui-la. – Mas a senhora é bastante amável para me levar – respondia a Sra. Cottard, não desejando parecer que esquecia, em favor de uma pessoa mais célebre, ter aceito a oferta da Sra. Bontemps de levá-la no seu carro enfeitado de plumas.

– Confesso que sou especialmente reconhecida às amigas que desejam levar-me com elas em seus carros. É na verdade uma pechincha, já que não tenho cocheiro. – Tanto mais – respondia a Patroa (sem ousar dizer mais, pois conhecia um pouco a Sra. Bontemps e acabava de convidá-la para as reuniões das quartas-feiras) – que na casa da Sra. de Crécy você não está perto de sua casa. Oh, meu Deus! Nunca hei de chegar a dizer Sra. Swann. – Era um gracejo no pequeno clã, das pessoas que não eram dotadas de muito espírito, darem a impressão de não poderem se acostumar a dizer Sra. Swann: – Já me habituei tanto a dizer Sra. de Crécy, que ainda costumo enganar-me. – Somente a Sra. Verdurin, quando falava com Odette, não caía em erro e se enganava de propósito. – Não tem medo, Odette, de morar neste bairro perdido? Creio que só ficaria meio sossegada ao voltar para casa à noite. Além disso, é tão úmido. Não deve ser nada bom para o eczema do seu marido. Ao menos não têm ratos? – Claro que não! Que horror! – Tanto melhor, tinham-me falado nisso. Estou muito contente em saber que não é verdade, pois tenho um medo horrível deles, e não voltaria mais aqui se tivessem. Até logo, minha querida, até breve, sabe como estou feliz por vê-la. Você não sabe arrumar os crisântemos – dizia ela ao sair, enquanto a Sra. Swann se erguia para levá-la à porta. – São flores japonesas; convém dispô-las como o fazem os japoneses. – Não sou da opinião da Sra. Verdurin, ainda que em todas as coisas ela seja para mim a Lei e os Profetas. Não há ninguém como você, Odette, para encontrar crisântemos tão belos, ou antes tão belas, visto que parece ser assim que se diz hoje[5] – declarava a Sra. Cottard, quando a Patroa fechara a porta. – A cara Sra. Verdurin nem sempre é benevolente para com as flores alheias – respondia suavemente a Sra. Swann. – A quem está cultivando, Odette? – perguntava a Sra. Cottard, para não deixar que se prolongassem as críticas à Patroa...

– Lemaître? Confesso que na frente da casa Lemaître havia outro dia um grande arbusto cor-de-rosa que me fez cometer uma loucura. – Mas, por pudor, recusou-se a dar informações mais precisas sobre o preço do arbusto e disse apenas que o professor, "que no entanto não era de mau gênio", fizera um escândalo e lhe dissera que ela não conhecia o valor do dinheiro. – Não, não, tenho florista melhor que Debac. – Eu também – dizia a Sra. Cottard –, mas confesso que faço-lhe infidelidades com Lachaume. – Ah, você o engana com Lachaume; vou contar para ele – replicava a Sra. Swann, que se esforçava por mostrar espírito e conduzir a conversação em sua casa, onde se sentia mais à vontade que no pequeno clã. – Afinal, Lachaume faz-se na verdade muito caro; seus preços são excessivos, você sabe; chego a considerá-los inconvenientes! – acrescentava rindo.

Entretanto, a Sra. Bontemps, que dissera cem vezes que não desejava ir à casa dos Verdurin, encantada por ser convidada para as quartas, pusera-se a calcular como poderia fazer para lá se encontrar o maior número de vezes possível. Ignorava que a Sra. Verdurin desejava que não lhe faltassem a uma só; por outro lado, era dessas pessoas pouco solicitadas que, quando são convidadas para "séries" por uma dona-de-casa, não aparecem, ao contrário dos que sabem causar prazer sempre quando têm um momento livre e vontade de sair; elas, não; privam-se de assistir, por exemplo, ao primeiro e ao terceiro saraus, pensando que sua ausência será notada, reservando-se para o segundo e o quarto; a menos que suas informações lhes afirmem que o terceiro será especialmente brilhante, elas não seguem outra ordem, alegando que "infelizmente da última vez não se achavam disponíveis". Assim, a Sra. Bontemps computava quantas quartas-feiras ainda podia haver antes da Páscoa e de que maneira podia fazer para ir a mais uma quarta, sem no entanto parecer estar impondo sua presença. Contava com a Sra. Cottard, com quem sairia junto, para obter algumas indicações. – Oh, Sra. Bontemps! Vejo que já está indo. Não fica bem dar o sinal de retirada. Deve-me uma compensação, por não ter vindo na quinta passada... Vamos, volte a sentar-se por um momento. Mesmo

[5] No tempo de Proust, costumava-se dizer crisântemo (*chrysanthème*) no feminino. (N. do T.)

assim, não vai fazer outra visita antes do jantar. De fato não se deixa tentar? – acrescentava a Sra. Swann, estendendo-lhe um prato com doces: – Sabe que não são nada más, essas coisinhas? O aspecto não ajuda, mas prove, que vai ver... – Pelo contrário, isto parece delicioso – respondia a Sra. Cottard. – Em sua casa, Odette, nunca faltam iguarias. Não preciso lhe perguntar a marca da fábrica, sei que você manda vir tudo do Rebattet. Devo dizer que sou mais eclética. Para os sequilhos, para as guloseimas em geral, muitas vezes vou ao Bourbonneaux. Mas reconheço que eles não sabem o que é um sorvete. Para tudo quanto é sorvete, ou refresco, Rebattet é o grande artista. Como diria meu marido, é o *nec plus ultra*. – Mas isto é simplesmente feito aqui. Não quer mesmo? – Não poderia jantar – respondia a Sra. Bontemps – mas sento-me de novo por alguns instantes; sabe, adoro conversar com uma mulher inteligente como você. Você vai me julgar indiscreta, Odette, mas gostaria de saber como julga o chapéu da Sra. Trombert. Sei muito bem que é moda usar chapéus grandes. Ainda assim, não está um pouco exagerado? E, em comparação com o chapéu com que ela foi outro dia à minha casa, esse que ela usava há pouco era microscópico. – Mas não, eu não sou inteligente – dizia Odette, pensando que isso ficava bem. – No fundo, sou uma palerma que acredita em tudo que lhe dizem, que se incomoda por nada. – E insinuava que, no começo, muito sofrera por ter casado com um homem como Swann, que levava uma vida toda sua e a traía. Entretanto, o príncipe de Agrigento, tendo ouvido as palavras "não sou inteligente", achou-se no dever de protestar, mas não sabia aproveitar a ocasião própria. – Ora, ora – gritava a Sra. Bontemps. – Então você não é inteligente?! – De fato, eu estava dizendo para mim mesmo: Que ouço! – dizia o príncipe, apanhando a deixa. – Com certeza meus ouvidos me enganaram. – Mas não, asseguro-lhe – dizia Odette –; no fundo sou uma pequeno-burguesa que se escandaliza facilmente, cheia de preconceitos, vivendo no seu buraco, e sobretudo muito ignorante. – E para pedir notícias do barão Charlus: – Tem visto o nosso caro baronete? – dizia ela. – Você, ignorante? – exclamava a Sra. Bontemps. – Muito bem. Que diria então do mundo oficial, todas essas mulheres de excelências, que só sabem falar de futilidades! Veja, senhora, não faz uma semana falei no *Lohengrin* para a ministra de Instrução Pública. Ela responde: "*Lohengrin?* Ah, sim, a última revista do Folies-Bergère, dizem que é hilariante." Muito bem, senhora, que quer? quando a gente ouve coisas desse tipo, chega a ferver o sangue. Tive desejos de esbofeteá-la. Pois sou lá meio geniosa, você sabe. Veja, senhor – disse, voltando-se para mim –, não tenho razão? – Escute – dizia a Sra. Cottard –, é desculpável responder um pouco atravessado quando se é interrogada assim à queima-roupa, sem aviso. Sei disso, pois a Sra. Verdurin também tem o hábito de nos pôr entre a faca e a parede. – A propósito da Sra. Verdurin – perguntava a Sra. Bontemps à Sra. Cottard –, sabe o que haverá na quarta-feira na casa dela?... Ah, lembro-me agora que aceitamos um convite para a quarta seguinte. Não quer jantar conosco na quarta, às oito horas? Iríamos juntas para a casa da Sra. Verdurin. Fico intimidada de entrar sozinha, não sei por que esse mulherão sempre me dá medo. – Vou lhe dizer – respondia a Sra. Cottard. – O que a assusta na Sra. Verdurin é o seu tom de voz. Que quer? Nem todos têm uma voz tão bonita como a da Sra. Swann. Mas é só começar a conversar, como diz a Patroa, e logo o gelo se quebra. Pois no fundo ela é bastante acolhedora. Mas eu compreendo muito bem a sua sensação; nunca é agradável encontrar-se pela primeira vez em região perdida. – Você também poderia jantar conosco – dizia a Sra. Bontemps a Swann. – Depois do jantar, iremos todos para a casa dos Verdurin, *fazer Verdurin*; e mesmo que isso tenha como resultado fazer a Patroa me olhar com maus olhos e não me convidar mais, uma vez em sua casa ficaremos as três a conversar entre nós, pois sinto que isto é o que mais me agradaria. – Mas esta afirmação não devia ser muito verídica, pois a Sra. Bontemps perguntava: Quem acha que estará lá na quarta-feira, às oito? Que vai acontecer? Pelo menos, não haverá muita gente, não é? – Certamente não irei – dizia Odette. – Só vamos aparecer rapidamente na última quarta-feira. Se não se importa de esperar até lá... – Mas a Sra. Bontemps não parecia seduzida por essa proposta de adiamento.

Conquanto os méritos espirituais de um salão, e sua elegância, estejam geralmente antes em relações inversas do que diretas, é preciso crer, visto que Swann achava agradável a Sra. Bontemps, que toda degradação aceita tem como conseqüência tornar as pessoas menos difíceis quanto àquelas com quem se resignam a conviver, menos difíceis quanto ao seu espírito como em relação a tudo mais. E, se isto é verdade, os homens devem, como os povos, ver sua cultura, e até a sua língua, desaparecer com a sua independência. Um dos efeitos dessa indulgência é o de agravar a tendência que, a partir de uma certa idade, as pessoas têm de acharem agradáveis as palavras que homenageiam nosso próprio modo de pensar, nossas inclinações, e representem um estímulo para nos entregarmos a elas; é a idade em que um grande artista prefere, à companhia dos gênios originais, a dos alunos que só têm em comum consigo a letra de sua doutrina e pela qual ele é ouvido e incensado, em que um homem ou uma mulher notáveis, que vivem para um amor, consideram como mais inteligente, em uma reunião, uma pessoa, talvez de nível inferior, mas que, numa frase, terá revelado que sabe compreender e aprovar o que é uma existência voltada à galanteria, e, assim, terá lisonjeado agradavelmente a tendência voluptuosa do amante ou da amante; era também a idade em que Swann, na qualidade de marido de Odette, se comprazia em ouvir a Sra. Bontemps dizer que era ridículo só receber duquesas (daí concluindo, ao contrário do que teria feito outrora na casa dos Verdurin, que se tratava de uma boa mulher, bastante espirituosa e nada esnobe) e a contar-lhe histórias que a faziam "se torcer de riso", pois não as conhecia e de que ela, aliás, "pegava" logo o espírito, gostava de agradar e divertir-se. – Então o doutor não é doido por flores como você? – perguntava a Sra. Swann à Sra. Cottard. – Ora, você sabe que meu marido é um sábio; é moderado em todas as coisas. No entanto, sim, tem uma paixão. – Com os olhos brilhantes de malícia, de alegria e de curiosidade, a Sra. Bontemps indagava: – Qual, madame? Com simplicidade, a Sra. Cottard respondia: – A leitura. – Oh, é uma paixão repousante para um marido! – exclamava a Sra. Bontemps, sufocando um riso satânico. – Quando o doutor está lendo um livro, já sabe! – Muito bem, madame, isso não deve espantá-la demais... – Claro que sim! Por causa da vista. Vou estar com ele outra vez, Odette, e voltarei a bater à sua porta na próxima semana. Por falar em vista, já lhe disseram que a residência que a Sra. Verdurin acaba de comprar será iluminada com eletricidade? Não o soube pela minha pequena polícia particular, e sim de outra fonte: foi o próprio eletricista, Mildé, quem me disse. Estão vendo que cito meus informantes. Até os quartos terão lâmpadas elétricas com um abajur para matizar a luz. Evidentemente, é um luxo encantador. Aliás, as mulheres de hoje querem absolutamente o que há de mais novo, como se já não houvesse bastante novidade neste mundo. A cunhada de uma de minhas amigas tem telefone instalado em casa! Pode fazer uma encomenda a um fornecedor sem sair do seu apartamento! Confesso que fiz as mais baixas maquinações para conseguir falar um dia nesse aparelho. Aquilo me seduz muito, mas antes na casa de uma amiga do que na minha. Creio que não gostaria de ter telefone em casa. Passado o primeiro momento de diversão, deve ser uma verdadeira chatice. Muito bem, Odette, já estou indo; não retenha mais a Sra. Bontemps, porque ela vai comigo. Tenho mesmo que ir; você me faz passar cada uma! Vou chegar em casa depois do meu marido!

E eu também precisava voltar para casa, antes de haver desfrutado aqueles prazeres de inverno, dos quais os crisântemos me pareceram ser o brilhante invólucro. Tais prazeres não tinham vindo e, no entanto, a Sra. Swann não parecia esperar ainda alguma coisa. Deixava os criados levarem o chá como se tivesse anunciado: "Vai fechar!" E acabava de me dizer: "Então, vai embora mesmo? Muito bem, *good-bye!*" Sentia eu que poderia ter permanecido sem encontrar esses prazeres ignorados e que não era só minha tristeza que me privava deles. Não estariam, portanto, situados naquele caminho batido das horas que levam sempre tão depressa ao instante da partida, e sim em algum caminho transversal que desconhecia, e por onde seria necessário bifurcar? Pelo menos, atingira o objetivo de minha visita: Gilberte saberia que estivera na casa de seus pais em sua ausência e, como não deixava de repetir a Sra. Cottard, "conquistara logo de assalto a Sra. Verdurin", a quem, acrescentava a esposa do doutor, ela nunca vira "fazer tantas amabilidades". – Parece – dissera ela – que vocês dois têm átomos enganchados. – Assim Gilberte saberia que falara dela como devia fazê-lo, com ternura, mas que já não sentia aquela incapacidade de viver sem que nos víssemos, que eu julgara ser a fonte de aborrecimento que ela sentira por mim nos últimos tempos. Dissera à Sra. Swann que não mais podia me encontrar com Gilberte. Dissera-o como se tivesse decidido para todo o sempre não mais vê-la. E a carta que iria enviar a Gilberte seria concebida dentro do mesmo espírito. Apenas, para criar coragem, propunha a mim mesmo só um supremo e breve esforço de alguns dias. Dizia comigo: "É o último encontro dela que vou recusar; aceitarei o próximo." Para que a separação fosse menos difícil de se realizar, imaginava-a como não definitiva. Mas bem sabia que iria sê-lo.

O dia 1° de janeiro me foi especialmente doloroso naquele ano. Sem dúvida, quando somos infelizes, todos os dias de festa de aniversário o são. Mas, se o dia nos recorda apenas, por exemplo, a perda de um ente querido, o sofrimento só consiste numa comparação mais viva com o passado. No meu caso, acrescentava-se a esperança não formulada de que Gilberte, tendo querido me deixar a iniciativa dos primeiros passos e, vendo que eu não os dera, houvesse esperado o pretexto do dia de Ano-Novo para me escrever: "Enfim, o que há? Sou louca por ti; vem para que nos expliquemos com toda a franqueza; não posso viver sem ver-te." Desde os últimos dias do ano, essa carta me pareceu provável. Talvez não o fosse, mas, para acreditar nessas coisas, basta o desejo e a necessidade que temos de que sejam possíveis. O soldado está persuadido de que existe à sua frente um espaço de tempo infinitamente adiável antes de ser morto; o ladrão, antes de ser preso; os homens em geral, antes que a morte os leve. É este o amuleto que preserva os indivíduos – e às vezes os povos – não do perigo, e sim do medo do perigo, na verdade da crença no perigo, o que em certos casos permite que o desafiem, sem que sejam obrigatoriamente corajosos. Uma confiança desse gênero, tão pouco fundada, é a que sustenta o apaixonado que conta com uma reconciliação, com uma carta. Para que eu deixasse de esperar a de Gilberte, bastaria que deixasse de desejá-la. Embora saiba que somos indiferentes em relação à mulher que ainda amamos, atribuímos-lhe uma série de pensamentos – mesmo que sejam de indiferença –, uma intenção de manifestá-los, uma complicação de vida interior onde somos talvez o objeto de uma antipatia, mas também de uma atenção, permanentes. Ao contrário, para imaginar o que se passava no espírito de Gilberte, seria preciso que eu simplesmente antecipasse, naquele dia de Ano-Novo, o que iria sentir num dos anos vindouros, e no qual a atenção ou o silêncio, ou o carinho ou a frieza de Gilberte tivessem passado quase despercebidos a meus olhos, e onde não tivesse sonhado, e nem sequer pudesse sonhar, em buscar a solução dos problemas que teriam deixado de se colocar para mim. Quando a gente ama, o amor é grande demais para caber inteirinho em nós; irradia-se para a pessoa amada, encontra nela uma superfície que o faz parar, força-o a voltar ao ponto de partida e é esse choque de volta do nosso próprio carinho a que chamamos os sentimentos do outro e que nos encanta mais do que na ida, pois já não reconhecemos que procede de nós. O dia 1º de janeiro fez soar todas as suas horas sem que chegasse carta de Gilberte. E, como recebi outras congratulações tardias, ou atrasadas pelo acúmulo de serviço no correio nessas datas, ainda esperava nos dias 3 e 4 de janeiro, entretanto cada vez menos. Chorei muito nos dias seguintes. Claro, isto porque, ao renunciar a Gilberte, fora menos sincero do que julgava, conservara a esperança de receber uma carta dela no Ano-Novo. E, vendo-o terminado antes que tivesse tomado a precaução de me servir de outra ilusão, sofria como um enfermo que esvaziou sua ampola de morfina sem ter uma outra à mão. Porém, talvez em mim – essas duas explicações não se excluem, pois um só sentimento é feito às vezes de coisas contrárias – a esperança de enfim receber uma carta aproximara de mim a imagem de Gilberte, recriara as emoções que me haviam causado antigamente a espera de me encontrar junto dela, de sua vista, sua maneira de estar comigo. A possibilidade imediata de uma reconciliação suprimira essa coisa de cuja enormidade não nos damos conta: a resignação. Os neurastênicos não podem crer nas pessoas que lhes asseguram que aos poucos se acalmarão permanecendo na cama sem receber cartas, sem ler jornais. Imaginam que tal regime só contribuirá para exasperar seu nervosismo. Da mesma forma os enamorados, como o consideram do fundo de um estado oposto, não tendo ainda começado a experimentá-lo, não podem acreditar na força benfazeja da renúncia.

Por causa da violência das batidas do meu coração, diminuíram minha dose de cafeína, e elas cessaram. Então, perguntei-me se não era um pouco devido a ela que me sentira angustiado quando quase briguei com Gilberte, e que atribuíra, cada vez que se renovava a angústia, ao sofrimento de não mais ver a minha amiga ou de arriscar-me a vê-la apenas dominada pelo mesmo mau humor. Mas, se esse medicamento estivera na origem dos sofrimentos que minha imaginação, à época, interpretara falsamente (o que não seria nada extraordinário, pois as penas morais mais cruéis têm muitas vezes como causa, no caso dos amantes, o hábito físico da mulher com quem vivem), era à maneira do filtro que, muito tempo depois de ter sido absorvido, continua a unir Tristão a Isolda. Pois a melhora física que a diminuição da cafeína me trouxe quase imediatamente não estancou a evolução da mágoa que a absorção do tóxico tinha tornado mais aguda, se é que não havia criado.

Unicamente, quando estava em meados de janeiro, já perdidas as esperanças de uma carta de Ano-Novo e acalmada a dor suplementar que acompanhara a decepção, foi o meu desgosto de antes das "Festas" que recomeçou. E o mais cruel de tudo, talvez, é que eu mesmo era o artesão consciente, voluntário, paciente e impiedoso desse desgosto. A única coisa que me interessava, minhas relações com Gilberte, era eu mesmo quem cuidava em tomá-las impossíveis, criando pouco a pouco, pela prolongada separação de minha amiga, não a sua indiferença, mas a minha, o que afinal vinha a dar no mesmo. Encarniçava-me continuamente, com a clarividência não só do que fazia no presente, mas do que daí resultaria para o futuro, num longo e cruel suicídio do eu que dentro de mim amara Gilberte; sabia não só que dentro de algum tempo não amaria mais Gilberte, mas também que ela própria o lamentaria, e que as tentativas que então faria para me ver seriam tão inúteis como as de hoje, não mais porque a amasse demasiado, e sim porque certamente amaria a uma outra mulher e passaria as horas a desejá-la, a esperá-la, sem ousar desviar uma parcela desse tempo para Gilberte, que não seria mais nada para mim. E, sem dúvida, naquele momento mesmo em que já perdera Gilberte (visto que estava resolvido a não mais vê-la, a menos que houvesse um pedido formal de explicações ou uma completa declaração de amor de sua parte, coisas que certamente não tinham nenhuma chance de ocorrer) e em que a amava mais (sentia tudo o que ela significava para mim melhor do que no ano anterior quando, passando todas as tardes com ela, sempre que desejasse, achava que nada iria ameaçar nossa amizade), sem dúvida naquele momento, a idéia de que um dia haveria de experimentar os mesmos sentimentos por uma outra era-me odiosa, pois tal idéia me roubava, além de Gilberte, meu amor e meu sofrimento; amor e sofrimento em que, chorando, eu tentava justamente descobrir o que era Gilberte, sem outro remédio senão reconhecer que esse amor e esse sofrimento não lhe pertenciam especialmente, sendo, mais cedo ou mais tarde, o quinhão desta ou daquela mulher. De modo que – pelo menos era essa a minha maneira de pensar – a gente sempre está separado das outras criaturas: quando amamos, sentimos que esse amor não conserva o nome do ser amado; poderá renascer no futuro, teria podido nascer, mesmo no passado, por uma outra pessoa e não por esta; e, durante o tempo em que não amamos, se aceitamos filosoficamente o que o amor tem de contraditório, é que esse amor de que se fala com tanta tranqüilidade, não o sentimos então, portanto é algo desconhecido, pois o conhecimento nessa matéria é intermitente e não sobrevive à presença efetiva do sentimento. Esse futuro, em que eu não mais amaria Gilberte e que meu sofrimento me ajudava a adivinhar sem que a imaginação pudesse ainda figurá-lo com clareza, certamente ainda estava em tempo de avisar Gilberte de que ele haveria de formar-se aos poucos, de que sua vinda era, senão iminente, pelo menos infalível, a menos que a própria Gilberte viesse em meu auxílio e destruísse no embrião a minha futura indiferença. Quantas vezes não estive a ponto de escrever, ou de ir dizer a Gilberte: "Cuidado. Tomei uma resolução; o passo que dou é um passo decisivo. Vou vê-la pela última vez. Em breve não a amarei mais." Mas para quê? Com que direito teria censurado a Gilberte uma indiferença que, sem me crer culpado por isso, manifestava a todos menos a ela? Pela última vez! A mim aquilo parecia uma coisa imensa, pois eu amava Gilberte. A ela, sem dúvida, causaria tanta impressão como as cartas em que os amigos pedem para nos fazer uma visita antes de se expatriarem, visita que, como às mulheres tediosas que nos amam, nós recusamos receber, pois temos outros prazeres à espera. Elástico é o tempo de que dispomos todos os dias; as paixões que sentimos o dilatam, as que inspiramos o encolhem e o hábito o preenche.

Além disso, seria inútil falar a Gilberte, não me compreenderia. Ao falar, pensamos sempre que são nossos ouvidos, nosso espírito, que escutam. Minhas palavras só chegariam desviadas a Gilberte, como se obrigadas a atravessar a cortina móvel de uma catarata antes de atingir a minha amiga, irreconhecíveis, produzindo um som ridículo, não tendo mais qualquer tipo de sentido. A verdade que pomos nas palavras não trilha diretamente o seu caminho, não é dotada de uma evidência irresistível. É necessário que decorra muito tempo para que uma verdade da mesma espécie possa formar-se nelas. Então o adversário político que, apesar de todas as provas e arrazoados, considerava traidor o sectário da doutrina oposta, compartilha ele mesmo a convicção detestada quando já não interessa àquele que antes buscava inutilmente difundi-la. Então, a obra-prima que, para os admiradores que a liam em voz alta, parecia mostrar por si mesma as provas de sua excelência e só oferecia aos que a escutavam uma imagem insana e medíocre, será por estes proclamada obra-prima, tarde demais para que o autor o possa saber. Da mesma forma, no amor as barreiras que, malgrado tanto esforço, não puderem ser rompidas de fora por aquele a quem elas desesperam; e é quando ele já não se preocupa com elas que, de repente, essas barreiras, atacadas outrora sem êxito, caem sem utilidade, devido ao trabalho vindo de outro lado, cumprido no íntimo daquela mulher a quem já não ama. Se anunciasse a Gilberte a minha futura indiferença e a forma de preveni-la, ela teria inferido desse gesto que meu amor e a necessidade de estar com ela seriam ainda maiores do que julgara, e o seu tédio em me ver teria aumentado. E, de resto, é bem certo que era esse amor que me ajudava, pelos estados de espírito disparatados que fazia sucederem dentro de mim, a prever melhor que ela o fim desse mesmo amor. Entretanto, tal advertência, talvez a tivesse endereçado a Gilberte, em carta ou de viva voz, quando já houvesse passado bastante tempo, tornando-a para mim, na verdade, menos indispensável, mas também podendo lhe provar que já podia passar sem ela. Infelizmente, certas pessoas, bem ou mal-intencionadas, falaram-lhe de mim de um modo que lhe deve ter dado idéia de que o faziam a pedido meu. Todas as vezes que tinha certeza de que o Dr. Cottard, minha própria mãe e até o Sr. de Norpois tinham, com palavras desastradas, tornado inútil todo o sacrifício que eu acabara de fazer, estragado todo o resultado de minha reserva, pois assim davam falsamente a entender que já abandonara minha atitude de discrição, sentia-me duplamente aborrecido. Primeiro, já não podia datar senão desse dia a minha penosa e frutífera abstenção que os importunos tinham interrompido à minha revelia e, portanto, anulado. E mais, teria tido menos prazer em ver Gilberte, que agora já não acreditava que eu estivesse dignamente resignado, e sim manobrando na sombra com vistas a um encontro que ela desdenhara marcar. Maldizia essa tagarelice inútil de pessoas que muitas vezes, sem sequer terem a intenção de prejudicar ou de prestar um serviço, por nada, só por falar, às vezes porque não pudemos nos calar diante delas e porque são indiscretas (como nós), nos causam tantos danos num certo momento. É verdade que, no cumprimento do trabalho funesto de destruição do nosso amor, tais criaturas longe estão de desempenhar um papel igual ao de duas pessoas que têm por hábito desfazer tudo no momento em que as coisas iam se arrumar, uma pelo excesso de bondade e a outra por muita maldade. Porém não queremos mal a essas duas tanto quanto aos Cottards inoportunos, pois a última é a pessoa a quem amamos e a primeira somos nós mesmos.

Entretanto, como quase todas as vezes em que ia vê-la a Sra. Swann me convidava para merendar com sua filha e me dizia que respondesse diretamente a Gilberte, eu escrevia a esta muitas vezes, e nessa correspondência não escolhia as frases que, segundo me parece, poderiam convencê-la, procurando apenas abrir o leito mais suave para o correr das minhas lágrimas. Pois o lamento, como o desejo, não busca analisar-se e sim satisfazer-se; quando a gente começa a amar, passa o tempo todo não querendo saber o que é o nosso amor, mas preparando as possibilidades dos encontros do dia seguinte. Quando a ele renunciamos, procuramos, sim, não distinguir bem a nossa mágoa, mas expressá-la da maneira mais carinhosa possível àquela que a provocou. Dizemos as coisas que precisamos dizer e que o outro não compreenderá; falamos só para nós mesmos. Eu escrevia: "Achei que não seria possível. Infelizmente, vejo que não é tão difícil." Dizia também: "Provavelmente, não voltarei a vê-la." Dizia isto, continuando a evitar uma frieza que ela poderia ter julgado afetada, e essas palavras faziam-me chorar ao escrevê-las, pois sentia que exprimiam, não aquilo em que desejava acreditar, mas o que iria de fato acontecer. Pois, da próxima vez que me convidasse para um encontro, ainda teria, como agora, a coragem de não ceder e, de recusa em recusa, chegaria aos poucos ao instante em que, de tanto não a ter visto, não desejaria mais vê-la. Chorava, mas criava coragem, e conhecia a doçura de sacrificar a felicidade de estar junto dela à possibilidade de um dia lhe parecer agradável, dia infelizmente em que lhe ser agradável me seria de todo indiferente. A própria hipótese, no entanto tão pouco verossímil, de que me amava, como ela o dera a entender durante a última visita que lhe fizera, tornava menos cruel minha resolução, embora, naquele momento, a tivesse tomado como tédio para com a pessoa que nos aborrece, pois que não passava de suscetibilidade ciumenta, de uma fingida indiferença parecida com a minha. Julgava, então, que dentro de alguns anos, depois que tivéssemos nos esquecido um do outro, quando poderia retrospectivamente lhe dizer que aquela carta, que neste momento estava a ponto de lhe escrever, não fora sincera de modo algum, ela responderia: "Como? Então você me amava? Se soubesse como aguardava essa carta, na esperança de um encontro, como ela me fez chorar!" E logo que voltava da casa de sua mãe e enquanto escrevia a Gilberte, apenas a idéia de que talvez estivesse consumando exatamente aquele mal-entendido, tal idéia, por sua própria tristeza, pelo prazer de pensar que era amado por Gilberte, me compelia a continuar a escrever a carta.

Se, no momento de deixar a Sra. Swann, quando o "chá" terminava, ia pensando no que escreveria à sua filha, a Sra. Cottard, no entanto, pensava em coisas muito diversas. Fazendo sua "inspeçãozinha", não deixava de elogiar a Sra. Swann pelos móveis novos, as recentes "aquisições que via no salão". Aliás, podia reencontrar ali, embora poucos, alguns dos objetos que Odette possuíra antigamente em seu apartamento da rua La Pérouse, especialmente seus fetiches, seus animais feitos de matéria preciosa.

Mas tendo a Sra. Swann conhecido, por um amigo a quem venerava, o termo *tocard* – que lhe abriu novos horizontes porque designava precisamente as coisas que alguns anos antes consideraria "chiques" – todas essas coisas foram aos poucos seguindo, em sua retirada, as grades douradas que serviam de apoio aos crisântemos, as várias bomboneiras da casa Giroux e o papel de cartas com coroa (para não falar dos luíses de ouro feitos de cartolina, espalhados pelas lareiras e que, bem antes que ela conhecesse Swann, um homem de gosto a aconselhara a sacrificar). Além do mais, na desordem intencional, na confusão de ateliê artístico daquelas salas de paredes ainda pintadas de cores sombrias, que as faziam tão diversas quanto possível dos salões brancos que a Sra. Swann teve mais tarde, o Extremo Oriente recuava cada vez mais diante da invasão do século XVIII; e os almofadões que a Sra. Swann colocava e apertava às minhas costas, para que me sentisse mais "confortável", estavam semeados de buquês Luís XV, e não mais, como antigamente, de dragões chineses. No quarto onde a encontravam com mais freqüência, e do qual dizia: – Sim, gosto muito dele; passo ali bastante tempo; não poderia viver no meio de coisas hostis e pretensiosas; é aqui que eu trabalho – (sem, aliás, precisar se era em um quadro, talvez num livro, pois começava a criar o costume de escrever, que atinge as mulheres que gostam de fazer algo e não se sentirem inúteis); estava ali rodeada de porcelanas de Saxe (porque preferia esta espécie de porcelana, cujo nome pronunciava com um acento inglês, chegando a falar a qualquer pretexto: "É lindo, isto se parece com flores de Saxe"); temia para elas, ainda mais que outrora para os seus vasos e estatuetas da China, o toque ignorante dos criados, aos quais castigava, pelos maus transes por que passava, com acessos de cólera a que Swann, patrão suave e polido, assistia sem se mostrar chocado. A vista lúcida de certas inferioridades aliás não tira nada do afeto; este afeto, ao contrário, é que as torna encantadoras. Agora, era mais raramente em seus chambres japoneses que Odette recebia os íntimos, preferindo as sedas claras e espumantes dos *peignoirs* Watteau, dos quais fazia o gesto de acariciar sobre os seios a espuma florida, como se se banhasse naquelas sedas, embalando-se e ostentando-se nelas com tal aspecto de bem-estar, de frescura de pele, respirando tão profundamente, que parecia considerá-las não como decorativas, como um quadro, mas necessárias da mesma forma que o *tub* e o *footing,* para contentar as exigências de sua fisionomia e os requintes de sua higiene. Tinha o hábito de dizer que mais facilmente passaria sem pão do que sem arte e sem limpeza, que lhe daria mais pena ver arder *A Gioconda* que as "sujeiradas" de pessoas a quem conhecia.

Teorias que pareciam paradoxais às suas amigas, mas faziam-na passar por uma mulher superior junto a elas, e lhe valeram a visita do ministro da Bélgica uma vez por semana, de modo que, no pequeno mundo em que ela era o sol, todos ficariam surpresos se soubessem que, em outra parte, na casa dos Verdurin, por exemplo, ela era tida por imbecil. Por causa dessa vivacidade de espírito, a Sra. Swann preferia a companhia dos homens à das mulheres. Mas, quando criticava estas, fazia-o sempre com alma de cocote, nelas assinalando os defeitos que poderiam prejudicá-las aos olhos dos homens: tornozelos grossos, tez ruim, má ortografia, pêlos nas pernas, mau cheiro, sobrancelhas postiças. Ao contrário, para aquela que outrora se houvesse mostrado indulgente e amável, Odette era mais carinhosa, sobretudo se se tratava de uma pessoa infeliz. Defendia-a com habilidade, dizendo:

– Isto é injusto; é uma pessoa muito bondosa, não tenha dúvidas.

Não era apenas o mobiliário do salão de Odette, era a própria Odette a quem a Sra. Cottard e todos os que haviam convivido antigamente com a Sra. de Crécy achariam difícil de reconhecer, se a tivessem deixado de ver durante muito tempo. Parecia ter tantos anos menos que outrora! Sem dúvida, aquilo em parte se devia ao fato de que ela engordara, mostrando boa saúde, com um aspecto mais calmo, fresco, repousado, e, por outro lado, aos penteados novos, de cabelos lisos, que davam maior amplitude ao seu rosto, animado pelo pó-de-arroz cor-de-rosa, e onde os olhos e o perfil, outrora tão salientes, pareciam agora ser reabsorvidos nas faces. Mas havia um outro motivo para essa mudança, e consistia em que Odette, ao chegar à meia-idade, afinal havia descoberto, ou inventado, uma fisionomia pessoal, um "caráter" imutável, um "tipo de beleza" e, sobre seus traços descosidos – que durante tanto tempo, entregues aos caprichos ocasionais e impotentes da carne e que, ao menor cansaço, assumiam uma espécie de velhice passageira, carregando-se de anos, lhe haviam composto, bem ou mal, conforme o seu humor e seu gesto, uma fisionomia esparsa, diária, informe e deliciosa – havia aplicado esse tipo fixo, como se fosse um juventude imortal.

No seu quarto, em vez das belas fotografias que agora se tiravam de sua mulher, e onde a mesma expressão enigmática e vitoriosa deixava reconhecer, fossem quais fossem o vestido e o chapéu, sua silhueta e seu rosto triunfantes, Swann guardava um pequeno daguerreótipo antigo, muito simples, anterior àquele tipo, e do qual, ainda não encontradas por ela, a juventude e a beleza de Odette pareciam ausentes. Mas sem dúvida Swann, fiel ou então por ter voltado a uma concepção diversa da nova, saboreava naquela jovem esbelta, de olhos pensativos e feições pisadas, a atitude suspensa entre o andar e a imobilidade, uma graça mais botticellesca. De fato, gozava de ver ainda em sua esposa um Botticelli. Odette, que pelo contrário procurava não ressaltar e sim compensar, dissimular o que nela mesma não lhe agradava, o que era talvez para um artista o seu "caráter", mas que como mulher julgava cheio de defeitos, não queria ouvir falar desse pintor. Swann possuía uma maravilhosa *écharpe* oriental, azul e rósea, que havia comprado por ser exatamente a da Virgem do *Magnificat*. Porém a Sra. Swann não queria usá-la. Uma vez apenas deixou o marido lhe encomendar um vestido crivado de margaridas, cinerárias, miosótis e campânulas, de acordo com a *Primavera*. Às vezes, de noite, quando Odette estava cansada, Swann me fazia ver, em voz baixa, como ela dava, sem se aperceber, às suas mãos pensativas, o movimento sutil, um pouco atormentado, da Virgem que mergulha sua pena no tinteiro que o anjo lhe estende, antes de escrever no livro santo onde já está traçada a palavra "Magnificat". E acrescentava: – Principalmente, não lhe diga nada; basta que o note para não fazê-lo.

A não ser nesses momentos de abandono involuntário, em que Swann tentava recuperar o melancólico ritmo botticellesco, o corpo de Odette era agora recortado em uma única silhueta, toda ela cingida por uma linha que, para seguir o contorno da mulher, abandonara os caminhos sinuosos, as falsas saliências e reentrâncias, os entrelaçamentos, a dispersão compósita das modas de antigamente, mas que, mesmo assim, onde a anatomia se enganava fazendo voltas inúteis, aquém ou além do traçado ideal, sabia retificar num traço ousado os desvios da natureza, suprindo em grande parte do trajeto as deficiências da carne e do tecido. Haviam sumido as almofadas, a "armadura" do terrível colete, bem como os corpinhos com aletas que, sustidos por barbatanas, sobressaíam por cima do vestido; todas as peças que, durante muito tempo, tinham acrescentado a Odette um ventre postiço e lhe haviam dado a aparência de ser composta de peças disparatadas sem qualquer individualidade que as unisse. As linhas verticais das franjas e a curva dos franzidos tinham cedido o posto à inflexão de um corpo que fazia palpitar a seda, como a sereia faz arfar as ondas, e dava à percalina uma expressão humana, agora que se libertara, como forma organizada e viva, do longo caos do envolvimento nebuloso das modas destronadas. Porém a Sra. Swann desejara, e soubera conservar, o vestígio de algumas delas até no meio das que havia substituído. Quando à noite, sem poder trabalhar e estando seguro de que Gilberte se achava no teatro com as amigas, eu ia sem avisar à casa dos pais dela, muitas vezes encontrava a Sra. Swann vestindo um elegante *déshabillé,* cuja saia, de belos tons sombrios, vermelho-escuro ou alaranjado, cores que pareciam ter um sentido especial porque já não estavam na moda, era obliquamente atravessada por uma faixa ampla e perfurada, de renda negra, que lembrava os volantes de antigamente. Quando, num dia ainda frio de primavera, antes de minha briga com sua filha, ela me levara ao Jardim da Aclimação, a Sra. Swann entreabria mais ou menos a gola da jaqueta, conforme o calor que sentia enquanto andava, de forma que aparecia a gola denteada de sua blusa bem como a vislumbrada lapela de um ausente casaco sem mangas, semelhante a um dos que usara alguns anos antes e que lhe agradava tivessem as bordas ligeiramente picotadas; e sua escocesa – pois permanecia fiel ao tipo escocês, mas suavizando de tal modo os tons (fazendo rosa o vermelho, e lilás o azul) que quase poderíamos acreditar que se tratava de um desses tafetás furta-cor que eram a última novidade – trazia-a atada de tal modo sob o queixo, sem que se pudesse ver de onde saía, que inevitavelmente a gente pensava naquelas fitas de chapéu já em desuso. Por pouco que soubesse arrumar-se para "durar" mais algum tempo desse jeito, os jovens diriam, tentando compreender seus vestidos: "A Sra. Swann é toda uma época, não é mesmo?" Como um belo estilo, que superpõe formas diferentes e que fortifica uma tradição oculta, essas recordações incertas de casacos ou de laços, no modo de vestir da Sra. Swann, às vezes uma tendência logo reprimida para o casaco de marinheiro e até uma longínqua e vaga alusão ao "pega-rapaz", faziam palpitar, sob a forma concreta, a semelhança inacabada com outras mais antigas, que ali não se podiam achar verdadeiramente realizadas pela costureira ou a modista, mas nas quais se pensava sem parar, e envolviam a Sra. Swann de algo nobre – talvez porque a própria inutilidade daqueles adornos fazia com que parecessem corresponder a uma finalidade superior ao utilitário, talvez por causa do vestígio dos anos passados que se conservara, ou ainda devido a uma espécie de individualidade indumental própria daquela mulher, e que dava a seus mais diversos vestidos um mesmo ar de família. Sentia-se que ela não se vestia apenas para a comodidade ou adorno do corpo; envolvia-se na sua toalete como no aparato fino e espiritualizado de uma civilização.

Quando Gilberte, que de costume dava seus lanches no dia em que a mãe recebia, devia, ao contrário, estar ausente, e que por isso eu podia ir ao "Choufleury" da Sra. Swann, encontrava-a com um belo vestido de tafetá, ou de *faille*, de veludo, ou de crepe da China, ou de cetim ou de seda; não vestidos soltos como os *déshabillés* que usava geralmente em casa, mas combinados como se fossem de passeio, eles davam naquela tarde, à sua doméstica ociosidade, algo de ativo e enérgico. E, sem dúvida, a ousada simplicidade de seu corte era bem apropriada ao seu talhe e a seus movimentos, e cuja cor parecia mudar de um dia para o outro conforme a cor das mangas; dir-se-ia que, no veludo azul, pintava-se a súbita decisão, um tranqüilo bom-humor no tafetá branco, e que uma espécie de reserva suprema e cheia de distinção no modo de estender o braço, revestira, para tornar-se visível, a aparência do negro crepe da China, fulgurando com o sorriso dos grandes sacrifícios. Mas ao mesmo tempo, a complicação das "guarnições" sem utilidade prática, e sem aparente motivo de existir, acrescentava a esses vestidos algo de desinteressado, pensativo, secreto, que estava muito de acordo com a melancolia que a Sra. Swann conservava sempre, ao menos nas olheiras e nas falanges. Sob a profusão de mascotes de safira, de trevos de quatro folhas de esmalte, de medalhas de prata e medalhões de ouro, de amuletos de turquesa, de correntinhas de rubis e contas de topázio, no próprio vestido havia um certo desenho de cores, prosseguindo numa aplicação a sua existência anterior, uma certa fileira de pequeninos botões de cetim que não abotoavam coisa alguma e não podiam se desabotoar, uma trancinha que buscava agradar com a minúcia e a discrição de uma lembrança delicada; assim como as jóias, pareciam – sem nenhuma justificação possível – revelar uma intenção, ser uma garantia de afeto, guardar uma confidência, corresponder a uma superstição, conservar a lembrança de uma cura, de um voto, de um amor ou de jogo de filipina.[6] E às vezes, no veludo azul do corpete, havia um arroubo de abertura Henrique II, no vestido de cetim preto um leve afofamento nas mangas, perto dos ombros, lembrando os *gigots* de 1830, ou na saia, e assim trazia à memória as "anquinhas" Luís XV – dando ao vestido um ar imperceptível de disfarce e insinuando, sob a vida presente, como que uma reminiscência mal discernível do passado, que mesclavam à pessoa da Sra. Swann o charme de certas heroínas históricas ou romanescas. E se eu lhe falava nisso, ela replicava: – Não jogo golfe, como várias de minhas amigas. Portanto, não teria desculpa de andar de suéter como elas.

Na confusão do salão, ao voltar de acompanhar uma visita até à porta, ou pegando um prato de doces para oferecer a uma outra, a Sra. Swann, ao passar perto de mim, chamava-me de lado por um segundo: – Estou especialmente encarregada por Gilberte de convidá-lo para almoçar depois de amanhã. Como não tinha certeza de que o veria, ia escrever-lhe se você não tivesse vindo. – Continuei a resistir. E essa resistência me custava cada vez menos, porque, por mais que a gente goste do veneno que nos faz mal, quando somos privados dele por uma necessidade durante algum tempo, não podemos deixar de valorizar o repouso, que antes não conhecíamos, bem como a ausência de emoções e sofrimentos. Se não somos totalmente sinceros quando afirmamos nunca mais querer ver a mulher que amamos, tampouco o seríamos ao dizer que desejaríamos revê-la. Pois sem dúvida não podemos suportar sua ausência a não ser admitindo que seja curta, pensando no dia do próximo encontro; mas, por outro lado, sentimos a que ponto essas ilusões diárias de uma reunião próxima e sempre adiada nos são menos dolorosas do que o poderia ser uma entrevista, com os ciúmes que se seguiriam, de modo que a notícia de que vamos ver de novo a amada provocaria uma comoção pouco agradável. O que agora vai se retardando dia a dia não é mais o fim da ansiedade intolerável causada pela separação, mas a temida volta de emoções que a nada levam. E como preferimos a essa entrevista a recordação dócil, que, à nossa vontade, completamos com sonhos, onde aquela, que na realidade não nos ama, nos faz ao contrário uma série de declarações agora que estamos sozinhos! Esta lembrança, que podemos chegar a tornar tão doce quanto quisermos, mesclando-a aos poucos com muitos dos nossos desejos, como a preferimos àquela entrevista

[6] Filipina: jogo em que duas pessoas recebem, cada uma, um caroço da mesma amêndoa, duplo, que lhes dá o direito de pedir um presente uma à outra. (N. do T.)

adiada, em que teríamos de encarar uma pessoa a quem já não poderíamos ditar à vontade as palavras desejadas, mas de quem sofreríamos novas friezas e violências inesperadas! Todos sabemos que o esquecimento e até mesmo a vaga lembrança, quando já não amamos, não causam tanta dor como o amor infeliz. E eu preferia, sem me confessá-lo, a doçura repousante desse esquecimento antecipado.

Além disso, o que esse regime de desprendimento psíquico e de isolamento pudesse ter de penoso ia aos poucos diminuindo por um outro motivo. É que esse regime enfraquece a idéia fixa que forma o amor, enquanto não o cura por completo. Meu amor ainda era bastante intenso para que continuasse a tentar todo o meu prestígio aos olhos de Gilberte, prestígio que, devido à minha separação voluntária, devia, conforme achava, crescer progressivamente, de modo que todos os dias tranqüilos e tristes em que não a via, vindo um após outro, sem interrupção, sem prescrição (a menos que um intrometido se misturasse nos seus assuntos), eram dias ganhos e não perdidos. Inutilmente ganhos talvez, pois logo me dariam por curado. A resignação, modalidade do hábito, permite a certas forças crescerem indefinidamente. Aquelas, tão ínfimas, com que pudera suportar meus desgostos na primeira noite de minha briga com Gilberte, desde então chegaram a uma potência incalculável. Apenas, a tendência a se prolongar, que todas as coisas apresentam, é por vezes cortada por impulsos bruscos, aos quais cedemos, praticamente sem escrúpulos, justo por sabermos durante quantos dias e meses teríamos sabido, ou saberíamos ainda, resistir. E muitas vezes ocorre que esvaziamos de uma só vez a bolsa de dinheiro bem quando ia ficar cheia, sem esperar pelo resultado do tratamento e quando já estávamos acostumados a segui-lo. E um dia em que me repetia a Sra. Swann as palavras de costume acerca do prazer que Gilberte sentiria ao me ver, pondo, como que ao alcance da mão, aquela ventura de que já me privava há tanto tempo, fiquei perturbado ao verificar que ainda não me era possível desfrutá-la; e custou-me esperar pelo dia seguinte; resolvera ir surpreender Gilberte antes do jantar.

O que me ajudou a ter paciência por todo o espaço de um dia foi um projeto que engendrei. Desde o instante em que tudo estava esquecido, que me reconciliara com Gilberte, só queria vê-la como apaixonado. Todos os dias ela recebia de mim as mais belas flores que houvesse. E, se a Sra. Swann, conquanto não tivesse o direito de se mostrar mãe muito severa, não me permitisse o envio diário de flores, eu encontraria presentes mais preciosos e menos constantes. Meus pais não me davam muito dinheiro para comprar coisas caras. Pensei num grande potiche chinês antigo que me fora deixado pela tia Léonie; todos os dias mamãe agourava que Françoise viria dizer-lhe: "Caiu..." e que dele não sobraria nada. Em tais condições, não era mais prudente vendê-lo, para poder dar todo o prazer que desejava a Gilberte? Achava que poderia conseguir uns mil francos por ele. Mandei embrulhá-lo; por força do hábito, nunca havia reparado nele; separar-me dele teve ao menos uma vantagem, a de conhecê-lo. Antes de ir à casa dos Swann, eu mesmo o carreguei, dando o endereço deles ao cocheiro, e avisando que fosse pelos Champs-Élysées, onde ficava a loja de um grande negociante de antigüidades chinesas conhecido de meu pai. Para minha grande surpresa, ofereceu-me logo pelo potiche não mil, mas dez mil francos. Peguei as notas, deslumbrado: durante um ano, poderia encher Gilberte de rosas e lilases. Quando voltei para o carro, deixando o negociante, o cocheiro, com toda a naturalidade, visto que os Swann moravam perto do Bois, em vez de seguir o caminho de costume, desceu a avenida dos Champs-Élysées. Já ultrapassara a esquina da rua de Berri quando, ao crepúsculo, julguei reconhecer, bem perto da casa dos Swann, mas indo em direção contrária e afastando-se, Gilberte, que caminhava devagar, embora com passo firme, ao lado de um rapaz com quem conversava e cujo rosto não pude distinguir. Ergui-me no carro, querendo parar, depois hesitei. Os dois passeantes já estavam um tanto longe, e as duas linhas suaves e paralelas que seu lento passeio traçava iam se esfumando na sombra elísia. Em breve parei diante da casa de Gilberte. Fui recebido pela Sra. Swann: – Oh, ela vai ficar triste – disse-me –; nem sei como é que não está presente. Saiu com muito calor de uma aula; disse que desejava tomar um pouco de ar com uma das amigas. – Creio tê-la visto na avenida dos Champs-Élysées. – Não acho que se tratasse dela. Em todo caso, não conte nada a seu pai, pois não gosta nada que ela saia a essas horas. *Good evening*. – Despedi-me, disse ao cocheiro que voltasse pelo mesmo caminho, mas já não encontrei os dois passeantes. Para onde teriam ido? Que diriam um ao outro, na noite, com aquele ar confidencial?

Voltei para casa, segurando com desespero os dez mil francos repentinos que me permitiriam dar tantos pequenos prazeres a Gilberte, a qual, agora, estava decidido a nunca mais ver. É claro que a parada na loja do negociante de antigüidades chinesas me alegrara, pois dera-me a esperança de só ver a minha amiga reconhecida e contente comigo. Mas, se não tivesse parado, se o carro não tivesse ido pela avenida dos Champs-Élysées, não teria encontrado Gilberte e aquele rapaz. Desse modo, um mesmo fato compreende ramais opostos e a desgraça que engendra anula a felicidade que causara. Acontecera-me o contrário do que ocorre com tanta freqüência. Alguém deseja uma alegria e lhe faltam os meios materiais de obtê-la. "É triste – diz La Bruyère – amar sem possuir uma grande fortuna." Não há outro remédio senão tentar liquidar aos poucos o desejo de ter essa alegria. Quanto a mim, ao contrário, obtivera os meios materiais, mas, no mesmo instante, senão por um efeito lógico, ao menos por uma conseqüência fortuita desse primeiro êxito, escapou-me essa alegria. Aliás, parece que sempre deve nos escapar. É verdade que, normalmente, não costuma escapar na mesma noite em que adquirimos o que a torna possível. Em geral, continuamos a nos esforçar e a ter esperança durante algum tempo. Porém a felicidade jamais pode se realizar. Se as circunstâncias chegam a ser ultrapassadas, vencidas, a Natureza transporta a luta de fora para dentro e aos poucos faz mudar bastante o nosso coração, a ponto que ele deseja outra coisa diversa da que vai possuir. E, se foi tão rápida a peripécia que o nosso coração não teve tempo de mudar, nem por isso a Natureza desespera de dominar-nos, é verdade que de uma forma tardia, mais sutil, mas igualmente eficaz. Então, no último momento, a posse da felicidade nos é roubada, ou melhor, é esta mesma posse que, com argúcia diabólica, a Natureza encarrega de destruir a felicidade. Tendo fracassado em tudo que fosse do domínio dos fatos e da vida, é uma impossibilidade última, a impossibilidade psicológica, o que a Natureza cria. O fenômeno da felicidade não se produz ou cede lugar às mais amargas reações.

Tinha os dez mil francos na mão. Mas eles já não me serviam para nada. E, aliás, gastei-os mais depressa ainda do que se tivesse mandado flores todos os dias a Gilberte, pois quando baixava a noite sentia-me tão infeliz que não podia ficar em casa e ia chorar nos braços de mulheres a quem não amava. Já não desejava fazer esforços para agradar a Gilberte; agora, voltar à casa de Gilberte só poderia aumentar meu sofrimento. Mesmo tornar a vê-la, o que me parecera tão delicioso na véspera, hoje não me bastaria. Pois ficaria preocupado todas as horas em que estivesse longe dela. Tal é a razão por que, quando uma mulher nos causa uma nova mágoa, muitas vezes sem sabê-lo, aumenta seu domínio sobre nós, mas igualmente nossas exigências a seu respeito. Pelo mal que nos causou, a mulher nos prende cada vez mais, duplica nossas cadeias, mas também aquelas cadeias que até então nos pareciam suficientes para prendê-la de tal forma que nos sentíssemos tranqüilos. Na véspera, se não julgasse aborrecer Gilberte, teria me contentado em solicitar algumas raras entrevistas, que agora já não me satisfariam e que substituiria por condições bem diversas. Pois no amor, ao contrário do que se passa após os combates, quanto mais somos vencidos mais duras condições impomos, sem deixar de agravá-las, se, todavia, estivermos em situação de as exigir. Não era o meu caso quanto a Gilberte. Assim, primeiro preferi não voltar à casa de sua mãe. Continuava a dizer para mim mesmo que Gilberte não me amava, que há muito sabia disso, que podia revê-la se quisesse e, se o não quisesse, esquecê-la com o tempo. Essas idéias porém, como um remédio que é inócuo diante de certas afecções, não tinham qualquer eficácia contra aquelas duas linhas paralelas que eu revia de vez em quando, de Gilberte e do rapaz, avançando devagar pela avenida dos Champs-Élysées. Era um novo mal, que também acabaria por se deteriorar; era uma imagem que um dia se apresentaria a meu espírito inteiramente depurada de tudo o que possuía de nocivo, como esses venenos mortais que a gente manuseia sem perigo, como um pouco de dinamite junto à qual podemos acender o cigarro sem medo de explosão. Enquanto esperava, em mim havia uma outra força que lutava poderosamente contra essa força malsã que me representava invariavelmente o passeio de Gilberte ao crepúsculo; para quebrar os assaltos sucessivos de minha memória, trabalhava com eficiência a minha imaginação, em sentido contrário. A primeira dessas duas forças, é claro que continuava a me mostrar os dois passeantes da avenida dos Champs-Élysées, oferecendo-me outras imagens desagradáveis, extraídas do passado: por exemplo, Gilberte dando de ombros quando sua mãe lhe pedia que ficasse comigo. Porém a segunda força, operando no plano das minhas esperanças, desenhava um futuro mais aprazivelmente amplo do que aquele pobre passado em suma tão restrito. Por um minuto em que revia Gilberte de mau humor, quantos outros não existiam em que eu fantasiava os passos que ela daria para nossa reconciliação, talvez até para o nosso noivado! É verdade que semelhante força de imaginação, dirigida ao futuro, era extraída toda do passado. À medida que se apagasse todo o meu aborrecimento pelo fato de Gilberte ter dado de ombros, diminuiria também a recordação de seu encanto, recordação que me fazia desejar que ela voltasse para mim. Mas achava-me ainda muito longe dessa morte do passado. E continuava sempre a amar aquela a quem de fato julgava detestar. E cada vez que me via bem penteado, de bom aspecto, gostaria que ela estivesse presente. Sentia-me irritado com o desejo, manifestado por muitas pessoas àquela época, de me receberem e a cujas casas me recusava a ir. Houve uma cena em casa porque não acompanhei meu pai a um jantar oficial, onde estariam os Bontemps com sua sobrinha Albertine, mocinha que era quase uma criança ainda. Os diferentes períodos de nossa vida se sobrepõem assim uns aos outros. Recusamos desdenhosamente, por causa de quem amamos e que um dia nos será indiferente, conhecer a que hoje nos é indiferente, e que amanhã haveremos de amar e que talvez pudéssemos, se tivéssemos concordado em conhecê-la, amar mais cedo, e que, assim, teria abreviado nossos atuais sofrimentos, é claro que substituindo-os por outros. Os meus iam se modificando. Espantava-me verificar, no fundo de mim mesmo, um sentimento num dia, no dia seguinte um outro, geralmente inspirados por uma esperança ou por um temor em relação a Gilberte. A Gilberte que trazia dentro de mim. Tive de concordar que a outra, a de verdade, talvez fosse bem diversa desta, ignorava todos os lamentos relativos a ela e provavelmente pensava muito menos em mim não apenas do que eu nela, mas nem mesmo como a fazia pensar em mim, quando estava a sós em conversa com minha Gilberte imaginária, querendo descobrir quais seriam seus propósitos a meu respeito, fantasiando-a desse modo, com a atenção sempre voltada para mim.

Nesses períodos em que, sempre se enfraquecendo, a mágoa persiste, é necessário distinguir entre a que nos causa o pensamento constante na própria pessoa, e a que certas lembranças reavivam, uma frase infeliz pronunciada, um verbo empregado numa carta recebida. Reservando-nos para descrever por ocasião de um amor futuro as formas diversas do desgosto, diremos que, desses dois, o primeiro é infinitamente menos cruel que o segundo. Isto se deve a que a nossa noção da pessoa, vivendo sempre em nós, é embelezada com a auréola que não tardamos a lhe emprestar e se reveste, senão das freqüentes doçuras da esperança, ao menos da tranqüilidade de uma tristeza permanente. (Aliás, convém notar que a imagem de uma pessoa que nos faz sofrer tem pouco espaço nessas complicações que agravam um desgosto de amor, prolongando-o e atrapalhando sua cura, como em certas moléstias a causa é desproporcional em relação à febre consecutiva e à lentidão da entrada em convalescença.) Mas, se a idéia da pessoa a quem amamos recebe o reflexo de uma inteligência em geral otimista, o mesmo não ocorre com essas lembranças especiais, essas frases infelizes, essa carta hostil (ainda que não tivesse recebido de Gilberte nenhuma que o fosse); dir-se-ia que a própria pessoa vive naqueles fragmentos, contudo tão restritos, e com uma força que está bem longe de possuir na idéia habitual que formamos dela inteira. É que não contemplamos a carta como a imagem do ser amado, numa nostalgia calma e melancólica; lemo-la, devoramo-la na terrível angústia com que nos comprime uma desgraça inesperada. A formação desses tipos de desgostos é bem diversa; eles nos chegaram de fora e foi pelo caminho do mais cruel sofrimento que atingiram nosso coração. A imagem da nossa amiga, imagem que julgamos antiga e autêntica, foi na realidade refeita por nós várias vezes. E a lembrança cruel não é contemporânea dessa imagem restaurada, pertence a outra época, é uma das raras testemunhas de um passado monstruoso. Mas, como esse passado continua a existir, exceto em nós mesmos, porque agradou-nos substituí-lo por uma maravilhosa idade de ouro, um paraíso onde todos estarão reconciliados, tais lembranças e tais cartas são uma advertência da realidade e deveriam nos fazer sentir, pelo mal súbito que nos causam, o quanto estamos dela afastados nas loucas esperanças de nossa espera cotidiana. Não é que essa realidade deva permanecer sempre a mesma, embora isto ocorra às vezes. Na nossa vida há muitas mulheres que nunca procuramos rever e que responderam muito naturalmente ao nosso silêncio, de modo nenhum intencional, por um outro silêncio análogo. Unicamente, estas, como não as amávamos, não contamos os anos passados longe delas e, quando raciocinamos sobre a eficácia do isolamento, esse exemplo, que a invalidaria, é por nós desdenhado, como aqueles que acreditam em pressentimentos desdenham todos os casos em que estes não se confirmam.

Mas enfim, o afastamento pode ser eficaz. O desejo e a apetência de ver-nos de novo acabam renascendo nesse coração que hoje nos despreza. Apenas, é preciso dar tempo ao tempo. Ora, nossas exigências, no que concerne ao tempo, não são menos exorbitantes que as que o coração exige para mudar. Primeiro, o tempo é o que cedemos com a maior dificuldade, pois nosso sofrimento é cruel e temos pressa em vê-lo acabar. Depois, esse tempo, de que precisa o outro coração para mudar, servirá ao nosso também para mudar, de modo que quando o objetivo a que nos propomos se tornar acessível terá deixado de ser um objetivo para nós. Além disso, a mesma idéia de que será acessível, de que não haverá felicidade que não possamos atingir quando já não nos seja uma felicidade, comporta uma parte, e apenas uma parte, de verdade. Alcança-nos quando já nos tornamos indiferentes. Porém, justamente essa indiferença nos fez menos exigentes e nos permite acreditar, retrospectivamente, que a felicidade nos enfeitiçou numa época em que talvez se nos afigurasse muito incompleta. Não somos muito exigentes, nem bons juízes, acerca de coisas que não nos interessam. A gentileza de uma pessoa a quem já não amamos e que ainda parece excessiva à nossa indiferença, talvez estivesse bem longe de bastar ao nosso amor. Essas palavras ternas, à oferta de um encontro, pensamos no prazer que nos teriam causado e não em todas aquelas que desejaríamos ver imediatamente seguidas e cuja realização talvez tivéssemos impedido com essa avidez. De forma que não é certo que a ventura sobrevindo tarde demais, quando já não podemos gozá-la, quando já não amamos, seja exatamente a mesma ventura cuja falta outrora nos fez tão infelizes. Só uma pessoa poderia decidir a respeito, o nosso eu de antigamente; já não existe; e sem dúvida bastaria que retornasse para que, idêntica ou não, a felicidade se desvanecesse.

Enquanto esperava essas realizações, afinal já sem motivo, de um sonho em que não mais acreditava, à força de inventar, como no tempo em que mal conhecia Gilberte, palavras, cartas em que ela implorava o meu perdão, confessava nunca haver amado alguém além de mim, e me pedia em casamento, uma série de doces imagens incessantemente recriadas acabaram por ocupar mais lugar em meu espírito que a visão de Gilberte e do rapaz, visão que não era mais alimentada por coisa alguma. E talvez desde então tivesse voltado à casa da Sra. Swann, não fosse um sonho que tive e onde um de meus amigos, entretanto para mim desconhecido, agia comigo com a maior falsidade e achava que eu fazia o mesmo com ele. Bruscamente acordado pelo sofrimento que o sonho me causava, e vendo que a dor persistia, pensei de novo nele, procurei me lembrar quem seria o amigo que vira dormindo e cujo nome espanhol já não era distinguível. Fazendo ao mesmo tempo o papel de José e do Faraó, passei a interpretar meu sonho. Sabia que em muitos sonhos não se deve ligar à aparência das pessoas, que podem estar disfarçadas e terem trocado seus rostos, como esses santos mutilados das catedrais que os arqueólogos ignorantes andaram refazendo, pondo sobre o corpo de um a cabeça de outro, e misturando os atributos e os nomes. Os nomes que as pessoas adotam nos sonhos podem nos levar a erros. A pessoa a quem amamos deve ser nele reconhecida apenas pela intensidade da dor que experimentamos. E a minha dor me disse que, transformada em rapaz durante o sonho, a pessoa cuja falsidade recente ainda me causava mal era Gilberte. Lembrei-me então que, da última vez que a vira, no dia em que sua mãe a impedira de ir a uma matinê dançante, Gilberte, sincera ou fingidamente, negou-se a crer na retidão de minhas intenções, rindo de forma estranha. Por associação, tal lembrança trouxe outra à memória. Muito tempo antes, foi Swann quem não quis acreditar na minha sinceridade, nem que eu fosse um digno amigo para Gilberte. Inutilmente lhe escrevera. Gilberte trouxera a carta e devolvera com o mesmo riso incompreensível. De fato, não a devolvera logo; lembrei-me de toda a cena por trás do bosquezinho de loureiros. Fazemo-nos moralistas quando somos infelizes. A antipatia atual de Gilberte surgiu-me como um castigo infligido pela vida devido à conduta que tivera naquele dia. A gente crê evitar os castigos, porque evita os perigos tendo muito cuidado ao atravessar a rua. Mas há castigos internos. O acidente chega de onde menos se imagina, de dentro, do coração. As palavras de Gilberte: "Se quiser, continuemos a lutar" me causaram horror. E imaginava-a em situação idêntica, em sua casa, na rouparia, com o rapaz que vira em sua companhia na avenida dos Champs-Élysées. Assim como fora tão insensato há tempos, ao acreditar que estava tranqüilamente instalado nos domínios da felicidade, também o era hoje, quando já desistira de ser feliz, ao ter como seguro que pelo menos me achava tranqüilo e que assim permaneceria. Pois, enquanto o nosso coração acolhe de modo permanente a imagem de outra criatura, não é apenas a nossa felicidade que pode a qualquer momento ser destruída; quando se desvanece tal felicidade, depois de muito sofrer, tão enganador e precário como o fora a própria felicidade é o sossego. Meu sossego acabou por regressar, pois o que penetrou no nosso espírito, modificando nosso estado moral, nossos desejos, graças a um sonho, também pouco a pouco se dissipa; e a nada são prometidas a permanência e a duração, nem mesmo à dor. Aliás, os que sofrem pelo amor são, como se poderia dizer de certos doentes, seu próprio médico. Como só obtêm consolo do próprio ser que causa a sua dor e essa dor é uma emanação dele, é nela mesma que acabam por encontrar um remédio. A própria criatura amada lhes revela, num dado momento, esse remédio, pois, à medida que a revolvem dentro de si mesmos, essa dor lhes mostra um outro aspecto da pessoa que perderam, ou tão odiosa que nem mesmo sentem mais desejo de vê-la, pois que antes de gozar de sua presença seria necessário fazê-la sofrer, ou tão doce que a mesma doçura que a dor lhe empresta é considerada um mérito da amada, da qual se tira um motivo de esperança. Mas, conquanto se apaziguasse em mim o sofrimento que voltara a despertar, não quis retornar à casa da Sra. Swann senão muito raramente. Primeiro porque, nas pessoas que amam e não são correspondidas, o sentimento de espera – ainda que de espera inconfessa – em que vivem se transforma por si mesmo e, embora de aparência idêntica, faz suceder a um estado um outro exatamente contrário. O primeiro era a conseqüência, o reflexo dos incidentes dolorosos que nos tinham transtornado. A expectativa do que poderia ocorrer está mesclada de terror, tanto mais que desejamos nesse momento, se nada de novo nos acontece da parte da pessoa amada, agir por conta própria e não sabemos bem qual será o êxito de semelhante ato, que, uma vez cumprido, impede a realização de outro. Em breve, porém, sem que nos apercebamos de tal, nossa expectativa, que continua, já não é determinada, como vimos, pela recordação do passado que sofremos mas pela esperança de um futuro imaginário. Daí então, ela é quase agradável. Além disso, a primeira, durando um pouquinho, habituou-nos a viver na expectativa. O sofrimento que sentimos nos nossos últimos encontros ainda sobrevive em nós, mas já amortecido. Não temos pressa em renová-lo, tanto mais que agora já não saberíamos o que pedir. Possuir um pouco mais da mulher amada só faria tornar mais necessário aquilo que não possuímos e que, apesar de tudo, permaneceria sendo algo irredutível, visto que nossas necessidades se originam de nossas satisfações.

Por fim, uma última razão se acrescentou posteriormente a esta para fazer com que cessasse inteiramente minhas visitas a Gilberte Swann. Essa razão, mais tardia, não era que já houvesse esquecido Gilberte, mas que tentasse esquecê-la mais depressa. É claro que, desde que minha grande mágoa acabara, as visitas à casa da Sra. Swann tinham voltado a ser, para o que me restava de tristeza, o calmante e a distração que me foram preciosos no começo. Mas o motivo da eficácia do primeiro causava também a inconveniência do segundo, isto é, a recordação de Gilberte estava intimamente associada a essas visitas. A distração só me seria útil caso tivesse sido posta em luta com um sentimento que a presença de Gilberte já não alimentava, com pensamentos, interesses e paixões com que Gilberte nada tivesse a ver. Esses estados de consciência, aos quais o ser amado permanece estranho, ocupam então no espírito um lugar que, por menor que seja a princípio, já é vedado ao amor que enchia toda a alma. É preciso tentar nutrir, fazer crescer esses pensamentos, enquanto declina o sentimento que já não passa de uma lembrança, de modo que os elementos novos introduzidos no espírito lhe contestem, lhe arranquem uma porção cada vez maior da alma, e finalmente roubem-na toda. Percebia eu que era essa a única maneira de matar um amor, e era bastante jovem e corajoso para tentar fazê-lo, para assumir a mais cruel das dores, a que nasce da certeza de que, mesmo que demoremos algum tempo, chegará o dia em que atingiremos nosso objetivo. A razão que expunha agora em minhas cartas a Gilberte, acerca da recusa em vê-la, era a alusão a um misterioso mal-entendido, completamente fictício, que teria ocorrido entre mim e ela e sobre o qual primeiro havia esperado que Gilberte me desse explicações. Mas na verdade nunca, mesmo nas mais insignificantes relações da vida, são solicitados esclarecimentos por um correspondente que sabe que uma frase obscura, mentirosa, incriminadora, ali está justamente para que ele proteste, e que se dá por muito feliz em ver que, desse modo, possui e mantém a iniciativa e o domínio das operações. O mesmo ocorre nas mais carinhosas relações, onde o amor tem tanta eloqüência e a indiferença tão pouco de curiosidade. Não tendo Gilberte posto em dúvida nem procurado esclarecer o mal-entendido, ele se tornou para mim algo de real a que me referia em todas as cartas. E há nessas situações falseadas, na afetação de frieza, um sortilégio que nos faz perseverar. À força de escrever: "Desde que nossos corações se desuniram" para que Gilberte me respondesse: "Mas não estão desunidos, expliquemo-nos", acabara por me convencer de que o estavam. Sempre repetindo: "A vida pode ter mudado para nós, mas não apagará o sentimento que tivemos", desejando afinal ouvi-la dizer: "Mas nada mudou, esse sentimento está mais forte que nunca", eu vivia com a idéia de que a vida de fato mudara, e que conservaríamos a recordação do sentimento que já não existia, como certas pessoas nervosas por terem simulado uma enfermidade acabam por ficar sempre doentes. Agora, todas as vezes que tinha de escrever a Gilberte, reportava-me a essa mudança imaginária, cuja existência, de agora em diante tacitamente reconhecida pelo silêncio que ela observava a tal respeito em suas respostas, subsistiria entre nós. Depois, Gilberte deixou de se importar com rejeições. Ela própria adotou meu ponto de vista; e, como nos brindes oficiais em que o chefe de Estado que é recebido retoma aos poucos as mesmas expressões que acaba de empregar o chefe de Estado que o recebe, todas as vezes em que escrevia a Gilberte: "A vida pôde nos separar, a recordação do tempo em que nos conhecemos há de permanecer", ela não deixava de responder: "A vida pôde nos separar, não poderá nos fazer esquecer as boas horas que nos serão sempre caras" (ficaríamos muito embaraçados para dizer por que "a vida" nos separara, qual a mudança que se produzira). Eu já não sofria muito. No entanto, um dia em que, numa carta, lhe dizia que soubera da morte da nossa velha vendedora de balas dos Champs-Élysées, ao acabar de escrever estas palavras: "Imagino que isto te causou pesar. Em mim, veio agitar muitas lembranças", não pude evitar de me desmanchar em lágrimas ao ver que falava no passado, e, como já se tratasse de um morto quase esquecido, daquele amor em que, apesar de tudo, jamais deixara de pensar como se fosse vivo, podendo ao menos renascer. Nada mais carinhoso que essa correspondência entre amigos que não queriam se ver mais. As cartas de Gilberte tinham a delicadeza das que eu escrevia aos indiferentes e me conferiam as mesmas aparentes marcas de afeto, tão suaves para mim por virem dela.

Aliás, aos poucos, toda recusa minha em vê-la me era menos penosa. E, como ela se me tornasse menos cara, minhas lembranças dolorosas já não tinham força bastante para destruir, no seu retorno incessante, a formação do prazer que sentia em pensar em Florença, em Veneza. Nesses momentos, lamentava ter renunciado a entrar para a carreira diplomática e de ter-me construído uma existência sedentária, a fim de não me afastar de uma jovem que já não mais veria e que esquecera quase por completo. A gente constrói a vida para uma pessoa e, quando enfim podemos recebê-la em nossa vida, essa pessoa não vem, depois morre para nós e acabamos vivendo prisioneiros na morada que só a ela se destinava. Se Veneza parecia a meus pais muito distante e insalubre para mim, pelo menos era fácil ir se instalar sem fadiga em Balbec. Mas para tanto era necessário deixar Paris, renunciar às visitas, graças às quais, por muito raras que fossem, ouvia a Sra. Swann falar às vezes de sua filha. De resto, começava a descobrir tal ou qual prazer em que Gilberte não tomava parte alguma.

Quando se aproximou a primavera, afastando o frio, no tempo dos santos de gelo e das chuvas de granizo da Semana Santa, como a Sra. Swann achasse que a casa estava muito gelada, aconteceu várias vezes vê-la receber as visitas envolta em peles, as mãos e os ombros friorentos desaparecendo sob o branco e brilhante tecido de um imenso regalo e de uma capa, ambos de marta-zibelina, que não retirara ao entrar e que apresentavam o aspecto das últimas nevascas de inverno, mais persistentes que as outras e que nem o calor do fogo nem o avanço da estação haviam logrado derreter. E a verdade integral dessas glaciais semanas, contudo já florescentes, era-me sugerida naquele salão, aonde em breve não voltaria mais, por outras brancuras mais inebriantes, a das "bolas-de-neve", por exemplo, que reuniam no alto de seus grandes caules despidos como os arbustos lineares dos pré-rafaelitas, seus globos parcelados mas unidos, alvos como anjos anunciadores, e que eram envoltos num aroma de limão. Pois a castelã de Tansonville sabia que abril, mesmo gelado, não é destituído de flores, que o inverno, a primavera e o verão não são separados por divisões tão herméticas como é levado a crer o morador dos bulevares que, até os primeiros calores, imagina que o mundo é composto somente de casas desabrigadas sob a chuva. Que a Sra. Swann se contentasse com as remessas que lhe fazia o seu jardineiro de Combray, e que, por intermédio de sua florista "oficial", não preenchesse as lacunas de uma evocação insuficiente com o auxílio de empréstimos tomados à precocidade mediterrânea, longe estou de o pretender e não me preocupava com isso. Para sentir a nostalgia do campo, bastava-me que, junto com as nevadas do regalo da Sra. Swann, as bolas-de-neve (que não tinham quem sabe outro objetivo, na idéia da dona da casa, senão o de compor, aos conselhos de Bergotte, uma "sinfonia em branco maior" com suas mobílias e sua toalete) me recordassem que o Encantamento da Sexta-feira Santa configura um milagre natural, a que poderíamos assistir todos os anos se fôssemos sensatos, e, ajudadas pelo perfume ácido e capitoso das corolas de outras espécies, cujos nomes ignorava e que tantas vezes me haviam feito parar nos meus passeios de Combray, tornassem o salão da Sra. Swann tão virginal, tão candidamente florido sem nenhuma folha, tão sobrecarregado de aromas autênticos como a pequena ladeira de Tansonville.

Mas já era demais que aquilo me fosse lembrado. Sua recordação arriscava alimentar o pouco que subsistia do meu amor por Gilberte. Assim, embora já não sofresse absolutamente durante essas visitas à Sra. Swann, tornei-as mais raras ainda e procurei vê-la o menos possível. Quando muito, como continuasse a não deixar Paris, concedia-me alguns passeios com ela. Enfim haviam voltado os dias lindos, juntamente com o calor. E, como sabia que antes do almoço a Sra. Swann saía por uma hora e andava um pouco pela avenida do Bois, perto da Étoile, e do local que então se denominava "clube dos Prontos" – por causa das pessoas que vinham olhar os ricos a quem só conheciam de nome – obtive de meus pais que no domingo (pois não estava livre a essa hora nos dias úteis) poderia almoçar bem depois deles, à uma e quinze, e ir dar uma volta antes. Nunca faltei uma só vez naquele mês de maio, visto que Gilberte estava no campo com umas amigas. Chegava ao Arco do Triunfo por volta do meio-dia. Ficava à espreita no começo da avenida, sem deixar de olhar a esquina da ruazinha por onde a Sra. Swann, que só precisava andar alguns metros, vinha de sua casa. Como já fosse hora de muitos passeantes voltarem para almoçar, restavam poucos e, em sua maioria, eram pessoas elegantes. De súbito, sobre a areia de uma alameda, tarda, atrasada e luxuriante como a mais bela flor, e que só se abriria ao meio-dia, aparecia a Sra. Swann, desabrochando a seu redor uma toalete sempre diversa, mas que recordo ser principalmente cor de malva; depois alçava e desenrolava sobre um longo pedúnculo, no momento de sua mais completa irradiação, o pavilhão de seda de uma ampla sombrinha, do mesmo matiz que o desfolhar das pétalas de seu vestido. Todo um séquito a rodeava; Swann, quatro ou cinco homens de clube que tinham ido visitá-la de manhã ou que ela havia encontrado no caminho; e a negra ou cinzenta aglomeração obediente, executando movimentos quase mecânicos de um quadro inerte em torno de Odette, davam a essa mulher, que só possuía intensidade nos olhos, o aspecto de estar olhando à sua frente, dentre todos aqueles homens, como de uma janela da qual se houvesse aproximado, fazendo-a surgir, frágil, sem medo, na nudez de suas cores tenras, como a aparição de um ser de uma espécie diferente, de uma raça desconhecida, e de um poder quase guerreiro, graças ao que ela compensava, sozinha, a sua múltipla escolta. Sorridente, feliz pelo bom tempo que fazia, com o sol que ainda não incomodava, tendo o ar de segurança e calma do criador que rematou sua obra e não se preocupa mais com o resto, certa de que sua toalete – mesmo que os transeuntes vulgares não a apreciassem – era a mais elegante de todas, ela a vestia para si mesma e para os amigos, com naturalidade, sem atenção exagerada, mas também sem desprendimento completo, não impedindo que os pequenos laços de fita da blusa e da saia flutuassem de leve diante dela como criaturas cuja presença não ignorava e às quais permitia, com indulgência, que se entregassem a seus brinquedos, conforme seu ritmo próprio, contanto que lhe seguissem a marcha, e até sobre a sombrinha malva que muitas vezes trazia ainda fechada ao chegar, ela deixava cair por um momento, como sobre um buquê de violetas de Parma, seu olhar feliz e tão doce que, mesmo quando não se prendia mais a seus amigos e sim a um objeto inanimado, dava a impressão de sorrir ainda. Assim reservava, e fazia sua toalete ocupar, aquele intervalo de elegância, cujo espaço e necessidade os homens, a quem a Sra. Swann falava com mais intimidade, respeitavam não sem uma certa deferência de profanos, uma confissão de sua própria ignorância e sobre o qual reconheciam à sua amiga competência e jurisdição, como a um doente sobre os cuidados especiais que deve tomar, ou como a uma mãe sobre a educação de seus filhos. Não menos do que pela corte que a rodeava e não parecia ver os passantes, a Sra. Swann, devido à hora tardia em que surgira, evocava aquele apartamento onde havia passado uma manhã tão comprida e para onde precisava voltar em breve para o almoço; parecia indicar sua aproximação com a calma despreocupada de seu passeio, semelhante ao que a gente faz pelo próprio jardim; poder-se-ia dizer que, daquele apartamento, ela trazia ainda a seu redor a sombra interior e fresca. Mas, devido a tudo isto, sua vista só me fazia acentuar a sensação do ar livre e do calor. Tanto mais que, já persuadido de que, em virtude da liturgia e dos ritos em que a Sra. Swann era profundamente versada, sua toalete estava ligada à estação e à hora por um laço necessário, único, as flores de seu flexível chapéu de palha e as pequenas fitas do seu vestido me pareciam nascer do mês de maio ainda com mais naturalidade que as flores dos jardins e dos bosques; e, para conhecer o novo tumulto da estação, não precisava erguer os olhos além da sua sombrinha, aberta e estendida como um outro céu mais próximo, clemente, móvel e azul. Pois esses ritos, se eram soberanos, empregavam sua glória, e em conseqüência a Sra. Swann empregava a sua, em obedecer condescendentemente à manhã, à primavera, ao sol, os quais não me pareciam muito lisonjeados de que uma mulher tão elegante porfiasse em não ignorá-los e, por causa deles, escolhesse um vestido de tecido mais claro, mais leve, fazendo pensar, devido à abertura do colo e das mangas, na transpiração do pescoço e dos pulsos, que, enfim, tivesse para com eles todas as atenções de uma grande dama que, tendo-se rebaixado alegremente para ir ver no campo pessoas comuns e que todo mundo, até o vulgo, conhece, nem ao menos deixa de vestir, especialmente para esse dia, um traje campesino. Saudei a Sra. Swann à sua chegada; ela me fez parar e me disse sorrindo: – *Good morning*. – Demos alguns passos. E eu compreendia que era por si mesma que ela obedecia àqueles cânones conforme os quais se vestia, como a uma sabedoria superior da qual fosse a grã-sacerdotisa; pois se lhe ocorria, devido ao calor, entreabrir ou até mesmo tirar a sua jaqueta, dando-a a mim para que a carregasse, e que ela achara poder conservar abotoada, eu descobria na blusinha mil detalhes de execução que poderiam muito bem ter ficado despercebidos como as partes de orquestra a que os compositores deram o maior cuidado, embora jamais devam chegar aos ouvidos do público; ou nas mangas da jaqueta dobrada no meu braço eu via, observava longamente, por prazer ou amabilidade, um pormenor refinado, uma faixa de delicioso matiz, uma cetineta cor de malva normalmente oculta aos olhos de todos, mas tão delicadamente trabalhadas que as partes externas, como essas esculturas góticas de uma catedral, dissimuladas no reverso de uma balaustrada, a oitenta pés de altura[7], tão perfeitas como os baixos-relevos do

[7] 24 m. (N. do T.)

grande pórtico mas que ninguém nunca vira antes que, ao acaso de uma viagem, um artista, para dominar toda a cidade, tivesse permissão para ir passear em pleno céu, entre as duas torres.

O que aumentava a impressão de que a Sra. Swann passeava pela avenida do Bois como na alameda de um jardim que lhe pertencesse era – para aquelas pessoas que ignoravam os seus hábitos de *footing* – que tivesse vindo a pé, sem carro que a seguisse, ela que desde o mês de maio estávamos acostumados a ver passar com a atrelagem mais cuidada e a mais elegante libré de Paris, majestosa e languidamente sentada como uma deusa, no morno ar livre de uma imensa vitória de oito molas. A pé, a Sra. Swann, sobretudo com o caminhar que o calor fazia mais vagaroso, dava a impressão de ter cedido a uma curiosidade, de ter cometido uma elegante infração às regras do protocolo, como esses soberanos que, sem consultar ninguém, acompanhados pela admiração um tanto escandalizada de um cortejo que não se atreve a formular uma crítica, saem do camarote durante um baile de gala e visitam o saguão, misturando-se aos outros espectadores durante alguns minutos. Assim, entre a Sra. Swann e a multidão, esta sentia as barreiras de um certo tipo de riqueza e que lhe parecem ser as mais intransponíveis de todas. O *faubourg* Saint-Germain também tem as suas; porém falam menos aos olhos e à imaginação dos "duros". Estes, ao lado de uma grande dama mais simples, mais fácil de ser confundida com uma pequena burguesa, menos distanciada do povo, não sentirão a sua desigualdade, quase a sua indignidade, que demonstram diante de uma Sra. Swann. É claro que as mulheres desse gênero não ficam, como eles, impressionadas com o brilhante aparato que as rodeia, não lhe dão maior atenção, mas é de tanto estarem acostumadas àquilo, ou seja, por terem acabado por achá-lo tanto mais natural e necessário, é que julgam os outros conforme são mais ou menos iniciados nesses hábitos de luxo; de modo que (sendo a grandeza que deixam descobrir em si mesmas, que descobrem nos outros, inteiramente material e fácil de verificar, demorada para adquirir, difícil de compensar), se essas mulheres colocam um transeunte no degrau mais inferior, tal ocorre da mesma forma como lhe aparecem elas no mais superior, a saber, imediatamente, à primeira vista, sem apelação. Talvez essa classe social particular que então se compunha de mulheres como Lady Israels, mesclada às da aristocracia, e a Sra. Swann, que deveria freqüentá-las um dia, essa classe intermediária, inferior ao *faubourg* Saint-Germain já que o cortejava, mas superior ao que não pertence ao *faubourg* Saint-Germain, e que tinha a particularidade de que, já estando afastada do mundo dos ricos, ainda era riqueza, mas uma riqueza tornada maleável, obediente a uma destinação e a um pensamento artísticos, ouro flexível, poeticamente cinzelado e que sabe sorrir, talvez essa classe, ao menos com o mesmo caráter e o mesmo fascínio, já não exista. Aliás, as mulheres que dela faziam parte hoje não mais teriam aquilo que era a primeira condição de seu reinado, pois, com a idade, quase todas perderam sua beleza. Ora, tanto como do alto de sua nobre riqueza, era do auge do seu verão maduro e ainda tão saboroso que a Sra. Swann, majestosa, sorridente e boa, avançando pela avenida do Bois, via rolarem os mundos, como Hipácia, sob o vagaroso caminhar de seus pés. Os rapazes que passavam olhavam-na com ansiedade, incertos se suas vagas relações com ela (tanto mais que, tendo sido apresentados uma única vez a Swann, receavam que ele não os reconhecesse) seriam suficientes para os autorizar a cumprimentá-la. E era tremendo diante das conseqüências que se decidiam, indagando a si próprios se o seu gesto, audaciosamente provocador e sacrílego, atentando contra a inviolável supremacia de uma casta, não iria desencadear catástrofes ou fazer descer o castigo de um deus. Esse gesto acionava tão-somente, como um movimento de relojoaria, a gesticulação de pequenos personagens saudadores que não eram outros senão os da comitiva de Odette, a começar por Swann, o qual erguia sua cartola forrada de couro cru, com graça risonha, aprendida no *faubourg* Saint-Germain, mas à qual já não se aliava a indiferença que tivera antigamente, e que fora substituída (como se, em certa medida, ele tivesse absorvido os preconceitos de Odette) ao mesmo tempo pelo tédio de ter de retribuir à saudação de alguém tão mal-vestido e pela satisfação de que sua mulher conhecesse tanta gente, sentimento misto que traduzia dizendo aos amigos elegantes que o acompanhavam: – Mais um ainda! Palavra que não sei onde Odette vai descobrir toda essa gente! – Entretanto, tendo respondido com um aceno de cabeça ao passante alarmado já fora do alcance da vista, mas cujo coração ainda batia, a Sra. Swann se virava para mim: – Então – dizia – acabou? Você não voltará nunca mais para ver Gilberte? Estou contente por ser uma exceção e que não tenha me "cortado" sem cerimônia. Gosto muito de vê-lo, mas gostava também da influência que exercia sobre minha filha. Creio que ela também lamenta muito. Enfim, não quero importuná-lo, pois aí é que você não se aproximaria mais nem de mim! – Odette, Sagan está dando bom-dia! – observava Swann à mulher. E, com efeito, o príncipe fazendo, como numa apoteose de teatro, de circo, ou num quadro antigo, seu cavalo se postar de frente, dirigia a Odette uma grande saudação teatral, meio alegórica, onde se amplificava toda a cortesia cavalheiresca do grão-senhor inclinando o seu respeito diante da Mulher, ainda que encarnada numa mulher que sua mãe ou irmã não poderiam freqüentar. De resto, a todo momento, reconhecida no fundo da transparência líquida e do verniz luminoso que sobre ela derramava a sua sombrinha, a Sra. Swann era saudada pelos últimos cavaleiros atrasados, como que filmados a galope sobre o ensolaramento branco da avenida, homens de estirpe cujos nomes, célebres para o público – Antoine de Castellane, Adalbert de Montmorency, e tantos outros – eram para a Sra. Swann nomes familiares de amigos. E, como a duração média da vida – a longevidade relativa – é muito maior quanto às lembranças das sensações poéticas do que relativamente aos desgostos amorosos, tanto tempo depois de se terem apagado as mágoas que então sentia por causa de Gilberte, sobreviveu-lhes o prazer que experimento, todas as vezes que desejo ler, numa espécie de quadrante solar, os minutos que decorrem entre meio-dia e quinze e uma hora, no mês de maio, ao me rever conversando assim com a Sra. Swann, debaixo de sua sombrinha, como sob o reflexo de uma latada de glicínias.

SEGUNDA PARTE

Nomes de Lugares: o Lugar

Quando, dois anos mais tarde, chegara a uma quase total indiferença por Gilberte, parti com minha avó para Balbec. Quando experimentava o encantamento de um rosto novo, quando era com o auxílio de outra moça que esperava conhecer as catedrais góticas, os palácios e jardins da Itália, dizia comigo tristemente que o nosso amor, na medida em que significa o amor de uma determinada criatura, talvez não seja algo muito real, pois se associações de fantasias agradáveis ou dolorosas podem uni-lo por algum tempo a uma mulher até nos fazer imaginar que foi inspirado por ela de um modo necessário, em compensação, se nos libertamos voluntariamente, ou contra a vontade, dessas associações, este amor, como se pelo contrário fosse espontâneo e surgisse apenas de nós, renasce para se doar a outra mulher. No entanto, no momento daquela partida para Balbec e durante os primeiros tempos de minha estada, minha indiferença ainda era apenas intermitente. Muitas vezes (visto que nossa vida é muito pouco cronológica, tantos anacronismos interferindo na seqüência dos dias), eu estava vivendo naqueles dias em que amava Gilberte, anteriores à véspera ou à antevéspera. Então, não vê-la mais era-me de súbito muito doloroso, como o fora naquele tempo. O eu que a havia amado, já quase inteiramente substituído por um outro, ressurgia, e era-me restituído com mais freqüência por algo fútil do que por uma coisa importante. Por exemplo, para antecipar a minha estada na Normandia, ouvi em Balbec um desconhecido, com quem cruzara no molhe, dizer: – A família do diretor do ministério dos Correios... – Ora (como não sabia então a influência que essa família iria ter na minha vida), essa frase deveria me parecer ociosa, porém me causou um vivo sofrimento, o sofrimento que em mim sentia um eu, abolido em grande parte há muito tempo, por estar separado de Gilberte. É que jamais voltara a pensar numa conversa que Gilberte tivera com o pai na minha presença, relativamente à família do "diretor do ministério dos Correios". Ora, as recordações de amor não fazem exceção às leis gerais da memória, elas próprias regidas pelas leis mais gerais do hábito. Como este enfraquece tudo, o que nos recorda melhor uma criatura é justamente o que tínhamos esquecido, porque era insignificante e assim lhe havíamos deixado toda sua força. É porque a melhor parte de nossa memória está fora de nós, numa brisa chuvosa, num cheiro de quarto fechado, ou no odor de uma primeira labareda, em toda parte onde encontramos de nós mesmos o que nossa inteligência rejeitara, por julgá-lo inútil, a última reserva do passado, a melhor, aquela que, quando todas as nossas lágrimas parecem ter secado, sabe nos fazer chorar ainda. Fora de nós? Em nós, para melhor dizer, mas escondida a nossos próprios olhares, num esquecimento mais ou menos prolongado. É somente graças a tal esquecimento que podemos, de vez em quando, reencontrar o ser que já fomos, colocar-nos face a face às coisas como o era essa criatura, sofrer de novo, porque não somos mais nós mas ele, e ele é quem amava a pessoa que agora nos é indiferente. Em plena luz da memória habitual, as imagens do passado empalidecem aos poucos, vão se apagando, não resta mais nada delas, não as encontraremos nunca mais. Ou melhor, não as encontraremos mais se algumas palavras (como "diretor do ministério dos Correios") não tivessem sido cuidadosamente trancadas no olvido, assim como se deposita na Biblioteca Nacional o exemplar de um livro que, sem isso, se arriscaria a ser inencontrável.

Porém tal sofrimento e tal rebrotar do amor por Gilberte não foram mais longos que os que são sonhados, e desta vez ao contrário porque, em Balbec, o Hábito antigo já não estava ali para fazê-los durar. E, se tais efeitos do Hábito parecem contraditórios, é que ele obedece a leis múltiplas. Em Paris, eu me tornara cada vez mais indiferente a Gilberte, graças ao Hábito. A mudança de hábitos, isto é, a momentânea cessação do Hábito, rematou a obra do Hábito quando parti para Balbec. Ele se enfraquece mas se estabiliza, traz a desagregação porém fá-la durar indefinidamente. Cada dia, desde muitos anos, eu vinha decalcando, bem ou mal, o meu estado de alma sobre o da véspera. Em Balbec, uma cama nova, a cuja cabeceira me traziam todas as manhãs um desjejum bem diverso do de Paris, não devia mais alimentar os pensamentos de que se havia nutrido o meu amor por Gilberte; existem casos (é verdade que muito raros) em que o sedentarismo imobiliza os dias, e o melhor modo de ganhar tempo é mudar de local. Minha viagem a Balbec foi como a primeira saída de um convalescente que só espera por ela para perceber que está curado.

Sem dúvida, esta viagem a faríamos hoje de automóvel, achando que, desse modo, se tornaria mais agradável. Ver-se-á que, realizada assim, seria mais verdadeira em certo sentido, visto que seguiríamos mais de perto, numa intimidade mais estreita, as diversas gradações pelas quais se muda a superfície da Terra. Mas enfim o prazer específico da viagem não está em poder pôr-se a caminho e parar quando nos sentimos cansados; é tornar a diferença entre a partida e a chegada não tão insensível mas tão profunda quanto possível, em senti-la na sua totalidade, intacta, bem como era no nosso pensamento quando nossa imaginação nos levava do lugar em que vivíamos até o âmago do lugar desejado, num salto que nos parecia menos miraculoso por franquear uma distância do que por unir duas individualidades distintas da terra, levando-nos de um para outro nome, e que esquematiza (melhor que um passeio, onde não existe mais chegada, pois a gente desembarca onde quiser) a misteriosa operação que se cumpria nesses lugares especiais, as estações, que, por assim dizer, não fazem parte da cidade mas contêm a essência de sua personalidade, do mesmo modo que lhe mostram o nome numa tabuleta indicadora.

Mas o nosso tempo, em todas as coisas, tem a mania de só querer mostrar aquilo de que se cerca na realidade, e, assim, suprimir o essencial, o ato do espírito que as isolou dessa realidade. "Apresenta-se" um quadro no meio de móveis, de bibelôs, de tapeçarias da mesma época, cenário insípido que a dona-de-casa mais ignorante se esmera em armar, até à véspera, nos hotéis de hoje, passando agora seus dias nos arquivos e bibliotecas, cenário em meio ao qual a obra-prima que se contempla durante o jantar não provoca a mesma alegria embriagadora que só se lhe deve exigir numa sala de museu, a qual simboliza melhor, com sua nudez e seu despojamento de todas as particularidades, os espaços interiores em que o artista se abstraiu para criar.

Infelizmente, esses lugares maravilhosos que são as gares, de onde a gente parte para um destino longínquo, são igualmente lugares trágicos, pois, se ali se cumpre o milagre em virtude do qual os lugares que ainda não tinham existência senão em nosso pensamento passarão a ser aqueles em que iremos viver, por essa mesma razão é necessário renunciar, ao deixar a sala de espera, a reencontrar logo o quarto familiar onde estávamos há pouco. É preciso perder toda a esperança de voltar a dormir em casa, uma vez que decidimos penetrar no antro empestado por onde se tem acesso ao mistério, num desses grandes estúdios envidraçados, como o de Saint-Lazare, onde eu fui procurar o trem para Balbec, e que estendia acima da cidade desventurada um desses imensos céus crus e cheios de amontoadas ameaças de drama, semelhantes a certos céus, de uma modernidade quase parisiense, de Mantegna ou de Veronese, e sob os quais só se podia cumprir algum ato solene e terrível como uma partida em trem de ferro ou a ereção da Cruz.

Enquanto me contentara em avistar, do fundo da minha cama em Paris, a igreja persa de Balbec em meio aos flocos de neve da tempestade, meu corpo não fizera qualquer objeção a essa viagem. As objeções começaram apenas quando compreendera que estava de partida e que, na noite da chegada, me conduziriam ao "meu" quarto, que lhe seria desconhecido. Sua revolta foi tão mais profunda quando, na própria véspera da partida, eu soubera que minha mãe não nos acompanharia, pois meu pai, retido no ministério até o momento em que partiria para a Espanha com o Sr. de Norpois, tinha preferido alugar uma casa nos arredores de Paris. Aliás, a contemplação de Balbec não me parecia menos desejável por ter de comprá-la ao preço de um mal-estar; o qual, pelo contrário, me parecia representar e garantir a realidade da impressão que ia procurar, impressão que nenhum espetáculo equivalente teria substituído, nenhum "panorama" que eu pudesse ir ver sem por isso ser impedido até de voltar para dormir em minha cama. Não era a primeira vez que percebia que as pessoas que amam não são as mesmas que desfrutam dos prazeres. Julgava desejar tão profundamente Balbec que o médico que me tratava, espantando-se com meu ar infeliz na manhã da partida, disse: – Garanto-lhe que, se tivesse a oportunidade de ter apenas oito dias para ir tomar a fresca num porto de mar, não me faria de rogado. Você há de ver as corridas, as regatas; será ótimo. – Por mim, já sabia, e bem antes de ter ouvido a Berma, que, fosse qual fosse o objeto do meu amor, sempre a encontraria ao cabo de uma penosa busca, durante a qual seria preciso sacrificar o meu prazer a esse bem supremo, em vez de nele achar o meu prazer.

Minha avó, naturalmente, concebia nossa partida de modo um pouco diverso, e sempre desejosa, como antigamente, de emprestar aos presentes que me davam um caráter artístico, quisera, a fim de me ofertar dessa viagem uma "sensação" um tanto antiga, que seguíssemos o caminho metade por trem e metade de carro, o trajeto que a Sra. de Sévigné percorrera de Paris a "L'Orient", passando por Chaulnes e pelo "Pont-Audemer". Porém minha avó fora obrigada a renunciar a esse projeto, devido à proibição de meu pai, que sabia que, quando minha avó organizava uma viagem, com o objetivo de tirar dela o maior proveito intelectual possível, era inacreditável o que se podia prever de trens perdidos, malas extraviadas, dores de garganta e infrações de regulamentos. Mas, ao menos, tinha ela o prazer de pensar que nunca, quando estivéssemos na praia, estaríamos expostos a ser surpreendidos por quaisquer das que a sua querida Sévigné denominava "cadela de carruagem", já que não conheceríamos ninguém em Balbec, pois Legrandin não nos dera um cartão de visitas para a sua irmã. (Abstenção que não fora apreciada da mesma maneira por minhas tias Céline e Victoire, que tinham conhecido, quando era moça, aquela a quem só chamavam até então de Renée de Cambremer, para marcar a sua intimidade de antes, e ainda conservavam presentes seus, desses que ornamentam um quarto e uma conversa, mas aos quais a realidade de hoje já não corresponde; e julgavam se vingar da afronta que nos fizeram evitando pronunciar, na casa da Sra. Legrandin mãe, o nome da filha, e, à saída, se limitavam a felicitar-se com frases como: "Não fiz alusões ao que sabes" e "Creio que compreenderam.")

Portanto, partiríamos simplesmente de Paris naquele trem de uma hora e vinte e dois minutos, que já me parecia conhecido, de tanto o haver procurado no indicador das estradas de ferro, onde sempre me inspirava a emoção e quase a bem-aventurada ilusão da partida. Como a determinação dos aspectos da felicidade, em nossa imaginação, consiste antes na identidade dos desejos que nos inspira do que na precisão das informações que temos a seu respeito, julgava eu conhecer em todos os detalhes aquele prazer de viagem e não duvidava que experimentaria no vagão um prazer especial quando começasse a entardecer, e que contemplaria tal efeito de luz ao se aproximar uma certa estação; de modo que aquele trem, revelando sempre em mim as imagens das mesmas cidades que eu envolvia na luz daquelas horas da tarde que ele atravessa, parecia-me diferente de todos os outros trens; e eu acabava por dar, como ocorre muitas vezes quanto a uma pessoa que nunca vimos mas cuja amizade nos apraz imaginar que conquistamos, uma fisionomia particular e imutável a esse viajante artista e louro que me levaria pelo seu caminho e ao qual teria dado adeus junto à catedral de Saint-Lô, antes que ele se afastasse na direção do ocaso.

Como a minha avó não podia se resolver a ir assim "idiotamente" a Balbec, pararíamos por 24 horas na casa de uma de suas amigas, de onde eu voltaria a seguir viagem na mesma noite para não incomodar e também de modo a ver no dia seguinte a igreja de Balbec, pois tínhamos sabido que ficava muito longe de Balbec-Plage, e talvez não fosse possível ir até lá depois de ter principiado o meu tratamento de banhos. E talvez me fosse menos penoso sentir que o objetivo admirável de minha viagem estava situado antes da cruel primeira noite em que entraria numa nova morada e teria de me resignar a ficar ali. Mas primeiro era necessário deixar a antiga; minha mãe resolvera instalar-se naquele mesmo dia em Saint-Cloud, e tinha tomado, ou fingira que tomara, todas as disposições necessárias para ir diretamente a Saint-Cloud depois de nos haver deixado na estação, sem ter de passar de novo em casa, pois temia que eu, em vez de partir para Balbec, quisesse voltar com ela. E, pretextando ter muito que fazer na casa que acabara de alugar e de ter pouco tempo, mas na verdade para me poupar a crueldade dessa despedida, decidira não estar conosco até a partida do trem, quando, dissimulada até então nos vaivéns e nos preparativos que a nada levam em definitivo, aparece bruscamente uma separação impossível de suportar, ainda que já não seja possível de evitar, inteiramente concentrada num imenso instante de lucidez impotente e suprema.

Pela primeira vez sentia ser possível que minha mãe vivesse sem mim, dedicada a outra coisa, com outra vida diferente. Ia ficar com meu pai, cuja vida talvez achasse que eu complicava e entristecia com minha saúde precária e meu nervosismo. E essa separação ainda mais me desesperava porque pensava que provavelmente fosse para minha mãe o fim das sucessivas decepções que lhe causara, que ela soubera calar, e que lhe fizeram compreender a dificuldade de férias comuns; e talvez também a primeira tentativa de uma existência à qual começara a se resignar para o futuro, à medida que os anos passavam para meu pai e para ela, existência em que a veria muito menos, na qual, o que nem nos meus pesadelos me ocorria, ela seria uma pessoa um pouco estranha para mim, como uma senhora que a gente vê entrar sozinha numa casa onde eu não estaria, perguntando ao porteiro se não havia cartas minhas.

Mal pude responder ao empregado que quis segurar minha mala. Minha mãe tentava me consolar com os meios que lhe pareciam mais eficazes. Achava inútil fingir não ver minha mágoa, e dela troçava com carinho:

– Ora, vamos; que diria a igreja de Balbec se soubesse que é com esse aspecto de infeliz que te preparas para ir vê-la? É este o viajante extasiado de que fala Ruskin? Aliás, hei de saber se estiveste à altura das circunstâncias; mesmo longe ainda estarei com o meu filhinho. Amanhã mesmo receberás uma carta da mamãe.

– Minha filha – disse minha avó –, vejo-te como a Sra. de Sévigné, uma carta diante dos olhos e não nos deixando um só instante.

E mamãe procurava distrair-me; perguntava o que iria encomendar para jantar, admirava Françoise e cumprimentava-a pelo chapéu e pela capa que não reconhecia, embora antigamente lhe tivessem causado horror quando os vira, novinhos, usados por minha tia-avó, o chapéu encimado por um pássaro imenso, a capa ornamentada de azeviche e desenhos horrendos. Mas como a capa estava bem gasta, Françoise mandara virá-la pelo avesso, e ela exibia agora um tecido liso de bela cor. Quanto ao pássaro, havia muito tempo que se quebrara e fora posto de lado. E, do mesmo modo que às vezes é desconcertante encontrar refinamentos, que os artistas mais conscientes se esforçam por obter, em alguma canção popular ou na fachada de uma casa de campo, que faz desabrochar acima da porta uma rosa branca ou cor de enxofre, justamente no ponto em que devia estar – assim Françoise, com gosto infalível e ingênuo, soubera colocar naquele chapéu, agora delicioso, a laçada de veludo e o laçarote de fitas que teriam encantado num quadro de Chardin ou de Whistler.

Para remontar a um tempo mais antigo, a modéstia e a honestidade, que muitas vezes conferiam nobreza ao rosto da nossa velha criada, haviam também alcançado os vestidos que, como mulher reservada mas sem baixeza, que sabe "manter seu nível e conhecer seu lugar", ela voltara a pôr para a viagem, a fim de se manter digna de ser vista conosco sem dar a impressão de querer se colocar em evidência. Assim, com o pano cor de cereja, mas fanado, de sua capa e os pêlos sem rudeza do seu casaco de pele, fazia pensar num desses retratos de Ana da Bretanha pintados nos Livros de Horas por um velho mestre, e nos quais tudo se põe tão bem no seu posto, o sentimento do conjunto é tão igualmente difundido em todas as partes, que a singularidade rica e desusada do vestuário exprime a mesma gravidade piedosa dos olhos, dos lábios e das mãos.

Não se poderia falar de pensamento a propósito de Françoise. Ela não conhecia nada, naquele sentido total em que não saber nada equivale a nada compreender, a não ser as raras verdades que o coração é capaz de entender diretamente. O mundo imenso das idéias não existia para ela. Mas, diante da claridade de seu olhar, das linhas delicadas do nariz, dos lábios, diante de todos esses testemunhos ausentes em muitas dessas pessoas cultas, nas quais teriam significado a distinção suprema, o nobre desinteresse de uma alma de elite, a gente se sentia desconcertado como diante do olhar inteligente e bondoso de um cão, ao qual, no entanto, sabemos serem estranhos todos os conceitos dos homens, e poder-se-ia perguntar se não há entre esses outros irmãos humildes, os camponeses, criaturas que sejam como os homens superiores da sociedade dos simples de espírito, ou melhor, os que, condenados, por um destino injusto, a viver entre esses simples de espírito, privados de luz, e no entanto mais natural e essencialmente aparentados às naturezas de elite do que a maioria das pessoas instruídas, são como que membros dispersos, extraviados, privados de razão, da família sagrada, parentes, que não saíram da infância, das mais altas inteligências, e a quem faltou, para terem talento, unicamente o saber – como se percebe, sem erro, na claridade de seu olhar que, todavia, não se aplica a nada.

Minha mãe, vendo que eu mal continha as lágrimas, dizia: "Régulo tinha o costume, nas grandes ocasiões... E depois, não é bonito fazer assim para a mamãe." Citemos a Sra. de Sévigné, como a tua avó: "Vou ser obrigada a empregar toda a coragem que tu não tens." E, lembrando-se que o afeto por outrem desvia as dores egoístas, tentava me animar dizendo que sua viagem a Saint-Cloud seria tranqüila, que estava contente com o fiacre que reservara, que o cocheiro era muito bem educado e o carro confortável. Eu me esforçava por sorrir a tais pormenores e inclinava a cabeça em sinal de aquiescência e satisfação. Mas isto só servia para me representar com mais veracidade a partida de mamãe, e foi com o coração apertado que a encarei como se ela já estivesse separada de mim, sob aquele chapéu de palha redondo que comprara para usar na roça, com o vestido leve que pusera devido ao longo percurso em dia muito quente, e que a transformavam em outra, já pertencente àquela Vila de Montretout, onde não a veria.

Para evitar as crises de sufocação que a viagem me daria, o médico recomendara que tomasse um pouco de cerveja ou de conhaque no momento de partir, a fim de me pôr nesse estado que denominava "euforia", em que o sistema nervoso fica momentaneamente menos vulnerável. Ainda não estava certo se o faria ou não, mas queria pelo menos que minha avó reconhecesse, no caso de me decidir a fazê-lo, que eu procedia com sensatez e por motivo justo. Assim, falei nisso a minha avó como se minha hesitação se limitasse ao local em que haveria de beber álcool – no refeitório da estação ou no vagão-restaurante. Porém logo, diante do ar de censura da fisionomia de minha avó, do seu desejo de nem querer ouvir falar naquilo: – Como! – exclamei, decidindo-me de súbito a beber, coisa agora necessária para provar minha liberdade, visto que seu simples anúncio verbal não pudera passar sem protesto. – Como! Sabe muito bem que estou doente, sabe o que o médico me disse e é este o conselho que me dá!

Quando expliquei meu mal-estar à minha avó, ela assumiu um ar tão contristado, tão bondoso, ao responder: – Mas então vai tomar logo essa cerveja, ou o conhaque, se é que isto vai te fazer bem – que me lancei nos seus braços e a cobri de beijos. E, se por fim fui beber no bar do trem, era por sentir que sem aquilo teria um acesso muito forte de sufocação, o que magoaria muito mais a minha avó.

Quando, na primeira estação, subi para o nosso compartimento, disse-lhe que estava muito feliz por ir a Balbec, que sentia que tudo correria bem, que no fundo me habituaria depressa a estar longe de mamãe, que aquele trem era agradável, o gerente do bar e os demais empregados eram muito simpáticos, de tal modo que desejaria viajar mais seguido para poder revê-los. Entretanto, essas notícias não pareciam inspirar a minha avó o mesmo regozijo que a mim. Evitando me olhar, disse: – Talvez fosse melhor que cuidasses de dormir um pouco – e desviou o olhar para a janela; tínhamos baixado a cortina que no entanto não cobria todo o vidro, de forma que o sol se insinuava pela madeira envernizada da portinhola e lançava sobre o estofado dos assentos a mesma luz morna e dormente que cochilava nas clareiras lá fora, claridade que era como um anúncio da vida em plena Natureza, muito mais convincente que as paisagens dos cartazes colocadas no alto dos compartimentos e cujos nomes, por esse motivo, eu não conseguia ler.

Mas, quando minha avó pensava que eu mantinha os olhos fechados, eu a via por momentos, por baixo de seu véu de grandes pintas pretas, lançar-me um olhar, depois afastá-lo, e depois voltar a olhar-me, como alguém que procura se esforçar por habituar-se a um exercício que lhe é penoso.

Então eu lhe falava, mas isso parecia não lhe agradar muito. E, no entanto, minha própria voz me dava muito prazer, assim como os movimentos mais insensíveis e internos do meu corpo. Portanto, tentava fazê-los durar, deixava cada uma de minhas inflexões prolongar-se por muito tempo nas palavras, sentia que cada um de meus olhares se encontrava muito bem onde quer que pousasse e ali permanecesse mais tempo que de costume. – Vamos, descansa – disse a minha avó. – Se não podes dormir, lê alguma coisa. – E me passou um volume da Sra. de Sévigné, que abri, enquanto ela se absorvia nas *Memórias* da Sra. de Beausergent. Ela nunca viajava sem um tomo de uma ou de outra. Eram suas duas escritoras prediletas. Sem mexer muito a cabeça naquele instante e experimentando grande prazer em manter uma dada posição, fiquei segurando o livro da Sra. de Sévigné sem abri-lo, e sem abaixar o olhar para vê-lo, pois os olhos só tinham à sua frente o cortinado azul da janela. Mas parecia-me admirável contemplar esse cortinado, e nem sequer me incomodaria em responder a quem quisesse me tirar daquela contemplação. A cor azul do cortinado, talvez não por sua beleza e sim pela vivacidade intensa, parecia eliminar a tal ponto todas as cores que tivera diante de meus olhos desde o dia em que nascera até o momento em que acabara de engolir a bebida e quando ela começava a fazer efeito, que, em comparação com aquele azul, todos os outros coloridos eram para mim tão baços, tão inúteis como o pode ser, retrospectivamente, a escuridão para os cegos de nascença que são operados tardiamente e vêem afinal as cores. Um velho empregado da estrada de ferro veio pedir nossas passagens. Os reflexos prateados dos botões de metal de sua túnica não deixaram de me encantar. Desejei lhe pedir que sentasse ao nosso lado, mas ele passou para outro vagão, e fiquei pensando com nostalgia na vida dos ferroviários que, passando o tempo todo nas estradas de ferro, sem dúvida não deixariam de ver um só dia aquele velho fiscal. O prazer que eu sentia em ver o cortinado azul e em perceber que minha boca estava entreaberta começou por fim a diminuir. Quis mover-me e me agitei um pouco; abri o livro que minha avó me estendera e pude fixar a atenção nas páginas escolhidas ao acaso. Enquanto lia, senti crescer minha admiração pela Sra. de Sévigné.

Cumpre não nos deixarmos enganar pelas particularidades puramente formais, referentes a uma época e à vida social de então, e que levam muitas pessoas a julgar que já fizeram o seu pouco de Sévigné quando dizem: "Dê-me suas ordens, querida" ou "Esse conde me pareceu possuir um pouco de espírito" ou "A coisa mais bonita do mundo é pôr o feno para secar." Já a Sra. de Simiane pensava que se parecia com a avó, Sra. de Sévigné, por ter escrito: "O Sr. de la Boulie vai às maravilhas, senhor, e pode perfeitamente ouvir a notícia da própria morte", ou: "Oh! meu caro marquês, como me agradou a sua carta! Como farei para respondê-la", ou ainda: "Senhor, parece que me deve uma resposta e eu, caixas de tangerinas. Envio oito, outras irão depois... A terra nunca deu tanta tangerina. Aparentemente, é para lhe agradar." E no mesmo estilo escreve cartas sobre a sangria, os limões, etc., imaginando que são cartas da Sra. de Sévigné. Porém minha avó, que chegara até esta por dentro, pelo amor aos seus, à natureza, ensinara-me a estimar suas verdadeiras belezas, que são bem diversas das outras. Deviam impressionar-me bastante, tanto mais que a Sra. de Sévigné é uma grande artista, da mesma família de um pintor que eu iria conhecer em Balbec e que teve uma influência tão profunda sobre minha visão das coisas, Elstir. Em Balbec, percebi que a Sévigné nos apresenta as coisas da mesma maneira que o pintor, ou seja, de acordo com nossas percepções, em vez de as explicar primeiro por sua causa. Mas já naquela tarde, no vagão, relendo a carta em que aparece o luar: "Não pude resistir à tentação, botei todas as minhas toucas e casacões que não eram necessários, fui para aquele passeio público onde o ar é bom como o do meu quarto; encontrei mil quimeras, *monges brancos e negros, várias religiosas cinzentas e brancas, roupa branca atirada aqui e ali, homens amortalhados de pé contra árvores* etc.", fiquei deslumbrado com o que teria chamado, um pouco mais tarde (pois ela não pinta as paisagens da mesma maneira que ele os caracteres?), o lado Dostoievski das *Cartas da Sra. de Sévigné.*

Quando à tardinha, depois de ter levado minha avó e ficar durante algumas horas na casa de sua amiga, voltei sozinho para o trem, pelo menos não achei penosa a noite que caía; é que não tinha de passá-la na prisão de um quarto cuja própria sonolência me manteria acordado; estava rodeado pela atividade calmante de todos os movimentos do trem, que me faziam companhia, se ofereciam para conversar comigo se não tivesse sono, me acalentavam com seus rumores que eu harmonizava como o som dos sinos de Combray, ora a um ritmo, ora a outro (ouvindo, conforme a minha fantasia, primeiro quatro duplas colcheias iguais e logo uma dupla colcheia furiosamente precipitada contra uma semínima); neutralizavam a força centrífuga da minha insônia, sobre ela exercendo pressões contrárias que me mantinham em equilíbrio e sobre as quais a minha imobilidade e, logo depois, o meu sono se sentiram sustentados com a mesma impressão de frescor que me teria proporcionado o repouso, devido à vigilância de forças poderosas no seio da Natureza e da vida, se por um momento eu pudesse me encarnar num peixe que dorme no mar, ou pudesse passear em seu entorpecimento pelas correntes e pelas vagas, ou nalguma águia unicamente apoiada na tempestade.

As auroras são um acompanhamento das longas viagens de trem, como os ovos cozidos, os jornais ilustrados, os jogos de cartas e os rios onde os barcos se esforçam sem avançar. Num momento em que eu enumerava os pensamentos que me haviam enchido o espírito nos minutos precedentes, para verificar se dormira ou não (e quando a própria incerteza que me inspirava a pergunta me fornecia a resposta afirmativa), no quadrado da janela, acima de um bosquezinho negro, vi nuvens recortadas cuja suave penugem era de um róseo parado, morto, que não mais haveria de mudar, como aquele que tinge as penas da asa que o assimilou ou o pastel sobre o qual o depositou a fantasia do pintor. Mas eu sentia que, ao contrário, essa cor não era inércia nem capricho, e sim necessidade e vida. Em breve se amontoaram, por detrás dela, reservas de luz. Ela se avivou, o céu tornou-se de um encarnado que eu, colando os olhos no vidro, procurava perceber melhor, pois sentia-o relacionado com a profunda existência da Natureza; mas a linha férrea mudou de direção, o trem fez uma volta, o cenário matinal foi substituído no quadro da janela por uma aldeia noturna de telhados azuis de luar, com um lavabo manchado pelo nácar opalino da noite, sob um céu ainda semeado de todas as suas estrelas, e eu me desolava por haver perdido a faixa de céu róseo quando a percebi de novo, porém rubra dessa vez, na janela do outro lado, que abandonou a um segundo cotovelo da linha férrea; de modo que eu passava o tempo a correr de uma janela a outra, para aproximar, enquadrar os fragmentos intermitentes e opostos de minha bela manhã escarlate e inconstante e dela ter uma visão total e um quadro contínuo.

A paisagem se tornou acidentada, abrupta; o trem parou numa estaçãozinha entre duas montanhas. Ao fundo da garganta, à beira da corrente, só se via uma casa de guarda mergulhada na água que corria por baixo das janelas. E, se é possível que determinada terra produza uma criatura em que se possa desfrutar o seu particular encanto, mais ainda que a camponesa que eu tanto desejara que aparecesse quando vagueava sozinho para os lados de Méséglise, nos bosques de Roussainville, essa devia ser aquela moça alta que vi sair da casa e dirigir-se à estação, pelo caminho estreito que o sol nascente iluminava, oblíquo, levando um jarro de leite. No vale, que as alturas vizinhas escondiam ao resto do mundo, a moça não devia ver outras pessoas senão as que vinham nos trens, que paravam por um instante. Andou ao longo dos vagões, oferecendo café com leite a alguns viajantes acordados. Colorido pelos reflexos da manhã, seu rosto era mais róseo que o céu. Diante dela, senti esse desejo de viver que renasce em nós cada vez que tomamos consciência, de novo, da beleza e da felicidade. Sempre esquecemos que elas são individuais e, substituindo-as em nosso espírito por um tipo convencional formado de uma espécie de média dos diversos rostos que nos agradaram, entre os prazeres que conhecemos, temos apenas imagens abstratas, vaporosas e insossas, pois lhes falta precisamente esse caráter de novidade, diverso do que já conhecemos, esse caráter que é próprio da beleza e da felicidade. E lançamos sobre a vida um julgamento pessimista que consideramos justo, pois acreditamos ter levado em conta a beleza e a felicidade, quando as omitimos, substituindo-as por sínteses onde não há sequer um átomo delas. É assim que boceja antecipadamente um literato a quem falam de um novo "belo livro", pois imagina uma espécie de composto de todos os belos livros que já leu, ao passo que um belo livro é algo particular, imprevisível, e não se compõe da soma de todas as obras-primas precedentes e, sim, de alguma coisa que não se obtém com a perfeita assimilação de tal soma, porque está justamente fora dela. Assim que toma conhecimento dessa nova obra, o literato, até então enfastiado, sente interesse pela realidade que ela descreve. Desse modo, estranha aos modelos de beleza que meu pensamento delineava quando eu estava a sós, a bela moça logo me deu o gosto de uma certa felicidade (única forma, sempre particular, sob a qual podemos conhecer o gosto da felicidade), de uma felicidade que se realizaria caso vivesse junto dela. Porém ainda aqui, em grande parte agia a cessação momentânea do Hábito. Eu beneficiava a vendedora de leite com o que era o meu ser completo, à sua frente, capaz de gozar dos mais vivos prazeres. Em geral, é com o nosso ser reduzido ao mínimo que vivemos; a maioria das nossas faculdades permanecem adormecidas, pois repousam no hábito, que sabe o que tem a fazer e não precisa delas. Mas, naquela manhã de viagem, a interrupção da rotina da minha vida, a mudança de hora e lugar, tornaram indispensável a sua presença. Meu hábito, que era sedentário e não madrugador, fazia falta, e todas as minhas faculdades tinham acorrido para ocupar seu posto, rivalizando entre si de zelo – erguendo-se todas, como as ondas, a um mesmo nível desacostumado –, da mais vil à mais nobre, da respiração, do apetite e da circulação sanguínea à sensibilidade e à imaginação; não sei se, fazendo-me crer que aquela moça não era igual às outras mulheres, o encanto selvagem daqueles lugares se acrescentava ao seu, mas a verdade é que ela o devolvia ao ambiente. A vida teria me parecido deliciosa se eu pudesse apenas, horas seguidas, passá-las em sua companhia, acompanhá-la até a torrente, até a vaca, até o trem, estar sempre a seu lado sentir-me conhecido dela, tendo meu lugar em seu pensamento. Ela teria me iniciado nos encantos da vida rústica e das primeiras horas do dia. Fiz-lhe sinal para que me servisse café com leite. Precisava ser notado por ela. Não me viu, chamei-a. Acima de seu corpo muito grande, a pele do rosto era tão dourada e rósea que ela dava a impressão de ser vista através de um vitral iluminado. Ela voltou atrás, eu não podia desviar os olhos do seu rosto cada vez maior, semelhante a um sol que fosse possível encarar e que se aproximaria até chegar bem junto da gente, deixando-se observar bem de perto, ofuscando-nos de ouro e de vermelho. Pousou em mim o olhar agudo, mas, como os empregados fechavam as portinholas, o trem se pôs em marcha; vi-a deixar a estação e retomar o atalho, o dia já estava bem claro agora: eu me afastava da aurora. Que minha exaltação tenha sido provocada por aquela moça, ou, ao contrário, se foi a principal razão do prazer que sentira ao me achar perto dela, não sei. Em todo caso, estava tão mesclada a ela que meu desejo de revê-la era antes de tudo o desejo moral de não deixar que semelhante estado de excitação morresse de todo, e de não me separar para sempre da criatura que dela tomara parte, mesmo sem o saber. E não era apenas porque tal estado fosse agradável. Era sobretudo porque (como a máxima tensão de uma corda onde a mais rápida vibração de um nervo produz uma sonoridade ou uma cor diversa) dava uma outra tonalidade ao que eu via, introduzia-me, como ator, em um universo desconhecido e infinitamente mais interessante; essa bela moça que ainda conseguia avistar, enquanto o trem acelerava a sua marcha, era como uma parte de uma vida diferente da que eu conhecia, dela separada por uma orla e onde as sensações despertadas pelos objetos já não eram as mesmas; e de onde sair agora seria como morrer para mim mesmo. Para ter a doçura de me sentir ao menos ligado àquela vida, bastaria que morasse bem próximo à pequena estação para poder vir todos os dias pedir café com leite àquela camponesa. Mas infelizmente ela estaria sempre ausente da outra vida para a qual eu ia cada vez mais depressa, e que só me resignava a aceitar combinando os planos que me permitiriam um dia retomar esse mesmo trem e de parar naquela mesma estação, projeto que também tinha a vantagem de fornecer alimento à disposição interessada, ativa, prática, maquinal, preguiçosa, centrífuga, que é a do nosso espírito, pois facilmente ele se desvia do esforço necessário para aprofundar em si mesmo, de um modo geral e desinteressado, uma impressão agradável que tenhamos tido. E como, por outro lado, queremos continuar a pensar nessa impressão, o espírito prefere imaginá-lo no futuro, preparar habilmente as circunstâncias que poderão fazê-la renascer, o que não nos ensina coisa alguma sobre sua essência, porém nos evita o cansaço de recriá-la em nós mesmos, permitindo-nos esperar recebê-la novamente de fora.

Certos nomes de cidades, Vézelay ou Chartres, Bourges ou Beauvais, servem para designar, por abreviatura, sua igreja principal. Essa designação parcial em que o tomamos com freqüência acaba – se se trata de lugares que ainda não conhecemos – por esculpir o nome completo, que desde então, quando desejamos incluir-lhe a idéia da cidade – a cidade que nunca vimos – há de lhe impor, como um molde – a mesma cinzelagem, o mesmo estilo, transformando-a numa espécie de grande catedral. Entretanto, foi numa estação de trem, acima de um bufete, em letras brancas sobre um cartaz azul, que li o nome, quase de estilo persa, de Balbec. Atravessei com rapidez a estação e o bulevar que ali terminava, e perguntei pela praia, para só ver a igreja e o mar; não pareceram compreender o que dissera. Balbec-le-Vieux, Balbec-en-Terre, onde me encontrava, não era praia nem porto. Certamente, fora mesmo no mar que os pescadores, de acordo com a lenda, haviam encontrado o Cristo milagroso, de que um vitral daquela igreja, que se achava a alguns metros de mim, contava a descoberta; era mesmo das falésias batidas pelas ondas que fora tirada a pedra da nave e das torres. Mas esse mar, que por isso mesmo eu pensava viesse morrer ao pé do vitral, estava a mais de cinco léguas de distância, em Balbec-Plage, e, ao lado de sua cúpula, aquele campanário que, por haver lido que ele próprio fora uma rude falésia normanda onde se ajuntavam os grãos e revoluteavam os pássaros, sempre imaginara como recebendo em sua base a última espuma das vagas revoltas – erguia-se numa praça onde ocorria o cruzamento de duas linhas de bondes, diante de um café que ostentava, em letras de ouro, a palavra "Bilhar"; destacava-se sobre um fundo de casas a cujos telhados não se misturava nenhum mastro. E a igreja – entrando na minha atenção junto com o café, com o transeunte a quem tivera de perguntar o caminho, com a estação para onde eu iria voltar – formava um todo com o resto, parecia um acidente, um produto daquele fim de tarde, na qual a cúpula suave e altiva contra o céu era como um fruto cuja pele rósea, dourada e tenra fosse amadurecida pela mesma luz que banhava as chaminés das casas. Mas não quis mais pensar em nada senão no significado eterno das esculturas quando reconheci os Apóstolos cujas estátuas moldadas vira no museu do Trocadéro e que, dos dois lados da Virgem, diante da abertura profunda do pórtico, esperavam-me como para me prestar honras. O rosto benevolente e suave, o nariz achatado, o dorso curvo, pareciam avançar com um aspecto de boas-vindas, cantando a *Alleluia* de um belo dia. Mas a gente verificava que sua expressão era imutável como a de um morto e só se modificava se andássemos a seu redor. Dizia comigo: "É aqui, é esta a igreja de Balbec. Esta praça que parece conhecer a sua glória é o único lugar do mundo que possui a igreja de Balbec. O que vi até agora eram fotos dessa igreja, e destes Apóstolos, desta Virgem do pórtico, tão célebres, apenas as moldagens. Agora é a própria igreja, a própria estátua, são elas; elas, as únicas, e isto é muito mais."

E talvez também fosse menos. Como um rapaz, num dia de exame ou de duelo, acha o fato sobre o qual o interrogaram, a bala que ele disparou, bem pouca coisa quando pensa nas reservas de ciência e de coragem que possui e das quais gostaria de dar provas, assim também o meu espírito, que elevara a Virgem do pórtico fora das reproduções que tivera diante dos olhos, inacessível às vicissitudes que poderiam ameaçar aquelas, intacta se as destruíssem, ideal, de um valor universal, espantava-se ao ver a estátua que mil vezes esculpira, reduzida agora à sua própria aparência de pedra, ocupando em relação ao alcance do meu braço um posto onde tinha por rivais um cartaz eleitoral e a ponta da minha bengala, acorrentada à Praça, inseparável da saída da rua principal, não podendo fugir aos olhares do café e do escritório de ônibus, recebendo no rosto a metade do raio do sol poente – e em breve, dentro de algumas horas, da claridade do lampião – de que o escritório do Banco de Descontos recebia a outra metade, alcançada, ao mesmo tempo que essa sucursal de um estabelecimento de crédito, pelo mofo das cozinhas da pastelaria, submetida à tirania do Particular a tal ponto que, se eu quisesse traçar minha assinatura naquela pedra, seria ela, a Virgem ilustre que até então havia dotado de uma existência geral e de uma beleza intangível, a Virgem de Balbec, a única (o que, infelizmente, queria dizer ela só), que, sobre seu corpo manchado da mesma fuligem que a das casas vizinhas, mostraria a todos os admiradores ali chegados para contemplá-la, sem poder desfazê-las, as letras do meu nome e as marcas do meu pedaço de giz; e era ela, enfim, a obra de arte imortal e desejada por tão longo tempo, que eu encontrava transformada, bem como a própria igreja, em uma velhinha de pedra de que eu podia medir a altura e contar as rugas. As horas passavam; era preciso voltar para a estação, onde devia esperar minha avó e Françoise para irmos juntos à praia de Balbec. Recordava o que havia lido sobre Balbec, as palavras de Swann: "É delicioso, tão lindo como Siena." E só acusando de minha decepção as contingências, a má disposição em que me encontrava, o cansaço, a incapacidade de saber olhar as coisas, tentava consolar-me à idéia de que restavam ainda outras cidades, ainda intactas para mim, e que eu talvez pudesse em breve penetrar, como no meio de uma chuva de pérolas, no viçoso gorjeio das gotas d'água de Quimperlé, atravessar o reflexo esverdeado e róseo que banhava Pont-Aven; mas no caso de Balbec, logo que ali entrara, fora como se houvesse entreaberto um nome que era necessário manter hermeticamente fechado e onde, aproveitando a entrada que eu lhes havia aberto com imprudência, e expulsando todas as imagens que ali viviam até então, um bonde, um café, as pessoas que passavam pela praça, a sucursal do Banco de Redescontos, irresistivelmente impelidos por uma pressão externa e uma força pneumática, tinham se engolfado no interior das sílabas que, voltando a se fechar sobre eles, deixavam-nos agora enquadrar o pórtico da igreja persa e nunca mais os deixariam de conter.

No trenzinho local, que devia nos levar a Balbec-Plage, encontrei minha avó, mas ela estava sozinha, pois havia pensado em mandar Françoise antes de nós para que tudo estivesse preparado quando chegássemos (deu-lhe, no entanto, indicações falsas, e Françoise partira em direção errada, e àquela hora devia estar correndo a toda a velocidade para Nantes e talvez acordasse em Bordéus). Mal me sentei no compartimento, repleto da fugidia luz do crepúsculo e do persistente calor da tarde (a primeira revelou-me, no rosto de minha avó, o quanto o segundo a fatigara), ela me perguntou: – E então, é Balbec? – com um sorriso tão ardentemente iluminado pela esperança do grande prazer que, na sua opinião, eu deveria ter sentido, que não me atrevi a lhe confessar de imediato a minha decepção. Além disso, a impressão que meu espírito havia procurado preocupava-me cada vez menos à medida que ia se aproximando o local a que o meu corpo teria de se acostumar. No fim do trajeto, que ainda levaria mais de uma hora, tentava imaginar o gerente do hotel de Balbec, para quem eu ainda não existia neste momento, e gostaria de me apresentar a ele numa companhia de mais prestígio do que a da minha avó, que certamente lhe pediria um abatimento. Imaginava-o cheio de arrogância, porém muito vago de contornos.

A todo instante, o trenzinho parava numa das estações que precediam Balbec-Plage e cujos próprios nomes (Incarville, Marcouville, Doville, Pont-à-Coulevre, Arambouville, Saint-Mars-le-Vieux, Hermonville, Maineville) me pareciam estranhos, ao passo que lidos em um livro apresentariam alguma relação com os nomes de certas localidades de Combray. Mas ao ouvido de um músico dois motivos, materialmente compostos de várias notas comuns, podem não ter semelhança alguma se diferirem pelo colorido da harmonia e da orquestração. Da mesma forma, esses nomes tristes feitos de sal e areia, de espaços arejados e vazios, nomes de onde se escapava a terminação *ville* como o *vole* no jogo do *pigeon-vole,* não me lembravam em nada os nomes de Roussainville ou Martinville, os quais, porque os ouvira pronunciados com freqüência por minha tia-avó, quando estávamos sentados à mesa na "sala", tinham adquirido um certo encanto sombrio, onde talvez se misturassem essências do gosto de doces, do cheiro do fogo de lenha e do papel de um livro de Bergotte, da cor de argila da casa em frente, e que, ainda hoje, quando sobem como uma bolha de gás do fundo da minha memória, conservam sua virtude específica através das camadas superpostas de meios diferentes que precisam vencer até chegar à superfície.

Dominando o mar longínquo do alto de suas dunas, ou já se acomodando para a noite ao pé das colinas de um verde cru e de formas abruptas, como o canapé de um quarto de hotel aonde a gente acaba de chegar, eram cidadezinhas compostas de algumas residências, que as quadras de tênis prolongavam, e às vezes de algum cassino, cuja bandeira se agitava ao impulso do vento fresco, ansioso e vazio, de estaçõezinhas que me mostravam pela primeira vez os seus hóspedes de costume, mas só em seu aspecto exterior; jogadores de tênis de bonés brancos; o chefe da estação que vivia ali com suas rosas e tamarindos; uma dama de chapéu de palha, que, seguindo o traçado diário de uma vida que eu jamais conheceria, chamava o seu cão lebréu que se atrasava, e voltava para seu chalé onde já estava aceso o lampião – e essas imagens, tão estranhamente comuns e desdenhosamente familiares ao meu olhar, feriam-me cruelmente a vista surpreendida e o coração saudoso. Mas ainda mais se agravou meu sofrimento quando descemos no *hall* do Grande Hotel de Balbec, diante da escadaria monumental que imitava o mármore; e, enquanto isso, minha avó, sem se preocupar com o aumento da hostilidade e do desprezo dos estranhos, em cujo ambiente íamos viver, discutia as "condições" com o gerente, sujeito rechonchudo, com o rosto e a voz cheios de cicatrizes (o rosto, pelas sucessivas extirpações de numerosas verrugas, a voz devido aos sotaques os mais diferentes por causa das origens longínquas e de uma infância cosmopolita), trajando *smoking* de mundano, com um olhar de psicólogo que em geral tomava, à chegada do ônibus, os grão-senhores por miseráveis e os ratos de hotel por grão-senhores! Esquecendo, sem dúvida, que ele mesmo não ganhava quinhentos francos por mês, desprezava profundamente as pessoas para quem quinhentos francos, ou antes, como dizia, "vinte e cinco luíses", eram "uma soma", e as considerava como fazendo parte de uma raça de párias a quem não era destinado o Grande Hotel. É verdade que, naquele mesmo Palácio, havia pessoas que não pagavam muito caro, sem deixar de ser estimadas pelo gerente, desde que este estivesse certo de que, se cortavam os gastos, não o faziam por falta de recursos e, sim, por avareza. De fato, a avareza não diminuía em nada o prestígio de uma pessoa, pois trata-se de um vício e, portanto, pode encontrar-se em todas as camadas sociais. A posição social era a única coisa a que o gerente dava atenção, a posição social, ou antes, os sinais que lhe pareciam implicar que fosse elevada, como o não tirar o chapéu à entrada do *hall*, usar *knickerbockers*, paletó sob medida, e de tirar um charuto enfaixado em púrpura e ouro de um estojo de marroquim liso (vantagens que, ai de mim, me faltavam todas!). Pontuava as frases comerciais com expressões escolhidas, mas sem qualquer sentido.

Enquanto ouvia minha avó, sem se constranger que ele a escutasse de chapéu na cabeça e assobiando, perguntar-lhe com uma entonação artificial: – E quais são os seus preços?... muito altos para o meu pequeno orçamento – eu, esperando numa banqueta, refugiava-me no mais íntimo de mim mesmo, esforçava-me por emigrar para pensamentos eternos, não deixar nada de mim, nada de vivo, na superfície de meu corpo –, insensibilizado como o são animais, que por inibição se fingem de mortos ao serem feridos – a fim de não sofrer demais naquele ambiente onde minha falta absoluta de hábito se me tornava ainda mais sensível diante da vista do hábito local, que naquele momento parecia ter uma dama elegante a quem o gerente testemunhava seu respeito tomando intimidades com o cãozinho que a acompanhava, e o jovem janota que, de pluma no chapéu, entrava perguntando "se havia cartas", todas essas pessoas para quem subir os degraus de mármore falso era o mesmo que voltar para o seu *home*. E ao mesmo tempo o olhar de Minos, Eaco e Radamanto, olhar no qual mergulhei minha alma despovoada, como em um lugar desconhecido onde nada mais a protegesse, me foi lançado severamente por senhores que, pouco versados talvez na arte de "receber", ostentavam o título de "chefes de recepção"; mais distante, por trás de uma vidraça fechada, havia pessoas sentadas num salão de leitura, para cuja descrição teria de escolher, alternadamente, em Dante, as cores que ele atribui ao Paraíso e ao Inferno, conforme pensava na ventura dos eleitos que tinham ali o direito de ler em sossego, ou no terror que teria me causado minha avó se, na sua despreocupação com esse tipo de impressões, me tivesse mandado entrar naquele recinto.

Minha impressão de solidão cresceu ainda mais um instante após. Como houvesse confessado à minha avó que não me sentia bem, que achava que íamos ser obrigados a voltar a Paris, ela dissera, sem protestar, que sairia para fazer algumas compras, úteis tanto se tivéssemos de partir como ficar (e que, a seguir, eu soube que me eram todas destinadas, pois Françoise levara consigo algumas coisas que me fariam falta); esperando-a, fora dar uma volta pelas ruas entulhadas de uma multidão que ali mantinha um calor de apartamento e onde ainda estavam abertos um salão de barbeiro e uma pastelaria, na qual os fregueses tomavam gelados diante da estátua de Duguay-Trouin. Ela me causou quase o mesmo prazer que sua imagem, no meio de uma revista ilustrada, pode trazer ao doente que a folheia na sala de espera de um cirurgião. Espantava-me que houvesse pessoas bem diferentes de mim para que, nesse passeio pela cidade, o gerente me pudesse tê-lo recomendado como distração, e também para que o local de suplício, que é uma nova morada, pudesse parecer a certas pessoas "um jardim de delícias", como dizia o prospecto do hotel, que podia estar exagerando mas se dirigia a toda uma clientela cujos gostos lisonjeava. É verdade que ele invocava, para que viessem ao Grande Hotel de Balbec, não apenas "o tratamento requintado" e o "panorama feérico dos jardins do cassino", mas ainda os "decretos de Sua Majestade a Moda, que não se pode violar impunemente sem se passar por um idiota, coisa a que nenhum homem bem-educado desejaria se expor".

A necessidade que eu sentia de minha avó aumentara pelo receio de lhe haver causado uma desilusão. Ela devia estar desanimada, achando que, se eu não suportava esse cansaço, era de desesperar que qualquer viagem me fizesse bem. Decidi entrar para esperá-la; o gerente veio pessoalmente apertar um botão: e um personagem, ainda meu desconhecido, a quem chamavam *lift* (e, no ponto mais alto do hotel, lá onde ficaria o lanternim de uma igreja normanda, estava instalado como um fotógrafo por trás de seus vidros ou um organista em sua câmara), pôs-se a descer na minha direção com a agilidade de um esquilo doméstico, industrioso e cativo. Depois, deslizando de novo ao longo de uma pilastra, arrastou-me consigo para o domo da nave comercial. A cada andar, dos dois lados de pequenas escadas de comunicação, desdobravam-se em leque escuras galerias, nas quais, carregando um travesseiro, passava uma camareira. Aplicava ao seu rosto, que o crepúsculo me tornava indeciso, a máscara de minhas fantasias mais apaixonadas, porém lia no seu olhar voltado para mim o horror do meu nada. Entretanto, para dissipar, no decurso da subida interminável, a angústia mortal que experimentava em atravessar em silêncio o mistério daquele claro-escuro sem poesia, iluminado apenas por uma fileira vertical de vidraças, formada pela superposição do único *water-closet* de cada andar, dirigi a palavra ao jovem organista, artesão de minha viagem e companheiro de minha prisão, o qual continuava a manusear os registros e tubos de seu instrumento. Desculpei-me por ocupar tanto espaço e lhe dar tanto trabalho, e perguntei-lhe se não o incomodava no exercício de uma arte, a cujo respeito, para lisonjear o virtuose, fiz mais do que manifestar a minha curiosidade, confessei-lhe minha predileção. Mas ele não me respondeu, fosse por espanto diante de minhas palavras, atenção ao trabalho, preocupação com a etiqueta, dureza de ouvido, respeito ao lugar, receio do perigo, preguiça de inteligência ou ordens do gerente.

Talvez não haja nada que nos dê mais fortemente a impressão da realidade daquilo que nos é exterior como a mudança de posição de uma pessoa em relação a nós, mesmo que seja uma pessoa insignificante, antes e depois de a termos conhecido. Eu era o mesmo homem que, no fim da tarde, tomara o trenzinho de Balbec, trazia comigo a mesma alma. Porém nessa alma, no lugar onde, às seis horas, havia a impossibilidade de imaginar o gerente, o Palácio, o seu pessoal, uma vaga e temerosa espera do momento da chegada, encontravam-se agora as verrugas extirpadas do rosto do gerente cosmopolita (na realidade naturalizado monegasco, embora fosse – como dizia, pois empregava sempre expressões que julgava distintas, sem perceber que eram viciosas – "de originalidade romena"), seu gesto para chamar o *lift*, o próprio *lift*, toda uma galeria de personagens de guinhol saídos daquela caixa de Pandora que era o Grande Hotel, inegáveis, irremovíveis e, como tudo que está realizado, esterilizantes. Mas pelo menos esta mudança, na qual não tomara parte, provava-me que ocorrera algo exterior a mim – por mais desprovido de interesse que fosse em si mesmo – e eu estava como o viajante que, tendo o sol à sua frente ao iniciar uma caminhada, percebe que as horas passaram quando o vê por detrás. Morto de cansaço, sentia febre; bem que me teria deitado, mas não tinha nada do que era necessário para isso. Desejaria pelo menos estender-me um momento na cama, mas para que, se não poderia encontrar descanso para esse conjunto de sensações que, para cada um de nós, é o seu corpo consciente, senão seu corpo material, e se os objetos desconhecidos que o cercavam, forçando-o a colocar suas sensações em permanente estado de defesa vigilante, teriam mantido o meu olhar, meu ouvido, todos os meus sentidos, em uma posição tão reduzida e incômoda (mesmo se tivesse esticado as pernas) como a do cardeal La Balue na gaiola onde não podia estar de pé nem sentado. É a nossa atenção que põe os objetos num quarto, e o hábito que os retira, abrindo espaço para nós. Espaço era o que não havia para mim no meu quarto de Balbec (meu de nome apenas), pois estava cheio de coisas que não me conheciam e me devolveram o olhar desconfiado que lhes lancei e, sem levar em conta a minha existência, participaram que eu lhes desarrumava a rotina da sua. A pêndula – ao passo que em casa eu só ouvia a minha por alguns segundos por semana, e apenas quando saía de uma profunda meditação – continuou sem se interromper um único instante, fazendo em língua estranha considerações que deviam ser pouco elogiosas a meu respeito, pois as grandes cortinas roxas a escutavam sem responder, mas na atitude análoga à das pessoas que dão de ombros para mostrar que a vista de um terceiro as irrita. Davam àquele quarto tão alto um caráter quase histórico que o poderia tornar apropriado ao assassinato do duque de Guise e, mais tarde, a uma visita de turistas conduzidos por um guia da agência Cook – mas de modo algum ao meu sono. Sentia-me atormentado pela presença de pequenas estantes envidraçadas, ao longo das paredes, mas sobretudo por um grande espelho com pés, atravessado no meio do quarto e antes de cuja partida achava eu que para mim não haveria sossego possível. A todo instante erguia os olhos – a que os objetos do meu quarto em Paris não incomodavam mais que minhas próprias pupilas, pois não eram mais que anexos de meus órgãos, uma ampliação de mim mesmo – para o teto soerguido daquele belvedere situado no cimo do hotel e que minha avó escolhera para mim; e até mesmo nessa região mais íntima do que aquela que vemos e ouvimos, nessa região em que sentimos a qualidade dos odores, era quase no interior de mim mesmo que o cheiro do vetiver vinha impelir sua ofensiva até minhas últimas defesas, assédio a que eu opunha, não sem cansaço, a resposta inútil e incessante de uma fungação alarmada. Já não tendo universo nem quarto, só corpo ameaçado pelos inimigos que me cercavam, e invadido até os ossos pela febre, estava sozinho e tinha vontade de morrer. Então minha avó entrou; e, para a expansão de meu coração reprimido, abriram-se logo espaços infinitos.

Ela vestia um chambre de percal, que punha em casa sempre que um de nós estava doente (pois assim sentia-se mais à vontade, dizia, atribuindo sempre motivos egoístas ao que fazia), e que servia para nos cuidar, para nos velar, era o seu trajo de criada e de enfermeira, seu hábito de religiosa. Mas, ao passo que os cuidados destas, a bondade que têm, o mérito que lhes reconhecem e a gratidão que lhes devem, aumentam ainda mais a impressão que a gente tem de ser, para elas, uma outra pessoa, de sentir-se só, de guardar para si o peso dos pensamentos, de seu próprio desejo de viver, eu sabia, quando estava com minha avó, que, por maior que fosse o meu desgosto, seria acolhido com piedade ainda mais ampla; que tudo o que era meu, minhas preocupações, meu desejo, seria, em minha avó, apoiado num desejo de conservação e acréscimo de minha própria vida, aliás mais forte que o que eu mesmo tinha. E meus pensamentos se prolongavam nela sem sofrer desvio porque passavam do meu espírito para o dela sem mudar de ambiente, de pessoa. E – como alguém que deseja dar o nó à gravata diante de um espelho sem compreender que a ponta que vê não está colocada, em relação a ele, no lado para onde dirige a mão, ou como um cão que persegue no solo a sombra dançante de um inseto –, enganado pela aparência do corpo como o somos no mundo em que não percebemos diretamente as almas, lancei-me nos braços de minha avó e ergui os lábios para o seu rosto, como se assim cedesse àquele imenso coração que ela me abria. Quando estava assim, com a boca unida às suas faces, à sua testa, hauria ali algo tão benéfico, tão nutriente, que mantinha a imobilidade, o sério, a tranqüila avidez de uma criança que mama.

Depois contemplava, sem cansar, seu grande rosto desenhado como uma bela nuvem ardente e calma, por trás do qual sentia-se irradiar a ternura. E tudo aquilo que ainda recebia, por mais debilmente que fosse, um pouco de suas sensações, tudo o que ainda podia ser desse modo dito a ela, ficava logo tão espiritualizado, tão santificado, que com minhas palmas eu alisava seus lindos cabelos, que recém se faziam grisalhos, com tanto respeito, precaução e doçura, como se neles estivesse acariciando a sua bondade. Ela sentia tanto prazer em toda mágoa que me poupasse igual mágoa a mim, e, num momento de imobilidade e de calma para os meus membros fatigados, algo tão delicioso que, tendo visto que ela queria ajudar-me a deitar e a tirar os sapatos, quando fiz menção de impedi-la e de começar a me despir sozinho, ela reteve com olhar súplice as minhas mãos que tocavam os primeiros botões de minha roupa e das botinas.

– Oh, peço-te – disse ela. – É uma alegria tão grande para tua avó. E, principalmente, não deixes de bater na parede se tiveres necessidade de alguma coisa esta noite; minha cama está pegada à tua e a divisória é bem fina. Daqui a um instante, quando estiveres deitado, bate, para ver se podemos nos ouvir bem.

E, de fato, naquela noite bati três pancadas – que, na semana seguinte, quando estive doente, renovei por alguns dias todas as manhãs, pois minha avó queria me dar leite bem cedo. Então, quando achava que ela já acordara – para que ela não esperasse e pudesse dormir de novo logo após –, arriscava três pancadinhas, timidamente, fracamente, apesar de tudo bem distintas, pois se temia lhe interromper o sono no caso de me haver enganado e que ela já dormisse, não gostaria que ela aguardasse ainda um apelo que não teria percebido a princípio e que eu não teria mais coragem de renovar. E, mal eu dera as minhas batidas, ouvi três outras, de entonação diferente, cheias de uma calma autoridade, repetidas duas vezes para maior clareza, e que significavam: "Não te inquietes, já escutei; daqui a um instante estarei aí"; e logo depois minha avó chegava. Dizia-lhe que temera que ela não me ouvisse ou pensasse que era um vizinho quem batia; ela ria:

– Confundir as batidas do meu queridinho com as de outros... mas entre mil a sua vovó as reconheceria! Achas então que existem outras no mundo tão bobas, tão nervosas, tão divididas entre o medo de me acordar e de não ser compreendido? Mas, mesmo que o meu ratinho se contentasse com um arranhão na parede, eu logo o reconheceria, sobretudo quando é tão querido e coitadinho como é. Já fazia um momento que eu te ouvia hesitar, remexer na cama, e fazer todas as tuas manobras.

Ela entreabria as persianas; o sol já se instalara no anexo de hotel que formava uma saliência, como um consertador de telhados que madruga e principia o seu trabalho, cumprindo-o em silêncio para não despertar a cidade que ainda está dormindo, e cuja imobilidade ainda mais ressalta a agilidade do operário. Dizia-me as horas, o tempo que faria, que não valia a pena eu ir à janela, que havia névoa sobre o mar, se a padaria já estava aberta, qual era o carro que já se ouvia rodar: insignificante anteato, desprezível intróito do dia a que ninguém assiste; minúsculo pedacinho de vida que era só de nós dois, que eu logo haveria de evocar de bom grado durante o dia, diante de Françoise ou de estranhos, falando da névoa espessa das seis da manhã, com a ostentação, não de um saber adquirido, mas de um sinal de afeto recebido somente por mim; doce instante matinal que principiava como uma sinfonia pelo diálogo ritmado de minhas três pancadinhas, às quais a divisória, toda penetrada de ternura e alegria, harmoniosa, imaterial, cantando como os anjos, respondia com outras três pancadas, ardentemente aguardadas, duas vezes repetidas, e nas quais a parede sabia transportar inteira a alma de minha avó, e a promessa de sua vinda, com uma alegria de anunciação e uma fidelidade musical. Mas na primeira noite da chegada, quando minha avó me deixou, recomecei a passar mal, como já sofrera em Paris no momento de deixar a casa. Talvez esse meu medo de dormir num quarto desconhecido – medo que tantos outros também têm –, não passe da forma humílima, obscura, orgânica, quase inconsciente, da grande recusa desesperada oposta pelas coisas que constituem o melhor da nossa vida presente à possibilidade de revistarmos mentalmente com a nossa aceitação a fórmula de um futuro onde elas não mais apareçam; recusa que estava na base daquele horror que tantas vezes me inspirara a idéia de que meus pais um dia haveriam de morrer, que as necessidades da vida poderiam me obrigar a viver longe de Gilberte, ou simplesmente a me fixar em definitivo numa terra onde nunca mais veria os meus amigos; recusa que estava inclusive na base da dificuldade que sentia em pensar na minha própria morte ou numa sobrevivência como a que Bergotte prometia aos homens em seus livros, na qual não poderia carregar junto minhas próprias recordações, meus defeitos, meu caráter, que não se resignavam à idéia de não existir mais e não desejavam para mim nem o Nada, nem uma eternidade em que eles não existissem.

Quando Swann me dissera em Paris, um dia em que me sentia bastante mal: – Você deveria partir para aquelas deliciosas ilhas da Oceania; verá que não há de voltar mais – tive vontade de responder: – Mas então não veria mais a sua filha e viveria em meio a coisas e pessoas que ela nunca viu. – E no entanto a razão me dizia: "E que importa, visto que não sofrerás mais? Quando o Sr. Swann diz que não voltarás, quer dizer que não quererias mais voltar, e, visto não quereres voltar, é porque lá te sentirias feliz." Pois minha razão sabia que o hábito – o hábito que ia assumir agora a tarefa de me fazer amar aquela casa desconhecida, de mudar o espelho de lugar, o colorido das cortinas e de parar o pêndulo – se encarrega também de nos tornar caros os companheiros que a princípio nos desagradavam, de dar outro formato aos rostos, de fazer simpático o som de uma voz, de modificar as inclinações do coração. É claro que essas amizades novas por lugares e pessoas são tecidas sobre o esquecimento das antigas; mas justamente a minha razão pensava que eu podia encarar sem terror a perspectiva de uma vida em que ficaria para sempre separado de pessoas cuja lembrança me fugiria; e era como uma espécie de consolo que oferecia ao meu coração a promessa de um esquecimento que, pelo contrário, me deixava louco de desespero. E não é que o nosso coração não deva também experimentar, ao consumar-se a separação, os efeitos analgésicos do hábito; mas, até que isso aconteça, continuará sofrendo. E o temor de um futuro em que não poderemos ver nem conversar com os entes queridos, e dos quais hoje tiramos a nossa mais profunda alegria, esse temor, longe de se dissipar, aumenta quando pensamos que, à dor de uma tal separação, se acrescentará o que no momento nos parece ainda mais cruel: a de a não mais sentirmos como uma dor e permanecermos indiferentes; pois então o nosso eu terá mudado: não será apenas o encanto de nossos pais, de nossa amante, de nossos amigos, que deixará de estar à nossa volta; nossa afeição por eles terá sido tão bem extirpada de nosso coração da qual hoje em dia constitui parte tão importante, que poderíamos nos alegrar com essa vida separada deles, cuja idéia hoje nos causa horror; será então uma verdadeira morte de nós mesmos, é verdade que morte seguida de ressurreição, mas num eu diverso e que não pode inspirar afeto às partes do antigo eu condenadas a morrer. E são elas – até as mais débeis, como o obscuro apego às dimensões, à atmosfera de um quarto – as que se assustam e reprovam, com rebeliões em que se pode ver uma forma secreta, parcial, tangível e verdadeira de resistência à morte, da longa resistência desesperada e cotidiana à morte fragmentária e sucessiva tal como se insere em todos os momentos da nossa vida, destacando pedaços de nós a cada instante e fazendo que sobre a carne morta se multipliquem células novas. E, para um temperamento nervoso como o meu (ou seja, em quem os intermediários, os nervos, cumpriam mal suas funções, não estancando o passo, até à consciência, das queixas dos mais humildes elementos do eu que vai desaparecer, ao contrário deixando-as chegar claras, exaustivas, inumeráveis e dolorosas), o angustioso alarme que eu experimentava sob aquele teto desconhecido e alto demais era apenas o protesto de uma amizade que sobrevivia em mim por um teto baixo e familiar. Sem dúvida essa amizade desapareceria, tendo cedido seu posto a uma outra (e então a morte e, depois, uma nova vida teriam, sob o nome de Hábito, cumprido sua dupla obra); mas até o seu aniquilamento, aquela afeição sofreria, e principalmente naquela primeira noite, colocada em presença de um futuro já realizado, onde não mais havia lugar para ela, se revoltava, torturando-me com os gritos de suas lamentações cada vez que meus olhares, não podendo se desviar daquilo que a fazia sofrer, tentavam pousar no teto inacessível.

Mas na manhã seguinte! – Depois que um criado veio me acordar e me trouxe água quente, e enquanto me aprontava e tentava em vão encontrar na sala as coisas de que necessitava, e de onde tirava, em desordem, somente as peças que para nada serviam, que alegria senti ao pensar no prazer do almoço e do passeio, ao ver pela janela e em todas as vitrinas das estantes, como pelas vigias de um camarote de navio, o mar límpido, sem sombras, embora metade de sua superfície, delimitada por linha delgada e móvel, estivesse ensombrecida, e ao seguir com os olhos as ondas que se arremessavam uma após outra como saltadores num trampolim! Em todos os instantes, tendo na mão a toalha tesa e engomada em que estava escrito o nome do hotel e com a qual fazia inúteis esforços para me secar, voltava para junto da janela a fim de lançar ainda um olhar àquele vasto circo resplandecente e montanhoso, aos nevados cumes de suas ondas de esmeralda aqui e ali polida e translúcida, que, com plácida violência e aspecto leonino, deixavam erguer-se e cair as suas rampas, às quais o sol acrescentava um sorriso sem rosto. Janela à qual, a seguir, eu deveria me pôr todas as manhãs como à portinhola de uma diligência onde adormecesse um viajante, para ver se durante a noite se aproximou ou se afastou uma desejada cordilheira – aqui as colinas do mar que, antes de voltar em nossa direção a passo de dança, podem recuar para tão longe que muitas vezes eu só avistava ao fim de uma longa distância as suas primeiras ondulações, numa transparência longínqua, vaporosa e azulada, como as geleiras que se vêem no fundo dos quadros dos primitivos toscanos. De outras vezes, era bem perto de mim que o sol ria sobre essas ondas de um verde tão macio como o que mantém nas campinas alpestres (nas montanhas onde o sol aparece aqui e ali como um gigante que descesse alegremente, por vertentes e saltos desiguais) mais a líquida mobilidade da luz do que a umidade do solo. De resto, nessa brecha que a praia e as ondas abrem no meio do mundo, para que nela penetre e se acumule a luz, é sobretudo a própria luz, de acordo com a direção de onde provém e que seguimos com o olhar, que desloca e situa as ondulações do mar. A diversidade de iluminação também modifica a orientação de um lugar, e nos oferece novos objetivos, dando-nos o desejo de atingi-los, não menos que o faria um trajeto longa e efetivamente percorrido em viagem. Quando, pela manhã, o sol vinha por detrás do hotel, abrindo à minha frente as praias iluminadas até os primeiros contrafortes do mar, era como se me mostrasse uma outra vertente da cordilheira, convidando-me a fazer, pelo caminho turbilhonante de seus raios, uma viagem imóvel e variada pelos mais belos sítios da paisagem acidentada das horas. E, desde a primeira manhã, o sol me indicava ao longe, com um dedo risonho, os cimos azulados do mar que não têm nome em nenhuma carta geográfica, até que, extasiado com aquele sublime passeio à superfície rumorosa e caótica de suas cristas e avalanchas, vinha se abrigar do vento em meu quarto, refestelando-se na cama desfeita e derramando suas riquezas na pia molhada, na mala aberta, onde, por seu próprio esplendor e luxo deslocado, aumentava ainda mais a impressão de desordem. Infelizmente, uma hora depois, na grande sala de jantar – enquanto almoçávamos e, de um limão cortado, espalhávamos algumas gotas de ouro sobre dois linguados que logo deixaram em nossos pratos a armação de suas espinhas, frisada como uma pena e sonora como uma cítara – pareceu cruel à minha avó que não pudéssemos receber o vivificante sopro do vento marinho por causa da vidraça, transparente mas fechada que, como uma vitrina, nos separava da praia, mas que enquadrava tão perfeitamente o céu que o seu azul parecia as cordas das janelas e suas nuvens brancas, um defeito do vidro. Convencido de que estava "sentado no molhe" ou no interior do *boudoir,* de que nos fala Baudelaire, perguntava-me se o "sol raiando sobre o mar", do poeta, não seria aquele – bem diverso do dos raios da tarde, simples e superficiais como setas douradas e trêmulas – que naquele momento queimava o mar como um topázio, fazia-o fermentar, tornava-o louro e leitoso como a cerveja, espumante como o leite, enquanto, por alguns instantes, sobre ele passeavam aqui e ali grandes sombras azuis, obra sem dúvida de um deus que parecia se divertir em deslocá-las, movimentando um espelho no céu. Infelizmente, não só pelo aspecto é que a sala de jantar de Balbec diferia da de Combray, dando para as casas fronteiras, uma sala sem ornatos, porém repleta de sol verde como a água de uma piscina, onde, a poucos metros de distância, a maré cheia e a claridade do dia elevavam, como diante de uma cidade celestial, uma indestrutível e movente muralha de ouro e esmeralda. Em Combray, como todos nos conheciam, não me preocupava com ninguém. E na vida de banhos de mar ninguém conhece os vizinhos. Eu era ainda muito jovem e sensível para ter renunciado ao prazer de agradar as pessoas e possuí-las. Não tinha essa mais nobre indiferença que sentiria um homem mundano em relação às pessoas que ali almoçavam, nem quanto aos rapazes e moças que passavam pelo molhe; e sofria ante a idéia de que não poderia fazer excursões com eles; a menos que minha avó, desprezando as conveniências e só preocupada com a minha saúde, lhes fosse pedir que me aceitassem como companheiro de passeios, coisa humilhante para mim. Uns se dirigiam para algum chalé desconhecido; outros saíam de raquete em punho para um campo de tênis; outros, ainda, montavam cavalos cujos cascos me pisavam o coração. Eu os olhava com uma curiosidade apaixonada, envoltos naquela ofuscante claridade da praia onde se modificam todas as proporções sociais; seguia todos os seus movimentos através da transparência daquele enorme vão envidraçado, que deixava passar tanta luz. Mas ela interceptava o vento, o que era um defeito na opinião de minha avó, que, não podendo suportar a idéia de que eu perdesse o benefício de uma hora de ar, abriu furtivamente uma das vidraças, fazendo ao mesmo tempo voarem os cardápios, os jornais e os véus e bonés das pessoas que estavam almoçando; mas ela própria, animada com aquele sopro divino, permanecia calma e sorridente como santa Blandina, no meio dos impropérios que, aumentando minha impressão de tristeza e isolamento, reuniam contra nós todos os turistas desdenhosos, despenteados, furiosos.

Um certo número dos hóspedes do hotel se compunha de personalidades eminentes dos principais departamentos daquela porção da França, o que, em Balbec, dava à população, que nesse tipo de hotéis de grande luxo costuma ser banalmente rica e cosmopolita, um caráter regional bastante acentuado; eram o primeiro magistrado de Caen, o presidente da Ordem dos Advogados de Cherburgo, um respeitável tabelião de Le Mans, que, durante as férias, partindo de pontos onde haviam estado dispersos o ano inteiro como atiradores de guerrilha, ou peões do jogo de damas, vinham se concentrar neste hotel. Mandavam reservar sempre os mesmos quartos e, com as esposas que tinham pretensões aristocráticas, formavam um pequeno grupo ao qual se ajuntavam um grande advogado e um grande médico de Paris, que no dia da partida lhes diziam:

– Ah, é verdade, vocês não tomam o mesmo trem que nós. São privilegiados, estarão de volta em casa para o almoço.

– Como, privilegiados? Vocês que moram na capital, Paris, a grande cidade, enquanto eu resido numa cabeça de comarca de cem mil almas, na verdade cento e dois mil pelo último recenseamento; mas o que é isso diante de vocês, que contam com os dois milhões e meio de Paris, e que logo terão de volta o asfalto e todo o esplendor do mundo parisiense!

E diziam isto com um rolar de *rr* provinciano, sem qualquer aspereza, pois todos eram notabilidades em sua província, que, como tantos outros, poderiam ter ido a Paris – ao magistrado de Caen tinham oferecido várias vezes um cargo no Supremo Tribunal – mas haviam preferido ficar no mesmo lugar, por amor à sua cidade, ou à sua glória ou à vida obscura, ou porque eram reacionários, e pelo prazer das amizades de vizinhança nos castelos da região. Aliás, muitos não voltavam diretamente para a sua terra.

Pois – visto que a baía de Balbec era um pequeno universo à parte no meio do grande, um buquê de estações onde estavam reunidos em círculo os dias variados e os meses sucessivos, de modo que, não só nos dias em que se avistava Rivebelle, o que era sinal de tempestade, sobre cujas casas o sol brilhava, ao passo que em Balbec o céu estava negro, mas também, quando os dias frios já haviam atingido Balbec, podia-se ter certeza de obter dois ou três meses suplementares de calor na margem oposta – os hóspedes habituais do Grande Hotel cujas férias começavam tarde ou duravam mais tempo mandavam, ao principiarem as chuvas e os nevoeiros, à aproximação do outono, colocar suas malas num barco e partiam ao encontro do verão em Rivebelle ou Costedor. Aquele grupinho do hotel de Balbec olhava com ar desconfiado todos os recém-chegados, e, aparentando não se interessar por eles, iam todos pedir informações a seu respeito ao amigo mordomo. Pois o mordomo era o mesmo – Aimé – que voltava todos os anos para a temporada de verão e lhes reservava as mesas; e as senhoras suas esposas, sabendo que a mulher de Aimé esperava um neném, trabalhavam cada uma, após o almoço, numa peça do enxoval, sempre nos examinando com seus *lorgnons*, a minha avó e a mim, porque comíamos ovos cozidos na salada, o que era considerado vulgar e não se praticava na boa sociedade de Alençon. Afetavam uma atitude de ironia desdenhosa em relação a um francês que era chamado de Majestade e que, de fato, se autoproclamara rei de uma ilhota da Oceania povoada por alguns selvagens. Morava no hotel com sua bonita amante, à cuja passagem, quando ela ia tomar banho, os garotos gritavam: “Viva a rainha!”, porque ela os cobria com uma chuva de moedas de cinqüenta cêntimos. O magistrado supremo e o presidente da Ordem dos Advogados nem sequer desejavam parecer que a viam e, se algum de seus amigos a olhava, julgavam-se no dever de prevenir que se tratava de uma simples operária.

– Mas tinham-me assegurado que em Ostende eles ocupavam a cabine real.

– Lógico! Alugam-na por vinte francos. Você pode ocupá-la, se lhe agrada. E sei, de fonte limpa, que ele mandou pedir uma audiência ao rei, o qual lhe fez saber que não tinha por que entrar em relações com soberanos de opereta.

– Ah, na verdade é engraçado... Há cada tipo de gente!

Sem dúvida, tudo aquilo era verdade; mas era igualmente pelo tédio de sentir que, para uma boa parte da multidão, eles não passavam de bons burgueses que não conheciam aquele rei e aquela rainha, pródigos de seu dinheiro, que o tabelião, o magistrado, o presidente, à passagem do que chamavam um carnaval, sentiam tanto mau humor e manifestavam em voz bem alta uma indignação de que estava a par o seu amigo, o mordomo, o qual, obrigado a fazer boa cara a soberanos mais generosos que autênticos, entretanto, sempre atendendo às suas ordens, dirigia de longe aos antigos clientes um significativo piscar de olhos. Talvez houvesse também um pouco desse mesmo tédio de serem tidos, erroneamente, por menos “chiques” e de não poderem explicar que o eram ainda mais, no fundo daquele “Moço bonito!”, com que qualificavam um jovem janota, filho tuberculoso e estroina de um grande industrial e que, todos os dias, com uma roupa nova, uma orquídea na botoeira, almoçava com champanha e ia, pálido, impassível, um sorriso de indiferença nos lábios, jogar, na mesa de bacará do cassino, somas imensas “que ele não tem fundos para perder”, dizia com ar bem-informado o tabelião ao primeiro magistrado, cuja mulher “sabia de boa fonte” que aquele jovem *fin-de-siècle* fazia os pais morrerem de desgosto.

Por outro lado, o presidente da Ordem dos Advogados e seus amigos não poupavam sarcasmos a propósito de uma velha dama rica e nobre, pois ela só andava levando consigo todos os criados. Todas as vezes que a mulher do tabelião e a do primeiro magistrado a viam na sala de jantar, por ocasião das refeições, examinavam-na insolentemente com o *lorgnon,* com o mesmo ar minucioso e desafiador como se ela fosse algum prato de nome pomposo, mas de aparência suspeita, que, após o resultado desfavorável de uma observação metódica, é mandado embora com um gesto distante e uma careta de desgosto.

Com isso, certamente queriam indicar apenas que, se havia certas coisas que lhes faltavam – no caso, algumas prerrogativas da velha dama, e o fato de estarem em relações com ela –, não era porque não pudessem, mas porque não queriam tê-las. Porém, tinham acabado por se convencer elas próprias; e era a supressão de todo desejo, de toda curiosidade pelas formas da vida que não conheciam, da esperança de agradar a novas pessoas, substituídas nelas por um desdém fingido, uma alegria artificial, que apresentava o inconveniente de colocar o desprazer sob a etiqueta de contentamento e as fazia mentir perpetuamente a si mesmas, duas condições para que fossem infelizes. Mas, sem dúvida, todo mundo naquele hotel agia da mesma maneira que elas, conquanto sob formas diversas, e sacrificava, senão ao amor-próprio, ao menos a certos princípios de educação ou a alguns hábitos intelectuais, a deliciosa inquietação de misturar-se a uma vida ignorada. Sem dúvida, o microcosmo em que se isolava a velha dama não estava empeçonhado de azedumes atrozes como o grupo em que riam de raiva a mulher do tabelião e a do primeiro magistrado. Ao contrário, estava embalsamado num perfume requintado e velhusco, mas que não era menos artificial. Pois no fundo a velha dama teria provavelmente encontrado em seduzir, em atrair a misteriosa simpatia das criaturas novas (ao mesmo tempo que ela própria se renovava), um encanto despojado do prazer que há em freqüentar apenas pessoas do seu próprio mundo e em recordar que, sendo sua sociedade a melhor que existe, torna-se desprezível o desdém alheio e mal informado. Talvez sentisse que, chegando incógnita ao Grande Hotel de Balbec, teria feito sorrir, com seu vestido de lã negra e sua touca fora de moda, a algum gaiato que, do seu *rocking,* teria murmurado: "que múmia!", ou principalmente a um homem de talento que, tendo conservado, como o primeiro presidente, entre as suíças grisalhas, um rosto jovem e olhos espirituosos como ela os amava, e que talvez houvesse logo indicado à lente aproximadora do *lorgnon* conjugal o aparecimento desse fenômeno insólito; e talvez fosse por inconsciente receio desse primeiro minuto, que sabemos ser breve mas que não é menos temido – como da primeira vez que a gente mergulha –, que aquela velha dama enviava previamente um criado para pôr o hotel a par de seus hábitos e, cortando as gentilezas do gerente, subia para o quarto com uma rapidez em que havia mais timidez do que orgulho, quarto onde as cortinas pessoais, substituindo as que pendiam das janelas, dos biombos e das fotografias, colocavam de tal forma entre ela e o mundo exterior, a que devia adaptar-se, a divisão de seus hábitos, que era mais em sua casa que viajava e na qual permanecera...

Desde então, tendo colocado entre ela, de um lado, e o pessoal do hotel e os fornecedores, do outro, os seus criados que recebiam em vez dela o contato daquela nova humanidade e mantinham em torno à sua patroa a atmosfera habitual, tendo posto os seus preconceitos entre ela e os banhistas, sem se preocupar em agradar a pessoas que seus amigos não teriam recebido, era no seu mundo que ela continuava a viver pela correspondência com suas amigas, pela recordação, pela consciência íntima que possuía de sua posição, da qualidade de seus modos, da competência de sua polidez. E todos os dias, quando ela descia para dar um passeio em sua caleça, sua criada de quarto, que carregava seus objetos pessoais atrás dela, seu lacaio, que seguia à sua frente, davam a impressão dessas sentinelas que, às portas de uma embaixada embandeirada com as cores do país do qual depende, garantem para ela, em pleno solo estrangeiro, o privilégio da extraterritorialidade. Ela não deixou o quarto antes do meio da tarde, no dia em que chegamos, e não a vimos na sala de jantar aonde o gerente, como éramos recém-chegados, nos levou, sob sua proteção, à hora do almoço, como um oficial que conduz recrutas ao cabo alfaiate para fardá-los; mas, em compensação, vimos, logo após, um fidalgote e sua filha, de uma obscura porém antiga família da Bretanha, o Sr. e a Srta. de Stermaria, cuja mesa nos haviam dado, julgando que não voltariam naquela noite. Tinham vindo a Balbec exclusivamente para se encontrarem com castelães que conheciam nos arredores, e não passavam pela sala de jantar do hotel, entre os convites aceitos fora e as visitas realizadas, senão o tempo estritamente necessário. Era a sua arrogância que os preservava de toda simpatia humana, de todo interesse pelos desconhecidos sentados a seu redor, e no meio dos quais a Srta. de Stermaria mantinha o ar glacial apressado, distante, rude, exigente e mal-intencionado, que se tem num carro-restaurante no meio de viajantes nunca vistos, e a quem jamais se voltará a ver, e com quem a gente não admite outras relações senão a defesa, contra eles, do nosso frango frio e do nosso canto no vagão. Mal começávamos a almoçar, quando vieram nos fazer erguer da mesa por ordem do Sr. de Stermaria, que acabava de chegar e, sem o menor gesto de desculpas para nós, pediu em voz alta ao mordomo que cuidasse para que aquele erro não mais se repetisse, pois era-lhe desagradável que "pessoas a quem não conhecia" tivessem ocupado a sua mesa.

E com certeza, no sentimento que levava determinada atriz (aliás mais conhecida devido à sua elegância, seu espírito, suas lindas coleções de porcelana alemã do que por seus desempenhos no Odeon), e mais o seu amante, rapaz muito rico, pelo qual ela se empenhara, bem como dois homens muito em evidência na aristocracia, a levarem uma vida à parte, a só viajarem juntos, a almoçarem em Balbec muito tarde, quando todas as pessoas já haviam terminado, a passarem o dia inteiro em seu salão jogando cartas, não entrava má vontade alguma e, sim, apenas as exigências do gosto que tributavam a certas formas engenhosas de conversação, a certos refinamentos de boa comida, o que só lhes dava prazer em viverem e comerem juntos, e lhes tornaria insuportável a vida em comum com pessoas que não fossem iniciadas em tudo aquilo. Mesmo diante de uma mesa posta ou de uma mesa de jogo, cada um deles precisava saber que no conviva ou parceiro sentado à sua frente repousavam, em suspenso e sem utilidade, certos conhecimentos que permitem reconhecer a obra de carregação de que muitas casas parisienses se enfeitam como se se tratasse de uma "Idade Média" ou de uma "Renascença" autênticas e, em todas as coisas, critérios que lhes eram comuns para distinguir o bom do mau. Sem dúvida, naqueles momentos não era mais do que por uma rara e engraçada interjeição, atirada no meio do silêncio da refeição, ou da partida, ou pelo vestido novo e encantador que a jovem atriz pusera para almoçar ou jogar pôquer, que se manifestava a existência especial em que seus amigos queriam ficar mergulhados em toda a parte. Assim, porém, envolvendo-os em hábitos que conheciam a fundo, bastava ela para protegê-los contra o mistério da vida ambiente. Durante as longas tardes, o mar só estava suspenso diante deles como uma tela de cor agradável pendurada no toucador de um rico solteirão, e somente no intervalo das cartadas é que um dos jogadores, não tendo coisa melhor, erguia os olhos para o mar, a fim de ter uma indicação acerca do tempo ou da hora, e lembrar aos outros que a merenda esperava. E de noite não jantavam no hotel, onde os focos elétricos, derramando luz na sala de jantar, transformavam-na num imenso aquário maravilhoso diante de cuja parede de vidro a população obreira de Balbec, os pescadores e também as famílias de pequenos burgueses, invisíveis na sombra, se comprimiam contra o vidro para contemplar, vagarosamente embalada em redemoinhos de ouro, a vida luxuosa daquelas pessoas, tão extraordinária para os pobres como a dos peixes e dos moluscos estranhos (uma grande questão social, saber se a parede de vidro protegerá sempre o festim dos animais maravilhosos e se as pessoas obscuras que olham avidamente dentro da noite virão colhê-los em seu aquário e devorá-los). Entretanto, talvez houvesse, no meio da multidão parada e confundida na noite, algum escritor, algum amador de ictiologia humana, que, observando as maxilas dos velhos monstros femininos se fecharem sobre um pedaço de alimento engolido, se interessasse em classificá-los por suas raças, pelos caracteres inatos e também pelos adquiridos, que fazem que uma velha dama sérvia, cujo apêndice bucal é o de um grande peixe marinho, coma salada como uma La Rochefoucauld porque desde a infância vive na água doce do *faubourg* Saint-Germain.

Àquela hora, viam-se os três homens de *smoking* esperando a mulher que estava atrasada, a qual, em breve, depois de ter chamado o *lift* do seu andar, saía do elevador como de uma caixa de brinquedos, num vestido quase sempre novo e com *écharpes* escolhidas segundo o gosto especial do seu amante. E os quatro, que eram de opinião de que o fenômeno internacional do Palace, implantado em Balbec, fizera ali florir o luxo mas não a boa cozinha, entravam num carro e iam jantar a meia légua dali, num pequeno e bem considerado restaurante, onde entretinham intermináveis conferências com o cozinheiro sobre a composição do cardápio e a confecção dos pratos. Durante esse trajeto, a estrada margeada de macieiras que parte de Balbec não era para eles senão a distância que seria preciso percorrer – pouco distinta, na noite negra, da que separava suas residências parisienses do café Anglais ou da Tour d'Argent – antes de chegar ao pequeno e fino restaurante onde, enquanto os amigos do rapaz rico o invejavam por ter uma amante tão bem vestida, as *écharpes* desta se desdobravam diante do pequeno grupo como um véu macio e perfumado, mas que era o bastante para separá-los do resto do mundo.

Infelizmente para o meu sossego, eu estava bem longe de ser como toda aquela gente. Alguns ali me preocupavam; gostaria de não ser ignorado por um homem de testa fugidia, de olhar esquivo, que vagava entre os antolhos de seus preconceitos e de sua educação, o grão-senhor daquelas terras, e que não era nada menos que o cunhado de Legrandin, que vinha às vezes de visita a Balbec e que, aos domingos, para o *garden-party* semanal que ele e a mulher ofereciam, despovoavam o hotel de uma boa parte de seus hóspedes, porque um ou dois dentre eles eram de fato convidados para a festa, e os outros, para não darem a impressão de que o não eram, escolhiam esse dia para fazer uma excursão distante. Todavia, da primeira vez em que entrou no hotel foi muito mal recebido, pois o pessoal, que acabara de chegar da Côte d'Azur, ainda não sabia de quem se tratava. Não só estava vestido de flanela branca, mas também, fiel aos velhos costumes franceses e ignorantes da vida dos Palaces, tirara o chapéu ao entrar no saguão porque havia senhoras, o que fez com que o gerente nem sequer tocasse no seu boné para cumprimentá-lo, julgando que se tratasse de alguém de condição muito humilde, o que denominava homem "saindo do ordinário". Somente a mulher do tabelião se sentira atraída para o recém-chegado, que denotava a vulgaridade afetada das pessoas elegantes, e declarou, com base no discernimento infalível e na indiscutível autoridade de uma pessoa para quem a alta sociedade de Le Mans não tem segredos, que sentia-se diante dele a presença de um homem de grande distinção, extremamente bem-educado, e que se sobressaía dentre toda aquela gente que se encontrava em Balbec e que ela considerava indignos de convívio enquanto não os freqüentasse. Esse juízo favorável que pronunciou a respeito do cunhado de Legrandin se fundava provavelmente no aspecto apagado de alguém que não era nada de se impor; talvez tivesse reconhecido nesse fidalgo do campo com jeito de sacristão, os sinais maçônicos de seu próprio clericalismo.

Por mais que me certificasse de que aqueles rapazes que todos os dias montavam a cavalo em frente ao hotel eram os filhos do proprietário mal considerado de um magazine de novidades e que meu pai nunca teria consentido em conhecer, a vida na praia os transformava, a meus olhos, em estátuas eqüestres de semideuses, e o melhor que podia esperar era que nunca deixassem de lançar seus olhares sobre o pobre rapaz que eu era, que só deixava a sala de jantar do hotel para ir sentar-se na areia. Gostaria de inspirar simpatia, até mesmo ao aventureiro que fora rei de uma ilha deserta da Oceania, e até ao jovem tuberculoso, e aprazia-me pensar que sob aquele seu exterior insolente haveria uma alma tímida e carinhosa que talvez me guardasse tesouros de afeto. Aliás (ao contrário do que se costuma dizer das amizades feitas em viagem), como o sermos vistos na companhia de determinada pessoa pode nos conferir, numa praia para onde às vezes voltaremos, um prestígio seu igual na verdadeira vida mundana, não existe nada como as amizades dos banhos de mar, as quais a gente não só não evita como cultiva cuidadosamente na vida de Paris. Preocupava-me com a opinião de todas essas notabilidades momentâneas ou locais a meu respeito, devido à minha inclinação a me colocar no lugar das pessoas e a recriar seu estado de espírito; e imaginava-as situadas não no seu nível real, aquele que teriam ocupado em Paris, por exemplo, e que seria um nível bastante inferior, mas no que pensavam ter, e efetivamente possuíam em Balbec, onde a falta de uma medida comum lhes dava uma superioridade relativa, emprestando-lhes um singular interesse. E, de todas essas pessoas, nenhuma havia cujo desprezo mais me fosse penoso como o do Sr. de Stermaria.

Pois reparara em sua filha desde a entrada, seu lindo rosto pálido e quase azulado, o que havia de particular no porte de sua alta estatura, no seu modo de andar, e que com boas razões me evocava sua linhagem, sua educação aristocrática, e tanto mais nitidamente porque conhecia seu nome – como aqueles temas expressivos criados pelos compositores de gênio e que pintam de modo esplêndido o fulgor das chamas, os murmúrios do rio e a paz campestre, que os ouvintes de um concerto, depois de terem folheado o programa, já de imaginação avivada, reconhecem bem. Acrescentando aos encantos da Srta. de Stermaria a idéia de sua causa, a "raça" tornava-os mais completos e inteligíveis. Fazia-os também mais desejáveis, anunciando serem pouco acessíveis, como um preço elevado aumenta a estima de um objeto que nos agradou. E a estirpe hereditária dava àquela epiderme composta de sumos selecionados o sabor de um fruto exótico ou de um molho célebre.

Ora, o acaso pôs em nossas mãos, de repente, o modo de obtermos, minha avó e eu, um prestígio imediato aos olhos de todos os hóspedes do hotel. De fato, desde aquele primeiro dia, no momento em que a velha dama descia de seu quarto, produzindo, devido ao lacaio que a precedia e à camareira que corria atrás dela com um livro e uma manta esquecidos, uma viva impressão nos espíritos e excitando em todos nós uma curiosidade e um respeito aos quais era visível que nem o Sr. de Stermaria escapava, o gerente se inclinou para minha avó e, por amabilidade (como se mostra o xá da Pérsia ou a rainha Ranavalo a uma pessoa obscura que, evidentemente, não pode ter qualquer relação com a poderosa Majestade, mas deve gostar de vê-lo a poucos passos), segredou-lhe ao ouvido: "A marquesa de Villeparisis"; e, no mesmo instante, a velha dama, reparando em minha avó, não pôde reter um olhar de alegre surpresa.

Pode-se imaginar que a súbita aparição da mais poderosa fada, sob os traços de uma velhinha, não me causaria maior satisfação, naquela terra onde não conhecia ninguém, sem quaisquer recursos para me aproximar da Srta. de Stermaria. Isto é, não conhecia ninguém do ponto de vista prático. Esteticamente falando, o número de tipos humanos é bastante restrito para que a gente não desfrute, aonde quer que vá, do prazer de encontrar pessoas conhecidas, mesmo não as procurando nos quadros dos velhos mestres, como o fazia Swann. Assim, desde os primeiros dias de nossa temporada em Balbec, ocorreu-me encontrar com Legrandin, o porteiro dos Swann e a própria Sra. Swann, transformados, respectivamente, num garçom de café, num estranho de passagem, que não voltei a ver, e num guarda de praia. E uma espécie de imantação atrai e retém, tão inseparavelmente uma das outras, certas características de fisionomia e de mentalidade que, quando a natureza assim introduz uma pessoa em um corpo novo, ela não o mutila muito. Legrandin mudado num garçom conservava intactos a estatura, o perfil do nariz e uma parte do queixo; a Sra. Swann, no sexo masculino e na condição de guarda da praia, conservara não somente sua fisionomia habitual, mas até um certo modo de falar. Apenas, agora, no seu cinturão vermelho e içando, ao menor encrespamento do mar, a bandeirola que proíbe os banhos (pois os guardas da praia, como raramente sabem nadar, são muito prudentes), ela não me seria mais útil que antes, no afresco da *Vida de Moisés,* onde Swann a reconhecera sob os traços da filha de Jetro. Ao passo que aquela Sra. de Villeparisis era bem verdadeira, não fora vítima de um encantamento que a despojasse de seu poder; pelo contrário, era capaz de colocá-lo à disposição do meu, centuplicando-o; e graças a ele, como se eu fosse arrebatado pelas asas de um pássaro fabuloso, iria vencer em poucos instantes as diferenças sociais infinitas – pelo menos em Balbec – que me separavam da Srta. de Stermaria.

Infelizmente, se havia alguém que vivesse mais fechado em seu universo particular, esse alguém era a minha avó. E ela nem sequer teria me desprezado; simplesmente não me compreenderia se soubesse que eu dava muita importância a opiniões e que experimentava grande interesse pelas pessoas cuja existência ela mal notava e partiria de Balbec sem guardar o nome de nenhuma delas. Não ousava confessar-lhe que, se essas pessoas a vissem conversar com a Sra. de Villeparisis, aquilo me daria grande satisfação, pois sentia que a marquesa desfrutava de prestígio no hotel e que sua amizade nos poria em excelente lugar aos olhos do Sr. de Stermaria. Não que eu imaginasse a amiga de minha avó como um símbolo da aristocracia, pois estava muito acostumado a seu nome, que se tornara familiar aos meus ouvidos antes que meu espírito nele prestasse atenção, quando, bem criança, ouvia-o pronunciado em casa. E seu título só acrescentava ao nome uma estranha particularidade, como o teria feito um prenome pouco usual, assim como ocorre com esses nomes de ruas, na rua Lord Byron, onde não se vê nada muito nobre, na rua Rochechouart, tão vulgar e populosa, ou na rua de Gramont, menos do que na rua Léonce-Reynaud ou na rua Hippolyte-Lebas. A Sra. de Villeparisis não me fazia pensar numa pessoa de um mundo especial, como também não o seu primo, Mac-Mahon, que eu não diferenciava de Carnot, presidente da República feito ele, e de Raspail, cuja fotografia Françoise comprara junto com a de Pio IX. Minha avó tinha por princípio que nas viagens não se devem travar relações, que não se vai à praia para ver as pessoas (há tempo de sobra para isso em Paris), que os amigos nos fazem perder em delicadezas e banalidades um tempo precioso que é preciso passar inteiramente ao ar livre, diante das ondas; e, achando mais cômodo julgar que esses princípios eram compartilhados por todos, que autorizava, entre velhos amigos que o acaso punha em contato no mesmo hotel, a ficção de um incógnito recíproco, tão logo o gerente lhe disse aquele nome, contentou-se em desviar os olhos e fingiu não conhecer a Sra. de Villeparisis, que, compreendendo que minha avó não tinha interesse em reconhecê-la, olhou o vazio à sua frente. Afastou-se e eu fiquei no meu isolamento como um náufrago do qual parecia se aproximar um navio, e que desapareceu em seguida sem ter parado.

A Sra. de Villeparisis também fazia suas refeições na sala de jantar, mas na extremidade oposta. Não conhecia nenhuma das pessoas que moravam no hotel ou que ali passavam de visita, nem mesmo o Sr. de Cambremer; de fato, percebi que ele não a cumprimentava, num dia em que aceitara, com a esposa, um convite para almoçar no hotel feito pelo advogado de Cherburgo, o qual, extasiado com a honra de ter um nobre à mesa, evitava os amigos dos outros dias contentando-se em lhes dirigir de longe um piscar de olhos, para fazer a tal acontecimento histórico uma alusão bastante discreta para não ser interpretada como um convite para que se aproximassem.

– Muito bem, espero que o senhor não se apresente mal, pois é um homem chique – disse-lhe à noite a esposa do primeiro magistrado.

– Chique? Por quê? – indagou o advogado, disfarçando a alegria com um espanto exagerado. Por causa dos meus convidados? – disse, sentindo que era incapaz de continuar a fingir por muito tempo –; mas o que há de chique em ter amigos para o jantar? É necessário que eles comam em algum lugar.

– Claro que é chique! Eram os *de* Cambremer, não? Reconheci-os perfeitamente. É marquesa, e legítima. E não pela ascendência feminina.

– Oh, é uma mulher muito simples, é encantadora, sem nenhuma cerimônia. Pensava que os senhores se aproximariam, fiz-lhes sinais... tê-los-ia apresentado – disse, corrigindo com uma leve ironia a enormidade desta proposição, como Assuero quando diz a Ester: “Devo dar-lhe a metade de meu Reino?”

– Não, não, não; ficamos bem escondidos como a humilde violeta.

– Pois repito que procederam mal – respondeu o advogado, mais animado agora que o perigo passara. – Eles não os teriam devorado. Vamos à nossa partidinha de bezigue?

– Com todo o prazer; não tínhamos coragem de propô-la ao senhor, já que agora é comensal de marquesas!

– Ora, vamos, eles não têm nada de tão extraordinário. Vejam, amanhã tenho de jantar na casa dela. Se quiserem, podem ir no meu lugar. É um oferecimento de coração. Francamente, tanto me faz ir como ficar...

– Não, não, eu seria exonerado como reacionário – exclamou o magistrado, rindo até as lágrimas da piada. – E o senhor, também é recebido em Féterne? – acrescentou, voltando-se para o tabelião.

– Sim, vou lá aos domingos; questão de entrar por uma porta e sair por outra. Mas eles não almoçam na minha casa como na casa do advogado.

O Sr. de Stermaria não estava em Balbec naquele dia, para grande pesar do advogado. Mas este, insidiosamente, comentou com o mordomo:

– Aimé, pode dizer ao Sr. de Stermaria que ele não é o único nobre que há na sala de jantar. Reparou naquele senhor que almoçou comigo esta manhã? Hein? De bigodinho, e com ar militar? Muito bem, é o marquês de Cambremer.

– Sim? Pois não me espanta.

– Isto lhe mostrará que não é o único aristocrata no salão. Que fique sabendo! Não é mau baixar um pouco a crista desses nobres. Aimé, não diga nada, se não quiser, não falo por mim; aliás, ele conhece bem o marquês.

E no dia seguinte o Sr. de Stermaria, que sabia que o advogado defendera a causa de um de seus amigos, foi em pessoa apresentar-se.

– Nossos amigos comuns, os *de* Cambremer, queriam precisamente nos reunir, nossos dias não coincidiram, e, enfim, não sei o que houve – disse o advogado que, como muitos mentirosos, não imaginam que um dia alguém há de tentar pôr em pratos limpos um detalhe insignificante, e que no entanto basta (se o acaso nos coloca a par de uma humilde realidade que está em contradição com o que ele disse) para denunciar um caráter e inspirar desconfiança para sempre.

Como sempre, porém mais facilmente enquanto o pai se afastara para conversar com o advogado, eu olhava a Srta. de Stermaria. Assim como a singularidade ousada e sempre bela de suas atitudes, feito quando, com os cotovelos apoiados na mesa, erguia o copo acima dos antebraços; a secura do olhar logo esgotado; a dureza fundamental e familiar que se percebia, mal encoberta sob as inflexões pessoais, no fundo da voz, e que havia chocado minha avó; uma espécie de cânone atávico ao qual ela voltava quando acabava de expressar seu pensamento com um olhar ou uma entonação de voz; tudo isso fazia imaginar, a quem a contemplava, a linhagem que lhe legara essa insuficiência de simpatia humana, as lacunas de sensibilidade, uma carência de amplitude de caráter em sua formação que a todo instante fazia falta. Mas certos olhares que passavam rapidamente pelo fundo árido de suas pupilas e nos quais sentia-se aquela doçura quase humilde que o gosto predominante dos prazeres dos sentidos confere à mulher mais orgulhosa, que algum dia acabará dando valor apenas a quem lhe proporcionar tais prazeres, seja um cômico ou um saltimbanco, pelo qual talvez um dia largará o marido; em certo matiz de pele, vivo e rosado, que se espalhava por suas faces pálidas, semelhante ao que coloria de encarnado o coração das ninféias do Vivonne, eu julgava sentir que ela facilmente me permitiria que fosse nela buscar o gosto daquela vida tão poética que levava na Bretanha, vida à qual, fosse por hábito, por distinção inata, por nojo da pobreza ou da avareza dos seus, parecia dar tão pouco valor, e que, no entanto, ela mantinha oclusa em seu corpo. Na fraca reserva de vontade que lhe fora transmitida e que dava à sua expressão algo de covarde, talvez não encontrasse a Srta. de Stermaria apoio suficiente para resistir. O chapéu de feltro cinza, encimado por uma pluma um tanto fora de moda e pretensiosa, que ela usava invariavelmente em cada refeição, fazia-a mais simpática ainda a meus olhos, não porque se harmonizasse com sua pele argêntea e rosada, e sim porque, por ele, imaginava eu que não fosse rica, aproximando-a de mim. Obrigada a uma atitude convencional devido à presença do pai, mas guiando-se já por princípios diversos dele, para olhar e classificar as pessoas que estavam à sua frente, talvez visse em mim não a linhagem insignificante, mas o sexo e a idade. Se um dia o Sr. de Stermaria saísse sem ela, principalmente se a Sra. de Villeparisis viesse sentar-se em nossa mesa e assim lhe desse a nosso respeito uma opinião que me encorajasse a me aproximar dela, talvez pudéssemos trocar algumas palavras, marcar um encontro, ligar-nos mais. E, num mês em que ela ficasse sozinha sem os pais, em seu castelo romanesco, talvez passeássemos ao crepúsculo, quando suavemente reluzissem as flores róseas das sarças sobre a água ensombrecida, debaixo dos carvalhos onde vinham morrer as ondas. Juntos, percorreríamos essa ilha imaginada por mim com tanto encanto porque teria enfeixado a vida habitual da Srta. de Stermaria e que repousava na memória de seus olhos. Pois parecia-me que não a possuiria de verdade senão ali, quando tivesse atravessado aqueles lugares que a rodeavam de tantas recordações, véu que o meu desejo queria arrancar, desses que a natureza interpõe entre a mulher e algumas criaturas (com a mesma intenção com que coloca, para todos, o ato de reprodução entre os seres humanos e o mais vivo prazer, e, no caso dos insetos, entre estes e o néctar, o pólen que eles devem transportar) a fim de que, enganados pela ilusão de possuí-la assim de modo mais completo, sejam forçados a se apoderar primeiro das paisagens em que ela vive, e que, mais úteis para sua imaginação que o prazer sensual, não teriam contudo, sem ele, força bastante para atrair os homens.

Mas tive de deixar de olhar a Srta. de Stermaria, pois seu pai, considerando sem dúvida que entrar em relações com uma personalidade importante era um ato curioso e breve, que se bastava a si mesmo e que, para desenvolver todo o interesse que comportava, não exigia mais que um aperto de mão e um olhar penetrante sem conversação imediata nem relações posteriores, já se despedira do advogado e voltara a sentar-se à frente dela, esfregando as mãos como um homem que acaba de fazer uma preciosa aquisição. Quanto ao advogado, tão logo passara a primeira emoção daquela entrevista, como nos outros dias, ouviram-no por alguns instantes dirigir-se ao mordomo:

– Mas eu não sou rei, Aimé; vá você ver o rei... Diga, meu caro presidente, é verdade que essas trutas têm muito bom aspecto? Vamos pedi-las a Aimé. Aimé, parecem-me bem recomendáveis esses peixinhos que você tem aí; traga-nos bastantes deles, Aimé.

Repetia o tempo todo o nome de Aimé, de modo que, quando tinha um convidado para jantar, este lhe dizia: "Vejo que conhece muito bem a casa", e julgava dever também pronunciar constantemente "Aimé", devido à predisposição de certas pessoas em achar espirituoso e elegante imitar literalmente aquelas com quem se encontram, atitude em que entram, ao mesmo tempo, a timidez, a vulgaridade e a idiotice. Repetia-o sem parar mas com um sorriso, pois fazia questão de ostentar, a um tempo, as boas relações com o mordomo e sua superioridade sobre ele. E o próprio mordomo, toda vez que era pronunciado o seu nome, sorria com um ar de carinho e orgulho mostrando que reconhecia a honra e compreendia o gracejo.

Eram sempre aborrecidas para mim as refeições naquele vasto restaurante do Grande Hotel, normalmente apinhado, mas tornavam-se ainda mais quando chegava, para passar alguns dias, o proprietário (ou gerente-geral eleito por uma assembléia de acionistas, não sei) não só daquele hotel como de sete ou oito outros situados em todas as partes da França, e que se habituara a estar sempre numa roda-viva de hotel em hotel, uma semana em cada um. Então, quase no princípio do jantar, aparecia todas as noites, na entrada da sala de jantar, aquele homenzinho de cabelos brancos e nariz vermelho, de impassibilidade e correção extraordinárias, e que era, ao que parece, conhecido, tanto em Londres como em Monte Carlo, como um dos primeiros hoteleiros da Europa. Uma ocasião em que eu havia saído um instante no início do jantar, como na volta passasse por ele, saudou-me, sem dúvida para mostrar que eu estava em sua casa, mas com uma frieza cujo motivo não consegui saber se se tratava da reserva de alguém que não se esquece do que representa, ou do desdém por um freguês sem importância. Diante daqueles que, ao contrário, tinham grande importância, o gerente-geral se inclinava, igualmente frio, porém mais profundamente, as pálpebras abaixadas por uma espécie de respeito pudico, como se tivesse à sua frente, numa cerimônia de enterro, o pai da morta ou o Santo Sacramento. A não ser por esses cumprimentos frios e raros, não fazia um só movimento, como para mostrar que seus olhos cintilantes, que davam a impressão de lhe saltarem do rosto, viam tudo, regulavam tudo, asseguravam no "Jantar do Grande Hotel" não só o acabamento dos detalhes como a harmonia do conjunto. Evidentemente, ele se sentia muito mais que um encenador ou um regente de orquestra; sentia-se um verdadeiro generalíssimo. Julgando que uma contemplação levada ao máximo de intensidade era o bastante para lhe assegurar que tudo estava preparado, que nenhum erro cometido poderia acarretar a desordem, e para assumir enfim suas responsabilidades, abstinha-se não só de qualquer gesto, como até de mover os olhos petrificados pela atenção que abarcava e dirigia a totalidade das operações. Eu sentia que mesmo os movimentos da minha colher não lhe escapavam e, conquanto se eclipsasse logo após tomada a sopa, a revista que acabava de fazer me tirava o apetite para o resto da refeição. Seu apetite, no entanto, era muito bom, como se podia ver quando almoçava como simples particular, à mesma hora que os demais, na sala de jantar. Sua mesa apenas tinha uma peculiaridade: é que, ao lado, enquanto ele comia, o gerente habitual permanecia de pé o tempo inteiro conversando. Pois, sendo subordinado ao gerente-geral, procurava lisonjeá-lo e tinha-lhe muito medo. Durante essas refeições, eu sentia menos medo, pois o gerente, perdido no meio dos clientes, assumia a discrição de um general sentado em um restaurante onde há também soldados, e que tem o ar de não se ocupar deles. Todavia, quando o porteiro, cercado de seus criados, me anunciava: "Amanhã ele vai para Biarritz e depois para Cannes" eu respirava mais livremente.

Minha vida no hotel se tornara não só triste, porque não tinha relações, mas incômoda, porque Françoise, em compensação, fizera muitas. Pode parecer que tais relações nos teriam facilitado muita coisa. Pelo contrário. Os proletários, embora lhes fosse muito difícil serem tratados como conhecidos por Françoise e só o conseguissem à custa de certas finezas para com ela, em compensação, quando por fim lhe alcançavam as graças, eram as únicas pessoas a lhe merecerem consideração. Seu velho código lhe ensinava que nada devia aos amigos dos patrões e, se estivesse apressada, podia mandar embora uma dama que tivesse vindo visitar minha avó. Mas, no tocante às próprias relações, ou seja, com as raras pessoas do povo admitidas à sua difícil amizade, suas ações eram reguladas pelo protocolo mais sutil e absoluto. Assim Françoise, tendo travado relações com o cafeteiro do hotel e com uma criadinha de quarto que fazia vestidos para uma senhora belga, não subia mais para preparar as coisas de minha avó imediatamente após o almoço, e sim uma hora mais tarde, porque o cafeteiro queria lhe preparar café ou chá na cafeteria, e a criada de quarto lhe pedia que fosse vê-la coser, e recusar-se a tal era-lhe impossível, pois tais coisas não se fazem. Além disso, a criadinha de quarto merecia-lhe atenções especiais, pois era órfã e fora educada por uma família estranha, em cuja casa costumava passar alguns dias. Tal situação excitava a piedade de Françoise bem como o seu desdém benevolente. Ela que possuía família, uma casinha que herdara dos pais e onde o irmão criava algumas vacas, não podia considerar sua igual uma moça sem lar nem parentes. E, como esta esperava o dia 15 de agosto para visitar os benfeitores, Françoise não podia deixar de repetir: – Ela me faz rir. Diz: espero ir para casa no dia 15 de agosto. Minha casa, diz ela! E nem sequer é sua terra; trata-se de pessoas que a recolheram, e a isso chama de sua casa como se fosse verdadeiramente sua. Pobre menina! Deve ser bastante pobrezinha para não se dar conta do que é ter uma casa. – Mas, ainda que Françoise não se relacionasse senão com criadas de quarto trazidas pelos hóspedes, as quais jantavam com ela no "refeitório dos serviçais" e que, diante de sua touca de rendas e seu fino perfil, a tomavam por uma dama, talvez nobre, reduzida pelas circunstâncias ou pelo afeto a dama de companhia de minha avó, se, numa palavra, Françoise só conhecesse pessoas que não trabalhavam no hotel, o mal não teria sido grande; pois ela não teria podido impedi-las de nos servir para alguma coisa, simplesmente porque, em caso algum, e mesmo desconhecidos dela, essa gente não nos serviria de nada. Mas ela também se ligara em amizade com um copeiro, com um ajudante de cozinheiro e com uma primeira camareira. E o resultado, no que diz respeito à nossa vida diária, foi que Françoise, que no dia em que chegou, quando ainda não conhecia ninguém, tocava a campainha por qualquer coisa em horas inoportunas, quando nem minha avó nem eu teríamos ousado fazê-lo, e respondia, se lhe fazíamos uma ligeira observação: "Mas a gente paga bem caro pelo serviço" como se pagasse do próprio bolso, agora que era amiga de uma personalidade da cozinha, o que nos parecera de bom agouro para nossa comodidade, se minha avó ou eu tínhamos frio nos pés, Françoise, mesmo numa hora perfeitamente normal, não se atrevia a tocar; afirmava que aquilo pegaria mal pois obrigaria a reacenderem os fornos ou incomodaria os criados, que ficariam descontentes. E terminava com uma locução que, apesar da forma insegura com que a pronunciava, não era menos clara e nos fazia perder a paciência: "A verdade é que...". Não insistíamos, de medo que nos saísse com uma outra, bem mais grave: "Seja o que for..." De modo que não mais podíamos ter água quente porque Françoise se tornara amiga da pessoa a quem cabia esquentar a água.

Por fim, nós também fizemos uma amizade, embora sem que minha avó quisesse, pois ela e a Sra. de Villeparisis se encontraram certa manhã frente a frente, passando por uma porta, e foram obrigadas a se falarem, não sem trocarem muitos gestos de surpresa e de hesitação, e executando movimentos de recuo, de dúvida e, afinal, fazendo protestos de delicadeza e alegria, como em certas cenas de Molière onde dois atores monologam há muito tempo, cada um de seu lado, a poucos passos do outro, fazendo de conta que não se viram ainda, e de repente se reconhecem, não podem crer nos seus olhos, entrecortam suas frases e finalmente falam juntos – o coro vindo após o diálogo – e se lançam nos braços um do outro. Ao cabo de um instante, a Sra. de Villeparisis, por discrição, quis deixar a minha avó que, ao contrário, reteve-a até o almoço, desejando saber como procedia ela para receber mais cedo o correio e para que lhe servissem boa carne grelhada (pois a Sra. de Villeparisis, muito gulosa, gostava bem pouco da cozinha do hotel, onde nos serviam refeições que minha avó sempre citando a Sra. de Sévigné, afirmava serem "tão magníficas que nos matavam de fome"). E a marquesa se acostumou a vir todos os dias sentar-se à nossa mesa, enquanto esperava que a servissem, e não permitia que nos levantássemos ou nos incomodássemos por sua causa. Quando muito, demorávamos à mesa, conversando com ela, tendo terminado o almoço, naquele momento sórdido em que as facas jazem na toalha junto dos guardanapos desfeitos. De minha parte, a fim de conservar, para poder gostar de Balbec, a idéia de que estava na extremidade da terra, esforçava-me por olhar ao longe, para ver somente o mar, procurar nele os efeitos descritos por Baudelaire e não deixar o olhar cair sobre a mesa senão nos dias em que haviam servido um enorme peixe, monstro marinho que, ao contrário das facas e dos garfos, era contemporâneo das épocas primitivas, quando a vida começava a surgir no Oceano, no tempo dos cimerianos, e cujo corpo, dotado de inumeráveis vértebras, de nervos azuis e róseos, fora construído pela natureza mas segundo um plano arquitetônico, como uma catedral polícroma dos mares.

Assim como o barbeiro que, ao ver que um oficial a quem está servindo com especial consideração reconhece um freguês que acaba de entrar e se põe a conversar com ele, se regozija ao compreender que são da mesma classe social e não pode deixar de ir, sorrindo, em busca da saboneteira, pois sabe que no seu estabelecimento, juntam-se às tarefas ordinárias de simples salão de cabeleireiro os prazeres sociais, e até mesmo aristocráticos, assim Aimé, vendo que a Sra. de Villeparisis encontrara em nós amizades antigas, ia em busca de taças para lavar a boca com o mesmo sorriso orgulhosamente modesto e sabiamente discreto de uma dona-de-casa que sabe se retirar no momento oportuno. Dir-se-ia igualmente um pai feliz e enternecido que vigia, sem perturbá-la, a ventura de um noivado que principiou em sua mesa. De resto, bastava que pronunciassem diante dele o nome de uma pessoa dotada de um título, para que Aimé parecesse feliz, ao contrário de Françoise, diante de quem não se podia dizer "o Sr. conde Fulano" sem que sua fisionomia ficasse sombria e suas palavras fossem secas e breves, o que não significava que ela estimasse a nobreza em grau inferior a Aimé, e sim que a venerava ainda mais. Aliás, Françoise possuía uma qualidade que nos outros lhe parecia o maior dos defeitos: era orgulhosa. Não era do tipo agradável e bonacheirão de Aimé, tipo que sente e manifesta um vivo prazer quando lhe contam um caso picante, mas inédito, que não saiu nos jornais. Françoise, ao contrário, não queria demonstrar espanto. Se houvessem dito diante dela que o arquiduque Rodolphe, de cuja existência jamais suspeitara, não havia morrido como supunham, e que ainda vivia, teria respondido "sim", como se o soubesse há muito. E seria de acreditar que, se Françoise, mesmo de nossos lábios, lábios de quem ela humildemente chamavam seus patrões, e que a tínhamos quase inteiramente domesticado, não podia ouvir o nome de um nobre sem ter de reprimir um movimento de cólera, a família a que pertencia ocupasse na sua aldeia uma posição de destaque, independente, e que só devia ser perturbada na consideração de que gozava por esses mesmos nobres em cuja casa Aimé, pelo contrário, servira como criado desde a infância, se é que não fora educado por caridade. Assim, para Françoise, a Sra. de Villeparisis é que tinha de pedir perdão por ser nobre. Mas, ao menos na França, é precisamente o talento a única ocupação dos grão-senhores e das grandes damas. Françoise, obedecendo à tendência dos criados a sempre andarem recolhendo, a respeito de seus patrões, informações fragmentárias sobre suas relações com outras pessoas, das quais às vezes extraem deduções errôneas – como o fazem os homens acerca da vida dos animais –, achava a cada instante que estavam "em falta" conosco, conclusão a que aliás chegava com facilidade tanto devido ao amor exagerado por nós quanto ao grande prazer que sentia em nos ser desagradável. Tendo porém constatado, sem erro possível, as mil atenções que a Sra. de Villeparisis tinha para conosco e até para com ela, Françoise perdoou-lhe o ser marquesa e, como ao mesmo tempo nunca havia deixado de respeitá-la por seu título, veio a preferi-la a todos os nossos conhecidos. A verdade é que nenhum se esforçava por ser tão continuamente amável. Toda vez que a minha avó reparava num livro que a Sra. de Villeparisis estava lendo, ou dizia ter achado muito bons alguns frutos que lhe mandara uma amiga, uma hora após um lacaio subia para nos trazer o livro ou os frutos. E, quando a víamos depois, para responder aos nossos agradecimentos, ela se contentava em dizer, dando a impressão de procurar desculpar o presente com o pretexto de uma utilidade especial: "Não é uma obra-prima, mas os jornais chegam tão tarde, é necessário ter algo para ler" ou "é sempre mais prudente ter frutas confiáveis quando se está à beira-mar."

– Mas parece que vocês não comem ostras nunca – disse a Sra. de Villeparisis (aumentando a minha náusea daquela hora, pois a carne viva das ostras me repugnava ainda mais que a viscosidade das medusas que me incomodavam na praia de Balbec) –; aqui são excelentes! Ah, vou dizer à minha criada de quarto que vá pegar sua correspondência ao mesmo tempo que a minha. Como? Sua filha lhe escreve *todos os dias*? E o que é que vocês encontram para dizer uma à outra? – Minha avó se calou, creio que por desdém, ela que repetia para mamãe as palavras da Sra. de Sévigné: "Logo que recebo uma carta, já queria ter outra, anseio por recebê-la. Poucas pessoas são dignas de compreender o que sinto." E receei que ela aplicasse à Sra. de Villeparisis a conclusão: "Procuro a minoria que me compreende e evito os outros." Mas ela mudou de assunto para elogiar as frutas que a Sra. de Villeparisis nos mandara na véspera. Eram, de fato, tão lindas que o gerente, apesar do desgosto de ver suas compoteiras desprezadas, me dissera: – Sou como o senhor; tenho um fraco maior pelas frutas do que por qualquer outra sobremesa. – Minha avó disse a sua amiga que ainda mais lhe agradecia, pois as que serviam no hotel em geral eram detestáveis. – Não posso dizer como a Sra. de Sévigné –

acrescentou – que, se quisermos ter frutas ruins, seríamos obrigadas a mandá-las vir de Paris. – Ah, sim, a senhora lê a Sra. de Sévigné. Vejo-a desde o primeiro dia com suas *Cartas* (esquecia que nunca vira a minha avó no hotel antes de reencontrá-la naquela porta). Não acha que ela é um pouco exagerada com aquela preocupação constante a respeito da filha; parece que fala demais no assunto para ser sincera. Falta-lhe naturalidade. Minha avó achou inútil a discussão e, para evitar ter de falar de coisas de que gostava diante de alguém que não podia compreendê-las, escondeu com a valise as *Memórias* da Sra. de Beausergent.

Quando se encontrava com Françoise, no momento que esta chamava de "meio-dia", em que, com sua bela touca e cercada da consideração geral, descia para comer "no refeitório dos criados", a Sra. de Villeparisis a detinha para pedir notícias nossas. E Françoise nos transmitia os recados da marquesa: – Ela disse: "Dê-lhes bom-dia de minha parte" –, imitando a voz da Sra. de Villeparisis, da qual julgava citar textualmente as palavras, não as deformando menos que Platão as de Sócrates ou São João as de Jesus. Naturalmente, Françoise ficava muito sensibilizada com essas atenções. E, quando minha avó afirmava que a Sra. de Villeparisis fora deslumbrante na juventude, não acreditava, achando que esta mentia por interesse de classe, pois os ricos se defendem uns aos outros. É verdade que daquela beleza de outrora subsistiam bem poucos indícios, e, para reconstituir com eles a beleza perdida, seria preciso ser mais artista que Françoise. Pois, para bem compreender o quanto uma velha pode ter sido bonita, não basta olhar mas traduzir cada feição.

– Preciso me lembrar de lhe perguntar um dia se não me engano ao achar que existe algum parentesco entre ela e os Guermantes – disse minha avó, que com isso me indignou. Como era possível que eu acreditasse na origem comum de dois nomes que haviam entrado em mim através de portas tão diferentes, um pela porta baixa e vergonhosa da experiência, outro pela porta de ouro da imaginação?

Via-se passar por ali, já por alguns dias, com vistoso aparato, a princesa de Luxemburgo, alta, ruiva, linda, com um nariz um tanto saliente; passava algumas semanas na região. Sua caleça havia parado diante do hotel, e um lacaio fora falar ao gerente, voltando a carruagem para pegar um cesto de frutas maravilhosas (que uniam em uma só corbelha, como a baía, estações diferentes), com um cartão: "A princesa de Luxemburgo", onde estavam escritas algumas palavras a lápis. A que viajante principesco, que permanecesse incógnito no hotel, poderiam ser destinadas aquelas glaucas ameixas, luminosas e esféricas, como a redondeza do mar naquele momento; aquelas uvas transparentes, pendentes do galho seco como um claro dia de outono; aquelas pêras de um azul celeste? Pois certamente a pessoa a quem a princesa vinha visitar não podia ser a amiga de minha avó. Entretanto, na tarde seguinte, a Sra. de Villeparisis nos mandou aquele cacho de uvas fresco e dourado, além de umas ameixas e pêras que logo reconhecemos, embora as ameixas já houvessem passado, como o mar à hora do jantar, para um tom malva, e no azul das pêras flutuassem algumas formas de nuvens cor-de-rosa. Dias depois, nos encontramos com a Sra. de Villeparisis ao sair de um concerto sinfônico que se realizava de manhã na praia. Convencido de que as peças que ouvira (o prelúdio de *Lohengrin,* a abertura de *Tannhäuser* etc.) exprimiam as mais altas verdades, tratei de me pôr à altura delas e, para melhor compreendê-las, extraía de meu espírito o que nele houvesse de melhor e mais profundo, e a elas o entregava.

Ora, saindo do concerto, minha avó e eu, e como, ao retomar o caminho que levava ao hotel, tivéssemos parado por um instante na calçada do molhe para falar com a Sra. de Villeparisis, esta nos anunciou que havia encomendado no hotel, para nós, uns *croque-monsieur* e ovos com creme; nisto, vi de longe encaminhar-se para nós a princesa de Luxemburgo, meio apoiada na sombrinha, de modo a imprimir a seu esbelto corpo bem proporcionado uma ligeira inclinação, a fim de que desenhasse esse arabesco tão caro às mulheres que foram belas sob o Império e que sabiam muito bem, com seus ombros pendidos, o dorso arqueado, os quadris reentrantes e a perna estendida, fazer flutuar maciamente o corpo, como um lenço de seda que ondulasse em torno da armadura de um eixo invisível, fixo e oblíquo. Saía todas as manhãs para dar uma volta pela praia, quase à hora em que todos iam almoçar depois do banho de mar. E, como o seu almoço era apenas à uma e meia, voltava para casa muito depois dos banhistas já terem abandonado o molhe deserto e ardente. A Sra. de Villeparisis apresentou minha avó e quis apresentar-me, mas teve de perguntar meu nome, pois o esquecera. Talvez nunca o tivesse sabido ou, em todo caso, esquecera há muito tempo com quem minha avó casara sua filha. Esse nome pareceu causar uma viva impressão na marquesa. Nesse meio tempo, a princesa de Luxemburgo nos estendera a mão e, de vez em quando, sempre conversando com a Sra. de Villeparisis, desviava os olhos para nós e pousava em minha avó e em mim olhares cheios de carinho, com esse embrião de beijo que se ajunta ao sorriso dirigido a um neném que está com sua babá. E, no seu desejo de não parecer que se colocava numa esfera superior à nossa, sem dúvida medira mal a distância, pois, por um erro de cálculo, seus olhares se impregnaram de uma tal bondade que vi chegar o instante em que nos acariciaria com a mão, como a dois bichinhos simpáticos que põem a cabeça entre as grades de uma gaiola, no Jardim da Aclimação. E essa idéia dos animais e do Bois de Boulogne logo tomou mais consistência para mim. Era a hora em que o molhe é percorrido por vendedores ambulantes barulhentos que trazem pastéis, bombons e bolinhos. Sem saber o que fazer para nos dar provas de sua benevolência, a princesa chamou o primeiro que passava; este não tinha mais que um pão de centeio, desses que a gente atira aos patos. A princesa tomou-o e me disse: – É para sua avó. – No entanto, foi para mim que o estendeu, dizendo com um fino sorriso: – Você mesmo vai lhe dar – pensando que assim o meu prazer seria mais completo se não houvesse intermediários entre mim e os animais. Outros vendedores se aproximaram; ela encheu meus bolsos de tudo o que eles tinham: caixinhas amarradas com fitas, guloseimas, pudinzinhos, balas de cevada. E me disse: – Vá comê-los e dar também para sua avó – e mandou que aquele negrinho de cetim vermelho, que a seguia por toda a parte e era o espanto da praia inteira, pagasse os vendedores. Depois, despediu-se da Sra. de Villeparisis e estendeu-nos a mão com a intenção de nos tratar da mesma maneira que à sua amiga, com intimidade, e de se pôr à nossa disposição. Mas desta vez deve ter colocado nosso nível sem dúvida um pouco mais acima na escala dos seres, pois sua igualdade para conosco foi significada pela princesa por meio desse carinhoso e maternal sorriso a minha avó, sorriso com que a gente se despede de uma criança como se fosse adulta. Por um progresso maravilhoso dà evolução, minha avó já não era um pato ou um antílope, mas um *baby,* como teria dito a Sra. Swann. Por fim, tendo nos deixado os três, a princesa continuou seu passeio pelo molhe ensolarado, curvando o corpo esplêndido que, como uma serpente em torno de uma vara, se enlaçava à sombrinha branca com desenhos azuis que trazia fechada na mão. Era a primeira Alteza com quem falava; digo a primeira, pois a princesa Mathilde não tinha nada de Alteza em seus modos. A segunda, como veremos mais tarde, não menos me deveria assombrar por sua gentileza. No dia seguinte, a Sra. de Villeparisis me fez conhecer uma das formas de amabilidade dos grão-senhores, benévolos intermediários entre os soberanos e os burgueses, quando nos disse: – A princesa os achou encantadores. É uma mulher de muito discernimento e grande coração. Não é como tantas altezas e soberanos. Tem valor autêntico. – E acrescentou em tom convencido, e feliz por poder dizê-lo a nós: – Creio que ficará encantada em revê-los.

Porém, naquela mesma manhã, deixando a princesa de Luxemburgo, a Sra. de Villeparisis me disse algo que me chocou muito mais porque já não pertencia ao domínio da pura amabilidade:

– Quer dizer que seu pai é chefe de gabinete do ministério? – perguntou. – Parece que é um homem encantador. Está fazendo uma bela viagem agora.

Alguns dias antes tínhamos sabido, por uma carta de mamãe, que meu pai e seu companheiro, o Sr. de Norpois, haviam perdido todas as malas.

– Já foram encontradas, ou melhor, nunca chegaram a estar perdidas, foi isto o que aconteceu – disse a Sra. de Villeparisis que, sem que soubéssemos como, parecia estar muito mais bem informada que nós sobre os pormenores da viagem. – Creio que seu pai vai adiantar a volta e regressará na próxima semana, pois provavelmente desistirá de ir a Algeciras. Mas ele tem vontade de consagrar um dia a mais a Toledo, pois é admirador de um aluno de Ticiano, cujo nome não me lembro, e que só se pode apreciar bem naquela cidade.

E eu me indagava por que acaso, na luneta indiferente pela qual a Sra. de Villeparisis considerava de muito longe a agitação sumária, minúscula e vaga da multidão de pessoas que conhecia, se encontrava intercalado, no local onde ela via meu pai, um pedaço de vidro prodigiosamente aumentativo que a fazia ver com tanto destaque e no maior detalhe, tudo o que ele possuía de agradável, as contingências que o forçavam a voltar, seus aborrecimentos de alfândega, seu gosto por El Greco, e, mudando para ela a escala de visão, mostrava-lhe este único homem tão grande no meio dos outros, bem pequeninos, como aquele Júpiter a que Gustave Moreau conferiu, quando o pintou ao lado de um frágil mortal, uma estatura mais que humana.

Minha avó despediu-se da Sra. de Villeparisis para que pudéssemos ficar mais um momento a respirar o ar livre diante do hotel, à espera de que nos fizessem sinal, pela vidraça, de que o nosso almoço estava servido. Ouviu-se um tumulto. Era a jovem amante do rei dos selvagens que acabara de tomar seu banho de mar e entrava para o almoço.

– Na verdade é uma praga; é o caso da gente deixar a França! – gritou com raiva o advogado, que passava naquele instante.

Entretanto, a esposa do tabelião arregalava os olhos para a falsa rainha.

– Não posso lhes dizer como a Sra. Blandais me irrita reparando em pessoas desse tipo – disse o advogado ao presidente. – Gostaria de lhe dar um tapa. É assim que se dá importância a essa gentalha que certamente não deseja outra coisa. Diga ao marido dela para avisá-la que isto é ridículo; quanto a mim, não saio mais na companhia deles se continuam a prestar atenção aos embusteiros.

Quanto à visita da princesa de Luxemburgo, cuja carruagem e acessórios, no dia em que viera trazer as frutas, parara diante do hotel não havia escapado ao grupo da mulher do tabelião, da do advogado e do primeiro magistrado, já desde algum tempo muito agitadas para saber se se tratava de uma legítima marquesa e não de uma aventureira aquela Sra. de Villeparisis a quem mostravam tanta deferência. E todas aquelas senhoras ardiam por descobrir que a marquesa era indigna dessa consideração. Quando a Sra. de Villeparisis atravessava o *hall* a mulher do primeiro magistrado, que em toda parte vislumbrava irregularidades, erguia o nariz do trabalho e olhava-a de um modo que fazia as amigas morrerem de rir.

– Oh, vocês sabem que eu – dizia ela com orgulho – começo sempre por pensar mal. Não consigo admitir que uma mulher esteja verdadeiramente casada senão depois de ver a certidão de nascimento e os registros da cerimônia de casamento. Aliás, não se incomodem que vou fazer um pequeno inquérito.

E todos os dias aquelas senhoras vinham rindo.

– Vimos saber das novidades.

Mas, no dia da visita da princesa de Luxemburgo, a mulher do primeiro magistrado pôs um dedo sobre os lábios.

– Temos novidades.

– Oh, a senhora Poncin é extraordinária! Nunca vi ninguém assim! Mas diga... o que é que há?

– Muito bem, há que uma mulher de cabelos louros, uma grossa camada de pintura no rosto, um carro que cheirava a prostitutas a uma légua de distância, e como só essas senhoritas possuem, veio há pouco para visitar a pretensa marquesa.

– Ora, ora! Não diga! Ora vejam! mas é aquela dama que vimos, lembram? Bem que achamos que não nos quadrava bem, mas não sabíamos que tinha vindo para ver a marquesa. Uma mulher com um negro, não?

– Essa mesma.

– Vejam só! E não sabe o nome dela?

– Sim, fingi que me enganava e peguei seu cartão; tem como nome de guerra o de princesa de Luxemburgo! Bem que eu tinha razão de desconfiar. Muito agradável estarmos aqui nessa promiscuidade com esta espécie de baronesa d'Ange. – O advogado citou Mathurin Régnier e *Macette* ao primeiro magistrado.

Aliás, não é necessário crer que semelhante mal-entendido fosse momentâneo, como os que se formam no segundo ato de um *vaudeville* para se resolverem no último ato. A Sra. de Luxemburgo, sobrinha do rei da Inglaterra e do imperador da Áustria, e a Sra. de Villeparisis pareceram sempre, quando a primeira vinha buscar a segunda para passearem de carro, duas estouvadas, dessas que é bem difícil evitar nas estâncias balneárias. Três quartas partes dos homens do *faubourg* Saint-Germain passam aos olhos de uma boa parte da burguesia por crápulas arruinados (o que aliás são às vezes, individualmente) e que, portanto, ninguém recebe. A burguesia é por demais honesta nesse ponto, pois as suas taras não os impediriam de forma alguma de serem recebidos com o maior favor onde ela jamais o será. E, de tal maneira imaginam que a burguesia o sabe, que afetam uma simplicidade no que lhes diz respeito, um menosprezo pelos amigos particularmente "duros", que aumenta ainda mais o mal-entendido. Se por acaso um homem da alta sociedade se relaciona com a pequena burguesia porque, sendo extremamente rico, ocorre-lhe presidir as mais importantes sociedades financeiras, a burguesia, que vê por fim um nobre digno de ser um grande burguês, juraria que ele não convive com o marquês jogador e arruinado, a quem julga tanto mais desprovido de relações quanto mais amável. E qual não é seu espanto quando o duque, presidente do conselho administrativo da colossal empresa, dá ao filho por esposa a filha do marquês jogador, mas cujo nome é o mais antigo da França, assim como um soberano antes fará seu filho casar-se com a filha de um rei destronado que a de um presidente da república no exercício de seu mandato. Quer dizer que os dois mundos têm, um do outro, uma noção tão quimérica como os habitantes de uma praia situada numa das extremidades da baía de Balbec têm da praia localizada na outra extremidade: de Rivebelle avista-se um pouco Marcouville-l'Orgueilleuse, mas mesmo isto ilude, pois a gente julga ser avistado de Marcouville, de onde, ao contrário, os esplendores de Rivebelle são em grande parte invisíveis.

O médico de Balbec, chamado em virtude de um acesso de febre que eu tivera, achou que eu não deveria ficar o dia inteiro à beira-mar, em pleno sol, na soalheira, e prescreveu para meu uso algumas receitas. Minha avó as tomou com um respeito aparente, onde logo reconheci sua firme decisão de não cumprir nenhuma, mas levou em consideração o conselho em matéria de higiene e aceitou o oferecimento da Sra. de Villeparisis para alguns passeios de carro. Eu ia e vinha, até à hora do almoço, do meu quarto ao de minha avó. Este não dava diretamente para o mar, como o meu, mas recebia luz de três lados diversos: de uma extremidade do molhe, de um pátio e do campo, e era mobiliado de modo diferente, com poltronas bordadas de filigranas metálicas e de flores róseas de onde parecia emanar o odor suave e agradável que a gente encontrava ao entrar. E, nessa hora em que raios vindos das exposições e como que de horas diversas quebravam os ângulos do muro, ao lado de um reflexo da praia, punham na cômoda um repositório matizado como as flores do caminho, suspendiam à parede as asas dobradas, trêmulas e mornas de uma claridade em vias de retomar seu vôo, aqueciam como um banho um retângulo de tapete provinciano diante da janela do patiozinho que o sol engrinaldava como a uma videira, aumentavam o encanto e a complexidade da decoração dos móveis, parecendo esfoliar a seda florida das poltronas e pôr em relevo sua passamanaria, aquele quarto que eu atravessava um momento antes de me vestir para o passeio, dava a impressão de um prisma onde se decompunham as cores da luz de fora, ou de uma colméia onde os sucos do dia que eu ia provar estivessem dissociados, esparsos, inebriantes e visíveis, ou de um jardim da esperança que se dissolvesse numa palpitação de raios de prata e de pétalas de rosa. Porém, antes de tudo, eu abrira minhas cortinas na impaciência de saber qual era o mar que brincava aquela manhã na praia, como uma nereida. Pois nenhum daqueles mares ficava por ali mais de um dia. Na manhã seguinte haveria outro que às vezes se parecia com ele. Mas nunca vi duas vezes o mesmo mar.

Havia uns de beleza tão rara que, ao percebê-los, o meu prazer era aumentado ainda pela surpresa. Que privilégio teria uma manhã sobre as outras, para que a janela, ao entreabrir-se, desvelasse aos meus olhos maravilhados a ninfa Glaucônome, cuja preguiçosa beleza e suave respirar tinham a transparência de uma vaporosa esmeralda, através da qual eu via afluírem os elementos ponderáveis que a coloriam? Fazia o sol brincar com um sorriso enfraquecido por uma bruma invisível, que outra coisa não era que o espaço vazio reservado ao redor de sua superfície translúcida, que assim se tornava mais abrangente e sedutora, como essas deusas que o escultor salienta em meio a um bloco, que nem se digna a desbastar. Assim, com sua cor única, o mar nos convidava ao passeio pelos caminhos grosseiros e terrenos, de onde, instalados na caleça da Sra. de Villeparisis, contemplaríamos o dia inteiro, sem nunca o alcançar, o frescor de sua palpitação macia.

A Sra. de Villeparisis mandara atrelar cedo, para que tivéssemos tempo de ir a Saint-Mars-le-Vêtu, ou aos rochedos de Quetteholme, ou até qualquer outro ponto de excursão que, para um carro muito vagaroso, seria bem distante e levava o dia inteiro. Na minha alegria pelo passeio demorado que íamos fazer, cantarolava uma canção recentemente ouvida e andava de um lado para o outro à espera de que a Sra. de Villeparisis se aprontasse. Se fosse domingo, seu carro não estaria sozinho diante do hotel; vários fiacres alugados esperavam não só as pessoas que eram convidadas para o castelo de Féterne, pela Sra. de Cambremer, mas as que, em vez de ali ficarem como crianças castigadas, declaravam que o domingo era um dia aborrecido em Balbec e iam se esconder, logo após o almoço, numa praia vizinha ou visitar algum lugar das redondezas. E muitas vezes, quando perguntavam à Sra. Blandais se fora à casa dos Cambremer, ela respondia peremptoriamente: – Não, estávamos na cascata do Bec –, como se fosse esta a única razão pela qual não passara o dia todo em Féterne. E o advogado afirmava caridosamente:

– Invejo-os. Com muito gosto teria trocado com vocês; é bem mais divertido.

Junto dos carros, diante do pórtico onde eu esperava, estava plantado, como um arbusto de rara espécie, um jovem criado do hotel que chamava a atenção de todos menos pela singular harmonia dos cabelos coloridos que por sua epiderme de planta. No interior, no *hall* que correspondia ao nártex, ou igreja dos catecúmenos dos templos romanos, e onde tinham direito a entrar as pessoas que não residiam no hotel, os companheiros do *groom* "externo" não trabalhavam muito mais que ele porém ao menos executavam alguns movimentos. É provável que de manhã ajudassem na limpeza; mas de tarde estavam ali apenas como esses membros do coro que, mesmo quando não servem para nada, permanecem em cena para aumentar o número de figurantes. O gerente-geral, o mesmo que me dava tanto medo, contava aumentar consideravelmente o seu número no próximo ano, pois "via em ponto grande". E sua decisão muito afligia o gerente do hotel, que achava que todos aqueles meninos não passavam de uns impertinentes, querendo com isso dizer que estorvavam a passagem e eram inúteis. Mas, pelo menos no espaço entre o almoço e o jantar, entre as saídas e regressos dos hóspedes, preenchiam eles o vazio da ação, como as alunas da Sra. de Maintenon que, vestidas de jovens israelitas, dançam um *intermezzo* cada vez que Ester ou Joab saem de cena. Mas o *groom* de fora, tão rico em matizes, de talhe delgado e frágil, perto de quem eu esperava que a marquesa descesse, conservava uma imobilidade cheia de melancolia, pois seus irmãos mais velhos tinham largado o hotel por destinos mais brilhantes e ele se sentia isolado naquela terra estranha. Enfim chegou a Sra. de Villeparisis. Talvez coubesse ao *groom* mandar o carro se aproximar e ajudar a senhora a subir; mas, por um lado, sabia que quem traz a criadagem consigo deve servir-se deles e, em geral, dá poucas gorjetas num hotel, e que, por outro lado, os nobres do velho *faubourg* Saint-Germain procedem da mesma maneira. A Sra. de Villeparisis pertencia ao mesmo tempo a essas duas categorias. O *groom* arborescente concluía daí que nada havia a esperar da marquesa e, deixando que o mordomo e a criada de quarto desta a instalassem no carro com seus apetrechos, sonhava tristemente com a sorte invejável dos irmãos sem sair de sua imobilidade vegetal.

Partíamos; algum tempo após ter contornado a estação de trem, entrávamos numa estrada rústica que em breve se me tornou tão familiar como a de Combray, desde o cotovelo que principiava a se meter por entre cercados encantadores até a outra volta, quando o abandonávamos, e que, de cada lado, mostrava terras cultivadas. No meio delas, via-se aqui e ali uma macieira, é certo que privada de suas flores e não trazendo mais que um buquê de pistilos, mas que bastava para me encantar porque reconhecia essas folhas inimitáveis, em cuja ampla extensão, como pelo tapete de uma festa nupcial já terminada, passara recentemente a cauda de cetim branco de flores avermelhadas.

Quantas vezes em Paris, no mês de maio do ano seguinte, ocorreu-me comprar um ramo de macieira numa florista e passar a noite diante dessas flores, onde desabrochava aquela mesma essência cremosa a polvilhar ainda com sua espuma os brotos das folhas; e parecia que entre suas brancas corolas o vendedor, por generosidade comigo, por gosto inventivo e também por contraste engenhoso, tinha posto como brinde, de cada lado, um botão róseo que lhe ficava muito bem; contemplava-as, colocava-as à luz da lâmpada – por tanto tempo que muita vezes ainda assim estava ali quando a aurora lhes trazia a mesma vermelhidão que devia estar mostrando ao mesmo tempo sobre Balbec – e procurava pô-las outra vez naquela estrada por meio da imaginação, multiplicá-las, e estendê-las no quadro preparado, sobre a tela já pronta, quadro que formava com aquelas cercas cujo desenho sabia de cor e que tanto desejaria ver – e um dia haveria de consegui-lo – no momento em que a primavera cobre as telas de suas cores com a deslumbrante inspiração do gênio.

Antes de subir para o carro, já compusera o quadro marinho que ia procurar, na esperança de vê-lo sob o "sol radiante", que em Balbec eu só via bastante fragmentado entre tantas coisas vulgares e que meu sonho não admitia, banhistas, cabines, iates de recreio. Mas, quando o carro da Sra. de Villeparisis chegava ao alto de uma colina, eu avistava o mar entre as folhagens; desapareciam então com a distância os detalhes contemporâneos que, por assim dizer, tinham-no posto fora da natureza e da história, e eu podia, olhando as ondas, esforçar-me por pensar que eram as mesmas que Leconte de Lisle nos pinta na *Orestíada*, quando os peludos guerreiros da heróica Hélade, "feito bandos de pássaros, com cem mil remos fazem vibrar o mar sonoro". Mas em compensação, já estava agora mais longe da praia e o mar não se apresentava com vida e, sim, entorpecido, e eu já não sentia força em suas cores estendidas, como as de uma pintura, entre as folhas das árvores, e a água parecia tão inconsistente como o céu, e apenas um tanto mais escura que ele.

Vendo que eu gostava das igrejas, a Sra. de Villeparisis prometia-me que haveríamos de visitá-las aos poucos; principalmente a de Carqueville, "toda coberta de hera antiga", disse ela, fazendo com a mão um movimento que parecia envolver com prazer a fachada ausente em uma folhagem delicada e invisível. A Sra. de Villeparisis, com freqüência, tinha desses miúdos gestos descritivos, acompanhados de uma palavra precisa para definir o encanto e a particularidade de um monumento, evitando sempre os termos técnicos, mas sem poder dissimular que sabia muito bem das coisas de que falava. E, à maneira de desculpa, alegava que um dos castelos de seu pai, no qual se criara, ficava num distrito em que havia igrejas de estilo semelhante às dos arredores de Balbec, e teria sido vergonhoso que ela não tomasse gosto pela arquitetura, ainda mais que aquele castelo era o mais belo exemplar dos da Renascença. Mas, como também era um verdadeiro museu, e como, por outro lado, ali haviam tocado Chopin e Liszt, e Lamartine recitado seus versos, e todos os artistas conhecidos de um século inteiro ali haviam deixado pensamentos, escrito melodias, feito desenhos no álbum da família, a Sra. de Villeparisis, fosse por gracejo, boa educação, modéstia verdadeira ou falta de espírito filosófico, atribuía a essa origem puramente material o seu conhecimento de todas as artes e acabava considerando pintura e música, literatura e filosofia como o privilégio de uma jovem educada da maneira mais aristocrática em um monumento ilustre e catalogado. Parecia que, para ela, não havia outros quadros senão os que se herdam. Ficou satisfeita que minha avó gostasse de um colar que estava usando e que lhe chegava à cintura. Estava no retrato de sua bisavó pintado por Ticiano e que nunca saíra da família, de modo que se podia afirmar que era um Ticiano legítimo. Ela não queria ouvir falar em quadros comprados Deus sabe como por algum Creso; estava de antemão convencida de que eram falsos e não manifestava desejo algum de vê-los. Sabíamos que ela própria pintava aquarelas de flores e minha avó, que ouvira elogiá-las, falou-lhe delas. A Sra. de Villeparisis mudou de assunto, por modéstia, mas sem mostrar maior espanto ou prazer do que uma artista bastante conhecida, a quem os cumprimentos não trazem nada de novo. Contentou-se em dizer que era um passatempo encantador porque, se as flores nascidas do pincel não eram famosas, pelo menos pintá-las obrigava-nos a viver na companhia de flores naturais, cuja beleza, principalmente quando é necessário olhá-las bem de perto para as copiar, não cansa nunca. Mas em Balbec, a Sra. de Villeparisis tirava férias para descansar os olhos.

Minha avó e eu ficamos muito espantados ao perceber que a marquesa era muito mais "liberal" até que a maior parte da burguesia. Ela se admirava que causasse escândalo a expulsão dos jesuítas, dizendo que isto sempre se fizera, mesmo sob a monarquia, mesmo na Espanha. Defendia a República, cujo anticlericalismo censurava apenas em termos medidos: "Acharia tão ruim que me impedissem de ir à missa como se me forçassem a ir sem ter vontade", chegando mesmo a pronunciar certas frases, como: "Oh, a nobreza de hoje não vale quase nada!", ou: "Para mim, um homem que não trabalha não tem qualquer valor", talvez somente por sentir que assumiam em sua boca um sentido picante, saboroso e memorável.

De tanto ouvir expressar com franqueza opiniões avançadas – mas sem nunca chegar ao socialismo, que era o pesadelo da Sra. de Villeparisis – exatamente por uma dessas pessoas que, por inspirarem consideração devido a seu espírito, levam nossa tímida e escrupulosa imparcialidade a recusar-se a condenar as idéias dos conservadores, minha avó e eu não estávamos longe de acreditar que, na nossa amável companheira, se encontravam a medida e o modelo da verdade em todas as coisas. Acreditávamos nela, sob palavra, quando discorria acerca de seus Ticianos, da galeria do seu castelo, do espírito de conversação de Luís Filipe. Porém – como esses eruditos que nos assombram ao falar da pintura egípcia e das inscrições etruscas, e que se expressam de modo tão banal sobre as obras modernas, a ponto de nos fazerem desconfiar se não exageramos o interesse das ciências em que são versados, pois, ao tratarem delas, não demonstram essa mediocridade que seria de esperar e que transparece nos seus ensaios estúpidos sobre Baudelaire – a Sra. de Villeparisis, interrogada por mim acerca de Chateaubriand, Balzac e Victor Hugo, todos antigamente recebidos por seus pais e conhecidos dela mesma, achava graça na minha admiração, contava deles coisas picantes como acabava de fazer sobre grão-senhores ou políticos, e julgava-os com severidade exatamente porque não tinham essa modéstia, esse apagamento do próprio valor, essa arte sóbria que se contenta com um só traço preciso e não insiste, e evita acima de tudo o ridículo da grandiloqüência, essa oportunidade e essas qualidades de moderação de juízo e simplicidade, próprias do verdadeiro talento, conforme lhe haviam ensinado; via-se que ela não vacilava em lhes preferir certos homens que, de fato, talvez tivessern, por isso, vantagem sobre um Balzac, um Victor Hugo ou um Vigny, num salão, numa academia ou num conselho de ministros, como Molé, Fontanes, Vitrolles, Bersot, Pasquier, Lebrun, Salvandy ou Daru.

– É como esses romances de Stendhal, por quem você parece ter tanta admiração. Você o deixaria muito espantado se lhe falasse desse modo. Meu pai, que se encontrava com ele em casa do Sr. Mérimée – este sim, um homem de talento –, me disse várias vezes que Beyle (era este o seu nome) era de uma afrontosa vulgaridade, mas muito espirituoso num jantar e não alimentava ilusões quanto a seus livros. Aliás, você bem sabe como respondeu, com um dar de ombros, aos elogios excessivos do Sr. de Balzac. Nisto, pelo menos, era homem de boas maneiras. – Ela possuía autógrafos de todos esses escritores e parecia achar que, devido às relações particulares que sua família tivera com tais artistas, seu julgamento a respeito deles era muito mais justo que o de rapazinhos como eu, que não os tinham conhecido. – Creio que posso falar neles porque freqüentavam a casa de meu pai e, como dizia o Sr. Sainte-Beuve, que era muito espirituoso, sobre tais escritores, convém acreditar nos que os viram de perto e puderam julgar mais precisamente o quanto valiam.

Às vezes, como o carro subisse por uma estrada entre campos cultivados, alguns campônios hesitantes, parecidos com os de Combray, seguiam nosso carro, tornando mais reais os campos, ajuntando-lhes um sinal de autenticidade, como a preciosa florzinha com que certos mestres antigos assinavam os quadros. O andamento dos nossos cavalos em breve nos separava deles, porém pouco adiante já víamos outro que nos esperava, espetando na erva à nossa frente a sua estrela azul; vários deles se atreviam a chegar à beira da estrada, e formava-se uma nebulosa com minhas lembranças antigas e aquelas florzinhas domésticas.

Descíamos a encosta; então cruzávamos, subindo a pé, de bicicleta, numa carroça ou num carro, com uma dessas criaturas – flores do dia claro, mas que não são como as flores dos campos, pois cada uma encerra algo que não existe nas outras, o que impede que possamos satisfazer com suas iguais o desejo que nos inspira –, uma moça de granja que guiava sua vaca, ou meio deitada numa charrete, filha de lojista a passeio, uma senhorita elegante sentada na banqueta de um landô, diante dos pais. Certamente Bloch me abrira uma nova era e mudara-me o valor da vida, no dia em que me ensinara que meus sonhos nos passeios solitários para os lados de Méséglise, quando desejava que passasse uma moça do campo para tomá-la nos braços, não eram uma quimera que não correspondesse a coisa alguma fora de mim, mas que toda moça que encontrasse, camponesa ou citadina, estaria em condições de satisfazer tais desejos. E, conquanto agora, por estar doente e nunca sair sozinho, não pudesse fazer amor com elas, sentia-me no entanto alegre como uma criança nascida numa prisão ou num hospital e que, tendo acreditado durante muito tempo que o organismo humano só pode digerir pão seco e remédios, soube de repente que os pêssegos, abricós e uvas não são um simples ornato dos campos mas alimentos deliciosos e assimiláveis. Mesmo que o carcereiro ou o enfermeiro não o deixe apanhar esses belos frutos, o mundo todavia lhe parece melhor e a existência mais clemente. Pois um desejo se embelece a nossos olhos, e apoiamo-nos a ele com maior confiança quando sabemos que a realidade exterior a ele corresponde, ainda que não seja realizável ao nosso caso. E pensamos com mais alegria numa vida em que possamos imaginar saciá-lo, desde que afastemos um instante do nosso espírito o pequeno obstáculo acidental e particular que nos impede realizá-lo pessoalmente. Quanto às belas moças que passavam, desde o dia em que soubera que suas faces podiam ser beijadas, tornara-me curioso acerca de suas almas. E o universo me parecera crescer de interesse.

O carro da Sra. de Villeparisis andava rápido. Mal me dava tempo de ver a menina que vinha em nossa direção; entretanto como a beleza das criaturas não é igual à das coisas e sentimos muito bem que pertence a uma criatura única, consciente e de vontade própria, enquanto sua individualidade, alma vaga, vontade desconhecida de mim, se pintava numa pequena imagem prodigiosamente reduzida, mas completa, no fundo de seu olhar distraído, logo, misteriosa réplica dos pólens bem preparados para os pistilos, sentia jorrar em mim o embrião tão vago, tão minúsculo, do desejo de não deixar passar aquela menina sem que seu pensamento tomasse consciência de minha pessoa, sem impedir que seus desejos se dirigissem a outro homem, sem que me fixasse em suas fantasias e conquistasse seu coração. Todavia, o nosso carro se afastava, a linda menina já estava para trás, e, como lhe faltassem a meu respeito quaisquer noções das que constituem uma pessoa, seus olhos, que mal me haviam avistado, já me esqueciam. Será que a julgara assim tão linda só por tê-la visto de forma tão fugaz? Talvez. Primeiro, a impossibilidade de ter parado junto de uma mulher, o risco de não encontrá-la em outra ocasião, davam-lhe subitamente o mesmo encanto que a um certo país a doença ou a pobreza que nos impedem de visitá-lo, ou, aos dias tão aborrecidos que nos restam por viver, a idéia do combate em que certamente morreríamos. De forma que, se não fosse o hábito, a vida deveria parecer deliciosa às pessoas que estivessem ameaçadas de morrer a todo instante – ou seja, a toda a humanidade. Além disso, se a imaginação é levada pelo desejo daquilo que não podemos possuir, seu impulso não é limitado por uma realidade inteiramente percebida nesses encontros, onde o encanto da passante está em geral diretamente relacionado com a rapidez da passagem. Por pouco que a noite tombe e que o carro vá depressa, no campo ou na cidade, não há torso feminino, mutilado como um mármore antigo pela velocidade que nos arrasta e pelo crepúsculo que o afoga, que não nos atire ao coração, a cada volta da estrada, do fundo de cada loja, as flechas da Beleza, dessa Beleza que seria lícito perguntar se, neste mundo, ela é outra coisa além da parte do complemento que nossa imaginação, sobreexcitada pela angústia, ajunta a uma mulher que passa fragmentária e fugitiva.

Se eu pudesse ter descido do carro e falar à moça por quem passáramos, talvez ficasse decepcionado com algum defeito de sua pele, que do carro não pudera distinguir. (E então, de súbito, todo esforço para penetrar em sua vida me pareceria impossível. Pois a beleza é uma seqüência de hipóteses, e a feiúra a reduz, barrando o caminho que já víamos abrir-se para o desconhecido.) Talvez uma só palavra que ela tivesse dito, um sorriso, me houvessem fornecido uma chave ou uma cifra inesperadas para ler a expressão de seu rosto e de seu porte, que logo se tornariam banais. É possível, pois jamais encontrei na vida mulheres tão deliciosas como naqueles dias em que estava com uma pessoa muito grave, de quem não podia me separar não obstante os mil pretextos que inventava; em Paris, alguns anos depois de minha primeira viagem a Balbec, dando um passeio de carro com um amigo de meu pai, e vendo uma mulher que caminhava depressa na noite, pensei que não era razoável, por uma questão de conveniência, perder minha porção de felicidade na única vida que sem dúvida existe. E, saltando do carro sem pedir desculpas, parti em busca da desconhecida; perdi-a no cruzamento de duas ruas, voltei a encontrá-la numa terceira e me achei, todo resfolegante, debaixo de um lampião, diante da velha Sra. Verdurin, a quem evitava por toda a parte e que, surpresa e feliz, exclamou: – Oh, como foi amável em correr para me cumprimentar!

Naquele ano em Balbec, quando tinha desses encontros, afirmava à minha avó e à Sra. de Villeparisis que, devido a uma grande dor de cabeça, era preferível que voltasse a pé para casa. Elas recusavam deixar-me descer do carro. E eu acrescentava a linda moça (bem mais difícil de reencontrar do que um monumento, pois era anônima e móvel) à coleção daquelas todas que tinha prometido a mim mesmo ver de perto. Entretanto, uma ocorreu passar de novo a meus olhos, em condições tais que julguei poder conhecê-la quando quisesse. Era uma leiteira que vinha de um sítio trazendo um suplemento de creme para o hotel. Pensei que me reconhecera e, de fato, olhava-me com uma atenção que talvez fosse causada pelo espanto que lhe dava a minha atenção. Ora, no dia seguinte, em que ficara repousando a manhã inteira, quando Françoise veio descerrar as cortinas, por volta do meio-dia, entregou-me uma carta que fora deixada para mim no hotel. Não conhecia ninguém em Balbec. Não tinha dúvidas de que a carta fosse da leiteira. Infelizmente, era apenas de Bergotte que, de passagem, tentara me ver mas, tendo sabido que eu dormia, deixara-me algumas linhas amáveis, para as quais o ascensorista fizera um envelope que eu havia julgado escrito pela leiteira. Fiquei tremendamente desapontado, e a idéia de que era bem mais difícil e lisonjeiro receber uma carta de Bergotte, não me consolou em nada o fato de não ter sido escrita pela leiteira. E o caso é que não voltei mais a ver aquela moça, como acontecia com as outras que só avistava do carro da Sra. de Villeparisis. E vê-las e perdê-las todas aumentava o estado de agitação em que vivia e reconhecia uma certa sapiência nos filósofos que nos recomendam limitar nossos desejos (se é que pretendem estar falando do desejo que nos inspiram as outras pessoas, pois é o único que pode provocar ansiedade, ao se aplicar ao desconhecido consciente. Supor que a filosofia queira falar do desejo das riquezas é absurdo demais). Entretanto, estava disposto a julgar incompleta semelhante sabedoria, pois dizia comigo que esses encontros me faziam achar ainda mais belo um mundo que assim deixava crescer em todos os caminhos do campo umas flores tão corriqueiras e raras a um tempo, tesouros fugitivos do dia, dádivas do passeio, que dão novo gosto à vida e que somente devido a circunstâncias contingentes, que talvez não se reproduzissem no futuro, me haviam impedido de desfrutar agora.

Mas talvez, esperando que um dia, mais livre, eu pudesse encontrar moças idênticas em outras estradas, já começasse a falsear o elemento exclusivamente individual do desejo de viver com uma mulher que nos pareceu bonita; e, pelo simples fato de admitir a possibilidade de fazê-lo nascer artificialmente, reconhecia de modo implícito a sua natureza ilusória.

No dia em que a Sra. de Villeparisis nos levou a Carqueville, onde ficava aquela igreja coberta de hera de que nos havia falado e que, edificada sobre um outeiro, domina a aldeia, o rio que a atravessa e que manteve sua pontezinha medieval – minha avó, pensando que eu gostaria de permanecer sozinho para contemplar o monumento, propôs à amiga irem ambas lanchar na confeitaria, na praça que se via perfeitamente dali e que, com sua pátina dourada, era como uma outra parte de um objeto bem antigo. Combinou-se que eu iria encontrá-las aí. Para reconhecer uma igreja no bloco de verdura que tinha à minha frente, foi preciso fazer um esforço que me pôs mais em contato com a noção de igreja; com efeito, do mesmo modo que esses estudantes que apreendem mais completamente o sentido de uma frase quando são obrigados, por meio de um exercício de versão ou de tema, a despojá-la das formas a que estão habituados, essa noção de igreja, de que não precisava ao me ver diante de torres que se davam a conhecer por si mesmas, era eu agora obrigado a chamar constantemente em meu auxílio para não me esquecer, aqui, que o arco desse punhado de erva era o de uma vidraça ogival, ali, que aquela saliência das folhas era devida ao relevo de um capitel. Mas então soprava um ventinho, fazendo estremecer o pórtico móvel que formava redemoinhos propagados e trêmulos como ondas de luz; as folhas se agitavam umas contra as outras e a fachada vegetal, toda trêmula, arrastava consigo, acariciadoramente, os pilares ondulantes e fugitivos.

Ao deixar a igreja, vi, diante da velha ponte, moças da aldeia que, sem dúvida por ser domingo, estavam muito enfeitadas, interpelando os rapazes que por ali passavam. Menos bem vestida que as outras, mas parecendo dominá-las devido a uma certa ascendência – pois mal respondia ao que elas lhe falavam –, com ar mais grave e voluntarioso, uma outra, alta, meio sentada no rebordo da ponte, de pernas penduradas, tinha à sua frente um cesto cheio de peixes que provavelmente acabara de pescar. Era de pele amorenada, olhos suaves, mas de olhar desdenhoso para tudo o que a rodeava; nariz pequeno, muito fino e encantador. Meus olhos pousaram em sua pele e, a rigor, meus lábios podiam crer que haviam seguido os olhos. Mas não era apenas o seu corpo o que eu desejaria atingir, era igualmente a pessoa que nele vivia e com a qual estabelecemos uma espécie de contato quando chamamos sua atenção, e na qual como que penetramos ao lhe sugerir uma idéia.

E o ser interior da bela pescadora parecia ainda estar cerrado para mim; era duvidoso que ali tivesse penetrado, mesmo depois de ter percebido minha própria imagem refletir-se furtivamente no espelho de seus olhos, conforme um índice de refração que me era tão desconhecido como se me houvesse colocado no campo visual de uma corça. Mas, da mesma forma que não me bastaria que meus lábios sorvessem prazer nos seus, mas que igualmente lhe dessem esse prazer, assim também desejaria que a idéia de mim que entrasse naquele ser, que a ele se prendesse, não só atraísse sua atenção sobre mim, como a sua admiração, seu desejo, fazendo com que mantivesse minha lembrança até o dia em que pudesse reencontrá-la. Enquanto isso, via a alguns passos dali o lugar em que devia me esperar o carro da Sra. de Villeparisis. Só dispunha de um momento; e já sentia que as moças começavam a rir por me verem parado daquele jeito. Tinha cinco francos no bolso. Tirei-os e, antes de explicar à linda jovem o serviço de que ia encarregá-la, para ter mais chances de que reparasse em mim, ergui por um instante a moeda à altura de seus olhos.

– Visto que parece ser daqui – disse à pescadora – poderia ter a bondade de me fazer um favor? Chegar a uma confeitaria que dizem que há numa praça mas não sei onde, e ali deve haver um carro à minha espera. Preste atenção: para evitar confusões, pergunte se é o carro da Sra. marquesa de Villeparisis. Aliás, vai ver logo qual é; tem dois cavalos.

Era isto o que eu queria que ela soubesse para fazer uma alta idéia de mim. Mas, quando pronunciei as palavras "marquesa" e "dois cavalos", experimentei um súbito sossego. Vi que a pescadora se lembraria de mim e que se dissipava, junto com meu medo de nunca mais vê-la, uma parte do meu desejo de reencontrá-la. Parecia-me que acabava de tocar sua pessoa com lábios invisíveis e que lhe agradara. E essa violenta conquista do seu espírito, essa posse imaterial, fizeram-na perder tanto mistério como o teria feito a posse física.

Descemos até Hudimesnil; de súbito invadiu-me aquela profunda felicidade que quase não sentia desde o tempo de Combray, felicidade análoga à que me haviam dado, entre outros, os campanários de Martinville. Mas desta vez permaneceu incompleta. Acabava de ver, num dos lados da estrada, na encosta por onde íamos, três árvores que deviam servir de pórtico a uma alameda encoberta, formando um desenho que já não era a primeira vez que via; não podia reconhecer o local de onde pareciam ter se destacado, mas sentia que me fora familiar antigamente. De modo que, tendo meu espírito vacilado entre um ano bem remoto e o momento presente, também vacilaram os arredores de Balbec, e perguntei-me se todo aquele passeio não seria uma ficção, Balbec um lugar onde nunca estivera a não ser na imaginação, a Sra. de Villeparisis um personagem de romance e as três velhas árvores a realidade que descobrimos ao erguer os olhos do livro que estamos lendo e que descreve um meio ao qual nos pareceu que tínhamos sido de fato transportados.

Contemplava as três árvores; via-as muito bem, mas meu espírito sentia que ocultavam algo que não conseguia apreender, como ocorre com os objetos colocados muito longe de nossos dedos, e que, mesmo que estendamos o braço, não fazemos mais que acariciar, sem poder agarrá-los. Então a gente descansa por um momento, para depois estender o braço ainda com mais força e tentar chegar mais adiante. Mas, para que meu espírito pudesse fazer o mesmo, tomar impulso, era necessário que eu estivesse sozinho. Como gostaria de poder me isolar, da mesma forma que o fazia em meus passeios para os lados de Guermantes, quando me separava de meus pais! Parecia-me até que deveria fazê-lo. Reconhecia esse gênero de prazer que requer, na verdade, um certo esforço da mente sobre si mesma; mas muito grato em comparação com as medíocres alegrias do abandono e da renúncia. Tal prazer, cujo objeto era apenas pressentido e que eu mesmo tinha de criar, experimentava-o raras vezes apenas, mas, de cada vez, parecia-me que as coisas ocorridas no intervalo não tinham importância quase, e que, limitando-me à sua realidade, poderia enfim começar uma vida verdadeira. Por um momento, pus a mão diante dos olhos para poder fechá-los sem que a Sra. de Villeparisis notasse. Permaneci sem pensar em nada e em breve, com o pensamento concentrado, impulsionado com mais força, saltei na direção daquelas três árvores, ou antes, nessa direção interior em cuja extremidade eu as via em mim mesmo. De novo senti por detrás delas a presença de um objeto conhecido, porém vago, e que não pude atrair até mim. Todavia, todas as três, à medida que o carro avançava, iam se aproximando. Onde as teria visto já? Não havia, nos arredores de Combray, nenhum lugar onde uma alameda se abrisse daquele jeito. O local que elas me recordavam também não se situava naquele campo alemão aonde fora certa vez fazer uma estação de águas com minha avó. Por acaso, seria preciso crer que provinham de uns anos já bem remotos da minha vida, a tal ponto que a paisagem que os rodeava já se apagara inteiramente da memória e que, como essas páginas que a gente encontra, de súbito, emocionado, num livro que pensava nunca ter lido, eram as únicas coisas que sobrenadavam do livro esquecido de minha primeira infância? Ou, ao contrário, não pertenceriam apenas a essas paisagens de sonho, sempre as mesmas, ao menos para mim, a quem o seu aspecto estranho não passava da objetivação, em meu sono, do esforço que eu fazia durante a vigília, seja para alcançar o mistério num lugar atrás de cuja aparência eu o pressentia, como acontecera tantas vezes nos passeios para os lados de Guermantes, seja para tentar reintroduzir esse mistério em um lugar que desejara conhecer e que me parecera superficial desde que o conhecera, como Balbec? Não seriam mais que uma imagem totalmente nova, destacada de um sonho da noite precedente mas já tão apagada que me parecia vir de muito mais longe? Ou então talvez não os tivesse visto nunca, e ocultavam sob si mesmos, como aquelas árvores, como o tufo de verdura que eu vira no caminho de Guermantes, um sentido tão obscuro, tão difícil de decifrar como um passado longínquo, de modo que, solicitado por elas a aprofundar um pensamento, pensava que reconhecia uma lembrança? Ou ainda, por acaso não continham pensamento algum e era um cansaço de minha vista que me fazia vê-los duplos no tempo como às vezes vemos duplicadamente no espaço? Não sabia. Entretanto, vinham em minha direção, talvez aparição mística, ronda de feiticeiras ou de nornas[7-A] que me propunham seus oráculos. Achei antes que eram fantasmas do passado, de queridos companheiros de infância, amigos desaparecidos que nossas recordações comuns invocavam. Como sombras, pareciam pedir que as levasse comigo, que lhes devolvesse a vida. Em sua gesticulação ingênua e apaixonada, reconhecia eu o lamento impotente de um ser amado que perdeu o uso da palavra, sente que jamais poderá nos dizer o que deseja e que não sabemos adivinhar. Em breve, numa encruzilhada, o carro as abandonou. O carro que me arrastava para longe da única coisa que eu julgava verdadeira, a única coisa que teria me tornado verdadeiramente feliz, esse carro se assemelhava à minha vida.

Vi as árvores se afastando agitando seus braços desesperados, parecendo dizer-me: "O que não souberes de nós hoje, não o saberás jamais; se nos deixares recair no fundo dessa estrada de onde procurávamos erguer-nos até a ti, toda uma parte de ti mesmo, que te trazíamos, cairá para sempre no nada." De fato, embora mais tarde encontrasse o tipo de prazer e de inquietude que acabara de sentir ainda uma vez, e uma noite me entregasse a ele – muito tarde, mas para sempre –, em compensação nunca soube o que aquelas árvores queriam me trazer e nem onde as conhecera. E, quando o carro mudou de direção, me virei de costas e deixei de vê-las, enquanto a Sra. de Villeparisis me perguntava por que apresentava eu um aspecto sonhador, e me sentia tão triste como se acabasse de perder um amigo, de morrer eu mesmo, de renegar um morto ou desconhecer um deus.

Já era tempo de pensar no regresso. A Sra. de Villeparisis, que sentia a Natureza com uma atitude mais fria que minha avó, mas que sabia reconhecer, mesmo fora dos museus e das residências aristocráticas, a beleza simples e majestosa de certas coisas antigas, dizia ao cocheiro que fosse pela estrada velha de Balbec, pouco freqüentada, mas orlada de velhos olmos que nos pareciam admiráveis.

Logo que conhecíamos bem essa estrada antiga, voltávamos, para variar, se é que não passáramos por ali na ida, por outro caminho que atravessava os bosques de Chantereine e de Canteloup. A invisibilidade dos inúmeros pássaros que se respondiam dentre as árvores bem ao nosso lado dava a mesma impressão de repouso de quando estamos de olhos fechados. Preso a meu assento como Prometeu ao rochedo, eu escutava minhas oceânides. E, quando, por acaso, via um desses pássaros saltar de um ramo a outro, havia tão pouca relação aparente entre ele e seus trinados, que não julgava ver a causa destes naquele corpinho saltitante, assustado e sem olhos.

Essa estrada era parecida com muitas outras do mesmo gênero que se encontram na França; subia uma encosta bastante íngreme e, depois, voltava a descer durante um trecho bem longo. Naqueles momentos, não me parecia muito

[7-A] Deusas do destino na mitologia escandinava. (N. do T.)

atraente; estava contente apenas por voltar. Mas, depois, tornou-se motivo de alegrias porque me ficou na lembrança como recordação, aonde iam dar todas as estradas semelhantes por onde haveria de passar mais tarde a passeio ou em viagem, sem solução de continuidade e que, graças a ela, poderiam se comunicar com meu coração. Pois, desde que o carro ou o automóvel entravam numa dessas estradas que desse a impressão de continuar aquela que eu percorrera com a Sra. de Villeparisis, minha consciência atual se acharia de imediato apoiada, como no meu passado mais recente, estando abolidos todos os anos intermediários, nas impressões que eu tivera naqueles fins de tarde, passeando pelas cercanias de Balbec, quando as folhas cheiravam bem e se erguia a névoa, como além da aldeia próxima se vislumbrava o pôr-do-sol feito fosse uma outra localidade, florestal, distante, e que não era possível atingir na mesma tarde. E tais impressões, unidas às que experimentava agora, em outras regiões e estradas semelhantes, cercadas de todas as sensações acessórias de livre respiração, de curiosidade, de indolência, de apetite e de alegria, que lhe eram comuns, excluindo todas as outras, essas impressões se reforçavam, assumiam a consistência de uma espécie particular de prazer, quase de um quadro de vida que aliás muito raramente voltaria a encontrar, mas no qual o despertar das recordações punha em meio à realidade materialmente percebida uma porção bem ampla de realidade evocada, imaginada, inatingível, que me dava, em meio a essas regiões que atravessava, algo mais que um sentimento de estética, um desejo fugaz, porém exaltado, de ali viver para sempre. E quantas vezes, apenas por ter aspirado a fragrância de uma folhagem, o fato de estar sentado num carro defronte à Sra. de Villeparisis, de cruzarmos com a Princesa de Luxemburgo, que lhe acenava do seu carro, e voltar para jantar no Grande Hotel, era como que uma felicidade inefável que nem o presente nem o futuro podem nos proporcionar e que só saboreamos uma vez na vida!

Muitas vezes a noite já caíra antes que estivéssemos de volta. Timidamente, citava à Sra. de Villeparisis, mostrando-lhe a lua no céu, uma bela expressão de Chateaubriand, de Vigny ou de Victor Hugo: "Ela espalhava o velho segredo da melancolia" ou "Chorando como Diana junto de suas fontes" ou ainda "A sombra era nupcial, augusta e solene".

– E acha isso bonito? – perguntava-me a marquesa. – Genial, como costuma dizer? Pois lhe direi que sempre me espanta ver que se levam agora muito a sério as coisas que os amigos desses cavalheiros, mesmo fazendo inteira justiça a seus méritos, eram os primeiros a ridicularizar. Não se prodigalizava, como hoje, o qualificativo de gênio, pois, se agora a gente diz a um escritor que ele só possui talento, ele se sente injuriado. Você me cita uma grande frase de Chateaubriand sobre o luar. Vai ver, agora, como tenho meus motivos para ser imune à sua beleza. O Sr. de Chateaubriand vinha seguidas vezes à casa de meu pai. De resto, era muito agradável quando não havia gente de fora, porque então se mostrava simpático e divertido. Porém, quando havia audiência, começava a fazer pose e se tornava ridículo; diante de meu pai, afirmava que havia atirado sua demissão à cara do rei e que dirigira o conclave, esquecendo que meu pai fora por ele encarregado de suplicar ao rei que voltasse a admiti-lo e ouvira fazê-lo acerca da eleição do papa os prognósticos mais descabidos. Era necessário ouvir, sobre esse famoso conclave, o Sr. de Blacas, que era pessoa bem diferente do Sr. de Chateaubriand! Quanto às frases deste sobre o luar, simplesmente se tornaram uma instituição lá em casa. Cada vez que havia luar sobre o castelo, quando tínhamos um novo convidado, nós lhe aconselhávamos que levasse o Sr. de Chateaubriand para tomar um pouco de ar depois da refeição. Quando voltavam, meu pai não deixava de chamar à parte o convidado: "– O Sr. de Chateaubriand foi eloqüente? – Claro que sim. – E lhe falou do luar? – Sim, como sabe? – Espere, e não lhe disse... (e citava-lhe a frase)? – Sim, mas por que mistério...? – E até lhe falou do luar na campanha romana. – Mas o senhor é feiticeiro." Meu pai não era feiticeiro, mas o Sr. de Chateaubrind se contentava em servir sempre o mesmo prato já preparado.

Ao nome de Vigny, ela começou a rir:

– Aquele que dizia: "Eu sou o conde Alfred de Vigny." A gente pode ou não ser conde, isto não tem a menor importância.

No entanto, achava que deveria ter alguma, pois acrescentava:

– Em primeiro lugar, não estou certa de que o fosse; e, de qualquer modo, era de pequena linhagem esse senhor que falou em seus versos de sua "viseira de nobre". Como tem bom gosto e é interessante para o leitor! É como Musset, simples burguês parisiense, que exclamava com ênfase: "O falcão de ouro que enfeita meu capacete." Um grão-senhor de verdade nunca diz dessas coisas. Pelo menos Musset possuía talento como poeta. Mas, tirando *Cinq-Mars,* nunca pude ler nada do Sr. de Vigny, o tédio me faz cair o livro das mãos. O Sr. Molé, dotado de todo o espírito e tato ausentes no Sr. de Vigny, empregou-os muito bem ao recebê-lo na Academia. Como? Não conhece o seu discurso? É uma obra-prima de malícia e impertinência.

Censurava em Balzac, espantando-se que seus sobrinhos o admirassem, o ter pretendido pintar uma sociedade "em que não era recebido", e sobre a qual contou mil inverossimilhanças. Quanto a Victor Hugo, ela nos dizia que o Sr. de Bouillon, pai dela, que tinha muitos amigos entre a juventude romântica, graças a eles comparecera à estréia de *Hernani,* mas não pudera ficar até o fim, tão ridículos achara os versos desse escritor talentoso porém exagerado, que só recebera o título de grande poeta em virtude de um contrato ajustado e como recompensa pela indulgência interessada que tivera para com as perigosas divagações dos socialistas.

Já víamos o hotel e suas luzes, tão hostis na primeira noite, a da chegada, e agora suaves e protetoras, anunciando o lar. E, quando o carro chegava à porta, o porteiro, os *groom*s e o *lift*, apressados, ingênuos, vagamente inquietos com o nosso atraso, amontoados na escadaria à nossa espera, já tornados familiares, eram como essas criaturas que mudam tantas vezes no decurso de nossa vida, como nós próprios mudamos, mas nas quais encontramos o prazer de nos sentirmos fiel e amistosamente refletidos, enquanto durar o tempo em que são o espelho de nossos hábitos. E os preferimos aos amigos que não vemos há muito tempo porque contêm, em maior proporção que aqueles, algo do que somos atualmente. Somente aquele que ficara exposto ao sol o dia inteiro voltara para dentro por não suportar a friagem da noite, e, todo envolto em lã, com a cabeleira alaranjada e escorrida e a flor curiosamente rosada das faces, no meio do *hall* envidraçado, lembrava uma planta de estufa protegida contra o frio. Descemos do carro, ajudados por muito mais empregados do hotel do que seria necessário; mas eles sentiam a importância da cena e nela julgavam-se obrigados a representar um papel. Eu estava faminto. De modo que muitas vezes, para não atrasar o jantar, não subia para o quarto, que acabara por se tornar tão realmente meu que rever agora o grande cortinado violáceo e as estantes baixas era encontrar-me sozinho com esse eu, que se refletia nas coisas como nas pessoas – e esperávamos juntos no *hall* que o mordomo viesse nos dizer que já estávamos servidos. Era a ocasião de ouvir mais uma vez a Sra. de Villeparisis.

– Estamos abusando da senhora – dizia minha avó.

– Nada disso, estou encantada, isto me agrada bastante – respondia sua amiga com um sorriso carinhoso, afinando a voz num tom melodioso que contrastava com sua simplicidade habitual.

É que, de fato, nesses momentos, ela não era natural; lembrava-se da sua educação, dos modos aristocráticos com que uma grande dama deve mostrar, aos burgueses em cuja companhia se alegra de estar, que não é orgulhosa. E a única falta de verdadeira polidez que se podia observar nela eram os excessos dessa mesma polidez; pois nisso era possível reconhecer o vinco profissional de uma dama do *faubourg* de Saint-Germain, que, vendo sempre em certos burgueses os descontentes que estava destinada a fazer em alguns dias, aproveita avidamente todas as ocasiões em que lhe é possível escrever, no livro de contas de sua amabilidade para com eles, a antecipação de um tostão de crédito que lhe permitirá compensar no seu débito a festa ou o jantar a que não os convidará. Assim, o gênio de sua casta social modelara a marquesa de forma definitiva, sem saber que agora as circunstâncias eram bem outras, as pessoas diferentes, e que em Paris ela desejaria ver-nos em sua casa seguidas vezes; de modo que esse gênio a impelia com ardor febril, como se o tempo que se lhe concedia para ser amável conosco fosse muito curto, a multiplicar para nós, enquanto estávamos em Balbec, os presentes de rosas e melões, os empréstimos de livros, os passeios de carro e as efusões verbais. Daí, seguia-se que – da mesma forma que o esplendor ofuscante da praia, o flamejar multicor e os clarões submarinos dos quartos, bem como as lições de equitação com que os filhos de um comerciante eram deificados, como Alexandre da Macedônia – ficaram na minha memória, como características da vida dos balneários, as amabilidades diárias da Sra. de Villeparisis e também a facilidade momentânea, estival, com que minha avó as aceitava.

– Dêem-me suas capas, para que as levem para cima.

Minha avó estendia-as ao gerente e eu, por causa de suas gentilezas para comigo, estava desolado com a falta de consideração dela, que o incomodava.

– Creio que este senhor se aborreceu – dizia a marquesa. – Provavelmente se julga fidalgo demais para pegar suas capas. Lembro-me do duque de Nemours, quando eu ainda era criancinha, entrando em casa de meu pai, que morava no último andar do palácio Bouillon, com um enorme pacote de cartas e jornais debaixo do braço. Creio ver o príncipe em seu fraque azul na soleira da porta (que, por sinal, tinha belos adornos em madeira; julgo que era trabalho de Bagard, aquelas pequenas molduras, vocês sabem, tão finas, a que o ebanista às vezes dava forma de conchas e de flores, como os laços que atam um buquê). – Olhe, Cyrus – dizia a meu pai. – Foi o porteiro quem me deu isto para você. Disse-me: "Já que o senhor vai à casa do senhor conde, não vale a pena que eu suba os andares, mas tenha cuidado para não desatar o nó." – Bem, já que se desembaraçou dos casacos, sente-se aqui – dizia a marquesa a minha avó, tomando-a pela mão.

– Não; se não se importa, nessa poltrona não! É muito pequena para nós duas, mas grande em excesso para mim; não ficaria à vontade.

– A senhora me faz pensar, porque era exatamente igual, numa poltrona que tive há muito tempo mas acabei por não ter como conservar, pois fora dada à minha mãe pela infeliz duquesa de Praslin. Minha mãe, que no entanto era a pessoa mais simples deste mundo, mas que ainda possuía idéias que lhe vinham de outra época e que eu já não entendia muito bem, não quisera a princípio ser apresentada à Sra. de Praslin, que era apenas uma Srta. Sebastiani, ao passo que esta, por ser duquesa, achava que não lhe cabia solicitar uma apresentação. E de fato – acrescentava a Sra. de Villeparisis, esquecendo-se que não distinguia esse tipo de nuanças – essa pretensão era insustentável, a não ser que ela fosse uma Sra. de Choiseul. Os Choiseul são o que existe de melhor, descendem de uma irmã de Luís, o Gordo, eram verdadeiros soberanos em Bassigny. Compreendo que levemos vantagens sobre eles pelas alianças e o brilho, mas a antigüidade de ambas as famílias é quase a mesma. Resultaram incidentes cômicos por causa dessa questão de precedência, como o caso de um almoço que foi servido com atraso de mais de uma hora, tempo necessário para convencer uma senhora a se deixar apresentar. Apesar de tudo, tornaram-se muito amigas, e a duquesa deu a minha mãe uma poltrona do mesmo feitio desta e na qual, como a senhora acaba de fazer, todos se recusavam a sentar. Um dia minha mãe ouve um carro no pátio do palácio. Pergunta a um criado de que se trata. "É a Sra. duquesa de La Rochefoucauld, senhora condessa. – Muito bem, vou recebê-la." Ao fim de um quarto de hora, ninguém: "E então? Onde está a Sra. duquesa de La Rochefoucauld?" – Está na escada, sem fôlego, senhora condessa" – responde o criadinho que chegara há pouco do campo, onde minha mãe tinha o bom costume de ir buscá-los. Muitas vezes vira-os nascer. É desse jeito que se podem ter criados decentes. E é o primeiro dos luxos. Com efeito, a duquesa de La Rochefoucauld ia subindo com dificuldade, porque era imensa, tão imensa que, quando entrou, minha mãe teve um instante de preocupação, sem saber onde acomodá-la. Mas deu com os olhos na poltrona que fora presente da Sra. de Praslin: – Tenha a bondade de se sentar – disse ela, empurrando-lhe a poltrona. E a duquesa encheu-a até às bordas. Apesar de toda a sua imponência, era muito agradável. – Ainda faz efeito quando entra – dizia um de nossos amigos. – Principalmente quando sai – respondia minha mãe, cujas tiradas eram mais atrevidas do que hoje se usaria. Na própria casa da duquesa, ninguém se constrangia em gracejar acerca de suas enormes proporções diante dela, que era a primeira a achar graça. – Mas o senhor está sozinho? – perguntou minha mãe um dia ao Sr. de La Rochefoucauld; fora visitar a duquesa e, à porta do salão, o duque a recebera, e minha mãe não viu sua esposa, que se achava no vão de uma janela. – Julguei que ela estivesse em casa, mas não a vejo. – Como a senhora é amável! – respondeu o duque, um dos homens de menos perspicácia que já conheci, mas que às vezes tinha um certo espírito.

Depois do jantar, quando subia com minha avó, dizia-lhe que as qualidades que nos encantavam na Sra. de Villeparisis, o tato, a finura, a discrição, o esquecimento de si mesma, talvez não devessem ter muito valor, pois as pessoas que os possuíram no mais alto grau não passaram de Molés e Loménies e, em compensação, se o fato de não tê-las pode tornar as relações cotidianas desagradáveis, ainda assim não impediu de chegar ao que foram Chateaubriand, Vigny, Hugo, Balzac, vaidosos sem autocrítica, de quem era fácil zombar, como Bloch... Mas, ao nome de Bloch, minha avó protestava. E gabava a Sra. de Villeparisis. Como dizem que é o interesse da espécie que, no amor, dirige as preferências de cada pessoa, e que, para que criança seja constituída da maneira mais normal, o instinto faz com que as mulheres magras procurem os homens gordos, e as gordas os magros, assim também eram obscuramente as exigências de minha felicidade ameaçada pelo nervosismo, pela minha doentia inclinação à tristeza, ao isolamento, que faziam minha avó colocar em primeiro plano as qualidades de juízo e ponderação, próprias não só da Sra. de Villeparisis mas de uma sociedade onde eu poderia achar sossego e distração – uma sociedade semelhante àquela onde se viu florescer o talento de um Doudan, de um Sr. de Rémusat, para não falar de uma Beausergent, de um Joubert, de uma Sévigné, talento que proporciona mais dignidade e ventura à vida que os requintes opostos, que levaram um Baudelaire, um Poe, um Verlaine e um Rimbaud a sofrimentos e desconsiderações que ela não desejava para seu neto. Interrompi-a para beijá-la, perguntando se havia reparado em tal ou qual frase da Sra. de Villeparisis, em que se notava a mulher que preza o seu nascimento muito mais do que diz. Desse modo, submetia a minha avó minhas impressões, pois nunca sabia o grau de estima devido a alguém senão quando ela o indicasse. Todas as noites trazia-lhe as notas que tomara durante o dia sobre todos os seres inexistentes que não fossem ela. Uma vez, disse-lhe: – Sem ti, não poderia viver. – Não, isso não – respondeu com voz perturbada. – É preciso ter um coração mais forte. Se não, o que seria de ti se eu fosse viajar? Ao contrário, espero que sejas razoável e feliz. – Saberei ser razoável e feliz se viajasses por alguns dias, mas ficaria contando as horas. – Mas, se eu partisse por alguns meses... (só de pensar nisso meu coração se apertava) por muitos anos... por...

Ficávamos calados. Não tínhamos coragem de nos olhar. No entanto, eu sofria mais pela sua angústia do que pela minha. Assim, aproximei-me da janela e lhe falei distintamente, desviando o olhar:

– Sabes como sou um sujeito de hábitos. Nos primeiros dias, em que me vejo separado das pessoas a quem amo, sinto-me infeliz. Mas depois, sem deixar de querê-las, acabo me acostumando, minha vida se torna calma, suave; e eu suportaria uma separação de meses ou anos...

Tive de me calar e olhar pela janela. Minha avó saiu do quarto por um instante. Mas, no dia seguinte, comecei a falar de filosofia, em tom bastante indiferente, mas fazendo com que minha avó prestasse atenção às minhas palavras; disse-lhe que era curioso verificar como, depois das últimas descobertas da ciência, o materialismo parecia arruinado, e que o mais provável era que ainda houvesse a imortalidade das almas e a sua futura reunião.

A Sra. de Villeparisis preveniu que dentro em breve já não poderia nos ver com freqüência. Um jovem sobrinho, que se preparava para ingressar em Saumur, e estava de guarnição nas vizinhanças, em Doncières, vinha passar com ela algumas semanas de licença, e a marquesa ficaria ocupada quase todo o tempo. Durante nossos passeios, havia elogiado sua profunda inteligência, sobretudo o seu bom coração; eu já imaginava que ele iria se tomar de simpatia por mim, que eu seria o seu amigo preferido e, quando um pouco antes de sua chegada, sua tia deu a entender a minha avó que ele infelizmente caíra nos braços de uma mulher má, por quem estava alucinado e que não o largaria nunca, eu, convencido que esse tipo de paixão redunda fatalmente na alienação mental, no crime e no suicídio, pensando no tempo tão curto reservado à nossa amizade, tão grande já em meu coração sem que o tivesse ainda visto, chorei por ela e pelas desgraças que a esperavam, como se chorasse por um ser querido do qual acabamos de saber que caiu gravemente doente e que seus dias estão contados.

Numa tarde de muito calor, estava eu na sala de jantar do hotel, deixada na penumbra a fim de protegê-la dos raios do sol, baixando as cortinas que a luz amarelava, e que pelos interstícios deixavam passar o azul do mar, quando vi, pelo passeio central que ia da praia à estrada, um rapaz alto, magro, de pescoço fino, a cabeça orgulhosamente empinada, olhos penetrantes, de pele tão dourada e cabelos tão louros como se tivessem absorvido todos os raios de sol. Trajava uma roupa de tecido muito fino, esbranquiçado, como jamais imaginei que um homem ousasse vestir e que, por sua leveza, evocava o calor e o bom tempo que fazia lá fora, não menos que o frescor do refeitório; andava muito depressa. Seus olhos, de um dos quais a todo instante caía o monóculo, eram da cor do mar. Todos o olharam passar com curiosidade, pois sabiam que aquele jovem marquês de Saint-Loup-en-Bray era célebre por sua elegância. Todos os jornais haviam descrito o traje que usara recentemente ao servir de testemunha, num duelo, ao jovem duque de Uzès. Parecia que a qualidade tão peculiar de seus cabelos, de seus olhos, de sua pele e de seu porte, que o teriam distinguido em meio de uma multidão como um precioso filão de opala brilhante e azulada, engastado em matéria grosseira, deveria corresponder a uma vida diversa da dos outros homens. E, em conseqüência, quando, antes das relações que tanto desgostavam a Sra. de Villeparisis, as mais belas mulheres da alta sociedade o disputavam entre si, sua presença, em uma praia, por exemplo, ao lado da beldade famosa a quem cortejava, não só a colocava no centro das atenções como atraía os olhares tanto sobre ele quanto sobre ela. Devido a seu chique, a sua impertinência de jovem "leão", principalmente devido a sua grande beleza física, alguns lhe achavam mesmo um certo ar efeminado, mas sem censurá-lo, pois sabiam o quanto era viril e que amava apaixonadamente as mulheres. Era o sobrinho da Sra. de Villeparisis de quem nos falara. Fiquei encantado ao pensar que ia conhecê-lo durante algumas semanas e certo de que me daria todo o seu afeto. Atravessou rapidamente o hotel em todo o comprimento, parecendo perseguir o monóculo que volteava a seu redor como uma borboleta. Chegava da praia, e o mar, que enchia até a metade a vidraça do *hall*, formava-lhe um fundo sobre o qual ele se destacava, como em certos retratos em que os pintores pretendem, sem trair em nada a observação mais exata da vida atual, porém escolhendo para seu modelo um quadro apropriado, campo de pólo ou de golfe, pista de corridas, convés de iate, dar um equivalente moderno dessas telas em que os primitivos faziam aparecer a figura humana no primeiro plano de uma paisagem. Um carro tirado por dois cavalos o esperava diante da entrada; e, enquanto o monóculo retomava seu jeito brincalhão na estrada ensolarada, com a elegância e a mestria que um grande pianista consegue mostrar nos trechos mais simples, onde parecia não ser possível superar um executante de segunda categoria, o sobrinho da Sra. de Villeparisis, tomando as rédeas que o cocheiro lhe dera, sentou-se a seu lado e, ao mesmo tempo que abria uma carta que o gerente lhe entregara, fez partir os cavalos.

Que decepção senti nos dias seguintes quando, cada vez que o encontrava no hotel ou fora dele – o pescoço erguido, equilibrando perpetuamente os movimentos dos membros ao redor do monóculo dançante e fugidio que parecia ser o seu centro de gravidade –, percebi que ele não procurava aproximar-se de nós e que não nos cumprimentava, embora não pudesse ignorar que éramos amigos de sua tia! E, recordando-me da amabilidade que me haviam testemunhado a Sra. de Villeparisis e, antes dela, o Sr. de Norpois, pensava que eles talvez fossem nobres de mentira, e que um artigo secreto das leis que governam a aristocracia deve permitir, quem sabe, às mulheres e a certos diplomatas que faltem, no seu convívio com os plebeus, e por um motivo que me escapava, a essa altivez que, ao contrário, um jovem marquês praticaria impiedosamente. Minha inteligência poderia me dizer o contrário. Mas a característica da idade ridícula que eu atravessava – idade nada ingrata, aliás muito fecunda – é que não se consulta a inteligência e que os menores atributos das criaturas parecem fazer parte indivisível de sua personalidade. Sempre cercados de monstros e deuses, a gente quase não conhece o sossego. E quase todos os gestos que fazemos por essa época, desejaríamos suprimi-los mais tarde. Mas, ao contrário, o que se deveria de fato lastimar seria não mais possuirmos aquela espontaneidade que nos inspirava. Depois, vêem-se as coisas de maneira mais prática, em plena concordância com o resto da sociedade, mas a adolescência é a única época da vida em que aprendemos algo.

Aquela insolência que eu adivinhava no Sr. de Saint-Loup, e tudo o que ela implicava de dureza natural, ficou comprovada por sua atitude cada vez que passava por nós, o corpo bem empertigado, a cabeça sempre empinada, o olhar impassível, e (não será demais dizer) tão implacável, destituído desse vago respeito que se tem pelos direitos das outras criaturas, mesmo que elas não conheçam a nossa tia, e em virtude do qual minha atitude não era absolutamente a mesma diante de uma velha dama e diante de um bico de gás. Essas maneiras glaciais também estavam bem distantes das cartas encantadoras que eu, alguns dias antes, ainda imaginava que me escrevesse para me testemunhar sua simpatia, à mesma distância em que estão as ovações da Câmara da posição medíocre e obscura de um homem imaginativo que pensa ter levantado o ânimo do povo com um discurso inesquecível e que, após ter assim sonhado em voz alta, vê-se de novo um joão-ninguém, como antes, depois de cessarem as falsas aclamações. Quando a Sra. de Villeparisis, sem dúvida para tentar apagar a má impressão que nos causara a aparência do sobrinho, reveladora de um temperamento orgulhoso e malvado, voltou a nos falar da inesgotável bondade do seu sobrinho-neto (era filho de uma de suas sobrinhas e um pouco mais velho que eu), admirei-me como no mundo, ao desprezo de toda a verdade, atribuem-se qualidades de coração aos que o possuem tão seco, ainda que sejam amáveis com as pessoas brilhantes que fazem parte de seu ambiente social. A própria Sra. de Villeparisis acrescentou, mesmo de forma indireta, uma confirmação a esses traços essenciais do caráter de seu sobrinho, que já não me causavam dúvidas, um dia em que encontrei a ambos num caminho tão estreito que ela não teve outra alternativa senão me apresentar a ele. Pareceu não ouvir que lhe apresentavam alguém, nenhum músculo do rosto se mexeu; seus olhos, onde não brilhou o menor clarão de simpatia humana, mostraram simplesmente, na insensibilidade e inanidade do olhar, um exagero, a cuja falta nada os diferenciaria dos espelhos sem vida. Depois, fixando em mim a dureza do olhar, como se quisesse certificar-se bem de quem eu era, antes de devolver meu cumprimento, com um movimento brusco que antes parecia efeito de um reflexo muscular do que de um ato voluntário, encompridou o braço em todo o seu tamanho e apresentou-me a mão, à distância, pondo entre ele e mim o maior intervalo possível. Quando no dia seguinte me mandou seu cartão, julguei que se tratava, no mínimo, de um duelo. Mas ele só me falou de literatura, declarando, depois de longa palestra, que tinha muita vontade de me ver várias horas por dia. Não só dera provas, durante a visita, de um gosto muito vivo pelas coisas do espírito, como me testemunhara uma simpatia que combinava muito mal com a saudação da véspera. Depois, quando vi que saudava sempre dessa maneira quando lhe apresentavam alguém, compreendi que se tratava de simples hábito mundano particular, próprio de uma parte de sua família, e ao qual sua mãe, que fazia questão que ele fosse admiravelmente bem educado, lhe acostumara o corpo; fazia tais cumprimentos sem neles pensar mais que em suas belas roupas, seus lindos cabelos; era algo desprovido da significação moral que eu lhe dera a princípio, uma coisa puramente aprendida, como aquele outro hábito que tinha de fazer-se apresentar imediatamente aos pais de quem conhecia, e que se tornara tão instintivo nele que, vendo-me no dia seguinte ao do nosso encontro, lançou-se a mim e, sem me dar bom-dia, pediu-me que o apresentasse à minha avó que estava comigo, com a mesma rapidez febril como se tal pedido se devesse a um instinto defensivo, com o gesto de aparar um golpe ou de fechar os olhos diante de um jorro de água fervente, e que nos resguarda de um perigo que nos teria atingido um momento depois.

Uma vez cumpridos os primeiros ritos de exorcismo, assim como uma fada rabugenta se despoja de sua aparência inicial e se apresenta revestida de graças encantadoras, vi essa criatura desdenhosa fazer-se o mais amável, o mais atencioso dos rapazes que já conhecera. "Bem" disse comigo, "já me enganei com ele, fui vítima de uma miragem, mas só venci a primeira para cair numa segunda, pois este é um grão-senhor enamorado de sua nobreza e procurando dissimulá-la." Ora, de fato, toda a atraente educação, toda a amabilidade de Saint-Loup deviam, depois de algum tempo, deixar transparecer uma outra pessoa, mas bem diversa daquela que eu suspeitava.

Esse rapaz, com ares de um aristocrata e de um desportista desdenhoso, só estimava e se mostrava curioso pelos assuntos do espírito, sobretudo pelas manifestações modernistas da literatura e da arte que pareciam tão ridículas à sua tia; estava imbuído, por outro lado, daquilo que ela denominava declamações socialistas, e, cheio do mais profundo desprezo por sua casta, passava horas estudando Nietzsche e Proudhon. Era um desses "intelectuais", prontos para a admiração, que se encerram num livro preocupados apenas com altos pensamentos. Além disso, em Saint-Loup, a expressão dessa tendência bastante abstrata e que o afastava tanto de minhas preocupações habituais, conquanto me parecesse emocionante, aborrecia-me um pouco. Posso dizer que, logo que me inteirei bem acerca de seu pai, nos dias em que acabava a leitura de umas memórias cheias de fatos relativos a esse famoso conde de Marsantes, no qual se resume a elegância tão especial de uma época já distante, e com o espírito pleno de fantasias e desejando saber detalhes sobre a vida que levara o Sr. de Marsantes, fiquei furioso ao ver que Robert de Saint-Loup, em vez de se contentar em ser o filho de seu pai, em vez de se mostrar capaz de me guiar pelo romance antiquado que fora a sua vida, se elevara à intensa admiração de Nietzsche e de Proudhon. Seu pai não teria compartilhado os meus lamentos. Era também um homem muito inteligente, que ultrapassava os limites de sua vida de homem mundano. Mal tivera tempo de conhecer o filho, mas desejara que valesse mais que ele. E creio firmemente que, ao contrário do resto da família, teria admirado o filho, alegrando-se que este abandonasse pelas meditações austeras os motivos de diversão leviana que havia tido; e, sem dizer nada, com sua modéstia de grão-senhor talentoso, teria lido às escondidas os autores prediletos do filho para avaliar o quanto Robert lhe era superior.

Apesar disso, ocorria algo muito triste: enquanto o Sr. de Marsantes, um espírito bem aberto, teria apreciado um filho tão diferente dele, Robert de Saint-Loup, como era dessas pessoas que julgam o mérito sempre ligado a certas formas de vida e arte, guardava uma lembrança afetuosa, mas eivada de um certo desdém, do pai, que se ocupara a vida inteira em caçar e correr, bocejara ao ouvir Wagner e adorava a música de Offenbach. Saint-Loup não era inteligente o bastante para compreender que o valor intelectual nada tem a ver com a adesão a uma determinada fórmula estética, e nutria pela "intelectualidade" do Sr. de Marsantes quase o mesmo tipo de desdém que poderiam ter tido por Boieldieu ou por Labiche um filho de Boieldieu ou de Labiche que tivessem sido adeptos da literatura mais simbolista ou da música mais complicada. – Mal conheci meu pai – dizia Robert. – Parece que foi um homem refinado. Seu grande mal foi a época deplorável em que viveu. Ser nascido no *faubourg* Saint-Germain e ter vivido na época da *Belle-Hélène* é uma catástrofe para uma existência. Se fosse um pequeno burguês fanático pelo *Ring,* talvez tivesse dado outro rumo à vida. Disseram-me que até gostava de literatura. Mas nem sabemos se isso era verdade, pois o que entendia por literatura se compunha de obras já caducas. – Quanto a mim, se às vezes achava Robert um tanto sério demais, ele, em compensação, não entendia por que não tinha eu maior seriedade. Julgando todas as coisas apenas pela inteligência que possuem, não percebia os encantos da imaginação que me davam coisas que reputava frívolas, assombrava-se de que eu – a quem julgava muito superior a si próprio – me pudesse interessar por elas.

Desde os primeiros dias, Saint-Loup havia conquistado minha avó, não só pela incessante bondade que se empenhava em testemunhar-nos, mas pela naturalidade que punha em todas as coisas. Ora, a naturalidade – sem dúvida porque se sente nela a natureza sob a arte humana – era a qualidade que minha avó preferia acima de todas, tanto nos jardins, onde não gostava que houvesse, como no de Combray, canteiros muito regulares, quanto na cozinha, onde detestava as "obras complexas" em que mal se reconhecem os alimentos que foram usados para compô-las, ou na interpretação pianística, que lhe desagradava quando era muito apurada ou lambida, a tal ponto que sentia uma complacência toda especial pelas notas ligadas, pelas notas falsas, de Rubinstein. Essa naturalidade, ela a saboreava até nas roupas de Saint-Loup, de uma elegância simples, sem artifícios ou afetações, sem goma nem armação. Apreciava ainda mais aquele rapaz rico pelo modo descuidado e livre que tinha de viver no luxo sem "cheirar a dinheiro", sem assumir ares de importância; e parecia-lhe até encantadora essa naturalidade, mesmo na incapacidade – que Saint-Loup conservara e que desaparece com a infância junto com certas particularidades fisiológicas dessa idade – de impedir que seu rosto refletisse uma emoção. Qualquer coisa que desejasse, por exemplo, algo com que não contara, mesmo sendo um cumprimento, determinava nele um prazer tão brusco, tão ardente, tão volátil, tão expansivo, que lhe era impossível contê-lo e ocultá-lo; uma expressão de contentamento assomava-lhe irresistivelmente ao rosto; a pele muito fina das faces deixava transparecer um vivo rubor, seus olhos refletiam a alegria e o enleio; e minha avó era infinitamente sensível a essa graciosa aparência de inocência e franqueza, que em Saint-Loup, aliás, ao menos na época em que me liguei a ele, era bem sincera. Mas conheci outra criatura, e há muitas, na qual a sinceridade fisiológica desse rubor passageiro não excluía de modo algum a duplicidade moral; muitas vezes, prova unicamente a vivacidade com que exprimem o prazer, a ponto de se verem desarmadas diante dele e serem forçadas a confessá-lo aos outros, certas naturezas capazes das piores abjeções. Mas, onde minha avó adorava mais a simplicidade de Saint-Loup, era no seu modo de confessar sem rodeios a simpatia que me votava, e que expressava com palavras tais que ela mesma dizia consigo não saber achar mais justas e carinhosas, palavras dignas de levarem a assinatura de "Sévigné e Beausergent"; ele não se constrangia em gracejar dos meus defeitos – que desvelara com uma finura que encantara minha avó –, mas como ela própria o teria feito, com ternura, ao passo que exaltava minhas qualidades com um ardor e um abandono que não conhecia as reservas e a frieza, graças às quais os jovens de sua idade costumam achar que se dão importância. E mostrava, para prevenir-me o menor incômodo, para repor-me as cobertas sobre as pernas sem que eu notasse, se o tempo esfriava, para arrumar uma forma, sem nada me dizer, de ficar comigo mais tarde que de costume se me via triste ou indisposto, uma atenção vigilante que, do ponto de vista da minha saúde, minha avó chegava a achar quase excessiva, pois talvez fosse preferível menos mimos, mas que, por outro lado, tocavam-na profundamente como prova de afeição por mim.

E bem depressa ficou claro entre nós que éramos amigos íntimos para sempre, e ele dizia "nossa amizade" como se falasse de algo importante e delicioso que existisse fora de nós mesmos e que em breve denominou – sem contar o amor por sua amante – a maior alegria de sua vida. Tais palavras me deram uma espécie de tristeza e senti-me embaraçado para respondê-las, pois a verdade é que eu não experimentava, ao me encontrar ou conversar com ele – e sem dúvida me ocorreria o mesmo em relação aos outros – aquela felicidade que, pelo contrário, podia sentir quando estava a sós. Sozinho, sentia às vezes afluir do fundo de mim mesmo uma daquelas impressões que me proporcionavam um delicioso bem-estar. Mas, desde que estivesse em companhia de alguém, desde que falasse com um amigo, meu espírito dava meia-volta, era a esse interlocutor e não a mim mesmo que dirigia seus pensamentos. E, quando estes seguiam esse caminho oposto, não me davam qualquer prazer. Tão logo me separava de Saint-Loup, ia pondo em certa ordem, com o auxílio das palavras, os minutos confusos que passara com ele; dizia comigo que tinha uma boa amizade, que um bom amigo é uma coisa rara; mas, sentir-me cercado de objetos difíceis de adquirir causava-me uma sensação que era justamente o oposto do prazer que me era natural, o oposto do prazer de haver extraído de mim mesmo, e levá-lo à claridade, algo que em mim se ocultava na penumbra. Se passara duas ou três horas a conversar com Robert, ainda que ele tivesse admirado o que eu havia dito, eu sentia uma espécie de remorso, de cansaço, de pena, por não ter ficado sozinho e pronto enfim para escrever. Então, retrucava a mim mesmo que ninguém é inteligente só para si, que os espíritos mais dotados apreciaram ser tidos em boa consideração, que eu não podia dar como perdidas as horas que passara a erguer uma alta idéia de mim no espírito de meu amigo, convencia-me facilmente que deveria estar feliz por isso, desejando com vivo ardor que semelhante felicidade jamais me fosse arrebatada porque não a sentira de fato. Teme-se acima de tudo a perda dos bens que existem fora de nós, pois nosso coração não chegou a se apoderar deles. Sentia-me capaz de exercer as virtudes da amizade melhor que muitos (porque poria sempre o bem de meus amigos acima de meus interesses pessoais, de que não prescindem jamais as outras pessoas, e que para mim não existiam), porém não de conhecer a alegria em um sentimento que, ao invés de aumentar as diferenças existentes entre minha alma e a dos outros – como as que existem entre todas as almas – contribuía para desfazê-las. Em compensação, às vezes meu pensamento distinguia em Saint-Loup um ser geral, o "nobre", e que, como um espírito interior, movia seus membros, ordenava seus gestos e suas ações; então, nesses instantes, embora junto dele, achava-me sozinho, como se estivesse diante de uma paisagem cuja harmonia compreendesse. Não era mais que um objeto que meu pensamento queria aprofundar. Experimentava uma viva alegria, da inteligência e não da amizade, ao encontrar sempre nele esse ser interior, secular, o aristocrata que Robert justamente aspirava a não ser. Na agilidade moral e física que conferia tanto encanto à sua amabilidade, no desembaraço com que oferecia seu carro à minha avó e a ajudava a subir, na destreza com que saltava do carro quando temia que eu estivesse com frio, para lançar o seu casaco nos meus ombros, eu não sentia apenas a maleabilidade hereditária dos grandes caçadores que, desde muitas gerações, tinham sido os antepassados desse rapaz que só aspirava à intelectualidade, algo mais que o desdém para com a riqueza, que, subsistindo nele junto com o gosto que sentia por ela, porque desse modo poderia tratar seus amigos com mais largueza e dava-lhe condições para lhes pôr aos pés, com ar negligente, todo o seu luxo. Via eu, sobretudo, a certeza ou a ilusão que tiveram esses grão-senhores de serem "mais que os outros", graças a que não legaram a Saint-Loup o desejo de mostrar que era "tanto como os outros", esse medo de parecer atencioso demais que, de fato, era-lhe verdadeiramente desconhecido e que desfigura com tanta mesquinhez e acanhamento a mais sincera gentileza plebéia. Censurava-me, às vezes, por ter prazer em considerar meu amigo como uma obra de arte, ou seja, encarar o maquinismo de todas as partes de sua pessoa como governado harmoniosamente por uma idéia geral a que eram afeitas, mas que ele não conhecia e, conseqüentemente, nada acrescentava às suas qualidades próprias, a esse valor pessoal de inteligência e de moralidade que ele tanto apreciava.

E, no entanto, esse mérito pessoal era, em certa medida, condicionado por aquela idéia. Sua atividade mental, suas aspirações socialistas, que o levavam a procurar jovens estudantes pretensiosos e mal vestidos, tinham nele algo de verdadeiramente puro e desinteressado que não se verificava naqueles rapazes, precisamente porque Robert era um aristocrata. Julgando-se herdeiro de uma casta ignorante e egoísta, Saint-Loup procurava, com sinceridade, que eles lhe perdoassem as origens aristocráticas, que, ao contrário, exerciam sobre eles uma sedução e faziam com que o procurassem justamente por sua estirpe, sempre fingindo, em sua presença, uma atitude de frieza e até de insolência. Assim, era Saint-Loup quem se via compelido a tomar a iniciativa para com pessoas que teriam deixado meus pais, fiéis à sociologia de Combray, estupefatos porque achariam que era Robert quem devia se esquivar delas. Um dia estávamos, Robert e eu, sentados na areia quando ouvimos sair, de uma barraca de lona a nosso lado, imprecações contra o fervilhamento de judeus que infestavam Balbec. "Não se pode dar dois passos sem encontrá-los", dizia a voz. Em princípio não sou irredutivelmente hostil à raça judaica, mas assim já é demais. Só se ouve: "Olha, Apraão, é eu, Chacó."[8] Parece até que

[8] Proust põe na boca de Bloch palavras intencionalmente estropiadas, para indicar o desprezo dele por sua própria raça. (N. do T.)

estamos em Abuquir. – O homem que esbravejava assim contra Israel saiu por fim da barraca e erguemos os olhos para aquele anti-semita. Era meu companheiro Bloch. Imediatamente, Saint-Loup me pediu que lembrasse a Bloch que ambos haviam se conhecido nos exames para o bacharelato, em que Bloch obtivera o prêmio de honra, e depois tinham se encontrado numa universidade popular.

Às vezes eu sorria ao perceber em Robert o sinal das lições dos jesuítas, no desassossego que lhe causava o medo de ofender, sempre que um de seus amigos intelectuais cometia um erro mundano, fazia algo ridículo a que ele, Saint-Loup, não dava a menor importância, mas que teria envergonhado o outro se se apercebesse da falha cometida. E era Robert quem se ruborizava como se fosse ele o culpado; por exemplo, no dia em que Bloch prometeu ir vê-lo no hotel, dizendo:

– Como não suporto esperar entre o falso luxo desses grandes caravançarás, e os ciganos me fazem passar mal, diga ao *laift* que os mande ficar em silêncio e que avise a você em seguida.

Pessoalmente, não tinha muito interesse em que Bloch fosse ao hotel. Ele estava em Balbec, infelizmente não sozinho e sim com suas irmãs, que tinham grande quantidade de parentes e amigos. Ora, essa colônia judia era mais pitoresca do que agradável. Acontecia em Balbec o que ocorre em certos países, a Rússia ou a Romênia, onde os cursos de geografia nos ensinam que a população judia não desfruta do mesmo favor nem chegou ao mesmo grau de assimilação que em Paris, por exemplo. Andando sempre juntos, sem mistura de nenhum outro elemento, quando as primas e tios de Bloch, ou correligionários de ambos os sexos, iam para o cassino, umas para o baile e os outros se bifurcando para o bacará, formavam um cortejo homogêneo e inteiramente diverso das pessoas que os olhavam passar, gente que os via ali todos os anos sem jamais trocar um cumprimento com eles, nem o grupo dos Cambremer, nem o clã do magistrado, nem os grandes e pequenos burgueses, ou mesmo simples negociantes de cereais de Paris, cujas belas filhas orgulhosas, zombeteiras e tão francesas como as estátuas de Reims, não gostariam de se misturar a essa horda de moças mal-educadas que levavam a preocupação com a moda dos "banhos de mar" ao ponto de parecerem ter sempre o ar de quem acaba de pescar camarões ou de estarem a fim de dançar o tango. Quanto aos homens, apesar do esplendor dos *smokings* e dos sapatos envernizados, o exagero de seu tipo fazia pensar nas pesquisas ditas "inteligentes" dos pintores que, tendo que ilustrar os Evangelhos ou as *Mil e Uma Noites*, pensam no país onde a cena ocorre, e dão a São Pedro ou a Ali Babá precisamente a mesma cara do jogador mais gordo de Balbec. Bloch me apresentou suas irmãs, a quem tratava com extrema rispidez, cortando-lhes a palavra, e que riam às gargalhadas à menor tirada do irmão, a quem admiravam e idolatravam. De modo que é possível que o ambiente dessa família tivesse, com todas as outras, talvez mais que qualquer outra, muitos encantos, qualidades e virtudes. Mas, para senti-los, seria preciso penetrar nela. Porém esse ambiente não agradava aos demais, o que eles sentiam, vendo nisso a prova de um anti-semitismo contra o qual faziam frente numa falange compacta e fechada, onde aliás ninguém sonhava em abrir caminho.

Quanto ao *laift,* isto me surpreendia menos que alguns dias antes. Bloch me perguntara por que viera eu a Balbec (por outro lado, parecia-lhe muito natural sua presença ali) e se fora "com a intenção de fazer bons contatos"; quando soube que aquela viagem correspondia a um de meus desejos mais antigos, todavia menos profundo do que ir a Veneza, respondeu-me: – Sim, naturalmente, para tomar sorvetes com belas senhoras, e fingindo que lê as *Stones of Venaice* de Lord John Ruskin, um melancólico maçante, um dos sujeitos mais chatos que existem. – Bloch julgava, portanto, que na Inglaterra não só todas as pessoas do sexo masculino são lordes, mas também que a letra *i* se pronunciava sempre *ai* em inglês. Quanto a Saint-Loup, achava que esse erro de pronúncia não era nada grave, pois considerava-o decorrente, antes de tudo, da ausência de uma dessas noções quase de boa sociedade, que meu novo amigo desprezava tanto quanto as possuía. Mas o medo de que Bloch um dia se certificasse que se diz Venice e que Ruskin não era lorde, e assim imaginasse, retrospectivamente, que Saint-Loup o achara ridículo, fez com que este último se sentisse culpado como se não tivesse mostrado a indulgência que lhe sobrava, e o rubor que um dia haveria de colorir o rosto de Bloch quando descobrisse o seu erro, ele o sentiu antecipadamente, e por reversibilidade, subir ao seu. Pois pensava, e com razão, que Bloch daria mais importância que ele a semelhante erro. E assim o provou Bloch, dias depois, quando me ouviu dizer *lift,* interrompendo-me: – Ah, diz-se *lift*. – E num tom seco e altaneiro: – Aliás, isto não tem nenhuma importância. – Frase análoga a um reflexo, igual em todos os homens que têm amor-próprio, tanto nas mais graves circunstâncias como nas mais ínfimas, denotando, tanto como no caso presente, quanta importância parece ter a coisa em questão para quem afirma que não tem importância; frase trágica, às vezes, que é a primeira a escapar e tão lancinante! – dos lábios de todo homem um pouco orgulhoso quando, negando-lhe um favor, acabam por lhe arrancar a última esperança a que se prendia: "Muito bem, isto não tem nenhuma importância, vou me arrumar de outro modo"; e esse outro modo de se arrumar, a que se vê compelido por algo que não tem importância, às vezes pode ser o suicídio.

Depois, Bloch me disse coisas muito amáveis. Certamente desejava se mostrar muito atencioso comigo. No entanto, indagou: – É por vontade de te ergueres à nobreza (aliás, uma nobreza meio esquecida) que freqüentas esse Robert de Saint-Loup-en-Bray? Pois és muito ingênuo. Deves estar passando por uma bela crise de esnobismo. És esnobe, mesmo? Sim, não é? – Não é que seu desejo de ser amável se houvesse bruscamente mudado. Mas o que se chama em francês bastante incorreto "a má educação" era o seu defeito; portanto, defeito em que não reparava, e assim não julgava que pudesse chocar os outros.

Na humanidade, a freqüência de virtudes idênticas para todos não é mais maravilhosa que a multiplicidade dos defeitos particulares de cada um. Sem dúvida, não é o senso comum a coisa mais disseminada pelo mundo, e sim a bondade. Nos pontos mais remotos e perdidos, assombramo-nos ao vê-la florescer espontânea, como num valezinho distante uma papoula igual às demais no resto do mundo, ela que nunca as viu e que jamais conheceu nada senão o vento que às vezes faz tremular sua rubra corola solitária. Mesmo que essa bondade, paralisada pelo interesse, não chegue a se exercer, ela todavia existe, e a cada vez que não a impeça de agir um motivo egoísta, por exemplo durante a leitura de um romance ou de um jornal, ela se desabrocha, inclina-se, mesmo no coração daquele que, assassino na vida real, mantém sua ternura, enquanto leitor de folhetins, pelos fracos, pelos justos e perseguidos. Mas a variedade de defeitos não é menos admirável que a semelhança das virtudes. A pessoa mais perfeita possui um certo defeito que choca ou dá raiva. Este é de uma bela inteligência, enxerga tudo de um ponto de vista elevado, nunca fala mal de ninguém, mas esquece no bolso as cartas mais importantes que a gente lhe confiou porque ele mesmo se ofereceu para levá-las, e faz com que percamos um encontro importantíssimo, sem nem nos dar um sorriso de desculpas, pois timbra em nunca saber as horas. Este outro é finíssimo, gentil, de modos tão delicados, que só nos diz coisas que nos tornam felizes; mas sentimos que cala sobre outras coisas diferentes, que as esconde no coração, onde elas azedam, e o prazer que tem em nos ver é tão caro que antes nos mataria de cansaço do que nos deixaria sozinhos. Um terceiro é mais sincero; porém leva a sinceridade a tal extremo que, na ocasião em que nos desculpamos de não ter ido vê-lo alegando motivos de saúde, insiste em nos fazer saber que fomos vistos no teatro no mesmo dia, e de muito boa cara, ou que não lhe aproveitara muito algo que fizemos por ele, já que outros três vão lhe prestar o mesmo favor e, portanto, pouco tem a nos agradecer. Nas duas circunstâncias, o amigo anterior fingiria não saber que fôramos ao teatro e não diria que outras pessoas poderiam lhe prestar o mesmo serviço. Quanto ao último amigo, sente a necessidade de repetir ou de revelar a alguém aquilo que mais pode nos contrariar, está encantado com sua franqueza e diz firmemente: – Eu sou assim. – Enquanto outros nos aborrecem com sua curiosidade exagerada, ou sua tão absoluta falta de curiosidade, tão grande que se pode falar nos mais sensacionais acontecimentos sem que saibam de que se trata; – e outros, ainda, levam meses para nos responder uma carta, quando ela se refere a uma coisa que dizia respeito a nós e não a eles, ou então, se dizem que vêm nos perguntar algo, e ficamos sem ousar sair de casa com receio que venham e não nos encontrem, não aparecem e nos fazem ficar esperando semanas e semanas porque, não tendo recebido de nossa parte a resposta que sua carta de modo algum exigia, pensam que ficamos aborrecidos. E há os que, consultando seu desejo e não o nosso, falam sem nos deixar dizer uma só palavra, quando estão alegres e têm vontade de nos ver, não importando o trabalho urgente que tenhamos de fazer; mas, quando se sentem enlanguescidos pelo tempo, ou de mau humor, não lhes podemos arrancar uma só palavra; opõem aos nossos esforços um langor inerte e não se dão ao trabalho de responder, mesmo por monossílabos, ao que dizemos, como se não nos tivessem ouvido. Todos os nossos amigos têm defeitos, de tal modo que, para continuar a gostar deles, somos obrigados a nos consolar desses defeitos – pensando em seu talento, sua bondade, sua afeição –, ou prescindir deles, empregando nisso toda a nossa boa vontade. Infelizmente, nossa obstinação complacente em não ver o defeito de nosso amigo sempre está superada por sua obstinação em exibi-lo, ou pela própria cegueira, ou porque acha que cegos são os outros. Pois, ou ele não enxerga seu defeito, ou crê que os outros não o vêem. Como o risco de desagradar provém sobretudo da dificuldade de apreciar o que passa despercebido ou não, pelo menos por prudência a gente nunca deveria falar de si mesmo, pois certamente este é um assunto em que podemos estar seguros de que o nosso ponto de vista e o dos outros jamais coincidirão. Se temos tanta surpresa em visitar uma casa de aparência comum, cujo interior está repleto de tesouros, de gazuas e de cadáveres, quanto descobrir a verdadeira vida do próximo, o universo real sob o universo aparente, não menor a sentiremos quando, em vez da imagem que fazíamos de nós mesmos graças ao que dizem de nós, certificamo-nos, pelo que essas mesmas pessoas dizem de nós quando estamos ausentes, da imagem inteiramente diversa que têm a nosso respeito e sobre nossa vida. De forma que, de cada vez que falamos de nós mesmos, podemos estar seguros de que nossas prudentes e inofensivas palavras, ouvidas com aparente polidez e hipócrita aprovação, deram lugar aos comentários mais exasperados ou mais divertidos, em todo caso os menos favoráveis. Nosso menor risco será o de agastar os que não nos ouvem, pela desproporção que há entre a idéia que fazemos de nós próprios e as nossas palavras, desproporção que em geral converte as frases das pessoas sobre si mesmas em algo tão risível quanto o cantarolar dos falsos amadores de música que experimentam a necessidade de trautear uma ária de que gostam, compensando a insuficiência de seu murmúrio inarticulado por uma mímica enérgica e um ar de admiração que não se justifica de forma alguma diante dos que os estão escutando. E, ao mau costume de falar de si mesmo e de seus defeitos, é preciso acrescentar, como se com ele formasse um só bloco inteiriço, esse outro costume de denunciar nas demais pessoas defeitos precisamente iguais aos que temos. Ora, é sempre desses defeitos que falamos, como se fosse uma forma cheia de rodeios de falar de nós mesmos e que alia ao prazer da absolvição o da confissão. Além disso, parece que nossa atenção, sempre atraída para aquilo que nos caracteriza, assinala-o mais que qualquer outra coisa nas demais pessoas. Um míope diz de outro: "Mas ele mal pode abrir os olhos"; um tísico tem dúvidas acerca da integridade pulmonar do indivíduo mais robusto; uma pessoa pouco limpa só fala dos banhos que os outros não tomam; um mal-cheiroso pretende que os outros cheirem mal; um marido enganado vê em toda parte maridos enganados; a mulher leviana só vê mulheres levianas; o esnobe só enxerga esnobes. Além do mais, todo vício, como toda profissão, exige e desenvolve um conhecimento especial que se exibe com gosto. O invertido descobre logo os invertidos; o alfaiate, convidado a uma reunião social, ainda nem falou e já calcula a qualidade da fazenda da nossa roupa e seus dedos ardem por apalpar-lhe o tecido; e, se, após alguns momentos, pedimos a um dentista sua verdadeira opinião a nosso respeito, ele dirá a quantidade de nossos dentes cariados. Para ele, nada mais importante; para nós, que já reparamos em sua dentadura, nada mais ridículo. E não é apenas quando falamos de nós mesmos que achamos que os outros são cegos; agimos como se eles o fossem. Para cada um de nós, há um deus especial que nos oculta ou promete a invisibilidade do nosso defeito, assim como fecha os olhos e as narinas às pessoas que não se lavam, quanto ao sebo que trazem nas orelhas e ao cheiro de suor que têm nas axilas, convencendo-os de que podem exibir impunemente esses defeitos ao mundo, pois este não perceberá coisa alguma. E os que usam pérolas falsas ou as presenteiam, imaginam que as tomarão por verdadeiras. Bloch era mal-educado, neurastênico, esnobe e, pertencendo a uma família pouco estimada, suportava, como o fundo do mar, incalculáveis pressões que faziam pesar sobre ele não só os cristãos da superfície, mas as camadas superpostas das castas judias superiores à sua, cada qual oprimindo com seu desprezo a que estava imediatamente abaixo. Para atingir o ar livre, atravessando famílias e famílias judaicas, Bloch teria de levar milhares e milhares de anos. Mais valia buscar saída por outro lado.

Quando Bloch me falou da crise de esnobismo que eu devia estar atravessando, pedindo-me que confessasse ser um esnobe, tive vontade de lhe responder: – Se fosse esnobe, não andaria com você. – Disse-lhe apenas que ele era pouco amável. Então quis se desculpar, mas de acordo com o jeito do homem mal-educado, que se sente feliz em desdizer suas palavras mas achando um meio de agravá-las. – Perdoe-me – dizia agora a cada vez que nos encontrávamos –, eu te desgostei, torturei, fui mau sem motivo. E, no entanto (o homem em geral, e teu amigo em particular, é um animal estranho), não podes imaginar, eu que te incomodo tão cruelmente, a afeição que sinto por ti. Tanto, que muitas vezes chego a chorar por ti. – E deixou ouvir um soluço.

O que me assombrava em Bloch, mais que os seus maus modos, era ver de que maneira a sua conversação era de qualidade desigual. Este rapaz tão difícil, que dos escritores mais em voga dizia: – É um lúgubre idiota, um rematado imbecil –, às vezes punha-se a contar, muito divertido, anedotas que não tinham nenhuma graça, e citava uma pessoa totalmente medíocre como sendo "alguém curiosíssimo". Essa dupla medida para avaliar o espírito, a qualidade e o interesse das criaturas, não deixava de me espantar até o dia em que conheci o Sr. Bloch pai.

Achava que nunca nos seria permitido conhecê-lo, pois Bloch filho falara mal de mim a Saint-Loup e deste a mim. Especialmente dissera a Saint-Loup que eu era (sempre) terrivelmente esnobe. – Sim, sim, está encantado por conhecer o Sr. LLLLegrandin – disse. Esse modo de sublinhar um nome era, em Bloch, um sinal a um tempo de ironia e de literatura. Saint-Loup, que jamais ouvira o nome de Legrandin, espantou-se: – Quem é? – Oh, é alguém muito distinto – respondeu Bloch rindo. E punha, friorento, as mãos nos bolsos do jaquetão, convencido de que, naquele instante, estava contemplando o aspecto pitoresco de um extraordinário fidalgo provinciano, junto a quem não era nada o nome de Barbey d'Aurevilly. Consolava-se de não saber descrever o Sr. Legrandin, pronunciando-lhe o nome com muitos LL e saboreando-o como se fosse um vinho respeitável. Mas esses gozos subjetivos ficavam desconhecidos dos outros. Se falou mal de mim a Saint-Loup, por outro lado não o fez menos de Saint-Loup para mim. Ficáramos sabendo dos pormenores dessas maledicências desde o dia seguinte, não que as fôssemos repetir um ao outro, o que nos teria parecido incorreto, mas porque Bloch, a quem era tão natural e inevitável que assim o fizéssemos, inquieto e dando por certo que não ia nos dizer nada que não soubéssemos, preferiu antecipar-se e, chamando de parte Saint-Loup, confessou-lhe que falara deliberadamente mal dele, para que lhe contassem, e jurou "por Zeus, filho de Kronos, guardião dos juramentos", que o amava e daria sua vida por ele; e enxugou uma lágrima. No mesmo dia, deu um jeito para estar a sós comigo, me fez sua confissão, declarou que agira no meu interesse porque julgava que certa espécie de relações sociais me seria nefasta, e que eu "valia mais que isso". Depois, segurando minha mão com uma ternura de bêbado, embora sua embriaguez fosse puramente de origem nervosa, disse: – Acredita em mim, e que a funesta Ker me agarre imediatamente e me faça entrar pelas portas de Hades, odiosas aos humanos, se não é verdade que ontem, pensando em ti, em Combray, em minha ternura infinita por ti, naquelas tardes de aula de que nem te lembras mais, passei a noite inteira chorando. Sim, a noite inteira, juro-te, e infelizmente sei, pois conheço as almas humanas, que não acreditarás. – De fato, não acreditava; e seu juramento "pela Ker" não acrescentava peso algum àquelas palavras, que eu percebia serem inventadas à medida que ele falava, já que o culto helênico era em Bloch puramente literário. Aliás, quando principiava a ficar sentimental e queria enternecer os outros com alguma falsidade, dizia: – Eu te juro –, mais pela volúpia histérica de mentir que pelo interesse em que pensassem que dizia a verdade. Não acreditei em nada do que me disse, mas não lhe guardei ódio, pois herdara de minha mãe e de minha avó a incapacidade de ser rancoroso, mesmo contra culpados bem mais graves, e de jamais condenar ninguém.

Aliás, Bloch não era de todo um mau rapaz, podia praticar muitas gentilezas. E, desde que quase se extinguiu a raça de Combray, raça de onde saíram criaturas absolutamente íntegras, como minha avó e minha mãe, e como nesta vida já quase não tenho escolha senão entre brutos honrados, insensíveis e leais que, só pelo timbre da voz, mostram logo que não se preocupam de forma alguma com a nossa vida – e outra espécie de pessoas que, enquanto estão conosco nos compreendem, nos estimam, se enternecem até às lágrimas e que, em compensação, horas depois fazem um cruel gracejo a nosso respeito, e no entanto voltam para nós, sempre tão compreensivos, tão encantadores, tão momentaneamente assimilados a nós mesmos – creio que é esta última espécie de homens a que prefiro, senão pelo valor moral, ao menos pelo convívio.

– Não podes imaginar minha dor quando penso em ti – continuou Bloch. – No fundo, isto é um lado bastante judaico em mim – acrescentou ironicamente, contraindo a pupila como se cuidasse de dosar ao microscópio uma quantidade infinitesimal de "sangue judeu", e como teria podido dizê-lo (embora não o dissesse) um grão-senhor francês que entre seus ancestrais, todos cristãos, contasse entretanto com Samuel Bernard ou, mais antigamente ainda, a Virgem Maria, da qual se diz que pretendem descender os Lévys. – Fico muito satisfeito – continuou – por estabelecer deste modo em meus sentimentos a parte, aliás bem pequena, influenciada por minhas origens judaicas. – Pronunciou esta frase porque lhe pareceu a um tempo espirituoso e atrevido dizer a verdade acerca de sua raça, verdade que, da mesma forma, ele tratou de atenuar singularmente, como os avaros que decidem livrar-se das dívidas mas só têm coragem de pagar a metade. O tipo de fraude que consiste em ter audácia de proclamar a verdade, mas misturando-a com uma boa proporção de mentiras que a falsificam, é mais espalhado do que se pensa e, até entre aqueles que habitualmente não a praticam, certas crises da vida, notadamente aquelas em que está em jogo uma relação amorosa, dão-lhes a ocasião de se entregarem a ela.

Todas essas diatribes confidenciais de Bloch a Saint-Loup contra mim, e a mim contra Saint-Loup, acabaram num convite para jantar; não tenho certeza se antes não fez uma tentativa para ter Saint-Loup sozinho. A verossimilhança torna provável essa tentativa, mas não teve sucesso, pois um dia nos disse a ambos: – Caro mestre, e vós, cavaleiro amado de Ares, de Saint-Loup-en-Bray, domador de cavalos, já que os encontrei às margens de Anfitrite, a ressoar de espuma, perto das tendas dos Menier, os das naus velozes, quereis ambos vir jantar um dia desta semana em casa de meu ilustre pai de coração irrepreensível? – Dirigia-nos esse convite por desejar ligar-se mais estreitamente a Saint-Loup, que o faria, segundo esperava, penetrar nos ambientes aristocráticos. Formulada por mim, para mim, semelhante aspiração teria parecido a Bloch o sinal do mais horrível esnobismo, bem de acordo com a opinião que professava sobre uma parte de minha personalidade que, ao menos até então, considerava secundária; porém o mesmo desejo, de sua parte, parecia-lhe uma prova de bela curiosidade de sua inteligência, que ansiava por determinadas mudanças sociais que lhe fossem de utilidade literária. O

Sr. Bloch pai, quando o filho lhe dissera que traria um amigo para jantar, e cujo nome e título declinou num tom de sarcástica satisfação: "o Marquês de Saint-Loup-en-Bray" – sentiu uma comoção violenta, e exclamou, usando a interjeição que nele era a maior prova de deferência social: – Caramba! O Marquês de Saint-Loup-en-Bray! – E lançou ao filho, capaz de travar semelhantes relações, um olhar admirativo que significava: "É verdadeiramente assombroso. Será que este prodígio é o meu filho?" – olhar que deu tanto prazer ao meu camarada como se o pai lhe houvesse aumentado a mesada em cinqüenta francos. Pois Bloch não se sentia muito à vontade em casa e percebia que o pai o considerava um desajustado, devido à sua permanente admiração por Leconte de Lisle, Heredia e outros "boêmios". Porém relações com Saint-Loup-en-Bray, cujo pai fora presidente da Companhia do Canal de Suez (caramba!), eram um resultado "indiscutível". Lamentaram todos ter deixado em Paris o estereoscópio, com medo de estragá-lo. Somente o Sr. Bloch pai tinha a arte, ou o direito, de se utilizar dele. O que, aliás, só fazia raramente, com conhecimento de causa, nos dias de baile de gala, quando tinham criados extras. De forma que de tais sessões de estereoscópio emanava, para quem a elas assistia, uma espécie de distinção, um favor de privilegiados e, para o dono da casa, que as dava, um prestígio idêntico ao que o talento confere e que não poderia ter sido maior, ainda que as vistas fossem tiradas pelo próprio Sr. Bloch e o aparelho de sua invenção. – Não foi ontem à casa dos Salomon? – perguntavam no círculo familiar. – Não, não fui dos eleitos. Que foi que houve? – Um grande reboliço, o estereoscópio, toda a aparelhagem. – Ah, o estereoscópio! Então lastimo não ter ido, pois parece que Salomon é insuperável quando o mostra. – Que queres – disse o Sr. Bloch ao filho. – Não se lhe deve dar tudo de uma vez; desse modo fica sempre alguma coisa a desejar. Ocorrera-lhe, inspirada pela ternura paterna e pelo desejo de emocionar o filho, a idéia de mandar buscar o instrumento. Mas faltava o "tempo material", ou antes, achou que faltava; mas apressou-se o jantar porque Saint-Loup não dispunha de tempo suficiente, esperando um tio que vinha passar dois dias com a Sra. de Villeparisis. Como esse tio era muito dado aos exercícios físicos, sobretudo às longas caminhadas, era em grande parte a pé que percorreria o trajeto entre o castelo, onde veraneava, e Balbec, dormindo à noite nas fazendas, de modo que era incerto o momento em que chegaria. E, sem ousar se mexer, Saint-Loup me encarregou até de ir levar a Incarville, onde ficavam os escritórios do telégrafo, o despacho que enviava diariamente à sua amante. O tio que esperava chamava-se Palamède, prenome que herdara dos príncipes da Sicília, seus antepassados. E mais tarde, quando encontrei nas minhas leituras históricas, pertencentes a um potentado ou príncipe da Igreja, esse mesmo nome, bela medalha da Renascença – alguns dizem ser uma verdadeira antigüidade – sempre na família, tendo passado de descendente em descendente, desde o gabinete do Vaticano até o tio de meu amigo, senti o prazer reservado àqueles que, não podendo por escassez de dinheiro formar uma coleção de medalhas ou uma pinacoteca, procuram velhos nomes (nomes de lugares, documentais e pitorescos como um mapa antigo, uma paisagem ampla, uma insígnia ou um foro consuetudinário, nomes de batismo onde se ouve ressoar, nas belas finais francesas, o defeito de pronúncia, o sotaque de uma vulgaridade racial, a fala viciosa segundo a qual nossos antepassados impunham às palavras latinas e saxãs mutilações permanentes que mais tarde passaram a ser nobres legisladoras de gramáticas) e, em suma, graças a tais coleções de sonoridades antigas dão concertos a si mesmos, à maneira dos que adquirem violas de gamba e violas de amor para tocar música de outrora em instrumentos antigos. Saint-Loup me disse que, mesmo na mais fechada sociedade aristocrática, seu tio Palamède ainda se distinguia por ser dificilmente acessível, desdenhoso, muito aferrado à sua nobreza, formando com a cunhada e algumas pessoas escolhidas o que era conhecido como o círculo dos Fênix. Ainda aí era tão temido por suas insolências que ocorreu algumas vezes que certos aristocratas, desejosos de conhecê-lo, haviam recorrido a seu próprio irmão, que se negou a apresentá-los. – Não, não me peçam para apresentá-los a meu irmão Palamède. Mesmo que eu, minha mulher, nós todos nos empenhássemos, nada obteríamos. Ou o senhor se arriscaria a que ele não fosse amável, e eu não desejo isso. – No Jockey, ele e alguns amigos tinham relacionado duzentos sócios a quem jamais se deixariam apresentar. E, na casa do conde de Paris, era conhecido pelo apelido de "Príncipe", devido a sua elegância e a seu orgulho.

Saint-Loup me falou da juventude, há muito passada, de seu tio. Todos os dias levava mulheres ao apartamento de solteiro que dividia com dois amigos, bonitos como ele, razão pela qual os chamavam as "Três Graças".

– Um dia, um dos homens que atualmente é muito bem visto no *faubourg* Saint-Germain, como diria Balzac, mas que teve um primeiro período bastante tumultuado e mostrava estranhas preferências, pedira a meu tio que o deixasse ir àquele apartamento. Porém, mal chegado, declarou-se não às mulheres e sim a meu tio Palamède. Este fingiu não entender, chamou à parte os dois amigos com uma desculpa qualquer; voltaram, pegaram o culpado, despiram-no e lhe deram uma surra até que sangrasse, pondo-o depois porta afora, aos pontapés, sob um frio de dez graus abaixo de zero. O infeliz foi encontrado semimorto, a polícia instaurou inquérito, e custou muito ao desgraçado que a coisa não seguisse adiante. Hoje meu tio não daria um castigo tão cruel e você nem imagina o número de pessoas do povo a quem trata com afeto, ele tão altivo para com as pessoas da alta roda. Protege-os, e eles lhes pagam com a ingratidão. Ora é um criado que o serviu num hotel, a quem arranja uma colocação em Paris, ora um camponês a quem custeia o aprendizado de um ofício. É até o lado bem gentil de meu tio, em contraste com o lado mundano. – Com efeito, Saint-Loup pertencia a esse tipo de rapazes aristocratas situados a uma altura onde podem brotar essas expressões: "É o que ele tem de gentil, é o seu lado gentil", sementes preciosas que logo determinam um modo de conceber as coisas, na qual não se vale nada e o "povo" vale tudo; numa palavra, o oposto do orgulho plebeu. – Na juventude, parece que nem podemos imaginar como ele dava o tom, como ditava a lei na sociedade. De sua parte, em qualquer circunstância, fazia o que lhe era mais agradável, mais cômodo, mas era logo imitado pelos esnobes. Se lhe acontecia ter sede no teatro e mandasse trazer bebidas ao camarote, era certo que, na semana seguinte, todos os salõezinhos por detrás dos camarotes se encheriam de refrescos. Num verão muito chuvoso, quando sofreu um pouco de reumatismo, encomendou um sobretudo de vicunha muito fina, mas bem quente, que só se usa em cobertas de viagem, e respeitou o padrão do tecido de listras azuis e alaranjadas. Imediatamente, os grandes alfaiates receberam dos clientes encomendas de casacos listrados de azul, com franjas, de pêlos compridos. Se, por um motivo qualquer, desejava tirar toda a solenidade de um jantar no castelo onde passava o dia, e, para indicar esse tom, não vestia casaca e sentava-se à mesa com a jaqueta que usara de tarde, virou moda jantar no campo de jaqueta. Se, ao comer um doce, se servia de um garfo em vez da colher, ou então de um talher que inventara e que havia encomendado a um ourives, ou mesmo dos dedos, não era mais permitido fazer de outro modo. Sentira vontade de ouvir de novo certos quartetos de Beethoven (pois, com todas as suas idéias extravagantes, não é nenhum estúpido e possui talento) e encarregou alguns músicos de tocarem em sua casa aquelas peças, para ele e os amigos. A maior elegância daquele ano foi dar reuniões pouco freqüentadas onde se ouvia música de câmara. Creio que não deve ter se aborrecido nesta vida. Bonito como era, deve ter tido muitas mulheres! Apenas não poderia dizer quais, pois ele é muito discreto. Mas sei que enganou muito minha pobre tia. O que não impediu que fosse extremamente atencioso com ela, que ela o adorasse, e que a tenha chorado durante anos. Quando está em Paris, vai ainda ao cemitério quase todos os dias.

Na manhã seguinte ao dia em que Robert me falara assim de seu tio, enquanto ele o esperava em vão, passava eu sozinho pela frente do cassino, voltando ao hotel, quando tive a sensação de estar sendo observado por alguém que não se achava longe. Virei a cabeça e dei com um homem de uns 40 anos, muito alto e robusto, com bigodes bem pretos e que, batendo nervosamente com a bengala nas calças, fixava em mim os olhos dilatados pela atenção. Por instantes, aqueles olhos eram atravessados por olhares de extrema atividade, próprios apenas dos homens que estão diante de uma pessoa a quem desconhecem, pessoa que, por algum motivo, lhes inspira idéias que não ocorreriam a outros – por exemplo, os loucos ou os espiões. Lançou-me um olhar derradeiro, a um tempo ousado e prudente, rápido e profundo, como o último golpe antes de iniciar a fuga, e, depois de olhar a seu redor, assumindo de repente um ar distraído e altaneiro, virou-se inteiramente para um cartaz de teatro, em cuja leitura se absorveu, cantarolando uma canção, enquanto arrumava a rosa musgosa da botoeira. Tirou uma caderneta do bolso e pareceu tomar nota do espetáculo anunciado; olhou o relógio duas ou três vezes, baixou mais sobre a testa a palheta de cor negra, prolongando-lhe a aba com a mão em viseira como para ver alguém que não chegava, fez um gesto de descontentamento como esses que a gente faz quando já está farto de esperar, mas que nunca fazemos quando esperamos de verdade; depois, empurrando o chapéu para a nuca e deixando aparecer o cabelo cortado à escovinha, mas que apresentava de cada lado grandes mechas onduladas, soltou o suspiro ruidoso não das pessoas que têm muito calor, mas das que desejam aparentar que estão com calor. Veio-me a idéia de que se tratava de um ladrão de hotel, que, já tendo reparado em mim e minha avó nos dias anteriores, e preparando um golpe, vendo que o havia surpreendido enquanto me espiava, adotara aquela nova atitude para despistar, e expressava distração e indiferença, mas com tão agressivo exagero que seu objetivo, mais que o de dissipar as suspeitas que eu porventura tivesse, parecia o de vingar uma humilhação que eu lhe houvesse infligido sem querer, dando-me a entender não tanto que não me houvesse visto, mas que eu era desimportante demais para atrair a sua atenção. Empertigava-se com ar de bravata, franzia os lábios, torcia o bigode e dava ao olhar um tom de indiferença, de dureza, quase insultante. De modo que a singularidade de sua expressão me fazia tomá-lo tanto por um ladrão como por um doido. Todavia seu modo de trajar era extremamente correto, e muito mais sério e simples que o de todos os banhistas que eu via em Balbec, de forma que justificava minha jaqueta escura, tão freqüentemente humilhada pela deslumbrante alvura banal das roupas de praia. Porém minha avó vinha a meu encontro, demos uma volta juntos e, uma hora depois, esperava-a diante do hotel, onde entrara por um momento; vi então sair a Sra. de Villeparisis na companhia de Robert de Saint-Loup e do desconhecido que me olhara tão fixamente à porta do cassino. Com a rapidez do relâmpago, o seu olhar me atravessou como no momento em que o vira pela primeira vez, e, como se não me tivesse visto, voltou a pôr diante dos olhos aquele olhar embotado, neutro, que finge nada ter visto fora e não é capaz de ler coisa alguma para dentro, olhar que expressa apenas a satisfação de sentir a seu redor as pestanas que entreabre com sua beatífica redondez, o olhar devoto e derretido de alguns hipócritas, o olhar presunçoso de certos tolos. Vi que mudara de roupa. A que usava era ainda mais sombria; e, sem dúvida, o fato é que a verdadeira elegância está menos longe da simplicidade que a falsa; mas havia outra coisa: olhando-o de bem perto, via-se que, se a cor estava quase totalmente ausente dessas roupas, não era porque as banira por lhes ser indiferente, mas antes porque as proibira por um motivo qualquer. E a sobriedade que denotavam parecia provir mais da obediência a um regime do que da falta de gulodice. Um debrum verde-escuro se harmonizava, no tecido das calças, com o desenho das meias, refinamento que provava a vivacidade de um gosto cultivado em qualquer outra parte e ao qual esta única concessão fora feita por tolerância, ao passo que uma pinta rosada na gravata era imperceptível como uma liberdade que mal ousamos tomar.

– Como vai? Apresento-lhe o meu sobrinho, o barão de Guermantes – disse-me a Sra. de Villeparisis, enquanto o desconhecido, sem me olhar, resmungando um vago "Encantado", que fez seguir de uns grunhidos para emprestar à sua amabilidade um tom forçado, e dobrando o dedo mínimo, o indicador e o polegar, estendeu-me o médio e o anular, sem nenhum anel, que apertei, protegidos em sua luva de couro da Suécia; depois, sem ter erguido os olhos para mim, virou-se para a Sra. de Villeparisis.

– Meu Deus, onde estou com a cabeça? – disse esta. – Já te chamei de barão de Guermantes. Apresento-lhe o barão de Charlus. Afinal, o erro não é tão grande – acrescentou –, pois também és um Guermantes.

Nesse meio tempo, saía a minha avó e começamos a andar todos juntos. O tio de Saint-Loup não só não me honrou com uma palavra mas sequer com um olhar. Se encarava os desconhecidos (e nesse curto passeio lançou duas ou três vezes o seu olhar profundo e terrível como para sondar as pessoas insignificantes e de condição bem modesta que passavam), em compensação não olhava, se posso julgar por mim, as pessoas conhecidas – como um policial em missão secreta mas que mantém os amigos fora de sua vigilância profissional. Deixando minha avó, a Sra. de Villeparisis e ele conversando juntos, fiquei um pouco mais atrás com Robert:

– Diga-me, escutei bem? A Sra. de Villeparisis disse a seu tio que ele era um Guermantes.

– Sim, naturalmente, é Palamède de Guermantes.

– Mas dos mesmos Guermantes que têm um castelo perto de Combray e que pretendem descender de Geneviève de Brabant?

– Perfeitamente. Meu tio, que é o que existe de mais heráldico, lhe responderia que o nosso grito, nosso grito de guerra, que mais tarde foi Passavent, era a princípio Combraysis – disse ele rindo, para não dar impressão de se envaidecer dessa prerrogativa do grito, próprio só das casas quase soberanas, dos grandes senhores de brasões. – É irmão do atual proprietário do castelo.

Assim, a Sra. de Villeparisis era parente, e bem próxima, dos Guermantes. Ela, que por muito tempo fora para mim a senhora que me dera uma caixa de chocolates com um pato, quando eu era pequeno, caixa então de tal modo afastada do lado de Guermantes como se tivesse sido preparada no lado de Méséglise, menos brilhante e menos considerada a meus olhos que o oculista de Combray, sofria agora subitamente uma dessas altas fantásticas, semelhantes às baixas não menos imprevistas de outros objetos que possuímos, altas e baixas que introduzem na nossa adolescência, e nos aspectos de nossa vida onde subsistir um pouco de nossa adolescência, mudanças tão numerosas como as metamorfoses de Ovídio.

– Não existem nesse castelo os bustos de todos os antigos senhores de Guermantes?

– Sim, e são um belo espetáculo – disse Saint-Loup com ironia. – Aqui, entre nós, acho essas coisas meio ridículas. Mas em Guermantes há coisas de maior interesse: um retrato impressionante da minha tia, pintado por Carrière. É lindo como um Whistler ou um Velásquez – acrescentou Saint-Loup, que, no seu zelo de neófito, nem sempre conservava com exatidão a escala de valores. – Há também quadros muito curiosos de Gustave Moreau. Minha tia é sobrinha de sua amiga Sra. de Villeparisis, foi educada por ela e se casou com o primo, que também era sobrinho da tia de Villeparisis, o atual duque de Guermantes.

– Mas então o que é o seu tio...?

– Ele usa o título de barão de Charlus. Na verdade, quando meu tio-avô morreu, o tio Palamède deveria ter tomado o título de príncipe des Laumes, que era o de seu irmão antes que se tornasse duque de Guermantes, pois na nossa família mudam de nome como quem troca de camisa. Mas meu tio tem idéias próprias sobre esse assunto. E, como acha que se abusa um pouco dos ducados italianos, grandezas espanholas, etc., embora pudesse ter escolhido entre quatro ou cinco títulos de príncipe, preferiu o de barão de Charlus como forma de protesto e com uma simplicidade aparente onde há muito de orgulho. "– Hoje – diz ele – todo mundo é príncipe; portanto, é necessário a gente se diferenciar em alguma coisa; tomarei um título de príncipe quando quiser viajar incógnito." Segundo ele, não há título mais antigo que o de barão de Charlus. Para provar que é anterior ao dos Montmorency, que falsamente se diziam os primeiros barões da França, ao passo que na verdade o eram apenas da Ilha de França, onde ficava o seu feudo, meu tio lhe dará explicações durante horas e horas, e com todo o prazer, pois que, embora seja homem de gosto e muito talento, este assunto de conversação parece lhe interessar sempre – disse Saint-Loup com um sorriso. – Mas como não sou feito ele, não me faça falar de genealogia, pois não conheço nada tão aborrecido, tão morto, como isso; e de fato a existência é muito curta para essas coisas.

Agora eu reconhecia, no olhar duro que me fizera desviar a cabeça há pouco, perto do cassino, o mesmo que vira fixado em mim em Tansonville, quando a Sra. Swann havia chamado Gilberte.

– Mas dentre as numerosas amantes que me dizia que seu tio, Sr. de Charlus, havia tido, não estava a Sra. Swann?

– Oh, de jeito nenhum! Quer dizer, ele é um grande amigo de Swann e sempre o defendeu. Mas nunca se murmurou que fosse amante de sua mulher. Você provocaria um grande espanto na sociedade se desse a impressão de acreditar nisso.

Não ousei responder-lhe que maior espanto haveria em Combray se eu afirmasse o contrário.

Minha avó ficou encantada com o Sr. de Charlus. De fato, ele dava grande importância a questões relativas a linhagem e posição social, o que minha avó notara; mas sem aquela severidade onde em geral costuma haver uma secreta inveja e a irritação de ver outra pessoa desfrutar vantagens que a gente deseja sem conseguir. Como, pelo contrário, minha avó, contente com sua sorte e não lamentando de forma alguma o não viver numa sociedade mais brilhante, servia-se apenas da inteligência para observar os caprichos do Sr. de Charlus, falava do tio de Saint-Loup com essa benevolência desinteressada, sorridente, quase simpática, com que recompensamos o objeto de nossa observação casual pelo prazer que nos dá; e tanto mais que desta vez o objeto de observação era um personagem cujas pretensões ela considerava, senão legítimas, pelo menos pitorescas, o que o fazia destacar-se vivamente das personalidades com que ela em geral tinha ocasião de lidar. Mas minha avó lhe perdoara facilmente o preconceito aristocrático, especialmente por causa da inteligência e da sensibilidade, que se adivinhava serem extremamente vivas no Sr. de Charlus, ao contrário de tantas pessoas da alta sociedade de quem Saint-Loup escarnecia. Mas tal preconceito não fora entretanto sacrificado pelo tio, como o fizera o sobrinho, em favor de qualidades superiores. O Sr. de Charlus antes conseguira conciliar ambas as coisas. Descendente dos duques de Nemours e dos príncipes de Lamballe, possuía arquivos, móveis, tapeçarias, retratos dos antepassados feitos por Rafael, Velásquez e Boucher, podia dizer que "visitava" um museu e uma incomparável biblioteca apenas ao percorrer as recordações da família, e colocava, ao contrário, na posição de onde o sobrinho a fizera descer, toda a herança da aristocracia. Talvez também, por ser menos ideólogo que Saint-Loup, atentava menos nas palavras e era um observador mais realista dos homens; não queria desprezar um elemento essencial de prestígio aos olhos das pessoas em geral, e que, se dava à sua imaginação prazeres desinteressados, podia muitas vezes ser um auxílio extremamente eficaz para sua atividade utilitária. Permanece aberto o debate entre os homens desse gênero e aqueles que obedecem ao ideal interior que os impele a se desfazerem dessas vantagens para tentar apenas realizá-lo, nisto semelhantes aos pintores e escritores que renunciam à sua virtuosidade, aos povos artistas que se modernizam, aos povos guerreiros que tomam a iniciativa do desarmamento universal, aos governos absolutistas que se tornam democráticos e revogam as leis severas, muitas vezes sem que a realidade recompense seus nobres esforços; pois uns perdem seu talento, outros a sua secular predominância; o pacifismo às vezes multiplica a guerra, e a indulgência a criminalidade. Se os esforços de sinceridade e de emancipação de Saint-Loup deviam ser considerados muito nobres, a avaliar pelo resultado exterior, seria permitido que o Sr. de Charlus se felicitasse por não participar de tais idéias, visto que mandara transportar para sua casa uma grande parte dos admiráveis entalhamentos do palácio dos Guermantes em vez de trocá-los, como fizera seu sobrinho, por um mobiliário de estilo moderno, dos Lebourg e dos Guillaumin. Não é menos verdade que o ideal do Sr. de Charlus era bastante artificial, se é que tal adjetivo se pode aplicar à palavra ideal, tanto no sentido social como no artístico. Em certas mulheres muito belas e de rara cultura, cujas avós, dois séculos antes, estiveram misturadas à glória e elegância do antigo regime, ele descobria uma distinção que o fazia só sentir-se a gosto em sua companhia; e, sem dúvida, era sincera a admiração que lhes votava, mas, em grande parte, contribuíam para este sentimento numerosas reminiscências de história e de arte evocadas por seus nomes, assim como as lembranças da Antiguidade são um dos motivos do prazer que um homem culto encontra na leitura de uma ode de Horácio, talvez inferior a alguns poemas de hoje que o deixariam indiferente. Cada uma dessas mulheres, na opinião do Sr. de Charlus, estaria para uma linda burguesa como, para uma tela contemporânea que represente uma estrada ou um casamento, está um desses quadros antigos cuja história conhecemos perfeitamente, desde o rei ou o papa que o encomendaram, passando por determinadas personagens junto a quem sua presença, por doação, compra, roubo ou herança, nos lembra algum acontecimento, ou, pelo menos, uma aliança de interesse histórico e, por conseqüência, representa a aquisição de conhecimentos que adquirimos, dando-lhes uma nova utilidade, e aumentando o sentimento da riqueza dos recursos da nossa memória ou da nossa erudição. O Sr. de Charlus se felicitava que um preconceito análogo ao seu impedisse essas grandes damas de conviverem com mulheres de sangue menos puro, pois assim se ofereciam intactas em sua nobreza inalterada, como essas fachadas do séc. XVIII sustentadas por lisas colunas de mármore róseo e que o tempo não mudou em nada.

O Sr. de Charlus celebrava a verdadeira *noblesse* de espírito e sentimentos dessas mulheres, fazendo assim um trocadilho com a palavra nobreza, num equívoco que a si mesmo o enganava e onde residia a falsidade desse conceito bastardo, dessa mistura ambígua de aristocracia, generosidade e arte, mas também a sua sedução, perigosa para as criaturas como a minha avó, a quem o preconceito mais grosseiro porém mais inocente de um nobre, que só vê os seus brasões e não se preocupa com o resto, teria parecido excessivamente ridículo, mas que ficaria indefesa desde que algo se lhe apresentasse sob as aparências de uma superioridade espiritual, a ponto de considerar os príncipes os mais invejáveis dos homens porque poderiam ter tido um La Bruyère ou um Fénelon como preceptores.

Diante do Grande Hotel, os três Guermantes nos deixaram; iam almoçar na casa da princesa de Luxemburgo. No momento em que minha avó dizia adeus à Sra. de Villeparisis e Saint-Loup se despedia dela, o Sr. de Charlus, que até então não me dirigira a palavra, deu alguns passos para trás até chegar a meu lado: – Vou tomar chá esta noite após o jantar, no apartamento de minha tia Villeparisis – disse-me. – Espero que me dê o prazer de comparecer com a senhora sua avó. – E foi reunir-se à marquesa.

Embora fosse domingo, já não havia mais fiacres diante do hotel como no começo da temporada. A esposa do tabelião, em particular, achava ser gasto excessivo alugar todo fim de semana um carro a não ser para ir aos Cambremer. E contentava-se em ficar encerrada no quarto.

– A Sra. Blandais está doente? – perguntavam ao tabelião – Não a vimos hoje.

– Tem um pouco de dor de cabeça; deve ser o calor, a trovoada. Basta-lhe uma coisinha de nada; mas creio que a verão esta noite. Aconselhei-a a que descesse. Isto só poderá lhe fazer bem.

Pensei que, ao convidar-nos assim para o apartamento de sua tia, a quem sem dúvida prevenira de nossa visita, o Sr. de Charlus teria desejado reparar a descortesia com que me tratara no passeio daquela manhã. Mas, quando chegamos ao salão da Sra. de Villeparisis, quis cumprimentar o sobrinho desta e, por mais voltas que desse a seu redor, não pude atrair o seu olhar, pois ele contava, com voz aguda, uma história bem malévola sobre um de seus parentes; decidi cumprimentá-lo e com voz bem forte, para adverti-lo de minha presença, mas compreendi que havia reparado nela, pois, antes mesmo que meus lábios dissessem uma só palavra, no momento em que me inclinava, vi seus dois dedos estendidos para que os apertasse, sem que ele tivesse desviado os olhos ou interrompido a conversa. Evidentemente me vira, mas sem dá-lo a perceber, e só então verifiquei que seus olhos, que jamais se fixavam no interlocutor, passeavam permanentemente em todas as direções, como os de certos animais assustados, ou os desses vendedores ambulantes que, enquanto declamam seu palavreado e exibem a mercadoria ilícita, perscrutam, sem todavia virar a cabeça, os diferentes pontos do horizonte de onde poderia vir a polícia. Entretanto, eu estava um pouco espantado por ver que a Sra. de Villeparisis, feliz com a nossa chegada, não parecia ter sido prevenida; e fiquei mais assombrado ainda ao ouvir o Sr. de Charlus dizer à minha avó: "Ah, foi uma idéia muito boa a que tiveram de vir; é encantador, não é mesmo, minha tia?" Sem dúvida havia reparado na surpresa dela à nossa entrada e pensava, como homem acostumado a dar o tom, o *lá* que lhe bastaria para transformar esta surpresa em alegria, indicando que também se achava surpreso e que esse era o sentimento que a nossa chegada deveria causar. No que calculava bem, pois a Sra. de Villeparisis, que levava em muita consideração o seu sobrinho, e sabia o quanto era difícil contentá-lo, pareceu de súbito achar novas qualidades em minha avó e não cessou de agradá-la. Mas eu não podia compreender que o Sr. de Charlus se esquecesse, em poucas horas, o convite tão breve, mas aparentemente tão intencional, tão premeditado, que me fizera aquela manhã e que denominava "boa idéia" de minha avó, uma idéia que era somente sua. Com um escrúpulo de exatidão que conservei até a idade em que percebi que a gente não se certifica das verdadeiras intenções de uma pessoa pelo simples fato de lhe fazer uma pergunta, e que é menor o risco de um malentendido que certamente passará em brancas nuvens, do que insistir ingenuamente: – Mas, senhor – disse-lhe –, deve estar lembrado de que me pediu que viéssemos esta noite, não é? – Nenhum movimento, nenhum som revelou que o Sr. de Charlus tivesse ouvido minha pergunta. De modo que a repeti, como os diplomatas ou os jovens que estão brigados e que, com inútil e incansável boa vontade, procuram obter esclarecimentos que o adversário decidiu não dar. Pareceu-me ver flutuar em seus lábios o sorriso dos que, de muito alto, julgam o caráter e a educação dos outros.

Já que ele se recusava a uma explicação, tentei elaborar uma, e apenas cheguei a hesitar entre várias, nenhuma das quais podia ser a verdadeira. Talvez não se lembrasse, ou então fora eu quem não compreendera bem o que me havia dito pela manhã... Mais provavelmente por orgulho, não queria dar a impressão de ter procurado atrair pessoas que desdenhava, e preferia lançar sobre elas a iniciativa de sua vinda. Mas então, se nos desdenhava, por que fizera questão que viéssemos, ou melhor, que minha avó viesse, pois de nós dois foi somente a ela que o Sr. de Charlus dirigiu a palavra naquela noite, e nem uma só vez a mim? Conversando com ela na maior animação, assim como com a Sra. de Villeparisis, de algum modo escondido atrás delas como se estivesse no fundo de um camarote, contentava-se apenas em desviar por vezes o olhar inquisidor de seus olhos penetrantes e pousá-lo em meu rosto, com a mesma seriedade e o mesmo ar de preocupação que teria se estivesse lendo um manuscrito difícil de entender.

Sem dúvida, a não ser por esses olhos, o rosto do Sr. de Charlus seria idêntico ao de muitos homens bonitos. E, quando Saint-Loup, falando-me de outros Guermantes, disse mais tarde: "Ora, eles não têm esse ar de raça, de grão-senhor até a ponta dos dedos, como o tio Palamède", confirmando que o ar de raça e a distinção aristocrática não continham nada de novo e misterioso, mas eram constituídos de elementos que eu facilmente reconhecia sem que me causassem maior impressão. Percebi que se dissipava uma de minhas ilusões. Mas naquele rosto, que se parecia um pouco ao rosto de um ator devido à leve camada de pó-de-arroz que o recobria, por mais que o Sr. de Charlus lhe fechasse hermeticamente a expressão, seus olhos eram como uma fenda, uma seteira que não pudera tapar e por onde, segundo a posição que a gente ocupava quanto a ele, saíam reflexos que bruscamente nos atravessavam, provindos de alguma arma interior que parecia assustadora até para aquele que, sem dominá-la, carregava-a dentro de si em estado de equilíbrio instável e sempre a ponto de explodir; e a expressão circunspecta e constantemente intranqüila desses olhos, com todo o cansaço que provocava no rosto, por mais composto e arrumado que estivesse, expresso nas olheiras muito caídas, fazia pensar num incógnito, num homem poderoso que corresse perigo e por isso se disfarçasse, ou pelo menos num sujeito perigoso, porém trágico. Gostaria de adivinhar que segredo era aquele que os outros homens não possuíam e que tornara tão enigmático o olhar do Sr. de Charlus quando o havia visto de manhã, perto do cassino. Mas agora, que já sabia a que família pertencia, não podia mais continuar a crer que fosse o olhar de um ladrão, nem, já que o ouvira conversar, o de um louco. Se se mostrava frio para comigo, enquanto era tão amável com minha avó, isto talvez não se devesse a uma antipatia pessoal, pois de um modo geral era benevolente para com as mulheres, de cujos defeitos falava habitualmente com muita indulgência; mas, quanto aos homens, principalmente os rapazes, mostrava um ódio violento que lembrava o de certos misóginos pelas mulheres. De dois ou três gigolôs, que eram da família ou da intimidade de Saint-Loup, e cujos nomes este citara casualmente, disse: – São uns pequenos canalhas – com uma expressão quase feroz que contrastava com sua frieza costumeira. Compreendi que o que censurava acima de tudo nos jovens de hoje era o serem muito efeminados. – São verdadeiras mulheres – dizia com desprezo. Mas qual vida não teria parecido efeminada em comparação com a que ele desejava que levasse um homem, e que ainda assim lhe parecia pouco enérgica e viril? (Ele mesmo, em suas viagens a pé, depois de horas de caminhada, todo afogueado, lançava-se em rios gelados.) Nem sequer admitia que um homem usasse anel. Porém esse preconceito da virilidade não o impedia de possuir as mais finas qualidades de homem sensível. À Sra. de Villeparisis, que lhe pedia descrevesse para minha avó um castelo onde a Sra. de Sévigné passara um dia, acrescentando que achava um pouco literário o seu desespero de se ver separada de uma pessoa tão aborrecida como sua filha, a Sra. de Grignan, respondeu:

– Pelo contrário, a mim me parece bastante verdadeiro. Aliás, era uma época em que esses sentimentos eram muito bem compreendidos. O habitante de Monomotapa, de La Fontaine, correndo à casa do amigo porque em sonhos lhe pareceu triste, o pombo achando que o maior dos males é a ausência de outro pombo, talvez lhe pareçam, minha tia, tão exagerados como a Sra. de Sévigné, que não podia aguardar o momento em que estaria a sós com a filha. E é tão belo o que ela diz quando se separam: "Esta separação me faz doer tanto a alma que a sinto como se fosse dor no corpo. Durante a ausência não poupamos horas. Avança-se por um tempo que é a nossa aspiração." Minha avó ficou encantada de ouvir falar das cartas da Sra. de Sévigné da mesma forma como o teria feito. Assombrava-se que um homem pudesse compreendê-las tão bem. Encontrava no Sr. de Charlus delicadezas e sensibilidade femininas. Mais tarde, quando estávamos a sós, minha avó e eu falamos dele, concordando em que devia ter sofrido a influência profunda de uma mulher, sua mãe, ou, mais tarde, de sua filha se tinha filhos. Quanto a mim, pensava: "Uma amante", reportando-me à influência que a de Saint-Loup parecia ter tido sobre ele, o que me fazia notar até que ponto pode requintar um homem a mulher com quem ele convive.

– E, uma vez junto da filha, ela provavelmente nada teria a dizer-lhe – respondeu a Sra. de Villeparisis.

– Claro que sim; mesmo que fossem aquelas coisas que dizia serem "tão insignificantes que só tu e eu sabemos apreciar". E, em todo caso, estava ao lado dela. E La Bruyère diz que isso é tudo: "Se estamos junto dos seres queridos, tanto faz falar-lhes ou não." Tem razão; é a única felicidade – acrescentou o Sr. de Charlus com voz melancólica –, e infelizmente a vida é tão mal arranjada que essa felicidade muito raramente podemos desfrutá-la. A Sra. de Sévigné é muito menos digna de compaixão que os outros, pois passou grande parte de sua vida junto de quem amava.

– Esqueces que não se trata de amor e sim da filha.

– O importante na vida, entretanto, não é o que se ama e sim sentir o amor, – replicou ele num tom peremptório, compenetrado e quase categórico. – O que a Sra. de Sévigné sentia pela filha pode parecer-se, com maior propriedade, à paixão que Racine pintou em *Andrômaca* ou na *Fedra* e não às frívolas relações do jovem Sévigné com suas amantes. Da mesma forma, o amor de alguns místicos por Deus. Os limites muito exíguos que traçamos em torno do amor decorrem apenas da nossa grande ignorância da vida.

– Gostam muito da *Andrômaca* e da *Fedra*?– perguntou Saint-Loup ao tio, num tom levemente desdenhoso.

– Há mais verdade numa tragédia de Racine do que em todos os dramas de Victor Hugo – respondeu o Sr. de Charlus.

– A sociedade é absolutamente medonha – sussurrou-me Saint-Loup ao ouvido. – Preferir Racine a Victor Hugo, afinal, é terrível! – Estava sinceramente entristecido com as palavras do tio, mas o prazer de dizer "afinal" e sobretudo "terrível" o consolava.

Nessas reflexões sobre a tristeza de viver separado daquilo que se ama (reflexões que fizeram minha avó dizer que o sobrinho da Sra. de Villeparisis compreendia certas obras bem melhor que a tia, e principalmente que estava em nível muito superior ao da maioria das pessoas da sociedade), o Sr. de Charlus não deixava apenas transparecer uma finura de sentimento que, de fato, os homens raramente mostram; sua própria voz, semelhante a certas vozes de contralto em que não está suficientemente cultivado o registro médio, e cujo canto parece o dueto alternado de um rapaz e de uma mulher, colocava-se nas notas altas no momento em que exprimia estes pensamentos tão delicados, adquirindo uma doçura imprevista, como se contivesse coros de vozes de noivas, de irmãs, que disseminassem a sua ternura. Mas o bando de donzelas que o Sr. de Charlus, com todo o seu horror por qualquer tipo de efeminamento, ficaria tão aflito de abrigar assim em sua voz, não se limitava à interpretação, à modulação dessas passagens sentimentais. Muitas vezes, enquanto conversava, o Sr. de Charlus deixava ouvir o seu riso agudo e fresco de colegiais de pensionato ou de moças coquetes, que troçavam do próximo com malícias de pícaras e espertalhonas.

Contou que uma casa que pertencera à família, onde uma vez dormira Maria Antonieta, e cujo parque fora desenhado por Le Nôtre[9], era propriedade agora dos ricos financistas Israel, que o tinham comprado. – Israel é, pelo menos, o nome que usam essas pessoas, e me parece um vocábulo genérico, étnico, em vez de nome próprio. Não se sabe; talvez essa casta de gente nem tenha nome e seja designada apenas pela coletividade a que pertencem. Dá no mesmo! Ter sido a moradia dos Guermantes e ser propriedade dos Israel!!! – gritou. – Isto me lembra aquele quarto do castelo de Blois, do qual me dizia o guarda que me guiava em visita: – Era aqui que Maria Stuart rezava; e agora é onde guardo minhas vassouras. – Naturalmente, nunca mais quero saber dessa casa, que está desonrada, como não quero saber da minha prima, Clara de Chimay, que largou o marido. Mas conservo a fotografia da casa quando ainda estava intacta, como a da princesa, quando seus grandes olhos só viviam para meu primo. A fotografia ganha um pouco da dignidade que lhe falta quando deixa de ser reprodução da realidade e nos mostra coisas que já não existem. Poderia lhe dar uma, visto que esse tipo de arquitetura lhe interessa – disse à minha avó. Nesse momento, percebendo que o lenço bordado que trazia no bolso deixava entrever a orla colorida, empurrou-o mais para dentro, com o rosto assustado de uma mulher pudica, mas não inocente, que dissimula atrativos físicos que, por excesso de escrúpulo, julga indecentes. – Imagine a senhora – continuou – que tais pessoas começaram por destruir o parque de Le Nôtre, o que é tão criminoso quanto estraçalhar um quadro de Poussin. Por esse motivo, esses Israel deveriam estar na cadeia. É verdade – acrescentou com um sorriso, após um momento de silêncio – que sem dúvida há muitos outros motivos para que devessem ser presos! Em todo caso, imagine o efeito que faz diante desses prédios um jardim à inglesa.

– Mas a casa é do mesmo estilo do Petit Trianon – disse a Sra. de Villeparisis –, e Maria Antonieta mandou fazer ali um jardim inglês.

– Que, da mesma forma, põe a perder a fachada de Gabriel – respondeu o Sr. de Charlus. – Evidentemente, seria um ato de selvageria mandar desmanchar agora o Hameau. Mas, sejam quais forem os gostos de hoje, duvido muito que, a esse respeito, um capricho da Sra. Israel tenha o mesmo prestígio que a lembrança da rainha.

Nesse meio tempo, minha avó me fizera sinal para que subisse para me deitar, apesar da insistência de Saint-Loup que, para grande vergonha minha, aludira, diante do Sr. de Charlus, à tristeza que eu sentia muitas vezes de noite, antes de dormir, e que seu tio deveria considerar algo bem pouco viril. Demorei ainda alguns

[9] André Le Nôtre (1613-1700), jardinista francês, jardineiro-chefe das Tulherias, desenhou os jardins de Versailles. (N. do T.)

instantes, depois saí; e fiquei muito espantado quando, logo após, tendo ouvido bater à porta do quarto e perguntado quem era, percebi a voz do Sr. de Charlus que dizia em tom seco: – É Charlus. Posso entrar, senhor? Senhor – continuou no mesmo tom, tão logo fechou a porta –, há pouco meu sobrinho contava que o senhor estaria um tanto aborrecido antes de dormir, e, por outro lado, que é admirador dos livros de Bergotte. Como tenho na mala um deles, que o senhor provavelmente não conhece, estou trazendo-o para que o ajude a passar esses momentos em que não se sente feliz.

Agradeci ao Sr. de Charlus, emocionado, e lhe disse que, pelo contrário, receara que o que Saint-Loup havia dito acerca do meu mal-estar com a aproximação da noite me tivesse feito parecer a seus olhos mais estúpido ainda do que era.

– Claro que não – respondeu ele num tom mais suave. – O senhor talvez não tenha méritos pessoais, tão poucas pessoas o têm! Mas, ao menos por algum tempo, será jovem, o que é sempre uma sedução. Além disso, senhor, a maior das asneiras é achar ridículos ou censuráveis os sentimentos que não se tem. Gosto da noite e o senhor me diz que ela o atemoriza; gosto do aroma das rosas e tenho um amigo a quem o seu cheiro provoca febre. Julga que, por isso, acho que ele valha menos que eu? Esforço-me por compreender tudo, e evito condenar seja o que for. Enfim, não se lamente muito, não digo que essa tristeza não seja penosa; sei o que se pode sofrer por determinadas coisas que os outros não compreenderiam. Mas pelo menos o senhor empregou bem o seu afeto em sua avó. Sempre a vê. E, depois, é uma afeição lícita, isto é, bem correspondida. E há tantas outras de que não se pode dizer o mesmo!

Andava de um lado para o outro, no quarto, olhando um objeto, pegando outro para examiná-lo. Tinha a impressão de que desejava anunciar-me algo e não sabia em que termos fazê-lo.

– Tenho um outro livro de Bergotte aqui, vou mandar buscá-lo – acrescentou, tocando a campainha. Apareceu um *groom* dentro de instantes. – Vá chamar o mordomo. Só ele é capaz de cumprir um recado com inteligência – disse o Sr. de Charlus com altivez. – O senhor Aimé, senhor? – indagou o *groom*. – Não sei o seu nome, mas sim, lembro-me de ter ouvido que o chamavam de Aimé. Vá depressa, não tenho tempo a perder. – Num instante ele estará aqui, senhor; acabei de vê-lo lá embaixo – respondeu o *groom*, que desejava mostrar-se a par de tudo. Passou-se algum tempo. O *groom* voltou. – O Sr. Aimé já está deitado, senhor. Mas posso me encarregar do recado. – Não, o que tem a fazer é acordá-lo. – Não posso, senhor, ele não dorme aqui. – Então, deixe-nos em paz. – Mas, senhor – disse eu quando o *groom* se retirou –, é muito amável comigo; é suficiente um livro de Bergotte. – Sim, tem razão. – O Sr. de Charlus continuava a andar pelo quarto. Passaram-se alguns minutos desse modo. Depois, após uns instantes de hesitação, recomeçando várias vezes o ato interrompido, girou sobre si mesmo, lançou-me um: – Boa-noite, senhor – num tom novamente áspero, e foi embora. Na manhã seguinte, o Sr. de

Charlus, que deveria partir nesse mesmo dia, aproximou-se de mim na praia, no momento em que eu ia tomar meu banho, a fim de me dizer, da parte de minha avó, que ela me esperava tão logo saísse da água; e, depois dos nobres sentimentos que o ouvira expressar na noite anterior, fiquei muito espantado ao ouvi-lo dizer, beliscando-me o pescoço com uma familiaridade e um riso bem vulgares:

– Afinal, você está se lixando para a velha vovó, hein, malandrão?

– Como, senhor, eu a adoro!

– Senhor – replicou, recuando um passo e com ar glacial – é jovem ainda e deve aproveitar para aprender duas coisas: a primeira é abster-se de expressar sentimentos muito naturais, por serem subentendidos; a segunda é não responder de pronto ao que lhe dizem sem ter penetrado bem o seu sentido. Se tomasse tais cuidados há pouco, teria evitado dar a impressão de falar a torto e a direito como um surdo e, com isso, acrescentar um ridículo a mais ao ridículo de usar essas âncoras bordadas no seu traje de banho. Emprestei-lhe um livro de Bergotte, do qual estou precisando. Mande-o trazer dentro de uma hora por esse mordomo de nome risível que tão mal lhe assenta; suponho que a estas horas já não esteja deitado. Lembro-me que ontem à noite, cedo demais talvez, lhe falei das seduções da juventude, e lhe teria prestado maior favor se lhe apontasse a leviandade, suas inconseqüências e incompreensão. Espero, senhor, que esta pequena ducha lhe seja mais salutar que o seu banho. Mas não fique aí parado, pois poderia sentir frio. Adeus, senhor.

Com certeza se arrependeu dessas palavras, pois logo depois recebi – numa encadernação em marroquim em cuja capa trazia embutida uma placa de couro que representava, em meio-relevo, um ramo de miosótis – o livro que me emprestara e que lhe fizera chegar às mãos não por Aimé, que se achava de folga, mas pelo ascensorista.

Tendo partido o Sr. de Charlus, Robert e eu pudemos enfim ir jantar em casa dos Bloch. Durante essa pequena recepção, compreendi que aquelas histórias que Bloch julgava tão engraçadas sem o serem, e as pessoas a quem considerava "curiosíssimas", eram histórias e amigos do Sr. Bloch pai, que os julgava desse modo. Há um certo número de pessoas a quem admiramos na infância: um pai mais inteligente que o resto da família, um professor que exalta a nossos olhos a metafísica que nos revela, um colega mais velho que nós (o que Bloch fora para mim) que despreza o Musset da *Esperança em Deus* quando ainda a apreciamos e que, em compensação, quando tivermos chegado ao bom Leconte ou a Claudel, só se extasiará com

Em Saint-Blaise, na Zuecca,
Vós estareis, vós estareis bem à vontade...

acrescentando:

Pádua é um lugar bem bonito
Onde insignes doutores em Direito...
Porém prefiro a polenta ...
...Passa em seu dominó preto
A Toppatelle.

e de todas as "Noites" só retém:

No Havre, em frente ao Atlântico,
Em Veneza, no horrível Lido,
Onde vem, na grama de um túmulo,
Morrer o pálido Adriático.

Ora, dessas pessoas a quem admiramos sem hesitar, se recolhem e citam coisas bastante inferiores a outras que recusaríamos severamente caso nos deixássemos guiar pelo nosso próprio gosto, assim como um escritor emprega num romance, sob a alegação de que são verdadeiras, "frases" e personagens que, num conjunto vivo, são um peso morto, parcela medíocre. Os retratos de Saint-Simon, que ele escreveu sem admirar-se, são sem dúvida admiráveis; mas os rasgos, que considera deliciosos, das pessoas de espírito que conheceu hoje em dia nos parecem medíocres ou ininteligíveis. Ele teria desdenhado inventar coisas, que registra como sendo tão finas ou pitorescas, da Sra. Cornuel ou de Luís XIV, o que afinal é fato que se observa em outros escritores e comporta diversas interpretações, das quais basta neste momento a seguinte; que, quando o escritor se acha no estado de espírito daquele que "observa", encontra-se no estado de espírito de nível muito inferior ao daquele que cria.

Portanto, havia, encravado dentro do meu colega Bloch, um pai Bloch que se atrasava 40 anos em relação ao filho, contava anedotas insossas das quais ria, no fundo do filho, assim como fazia o pai Bloch exterior e verdadeiro, pois ao riso que este último soltava, não sem repetir duas ou três vezes a última frase para que o público saboreasse bem a história, acrescentava-se a gargalhada ruidosa com que o filho, à mesa, não deixava de saudar as anedotas do pai. Assim é que, depois de haver dito coisas muito inteligentes, o jovem Bloch, manifestando a herança recebida da família, nos contava pela trigésima vez alguns desses gracejos que o pai dava a luz (juntamente com a casaca) somente nos dias solenes em que o filho trazia alguém que valia a pena deslumbrar: um de seus professores, um colega que obtinha todos os prêmios, ou, naquela noite, Saint-Loup e eu. Por exemplo: "Um militar muito culto, que deduzira sabiamente, com base em provas, por que motivos infalíveis os japoneses, na guerra russo-japonesa, seriam vencidos e os russos vitoriosos", ou então: "É um homem eminente que passa por ser grande financista nos meios políticos e por um grande político nos meios financeiros." Essas histórias eram intercambiáveis com uma anedota relativa ao barão de Rothschild e outra referente a sir Rufus Israel, personagens postos em evidência de forma equívoca, que podia dar a entender que o Sr. Bloch os conhecera pessoalmente.

Também caí na armadilha e, pela maneira que o Sr. Bloch pai falava de Bergotte, julguei que era um de seus velhos amigos. Ora, Bloch pai só conhecia as pessoas célebres "sem conhecê-las", por tê-las visto de longe no teatro, nos bulevares. Aliás, imaginava que seu rosto, seu nome e sua personalidade não eram estranhos a elas, e que, ao vê-lo, eram muitas vezes obrigadas a reprimir um furtivo desejo de saudá-lo. As pessoas da aristocracia conhecem diretamente os homens de talento, levam-nos para jantar, e nem por isso os compreendem melhor. Mas, quando se viveu nesse ambiente, a estupidez das pessoas que o constituem inspira desejos de freqüentar círculos mais modestos, onde se conhecem homens de talento "sem conhecê-los", e os supomos mais inteligentes que são. Eu ia comprová-lo, falando de Bergotte. O Sr. Bloch pai não era o único a obter êxito em casa. Meu colega ainda mais o obtinha com as irmãs; não cessava de as interpelar em tom resmungão, metendo o nariz no prato; assim, as fazia rir até às lágrimas. Além do mais, elas haviam adotado a língua do irmão, que falavam correntemente, como se fosse obrigatória e o único objetivo de pessoas inteligentes. Quando chegamos, a mais velha disse a uma das menores: – Vai avisar nosso pai prudente e nossa mãe venerável. – Cadelas – disse-lhes Bloch –, apresento-lhes o cavalheiro Saint-Loup, o de dardos rápidos, que veio por uns dias de Doncières, a de casas de pedra polida, fecunda em cavalos. – Como era tão vulgar como letrado, o discurso terminava habitualmente com um gracejo menos homérico: – Vamos, fechem um pouco mais esses peplos de belos broches. Que escândalo é esse? Afinal, não se trata de meu pai! – E as senhoritas Bloch se estorciam numa tempestade de risos. Disse ao irmão delas quantas alegrias me havia proporcionado ao me recomendar a leitura de Bergotte, cujos livros adorava.

O Sr. Bloch pai, que só conhecia Bergotte de longe, e a sua vida pelo que ouvira de voz pública, tinha uma forma também muito indireta de tomar conhecimento de sua obra, com o auxílio de julgamentos aparentemente literários. Vivia ele no mundo do mais ou menos, onde se saúda no vazio e se julga em falso. Nele, a imprecisão e a incompetência não diminuem a auto-suficiência; pelo contrário. É o milagre benéfico do amor-próprio que, como pouca gente pode ter amizades importantes e profundo conhecimento, faz com que pessoas a quem faltam tais coisas se julguem ainda as mais favorecidas, pois a ótica das escalas sociais leva todos a suporem que a melhor posição é a que ocupam; portanto, acham muito menos favorecidos, menos aquinhoados, dignos de compaixão, os superiores, a quem nomeiam e caluniam sem conhecer, e julgam e desprezam sem compreendê-los; e, mesmo nos casos em que a multiplicação das poucas vantagens pessoais pelo amor-próprio não bastaria para assegurar a cada um a dose de felicidade, superior à concedida aos outros, e que lhe é necessária, a inveja comparece para preencher a diferença. É verdade que, se a inveja se exprime em frases desdenhosas, é mister traduzi-las: "Não quero conhecê-lo" por "Não posso conhecê-lo". É este o sentido intelectual, mas o sentido passional da frase é, de fato: "Não quero conhecê-lo". Sabe-se que isto não é verdade e, no entanto, não é dito por simples artifício, e sim porque desse modo é sentido, e basta isso para suprimir a distância, ou seja, para tornar feliz.

O egocentrismo, permitindo que todo ser humano veja o universo a seus pés, leva-o a ser um rei. O Sr. Bloch dava-se ao luxo de ser um rei implacável quando, de manhã, tomando sua taça de chocolate, vendo a assinatura de Bergotte no fim de um artigo no jornal mal entreaberto, lhe concedia com desdém uma breve audiência, pronunciava sua sentença e se outorgava o confortável prazer de repetir, depois de cada gole da bebida fervente: "Este Bergotte se tornou ilegível. Como pode ser tão aborrecido! Vou cancelar a assinatura. Nada mais enfeitado que essa obra de confeitaria!" E pegava outra fatia de pão com manteiga.

Essa importância ilusória do Sr. Bloch pai se estendia, aliás, um pouco além do círculo de sua própria percepção. Em primeiro lugar, os filhos o consideravam um homem superior. Os filhos têm sempre uma tendência, seja a depreciar, seja a exaltar os pais; e, para um bom filho, seu pai é sempre o melhor dos pais, mesmo sem contar todas as razões objetivas para admirá-lo. E razões bastantes havia no caso do Sr. Bloch, que era instruído, fino, afetuoso com os seus. Entre os parentes mais próximos, todos achavam agradável o seu convívio, pois, embora a sociedade julgue as pessoas conforme um padrão, aliás absurdo, e de acordo com regras falsas porém fixas, e em comparação com a totalidade das outras pessoas elegantes, em compensação, na vida fragmentada dos burgueses, os jantares e saraus em família giram em torno de personalidades declaradas agradáveis, divertidas, e que, nas rodas elegantes, não ficariam duas noites em cartaz. Enfim, nesse ambiente em que as grandezas artificiais da aristocracia inexistem, elas são substituídas por distinções ainda mais desvairadas. Assim é que, na sua família e mesmo num grau de parentesco bastante afastado, todos chamavam o pai do meu camarada de "falso duque de Aumale", devido a uma pretensa identidade no formato do nariz e no feitio do bigode. (No mundo dos moços de recado de um clube, se acontece a um deles usar o gorro de lado e a jaqueta bem justa de modo a se parecer, segundo julga, com um oficial estrangeiro, não é para seus companheiros uma celebridade?)

A semelhança era das mais vagas, mas os outros diriam que se tratava de um título. Repetiam: "Bloch? Qual? O duque de Aumale?" como se dissessem: "A princesa Murat? Qual? A rainha de Nápoles?" Um certo número de indícios ínfimos acabavam de lhe dar, aos olhos da parentela, uma pretensa distinção. Embora não chegasse a ter uma carruagem, o Sr. Bloch alugava em determinados dias uma vitória descoberta tirada por dois cavalos, na Companhia de Transportes, e atravessava o Bois de Boulogne languidamente estendido no veículo, a cabeça apoiada na mão, de forma que dois dedos tocassem a têmpora e outros dois ficassem sob o queixo; e, se as pessoas que não o conheciam o tomassem por um pretensioso ao vê-lo assim, todos na família estavam convencidos de que, em assunto de coisas chiques, o tio Salomon teria podido dar lições a Gramont-Caderousse. Era dessas pessoas que, quando morrem, e por terem muitas vezes sentado à mesa do redator-chefe de *O Radical,* num restaurante das alamedas, são consideradas "figuras bem conhecidas dos parisienses" pela crônica social dessa mesma folha. O Sr. Bloch disse-nos, a mim e a Saint-Loup, que Bergotte sabia muito bem por que ele, Bloch, não o cumprimentava, que Bergotte evitava olhá-lo quando o via no teatro ou no clube. Saint-Loup enrubesceu, pois pensara que esse clube não podia ser o Jockey, do qual seu pai fora presidente, conquanto devesse ser um clube relativamente fechado, pois o Sr. Bloch havia dito que Bergotte ali não seria mais recebido agora. Assim, com medo de "subestimar o adversário", foi que Saint-Loup perguntou se aquele clube era o da rua Royale, considerado como "desqualificador" por sua família, e onde sabia que eram recebidos alguns judeus. – Não – respondeu com ar negligente o Sr. Bloch, entre orgulhoso e envergonhado –; é um pequeno clube, mas muito mais agradável, o Clube dos Palermas. Ali se julga com muita severidade a galeria. – O presidente não é o Sr. Rufus Israel? – perguntou Bloch filho ao pai, para lhe proporcionar a ocasião de uma mentira honrosa e sem se dar conta de que esse financista não tinha o mesmo prestígio para Saint-Loup que para ele. Na realidade, não era Sir Rufus Israel quem fazia parte do Clube dos Palermas, e sim um de seus empregados. Mas, como esse empregado estava em excelentes relações com o patrão, dispunha dos cartões do grande financista e dava um ao Sr. Bloch quando este precisava viajar em algumas das linhas férreas de que Sir Rufus era administrador; assim é que o pai Bloch dizia: – Vou passar no clube para pedir uma recomendação de Sir Rufus. – E aquele cartão lhe permitia deixar deslumbrados os chefes de trem. As Srtas. Bloch estavam mais interessadas em Bergotte e, voltando a ele ao invés de continuarem no tema dos "Palermas", a caçula indagou ao irmão, no tom mais sério do mundo, pois achava que, para designar pessoas de talento, não existiam outras expressões senão as que o irmão empregava: – É mesmo um sujeito formidável esse Bergotte? É da categoria dos caras de primeira, como Villiers ou Catulle? – Vi-o muitas vezes nas estréias – disse o Sr. Nissim Bernard. – É canhoto, é uma espécie de Schlemihl. – Essa alusão à novela de Chamisso nada tinha de grave, mas o epíteto de Schlemihl fazia parte desse dialeto semi-alemão, semijudeu, cujo emprego encantava o Sr. Bloch na intimidade, mas este o julgava deslocado e vulgar diante de estranhos. De modo que lançou um olhar severo ao tio. – Sim, tem talento – disse Bloch. – Ah! – tornou gravemente a irmã, como se desse a entender que nesse caso era desculpável a minha admiração. – Todos os escritores têm talento – comentou o pai Bloch com desprezo. – Parece até que vai se candidatar à Academia – disse o filho erguendo o garfo e piscando o olho com ar diabolicamente irônico. – Ora, ora, ele não tem bagagem suficiente. Falta-lhe o calibre necessário – respondeu o Sr. Bloch, que parecia não sentir pela Academia o desprezo do filho e das filhas. – Além disso, a Academia é um salão aristocrático e Bergotte não tem brilho algum – declarou o tio Bernard, sujeito rico e herança futura da Sra. Bloch, pessoa inofensiva e doce, cujo nome de Bernard teria por si só despertado os dons de diagnóstico de meu avô, nome aliás que não estava à altura daquele rosto que parecia ter sido arrancado do palácio de Dario e reconstituído pela Sra. Dieulafoy, se, no caso de ser escolhido por algum amador desejoso de dar um remate oriental a essa figura de Susa, o nome de Nissim não tivesse estendido sobre sua pessoa as asas de algum touro androcéfalo de Khorsabad. Porém o Sr. Bloch não cessava de insultar o tio, fosse porque o irritava a bonacheirice indefesa de sua vítima, fosse porque, sendo a *villa* de Balbec paga pelo Sr. Nissim Bernard, quisesse mostrar que conservava sua independência e, sobretudo, que não procurava garantir com bajulações a futura herança do ricaço. Este sentia-se constrangido principalmente por se ver tratado de modo tão grosseiro diante do mordomo. Murmurou uma frase ininteligível onde apenas se entendia: "Quando os Mexores estão presentes." O termo Mexores designa na Bíblia os servos de Deus. Os Bloch se serviam desse nome para designar os criados e se divertiam com a certeza de não serem compreendidos pelos cristãos e pelos próprios criados, e assim se exaltava nas pessoas dos Srs. Nissim Bernard e Bloch a sua dupla particularidade de "patrões" e "judeus". Mas este último motivo de satisfação se transformava em descontentamento na presença de estranhos. Então o Sr. Bloch, ouvindo o tio dizer "Mexores", imaginava que revelara demais o seu lado oriental, assim como uma cocote, que convida para uma reunião suas colegas acompanhadas de pessoas distintas, se irrita se elas aludem ao ofício que lhes é comum ou empregam frases pesadas. De modo que a súplica do tio não só não produziu efeito algum sobre o Sr. Bloch, como este, fora de si, não pôde mais se conter. Não perdeu a oportunidade de injuriar o pobre Nissim. – Na verdade, quando há uma asneira pretensiosa para dizer, pode-se ter certeza que o senhor não deixará de soltá-la, não é? E seria o primeiro a lamber os pés de Bergotte se ele estivesse aqui! – gritou o Sr. Bloch, enquanto o Sr. Nissim Bernard, mortificado, inclinava para o prato sua barba anelada de rei Sargão. Meu colega Bloch, desde que deixara crescer a barba, que também era crespa e azulada, parecia-se muito ao tio-avô. – Como? O senhor é filho do marquês de Marsantes? Conheci-o muito bem –, disse o Sr. Nissim Bernard a Saint-Loup. Julguei que dizia "conheci-o" no sentido em que o pai Bloch afirmava que conhecia Bergotte, isto é, de vista. Mas ele acrescentou: – Seu pai era um dos meus bons amigos. – Entretanto Bloch ficara muito vermelho, seu pai se mostrava bastante contrariado, as senhoritas Bloch sufocavam o riso. É que, no Sr. Nissim Bernard, o gosto pela ostentação, contido no Sr. Bloch pai e nos seus filhos, chegara a criar o hábito da mentira permanente. Por exemplo, em viagem, quando se hospedava num hotel, o Sr. Nissim Bernard, como o teria feito o Sr. Bloch pai, mandava que o criado lhe trouxesse todos os jornais à sala de jantar, em pleno almoço, quando todos estavam reunidos, para que vissem bem que viajava com um criado de quarto. Mas, aos hóspedes do hotel com quem travava amizade, dizia o tio uma coisa que o sobrinho jamais diria: que era senador. Sabia perfeitamente que acabariam descobrindo que usurpara o título; no entanto, era-lhe impossível, naquele instante, resistir à necessidade de intitular-se senador. O Sr. Bloch sofria muito com as mentiras do tio e os aborrecimentos que lhe causavam. – Não lhe dê atenção, é muito amigo de lorotas –, disse ele a meia voz a Saint-Loup, que se interessou ainda mais pelo velho, pois sentia curiosidade pela psicologia dos mentirosos. – Mais mentiroso ainda que o itacense Odisseus, que, no entanto, Atena denominava o maior mentiroso dos homens – completou nosso companheiro Bloch. – Ah! Por exemplo! – exclamou o Sr. Nissim Bernard – quem diria que eu haveria de jantar com o filho de meu amigo! Na minha casa, em Paris, tenho uma fotografia do senhor seu pai e muitas cartas dele. Ele sempre me chamava "meu tio", nunca soube por quê. Era um homem encantador, deslumbrante. Lembro-me de um jantar em minha casa, em Nice, onde compareceram Sardou, Labiche, Augier... – Molière, Racine, Corneille – continuou ironicamente o Sr. Bloch pai, cujo filho terminou a enumeração, acrescentando: – Plauto, Menandro, Calidassa. – O Sr. Nissim Bernard, ofendido, interrompeu bruscamente a narrativa e, privando-se asceticamente de um grande prazer, permaneceu mudo até o fim do jantar.

– Saint-Loup, do brônzeo capacete – disse Bloch –, coma mais um pouco deste pato de gordurosas coxas, sobre as quais o ilustre sacrificador de voláteis derramou numerosas libações de vinho tinto.

Geralmente o Sr. Bloch, depois de tirar do fundo da gaveta para um companheiro notável do filho as anedotas relativas sobre Sir Rufus Israel e outros, percebendo que o filho estava já satisfeito e comovido, retirava-se da conversa para não se "rebaixar" aos olhos do estudante. Entretanto, se havia um motivo especial, como, por exemplo, quando seu filho foi aprovado no exame de *agrégation*, o Sr. Bloch acrescentava à série costumeira de anedotas esta reflexão reservada de preferência aos amigos íntimos, de que o jovem Bloch se mostrou extremamente orgulhoso por vê-la trazida à luz para seus amigos: – O Governo mostrou-se imperdoável. Não consultou o Sr. Coquelin! O Sr. Coquelin fez saber que está muito descontente. (Pois o pai de Bloch se fazia de reacionário e aparentava desprezo pelas pessoas de teatro.)

Mas as senhoritas Bloch e seu irmão enrubesceram até as orelhas de tanta emoção, quando Bloch pai, para se mostrar sinceramente régio para com os velhos companheiros do filho, mandou trazer champanha e anunciou, como quem não quer nada, que, para nos regalar, adquirira três poltronas de primeira para a representação que uma companhia de operetas dava aquela mesma noite no cassino. Lamentava não ter conseguido camarote. Estavam todos reservados. Além disso, sabia por experiência própria que ficariam melhor perto da orquestra. Unicamente, se o defeito do filho, isto é, que seu filho julgava invisível aos outros, era a grosseria, o do pai era a avareza. Assim, serviu numa jarra o que chamava de champanha e não passava de um vinhozinho espumante; e as poltronas de primeira se transformaram de fato em assentos comuns da platéia que custavam a metade; e, milagrosamente convencido pela intervenção divina de seu defeito, achava que nem à mesa nem no teatro (onde todos os camarotes estavam vazios) nenhum de nós perceberia a diferença. Quando o Sr. Bloch nos deixou molhar os lábios nas taças de champanha que o filho adornara com o apelido de "crateras de flancos profundamente abertos", nos fez admirar um quadro que apreciava tanto que o trouxera consigo a Balbec. Disse que era um Rubens. Saint-Loup, ingenuamente, perguntou se estava assinado. O Sr. Bloch respondeu, enrubescendo, que mandara cortar a assinatura do pintor por causa do encaixe da moldura, o que aliás não tinha importância, visto que não desejava vendê-lo. E logo se despediu de nós para mergulhar na leitura do *Diário Oficial*, cujos números enchiam a casa e cuja leitura lhe era necessária, disse-nos, "por causa de sua situação parlamentar", e de cuja natureza não nos deu explicações. – Vou pegar um lenço para o pescoço – disse Bloch, pois Zéfiro e Bóreas lutam furiosamente pelo mar piscoso, e por pouco que nos atrasemos após o espetáculo, só voltaremos aos primeiros clarões de Eos, a de dedos cor de púrpura. A propósito – perguntou a Saint-Loup quando saímos (e eu tremia, pois compreendi logo que era do Sr. de Charlus que Bloch falava em tom irônico) – quem é aquele excelente fantoche, de roupa escura, com quem você passeava pela praia anteontem de manhã? – Meu tio – respondeu Saint-Loup irritado. Infelizmente, uma gafe era algo que Bloch nem sonhava impedir. Torceu-se de riso: – Meus cumprimentos, deveria ter adivinhado; é muito chique; tem uma impagável cara de bobo da mais alta linhagem. – Você se engana de ponta a ponta – retrucou Saint-Loup furioso –; ele é muito inteligente. – Lamento-o, pois então é menos completo. De resto, gostaria muito de conhecê-lo; estou certo que escreveria coisas adequadas sobre esse tipo de gente. Quanto a ele, só o vê-lo passar é de morrer de riso. Mas deixaria de lado a parte caricata, no fundo bem desprezível para um artista apaixonado pela beleza plástica das frases, dessa cara ridícula, desculpe, que me fez rir a bandeiras despregadas, e poria em destaque o lado aristocrático de seu tio, que em suma produz um efeito incrível, e, passado o primeiro instante de riso, impressiona pelo grande estilo. Porém – continuou, desta vez dirigindo-se a mim – o que eu desejava lhe perguntar era algo inteiramente diverso, e, sempre que nos encontramos, algum deus, venturoso habitante do Olimpo, me varre da cabeça a idéia, e esqueço totalmente de pedir essa informação que já teria podido ser e certamente ainda me será útil. Quem é aquela senhora tão bonita com quem o encontrei no Jardim da Aclimação e que estava acompanhada de um senhor que julgo conhecer de vista, e de uma mocinha de cabelos compridos? – Naquela ocasião, eu bem havia percebido que a Sra. Swann não se lembrara do nome de Bloch, visto que me dissera um outro nome e havia caracterizado o meu companheiro como adido a um ministério, dado esse que jamais pensei em verificar se era exato. Mas como é que Bloch, que, segundo a Sra. Swann me dissera então, se fizera apresentar a ela, podia ignorar seu nome? Fiquei tão espantado que estive um momento sem responder. – De qualquer maneira, meus parabéns – disse Bloch –; certamente não se aborreceu com ela. Eu a encontrara alguns dias antes no trem do Contorno. Ela houve por bem ser amável com este seu criado aqui; nunca passei tão bons momentos; e já estávamos combinando tudo para um novo encontro, quando alguém que ela conhecia teve o mau gosto de subir para o nosso compartimento na antepenúltima estação. – Meu silêncio parece não ter sido muito agradável a Bloch. – Graças a você, esperava obter o endereço dela e ir gozar, várias vezes por semana, em sua casa, os prazeres de Eros, grato aos deuses. Mas não insisto, pois queres bancar o discreto quanto a uma profissional, que se entregou a mim três vezes seguidas e de modo refinadíssimo, entre Paris e o Point-du-Jour. Hei de encontrá-la uma noite dessas.

Fui visitar Bloch depois desse jantar, e ele me fez também uma visita, mas eu havia saído e, perguntando por mim no hotel, foi avistado por Françoise que, por acaso, nunca o vira até então, embora ele tivesse ido muitas vezes a Combray. De modo que ela sabia apenas que "um dos senhores" que eu conhecia havia passado para me ver, ignorando "com que objetivo", vestido de forma comum e sem lhe causar maior impressão. Por mais que soubesse que certas idéias sociais de Françoise seriam sempre impenetráveis para mim, pois talvez se baseassem, em parte, nas confusões que fazia entre palavras ou nomes que trocava sempre, não pude evitar, eu que há muito deixara de me preocupar com esse tipo de coisa, perguntar a mim mesmo, aliás em vão, que coisa enorme o nome de Bloch poderia significar para Françoise. Pois mal lhe disse que aquele rapaz que avistara era o Sr. Bloch, ela recuou alguns passos, tão grande tinham sido seu espanto e sua decepção. – Como, aquilo é que é o Sr. Bloch! – exclamou com ar apavorado, como se uma personalidade de tanto prestígio devesse ter uma aparência que "desse a conhecer" de imediato a presença de um grande homem; e, como alguém que acha que um personagem histórico não está à altura de sua fama, ela repetia, num tom impressionado que revelava germes de um ceticismo universal: – Como, é aquilo o Sr. Bloch! Ah, na verdade ninguém diria ao vê-lo! – Dava a impressão de me guardar rancor como se eu tivesse "falsificado" Bloch. No entanto, teve a bondade de acrescentar: – Pois bem, por mais Sr. Bloch que ele seja, o senhor pode estar certo que é tão distinto quanto ele.

Em breve, a respeito de Saint-Loup a quem adorava, teve uma desilusão de outra espécie, e que durou menos: descobriu que era republicano. Ora, ainda que, ao falar por exemplo da rainha de Portugal, dissesse: "Amélia, a irmã de Filipe", com o desrespeito que, para o povo, é o maior respeito, Françoise era monarquista. Mas que, acima de tudo, um marquês, e um marquês que a deixara deslumbrada, fosse republicano, isso para ela era algo inconcebível. E a punha de mau humor, exatamente como se eu lhe houvesse feito presente de uma caixa supostamente de ouro e que ela a seguir, depois de me haver agradecido com efusão, descobrisse, por meio de um joalheiro, que era apenas folheada. Retirou sua estima a Saint-Loup, porém logo voltou a concedê-la, pois refletiu que ele, sendo marquês de Saint-Loup, não podia ser republicano, estava apenas fingindo, por interesse, pois, com o governo atual, assim tiraria maior proveito. Desde então cessaram a sua frieza em relação a ele e o seu despeito para comigo. E, quando falava de Saint-Loup, dizia: "É um hipócrita" com um grande e generoso sorriso que dava a entender que o "considerava" de novo tanto quanto no primeiro dia, e que o havia perdoado.

Ora, pelo contrário, a sinceridade e o desinteresse de Saint-Loup eram absolutos; e era essa grande pureza moral que, não podendo satisfazer-se inteiramente em um sentimento egoísta como o amor, e que, por outro lado, não se achava na impossibilidade, como, por exemplo, ocorria comigo, de encontrar alimento espiritual fora de si próprio, tornava-o verdadeiramente capaz de amizade, tanto quanto eu era incapaz desse sentimento.

Françoise também se enganava sobre Saint-Loup quando dizia que ele dava impressão de não desdenhar o povo, mas que aquilo não era verdade, e bastava vê-lo quando se encolerizava com o seu cocheiro. De fato, ocorrera às vezes a Robert ralhar asperamente com ele, coisa que, no seu caso, indicava antes o sentimento de igualdade que de diferença entre as classes. – Mas – disse-me em resposta às censuras que lhe fiz por ter tratado o cocheiro com certa rudeza – por que motivo irei fingir cortesia com ele? Não é meu igual? Não está à mesma distância de mim que meus tios e primos? Você parece achar que eu deveria tratá-lo com considerações, como se fosse um ser inferior. Está falando como se fosse um aristocrata – concluiu com desprezo.

Com efeito, se havia uma classe contra a qual mostrava prevenção e parcialidade, essa era a aristocracia, a ponto de só dificilmente admitir a superioridade de um homem da sociedade, superioridade que mais facilmente atribuiria a um homem do povo. Como lhe falasse da princesa de Luxemburgo, a quem encontrara com sua tia:

– É uma tola – disse –, como todas as suas iguais. Aliás, é minha prima distante.

Tendo prevenção contra as pessoas que freqüentavam a sociedade, Saint-Loup raramente ia às reuniões aristocráticas e, quando comparecia, adotava uma atitude desdenhosa ou hostil, o que aumentava ainda mais, na família, o desgosto provocado por sua ligação com uma mulher "de teatro", ligação que diziam lhe ser fatal e, principalmente, de ser responsável por haver desenvolvido nele aquele espírito de difamação, aquela má tendência que já o tinha "desviado" e que iria levá-lo a "se afastar" inteiramente de sua classe. Desse modo, alguns levianos do *faubourg* Saint-Germain eram impiedosos ao falarem da amante de Robert. "As meretrizes fazem o seu ofício – diziam –, valem tanto quanto as outras; mas esta, não! Não lhe perdoaremos! Fez muito mal a alguém que é nosso amigo." Claro que Saint-Loup não era o primeiro a cair nas artimanhas de uma amante. Porém os outros continuavam sua divertida existência de mundanos, e pensando à moda de mundanos na política e em tudo o mais. Mas a família de Robert achava o "azedo". Não percebiam que para muitos jovens aristocratas uma amante é muitas vezes um mestre, e que as ligações desse gênero são a única escola de moral que os inicia numa cultura superior, onde aprendem o valor do conhecimento desinteressado; e que, sem isso, permaneceriam de espírito inculto, rudes em suas amizades, sem doçura e sem gosto. Até entre a gente baixa (que em termos de grosseria se parece tantas vezes com as pessoas da alta roda), a mulher, mais sensível, mais fina, mais ociosa, tem curiosidade por certos requintes, respeita certas belezas de arte e sentimento que, embora não os compreenda bem, coloca no entanto acima daquilo que mais desejável parece ao homem, o dinheiro, a posição social. Ora, quer se trate da amante de um jovem aristocrata, como Saint-Loup, ou de um jovem operário (os eletricistas, por exemplo, figuram atualmente nas listas da verdadeira Cavalaria), seu amante tem por ela muito respeito e admiração para não os estender ao que ela própria respeita e admira; e, para ele, a escala de valores torna-se invertida. Devido mesmo a seu sexo, ela é frágil, tem perturbações nervosas, inexplicáveis, que no caso de um homem, e mesmo no de outra mulher, que fosse sua prima ou tia, teriam feito sorrir esse jovem robusto. Mas ele não pode ver sofrer aquela a quem ama. O jovem nobre que, como Saint-Loup, tem uma amante, adquire o hábito, quando vai jantar com ela no cabaré, de trazer no bolso o valerianato de que ela pode precisar, de recomendar ao garçom, com firmeza e sem ironia, que feche as portas sem barulho, que não enfeite a mesa com musgo úmido a fim de evitar à amiga essas indisposições que, de sua parte, jamais sentiu, que constituem para ele um mundo oculto em cuja realidade ela o ensinara a acreditar, indisposições que ele agora lastima sem que tenha necessidade de conhecê-las e que lastimará mesmo que sejam outras as mulheres a experimentá-las. A amante de Saint-Loup – como os primeiros monges da Idade Média à cristandade – lhe ensinara a piedade para com os animais, pois tinha paixão por eles, e nunca viajava sem seu cachorro, seus canários, seus papagaios; Saint-Loup cuidava deles maternalmente e considerava uns brutamontes as pessoas que não tratam bem os animais. Por outro lado, uma atriz, ou que se dizia atriz, como a que vivia com ele – fosse inteligente ou não, coisa que eu ignorava –, fazendo com que ele achasse aborrecida a companhia das mulheres da sociedade e considerasse um suplício o dever de ir a um sarau, preservara-o do esnobismo e o curara da frivolidade. Se, graças a ela, as relações mundanas ocupavam menos espaço na vida de seu jovem amante, em compensação a amante lhe ensinara a pôr nobreza e refinamento em suas amizades, enquanto, fosse ele um simples homem de freqüentar salões, a vaidade ou o interesse teriam orientado suas amizades, marcando-as de sua rudeza. Com seu instinto de mulher e apreciando mais nos homens certas qualidades de sensibilidade que, sem ela, o amante teria desconhecido ou depreciado, sempre soubera distinguir e escolher, de imediato, dentre os amigos de Saint-Loup, o que lhe dedicava verdadeira afeição. Sabia forçá-lo a lhe testemunhar reconhecimento, a assinalar as coisas que lhe davam prazer, as que o magoavam. E em breve Saint-Loup, sem ter mais necessidade de que a amante o advertisse, começou a preocupar-se com tudo isso, e em Balbec, onde ela não estava, e por mim, que ela nunca vira e de quem talvez ele ainda não tivesse falado em suas cartas, fechava por conta própria o vidro do carro onde eu estava, retirava as flores que me causavam mal e, quando tinha de se despedir ao mesmo tempo de várias pessoas, cuidava de deixá-las um pouco mais cedo a fim de ficar sozinho e por último comigo, estabelecendo uma distinção entre mim e eles, tratando-me de forma diferente que aos outros. Sua amante abrira-lhe o espírito ao invisível, pusera seriedade em sua vida, delicadezas em seu coração, mas tudo isso passava despercebido à família em prantos, que repetia: "Essa meretriz ainda há de matá-lo e, enquanto isso, o desmoraliza." É verdade que ele acabara por tirar dela todo o bem que ela podia lhe fazer; e agora ela era apenas motivo para que ele sofresse sem parar, pois criara-lhe horror e torturava-o. Um dia, principiara a achá-lo bobo e ridículo, pois os amigos que possuía entre os jovens atores e autores lhe haviam assegurado que o era, e, por sua vez, ela repetia o que diziam com aquela paixão, aquela ausência de reserva que a gente mostra a cada vez que recebe de fora e adota opiniões ou costumes que ignorava de todo. Como aqueles comediantes, afirmava, sem esforço, que era intransponível o fosso entre ela e Saint-Loup, porque eram de raças diferentes, que ela era uma intelectual e ele, embora pretendesse sê-lo, era desde a origem um inimigo da inteligência. Esse modo de ver lhe parecia profundo e procurava confirmá-lo nas palavras mais insignificantes, nos menores gestos do amante. Mas, quando os mesmos amigos a convenceram também que estava destruindo, em companhia tão pouco adequada para ela, as grandes promessas de que, segundo eles, já havia dado mostras, que seu amante acabaria por prejudicá-la, e que, vivendo com ele, estava estragando o seu futuro de atriz, ao seu desprezo por Saint-Loup foi juntar-se o mesmo ódio que sentiria se ele tivesse se obstinado em inocular-lhe uma doença mortal. Procurava vê-lo o menos possível, adiando sempre o momento da ruptura definitiva, a qual me parecia bem pouco verossímil.

Saint-Loup fazia por ela tais sacrifícios que, a menos que ela fosse deslumbrante (mas nunca havia querido me mostrar sua fotografia, dizendo: – Primeiro, não é uma beldade, e, além disso, não sai bem nas fotos; são instantâneos que eu mesmo tirei com a minha Kodak, e lhe darão uma falsa idéia dela), parecia difícil que encontrasse um outro homem que consentisse em tais coisas. Eu não imaginava que uma certa mania de fazer nome, até quando não se tem talento, e a estima, nada mais que a estima privada, de pessoas que se impõem (o que, aliás, talvez não fosse o caso da amante de Saint-Loup), pudessem ser, mesmo para uma pequena cocote, motivos mais determinantes que o prazer de ganhar dinheiro. Saint-Loup que, sem compreender bem o que se passava na cabeça da amante, não a julgava totalmente sincera, nem nas censuras injustas nem nas promessas de amor eterno, sentia entretanto, em certas ocasiões, que ela haveria de romper quando pudesse e, por isso, movido sem dúvida pelo instinto de conservação do seu amor, mais clarividente talvez que ele próprio, empregando aliás uma habilidade prática que nele se conciliava com os maiores e mais cegos impulsos do coração, recusara-se a lhe constituir um capital, tomara emprestada uma quantia enorme para que nada lhe faltasse, mas só a enviava parceladamente. E decerto, caso ela tivesse na verdade pensado em largá-lo, esperaria friamente encher seu "pé-de-meia", o que, com as somas dadas por Saint-Loup, levaria sem dúvida pouco tempo, mas ainda assim concedido em suplemento para prolongar a felicidade do meu novo amigo – ou a sua desgraça.

Esse período dramático da ligação deles – e que agora havia chegado ao ponto mais agudo, mais cruel para Saint-Loup, pois ela o proibira de permanecer em Paris, onde sua presença a exasperava, e o forçara a ir passar sua licença em Balbec, próximo ao seu quartel – começara uma noite na casa de uma tia de Saint-Loup, com quem obtivera licença para que sua amiga fosse recitar, para numerosos convidados, trechos de uma peça simbolista que representara uma vez num teatro de vanguarda e pela qual o fizera compartilhar da admiração que ela própria sentia.

Mas, quando ela apareceu, com um grande lírio na mão, num vestido copiado da "Ancilla Domini" e que havia convencido a Robert tratar-se de uma verdadeira "visão de arte", sua entrada foi acolhida naquela assembléia de homens de clube e de duquesas com sorrisos, que o tom monótono da salmodia, a estranheza de algumas palavras e sua repetição constante haviam transformado em risadas loucas, a princípio sufocadas e, depois, tão irresistíveis que a pobre recitadora não pudera continuar. No dia seguinte, a tia de Saint-Loup foi unanimemente censurada por ter recebido em sua casa uma artista de tal modo grotesca. Um duque bem conhecido não lhe escondeu que ela só podia queixar-se de si mesma, se a criticavam.

– Que diabo, também! Isso não é coisa que se apresente! Se ao menos aquela mulher tivesse talento; mas não tem e nunca terá. Bolas! Paris não é tão idiota, por mais que o digam. A sociedade não é só composta de imbecis. Essa moça evidentemente imaginou assombrar Paris. Mas Paris não se assombra com tanta facilidade e existem coisas que a gente não consegue engolir.

Quanto à artista, saiu dizendo a Saint-Loup:

– No meio de que peruas, de que galinhas mal-educadas e malandros, foi você me meter! E acho melhor dizer logo: dos homens presentes, não houve um só que não me tivesse feito sinais, e, como repeli suas tentativas, procuraram vingar-se.

Palavras que haviam mudado a antipatia de Robert pelas pessoas da sociedade em um horror ainda mais profundo e doloroso, inspirado principalmente por aqueles que menos o mereciam, parentes devotados que, a pedido da família, tinham procurado convencer a amiga de Saint-Loup a romper com ele, atitude que esta lhe apresentava como ditado pelo amor que dedicavam a ela. Robert, embora tivesse imediatamente deixado de freqüentá-los, pensava, quando estava longe da amiga, como agora, que eles e outros se aproveitavam para voltar à carga e talvez obtivessem os seus favores. E, quando se referia aos espertos que traem seus amigos, procuram corromper as mulheres e tentam levá-las aos bordéis, seu rosto transpirava sofrimento e ódio.

– Eu os mataria com menos remorso que a um cachorro. Ao menos o cachorro é um animal afável, leal e fiel. Pois eles merecem a guilhotina, muito mais do que os desgraçados que são levados ao crime pela miséria e pela crueldade dos ricos.

Passava a maior parte do tempo enviando cartas e telegramas à amante. Sempre que, além de proibi-lo de ir a Paris, ela achava, à distância, um meio de brigar com ele, eu logo o via por suas feições abatidas. Como a amante nunca lhe dizia o que lhe tinha a censurar, supondo que, se o não dizia, era porque não sabia e estava simplesmente farta dele, ele, no entanto, gostaria de ter explicações; e escrevia: "Diga-me o que fiz de mal. Estou pronto a reconhecer meus erros." E o desgosto que sentia acabava fazendo com que se convencesse de que agira mal.

Mas ela fazia-o esperar indefinidamente suas respostas, aliás desprovidas de sentido. Portanto, era quase sempre de rosto preocupado, muitas vezes com as mãos vazias, que eu via Saint-Loup voltar do correio, onde, junto com Françoise, eram os únicos de todo o hotel a irem buscar e levar as cartas pessoalmente, ele por impaciência de amante, ela por desconfiar dos criados. (Os telegramas a forçavam a andar ainda muito mais.)

Quando, alguns dias depois do jantar na casa dos Bloch, minha avó me disse, muito alegre, que Saint-Loup acabava de lhe perguntar se não queria que ele a fotografasse antes de deixar Balbec, e ao ver que, para isto, ela pusera seu mais belo vestido e estava indecisa entre vários penteados, senti-me um tanto irritado com aquela infantilidade que tanto me espantava de sua parte. Cheguei mesmo a indagar comigo se não me havia enganado quanto à minha avó, se não a colocara num pedestal muito alto, se era mesmo tão desligada de sua pessoa como sempre acreditara, se não tinha até aquilo que julgara lhe fosse mais estranho, a coqueteria.

Infelizmente, a contrariedade que me causara o projeto da sessão fotográfica e, sobretudo, a satisfação que minha avó parecia sentir com tudo aquilo, deixei-a transparecer o bastante para que Françoise o notasse, apressando-se involuntariamente a aumentá-la com um discurso sentimental e enternecido, ao qual eu não quis dar a impressão de que aderia.

– Oh, senhor, esta pobre Senhora que ficará tão feliz que lhe tirem o retrato, e até vai pôr o chapéu que sua velha Françoise lhe arranjou; é preciso fazer-lhe a vontade, senhor!

Convenci-me de que não era cruel por zombar da sensibilidade de Françoise, lembrando-me que minha mãe e minha avó, meus modelos em tudo, procediam da mesma forma muitas vezes. Porém minha avó, percebendo que eu me mostrava aborrecido, afirmou que se aquela sessão fotográfica me contrariava, desistiria dela. Não quis agir assim, e lhe assegurei que não via nenhum inconveniente, deixando-a embelezar-se, mas julguei dar provas de penetração e força ao lhe dizer algumas palavras irônicas e ferinas, destinadas a neutralizar o prazer que ela parecia sentir em ser fotografada, de modo que, se fui constrangido a ver o magnífico chapéu de minha avó, consegui ao menos fazer sumir de seu rosto aquela expressão de alegria que me faria feliz e que, como acontece com freqüência quando ainda estão vivas as pessoas a quem mais amamos, surge-nos como a manifestação exasperadora de um capricho mesquinho em vez de ser a forma preciosa da felicidade que tanto lhe desejaríamos proporcionar. Meu mau humor provinha sobretudo do fato de que, naquela semana, minha avó parecera fugir-me e eu não pudera tê-la um só instante para mim, nem de dia nem de noite. Quando voltava à tarde para estar um pouco a sós com ela, diziam-me que havia saído; ou então ela se trancava com Françoise para longos conciliábulos a que não me era permitido perturbar. E, quando, tendo passado a noite fora com Saint-Loup, pensava durante a volta no momento em que ia poder encontrar e beijar minha avó, por mais que esperasse que ela batesse no tabique aquelas pancadinhas que me avisariam para entrar em seu quarto e lhe dar boa-noite, não ouvia nada; acabava por me deitar, aborrecido com ela porque me privava, com uma indiferença que era nova nela, de uma alegria com a qual tanto havia contado; e ficava ainda, o coração palpitante como na minha infância, a escutar à parede, que permanecia muda, e ia adormecer em lágrimas.

* * *

Naquele dia, como nos precedentes, Saint-Loup fora obrigado a ir a Doncières, onde agora precisariam sempre de seus serviços até o fim da tarde, enquanto não regressasse em definitivo. Lamentava que ele não estivesse em Balbec.

Vira descer do carro e entrar, umas no salão de danças do cassino, outras na sorveteria, algumas jovens que de longe me haviam parecido fascinantes. Eu estava num desses períodos da juventude, desprovidos de um amor particular, vazios, onde, por toda a parte – como um enamorado em relação à mulher por quem se apaixonou – se deseja, se busca e se vê a Beleza. Em que um só traço real – o pouco a se distinguir de uma mulher vista de longe ou de costas – nos permite projetar a Beleza diante de nós, e imaginamos tê-la reconhecido, o nosso coração bate mais forte, apressamos o passo, e sempre estaremos meio persuadidos de que era ela, contanto que a mulher tenha desaparecido: somente quando podemos alcançá-la é que percebemos nosso erro.

Além disso, cada vez mais doente, sentia-me tentado a encarecer os prazeres mais simples devido às próprias dificuldades com que me defrontava para atingi-los. Julgava perceber em todos os cantos mulheres elegantes, pois estava muito cansado, se me encontrava na praia, ou muito tímido, se estivesse no cassino ou numa confeitaria, para que pudesse aproximar-me delas fosse onde fosse. No entanto, se devesse morrer em breve, gostaria de saber como, na realidade, eram de perto as mais belas moças que a vida pudesse oferecer, ainda que fosse outro homem, ou mesmo ninguém, que devesse desfrutar essa oferta (de fato, eu não me dava conta de que havia um desejo de posse na origem de minha curiosidade). Teria ousado entrar no salão de baile caso Saint-Loup estivesse comigo. Estando sozinho, simplesmente fiquei diante do Grande Hotel, esperando o momento de ir encontrar-me com minha avó, quando, ainda quase na extremidade do molhe, onde faziam mover-se uma estranha mancha, vi que se aproximavam cinco ou seis mocinhas, tão diversas, pelo aspecto e pelos modos, de todas as pessoas a que a gente estava acostumado em Balbec, que poderiam ser, desembarcadas não se sabe de onde, um bando de gaivotas a executarem vagarosamente na praia – as retardatárias alcançando as outras a esvoaçar – um passeio cujo intuito parece tão obscuro aos banhistas, a quem elas não demonstram ver, quanto claramente ditado pelo seu espírito de pássaros.

Uma dessas desconhecidas empurrava sua bicicleta; duas outras empunhavam tacos de golfe; e sua roupa singular destoava do vestido das outras moças de Balbec, entre as quais, na verdade, havia algumas que se entregavam à prática de esportes mas sem para isso adotar uma roupa especial.

Era a hora em que as damas e cavalheiros vinham diariamente dar uma volta pelo molhe, expostos aos reflexos implacáveis do *lorgnon* que fixava sobre eles, como se fossem portadores de alguma tara que ela devesse inspecionar nos menores detalhes, a esposa do primeiro magistrado, orgulhosamente sentada diante do quiosque de música, em meio à temida fila de cadeiras onde eles próprios, dali a pouco, iriam instalar-se, atores transformados em críticos, para julgar por sua vez todos os que desfilariam à sua frente. Todas essas pessoas que andavam pelo molhe, gingando de modo tão acentuado como se ele fosse o convés de um barco (pois não sabiam erguer uma perna sem ao mesmo tempo mexer com os braços, virar os olhos, empertigar os ombros, compensar com um movimento balouçante do lado oposto o movimento que acabavam de fazer do outro lado, e congestionar a fisionomia) e que, fingindo não ver para dar a entender que não se importavam com as outras pessoas que andavam a seu lado ou vinham em sentido contrário, olhando disfarçadamente para evitar esbarrões, entretanto chocavam-se com elas, pois tinham sido reciprocamente, de sua parte, motivo da mesma atenção secreta, oculta sob o mesmo aparente desdém; pois o amor – e conseqüentemente o temor – da multidão constitui um dos mais poderosos impulsos em todos os homens, quer procurem agradar aos outros, quer busquem espantá-los, ou ainda mostrar que os desprezam. No solitário, a reclusão, mesmo sendo absoluta e durando até o fim da vida, tem muitas vezes por princípio um amor desordenado da multidão que o avassala tanto, acima de qualquer outro sentimento, que, não podendo obter, ao sair, a admiração do porteiro, dos transeuntes, do cocheiro ali parado, prefere nunca ser visto por eles e, por isso, renuncia a toda a atividade que o obrigasse a sair de casa.

No meio de todas aquelas pessoas, algumas das quais estavam pensando em algo mas traíam então a mobilidade do espírito pelos gestos bruscos, pelos olhares que divagavam, tudo tão desarmonioso quanto à circunspecta hesitação de seus vizinhos, as mocinhas que eu vira, com o domínio dos movimentos que provém da perfeita flexibilidade do corpo e um sincero desprezo pelo resto da humanidade, vinham vindo em linha reta, sem hesitação nem rigidez, executando exatamente os movimentos desejados, numa total independência de cada um dos membros em relação aos outros, conservando a maior parte do corpo aquela imobilidade tão notável nas boas valsistas. Já não estavam muito longe de mim. Embora cada qual fosse de tipo inteiramente diverso das outras, todas eram belas; mas, a falar a verdade, eu as via há tão pouco tempo e sem ousar encará-las fixamente, que ainda não conseguira individualizar nenhuma delas. A não ser uma, cujo nariz reto e pele morena faziam contraste com as outras, como, num quadro da Renascença, um rei Mago de tipo árabe, só me eram conhecidas, esta pelos olhos duros, atrevidos e risonhos; outra pelas faces onde o tom de rosa ostentava esse matiz acobreado que dá idéia de gerânio; e mesmo esses traços eu não tinha ainda ligado indissoluvelmente nenhum deles antes a uma que a outra menina qualquer; e, quando (conforme a ordem em que se desenrolava aquele conjunto, maravilhoso porque ali vizinhavam os mais diversos aspectos, e todas as gamas de cores aí se aproximavam umas das outras, mas disposto de modo confuso como uma música em que eu não pudesse reconhecer e isolar as frases no momento de sua passagem, percebidas mas esquecidas logo após) via emergir um oval branco, olhos negros, olhos verdes, não sabia se eram os mesmos que me haviam encantado há pouco, não tinha condições de ligá-los a esta ou aquela moça que eu tivesse separado das demais, e reconhecido. E essa ausência, na minha visão, dos limites que em breve estabeleceria entre elas, propagava através do seu grupo uma flutuação harmoniosa, a contínua translação de uma beleza fluida, coletiva e móvel.

Não era talvez somente o acaso que, na vida, para reunir essas amigas, as escolhera todas tão bonitas; talvez essas moças (cuja atitude bastava para revelar sua natureza audaciosa, frívola e dura), extremamente sensíveis a todo ridículo e a qualquer feiúra, incapazes de sentirem uma atração de ordem moral ou intelectual, tivessem naturalmente experimentado a mesma repulsa por todas as companheiras de sua idade cujas inclinações contemplativas ou sensíveis se traíssem pela timidez, pelo constrangimento, pela falta de jeito, por aquilo que elas deveriam denominar "um tipo antipático", e as tinham desse modo mantido afastadas; enquanto se haviam unido a outras para as quais as atraía uma certa mescla de graça, agilidade e elegância física, única forma sob a qual podiam imaginar a franqueza de um caráter sedutor e a promessa de boas horas de convivência. Talvez igualmente a classe a que pertenciam, e que eu não poderia precisar, estivesse nesse ponto de evolução onde, seja pelo enriquecimento e o lazer, seja pelos novos hábitos esportivos, espalhados até em certos ambientes populares, e de uma cultura física a que ainda não viera ajuntar-se a da inteligência, um meio social similar às harmoniosas e fecundas escolas de escultura, que ainda não buscam a expressão atormentada, produz, com naturalidade e abundância, belos corpos de bonitas pernas, lindas ancas, rostos saudáveis e tranqüilos, com um ar de agilidade e esperteza. E não eram nobres modelos calmos de beleza humana que eu via ali diante do mar, como estátuas expostas ao sol numa costa da Grécia?

Como se julgassem, do seio do seu bando que progredia ao longo do molhe tal um cometa luminoso, que a multidão ao redor era composta de seres de outra raça e dos quais nem sequer o sofrimento lhes despertaria um sentimento de solidariedade, elas pareciam não vê-la, forçando as pessoas paradas a se afastarem, da mesma maneira que à passagem de uma máquina que partisse desenfreada e da qual não seria acertado esperar que evitasse os pedestres, e quando muito se limitavam a entreolhar-se rindo, se algum velho senhor, cuja existência não admitiam e cujo contato evitavam, fugia com movimentos medrosos ou coléricos, mas precipitados ou risíveis. Em relação a quem não pertencesse ao seu grupo, não exibiam nenhuma afetação de desprezo; seu desprezo sincero era bastante. Mas não podiam ver um obstáculo sem se divertirem em transpô-lo, tomando impulso ou de pés juntos, pois eram todas cheias e exuberantes dessa juventude que temos tanta necessidade de consumir que, mesmo quando estamos tristes ou doentes, obedecendo mais às exigências da idade que ao humor do dia, nunca deixamos passar uma ocasião de salto ou deslizamento, sem aproveitá-la conscienciosamente, interrompendo, semeando a nossa marcha lenta – como Chopin a frase mais melancólica – com graciosos torneios onde o capricho se mistura ao virtuosismo.

A esposa de um velho banqueiro, depois de ter hesitado entre diversas exposições para o seu marido, sentara-o numa cadeira dobrável, defronte ao molhe, abrigado do vento e do sol pelo quiosque dos músicos. Vendo-o bem instalado, acabava de deixá-lo para lhe comprar um jornal que iria ler para ele a fim de distraí-lo, pequenas ausências em que o largava a sós e que não passavam nunca de cinco minutos, o que já lhe parecia bem longo tempo mas que ela renovava freqüentemente para que o velho marido, a quem ao mesmo tempo prodigalizava e dissimulava seus cuidados, tivesse a impressão de que ainda era capaz de viver como todo o mundo e não tinha necessidade alguma de proteção. A tribuna dos músicos formava, acima dele, um trampolim natural e tentador, sobre o qual, sem a menor hesitação, a mais velha daquele grupo pôs-se a correr; e saltou por cima do velho apavorado, cujo boné de praia foi roçado pelos pés ágeis, para grande alegria das outras jovens, sobretudo de dois olhos verdes numa fisionomia de boneca, que expressaram por esse ato uma admiração e um contentamento onde julguei discernir um pouquinho de timidez, uma timidez envergonhada e fanfarrona, que não havia nas outras. – Esse pobre velho me dá pena; parece meio morto – disse uma das jovens com uma voz rouca e num tom meio irônico. Elas deram ainda alguns passos e depois pararam por um instante no meio do caminho, sem se importarem se estorvavam a circulação dos transeuntes, formando um agregado irregular, compacto, insólito e chilreante como um conciliábulo de pássaros que se ajuntam no momento de alçar vôo; depois retomaram seu passeio vagaroso ao longo do molhe, acima do mar.

Agora, seus traços encantadores já não estavam misturados e indistintos. Eu os repartira e aglomerara (à falta do nome delas, que ignorava) em torno da maior, a que saltara sobre o velho banqueiro; da pequena, que destacava contra o horizonte do mar suas faces róseas e rechonchudas, e os olhos verdes; da de pele morena, nariz reto, que se destacava entre as outras; de uma outra, de rosto branco como um ovo, e na qual um nariz pequeno fazia um arco de círculo com um bico de pintinho, rosto como o que têm certas pessoas muito jovens; de uma outra ainda, alta, de pelerina (que lhe conferia um aspecto de tanta pobreza e de tal modo desmentia a elegância do porte, que a única explicação que me veio ao espírito era que essa moça deveria ter pais muito brilhantes e que punham seu amor-próprio bem acima dos banhistas de Balbec e da elegância das roupas dos próprios filhos, para que lhes fosse completamente indiferente deixá-los passear pelo molhe numa roupa que gente inferior teria achado modesta); de uma mocinha de olhos brilhantes, risonhos, de rosto gordo e baço, debaixo de uma boina preta enterrada na cabeça, que empurrava uma bicicleta com um meneio de quadris tão rebolativo, usando termos de gíria tão vulgares e gritados com tanta força, quando passei a seu lado (e entre os quais, no entanto, distingui a frase deplorável de "viver a vida") que, abandonando a hipótese que a pelerina de sua companheira me fizera levantar, concluí antes que todas aquelas moças pertenciam à população que freqüenta os velódromos, e deveriam ser as amantes muito jovens dos ciclistas. De qualquer modo, em nenhuma de minhas hipóteses figurava aquela em que pudessem ser virtuosas. À primeira vista – pela maneira como se olhavam a rir, no olhar insistente daquela de faces baças – havia compreendido que não o eram. Além disso, minha avó sempre velara por mim com uma delicadeza bastante medrosa para que eu não acreditasse indivisível o conjunto das coisas que não se devem fazer e que as moças que faltam com o respeito aos velhos possam de repente ser detidas por escrúpulos, quando se trata de prazeres mais tentadores do que saltar por cima de um octogenário.

Agora já estavam individualizadas; entretanto, a réplica que davam umas às outras os seus olhares animados de um espírito de auto-suficiência e de camaradagem, e nos quais se iluminava, de vez em quando, ora o interesse, ora a insolente indiferença, conforme se tratasse das amigas ou dos transeuntes, e também a consciência de se conhecerem umas às outras com bastante intimidade para estarem passeando sempre juntas, formando um "grupo à parte" – criava entre seus corpos independentes e separados, enquanto avançavam lentamente, um elo invisível, mas harmonioso, como uma mesma sombra quente, uma mesma atmosfera, deles compondo um todo tão homogêneo em suas partes que era bem diverso da multidão em meio à qual se desenrolava devagar o seu cortejo.

Por um momento, enquanto passava ao lado da morena de faces gordas que empurrava a bicicleta, cruzaram-me os seus olhares oblíquos e risonhos, dirigidos do fundo daquele mundo inumano que encerrava a vida dessa pequena tribo, inacessível desconhecido onde a idéia do que eu era certamente não poderia chegar nem encontrar guarida. Totalmente preocupada com o que diziam as companheiras, aquela moça de boina descida bem baixo sobre a testa acaso me vira no instante em que me atingira o raio negro emitido por seus olhos? Se me vira, que poderia eu representar-lhe? Do íntimo de que universo me distinguia ela? Era-me tão difícil dizê-lo como, quando nos aparecem algumas particularidades num astro próximo, graças ao telescópio, seria desastrado concluir que ali habitam seres humanos, que eles nos vêem, e que pensamentos acaso essa visão desperta neles.

Se imaginássemos que os olhos de uma certa moça não passam de brilhantes bolinhas de gude, não ficaríamos ávidos de conhecer e de unir à nossa a sua vida. Porém sentimos que o que reluz nesse disco refletor não é devido apenas à sua composição material; são, desconhecidas de nós, as negras sombras das idéias que aquela criatura tem relativamente às pessoas e aos lugares que conhece – grama dos hipódromos, terra dos caminhos onde, pedalando através dos campos e dos bosques, me arrastaria aquela pequena Péri, para mim mais sedutora que a do paraíso persa –, e também as sombras da casa para onde vai voltar, dos projetos que forma ou que formaram por ela; e principalmente que é ela, com seus desejos, suas simpatias, suas repulsas, sua obscura e incessante vontade. Sabia que não haveria de possuir essa ciclista morena se também não possuísse o que havia em seus olhos. E, portanto, era toda a sua vida que me inspirava desejo; desejo doloroso porque o sentia irrealizável, mas embriagador, pois o que fora até então a minha vida deixara bruscamente de ser a minha vida total, não sendo mais que uma pequena parcela do espaço estendido diante de mim, que eu ardia por transpor, e que era constituído pela vida daquelas moças, oferecendo-me esse prolongamento, essa possível multiplicação de si mesmo, que é a felicidade. E, sem dúvida, o fato de não haver entre nós nenhum hábito, nenhuma idéia em comum, devia me tornar mais difícil ligar-me a elas e agradar-lhes. Mas talvez também fosse graças a essas diferenças, graças à consciência de que não entrava na composição da natureza e das ações daquelas moças nem um só elemento que eu conhecesse ou possuísse, que acabava de ocorrer em mim, à exaustão, a sede semelhante àquela com que arde uma terra esturricada – de uma vida que minha alma, visto que nunca recebera dela uma só gota, assimilaria tanto mais avidamente, a longos haustos, na mais perfeita absorção.

De tal forma olhara aquela ciclista de olhos brilhantes que ela pareceu se aperceber disso e falou à maior algo que não ouvi mas que a fez rir. Na verdade, esta morena não era a que mais me agradava, justamente por ser morena e porque (desde o dia em que vira Gilberte na pequena ladeira de Tansonville) uma menina ruiva, de pele dourada, ficara sendo para mim o ideal inacessível. Mas a própria Gilberte, não a amara eu sobretudo porque me surgira nimbada pela auréola de ser amiga de Bergotte, de ir visitar catedrais em sua companhia? E do mesmo modo não podia eu alegrar-me de ter visto essa morena me olhar (o que me fazia esperar fosse mais fácil entrar em relações primeiro com ela), pois me apresentaria às outras, à implacável que saltara por cima do velho, à cruel que dissera: "Esse pobre velho me dá pena"; sucessivamente a todas, das quais aliás tinha o prestígio de ser a companheira inseparável. E, no entanto, a suposição de que um dia eu poderia ser amigo desta ou daquela das moças, que seus olhos, cujos olhares desconhecidos às vezes me tocavam, brincando sobre mim sem o saber, como um efeito do sol sobre um muro, poderiam, por uma alquimia milagrosa, deixar transpenetrar um dia, entre suas parcelas inefáveis, a idéia de minha existência, alguma amizade por minha pessoa, que eu próprio poderia um dia tomar lugar entre elas, em tese, no passeio ao longo do mar. Essa hipótese parecia-me encerrar uma contradição tão insolúvel, como se diante de um friso antigo, ou de um afresco em que figurasse um cortejo, eu julgasse possível, enquanto espectador, tomar parte, amado por elas, em meio às divinas processionárias.

Era então irrealizável a ventura de conhecer aquelas moças? Certamente não era a primeira do gênero a que eu tivesse renunciado. Bastava lembrar quantas desconhecidas que, mesmo em Balbec, quando o carro se afastava a toda a velocidade, fora obrigado a abandonar para sempre. E até o prazer que me dava o pequeno grupo, nobre como se fosse composto de virgens helênicas, provinha de possuir algo da fuga das passantes pela estrada. Essa fugacidade dos seres que não nos são conhecidos, que nos forçam a desatracar da vida costumeira onde as mulheres que freqüentamos acabam por revelar suas taras, coloca-nos nesse estado de perseguição em que nada mais detém a fantasia. Ora, desprover dela os nossos prazeres é reduzi-los a coisa alguma. Oferecidas na casa de uma dessas alcoviteiras que, aliás, eu não desprezava, como já vimos, retiradas do elemento que lhes proporcionava tantos matizes e incertezas, essas moças teriam me encantado menos. É preciso que a imaginação, despertada pela insegurança de poder atingir seu objetivo, crie uma finalidade que nos esconda a outra, e, substituindo o prazer sensual pela idéia de penetrar numa vida, nos impeça de reconhecer semelhante prazer, de experimentar seu legítimo sabor, de restringi-lo a seus limites. É preciso que entre nós e o peixe – que, se o víssemos pela primeira vez servido numa mesa não pareceria valer os mil ardis e rodeios necessários para capturá-lo – se interponha, durante as tardes de pesca, o redemoinho a cuja superfície vêm aflorar, sem que saibamos exatamente o que pensamos fazer com isso, o polido de uma carne, a indecisão de uma forma, na fluidez de um azul móvel e transparente.

Aquelas moças também se beneficiavam dessa mudança de proporções sociais, característica da vida nas estâncias balneárias. Todas as vantagens que nos prolongam, nos engrandecem no nosso meio habitual, encontram-se aí invisíveis, na verdade surpresas; em compensação, as pessoas a quem indevidamente se atribuem tais vantagens só progridem amplificadas numa falsa grandeza. O que tornava mais fácil que desconhecidas, e naquele dia essas moças, adquirissem uma importância enorme a meus olhos, e fazia que fosse impossível dar-lhes a conhecer a importância que eu poderia ter.

Mas, se o passeio do pequeno grupo não era mais que um pedaço da fuga inumerável de passantes, que sempre me perturbara, essa fuga era reduzida aqui a um movimento de tal modo vagaroso que se aproximava da imobilidade. Ora, precisamente porque numa fase tão pouco rápida, os rostos, não mais envoltos num turbilhão e sim calmos e distintos, me parecessem ainda bonitos, isso me impedia de crer, como o fizera tantas vezes quando ia no carro da Sra. de Villeparisis, que, mais de perto, se eu parasse um instante, certos detalhes, uma pele bexiguenta, um defeito nas asas do nariz, um olhar comum, a careta do sorriso, um corpo mal feito, teriam substituído no corpo e no rosto da mulher os que eu sem dúvida imaginara; pois bastava um talhe bonito do corpo, um frescor de pele entrevisto, para que, de boa-fé, eu lhe ajuntasse um ombro delicioso, um olhar cativante, cuja lembrança ou idéia preconcebida carregava sempre comigo, decifrações rápidas de um ser que se vê de relance, expondo-nos assim aos mesmos erros que essas leituras muito apressadas em que, sobre uma única sílaba e sem ter tempo de identificar as outras, colocamos no lugar da palavra que está escrita uma outra bem diferente que a nossa memória nos fornece. Agora, porém, não podia ser desse modo. Olhara bem os seus rostos; vira cada uma delas, não em todos os perfis e raramente de frente, mas mesmo assim de dois ou três ângulos bastante diferentes para que pudesse fazer a retificação, ou a verificação, e a "prova" das diversas suposições de linhas e de cores, sugeridas à primeira vista, e para ver subsistir neles, através das expressões sucessivas, algo de inalteravelmente material. Assim, podia dizer, com toda a certeza, que nem em Paris nem em Balbec, nas hipóteses mais favoráveis do que poderiam ser, mesmo que pudesse ficar ali conversando com elas, as passantes que haviam atraído os meus olhos, jamais houvera uma cujo aparecimento, e depois o desaparecimento sem que as tivesse conhecido, me deixassem mais pena do que estas o fariam, e me tivessem dado a idéia de que sua amizade pudesse ser tamanha embriaguez. Nem entre as atrizes, entre as camponesas, ou entre as moças do pensionato religioso, eu vira nada tão belo, impregnado de tanto desconhecido, tão inestimavelmente precioso, tão verossimilmente inacessível. Da felicidade desconhecida e possível da vida, elas eram um exemplar tão delicioso e em tão perfeito estado, que era quase por motivos intelectuais que me sentia desesperado por não poder realizar, em condições únicas, sem deixar qualquer margem a um possível engano, a experiência do que nos oferece de mais misterioso a beleza desejada e da qual a gente se consola de nunca possuir, pedindo prazer – como Swann sempre se recusara a fazer, antes de Odette – às mulheres que não deseja, de forma que morremos sem jamais ter sabido o que seria esse outro prazer. Sem dúvida, podia ser que na verdade não fosse um prazer desconhecido, que, de perto, o seu mistério se dissipasse, que não passasse de uma projeção, de uma miragem do desejo. Mas, neste caso, eu só poderia atribuí-lo à necessidade de uma lei da natureza – que, aplicando-se a essas moças, seria aplicável a todas – e não ao defeito do objeto. Pois era aquele que eu teria escolhido entre todos, percebendo muito bem, com uma satisfação de botânico, não ser possível encontrar reunidas espécies mais raras do que estas jovens flores que interrompiam naquele momento, à minha frente, a linha das ondas com sua ligeira sebe, semelhante a um bosquezinho de rosas da Pensilvânia, ornamento de um jardim sobre o penhasco, entre as quais cabe todo o trajeto do oceano percorrido por um vapor, tão lento em deslizar sobre o traçado horizontal e azul que vai de um a outro caule, que uma borboleta preguiçosa, atrasada no fundo da corola que o casco do navio há muito ultrapassou, pode esperar, para alçar vôo, estando certa de que chegará antes do navio, que somente um pedaço azulado separe ainda a proa deste da primeira pétala da flor para qual ele navega.

Voltei para dentro porque devia ir jantar em Rivebelle com Robert e minha avó exigia que, nesses dias, antes de partir, eu me deitasse na cama durante uma hora, sesta que o médico de Balbec logo me ordenou que estendesse a todas as outras tardes.

Aliás, para voltar, nem sequer havia necessidade de deixar o molhe e entrar no hotel pelo *hall*, ou seja, por trás. Devido a um adiantamento comparável ao do sábado onde, em Combray, a gente almoçava uma hora mais cedo, agora, no auge do verão, os dias se tornavam tão longos que o sol ainda estava bem alto no céu, como numa hora de lanche, quando se punha a mesa para o jantar no Grande Hotel de Balbec. Assim, as grandes janelas envidraçadas e corrediças ficavam abertas ao mesmo nível do molhe. Bastava-me saltar uma estreita moldura de madeira para achar-me na sala de jantar, que logo deixava para tomar o elevador.

Passando pelo escritório, dirigi um sorriso ao gerente e, sem lhe sentir qualquer desagrado, recolhi outro em seu rosto; pois, desde que me achava em Balbec, minha atenção compreensiva aos poucos se injetava naquela cara, transmutando-a como uma preparação de História Natural. Seus traços fisionômicos já eram usuais para mim, imbuídos de um significado medíocre sim, mas inteligível como uma escrita que se lê, e não se parecia de modo algum com os caracteres estranhos, intoleráveis, que seu rosto me apresentara naquele primeiro dia, quando vira à minha frente um personagem agora esquecido; personagem que, se me ocorria recordá-lo, julgava desconhecido, difícil de identificar com a personalidade polida e insignificante, da qual não era mais que a caricatura sumária e hedionda. Sem a timidez nem a tristeza do dia da minha chegada, toquei a campainha chamando o ascensorista, o qual agora já não ficava silencioso enquanto eu subia a seu lado no elevador, como numa caixa torácica móvel que se deslocasse ao longo da coluna vertebral, mas repetia-me: – Já não há tanta gente como há um mês. E começam a ir embora, os dias vão diminuindo. – Dizia isto não porque fosse verdade, mas porque, tendo uma colocação num hotel numa região mais quente do litoral, gostaria que todos nós fôssemos embora o mais cedo possível para que o hotel fechasse e que ele dispusesse de alguns dias de folga antes de "continuar" em seu novo emprego. "Continuar" e "novo" não eram nele expressões contraditórias, pois "continuar" era a forma usual do verbo "entrar".[10] Espantou-me apenas que ele condescendesse em dizer "colocação", pois pertencia a esse proletariado moderno que deseja apagar na linguagem os vestígios do regime da domesticidade. Aliás, após alguns instantes, anunciou-me que, na "colocação" em que ia "continuar", teria uma "túnica" mais bonita e "honorários" melhores; as palavras "uniforme" e "salário" lhe pareciam antiquadas e inconvenientes. E, como, por uma contradição absurda, o vocabulário, apesar de tudo, sobreviveu no espírito dos "patrões" à concepção da desigualdade, eu sempre compreendia errado o que o ascensorista me dizia. Assim, a única coisa que eu desejava saber era se minha avó se encontrava no hotel. Ora, antecipando-se às minhas perguntas, o ascensorista dizia: – Aquela senhora acaba de sair do seu quarto. – Eu sempre me confundia, achando que era a minha avó. – Não, aquela senhora que é, acho eu, empregada dos senhores. –

[10] Aqui, no original, há um trocadilho com os verbos *entrer,* entrar, e *rentrer,* continuar, voltar. (N. do T.)

Como na antiga linguagem burguesa, que já deveria estar abolida, uma cozinheira não é uma empregada, eu pensava por um instante: "Mas ele se engana, nós não temos nem fábrica nem empregados." De súbito, lembrava-me que a qualidade de empregado é como o aspecto do bigode para os garçons: uma satisfação de amor-próprio que se dá aos criados, e que aquela senhora que acabara de sair era Françoise (provavelmente em visita à cafeteria, ou a fim de ver costurar a criada de quarto da dama belga), satisfação que ainda não bastava ao ascensorista, pois costumava dizer, apiedando-se de sua classe: "o trabalhador" ou "o pequeno", servindo-se do mesmo singular de Racine quando este diz: "o pobre..." Mas, habitualmente, eu não falava com o ascensorista, pois já estavam longe a minha timidez e o desejo de agradar dos primeiros dias. Era ele agora quem ficava sem ter respostas na curta passagem entre os andares, trajeto cujos nós precisava ir fiando através do hotel, oco feito um brinquedo, e que desdobrava ao nosso redor, andar por andar, suas ramificações de corredores em cujas profundezas a luz se amaciava, enfraquecia, diminuía as portas de comunicação ou os degraus das escadas interiores, que acabava convertendo naquele âmbar dourado, misterioso e inconsistente como um crepúsculo, onde Rembrandt recorta ora o peitoril de uma janela, ora a manivela de um poço. E a cada andar, um clarão dourado refletido no tapete anunciava o pôr-do-sol e a janela dos banheiros.

Perguntava-me se as moças que acabara de ver residiam em Balbec, e quem poderiam ser. Quando o desejo está deste modo orientado para uma pequena tribo humana que ele escolheu, tudo o que pode referir-se a ela se torna motivo de emoção e, depois, de fantasia. Ouvira uma senhora dizer no molhe: "É uma amiga da pequena Simonet" no mesmo tom de exatidão presunçosa de alguém que dissesse: "É o companheiro inseparável do pequeno de La Rochefoucauld". E logo se percebeu, no rosto da pessoa a quem eram dirigidas tais palavras, uma curiosidade de olhar melhor a pessoa privilegiada que era "amiga da pequena Simonet". Seguramente, privilégio que não parecia ser dado a qualquer um. Pois a aristocracia é uma coisa relativa. E existem pequenos povoados onde o filho de um negociante de móveis é o árbitro da elegância e reina numa corte como um jovem príncipe de Gales. Depois, muitas vezes procurei me lembrar de que modo ressoara para mim, na praia, esse nome de Simonet, então ainda incerto em sua forma que mal distinguira, e também quanto a sua significação, na possibilidade que designasse a esta ou aquela pessoa; em suma, envolvido dessa vagueza e dessa novidade tão emocionante para nós a seguir, quando esse nome, cujas letras são a cada segundo mais profundamente gravadas em nós devido a nossa atenção permanente, se torna (o que só iria acontecer comigo, quanto à pequena Simonet, alguns anos mais tarde) o primeiro vocábulo que encontraríamos ao despertar, ou após um desmaio, mesmo antes da noção da hora presente, do lugar em que estamos, quase antes da palavra "eu", como se a criatura que ele nomeia fosse mais nós do que nós próprios, e como se, depois de alguns momentos de inconsciência, a trégua que expira fosse aquela em que, antes de tudo, deixávamos de pensar nesse nome. Não sei por que desde o primeiro dia disse comigo que o nome de Simonet deveria ser o de uma das moças; não mais deixei de me perguntar como poderia fazer para conhecer a família Simonet; e isso por meio de pessoas que ela julgasse superiores a si mesma, o que não devia ser difícil se elas todas não passassem de garotas livres do povo, para que não formasse uma idéia desdenhosa de mim. Pois não se pode alcançar o perfeito conhecimento nem efetuar a absorção completa de quem nos desdenha, enquanto não se tiver vencido esse desdém. Ora, de cada vez que a imagem de mulheres tão diversas penetra em nós, a menos que o esquecimento ou a concorrência de outras imagens a elimine, já não temos sossego enquanto não tenhamos convertido essas estranhas em algo semelhante a nós mesmos, pois nossa alma é, sob esse aspecto, dotada do mesmo tipo de reação e de atividade do nosso organismo físico, o qual não pode tolerar a intromissão, em seu seio, de um corpo estranho sem se empenhar imediatamente em digerir e assimilar o intruso. A pequena Simonet devia ser a mais bonita de todas – e, aliás, a que chegasse talvez um dia a ser minha amante, pois fora a única a reparar, duas ou três vezes, na fixidez dos meus olhares, voltando a meio a cabeça. Perguntei ao ascensorista se acaso não conhecia os Simonet em Balbec. Não gostando de confessar que ignorava alguma coisa, ele respondeu que lhe parecera já ter ouvido falar nesse nome. Chegado ao último andar, pedi-lhe que me mandasse a lista dos hóspedes recém-chegados.

Saí do elevador, mas, em vez de ir para o meu quarto, continuei pelo corredor, pois àquela hora o camareiro daquele piso, embora temesse as correntes de ar, abrira a janela dos fundos, a qual olhava, em vez do mar, para os lados da colina e do vale, mas não os deixava ver nunca, pois seus vidros eram opacos e estavam quase sempre cerrados. Parei por um momento à sua frente, o tempo de prestar a devida devoção à "vista" que por uma vez me oferecia, para além da colina a que se encostava o hotel, e que só continha uma casa, edificada a certa distância, mas à qual a perspectiva e a luz da tarde, conservando-lhe o volume, davam um burilamento precioso e um escrínio de veludo, como a uma dessas arquiteturas em miniatura, pequeno templo ou pequena capela de ourivesaria e esmaltes que servem de relicário e que só em alguns dias são expostas à veneração dos fiéis. Mas aquele instante de adoração já durara demais, pois o camareiro que segurava numa das mãos o molho de chaves e com a outra me cumprimentava, tocando sua calota de sacristão mas sem erguê-la, devido ao ar fresco e puro do entardecer, vinha fechar as duas folhas da janela, como quem fecha as portas de um relicário e subtraía à minha adoração o monumento reduzido e a relíquia de ouro. Entrei no meu quarto. À medida que a estação avançava, mudava o quadro que se avistava da janela. No princípio, havia muita claridade e só fazia sombra se o tempo ficava mau;

então, no vidro glauco a que o mar parecia intumescer com suas vagas redondas e engastado entre os caixilhos de ferro de minha janela como entre os chumbos de um vitral, desfiava, em toda a profunda orla rochosa da baía, triângulos empenachados de uma espuma imóvel delineada com a delicadeza de uma pena ou de uma pluma desenhadas por Pisanello, e fixadas por esse esmalte branco, inalterável e cremoso que figura uma camada de neve nos trabalhos em vidro de Gallé.

Em breve os dias diminuíram e, no momento em que eu entrava no quarto, o céu violáceo, que parecia estigmatizado pela figura rígida, geométrica, passageira e fulgurante do sol (semelhante à representação de algum sinal milagroso, de alguma aparição mística), se inclinava para o mar sobre a dobradiça do horizonte como um quadro religioso por cima do altar-mor, enquanto as diferentes partes do ocaso, expostas nos vidros das estantes baixas de mogno, que corriam ao longo das paredes – e que eu reportava em pensamento à maravilhosa pintura de que se destacavam –, pareciam-se com essas cenas diversas que algum mestre antigo realizou outrora para uma confraria sobre um relicário, e dos quais se exibem lado a lado, numa sala de museu, os painéis separados que só a imaginação do visitante volta a pôr em seu lugar sobre as predelas do retábulo. Algumas semanas mais tarde, quando eu subia, o sol já se havia posto. Semelhante àquela que eu via em Combray por cima do Calvário, quando voltava do passeio e me apressava a descer à cozinha antes do jantar – uma faixa de céu rubro ficava por sobre o mar compacto e recortado como carne congelada e, um instante após, sobre o mar já frio e azulado como o peixe a que chamam de tainha, o céu, do mesmo tom rosado de um desses salmões que dali a pouco nos iriam servir em Rivebelle, reavivava o prazer que eu teria em vestir a casaca para ir jantar. No mar, e bem perto da margem, tentavam elevar-se, uns sobre os outros, em camadas cada vez mais amplas, vapores de um negro de fuligem mas também de um polimento e de uma consistência de ágata, de um peso visível, de modo que os mais elevados, inclinando-se sobre a haste deformada e até para fora do centro de gravidade dos que até então os haviam sustentado, pareciam estar a ponto de arrastar toda aquela armação já a meio caminho do céu, e precipitá-la no mar. A vista de um barco que se afastava como um viajante noturno dava-me a mesma impressão, que já tinha tido no trem, de estar liberado das necessidades do sono e do enclausuramento em um quarto. Aliás, já não me sentia prisioneiro no quarto em que me achava, pois, dentro de uma hora, ia deixá-lo para entrar num carro. Atirei-me na cama; e sentia-me cercado por todos os lados de imagens do mar, como se estivesse no beliche de um desses barcos que via passar bem perto de mim, barcos que depois, durante a noite, nos assombraria ver deslocarem-se lentamente na escuridão, como cisnes sombrios e silenciosos mas que não dormem.

Mas muitas vezes, de fato, não passavam de imagens; esquecia-me que, por trás dessas cores, cavava-se o triste vazio da praia, percorrida pelo vento inquieto da noite que eu tão intensamente sentira na chegada a Balbec; além do mais, mesmo em meu quarto, todo preocupado com as moças que vira passar, já não me sentia com disposição tão calma nem tão desinteressada para que pudessem produzir-se em meu espírito impressões verdadeiramente profundas de beleza. A espera pelo jantar em Rivebelle fazia meu humor ainda mais frívolo, e meu pensamento, ocupando nesses momentos a superfície do corpo, que eu ia vestir para tentar parecer o mais agradável possível aos olhos femininos que em mim se demorariam no restaurante iluminado, era incapaz de imaginar qualquer profundidade sob o colorido das coisas. E, se, debaixo da minha janela, o vôo macio e incansável dos ferreiros e das andorinhas não subisse como um repuxo, como uma girândola de vida, unindo o intervalo de seus altos foguetes com a fieira imóvel e branca dos longos sulcos horizontais, se não fosse o encantador milagre desse fenômeno natural e local que unia à realidade as paisagens que tinha diante dos olhos, eu poderia acreditar que não passavam de uma seleção, todo dia renovada, de pinturas que me mostravam arbitrariamente no local em que me achava e sem que tivessem relação obrigatória com este. Às vezes era uma exposição de estampas japonesas: ao lado do delgado recorte do sol, rubro e redondo como a lua, uma nuvem amarela parecia um lago, contra o qual os negros gladíolos se levantavam, como se fossem árvores plantadas à margem; uma faixa de um rosa suave, como jamais voltara a ver desde a minha primeira caixa de lápis de cor, inchava-se como um rio, em cujas margens os barquinhos pareciam estar esperando, em seco, que os pusessem para flutuar. E com o olhar desdenhoso, entediado e frívolo de um amador ou de uma mulher que percorre uma galeria entre duas visitas mundanas, murmurava comigo mesmo: "Curioso, este pôr-do-sol; é estranho; mas enfim, já vi outros tão delicados e espantosos como este." Mais me agradavam as tardes em que um navio absorvido e tornado fluido pelo horizonte surgia exatamente da mesma cor que ele, assim como numa tela impressionista, de tal modo que parecia ser também da mesma matéria, como se sua proa e os cordames não passassem de recortes feitos no azul vaporoso do céu, que neles se fazia mais sutil e filigranado. Às vezes o oceano enchia quase toda a minha janela, aumentada como estava por uma faixa de céu bordada no alto apenas por uma linha que era do mesmo azul do mar, mas que, por isso mesmo, eu imaginava ser ainda o mar, atribuindo sua tonalidade diferente a um efeito de luz. Em outra ocasião, o mar só se pintava na parte inferior da janela, estando todo o espaço restante coberto de tantas nuvens amontoadas umas contra as outras, em bandas horizontais, que as janelas pareciam, por premeditação ou especialidade do artista, apresentar um "estudo de nuvens", ao passo que as diferentes vitrinas das estantes, mostrando nuvens semelhantes, mas em outra parte do horizonte e diversamente coloridas pela luz, pareciam oferecer como que a repetição, cara a certos mestres contemporâneos, de um só e mesmo efeito, apanhado sempre em horas diferentes, mas que agora, com a imobilidade da arte, podiam ser todos vistos em conjunto em uma mesma peça, executados a pastel e cada qual sob seu vidro. E às vezes, no céu e no mar uniformemente cinzentos, um leve tom rosado se ajuntava com delicado requinte, enquanto uma borboleta adormecida na parte inferior da janela parecia apor com suas asas, junto daquela "harmonia em cinza e rosa" ao gosto das de Whistler, a assinatura predileta do mestre de Chelsea. Até mesmo o tom de rosa desaparecia; nada mais havia para olhar. Levantava-me por um momento e, antes de me estender de novo na cama, fechava as longas cortinas. Acima delas, via, da cama, a raia de claridade que ainda restava ensombrecer-se e diminuir progressivamente; mas era sem tristeza nem nostalgia que deixava assim morrer, no alto das cortinas, a hora em que de hábito estava à mesa, pois sabia que este dia era diferente dos outros, mais comprido como os dias polares, que a noite só interrompe durante alguns minutos; sabia que da crisálida desse crepúsculo se preparava para sair, por uma radiosa metamorfose, a luz deslumbrante do restaurante de Rivebelle. Dizia-me: "é hora"; espreguiçava-me na cama, erguia-me, concluía a toalete; e achava uma delícia esses momentos inúteis, livres de todo peso material, onde, enquanto os outros estavam embaixo jantando, eu empregava as forças acumuladas pela inatividade daquele fim de dia apenas em secar o corpo, vestir o *smoking,* dar o nó na gravata, fazer todos esses gestos já dominados pelo prazer esperado de rever uma mulher que vira da última vez que fora a Rivebelle, que parecera olhar-me, e que só se levantara um instante da mesa talvez na esperança de que a seguisse; e era com muita alegria que me enfeitava com todos aqueles atrativos para entregar-me inteiramente a uma vida nova, livre e despreocupada, em que apoiaria minhas indecisões na calma de Saint-Loup e escolheria, entre as espécies da História Natural e as provenientes de todas as regiões, aquelas que, formando os pratos inusitados logo encomendados pelo meu amigo, teriam tentado a minha gulodice ou a minha imaginação.

E por fim chegaram os dias em que eu não podia mais entrar no hotel, ao voltar do molhe, pelas janelas do refeitório. Os vidros já não estavam abertos, pois era noite lá fora e o enxame de pobres e de curiosos, atraídos pelo resplendor inacessível para eles, pendia, em negros cachos enregelados pela nortada, das paredes luminosas e escorregadias da colmeia de vidro.

Bateram; era Aimé, que fizera questão de entregar-me em mão própria as últimas listas de hóspedes. Antes de se retirar, Aimé insistiu em afirmar que Dreyfus era mil vezes culpado. – Vão saber de tudo – disse-me. – Não neste ano, mas no ano que vem. Foi um senhor muito relacionado no Estado-Maior quem me falou. – Perguntei se não se resolveriam a descobrir tudo de uma vez antes do fim do ano. – Ele pousou o cigarro – continuou Aimé, imitando a cena e sacudindo a cabeça e o indicador, como fizera o seu hóspede, como se dissesse: não é necessário ser exigente demais. – Não este ano, Aimé – foi o que me disse batendo-me no ombro –, não é possível. Mas na Páscoa, sim! – E Aimé bateu-me de leve no ombro, dizendo: – Veja, estou mostrando exatamente como ele fez – seja por estar lisonjeado com aquela familiaridade de um grande personagem, seja para que eu pudesse melhor apreciar, com pleno conhecimento de causa, o valor do argumento e nossos motivos de esperança.

Não foi sem um leve choque no coração que, na primeira página da lista de hóspedes, percebi as palavras: "Simonet e família." Conservava em mim velhas fantasias, datadas da infância, e nelas toda a ternura que havia em meu coração, mas que, sentida por ele e dele não se distinguindo, me fora trazida por uma criatura tão diversa de mim quanto possível. Este ser, agora uma vez mais eu o fabricava, para tanto utilizando o nome de Simonet e a lembrança da harmonia que reinava entre os corpos jovens que tinha visto a desfilar pela praia numa procissão esportiva digna da antiguidade e de Giotto. Não sabia qual daquelas jovens era a Srta. Simonet, se alguma delas assim se chamava, mas sabia que era amado pela Srta. Simonet e que, graças a Saint-Loup, ia tentar conhecê-la. Infelizmente, Saint-Loup obtivera prorrogação da licença, mas sob a condição de comparecer todos os dias a Doncières; e, para fazê-lo faltar às suas obrigações militares, julgara eu poder contar, não somente com sua amizade por mim, mas também com aquela mesma curiosidade de naturalista humano que tantas vezes fizera despertar em mim o desejo de conhecer uma nova espécie de beleza feminina, mesmo sem ter visto a pessoa de que falavam, e apenas por ouvir dizer que numa certa casa de frutas havia uma caixeira muito bonita. Ora, foi em vão que procurei excitar em Saint-Loup essa curiosidade, falando-lhe nas minhas moças. Nele, a curiosidade estava há muito paralisada pelo amor que dedicava àquela atriz da qual se fizera amante. E, mesmo que houvesse sentido de leve essa curiosidade, tê-la-ia reprimido em virtude de uma crença supersticiosa de que de sua própria fidelidade poderia depender a fidelidade da amante. Assim, fomos jantar em Rivebelle sem que me prometesse ocupar-se seriamente de minhas jovens.

Nos primeiros tempos, ao chegarmos, o sol acabava de se pôr, mas o céu ainda estava claro; no jardim do restaurante, cujas luzes ainda não se achavam acesas, o calor do dia tombava, depositava-se, como no fundo de um vaso ao longo de cujas paredes a geléia transparente e sombria do ar parecia tão consistente quanto uma grande roseira, colada à parede obscura que ela estriava de rosa, e que se assemelhava à arborização que se enxerga no fundo de uma pedra de ônix. Em breve era somente à noite que descíamos do carro, e muitas vezes até já noite cerrada quando deixávamos Balbec, caso o tempo estivesse feio e tivéssemos demorado em mandar atrelar os cavalos, na esperança de uma melhora. Mas, nesses dias, era sem tristeza que ouvia o vento soprar, pois sabia que não significava o abandono dos meus projetos, a reclusão em um quarto; sabia que, na grande sala de jantar do restaurante, aonde entraríamos ao som da música dos ciganos, as inumeráveis lâmpadas triunfariam com facilidade da escuridão e do frio, aplicando-lhes seus amplos cautérios de ouro, e eu subia alegremente e me sentava ao lado de Saint-Loup no cupê que nos esperava debaixo do aguaceiro. Desde algum tempo, as palavras de Bergotte, dizendo-se convencido de que eu, malgrado o que pretendia, tinha inclinações para desfrutar os prazeres da inteligência, me haviam dado, quanto ao que poderia fazer mais tarde, uma esperança desmentida todos os dias pelo aborrecimento que sentia em sentar à mesa para principiar um estudo crítico ou um romance. "Afinal", dizia para mim mesmo, "talvez o prazer que se tenha de escrever uma bela página não seja o critério infalível do seu valor; talvez não passe de um estado acessório que muitas vezes vem se acrescentar a ela, mas cuja falta não faz diferença. Talvez certas obras-primas tenham sido feitas entre bocejos." Minha avó desfazia minhas dúvidas dizendo que eu trabalharia bem, e com alegria, se estivesse bem de saúde. E, tendo o nosso médico julgado mais prudente advertir-me dos graves riscos a que poderia me expor o meu estado, prescrevendo-me todas as precauções de higiene que deveria seguir para evitar um acidente, eu subordinava todos os prazeres ao objetivo, que achava infinitamente mais importante que eles, de me tornar bastante forte para poder realizar a obra que talvez carregasse dentro de mim, e exercia sobre mim mesmo, desde que chegara a Balbec, um controle constante e minucioso. Ninguém poderia me fazer tocar na taça de café, que me privaria do sono noturno, necessário para não me mostrar cansado no dia seguinte. Mas quando chegávamos a Rivebelle – devido à excitação de um prazer novo, e encontrando-me nessa região diferente em que o excepcional nos faz penetrar depois de ter cortado o fio, tecido com paciência há tantos dias, que nos levava à sensatez –, como se nunca devesse haver amanhã, nem objetivos elevados a realizar, logo desaparecia aquele exato mecanismo de prudente higiene que funcionava para salvaguardá-los. Enquanto um criado me pedia a capa, Saint-Loup me dizia:

– Não vai ficar com frio? Talvez fizesse melhor em conservá-lo, não está muito quente.

Respondia: – Não, não – e talvez não sentisse o frio, mas, em todo caso, já não conhecia o medo de cair doente, a necessidade de não morrer, a importância de trabalhar. Dava minha capa; entrávamos na sala do restaurante ao som de uma marcha guerreira tocada pelos ciganos, avançávamos por entre as filas de mesas postas como num fácil caminho de glória e, sentindo o alegre ardor impresso em nossos corpos pelos ritmos da orquestra que nos concedia suas honras militares e aquele triunfo imerecido, nós o dissimulávamos por trás de um rosto grave e gelado, sob um andar cheio de lassidão, para não imitar essas cantoras de café-concerto que, a fim de cantar num tom belicoso uma copla indecente, entram correndo em cena com o entono marcial de um general vitorioso.

A partir daquele momento, eu era um homem novo, que já não seria o neto de minha avó e só se lembraria dela ao sair, e sim o irmão momentâneo dos garçons que iriam nos servir.

A dose de cerveja, e com maior razão a de champanha, que em Balbec eu não consentiria em atingir numa semana, embora então à minha consciência calma e lúcida o sabor dessas bebidas apresentasse um prazer visivelmente apreciável mas facilmente sacrificado, eu a consumia numa hora, acrescentando-lhe algumas gotas de vinho do Porto, distraído demais para poder apreciá-lo, e dava ao violinista, que acabava de tocar, os dois luíses que economizava há um mês para comprar algo de que já não me lembrava. Alguns dos garçons que serviam, soltos por entre as mesas, corriam a toda pressa com um prato nas palmas estendidas, parecendo até que não deixá-lo cair fosse o objetivo dessas corridas. E, de fato, os suflês de chocolate chegavam ao destino sem terem sido revirados, as maçãs à inglesa, apesar do galope que as deveria ter sacudido, arrumadas, como na partida, em torno do carneiro de Pauillac. Reparei num desses criados, bem grande, ornado de soberbos cabelos pretos, o rosto pintado de uma cor que mais lembrava certas espécies de pássaros raros que a espécie humana, e que, correndo sem parar e, ao que parecia, sem objetivo, de uma extremidade a outra da sala, lembrava uma dessas araras que enchem os grandes aviários dos jardins zoológicos com suas cores ardentes e sua incompreensível agitação. Em breve o espetáculo se organizou, pelo menos a meus olhos, de um modo mais nobre e mais calmo. Toda aquela atividade vertiginosa se fixou numa tranqüila harmonia. Eu olhava as mesas redondas cuja inumerável assembléia enchia o restaurante, como outros tantos planetas, assim como eram figurados nos quadros alegóricos de antigamente. Ademais, exercia-se uma irresistível força de atração entre esses diversos astros e, em cada mesa, os ocupantes só tinham olhos para as mesas vizinhas, exceção feita a um rico anfitrião, o qual, tendo conseguido trazer um escritor famoso, empenhava-se em extrair dele, graças às virtudes da mesa giratória, frases insignificantes que deslumbravam as senhoras. A harmonia dessas mesas astrais não impedia a incessante revolução dos criados inumeráveis, que, por não estarem sentados como os que jantavam, e sim de pé, evoluíam numa zona superior. É claro que um corria para levar as entradas, trocar o vinho, juntar os copos. Porém, apesar dessas razões particulares, sua corrida permanente por entre as mesas redondas acabava por esclarecer a lei de sua circulação regulada e vertiginosa. Sentadas por detrás de um maciço de flores, duas horríveis caixas, ocupadas em cálculos sem fim, pareciam duas mágicas empenhadas em prever, por meio de cálculos astrológicos, as perturbações que às vezes poderiam ocorrer nessa abóbada celeste concebida conforme a ciência da Idade Média.

E eu lastimava um pouco todos os que jantavam porque sentia que, para eles, as mesas redondas não eram planetas e que não tinham praticado nas coisas o seccionamento que nos desembaraça de sua aparência habitual, permitindo-nos perceber analogias. Pensavam estar jantando com tal ou qual pessoa, que a refeição custaria mais ou menos tanto, e que recomeçariam no dia seguinte. E pareciam absolutamente insensíveis ao desfilar de um cortejo de jovens empregados que, não tendo provavelmente nada de urgente a fazer no momento, levavam processionalmente alguns pães em grandes cestos. Alguns, muito moços, estonteados pelos cachações que os mordomos lhes davam ao passar, fixavam os olhos melancolicamente num sonho remoto e só se consolavam se um hóspede do hotel de Balbec, onde outrora tinham sido empregados, reconhecia-os, dirigia-lhes a palavra e lhes pedia pessoalmente que levassem a champanha, impossível de beber, o que os enchia de orgulho.

Eu ouvia o vibrar de meus nervos, nos quais havia bem-estar, independente dos objetos exteriores que o pudessem proporcionar, e que o menor deslocamento que eu desse ao meu corpo, à minha atenção, bastava para me fazer experimentar, como num olho fechado uma leve compressão produz a sensação da cor. Já bebera muito vinho do Porto e, se ainda pedia mais, era menos em função do bem-estar que os novos copos me trariam do que por efeito do bem-estar produzido pelos copos anteriores. Deixei a própria música transportar meu prazer sobre cada nota, onde, docilmente, ele então vinha pousar. Se, como no caso dessas indústrias químicas, graças às quais são lançados para consumo, em grandes quantidades, corpos que só de modo acidental se encontram na natureza, e bem raramente, este restaurante de Rivebelle reunia, num mesmo momento, mais mulheres de cujo íntimo me solicitavam perspectivas de felicidade que o acaso dos passeios ou das viagens me teria feito encontrar em um ano; por um lado, aquela música que ouvíamos – arranjos de valsas, de operetas alemãs, de canções de café-concerto, todas novas para mim – era ela própria como um lugar de prazer aéreo, superposto ao outro e mais excitante que ele. Pois cada motivo, particular como uma mulher, não reservava, como ela o teria feito, para algum privilegiado, o segredo de volúpia que encobria: ele o oferecia a mim, me ambicionava, vinha a mim com passo caprichoso ou canalha, me abordava, me acariciava como se, de repente, eu me tornasse mais sedutor, mais rico ou poderoso; bem que eu achava, nessas músicas, algo de cruel; é que todo sentimento desinteressado de beleza, todo reflexo da inteligência, lhes era desconhecido; para elas, só o prazer físico existe. E elas são o inferno mais implacável, o mais destituído de saídas para o desgraçado ciumento a quem apresentam esse prazer – prazer que a mulher amada desfruta com outro – como sendo a única coisa que existe no mundo para aquela que o enche por inteiro. Mas, enquanto eu repetia a meia voz as notas dessa música e lhe devolvia o seu beijo, a volúpia toda sua, que me dava, se me tornou tão preciosa que eu teria deixado meus pais para seguir esse motivo pelo mundo singular que ele construía no invisível, em linhas alternadamente cheias de langor e de vivacidade. Conquanto um tal prazer não seja do tipo dos que dão mais valor à pessoa a que se ajuntam, pois só é sentido por ela, e conquanto, a cada vez que, em nossa vida, desagradamos a uma mulher que nos viu, ela ignore se, naquele momento, possuíamos ou não essa felicidade interior e subjetiva que, por conseguinte, em nada lhe teria mudado o juízo que formou a nosso respeito, eu me sentia mais poderoso, quase irresistível. Parecia-me que meu amor já não era algo desagradável e de que pudessem sorrir, mas continha precisamente a beleza tocante, a sedução dessa música, ela mesma semelhante a um ambiente simpático onde a minha amada e eu nos encontraríamos e, de súbito, ficaríamos íntimos.

O restaurante não era freqüentado apenas por mulheres levianas, mas também por pessoas da mais alta roda elegante, que ali vinham merendar às cinco da tarde ou davam grandes jantares. Os lanches ocorriam numa longa e estreita galeria envidraçada, em forma de corredor, o qual, indo do vestíbulo ao refeitório, costeava de um lado o jardim, do qual estava separada apenas por algumas colunas de pedras e pelas vidraças que se abriam aqui ou ali. Isso causava, além de numerosas correntes de ar, súbitos e intermitentes reflexos de sol, uma iluminação ofuscante e instável que quase impedia de distinguir as mulheres que, quando ali se encontravam, empilhadas de duas em duas mesas em todo o comprimento do estreito gargalo, como cintilassem a cada movimento que faziam para beber chá ou cumprimentar umas às outras, dir-se-ia um reservatório, uma armadilha em que o pescador acumulasse os fulgurantes peixes colhidos, os quais, metade fora d'água e banhados de raios, resplandeciam aos nossos olhos em seu brilho cambiante.

Algumas horas depois, durante o jantar, o qual era naturalmente servido no refeitório, acendiam-se as luzes, se bem que ainda estivesse claro lá fora, de modo que a gente via à nossa frente, no jardim, ao lado dos pavilhões iluminados pelo crepúsculo, e que pareciam os pálidos espectros da tardinha, alamedas arborizadas cuja glauca verdura era atravessada pelos últimos raios de sol, e que, do refeitório iluminado pelas lâmpadas, onde se jantava, surgiam, além das vidraças – não mais, como se teria dito das damas que merendavam no fim da tarde, ao longo do corredor azulado e de ouro, numa faixa cintilante e úmida –, mas como as vegetações de um pálido e verde aquário gigante banhado em luz sobrenatural. Erguiam-se da mesa; e, se os convivas, durante a refeição, passando o tempo todo a olhar, reconhecer, a perguntar sobre os convivas da mesa próxima, tinham sido retidos numa coesão perfeita em torno da própria mesa, a força atrativa, que os fazia orbitar ao redor de seu anfitrião de uma noite, perdia um tanto de seu poder no momento em que, para tomar café, dirigiam-se para aquele mesmo corredor em que os outros haviam tomado chá; muitas vezes acontecia que, na ocasião da passagem, algum jantar em andamento perdia um ou vários de seus corpúsculos que, tendo sofrido muito fortemente a atração do jantar rival, destacavam-se um instante do seu, onde eram substituídos por senhores ou senhoras que tinham vindo cumprimentar amigos, antes de regressar, dizendo: – Tenho de sair para me encontrar com o Sr. X, que hoje me convidou. – E, por um instante, dir-se-ia que eram dois buquês separados que houvessem trocado algumas de suas flores.

Depois o próprio corredor se esvaziava. Com freqüência, como mesmo depois do jantar ainda houvesse um pouco de claridade, esse longo corredor não era iluminado e, acotovelado pelas árvores que se inclinavam lá fora, do outro lado da vidraça, dava a impressão de uma alameda num parque espesso e tenebroso. Às vezes, na meia escuridão, uma conviva ali se demorava. Atravessando-o para sair, distingui no corredor, uma noite, sentada no meio de um grupo desconhecido, a bela princesa de Luxemburgo. Sem parar, tirei o chapéu. Ela me reconheceu, inclinou a cabeça e sorriu; bem acima desse cumprimento, emanando daquele próprio gesto, elevaram-se melodiosamente algumas palavras a mim dirigidas, e que deviam ser um "boa noite" um tanto prolongado, não para que ficasse, mas apenas para completar a saudação, transformá-la num cumprimento falado. Mas eram tão indistintas as palavras, e o único som que ouvi se prolongou tão suavemente e me pareceu tão musical, que foi como se, na ramaria ensombrecida das árvores, um rouxinol se pusesse a cantar. Se, por acaso, para terminar a noitada com um grupo de amigos seus que havíamos encontrado, Saint-Loup decidia nos levar ao cassino de uma praia vizinha, e se, partindo com eles, punha-me sozinho num carro, eu recomendava ao cocheiro que fosse a toda a velocidade, para que se tornassem menos longos os momentos que passaria sem ter ajuda de ninguém que me dispensasse de fornecer eu próprio à minha sensibilidade – dando marcha a ré e saindo da passividade em que me havia prendido como numa engrenagem – essas modificações que recebia dos outros desde que chegara a Rivebelle. O choque possível com um carro que viesse em sentido contrário nesses caminhos onde só há espaço para a passagem de um e onde a noite era negra, a instabilidade do solo, com freqüência desmoronado, da falésia, a proximidade de sua vertente a pique sobre o mar, nada disso encontrava em mim o pequeno esforço necessário para levar a imagem e o temor do perigo até a minha razão. É que, do mesmo modo que, não o desejo de se tornar célebre, mas o hábito de trabalhar é que nos permite produzir uma obra, não é a alegria do momento presente, mas as sábias reflexões do passado, que nos auxiliam a preservar o futuro. Ora, se já, ao chegar a Rivebelle, lançara para longe de mim essas muletas da razão, do autocontrole, que ajudam nossa fraqueza a prosseguir no caminho certo, e estava exposto a uma espécie de ataxia moral, o álcool, distendendo excepcionalmente meus nervos, havia dado aos minutos de agora uma qualidade, um encanto que não tinham por efeito me tornar mais apto nem sequer mais resoluto para defendê-los; pois, fazendo-me preferi-los mil vezes ao resto da minha vida, minha exaltação os isolava; eu era como os heróis, os bêbados, estava encerrado no presente; momentaneamente eclipsado, meu passado já não projetava à minha frente aquela sombra de si mesmo a que chamamos nosso futuro; colocando o objetivo da minha vida não mais na realização dos sonhos desse passado, mas na felicidade do minuto presente, nada enxergava além deste. De modo que, por uma contradição apenas aparente, no momento em que experimentava um prazer excepcional, quando sentia que minha vida podia ser feliz, em que poderia ter mais valor a meus olhos, nesse momento é que, liberto das preocupações que até então ela poderia ter me inspirado, eu a entregava sem hesitar ao acaso de um acidente. Aliás, não fazia, em suma, senão concentrar numa noite a incúria que para os outros homens está diluída em sua existência inteira, onde diariamente afrontam sem necessidade o risco de uma viagem marítima, de um passeio de aeroplano ou de automóvel, quando os espera em casa a criatura que sua morte destruiria ou quando ainda está ligado à fragilidade de seus cérebros o livro cujo próximo lançamento é a única razão de suas vidas. Da mesma forma, no restaurante de Rivebelle, nas noites em que ali ficávamos, se alguém aparecesse com o intuito de me matar, como eu só via numa distância longínqua e irreal a minha avó, o meu porvir, os livros por escrever, como aderia por inteiro ao aroma da mulher que estava na mesa vizinha, à polidez dos mordomos, aos contornos da valsa que tocavam, como estava colado à sensação do momento, não tendo mais extensão que ela nem outra finalidade senão a de não ser separado dela, seria morto contra ela, me deixaria massacrar sem resistência, sem me mexer, abelha entorpecida pelo fumo do tabaco, que já não se preocupa em conservar a provisão de seus esforços acumulados e a esperança de sua colméia.

De resto, devo dizer que esta insignificância em que recaíam as coisas mais graves, em contraste com a violência de minha exaltação, acabava por abranger até a Srta. Simonet e suas amigas. A empreitada de conhecê-las parecia-me agora fácil, porém indiferente, pois só a minha sensação atual, graças a seu extraordinário poder, à alegria que provocavam suas menores alterações e até a sua simples continuidade, tinha importância para mim; tudo o mais, parentes, trabalho, prazeres, moças de Balbec, pesava menos que um floco de espuma numa ventania que não o deixa repousar, existia apenas em relação a esse poder interior; a embriaguez realiza, por algumas horas, o idealismo subjetivo, o fenomenismo puro; tudo não passa de aparências e só existe em função do nosso sublime eu. Aliás, não quer dizer que um amor de verdade, se o tivermos, não possa subsistir em semelhante estado. Porém, sentimos tão perfeitamente, como num meio novo, que pressões desconhecidas mudaram as dimensões desse sentimento, que não podemos considerá-lo do mesmo modo que antes. Este mesmo amor, é certo que o reencontramos, porém deslocado, já sem pesar sobre nós, satisfeito com a sensação que lhe concede o presente e que nos basta, pois não nos importamos com o que não é atual. Infelizmente, o coeficiente que muda assim os valores só os muda nessa hora de embriaguez. As pessoas que não tinham mais importância e sobre as quais soprávamos como se fossem bolhas de sabão, amanhã retomarão sua densidade; será preciso tentar entregar-se novamente a trabalhos que já não significam nada. Coisa ainda mais grave, essa matemática do amanhã, a mesma de ontem, e com cujos problemas nos encontraremos inexoravelmente enleados, é ela que nos rege mesmo durante aquelas horas, salvo para nós próprios. Se está perto de nós uma mulher virtuosa ou hostil, essa coisa tão difícil na véspera – a saber, que chegássemos a lhe agradar – nos parece agora um milhão de vezes mais fácil sem que o tenha ficado em nada, pois apenas a nossos próprios olhos, nossos próprios olhos interiores, é que mudamos. E ela fica tão descontente, no momento mesmo em que nos tenhamos permitido uma familiaridade, como o estaremos no dia seguinte por ter dado cem francos ao *groom*, e pelo mesmo motivo que para nós foi apenas retardado: a ausência de embriaguez.

Não conhecia nenhuma das mulheres que estavam em Rivebelle e que, por fazerem parte de minha embriaguez como os reflexos fazem parte do espelho, me pareciam mil vezes mais desejáveis do que a cada vez menos existente Srta. Simonet. Uma jovem loura, sozinha, de ar triste, sob um chapéu de palha recheado de flores do campo, olhou-me por um instante com ar sonhador e me pareceu agradável. Depois, foi a vez de uma outra; depois, de uma terceira; por fim, de uma morena de pele deslumbrante. Ao contrário do que ocorria comigo, quase todas eram conhecidas de Saint-Loup.

Antes de conhecer a sua amante atual, ele de fato vivera de tal modo no mundo restrito da esbórnia que, de todas as mulheres que jantavam naquelas noites em Rivebelle, muitas das quais ali se achavam por acaso, tendo vindo à praia, algumas para encontrar o amante, outras para tentar conseguir um, não havia quase nenhuma que ele não conhecesse por ter passado – ele mesmo ou um de seus amigos – ao menos uma noite com ela. Não as saudava se estavam acompanhadas de um homem, e elas, mesmo olhando-o mais que a qualquer outro, pois a indiferença que sabiam ter ele por toda mulher que não fosse a sua atriz lhe dava aos olhos delas um prestígio singular, fingiam não conhecê-lo. E uma sussurrava: – É o pequeno Saint-Loup. Parece que está sempre amando a sua putinha. É um grande amor. Que rapaz lindo! Acho-o extraordinário! E como é chique! Mesmo assim, há mulheres que têm uma sorte! É um senhor tipo em tudo. Conheci-o muito bem quando eu estava com o d'Órleans. Os dois eram inseparáveis. Estavam na maior farra nàquela época! Mas agora, nada disso; não lhe faz nenhuma infidelidade. Ah, ela pode dizer que tem mesmo sorte. E eu só me pergunto o que será que ele viu nela. É preciso que ele seja mesmo um grande idiota. Ela tem pés do tamanho de barcos, bigodes à americana, e a roupa de baixo é suja! Acho que uma operariazinha não ia querer ficar com suas calças. Repare bem nos olhos dele; é da gente se matar por um homem desses. Cale-se, ele me reconheceu, está rindo; oh! eu sabia que ele se lembrava bem de mim. – Entre ele e elas surpreendi um olhar de inteligência. Gostaria que me apresentasse a essas mulheres, gostaria de lhes pedir um encontro e que elas com isto concordassem, mesmo que eu não pudesse aceitá-lo. Pois sem isso o rosto delas permaneceria eternamente destituído, na minha memória, dessa parte de si mesmo – e como se estivesse oculto por um véu

– que varia em todas as mulheres, que não podemos imaginar numa delas quando não a vimos, e que só aparece no olhar que nos é dirigido e que aquiesce ao nosso desejo e nos promete que ele será satisfeito. E, no entanto, mesmo assim restrito, a fisionomia delas valia muito mais para mim que a das mulheres que eu soubesse serem virtuosas, e não me parecia, como a destas, lisa, sem interior, composta de uma única peça sem espessura. Sem dúvida, não era para mim o que deveria ser para Saint-Loup que, pela memória, sob a indiferença, para ele transparente, dos traços imóveis que fingiam não conhecê-lo ou por trás da banalidade do cumprimento que lhe teriam dirigido tanto quanto a qualquer outro, lembrava, via, entre cabelos desfeitos, uma boca arquejante e olhos semicerrados, todo um quadro silencioso como aqueles que os pintores, para iludir a maioria dos visitantes, recobrem com um pano decente. Certamente, para mim, ao contrário, que sentia que nada do meu ser havia penetrado numa ou noutra dessas mulheres, e ali não seria transportado pelos caminhos desconhecidos que ela seguiria durante a vida, tais rostos permaneciam fechados. Mas já era muito saber que se abriam, para que me parecessem de um valor que não lhes teria atribuído se não fossem mais que belas medalhas, em vez de medalhões sob os quais se ocultavam lembranças de amor. Quanto a Robert, mal parando num lugar quando estava sentado, dissimulando com um sorriso de homem da sociedade a avidez de agir como homem de batalha, eu, encarando-o bem, percebia o quanto a ossatura enérgica de seu rosto triangular devia ser a mesma da de seus antepassados, mais apropriada para um ardente arqueiro do que para um letrado suave. Sob a pele fina, aparecia a construção ousada, a arquitetura feudal. A cabeça fazia pensar nessas torres de antigos torreões, cujas ameias inutilizadas permanecem visíveis, mas que foram preparadas internamente para serem bibliotecas.

Voltando a Balbec, a respeito de uma dessas desconhecidas a quem ele me apresentara, repetia comigo sem cessar um segundo e, no entanto, sem notar quase: "Que mulher deliciosa!" – como se canta um estribilho. Decerto, essas palavras eram antes ditadas por disposições nervosas que por um julgamento perdurável. Não é menos verdade que, se eu tivesse mil francos comigo e ainda houvesse joalheiros abertos àquela hora, teria comprado um anel para a desconhecida. Quando as horas da nossa vida se desenrolam assim em planos bem diversos, ocorre darmos muito de nós mesmos para diferentes pessoas que, no dia seguinte, nos parecem destituídas de interesse. Mas sentimo-nos responsáveis pelo que lhes dissemos na véspera e desejamos cumprir nossa palavra.

Como naquelas noites eu entrasse bem tarde no hotel, reencontrava com prazer em meu quarto, que já não me era hostil, a minha cama onde, no dia da minha chegada, achara que seria sempre impossível repousar e onde agora os meus membros, tão cansados, buscavam apoio; de modo que, sucessivamente, minhas coxas, meus quadris, meus ombros tentavam aderir em todos os seus pontos aos lençóis que envolviam o colchão, como se minha fadiga, semelhante a um escultor, tivesse desejado tirar o molde total de um corpo humano. Mas não conseguia adormecer; sentia a manhã aproximar-se; o sossego e a boa saúde não estavam mais em mim. Na minha aflição, tive a idéia de que nunca mais os encontraria. Teria de dormir por muito tempo para atingi-los. Ora, ainda que cochilasse, de qualquer modo seria acordado duas horas depois pelo concerto sinfônico. De repente adormecia, caía nesse sono pesado onde se desvelam para nós o regresso à juventude, a retomada dos anos passados, sentimentos perdidos, a desencarnação, a transmigração das almas, a evocação dos mortos, as ilusões da loucura, a regressão aos reinos mais elementares da natureza (pois diz-se que muitas vezes vemos animais em sonhos, mas esquece-se que quase sempre nós mesmos somos, no sonho, um animal privado dessa razão que projeta sobre as coisas um lampejo de certeza; aí, pelo contrário, só oferecemos uma visão duvidosa ao espetáculo da vida e, a cada minuto apagado pelo esquecimento, a realidade precedente se desfaz diante da que lhe sucede, como uma projeção de lanterna mágica diante da seguinte, quando se troca o vidro), todos esses mistérios que julgamos não conhecer e nos quais, na verdade, somos iniciados quase todas as noites, assim como no outro grande mistério do aniquilamento e da ressurreição. Tornada mais vagabunda pela digestão difícil do jantar de Rivebelle, a iluminação sucessiva e errante de zonas ensombrecidas do meu passado fazia de mim uma criatura cuja suprema felicidade seria encontrar Legrandin, com quem acabava de conversar em sonhos.

Depois, mesmo a minha própria vida era-me inteiramente oculta por um novo cenário, como o que se coloca bem na frente do palco e diante do qual, enquanto atrás se trocam os quadros, atores representam um entreato. Aquele em que eu então desempenhava o meu papel era ao gosto dos contos orientais; nele eu nada sabia de meu passado nem de mim mesmo, devido àquela grande proximidade de um cenário interposto; não passava de um personagem que levava bastonadas e sofria castigos variados por uma falta que não notava, mas que era a de ter bebido muito vinho do Porto. De súbito despertava, percebia que, graças a um longo sono, não tinha ouvido o concerto sinfônico. Já era meio-dia; certifiquei-me disso pelo relógio de pulso, após alguns esforços para me levantar, esforços a princípio baldados e interrompidos por quedas sobre o travesseiro, mas dessas quedas curtas que se seguem ao sono como a outras tonteiras, sejam causadas pelo vinho ou pela convalescença; além do mais, mesmo antes de ter olhado a hora, estava certo de que já era mais de meio-dia. Ontem à tardinha, eu não passava de um ser vazio, sem peso e (como é preciso ter estado deitado para ser capaz de sentar-se e de ter dormido para conseguir calar-se) não podia deixar de me mexer nem de falar, já não possuía consistência nem centro de gravidade, achava-me como que lançado e parecia-me poder continuar aquele sombrio percurso até a lua. Ora, se ao dormir meus olhos não tinham visto a hora, meu corpo soubera calculá-la, havia medido o tempo não sobre um quadrante superficialmente representado, mas pelo peso progressivo de todas as minhas forças refeitas que ele, como um possante relógio, deixara descer ponto a ponto do meu cérebro para o resto do corpo, onde agora ajuntavam, até acima de meus joelhos, a abundância intacta de suas provisões. Se é verdade que o mar outrora foi o nosso meio vital, onde é necessário voltar a mergulhar o nosso sangue para recuperar nossas forças, o mesmo se dá com o esquecimento, com o nada mental; então parecemos ausentes do tempo durante algumas horas; mas as forças que se organizaram durante esse intervalo, sem serem gastas, medem-no pela quantidade delas de forma tão exata como os pêndulos de um relógio ou os escorrentes montículos de areia da ampulheta. Aliás, não se sai mais facilmente de um tal sono do que da vigília prolongada, de tal maneira todas as coisas tendem a perdurar, e, se é verdadeiro que certos narcóticos fazem dormir, dormir por muito tempo é um narcótico ainda mais potente, após o qual temos muito trabalho para despertar. Semelhante a um marinheiro que vê muito bem o cais aonde amarrar o seu barco, no entanto ainda sacudido pelas vagas, bem que eu pensava olhar a hora e levantar-me, mas meu corpo era, a todo instante, jogado de volta ao sono; a aterrissagem era difícil e, antes de me pôr de pé para alcançar o relógio e comparar sua hora com a que me indicava a riqueza de materiais de que dispunham minhas pernas exaustas, caía ainda duas ou três vezes sobre o travesseiro.

Por fim, enxergava claramente: "duas horas da tarde!", tocava a campainha, mas logo recaía num sono que, desta vez, deveria ser infinitamente mais longo, a julgar pelo repouso e pela visão de uma imensa noite ultrapassada que eu encontrava ao despertar. Entretanto, como este era causado pela entrada de Françoise, entrada decorrente do meu toque de campainha, este novo sono, que me parecia ter sido mais longo que o anterior e me trouxera tanto bem-estar e esquecimento, não durara mais que meio minuto.

Minha avó abria a porta de meu quarto, e eu lhe fazia algumas perguntas sobre a família Legrandin.

Não é bastante dizer que havia recobrado a calma e a saúde, pois era mais que uma simples distância que os havia separado de mim na véspera; eu lutara a noite inteira contra uma onda contrária e, além disso, não me encontrava apenas junto delas: elas haviam reentrado em mim. Em pontos determinados e ainda um pouco dolorosos da minha cabeça vazia, e que um dia ainda seria quebrada, deixando meus pensamentos escaparem-se para sempre, estes haviam novamente assumido o seu lugar e recuperado essa existência de que, infelizmente, ainda não tinham sabido aproveitar-se.

Uma vez mais eu escapara à impossibilidade de dormir, ao dilúvio, ao naufrágio das crises nervosas. Já não temia de modo algum o que me ameaçava na véspera, à noite, quando estava desprovido de repouso. Uma vida nova se abria diante de mim; sem fazer um só movimento, pois ainda estava moído embora bem disposto, gozava o meu cansaço com alegria; ele isolara e rompera os ossos de minhas pernas, dos meus braços, que eu sentia reunidos à minha frente, prontos para se recomporem, e que iria reerguer-me apenas cantando, como o arquiteto da fábula.

De súbito, recordei-me da jovem loura de ar triste que vira em Rivebelle e que me olhara por um instante. Durante toda a noite, muitas outras me haviam parecido agradáveis; agora somente ela vinha erguer-se do fundo de minha lembrança. Parecia-me que me havia notado; eu esperava que um dos garçons de Rivebelle viesse me dizer uma palavra de sua parte. Saint-Loup não a conhecia e achava que era direita. Seria muito difícil vê-la, vê-la constantemente. Mas eu estava disposto a tudo para tanto; só pensava nela. Muitas vezes a filosofia fala de atos livres e de atos necessários. Talvez não exista um ato mais absolutamente sofrido por nós do que esse que, devido a uma força ascensional comprimida durante a ação e, uma vez estando o nosso pensamento em repouso, faz remontar desse modo até ela uma lembrança até então nivelada às outras pela força opressiva da distração, e lançar-se à frente porque, sem que o soubéssemos, continha, mais que os outros atos, um encanto que só percebemos 24 horas depois. E talvez também não haja ato mais livre, pois ainda está destituído do hábito, dessa espécie de mania mental que, no amor, favorece o renascimento exclusivo da imagem de uma certa pessoa.

Esse dia era justamente o seguinte àquele em que eu vira desfilar diante do mar o belo cortejo das moças. Sobre elas, interroguei vários hóspedes do hotel que vinham quase todos os anos a Balbec. Não puderam me dar informações. Mais tarde, um fotógrafo me explicou o motivo. Quem poderia reconhecer agora nelas, recém-saídas, mas enfim já saídas de uma idade em que as mudanças são tão completas, certa massa amorfa e deliciosa, ainda bastante infantil, de meninas que, apenas alguns anos antes, podiam ser vistas sentadas em círculo na areia, em torno de uma barraca; espécie de branca e indecisa constelação onde não se distinguiriam dois olhos mais brilhantes que outros, um rosto malicioso, cabelos louros, senão para logo se voltar a perdê-los e confundi-los bem depressa no seio da nebulosa láctea e indistinta?

Sem dúvida, naqueles anos ainda bem pouco afastados, não era à visão do grupo, como na véspera em seu primeiro aparecimento diante de mim, mas ao próprio grupo que faltava nitidez. Então, aquelas crianças muito novinhas estavam ainda nesse grau elementar de formação em que a personalidade não imprimiu seu sinal em cada rosto. Como esses organismos primitivos em que o indivíduo quase não existe por si mesmo e é antes constituído pelo polipeiro que por cada um dos pólipos que o compõem, elas permaneciam comprimidas umas contra as outras. Às vezes, uma fazia a sua vizinha cair, e então um riso louco, que parecia a única manifestação de sua vida pessoal, agitava-as todas ao mesmo tempo, apagando e confundindo esses rostos indecisos e careteiros na geléia de um só cacho cintilante e trêmulo. Numa fotografia antiga que elas deveriam me dar um dia, e que guardei comigo, seu grupo infantil já apresenta o mesmo número de figurantes que o seu cortejo feminino mais tarde; sente-se ali que já deviam realizar na praia certa mancha singular que forçava todos a olharem para elas, mas ali não se pode reconhecê-las individualmente senão por meio do raciocínio, deixando livre o campo a todas as transformações possíveis durante a juventude, até o limite em que essas formas reconstituídas redundassem numa outra individualidade que também é necessária a identificar e cujo belo rosto, por causa da concomitância de uma elevada estatura e de cabelos crespos, tem probabilidade de haver sido outrora esse encolhimento de careta mirrada apresentado pelo retrato; e a distância percorrida em pouco tempo pelos caracteres físicos de cada uma daquelas moças fazia deles um critério muito vago e, por outro lado, visto que o que possuíam em comum e, por assim dizer, de coletivo, era desde essa época bastante acentuado, ocorria às vezes às suas melhores amigas confundir uma com outra naquela fotografia, de modo que a dúvida afinal não podia ser inteiramente desfeita senão por um determinado acessório da toalete que uma delas tinha certeza de ter usado, com exclusão das outras. Desde esses dias tão diversos daquele em que eu acabava de vê-las no molhe, tão diversos e no entanto tão próximos, elas ainda se abandonavam ao riso, como eu havia reparado na véspera, mas a um riso que já não era o riso intermitente e quase automático da infância, escape espasmódico que antigamente fazia a todo instante aquelas cabeças darem um mergulho, como os bandos de vairões[11] no Vivonne se dispersavam e desapareciam para se reunirem logo após; suas fisionomias agora se haviam tornado senhoras de si mesmas, os olhos se fixavam nos objetivos que perseguiam; e ontem foram necessários a indecisão e o tremor de minha primeira percepção para confundir indistintamente, como o fizera a antiga hilaridade e a velha fotografia, as espóradas hoje individualizadas e desunidas da pálida madrépora.

Sem dúvida, muitas vezes, à passagem das belas moças, fizera a mim mesmo a promessa de revê-las. De hábito, elas não reapareciam; além disso, a memória, que depressa esquece a sua existência, dificilmente reencontraria os seus vestígios; nossos olhos talvez não as reconheçam, e já veremos passar novas moças que tampouco voltaremos a ver. Mas outras vezes, e assim devia acontecer no caso do pequeno grupo insolente, o acaso as traz com insistência para diante de nós. Este então nos parece belo, pois nele percebemos uma espécie de princípio

---

[11] Vairão: pequeno peixe europeu, de menos de 10 cm, mais empregado como isca, na pesca da truta, do que como alimento. (N. do T.)

de organização, de esforço para compor a nossa vida; e nos torna fácil, inevitável e, às vezes – após interrupções que poderiam fazer crer que deixaríamos de lembrar – cruel, a fidelidade das imagens a cuja posse acreditaremos mais tarde ter sido predestinados, e que, sem ele, poderíamos, logo no começo, esquecer tão facilmente como tantas outras.

Em breve a licença de Saint-Loup chegou ao fim. Eu não pudera rever aquelas moças na praia. Saint-Loup passava muito pouco tempo à tarde em Balbec para poder se ocupar delas e tentar conhecê-las por minha causa. À noite estava mais livre e continuava a me levar com freqüência a Rivebelle. Nesses restaurantes, como nos jardins públicos ou nos trens, há pessoas fechadas numa aparência comum e cujo nome nos assombra se, tendo-o perguntado por acaso, descobrimos que são não o inofensivo pobre diabo que supúnhamos, mas nada menos que o ministro ou o duque de quem muitas vezes ouvíramos falar. Já duas ou três vezes, no restaurante de Rivebelle, Saint-Loup e eu tínhamos visto sentar a uma mesa, quando todo mundo começava a retirar-se, um homem de elevada estatura, bastante musculoso, de traços regulares, barba que principiava a embranquecer, mas cujo olhar sonhador permanecia fixo com determinação no vazio. Uma noite em que perguntamos ao proprietário quem era aquele freguês obscuro, isolado e retardatário: – Como? Não conhecem o célebre pintor Elstir? – indagou ele. Swann pronunciara esse nome uma vez diante de mim, e absolutamente eu não me lembrava a propósito de quê; porém a omissão de uma lembrança, como a de um membro da frase numa leitura, beneficia às vezes não a incerteza mas a eclosão de uma certeza prematura. – É um amigo de Swann e um artista muito conhecido, de grande valor – disse eu a Saint-Loup. E logo passou por nós dois, como um frêmito, a idéia de que Elstir era um grande artista, um homem célebre, e depois que, confundindo-nos com os outros fregueses, não desconfiava da exaltação em que nos lançara a idéia de seu talento. Sem dúvida, o fato de que ignorava a nossa admiração e de conhecermos Swann não nos teria sido penoso se não estivéssemos igualmente nos banhos de Balbec. Mas, presos numa idade em que o entusiasmo não pode ficar silencioso e contidos numa vida em que o incógnito parece sufocante, escrevemos uma carta assinada com nossos nomes, em que revelávamos a Elstir, nos dois fregueses sentados a alguns passos dele, dois amadores apaixonados pelo seu talento, dois amigos de seu grande amigo Swann, e na qual pedíamos para lhe apresentar nossas homenagens. Um garçom se encarregou de levar essa carta ao homem célebre.

Célebre, Elstir talvez ainda não o fosse naquele tempo tanto quanto o pretendia o proprietário do restaurante, e como, aliás, o foi pouquíssimos anos depois. Mas fora dos primeiros a morar naquele estabelecimento, enquanto este não passava de uma espécie de granja, e a levar para ali uma colônia de artistas (que, afinal, haviam todos emigrado para outras bandas desde que a granja, em que se comia ao ar livre, debaixo de um simples alpendre, se transformara num centro elegante; o próprio Elstir só voltava naquele momento a Rivebelle por causa de uma ausência da esposa, com quem morava não longe dali). Mas um grande talento, mesmo quando ainda não é reconhecido, provoca necessariamente alguns fenômenos de admiração, e tais que o proprietário da granja fora mesmo levado a distingui-los nas perguntas de mais de uma inglesa de passagem, ávida de informações sobre a vida que levava Elstir, ou pelo número de cartas que este recebia do estrangeiro. Então, notara igualmente que Elstir não gostava de ser incomodado enquanto estava trabalhando, que se levantava de noite para levar um pequeno modelo a posar nu à beira-mar, quando brilhava a lua, e dissera consigo que tantas canseiras não eram perdidas, nem injustificada a admiração dos turistas, quando reconhecera num quadro de Elstir uma cruz de madeira que estava plantada à entrada de Rivebelle. – É ela, sem tirar nem pôr – repetia estupefato. – Tem os quatro braços! Ah, mas também ele trabalha tanto!

E desconfiava que um pequeno "nascer do sol sobre o mar", que Elstir lhe dera, valesse mesmo uma fortuna. Nós o vimos ler nossa carta, pô-la no bolso, continuar a jantar, começar a pedir seus apetrechos, levantar-se para sair, e estávamos tão certos de tê-lo chocado com nosso pedido, que agora teríamos desejado (tanto quanto o receáramos) partir sem ser percebidos por ele. Nem um só instante pensamos numa coisa que no entanto deveria nos parecer a mais importante, ou seja, que o nosso entusiasmo por Elstir, de cuja sinceridade não teríamos permitido fosse posta em dúvida e de que poderíamos, com efeito, dar como testemunho a nossa respiração entrecortada pela espera, o nosso desejo de fazer qualquer coisa difícil ou heróica pelo grande homem, não era, como imaginávamos, admiração, já que nunca havíamos visto nada de sua autoria; nosso sentimento podia ter por objeto a idéia vazia de "um grande artista" e não uma obra que nos era ignorada. Quando muito, era admiração no vazio, o quadro nervoso, a estrutura sentimental de uma admiração sem conteúdo, isto é, algo tão indissoluvelmente ligado à infância como certos órgãos que não existem mais no homem adulto; ainda éramos crianças. Entretanto, Elstir já ia chegando à porta quando, de repente, deu meia-volta e veio até nós. Sentia-me transportado de um delicioso pavor como não poderia suportar alguns anos mais tarde, pois que, ao mesmo tempo que a idade diminui nossa capacidade, o costume da vida social nos tira toda idéia de provocar tão estranhas oportunidades, de sentir esse tipo de emoções.

Dentre as poucas palavras que Elstir nos disse ao sentar-se à nossa mesa, nunca me respondeu nas várias vezes em que lhe falei de Swann. Comecei a acreditar que não o conhecia. Nem por isso deixou de me pedir que o visitasse no seu ateliê de Balbec, convite que não dirigiu a Saint-Loup, e que fiquei devendo, o que talvez não tivesse ocorrido quanto à recomendação de Swann se Elstir lhe fosse ligado (pois a parte dos sentimentos desinteressados é maior do que se julga na vida dos homens), a algumas palavras que o fizeram imaginar que eu amava as artes. Prodigalizou-me uma amabilidade que era tão superior à de Saint-Loup como esta à afabilidade de um pequeno-burguês. Ao lado da de um artista, a amabilidade de um grão-senhor, por mais encantadora que seja, dá a impressão de um desempenho de ator, de uma simulação. Saint-Loup buscava agradar; Elstir gostava de dar, de se doar. Tudo o que possuía, idéias, obras, e o restante, a que atribuía muito menos valor, teria dado com alegria a alguém que o tivesse compreendido. Mas, na falta de uma sociedade suportável, vivia no isolamento, com uma selvageria que as pessoas da sociedade denominavam pose e má educação, os poderes públicos falta de espírito de cooperação, seus vizinhos loucura, e sua família, egoísmo e orgulho.

E, sem dúvida, nos primeiros tempos havia pensado com prazer, mesmo na solidão, que, através de suas obras, dirigia-se à distância, dava uma idéia mais alta de si mesmo àqueles que o tinham desconhecido ou magoado. Talvez então vivesse a sós, não por indiferença mas por amor aos outros e, como eu renunciara a Gilberte para um dia reaparecer a seus olhos sob cores mais amáveis, destinava sua obra a alguns, como um retorno a eles, onde, sem que o revissem, o amariam, o admirariam, falariam dele; uma renúncia nem sempre é total desde o começo, quando nos decidimos por ela com a nossa alma antiga e antes que, em reação, ela tenha agido sobre nós, quer se trate da renúncia de um enfermo, de um monge, de um artista ou de um herói. Mas, se desejara produzir em função de algumas pessoas, ao produzir vivera para si mesmo, longe da sociedade à qual se tornara indiferente; a prática da solidão lhe conferira o amor a ela, como ocorre com toda grande coisa que no princípio receamos, porque a sabíamos incompatível com as coisas menores a que nos apegávamos e das quais ela menos nos priva do que nos desliga. Antes de conhecê-la, toda nossa preocupação é de saber em que medida poderemos conciliá-la com certos prazeres que deixam de sê-lo desde que a conhecemos.

Elstir não ficou muito tempo conversando conosco. Eu me prometia ir ao seu ateliê nos dois ou três dias seguintes, mas, no dia seguinte àquela noite, como tivesse acompanhado minha avó até a extremidade do molhe, na direção das falésias de Canapville, na volta, à esquina de uma das ruelas que desembocam, perpendicularmente, na praia, cruzamos com uma jovem que, de cabeça baixa como um animal que fizessem a contragosto entrar no estábulo, e segurando tacos de golfe, caminhava adiante de uma pessoa autoritária, provavelmente a sua "inglesa", ou aquela de suas amigas que se parecia com o retrato de *Jeffries* por Hogarth, o rosto vermelho como se sua bebida predileta fosse o gim em vez do chá, e prolongando em pontas torcidas e cheias de tabaco um bigode grisalho porém espesso. A menina que a precedia parecia-se com a do pequeno grupo que, sob um boné preto, mostrava olhos risonhos num rosto imóvel e gorducho. Ora, essa que retornava naquele momento tinha também um boné preto, mas me pareceu ainda mais bonita que a outra, a linha de seu nariz era mais reta e na base a asa era maior e mais carnuda. Depois, a outra me aparecera como uma orgulhosa moça pálida, e esta como uma criança submissa e de pele rosada. No entanto, como empurrava uma bicicleta semelhante e usasse as mesmas luvas de rena, concluí que as diferenças deviam-se talvez à maneira como eu estava colocado e às circunstâncias, pois era pouco provável que houvesse em Balbec uma outra moça de rosto apesar de tudo tão semelhante e que, no seu vestido singular, reunisse as mesmas particularidades. Ela lançou um rápido olhar na minha direção; nos dias seguintes, quando revi o pequeno grupo na praia, e até mais tarde, quando conheci todas as moças que o formavam, nunca tive certeza absoluta que alguma delas – mesmo aquela que, de todas, mais se lhe parecia a moça de bicicleta – fosse exatamente aquela que eu vira nessa noite no extremo da praia, na esquina da rua, moça que não era muito, mas afinal era um pouco, diversa da que eu observara no cortejo.

A partir daquela tarde, eu, que nos dias anteriores havia pensado principalmente na maior delas, foi a dos tacos de golfe, presumível Srta. Simonet, que recomeçou a me preocupar. No meio das outras, ela muitas vezes parava, forçando as amigas, que pareciam respeitá-la muito, a também interromper a caminhada. É assim, fazendo alto, os olhos brilhantes sob o seu boné preto, que a revejo ainda agora, silhuetada contra a tela que o mar lhe faz, ao fundo, e separada de mim por um espaço transparente e azulado – o tempo transcorrido desde então –, primeira imagem, bem pequenina na minha memória, desejada, perseguida, depois esquecida, depois reencontrada, de um rosto que desde então com freqüência projetei no passado para poder dizer comigo acerca de uma moça que estava em meu quarto: "É ela!"

Porém, era talvez ainda a de pele de gerânio e olhos verdes a que mais desejaria conhecer. Aliás, fosse qual fosse a que preferia avistar num determinado dia, as outras, sem ela, bastavam para excitar-me; meu desejo, mesmo se inclinando ora por uma, ora por outra, continuava – como a minha visão confusa do primeiro dia – a reuni-las, a fazer delas o pequeno mundo à parte, animado de uma vida comum, que de resto elas sem dúvida tinham a pretensão de constituir; tornando-me amigo de uma delas, teria penetrado – como um pagão requintado ou um cristão escrupuloso entre os bárbaros – em uma sociedade rejuvenescedora onde reinavam a saúde, a inconsciência, a volúpia, a crueldade, a inintelectualidade e a alegria.

Minha avó, a quem havia contado minha conversa com Elstir e que se alegrava com todo lucro intelectual que eu pudesse extrair de sua amizade, achava absurdo e pouco amável que eu ainda não tivesse ido lhe fazer uma visita. Mas eu só pensava no pequeno grupo e, incerto quanto à hora em que as moças passariam pelo molhe, não ousava afastar-me. Minha avó também se espantava com a minha elegância, pois eu me lembrara de repente de roupas que até então deixara no fundo da mala. Todo dia punha uma roupa diferente e chegara a escrever a Paris para que me enviassem novos chapéus e gravatas.

É um grande encanto que se acrescenta à vida numa estância balneária como Balbec, que o rosto de uma linda moça, uma vendedora de conchinhas, de doces, ou de flores, pintada em cores vivas no nosso pensamento, seja diariamente para nós, desde a manhã, a finalidade de cada um desses dias ociosos e brilhantes que a gente passa na praia. São então, e por isso mesmo, embora desocupados, alertas como dias de trabalho, espicaçados, imantados, levemente tendentes a um momento próximo, aquele em que, sempre comprando *sablés*, rosas, amonitas, nos deleitaremos em ver, num rosto feminino, as cores expostas tão puramente como numa flor. Mas pelo menos pode-se primeiro falar com essas pequenas vendedoras, o que evita construir com a imaginação as outras facetas diversas do que nos fornece a simples percepção visual, e recriar-lhes a vida, exagerar o seu encanto, como diante de um retrato; principalmente, justo porque lhes falamos, podemos ficar sabendo onde e a que horas voltar a encontrá-las. Ora, não acontecia absolutamente o mesmo comigo no que se referia às moças do pequeno grupo. Visto que seus hábitos me eram desconhecidos, quando não as via em certos dias, ignorando o motivo de sua ausência, procurava descobrir se se tratava de algo fixo, se só eram vistas de dois em dois dias, ou quando fazia determinado tempo, ou se havia dias em que nunca apareciam. Imaginava-me previamente amigo delas, dizendo-lhes: "Mas não estavam aqui em tal dia? – Ah, sim, é porque era sábado; nós nunca vimos no sábado porque..." Ainda se fosse tão simples saber que no triste sábado era inútil insistir, que se poderia percorrer a praia em todos os sentidos, sentar-se à frente da confeitaria, fingir comer um doce, entrar na loja de curiosidades, esperar a hora de tomar banho, de ir ao concerto, a chegada da maré, o pôr-do-sol, a noite, sem ver o pequeno grupo desejado. Mas o dia fatal talvez não voltasse uma vez por semana. Pode ser que não caísse forçosamente num sábado. Talvez certas condições atmosféricas influíssem nele, ou talvez lhe fossem inteiramente alheias. Quantas observações pacientes, mas não tranqüilas, é necessário recolher sobre os movimentos aparentemente irregulares desses mundos desconhecidos antes que possamos estar seguros que não nos deixamos levar por coincidências, que nossas previsões não serão traídas, antes de deduzirmos as leis corretas, adquiridas ao custo de cruéis experiências, dessa astronomia apaixonada! Lembrando-me que não as vira no mesmo dia da semana que hoje, dizia comigo que elas não viriam, que era inútil ficar na praia. E justamente as avistava. Em compensação, um dia que, assim como pudera supor que havia leis regulando o retorno dessas constelações, calculara ser um dia fasto, elas não apareciam. Mas a essa primeira incerteza, se as veria ou não no mesmo dia, vinha acrescentar-se uma outra, mais grave, a de que jamais voltasse a vê-las, pois afinal ignorava se deveriam partir para a América ou voltar a Paris. Isto era suficiente para me fazer começar a amá-las. Podemos ter inclinação por uma pessoa. Mas, para desencadear essa tristeza, esse sentimento do irreparável, essas angústias que preparam o amor, é necessário – e é talvez isto, e não uma pessoa, o próprio objeto que a paixão deseja ansiosamente estreitar – o risco de uma impossibilidade. Assim já iam atuando essas influências que se repetem no decurso de amores sucessivos (podendo, aliás, se produzir, mas então de preferência na vida das grandes cidades, a respeito de operárias das quais não sabemos o dia de folga e nos assustamos ao não vê-las à saída do trabalho), ou, pelo menos, que se renovaram no transcurso dos meus. Talvez sejam inseparáveis do amor; talvez tudo o que formou uma particularidade do primeiro venha ajuntar-se aos seguintes por lembrança, sugestão, hábito e, através dos períodos sucessivos de nossa vida, dar a seus diferentes aspectos um caráter geral.

Eu usava de todos os pretextos para ir à praia às horas em que esperava poder encontrá-las. Tendo-as avistado uma vez durante o nosso almoço, só chegava atrasado à mesa, esperando indefinidamente no molhe que elas passassem; ficando o pouco de tempo em que estava sentado na sala de jantar a interrogar com os olhos o azul da vidraça; levantando-me bem antes da sobremesa para não perdê-las, caso estivessem passeando em outra hora e irritando-me com minha avó, inconscientemente má, quando ela me fazia ficar em sua companhia além da hora que me parecia favorável. Tentava prolongar o horizonte, colocando transversalmente a minha cadeira; se por acaso avistava qualquer uma das moças, como participavam todas da mesma essência especial, era como se tivesse visto, projetado à minha frente numa alucinação diabólica e móvel, um pouco do sonho inimigo e, no entanto, passionalmente cobiçado que ainda um momento antes só existia em meu cérebro, aliás ali estagnando de modo permanente.

Não amava a nenhuma delas, amando-as a todas; entretanto, o seu possível encontro era, para os meus dias, o único elemento delicioso, e sozinho fazia nascer em mim essas esperanças onde se dobrariam todos os obstáculos, esperanças muitas vezes seguidas de raiva, quando não as via. Neste momento, essas moças eclipsavam a minha avó; uma viagem teria me sorrido se fosse para ir a um lugar onde elas se achassem. Era a elas que meu pensamento agradavelmente se prendia quando julgava pensar em outra coisa, ou em nada. Mas, quando pensava nelas, mesmo sem o saber, mais inconscientemente ainda, dava-se que eram, para mim, as ondulações montanhosas e azuis do mar, o perfil de um desfiladeiro em frente ao mar. Era o mar o que eu esperava encontrar, se fosse a uma cidade onde elas estivessem. O amor mais exclusivo por uma pessoa é sempre o amor de outra coisa.

Porque agora eu me interessava demais pelo golfe e pelo tênis, deixando fugir a ocasião de ver trabalhar e ouvir falar um artista que ela sabia ser dos maiores, minha avó me testemunhava um desprezo que me parecia provir de uma visão um pouco estreita das coisas. Antigamente eu havia entrevisto nos Champs-Élysées, e melhor o verificaria desde então, que, ao nos apaixonarmos por uma mulher, simplesmente projetamos nela um estado de nossa alma; que, por conseguinte, o importante não é o valor da mulher mas a profundeza desse estado; e que as emoções que uma moça medíocre nos proporciona podem fazer com que nos subam à consciência as partes mais íntimas de nós mesmos, as mais pessoais, mais longínquas, mais essenciais, o que não faria o prazer que nos dá a conversação de um homem superior ou até a contemplação admirativa de suas obras.

Acabei por obedecer à minha avó, com tanto mais aborrecimento já que Elstir morava muito longe do molhe, numa das mais novas avenidas de Balbec. O calor do dia obrigou-me a pegar o bonde que passava pela Rua da Praia, e me esforcei para pensar que estava no antigo reino dos cimérios, talvez na terra do rei Marcos ou no lugar em que houve a floresta da Brocelianda, em não olhar o luxo grosseiro das construções que se desenvolviam à minha frente e entre as quais a vivenda de Elstir era talvez a mais suntuosamente feia, e apesar disso alugada por ele porque, de todas as que existiam em Balbec, era a única que poderia lhe oferecer um amplo ateliê.

Foi assim, desviando os olhos, que atravessei o jardim, que tinha um relvado – como uma miniatura de qualquer residência burguesa nas vizinhanças de Paris –, uma pequena estatueta de galante jardineiro, bolas de vidro onde a gente se olhava, cercaduras de begônias e um pequeno caramanchão sob o qual alongavam-se cadeiras de balanço diante de uma mesa de ferro. Mas, depois de todos esses sinais de feiúra citadina, não mais prestei atenção às molduras cor de chocolate dos plintos quando estava no ateliê; senti-me absolutamente feliz, pois, por todos os estudos que me rodeavam, imaginava a possibilidade de me elevar a um conhecimento poético, fecundo em alegrias, de muitas formas que até então não havia isolado do espetáculo geral da realidade. E o ateliê de Elstir me surgiu como um laboratório de uma espécie de nova criação do mundo, onde, do caos que são todas as coisas que vemos, ele havia tirado, pintando-os sobre vários retângulos de tela que estavam colocados em todos os sentidos, aqui uma onda do mar arrebentando colérica de encontro à areia com sua espuma lilás, ali um jovem de terno de brim branco, apoiado no convés de um barco. O casaco do jovem e a onda espumejante tinham adquirido uma dignidade nova pelo fato de que continuavam a existir, ainda que desprovidos daquilo que aparentemente os constituía, visto que a onda já não podia molhar, nem o casaco vestir pessoa alguma.

No momento em que entrei, o criador estava a ponto de terminar, com o pincel que tinha na mão, a forma do sol poente.

Os estores se achavam descidos de quase todos os lados, o ateliê estava bem refrescado e obscuro, salvo num ponto em que a claridade do dia colava na parede sua decoração deslumbrante e efêmera. Só estava aberta uma pequena janela retangular enquadrada de madressilvas que, depois de um pedaço do jardim, dava para uma avenida; de modo que a atmosfera da maior parte do ateliê estava sombria, transparente e compacta na sua massa, mais úmida e brilhante nas fraturas onde a luz lhe colocava engastes, como um bloco de cristal de rocha, uma de cujas faces, já talhada e polida, aqui e ali, reluz e se irisa como um espelho. Enquanto Elstir, a meu pedido, continuava a pintar, eu circulava por esse claro-escuro, parando diante de um quadro e depois diante de outro.

A maioria dos que me rodeavam não eram dos que mais desejaria ver de Elstir; eram pinturas pertencentes às suas duas primeiras formas, como dizia uma revista inglesa de arte atirada na mesa do salão do Grande Hotel, a maneira mitológica e aquela em que ele sofrera a influência do Japão, ambas admiravelmente representadas, segundo se dizia, na coleção da Sra. de Guermantes. Naturalmente, o que havia no seu ateliê eram só marinhas pintadas aqui em Balbec. Mas eu podia distinguir que o encanto de cada uma delas consistia numa espécie de metamorfose das coisas representadas, fenômeno análogo ao que em poesia se denomina metáfora e que, se Deus Pai havia criado as coisas nomeando-as, era tirando-lhes os nomes ou dando-lhes outros que Elstir as recriava. Os nomes que designam as coisas correspondem sempre a uma noção da inteligência, estranha às nossas impressões verdadeiras e que nos obriga a eliminar delas tudo o que não se refira a essa noção.

Às vezes, da minha janela, no hotel de Balbec, de manhã, quando Françoise abria as cortinas que ocultavam a luz, de tarde, quando eu esperava o momento de partir com Saint-Loup, ocorrera-me, graças a um efeito de sol, tomar uma parte mais sombria do mar por uma costa afastada, ou olhar com alegria uma região azul e fluida sem saber se pertencia ao céu ou ao mar. Bem depressa a minha inteligência restabelecia, entre os elementos, a separação que minha impressão abolira. Era assim que me acontecia em Paris, no meu quarto, ouvir uma discussão, quase um motim, até que tivesse transferido à sua causa, por exemplo um carro cujo rodar se aproximava, esse barulho do qual então eliminava essas vociferações agudas e discordantes que meu ouvido de fato percebera, mas que minha inteligência sabia que as rodas não produzem. Mas os raros momentos em que se vê a natureza tal como é, poeticamente, era desses momentos que se compunha a obra de Elstir. Uma de suas metáforas mais freqüentes nas marinhas que tinha ali naquele momento era justamente aquela que, comparando a terra ao mar, suprimia toda demarcação entre eles. Era esta comparação, tácita e infatigavelmente repetida numa mesma tela, que aí introduzia essa unidade poderosa e multiforme, causa, às vezes não percebida claramente por eles, do entusiasmo que excitava em certos amadores a pintura de Elstir.

Era, por exemplo, para uma metáfora deste gênero – num quadro que retratava o porto de Carquethuit, quadro que terminara há poucos dias e que contemplei longamente – que Elstir preparara o espírito do espectador, só utilizando para o lugarejo termos marinhos, e vocábulos urbanos para o mar. Fosse porque as casas escondessem uma parte do porto ou uma doca de calafetagem ou talvez o próprio mar, abrindo-se em golfo nas terras como acontecia constantemente nessa região de Balbec, do outro lado da ponte avançada onde se erguia a cidadezinha, os telhados eram ultrapassados (como se o fossem por chaminés ou campanários) por mastros, os quais pareciam fazer, dos barcos a que pertenciam, algo de citadino, de construído em terra, impressão que era aumentada por outros barcos, fundeados ao longo do cais, mas em fileiras tão apertadas que os homens ali conversavam de um para o outro sem que se pudesse distinguir sua separação e o interstício da água, e assim, aquela flotilha de pesqueiros dava menos idéia de pertencer ao mar que, por exemplo, as igrejas de Criquebec, as quais, ao longe, cercadas de água por todos os lados, por serem vistas sem a cidade, numa pulverização de sol e de vagas, pareciam sair do mar, feitas de espuma ou de alabastro e, fechadas na curva de um arco-íris furta-cor, formar um quadro místico e irreal. No primeiro plano da praia, o pintor soubera acostumar os olhos a não reconhecerem fronteiras fixas, demarcações absolutas, entre a terra e o oceano. Homens que empurravam barcos para o mar corriam tanto nas ondas como sobre a areia, que, molhada, já refletia os cascos como se fosse água. O próprio mar não subia com regularidade, mas seguia os acidentes da costa, que a perspectiva ainda mais recortava, de maneira que um navio em alto-mar, meio oculto pelas obras avançadas do arsenal, parecia vogar no meio da cidade; mulheres que apanhavam mariscos nas rochas pareciam, por se verem cercadas de água e devido à depressão que, após a barreira circular das rochas, abaixava o nível da praia (dos dois lados mais próximos das terras) ao do mar, estar numa gruta marinha coberta de barcos e ondas, aberta e protegida no meio das vagas miraculosamente afastadas. Se o quadro todo proporcionava essa impressão de portos onde o mar entra terra a dentro, onde a terra já é marinha e a população anfíbia, a força do elemento marinho surgia de todas as partes; e, perto dos rochedos, à entrada do molhe, onde o mar estava agitado, sentia-se, pelos esforços dos marinheiros e pela obliqüidade dos barcos inclinados em ângulo agudo diante da tranqüila verticalidade do entreposto, da igreja e das casas do lugar, aonde uns voltavam, de onde outros saíam para a pesca, que trotavam rudemente n'água como sobre um animal fogoso e veloz, cujos sobressaltos, não fora a sua habilidade, os teriam jogado em terra. Um grupo saía alegremente a passeio num barco sacolejante como uma carriola; um marinheiro alegre, mas também atento, governava-o como se estivesse com rédeas, dirigindo a vela fogosa; cada um se mantinha bem no seu lugar para não fazer peso demais de um lado e não virar; e assim corriam pelos campos ensolarados, nos locais sombrios, despenhando-se pelas ladeiras. Era uma bela manhã apesar da tempestade que ocorrera. E até sentiam-se ainda as ações potentes que tinham a neutralizá-la o belo equilíbrio dos barcos imóveis, desfrutando do sol e do frescor, nas partes em que o mar estava tão calmo que os reflexos quase mostravam mais solidez e realidade que os cascos vaporizados por um efeito de sol, e que a perspectiva confundia uns com os outros. Ou antes, não se deveria dizer outras partes do mar. Pois entre essas partes havia tanta diferença como entre uma delas e a igreja que saía das águas, e os barcos por detrás da cidadezinha. A inteligência fazia a seguir um só elemento daquilo que era, aqui negro devido à tempestade, mais longe de uma cor única com o céu e tão lustroso como ele, e acolá tão branco de sol, de névoa e de espuma, tão compacto, tão terreno, tão circundado de casas, que se poderia pensar num calçamento de pedras ou num campo de neve, sobre o qual a gente se assombrava ao ver um navio erguer-se em subida vertical, e a seco, como um carro a resfolegar ao sair de um vau, mas que, após um momento, vendo barcos vacilantes sobre a extensão alta e desigual do platô sólido, se compreendia ser ainda o mar, idêntico em todos esses aspectos diferentes.

Ainda que se diga, com razão, que não há progresso nem descobertas na arte, mas unicamente nas ciências, e que cada artista recomeçando por conta própria um esforço individual não pode ser ajudado nem estorvado pelos esforços alheios, é preciso no entanto reconhecer que, na medida em que a arte põe em relevo certas leis, uma vez que uma indústria as vulgarizou, a arte anterior perde, retrospectivamente, um pouco de sua originalidade. Desde os tempos em que Elstir se iniciou na pintura, temos conhecido o que se denomina "admiráveis" fotografias de paisagens e cidades. Se procuramos precisar o que os amadores designam nesse caso por este epíteto, veremos que ele se aplica em geral a uma imagem singular de coisa conhecida, imagem diversa das que temos o costume de ver, singular e entretanto verdadeira, e que por esse motivo é para nós duplamente surpreendente porque nos assombra, faz que saiamos de nossos hábitos e, ao mesmo tempo, faz-nos entrar em nós mesmos ao nos recordar uma impressão. Por exemplo, determinada dessas fotografias "magníficas" ilustrará uma lei da perspectiva, nos mostrará uma certa catedral que temos o costume de ver em plena cidade, pegada, ao contrário, de um ponto escolhido de onde dará a impressão de ser trinta vezes mais alta que as casas e formando quebra-mar à beira do rio do qual na verdade está bem distante. Ora, os esforços de Elstir para não expor as coisas tais como sabia que eram, mas segundo essas ilusões de ótica de que a nossa primeira vista é composta, o haviam conduzido precisamente a realçar algumas destas leis de perspectiva, então mais espantosas, pois a arte era a primeira a revelá-las. Um rio, devido à sinuosidade de seu curso, um golfo, por causa da aparente proximidade dos barrancos, tinham o aspecto de escavar, no meio da planície ou das montanhas, um lago absolutamente fechado de todos os lados. Num quadro feito em Balbec durante um tórrido dia de verão, uma reentrância do mar parecia, encerrada em paredes de granito cor-de-rosa, não ser o mar, o qual principiava mais ao longe. A continuidade do oceano só era sugerida pelas gaivotas que, revoluteando sobre o que ao espectador parecia pedra, ao contrário aspiravam a umidade da onda. Outras leis se desprendiam da mesma tela como, no sopé das imensas falésias, a graça liliputiana das velas brancas sobre o espelho azul onde elas pareciam borboletas adormecidas, e certos contrastes entre a profundeza das sombras e o palor da luz. Estes jogos de sombra, também banalizados pela fotografia, haviam despertado o interesse de Elstir, a tal ponto que antigamente ele se comprazera em pintar verdadeiras miragens, onde um castelo ornado de uma torre surgia como um castelo inteiramente circular, prolongado no alto por uma torre e, embaixo, por uma torre invertida, ou porque a pureza extraordinária de um bom tempo desse à sombra que se refletia na água a dureza e o brilho da pedra, ou porque as brumas da manhã fizessem a pedra tão vaporosa como a sombra. Da mesma forma, para lá do mar, atrás de uma fila de árvores, um outro mar principiava, rosado pelo pôr-do-sol, e que era o céu. A luz, como que inventando novos sólidos, impelia o casco do barco onde incidia, em detrimento da parte que permanecia na sombra, e arrumava, como se fossem degraus de uma escadaria de cristal, a superfície, materialmente plana, mas partida pela iluminação do mar da manhã. Um rio que corre por sob as pontes de uma cidade fora apanhado de um tal ponto de vista que parecia totalmente deslocado, aqui desdobrando-se num lago, adelgaçando-se ali num filete de água, mais adiante interrompido pela interposição de uma colina coroada de árvores, onde à noitinha a gente da cidade vai espairecer; e o próprio ritmo dessa cidade transtornada só era assegurado pela vertical inflexível dos campanários que não subiam, ou antes, conforme o peso do fio de prumo, marcando a cadência como numa marcha triunfal, pareciam conter em suspenso acima deles toda a massa mais confusa das casas sobrepostas na névoa, ao longo do rio esmagado e desfeito. E (como as primeiras obras de Elstir datavam da época em que se enfeitavam as paisagens com a presença de um personagem), sobre a falésia ou na montanha, a estrada, essa porção meio humana da natureza, sofria, como o rio ou o oceano, os eclipses da perspectiva. E, se uma aresta montanhosa, ou a bruma de uma cascata, ou o mar impedissem a continuidade do caminho, visível para o passeante mas não para nós, o minúsculo personagem humano, com roupa fora de moda, perdido naquelas solidões, parecia muitas vezes estar parado diante de um abismo, ali terminando a trilha que seguia, ao passo que, trezentos metros acima, naqueles bosques de pinheiros, víamos emocionados e de coração tranqüilizado reaparecer a delgada brancura da areia hospitaleira aos passos do viajante, daquela estrada cujas curvas intermediárias, que contornavam a cascata ou o golfo, nos tinham sido ocultas pela vertente da montanha.

O esforço que Elstir fazia para, em presença da realidade, se despojar de todas as noções da inteligência era tanto mais admirável porque este homem – que antes de pintar se fazia ignorante, esquecia tudo por probidade, pois aquilo que sabemos não é da gente – era dotado de uma inteligência excepcionalmente cultivada. Como lhe confessasse a decepção que sentira diante da igreja de Balbec: – Como – disse-me –, ficou decepcionado com aquele pórtico? Mas é a mais linda Bíblia historiada que o povo já pôde ler. Aquela Virgem e todos os baixos-relevos que contam a sua vida são a expressão mais terna, mais inspirada desse longo poema de adoração e louvores que a Idade Média foi desenvolvendo à glória da Madona. Se soubessem, ao lado da exatidão mais minuciosa em traduzir o texto santo, quantos achados de delicadeza teve o velho escultor, quantos pensamentos profundos, quanta poesia deliciosa! A idéia daquele grande véu no qual os anjos levam o corpo da Virgem, sagrado demais para que ousem tocá-lo diretamente (disse-lhe que o mesmo assunto era tratado na igreja de Saint-André-des-Champs; ele havia visto fotografias do pórtico desta última igreja, mas me fez notar que o empenho desses pequenos camponeses que rodeiam ao mesmo tempo a Virgem era coisa diversa da gravidade dos dois grandes anjos quase italianos, tão esguios e benignos, da igreja de Balbec); o anjo que conduz a alma da Virgem para reuni-la a seu corpo; no encontro da Virgem com Santa Isabel, o gesto desta última que toca o seio de Maria e se maravilha ao senti-lo cheio; e o braço esticado da parteira que não queria crer, sem tocar, na Imaculada Conceição; e o cinto lançado pela Virgem a São Tomás para lhe dar uma prova de sua ressurreição; e também esse véu que a Virgem arranca do seio para cobrir a nudez do filho de um lado em que a Igreja recolhe o sangue, o licor da Eucaristia, enquanto, do outro, a Sinagoga, cujo reinado é findo, tem os olhos vendados, segura um cetro partido ao meio e deixa escapar, com a coroa que lhe cai da cabeça, as tábuas da antiga Lei; e o marido que, na hora do Juízo Final, ajudando a jovem esposa a sair do túmulo, lhe apóia a mão contra seu próprio coração para sossegá-la e lhe provar que bate de verdade, será que isso é uma idéia tola ou um lugar-comum? E o anjo que leva o sol e a lua, tornados inúteis, visto que está dito que a Luz do Cruzeiro será sete vezes mais intensa que a dos astros; e aquele que mergulha a mão na água do banho de Jesus para ver se está bem quente; e aquele que sai das nuvens para pousar sua coroa na fronte da virgem; e todos os que, debruçados do alto dos céus entre os balaústres da Jerusalém celeste, erguem os braços de pavor e alegria diante dos suplícios dos malvados e da ventura dos eleitos! Pois são todos os círculos do céu, todo um gigantesco poema teológico e simbólico que o senhor tem ali. É louco, é divino, é mil vezes superior a tudo aquilo que verá na Itália, onde aliás esse tímpano foi literalmente copiado por escultores de muito menor talento. Porque, compreenda, é tudo uma questão de talento. Não houve época em que todo mundo tivesse talento, isso é pura conversa... Seria mais forte que a Idade de Ouro. O sujeito que esculpiu aquela fachada, acredite que era tão forte e tinha idéias tão profundas como as pessoas de hoje a quem o senhor mais admira. Eu lhe mostraria tudo isso, caso fôssemos lá juntos. Há certas palavras do ofício da Assunção que foram traduzidas com uma sutileza que um Odilon Redon não igualou.

Essa ampla visão celestial de que ele me falava, esse gigantesco poema teológico que eu compreendia ter sido escrito ali, não foi isso, no entanto, que meus olhos cheios de desejos viram, ao abrirem-se diante daquela fachada. Eu lhe falava daquelas grandes estátuas de santos que, erguidas em muletas, formavam uma espécie de avenida.

– Ela parte do fundo das idades para dar em Jesus Cristo – disse-me Elstir. – São, por um lado, seus ancestrais segundo o espírito; por outro, os reis de Judá, seus ancestrais segundo a carne. Todos os séculos estão ali. E, se o senhor tivesse olhado melhor o que lhe pareceu serem muletas, teria podido denominar os que ali se achavam erguidos. Pois, sob os pés de Moisés, teria percebido o bezerro de ouro, sob os pés de Abraão o carneiro, sob os de José o demônio aconselhando a mulher de Putifar.

Disse-lhe também que esperara encontrar um monumento quase persa e que isto fora sem dúvida uma das causas de minha decepção. – Mas há muita verdade nisso – respondeu ele. – Certas partes são visivelmente orientais; um capitel reproduz tão exatamente um tema persa que a persistência das tradições orientais não basta para explicá-la. O escultor deve ter copiado algum cofre trazido pelos navegadores. – E de fato, ele deveria mais tarde me mostrar a fotografia de um capitel onde vi dragões meio chineses que se devoravam, mas em Balbec esse detalhe de escultura me passara despercebido no conjunto do monumento, que em nada se assemelhava ao que me haviam indicado estas palavras: "igreja quase persa".

As alegrias intelectuais que desfrutei nesse ateliê não me impediram de forma alguma de sentir, embora nos envolvessem e contra a vontade nossa, as mornas transparências, a penumbra cintilante da peça, e, ao fundo da pequena janela enquadrada de madressilvas, na avenida bem rústica, a resistente secura da terra queimada de sol, velada exclusivamente pela transparência da distância e pela sombra das árvores. Talvez o inconsciente bem-estar que me causava aquele dia de verão viesse aumentar, como um afluente, a alegria provocada pela vista do "Porto de Carquethuit".

Julgara Elstir modesto, mas percebi que me enganara ao ver seu rosto se matizar de tristeza quando, numa frase de agradecimento, pronunciei a palavra glória. Aqueles que crêem duráveis as suas obras – e era esse o caso de Elstir – adquirem o hábito de situá-las numa época em que eles mesmos não serão mais que pó. E assim, obrigando-os a refletir acerca do nada, a idéia da glória os entristece porque é inseparável da idéia da morte. Mudei de assunto para dissipar essa nuvem de altiva melancolia com que eu, sem querer, velara a fronte de Elstir. – Tinham me aconselhado – disse-lhe eu, pensando na conversa que tivéramos com Legrandin em Combray e sobre a qual gostaria de ter a opinião de Elstir – que não fosse à Bretanha, porque seria maléfico para um espírito já inclinado ao sonho. –

Que nada – respondeu ele. – Quando um espírito já é inclinado ao sonho, não se deve mantê-lo afastado dele, racioná-lo. Enquanto o senhor desviar o espírito dos sonhos, não saberá nada sobre eles; o senhor será o joguete de mil aparências porque não terá compreendido a sua natureza. Se um pouco de sonho é perigoso, o que há de curá-lo não será menos sonho e sim mais sonho, todo o sonho. É importante conhecer inteiramente os próprios sonhos para não mais sofrer com eles; há uma certa separação entre o sonho e a vida, tão freqüentemente útil de se fazer que me pergunto se não se deveria, haja o que houver, praticá-la preventivamente, como certos cirurgiões dizem que é necessário extirpar o apêndice de todas as crianças para evitar a possibilidade de uma futura apendicite.

Elstir e eu tínhamos ido até o fundo do ateliê, diante da janela que dava, atrás do jardim, para uma estreita avenida transversal, quase um caminho rústico. Chegáramos até ali para respirar o ar fresco da tarde mais adiantada. Julgava-me bem distante das moças do pequeno grupo e, sacrificando de vez a esperança de vê-las, é que eu acabara por ceder aos rogos de minha avó e fora ver Elstir. Pois nunca se sabe onde está o que procuramos, e muitas vezes evitamos durante um longo período o lugar para o qual, por outros motivos, todos nos convidam. Mas não suspeitamos que ali veríamos justamente a criatura em que pensamos. Eu olhava de maneira vaga o caminho campestre que, exterior ao ateliê, passava bem junto dele mas não pertencia a Elstir. De súbito, apareceu ali, a passos rápidos, a jovem ciclista do pequeno grupo com a boina abaixada, sobre os cabelos pretos, para suas faces rechonchudas, seus olhos alegres e um pouco insistentes; e naquela senda afortunada, milagrosamente repleta de suaves promessas, eu a vi, debaixo das árvores, lançar a Elstir um cumprimento sorridente de amiga, arco-íris que uniu, para mim, o nosso mundo terreno a regiões que até então julgara inacessíveis. Ela até se aproximou para estender a mão ao pintor, sem parar, e vi que tinha um sinalzinho no queixo. – Conhece esta moça? – perguntei a Elstir, compreendendo que ele me poderia apresentá-la, convidá-la para entrar. E aquele ateliê tranqüilo, com seu horizonte rural, encheu-se de um delicioso acréscimo como ocorre com uma casa onde uma criança já brinca muito e onde além disso, fica sabendo que, pela generosidade que as belas coisas e as nobres pessoas têm em aumentar indefinidamente os seus dons, está sendo preparado para ela um magnífico lanche. Elstir me disse que ela se chamava Albertine Simonet e deu-me também o nome de suas outras amigas, que lhe descrevi com exatidão suficiente para que ele não hesitasse. Eu cometera um erro no que tangia à sua posição social, mas não no mesmo sentido que de hábito em Balbec. Ali eu tomava facilmente por príncipes os filhos de donos de lojas que andavam a cavalo. Desta vez, situara num ambiente suspeito moças de uma pequena burguesia muito rica, do mundo industrial e dos negócios. Era o que, antes de tudo, menos me interessava, pois não tinha para mim o mistério nem do povo nem de uma sociedade como a dos Guermantes. E sem dúvida, se o brilhante vazio da vida de praia não lhes houvesse conferido um prestígio prévio a meus olhos deslumbrados, prestígio que não mais perderiam, talvez eu não chegasse a lutar vitoriosamente contra a idéia de que eram filhas de fortes negociantes. Pude apenas admirar como a burguesia francesa era um esplêndido ateliê da mais variada escultura. Quantos tipos imprevistos, quanta invenção nos caracteres das fisionomias, quanta decisão, quanto frescor, quanta simplicidade nos traços! Os velhos burgueses avaros de onde haviam brotado essas Dianas e ninfas me pareciam os maiores estatuários. Antes que tivesse tido tempo de me aperceber da metamorfose social dessas jovens, e de tal forma essas descobertas de um engano, essas modificações da noção que se tem de uma pessoa possuem a instantaneidade de uma reação química, já se instalara, por trás da aparência de um gênero tão vulgar daquelas moças que eu pensara serem amantes de ciclistas ou de campeões de boxe, a idéia de que elas podiam muito bem estar ligadas à família de algum tabelião nosso conhecido. Não sabia absolutamente quem era Albertine Simonet. Ela decerto ignorava o que devia ser um dia para mim. Mesmo esse nome de Simonet, que eu já ouvira na praia, se me houvessem pedido que o escrevesse, tê-lo-ia grafado com dois *nn*, sem saber da importância que aquela família dava a só possuir um. À medida que se desce na escala social, o esnobismo se apega a ninharias que talvez não sejam mais nulas que as distinções da aristocracia, mas que, devido a serem mais obscuras, mais próprias a cada um, surpreendem em maior grau. Talvez tivesse havido Simonnets que se envolvessem em maus negócios, ou coisa ainda pior. O fato é que os Simonets, ao que parecia, sempre se irritavam, como diante de uma calúnia, quando lhes duplicavam o *n*. Davam a impressão de serem os únicos Simonet com um *n* em vez de dois, e punham nisso talvez tanto orgulho como os Montmorency de serem os primeiros barões da França. Perguntei a Elstir se essas moças moravam em Balbec, e ele me respondeu que sim quanto a algumas delas. A casa de uma delas estava situada precisamente no extremo da praia, no ponto em que começavam as falésias de Canapville. Como era essa uma grande amiga de Albertine Simonet, mais uma razão havia para que eu acreditasse que fora mesmo esta última a que eu encontrara quando estava com minha avó. Por certo havia tantas ruazinhas perpendiculares à praia e formando com ela um ângulo semelhante, que eu não poderia especificar exatamente de qual se tratava. A gente gostaria de ter uma lembrança precisa, mas no exato momento a visão estivera perturbada. No entanto, que Albertine e aquela moça que entrava na casa da amiga fossem a mesma e uma só pessoa, era praticamente uma certeza. Apesar disso, ao passo que as inúmeras imagens que a seguir me apresentou a morena jogadora de golfe, por mais diversas que sejam umas das outras, se superpõem (pois sei que todas lhe pertencem) e que, se remonto o fio de minhas lembranças, posso, protegido por essa identidade e como que num caminho de comunicação interior, recordar todas essas imagens sem sair de uma mesma pessoa; em compensação, se desejo remontar até a moça pela qual cruzei no dia em que estava com minha avó, é-me necessário retornar ao ar livre. Estou persuadido de que é Albertine quem encontro, a mesma que parava muitas vezes, no meio das amigas, naquele passeio, em que suas imagens se erguiam contra o horizonte do mar. Mas todas essas imagens continuam separadas daquela outra, pois não lhe posso atribuir, retrospectivamente, uma identidade que ela não tinha para mim no momento em que impressionou meu olhar; e, apesar do que possa me garantir o cálculo das probabilidades, aquela moça de faces gorduchas, que me encarou de modo tão atrevido na esquina da ruazinha e da praía e pela qual julgo que poderia ter sido amado, no sentido estrito da palavra "rever", essa eu nunca mais revi.

Minha hesitação entre as diversas moças do pequeno grupo, todas conservando um pouco do encanto coletivo que me perturbara a princípio, terá se acrescentado igualmente a essas causas para me deixar depois, mesmo no tempo do meu maior – do meu segundo – amor por Albertine, uma espécie de liberdade intermitente, e muito breve, para não amá-la? Por ter vagueado entre todas as suas amigas antes de se fixar definitivamente nela, o meu amor conservou às vezes, entre ele e a imagem de Albertine, certo "dispositivo" que lhe permitia, como uma iluminação mal adaptada, pousar em outras antes de voltar a se aplicar nela; a relação entre o mal que sentia no coração e a lembrança de Albertine não me parecia necessária, eu talvez o pudesse ter relacionado com a imagem de uma outra pessoa. O que me permitia, no luzir de um raio, fazer desvanecer-se a realidade, não só a realidade exterior, como no meu amor por Gilberte (que eu havia reconhecido como um estado interior em que extraía de mim apenas a qualidade particular, o caráter especial da criatura a quem amava, tudo aquilo que a fazia indispensável à minha felicidade), mas até a realidade interior e puramente subjetiva.

– Não há um só dia que uma ou outra delas não passe diante do ateliê e não dê uma chegadinha – disse Elstir, desesperando-me com a idéia de que, se tivesse ido visitá-lo logo que minha avó pedira, provavelmente há muito já teria conhecido Albertine.

Ela se afastara; do ateliê já não era visível. Pensei que fora juntar-se às amigas no molhe. Se pudesse estar ali com Elstir, teria travado conhecimento com elas. Inventei mil pretextos para que anuísse em dar uma volta pela praia comigo. Eu não tinha mais o mesmo sossego que tivera antes do aparecimento da moça no quadro da janela tão encantadora até então sob suas madressilvas e agora toda vazia. Elstir me causou uma alegria mesclada de tortura ao me dizer que daria alguns passos comigo, mas que primeiro era obrigado a terminar o pedaço que estava pintando. Eram flores, mas não daquelas cujo retrato eu mais gostaria de lhe encomendar, em vez do de uma pessoa, a fim de saber, pela revelação de seu gênio, o que tanto havia procurado em vão diante delas – espinheiros brancos, espinheiros cor-de-rosa, escovinhas, flores de macieiras. Pintando, Elstir me falava de botânica, mas eu quase não o escutava; ele já não se bastava a si mesmo, não passava do intermediário preciso entre mim e aquelas moças. O prestígio que seu talento lhe dava a meus olhos ainda há pouco só valia agora na medida em que atribuía um tanto a mim mesmo aos olhos do pequeno grupo ao qual seria apresentado por ele.

Eu ia e vinha, impaciente por vê-lo terminar a pintura; pegava estudos para contemplá-los; muitos deles, virados contra a parede, estavam empilhados uns sobre os outros. E, assim, ocorreu-me descobrir uma aquarela que devia pertencer a uma época bem mais antiga da vida de Elstir e me causou esse tipo especial de encanto proporcionado pelas obras não só de uma realização deliciosa, mas também de um tema tão singular e sedutor que é a ele que atribuímos uma parte de seu fascínio, como se este o pintor não tivesse feito mais que descobri-lo, observá-lo, materialmente já efetuado pela natureza, e pronto para ser reproduzido. Que tais objetos possam existir, belos até fora da interpretação do artista, isto satisfaz em nós um materialismo inato, combatido pela razão, e serve de contrapeso às abstrações da estética. Essa aquarela era o retrato de uma mulher jovem, não bonita, mas de um tipo curioso, que usava um boné bem semelhante a um chapéu-coco, cingido de uma fita de seda cor-de-cereja; uma de suas mãos, com luvas sem dedos, segurava um cigarro aceso, ao passo que a outra erguia à altura do joelho uma espécie de chapelão de jardineiro, simples anteparo de palha contra o sol. Ao lado dela, um floreira cheia de rosas sobre uma mesa. Muitas vezes, e era o caso aqui, a singularidade dessas obras decorre sobretudo de terem sido executadas em condições particulares, de que não nos damos conta com toda a clareza a princípio; por exemplo, se o estranho vestido de um modelo feminino é um disfarce de baile à fantasia, ou se, pelo contrário, a capa rubra de um velho, que parece tê-la vestido para atender a um capricho do pintor, é a sua toga de catedrático ou de conselheiro, ou sua murça de cardeal. A natureza ambígua da criatura, cujo retrato eu contemplava, provinha, sem que eu o compreendesse, de que se tratava de uma jovem atriz de outros tempos, em meio-travesti. Mas o seu chapéu-coco, sob o qual os cabelos estavam estufados porém curtos, sua jaqueta de veludo sem lapela, abrindo-se sobre um peitilho branco, fizeram-me vacilar quanto à data da moda e ao sexo do modelo, de modo que não sabia exatamente o que tinha diante dos olhos, a não ser que era a mais luminosa das telas de pintura. E o prazer que ela me proporcionava era perturbado apenas pelo medo de que Elstir, atrasando-se ainda mais, me fizesse perder as moças, pois o sol já se mostrava oblíquo e bem baixo na janelinha. Nada do que se representava nessa aquarela estava ali como um fato real, e pintado devido à sua utilidade para a cena: o vestuário porque era preciso que a dama estivesse vestida, ou a floreira por causa das flores. O vidro da floreira, amado por si mesmo, dava a impressão de encerrar a água onde mergulhavam as hastes dos cravos em algo tão límpido, quase tão líquido quanto ela; a roupa da mulher a envolvia de uma matéria que tinha um encanto independente, fraterno, e como se as obras da indústria pudessem rivalizar em encanto com as maravilhas da natureza, tão delicadas, tão saborosas ao toque do olhar, tão frescamente pintadas como o pêlo de uma gata, as pétalas de um cravo ou as penas de uma pomba. A brancura do peitilho, de uma finura de granizo, e cuja frívola plissagem tinha campânulas como o lírio-do-vale, se estrelava de claros reflexos do quarto, eles próprios agudos e finamente matizados como buquês de flores que houvessem tecido o linho em relevo. E o veludo da jaqueta, brilhante e nacarado, tinha aqui e ali algo de eriçado, picotado e veloso que dava idéia do desalinho dos cravos no vaso. Mas sentia-se, acima de tudo, que Elstir, pouco se importando para o que pudesse apresentar de imoral aquele travesti de uma jovem atriz, para quem o talento com que interpretaria o papel tinha decerto menos importância que o excitante atrativo que ela ia oferecer aos sentidos embotados ou depravados de certos espectadores, se prendera ao contrário àqueles traços de ambigüidade como a um elemento estético que valesse a pena pôr em relevo e que tudo fizera para ressaltar. Ao longo das linhas do rosto, o sexo parecia a ponto de confessar que era o de uma moça um tanto viril, depois se esvaía e mais ao longe reaparecia, sugerindo antes a idéia de um jovem efeminado vicioso e sonhador; depois fugia de novo, ficava inatingível. O caráter de tristeza sonhadora do olhar, pelo seu mesmo contraste com os acessórios pertencentes ao mundo da boemia e do teatro, não era o que havia de menos perturbador. Aliás, pensava-se que devia ser artificial e que a jovem criatura, que parecia se ofertar às carícias nesse vestido provocante, julgara provavelmente ser picante acrescentar-lhe a expressão romântica de um sentimento secreto, de um desgosto inconfesso. Embaixo do retrato estava escrito: "Miss Sacripant, outubro de 1872". Não pude conter minha admiração. – Oh, não é nada, é um esboço da mocidade; era uma fantasia para uma revista das Variedades. Tudo isto está bem distante. – E que fim levou o modelo? – O espanto causado por minhas palavras antecedeu, no rosto de Elstir, o ar indiferente e distraído que ele imprimiu após um segundo. – Olhe, passe-me depressa esse quadro – disse ele. – Estou ouvindo a chegada da Sra. Elstir e, embora a jovem do chapéu-coco não tenha desempenhado, garanto-lhe, nenhum papel na minha vida, é inútil que minha mulher tenha essa aquarela diante dos olhos. Só guardei isto como um documento divertido sobre o teatro daquela época. – E, antes de esconder atrás dele a aquarela, Elstir, que certamente não a via há muito, deu-lhe um olhar atento. – Só vou poder conservar a cabeça – murmurou; – o resto está verdadeiramente mal pintado, as mãos são de um principiante. – Eu estava desolado com a chegada da Sra. Elstir, que ia nos fazer demorar mais ainda. Em breve o peitoril da janela se apresentou cor-de-rosa. Nossa saída seria em pura perda. Não havia mais chance alguma de ver as moças e, por conseguinte, nenhuma importância que a Sra. Elstir nos deixasse mais cedo ou mais tarde. Aliás, ela não ficou por muito tempo. Achei-a extremamente aborrecida; poderia ter sido bela se tivesse vinte anos, levando um boi pela campina romana; mas seus cabelos negros embranqueciam; e ela era vulgar sem ser simples, pois achava que a solenidade das maneiras e a majestade da atitude eram requisitados por sua beleza escultural, que aliás havia perdido todos os encantos com a idade. Trajava-se com a maior simplicidade. E a gente ficava impressionado, mas surpreso, por ouvir Elstir dizer a todo o instante, e com uma ternura respeitosa como se apenas o fato de pronunciar tais palavras lhe causasse ternura e veneração: "Minha bela Gabrielle!" Mais tarde, quando conheci a pintura mitológica de Elstir, a Sra. Elstir também adquiriu, a meu ver, uma certa beleza. Compreendi que o pintor atribuíra de fato um caráter quase divino a um determinado tipo de ideal, resumido em certas linhas, certos arabescos que se encontravam a cada passo em sua obra, a certos cânones, visto que todo o tempo disponível, todo esforço de pensamento de que era capaz, em uma palavra, toda a sua vida, ele a consagrara à tarefa de distinguir melhor essas linhas e de reproduzi-las com a maior fidelidade. Semelhante ideal inspirava a Elstir um culto na verdade tão grave, tão exigente, que não lhe permitia jamais sentir-se satisfeito: era a parte mais íntima de si mesmo, de forma que não o pudera encarar com distanciamento e dele extrair emoções, até o dia em que o encontrou realizado exteriormente no corpo de uma mulher, no corpo daquela que em seguida se tornou a Sra. Elstir e no qual pudera – como o que só nos é possível com o que não é nossa própria pessoa – julgá-lo meritório, comovente, divino. Além disso, que descanso pousar os lábios naquela Beleza que até então tinha de extrair de si mesmo com tanto esforço e que agora, misteriosamente encarnada, se ofertava a ele para uma série de eficazes comunhões! Naquela ocasião, Elstir já não estava mais na primeira juventude, quando se espera a realização do ideal apenas com a força do pensamento. Aproximava-se da idade em que contamos com as satisfações do corpo para estimular a força do espírito, em que a fadiga deste, inclinando-nos ao materialismo, e a diminuição da atividade à possibilidade de influências passivamente recebidas, começam a nos fazer admitir que talvez haja certos corpos, certos ofícios, certos ritmos privilegiados realizando com tanta naturalidade o nosso ideal, que, mesmo sem gênio, apenas copiando o movimento de uma espádua, a tensão de um pescoço, faríamos uma obra-prima; é a idade em que nos agrada acariciar a Beleza do olhar fora de nós, junto a nós, num belo esboço de Ticiano descoberto num antiquário, numa amante que é tão bela como o esboço de Ticiano. Quando compreendi isto, já pude ver a Sra. Elstir com prazer, e seu corpo deixou de ser pesado, pois enchi-o de uma idéia, a idéia de que ela era uma criatura imaterial, um retrato de Elstir. Ela o era para mim e, sem dúvida, também para ele. Os dados reais da vida não contam para o artista; para ele não passam de uma ocasião para evidenciar o seu gênio. Ao ver, lado a lado, dez retratos de pessoas diversas pintados por Elstir, sente-se perfeitamente que são sobretudo Elstirs. Unicamente, depois dessa maré montante do gênio que recobre a vida, quando o cérebro se cansa, o equilíbrio pouco a pouco se rompe e, como um rio que retoma o curso após o contra-fluxo de uma maré intensa, é a vida que retoma o predomínio. Ora, enquanto durava o primeiro período, o artista foi aos poucos deduzindo a lei, a fórmula de seu dom inconsciente. Conhece que situações, se é romancista, que paisagens, se é pintor, lhe fornecem a matéria, indiferente em si, mas necessária às suas pesquisas como o seria um laboratório ou um ateliê. Sabe que fez suas obras-primas com efeitos de meia-luz, com remorsos que modificam a idéia de uma culpa, com mulheres assentadas sob as árvores ou meio mergulhadas na água como estátuas. Dia virá em que, pelo desgaste do cérebro, já não terá, diante desses materiais de que seu gênio se aproveitava, a força de cumprir o esforço intelectual necessário e único para produzir a obra; no entanto, continuará a procurá-los, feliz por se achar junto a eles devido ao prazer espiritual que despertam nele e que convida ao trabalho; e, além disso, cercando-os de uma espécie de superstição, como se fossem superiores a qualquer outra coisa, como se neles já residisse uma boa parte da obra artística que de alguma forma trariam bem acabada, não irá além de freqüentar e adorar seus modelos. Conversará indefinidamente com criminosos arrependidos, cujos remorsos e regeneração lhe valeram outrora para assunto de seus romances; comprará uma casa de campo numa terra em que a névoa atenua a luz; passará longas horas olhando as mulheres a se banharem; colecionará belos tecidos. E assim a beleza da vida, palavra de algum modo desprovida de sentido, ponto situado aquém da arte e onde eu vira que Swann estacionava, era o lugar ao qual, pelo esmorecimento do gênio criador, por idolatria das formas que o tinham favorecido, por desejo de menor esforço, Elstir devia um dia ir retrocedendo aos poucos.

Enfim, ele acabava de dar uma última pincelada às suas flores; perdi um momento a olhá-las; não havia mérito em fazê-lo, pois sabia que as moças já não se encontravam na praia; porém, mesmo que acreditasse que elas ali permaneciam e que aqueles minutos de contemplação me impediriam de alcançá-las, ainda assim olharia o quadro, pois dizia comigo que Elstir se interessava mais por suas flores do que pelo meu encontro com as moças. O temperamento de minha avó, temperamento que era exatamente o oposto do meu egoísmo total, entretanto refletia-se no meu. Numa circunstância em que alguém que me fosse indiferente, por quem sempre fingira afeição ou respeito, arriscasse apenas uma contrariedade, ao passo que eu me visse em perigo, não faria outra coisa senão sentir pena dele pelo seu desgosto, como se fosse algo considerável, e encarar meu perigo como coisa insignificante, porque me parecia que, para essa pessoa, as coisas deveriam se apresentar sob essas proporções. Para dizer as coisas tais como são, e até indo além disso, não só não lastimava o perigo que corria, mas ia-lhe ao encontro e, no que se referia aos outros, tentava ao contrário, ainda que houvesse mais probabilidades de que recaíssem sobre mim, evitar-lhes o perigo. Isto decorre de vários motivos que não me fazem honra alguma. Um deles é que, enquanto eu não fazia mais que raciocinar, julgava principalmente apegar-me à vida: toda vez que, no decurso de minha existência, me vi assediado por preocupações morais ou apenas por inquietações de origem nervosa, às vezes tão pueris que não teria coragem de narrá-las, se então ocorria uma circunstância imprevista, que para mim envolveria risco de morte, essa nova preocupação era tão leve, relativamente às outras, que eu a acolhia com um alívio que chegava à alegria. E assim sucedia que eu, o homem menos corajoso do mundo, vinha a conhecer essa coisa que, quando eu raciocinava, me parecia tão estranha e inconcebível à minha natureza: a embriaguez do perigo. Porém, mesmo quando surgisse o perigo, ainda que mortal, e eu me encontrasse num período da vida inteiramente calmo e feliz, não poderia, se estivesse com outra pessoa, deixar de pô-la a salvo e assumir o lugar do perigo. Quando um número bem vasto de experiências terminou por demonstrar que eu agia sempre assim, e com prazer, descobri, para minha vergonha, que, ao contrário do que sempre julgara e afirmara, era bastante sensível à opinião alheia. Esse tipo de amor-próprio inconfesso, entretanto, nada tem a ver com a vaidade e o orgulho. Pois aquilo que pode satisfazer o orgulho ou a vaidade não me dá prazer nenhum e sempre o repeli. Mas às pessoas a quem consegui esconder completamente os pequenos méritos, que talvez pudessem lhes dar uma idéia menos mesquinha a meu respeito, jamais pude negar-me o prazer de lhes mostrar que punha mais cuidado em afastar a morte de seu caminho do que do meu. Como o meu objetivo é então o amor-próprio e não a virtude, acho bem natural que em qualquer circunstância elas agissem de outra forma. Estou bem longe de censurá-las, o que talvez fizesse se fosse movido pela idéia de um dever que, nesse caso, me parecia obrigatório para elas como para mim. Pelo contrário, considero-as muito sensatas por preservarem suas vidas, mas não posso deixar de colocar a minha em segundo plano, o que é especialmente absurdo e culposo desde que julguei reconhecer que a vida de muitas pessoas, à cuja frente me coloco ao rebentar uma bomba, tem menos valor que a minha. Além disso, no dia daquela visita a Elstir, ainda estava longe o tempo em que eu tomaria consciência dessa diferença de valor e não se tratava de nenhum perigo, mas simplesmente de um sinal prévio do pernicioso amor-próprio: dar a impressão de não conceder, àquele prazer tão ardentemente desejado, mais importância que a seu trabalho de aquarelista ainda inacabado. Afinal ficou pronto o quadro. E, logo que saímos, percebi que – como os dias eram mais longos naquela estação – ainda não era tão tarde como supunha; íamos pelo molhe. Quantos ardis empreguei para reter Elstir no ponto em que achava que as moças ainda podiam passar! Mostrando-lhe os alcantis que se elevavam bem perto, não cessava de pedir que me falasse deles para fazê-lo esquecer a hora e obrigá-lo a ficar por ali. Parecia-me ter mais probabilidades de encontrar o grupo das moças se nos encaminhássemos até o fim da praia. – Gostaria que víssemos bem de perto estes rochedos – disse a Elstir, tendo reparado que uma das moças ia com freqüência para aqueles lados. – E, enquanto isso, fale-me de Carquethuit. Ah, como me agradaria ir a Carquethuit! – acrescentei, sem pensar que o caráter tão novo, que se manifestava com tanta força no "Porto de Carquethuit" de Elstir, referia-se mais à visão do pintor que a um mérito especial dessa praia. – Desde que vi esse quadro, é o local que mais tenho vontade de conhecer, junto com a Ponta do Raz, que por sinal daria uma viagem bem longa daqui. – E depois, mesmo que estivesse mais perto, eu lhe aconselharia que fosse de preferência a Carquethuit – respondeu Elstir. – A Ponta do Raz é admirável, mas afinal sempre é uma grande falésia normanda ou bretã, que o senhor já conhece; ao passo que Carquethuit é bem diferente com seus rochedos sobre a praia baixa. Não conheço nada parecido na França; lembra-me antes de certos aspectos da Flórida. É um lugar curioso e também extremamente selvagem. Fica entre Clitourps e Nehomme, e sabe muito bem como essas paragens são desoladas; o perfil das praias é deslumbrante. Aqui, a sua linha litorânea não quer dizer nada; porém lá, nem sei lhe dizer como é graciosa e suave.

A noite caía; era preciso voltar. Eu acompanhava Elstir à sua casa quando, de repente, tal como Mefistófeles aparecendo diante de Fausto, surgiram na extremidade da avenida – como uma simples objetivação irreal e diabólica do temperamento oposto a mim, da vitalidade quase bárbara e cruel de que era tão destituída a minha fraqueza, meu excesso de sensibilidade dolorosa e de intelectualismo – alguns flocos dessa substância impossível de confundir com qualquer outra, algumas esporadas do grupo zoofítico das moças, as quais pareciam não me ver, mas na verdade deveriam estar fazendo a meu respeito um juízo irônico. Sentindo ser inevitável um encontro com elas, e que Elstir me chamaria, voltei-me de costas como um banhista que vai receber a onda; parei e, deixando que meu ilustre companheiro seguisse o caminho, fiquei para trás, fingindo um súbito interesse pela vitrina do negociante de antiguidades diante da qual passávamos naquele momento; estava satisfeito por dar a impressão de pensar em coisa diversa dessas moças e já sabia, obscuramente, que, quando Elstir me chamasse para ser apresentado, teria o tipo de olhar interrogativo que revela não a surpresa, mas o desejo de parecer surpreendido – isto porque somos maus atores ou porque o próximo é um bom fisionomista – e talvez até chegasse a levar o dedo ao peito como se perguntasse: "É a mim que estão chamando?", para logo acorrer, a cabeça docilmente inclinada, obediente, o rosto dissimulando friamente o tédio de ser arrancado à contemplação de velhas faianças para que me apresentassem a pessoas que não desejava conhecer. Entretanto, considerava a vitrina à espera do momento em que meu nome, gritado por Elstir, viesse me atingir como uma bala esperada e inofensiva. A certeza da apresentação a essas moças tivera por resultado não só fazer-me aparentar indiferença, mas senti-la de verdade. Inevitável daí em diante, o prazer de conhecê-las foi comprimido, reduzido, pareceu-me bem menor que o de conversar com Saint-Loup, de jantar com minha avó, de fazer excursões pelas redondezas, as quais decerto lamentaria ter de abandonar para travar relações com pessoas que pouco se interessariam por monumentos históricos. Além do mais, o que diminuía o prazer que eu teria não era somente a iminência, mas a incoerência de sua realização. Leis tão exatas como a da hidrostática mantêm a superposição das imagens que formamos numa ordem fixa, subvertida pela proximidade de um acontecimento. Elstir ia chamar-me. Mas não era daquele modo como, várias vezes, na praia ou no meu quarto, imaginara que conheceria as moças. O que ia acontecer era outro evento, para o qual não me achava preparado. Não estava reconhecendo nem o meu desejo nem o seu objeto; quase lamentava ter saído com Elstir. Mas, sobretudo, a contração do prazer que tivera anteriormente se devia à certeza de que nada mais podia subtraí-lo de mim. E esse prazer recuperou toda a sua dimensão, como em virtude de uma força elástica, quando deixou de sofrer a pressão dessa certeza, no momento em que eu, tendo decidido voltar a cabeça, vi que Elstir parado alguns passos adiante, junto das moças, despedia-se delas. A fisionomia da que estava mais perto de mim, cheia e iluminada pelos seus olhares, parecia uma torta em que houvessem reservado um lugar para um pedacinho do céu. Seus olhos, mesmo fixos, davam a impressão de mobilidade, como ocorre nesses dias de muito vento, em que o ar, embora invisível, deixa transparecer a velocidade com que passa sobre o fundo azul. Por um instante os seus olhares cruzaram com os meus, como esses céus viajantes dos dias de tempestade, que se aproximam de uma nuvem mais vagarosa, tangenciam por ela, tocam-na, ultrapassam-na. Mas não se conhecem e se separam um do outro. Assim, nossos olhares se encararam por um momento, cada um ignorando o que continha de promessas e de ameaças para o futuro o continente celeste que estava à sua frente. Apenas no momento em que seu olhar pousou bem no meu foi que se turvou ligeiramente, mas sem diminuir a velocidade. Do mesmo modo, numa noite clara, a lua, arrastada pelo vento, passa por detrás de uma nuvem e encobre por um momento o seu brilho, logo reaparecendo. Mas Elstir já deixara as moças sem ter me chamado. Elas tomaram por uma rua transversal e o pintor veio até mim. Tudo estava perdido.

Já disse que Albertine não me aparecera nesse dia com o mesmo ar com que surgira nos dias precedentes e que, a cada vez, ela devia me parecer diferente. Mas, naquele momento, senti que certas modificações no aspecto, na importância, no tamanho de uma criatura podem se referir à variabilidade de certos estados interpostos entre ela e nós. E um dos que maior papel desempenham nesse caso é a crença em determinada coisa. (Naquela tarde, a crença, depois o desvanecimento da crença, de que ia conhecer Albertine, converteram-na, com segundos de intervalo, em algo quase insignificante, depois infinitamente precioso, a meus olhos; alguns anos mais tarde, a crença, depois o desaparecimento da crença, de que Albertine era fiel causaram mudanças análogas.)

Decerto, em Combray, já vira diminuir ou aumentar, conforme as horas, conforme eu entrasse numa ou noutra das duas grandes espécies que repartiam entre si a minha sensibilidade – o desgosto de não estar junto de minha mãe, tão imperceptível de tarde como a luz da lua enquanto brilha o sol e que, quando caía a noite, reinava sozinho em minha alma ansiosa, no lugar onde estavam as lembranças apagadas e recentes. Mas, naquele dia, vendo que Elstir deixava as moças sem ter me chamado, compreendi que as variações de importância que um prazer ou um desgosto assumem a nossos olhos podem referir-se não apenas a essa alternância de dois estados de espírito, mas à mutação de crenças invisíveis, que, por exemplo, nos fazem parecer indiferente a morte, porque a cercaram de uma luz irreal e, assim, nos permitem atribuir grande importância ao fato de irmos a um sarau musical, o qual perderia o seu encanto se, de súbito, pela notícia de que nos irão guilhotinar, a crença que envolve este sarau se dissipasse; é verdade que algo em mim sabia acerca desse papel das crenças: era a vontade; mas esta o sabe em vão se a inteligência e a sensibilidade continuam a ignorá-lo; estas agem de boa-fé quando crêem que temos vontade de abandonar uma amante, a qual apenas a vontade sabe que desejamos muito. É que elas são obscurecidas pela crença de que voltaremos a encontrá-la em breve. Mas, quando essa crença se dissipa, quando elas ficam sabendo de repente que tal amante se foi para sempre, então a inteligência e a sensibilidade, tendo perdido o equilíbrio, procedem como loucas, e o ínfimo prazer aumenta ao infinito.

Variação de uma crença, também vazio do amor, o qual, preexistente e móvel, se detém na imagem de uma mulher simplesmente porque essa mulher será quase impossível de alcançar. Desde então, pensa-se menos na mulher, que dificilmente se evoca, e mais nos meios de conhecê-la. Todo um processo de angústias se desenvolve e basta para fixar nosso amor por ela, objeto apenas conhecido do nosso amor. O amor se torna imenso, e nem imaginamos como é reduzido o lugar que a mulher real nele ocupa. E se, de súbito, como no momento em que eu vira Elstir com as moças, acaba a nossa preocupação, a nossa angústia, como se essa angústia fosse todo o nosso amor, parece que o amor se dissipou bruscamente, no momento mesmo em que sua presa está ao nosso alcance, presa em cujo valor não pensamos muito. Que conhecia eu de Albertine? Um ou dois perfis diante do mar, certamente menos belos que o das mulheres de Veronese, que eu deveria preferir caso obedecesse a razões puramente estéticas. Ora, que outras razões poderia ter visto que, arrefecida a angústia, só me encontrava com esses mudos perfis, e nada mais possuía? Desde que vira Albertine, fizera todos os dias a seu respeito milhares de reflexões; mantinha, com o que eu denominava Albertine, um diálogo interior em que a fazia perguntar e responder, pensar, agir, e, na série indefinida de Albertines imaginadas que se sucediam em mim hora após hora, a Albertine real, avistada numa praia, só figurava à frente, como criadora de um papel, a estrela, só aparecia nas primeiras em uma longa série de representações. Essa Albertine era quase só uma silhueta; tudo o que se superpunha a ela era de minha invenção, já que, no amor, as nossas contribuições superam – mesmo que unicamente do ponto de vista da quantidade – as que provêm da criatura amada. E isto é verdadeiro quanto aos amores mais eficazes. Há os que podem não apenas se formar, porém subsistir em redor de muito pouca coisa – e até entre os que receberam sua aprovação carnal. Um antigo professor de desenho de minha avó teve uma filha de uma amante obscura. A mãe morreu pouco depois do nascimento da criança, e o professor teve tal desgosto que não lhe sobreviveu por muito tempo. Nos últimos meses de sua vida, minha avó e algumas senhoras de Combray, que jamais haviam querido fazer sequer uma alusão, diante do professor, àquela mulher, com quem aliás ele não vivera oficialmente e com a qual não tivera muitas relações, pensaram em assegurar o futuro da menina, contribuindo cada uma para lhe proporcionar uma renda vitalícia. Foi minha avó quem o propôs; algumas amigas se fizeram de rogadas: aquela menina valeria a pena o seu interesse, seria mesmo filha de quem se acreditava seu pai? Com mulheres do tipo daquela mãe a gente nunca sabe. Enfim se decidiram. A menina veio à casa para agradecer. Era feia e parecia-se tanto com o velho professor de desenho que dissipou todas as dúvidas; como fosse o cabelo o único traço que tivesse de bonito, uma senhora disse ao pai, que a acompanhara: – Como são lindos os seus cabelos! E, pensando que agora a mulher culpada estava morta e o professor a caminho do túmulo, e que não haveria problemas em fazer uma alusão àquele passado que todos sempre tinham fingido ignorar, minha avó acrescentou: Deve ser de família. A mãe dela tinha cabelos assim tão lindos? – Não sei – respondeu ingenuamente o pai. – Nunca a vi sem chapéu.

Precisava reunir-me a Elstir. Olhei-me numa vidraça. Além do desastre de não ter sido apresentado, reparei que minha gravata estava torta e que meu chapéu deixava aparecer os cabelos compridos, o que não me caía bem; mas, de qualquer forma, sempre era uma sorte que as moças, mesmo assim, me tivessem visto na companhia de Elstir e, portanto, não pudessem me esquecer; também foi sorte que naquela tarde, e a conselho de minha avó, eu estivesse com o colete bonito, pois pouco faltara para que o substituíssem por um outro, horroroso, e com a minha melhor bengala; porque, se um evento que desejamos jamais ocorre da maneira que pensamos, à falta das vantagens com que julgávamos contar, outras, que não esperávamos, se apresentam e, assim, tudo se compensa; e de tal modo temíamos o pior que, por fim, nos inclinamos a achar que, em conjunto, e tudo pesado, o acaso nos favoreceu. – Ficaria tão contente em conhecê-las – disse a Elstir quando me aproximei. – Então, por que ficou a léguas de distância? – Foram estas as palavras que pronunciou, não que exprimissem o seu pensamento, visto que, se o seu desejo tivesse sido o de satisfazer o meu, nada mais fácil que chamar-me, mas talvez porque ouvisse frases desse tipo, familiar às pessoas vulgares apanhadas em falta, e porque mesmo os grandes homens são, em certos assuntos, semelhantes às pessoas vulgares, procuram suas desculpas diárias no mesmo repertório que elas, como compram o pão cotidiano no mesmo padeiro; ou então porque tais palavras, que de certa forma devem ser lidas às avessas já que sua letra significa o contrário da verdade, sejam o efeito necessário, o gráfico negativo de um reflexo. – Elas estavam com pressa. – Eu, sobretudo, achava que as moças o haviam impedido de chamar alguém que lhes era pouco simpático; não sendo assim, ele teria me chamado, depois de todas as perguntas que lhe fizera sobre elas e do interesse que bem tinha visto que me despertavam. – Eu lhe falava de Carquethuit – disse-me ele antes que o deixasse à porta de casa. – Fiz um pequeno esboço onde se vê bem melhor o delineamento da praia. O quadro não é mau, mas é outra coisa. Se me permite, dar-lhe-ei esse esboço em nome da nossa amizade – acrescentou, pois as pessoas que nos negam as coisas que desejamos costumam oferecer coisa diversa.

– Gostaria muito de ter uma fotografia desse retrato de Miss Sacripant, se é que possui alguma. Mas o que significa esse nome? – É o de uma personagem de uma opereta idiota, representada pelo modelo do retrato. – Não a conheço; o senhor sabe muito bem disto, mas parece que não acredita. – Elstir calou-se. – No entanto, deve ser a Sra. Swann antes do seu casamento – disse eu por um desses súbitos e casuais encontros com a verdade, afinal muito raros, mas que bastam, quando ocorrem, para fornecer uma certa base à teoria dos pressentimentos desde que se tenha o cuidado de esquecer todos os erros que a invalidariam. Elstir não respondeu. Era com efeito um retrato de Odette de Crécy. Ela não o quisera conservar por muitos motivos, alguns bem evidentes. Havia outros. O retrato era anterior ao momento em que Odette, disciplinando seus traços fisionômicos, formara com seu próprio rosto e corpo essa criação que, através dos anos, deviam respeitar em suas linhas gerais os cabeleireiros e as modistas, e também a própria Odette, em seu modo de andar, de falar, de sorrir, de colocar as mãos, de olhar e de pensar. Era necessária a depravação de um amante entediado para que Swann preferisse, às numerosas fotografias da Odette *ne varietur* que era a sua deslumbrante mulher, a pequena fotografia que tinha em seu quarto e onde, sob um chapéu de palha ornado de amores-perfeitos, se via uma mulher magra e bem feia, de cabelos em tufos e feições pisadas.

Aliás, mesmo que o retrato fosse não anterior, como a fotografia predileta de Swann, à sistematização das feições de Odette em um novo tipo, majestoso e encantador, e sim posterior, bastaria a visão de Elstir para desordenar esse tipo. O gênio artístico procede à maneira dessas temperaturas extremamente elevadas, que têm o poder de dissociar as combinações de átomos e de reagrupá-los segundo uma ordem absolutamente oposta, correspondendo a outro tipo. Toda essa harmonia artificial que a mulher impôs às suas feições e de cuja continuidade ela se assegura todos os dias diante do espelho, mudando a inclinação do chapéu, o alisado do cabelo, a jovialidade do olhar – essa harmonia, a visão do grande pintor a destrói em um segundo e, no seu lugar, procede a um reagrupamento dos traços da mulher de modo a dar satisfação a um certo ideal feminino e pictórico que traz dentro de si. Da mesma forma, ocorre muitas vezes que, a partir de uma certa idade, o olho de um grande pesquisador encontra por toda a parte os elementos necessários para estabelecer as únicas relações que o interessam. Como esses operários e jogadores, que não são pretensiosos e se contentam com o que lhes cai às mãos, poderiam dizer de qualquer coisa: isto serve. Assim, uma prima da princesa de Luxemburgo, beldade das mais altivas, tendo se deixado apaixonar outrora por uma arte que era nova então, pedira ao maior dos pintores naturalistas que fizesse o seu retrato. E logo o olho do pintor achou o que procurava em toda parte. E sobre a tela, no lugar da grande dama, havia uma moça de recados e, por trás dela, um amplo cenário inclinado e cor-de-violeta que lembrava a Praça Pigalle. Mas, mesmo sem chegar a tanto, um retrato de mulher por um grande artista não só não tenderá a satisfazer de modo algum quaisquer exigências da mulher que lhe serviu de modelo – como, por exemplo, as que, quando ela começa a envelhecer, a fazem retratar-se em roupas quase de mocinhas que realçam o seu talhe ainda juvenil e a fazem parecer irmã ou até mesmo filha de sua filha (que, se necessário, aparecerá bem mal vestida a seu lado) – mas, pelo contrário, porá em relevo as desvantagens que ela procura ocultar e que, como, por exemplo, um tom de febre ou até mesmo um matiz esverdeado, o tentam mais porque têm mais "caráter"; mas são suficientes para decepcionar o espectador comum e reduzir a nada o ideal, cuja armadura a mulher sustentava com tanto orgulho e que a colocava, em sua forma única e irredutível, de fora e acima do resto da humanidade. Agora, decaída, situada fora de seu próprio tipo onde reinava invulnerável, não passa de uma mulher como qualquer outra, cuja superioridade já não nos inspira confiança. De tal modo identificamos esse tipo, não só com a beleza de uma Odette, mas a sua personalidade, sua substância íntima, que, diante do retrato que a despojou de si mesma, somos tentados a exclamar não apenas: "Como ficou feia!", mas também: "Assemelha-se muito pouco a ela." Mal acreditamos que se trate dela. Não a reconhecemos. E, no entanto, ali há uma criatura que bem sentimos já ter visto antes. Mas essa criatura não é Odette; o seu rosto, seu corpo, seu aspecto nos são bem conhecidos. Recordam-nos não a mulher, que nunca se mantinha assim, e cuja postura habitual de modo algum desenhou um tal estranho e provocante arabesco, mas outras mulheres, todas as que Elstir pintou e que sempre, por mais diferentes que fossem, gostou de colocar assim de frente, o pé recurvado ultrapassando a saia, o grande chapéu redondo seguro na mão, correspondendo simetricamente, à altura do joelho, que ele encobre, a esse outro disco, visto de frente, o rosto. Enfim, não só um retrato genial desloca o tipo de uma mulher, tal como o estabeleceram a sua coqueteria e sua concepção egoísta da beleza, mas, se é antigo, também não se contenta em envelhecer o original da mesma forma que a fotografia, ou seja, apresentando-o com roupas fora de moda. No retrato, não é apenas a maneira de vestir da mulher que o data, mas também a maneira como o artista o pinta. Esta maneira de pintar, a primeira maneira de Elstir, era a mais terrível certidão de nascimento para Odette, pois fazia dela não somente, como suas fotos da época, a caçula das cocotes então conhecidas, mas também porque tornava seu retrato contemporâneo de um dos numerosos retratos que Manet ou Whistler pintaram com tantos modelos já desaparecidos e que pertencem ao olvido ou à História.

A tais pensamentos, silenciosamente ruminados ao lado de Elstir enquanto o acompanhava até em casa, é que me arrastava a descoberta que acabava de fazer com relação à identidade de seu modelo. Ele fizera o retrato de Odette de Crécy. Seria possível que este homem de gênio, este sábio, este solitário, este filósofo de conversação magnífica e que dominava todos os assuntos fosse o pintor ridículo e perverso adotado outrora pelos Verdurin? Perguntei-lhe se os havia conhecido, se por acaso eles não o apelidavam de Sr. Biche. Respondeu-me que sim, sem constrangimento, como se se tratasse de um pedaço já um pouco antigo de sua existência; e não desconfiava da extraordinária decepção que me causou, mas, erguendo os olhos, leu-a no meu rosto. No seu estampou-se um ar de descontentamento. E, como já quase chegáramos à sua casa, um homem de menor inteligência e coração do que ele talvez se despedisse um tanto secamente e, depois, teria evitado encontrar-se comigo. Mas não foi assim que Elstir procedeu; como verdadeiro mestre – e ser um mestre era, talvez, do ponto de vista da criação pura, o seu único defeito, neste sentido da palavra mestre, porque um artista, para penetrar inteiramente na verdade da vida espiritual, deve ser sozinho e não prodigalizar a sua individualidade, mesmo aos discípulos – buscava extrair de toda circunstância, fosse relativa a ele ou aos outros, e para melhor ilustração dos jovens, a parte de verdade que ela contivesse. Então, às palavras que poderiam vingar seu amor-próprio, preferiu as que podiam me instruir. – Não existe homem, por mais sábio que seja – disse-me –, que não tenha, em certa época de sua juventude, pronunciado palavras, ou até levado uma vida, cuja recordação lhe seja desagradável e que ele desejasse ver abolidas. Mas não deve lamentá-la de todo, pois não pode estar seguro de se ter tornado um sábio, na medida em que isso é possível, sem passar por todas as encarnações ridículas ou odiosas que devem precedê-la. Sei que há jovens, filhos e netos de pessoas célebres, a quem os preceptores ensinaram a nobreza de espírito e a elegância moral desde o colégio. Talvez nada se tenha a dizer de suas vidas, poderiam assinar e publicar tudo o que disseram, mas são pobres espíritos, descendentes sem força dos doutrinadores, e cuja sabedoria é negativa e estéril. A gente não herda a sabedoria; é preciso descobri-la por nós mesmos depois de uma trajetória que ninguém pode fazer por nós, e que ninguém nos pode evitar, pois ela é uma forma de ver as coisas. As vidas que o senhor admira, as atitudes que julga nobres, não foram obtidas pelo pai de família ou pelo preceptor; foram precedidas por inícios bem diversos, tendo sido influenciadas pelo que lhes havia em torno, fosse bom ou banal. Representam um combate e uma vitória. Compreendo que já não reconheçamos a imagem do que fomos num primeiro período da vida, a qual, em todo o caso, nos é desagradável. Entretanto, não deve ser renegada, pois trata-se de um testemunho de que temos vivido segundo as leis da vida e do espírito e que – dos elementos comuns da vida, da vida dos ateliês, dos grupos artísticos, se se trata de um pintor – extraímos algo que os supera. – Tínhamos chegado diante de sua porta. Sentia-me decepcionado por não ter conhecido as moças. Mas enfim, agora haveria uma possibilidade de reencontrá-las na vida; deixavam de somente passar por um horizonte onde eu julgara que não as veria jamais reaparecer. A seu redor já não se agitava essa espécie de redemoinho que nos separava, e que não passava da tradução do desejo em permanente atividade, móvel, urgente, alimentado de inquietudes despertadas em mim pela inacessibilidade delas, ou pelo seu possível desaparecimento para sempre. Já podia agora pôr em sossego o meu desejo por elas, guardá-lo em reserva, junto com tantos outros cuja realização ia adiando, uma vez que o sabia possível. Deixei Elstir; encontrei-me a sós. Então, de súbito, apesar da minha decepção, vi no meu espírito toda essa série de acasos que não havia suspeitado pudessem realizar-se: que Elstir fosse precisamente ligado a essas moças, que estas, que de manhã ainda eram, para mim, figuras em um quadro que tinha como fundo o mar, me tivessem visto em companhia de um grande pintor, o qual sabia agora do meu desejo de conhecê-las e sem dúvida o apoiaria. Tudo aquilo me dera satisfação, mas uma satisfação que me ficara oculta; era como essas visitas que esperam, para nos fazer saber que estão presentes, que os demais convivas tenham se retirado, e que estejamos sozinhos. Então nós as vemos, podemos dizer-lhes: estamos a seu dispor, e escutá-las. Às vezes, entre o momento em que estas satisfações entraram em nós e o momento em que nós entramos nelas, passaram-se tantas horas e vimos tanta gente no intervalo que tememos não nos tenham esperado. Mas elas são pacientes, não se cansam e, logo que todos foram embora, vemo-las face a face. Outras vezes, somos nós que estamos tão cansados que nos parece não termos força bastante, em nosso pensamento desfalecente, para reter essas lembranças e impressões para as quais o nosso eu frágil é o único lugar habitável, o único modo de realização. E o lamentaríamos, pois a existência quase só tem interesse nesses dias em que a poeira das realidades vem misturada com areia mágica, e um vulgar incidente da vida se transforma em motivo romanesco. Todo um promontório do mundo inacessível surge então da iluminação do sonho e entra em nossa vida; em nossa vida onde, como quem despertou de um sonho, vemos as pessoas com quem tínhamos sonhado tão intensamente que julgáramos que só haveríamos de revê-las em sonho.

O sossego trazido pela possibilidade de conhecer aquelas moças quando quisesse era-me tanto mais precioso, porque agora não podia continuar em seu encalço devido aos preparativos de viagem de Saint-Loup. Minha avó desejava testemunhar a meu amigo seu agradecimento por tantas gentilezas que tivera para conosco. Disse-lhe que Saint-Loup era um grande admirador de Proudhon e sugeri que mandasse vir a Balbec numerosas cartas autógrafas desse filósofo que ela havia comprado; Saint-Loup veio vê-las no hotel no dia em que chegaram, que era o da véspera de sua partida. Leu-as avidamente, manuseando cada folha com respeito, procurando reter as frases; ergueu-se depois, e já se desculpava com minha avó de ter ficado por tanto tempo, quando a ouviu dizer:

– Nada disso; leve-as. São suas, foi para você que mandei trazê-las.

Aquilo lhe deu uma alegria tamanha que não a pôde dominar, como não se pode dominar um estado físico que ocorre sem intervenção da vontade. Ficou vermelho como uma criança que está sendo castigada, e minha avó se sentiu muito mais emocionada ao ver todos os esforços que ele fizera (sem o conseguir) para conter a alegria que o agitava, do que com todos os protestos de gratidão que ele pudesse ter externado. Mas ele, temendo ter mal demonstrado o seu reconhecimento, ainda pedia que o desculpasse, no dia seguinte, debruçado à janela do trenzinho de ramal secundário que tomara para alcançar o seu quartel. Este, de fato, ficava bem perto. Saint-Loup havia pensado em ir de carro, como fazia muitas vezes quando devia voltar à tarde e não se tratava de uma partida definitiva. Mas desta vez era necessário mandar de trem sua numerosa bagagem. E ele achou mais simples subir igualmente ao vagão, de acordo com a opinião do gerente do hotel que, consultado, havia respondido que trem ou carro "seriam mais ou menos equívocos". Com isso queria dizer que seriam equivalentes (em suma, mais ou menos o que Françoise teria expressado ao dizer que "isto iria do semelhante ao mesmo"). – Ou seja – concluiu Saint-Loup –, irei pelo "tortinho". – Também o teria tomado se não estivesse tão cansado, para acompanhar meu amigo a Doncières; prometi-lhe, ao menos, durante o tempo que ficamos na estação de Balbec, isto é, o tempo que o maquinista dedicou a esperar alguns retardatários, sem os quais não queria partir, e também para tomar algum refresco, ir vê-lo várias vezes por semana. Como Bloch também tinha vindo à estação, para grande contrariedade de Saint-Loup, este, ao ver que meu colega o ouvia me pedir que fosse almoçar, jantar e morar em Doncières, acabou por lhe dizer, num tom bastante frio, cujo objetivo era o de corrigir a amabilidade forçada do convite e impedir que Bloch o levasse a sério: – Se alguma vez passar por Doncières à tarde, poderá perguntar por mim no quartel; mas quase nunca estou livre. – Talvez Robert igualmente receasse que, sozinho, eu não fosse e, pensando que eu estivesse mais ligado a Bloch do que dizia, dava-me, assim, oportunidade de ter um companheiro de viagem que me animasse a ir.

Eu receava que esse tom, essa maneira de convidar alguém, aconselhando-o a que não fosse, fosse deixar Bloch melindrado, e achava que Saint-Loup teria feito melhor em não falar coisa alguma. Mas estava enganado, pois, logo após a partida do trem, enquanto voltávamos juntos até o cruzamento das duas avenidas onde iríamos nos separar, visto que uma levava ao hotel e a outra à vivenda dos Bloch, este não parou de indagar em que dia iríamos a Doncières, porque, depois de "todas as amabilidades que Saint-Loup lhe fizera", seria "muito grosseiro de sua parte" não atender a seu convite. Gostei de que ele não tivesse notado o tom pouco insistente, meramente polido, com que o convite fora feito, ou, caso o houvesse notado, que fingisse e não se desse por achado. Contudo, desejaria que Bloch não caísse no ridículo de ir de imediato a Doncières. Mas não ousava lhe dar um conselho que só poderia incomodá-lo, mostrando-lhe que Saint-Loup fora menos insistente no convite do que ele em aceitá-lo. Bloch era extremamente inoportuno, porque, embora todos os defeitos que tivesse no gênero fossem compensados por notáveis qualidades que outras pessoas, mais reservadas, não possuíam, levava a indiscrição a um nível exasperador. Na sua opinião, a semana não poderia terminar sem que fôssemos a Doncières. (Dizia "fôssemos", pois julgo que contava com minha presença para desculpar a sua.) Em todo o caminho de volta, diante do ginásio, debaixo das árvores, diante do campo de tênis, diante da Prefeitura, diante do mercado de conchas, parava, suplicando que eu fixasse um dia determinado; e, como eu recusasse, retirou-se aborrecido, dizendo: – Como quiser, cavalheiro. Em todo caso, sou obrigado a ir, pois ele me convidou.

Saint-Loup temia tanto não ter agradecido à minha avó como devia, que, dois dias depois, ainda me encarregava de lhe testemunhar sua gratidão numa carta sua que recebi da cidade onde se achava aquartelado e que parecia, pelo envelope em que o correio havia carimbado o nome dela, ter corrido bem depressa ao meu encontro para me dizer que, entre suas muralhas, no quartel de cavalaria Luís XVI, ele pensava em mim. O papel trazia as armas de Marsantes, nas quais distingui um leão que superava uma coroa encimada por um barrete de par da França.

"Depois de uma viagem sem novidades (dizia-me), dedicada a ler um livro que comprei na estação, escrito por Arvède Barine (penso que seja um autor russo; pareceu-me extremamente bem escrito para um estrangeiro; mas diga o que acha, pois você, poço de ciência que leu tudo, deve conhecê-lo), eis-me de volta ao ambiente desta vida grosseira, onde infelizmente me sinto bem exilado e nada tenho do que deixei em Balbec; esta vida onde não encontro nenhuma sombra de afeto, nenhum vestígio de intelectualidade; vida cujo ambiente você sem dúvida desprezaria e que, todavia, possui algum encanto. Tudo me parece ter mudado desde que estive aqui pela última vez, pois no intervalo começou uma das épocas mais importantes da minha vida, aquela da qual data a nossa amizade. Espero que esta não acabe jamais. Só falei dela e de você a uma única pessoa, a minha amiga, que me fez a surpresa de vir passar uma hora comigo. Ela gostaria muito de conhecê-lo e creio que você concordaria com isto, pois também é muito literária. Em compensação, para repensar em nossas conversas, para reviver essas horas que jamais esquecerei, isolei-me de meus camaradas, excelentes moços mas que teriam sido incapazes de compreender essas coisas. Essas lembranças dos momentos passados com você, gostaria de evocá-las, no primeiro dia, só para mim e sem lhe escrever. Mas receio que você, espírito sutil e coração ultra-sensível, fique preocupado se não receber nenhuma carta minha, se é que se dignou a abaixar seu pensamento logo para este rude soldado que tanto trabalho lhe há de dar para desbastar e tornar um pouco mais sutil e digno de você."

No fundo, esta carta se parecia muito, por sua ternura, àquelas que, quando ainda não conhecia Saint-Loup, imaginara que ele me escreveria, naquelas fantasias de imaginação de que me arrancou a frieza do nosso primeiro encontro, pondo-me diante de uma realidade glacial que não deveria ser definitiva. Depois de tê-la recebido, cada vez que, à hora do almoço, traziam a correspondência, eu reconhecia logo quando chegava uma carta dele, pois elas ostentavam sempre aquela fisionomia que uma criatura ausente mostra e de cujas feições (o tipo de letra) não há razão alguma para que não acreditemos extrair uma alma individual tão bem como a distinguimos na forma do nariz ou nas inflexões da voz.

Agora, eu ficava de boa vontade à mesa enquanto retiravam o serviço, e não me limitava mais a olhar o mar, a não ser no momento em que as moças do grupinho poderiam passar. Desde que vira essas coisas nas aquarelas de Elstir, procurava reencontrá-las na realidade, apreciava como elemento poético o gesto interrompido das facas ainda atravessadas, a redondez abaulada de um guardanapo desfeito onde o sol intercala um pedaço de veludo amarelo, a taça meio vazia que assim revela a nobre amplitude de suas formas e, no fundo de seu cristal translúcido, semelhante a uma condensação do dia, um resto de vinho escuro, mas cintilante de brilhos, o deslocamento dos volumes, a transmutação dos líquidos por efeitos de luz, a alteração das ameixas, que passam do verde ao azul e do azul ao dourado na compoteira já meio vazia, o passeio das cadeiras velhinhas que, duas vezes ao dia, vêm se instalar ao redor da toalha estendida na mesa, como sobre um altar onde são celebrados os ritos da gula, e na qual há ostras em cujo interior jazem algumas gotas de água lustral como em pequenas pias de água benta; eu tentava encontrar a beleza onde jamais imaginara que estivesse, nas coisas mais comuns, na vida profunda das "naturezas mortas".

Dias depois da partida de Saint-Loup, consegui que Elstir promovesse uma pequena matinê onde me encontraria com Albertine; houve quem me achasse elegante e charmoso, aliás qualidades ambas momentâneas, quando saía do Grande Hotel (o que se devia a um repouso prolongado e a cuidados especiais de indumentária), e lamentei não poder reservar a simpatia e a elegância (bem como o prestígio de Elstir) para a conquista de uma outra pessoa mais interessante, lamentei gastar tudo isto pelo simples prazer de conhecer Albertine. Minha inteligência julgava bem pouco valioso esse prazer, desde que estava assegurado. Mas dentro de mim a vontade não concordava um instante sequer com essa ilusão, a vontade, que é servidora perseverante e imutável de nossas personalidades sucessivas; oculta na sombra, desdenhada, de uma fidelidade infatigável, trabalha sem cessar e sem se preocupar com as variações do nosso eu para que nunca lhe falte nada do que necessita. Ao passo que, no momento em que vai se efetuar uma viagem desejada, a inteligência e a sensibilidade começam a perguntar-se se de fato vale a pena viajar, a vontade, que sabe que esses mestres ociosos recomeçariam imediatamente a achar maravilhosa essa viagem caso ela não pudesse realizar-se, a vontade os deixa dissertar diante da estação, multiplicar as hesitações; porém ocupa-se em pegar as passagens e vai nos colocando no vagão para quando chegue a hora da partida. Ela é tão invariável quanto a inteligência e a sensibilidade se mostram mutáveis; mas, como é silenciosa, não dá suas razões, parece quase inexistente. É à sua firme determinação que obedecem as outras partes do nosso eu, mas sem o perceber, ao passo que elas distinguem nitidamente suas próprias incertezas. Minha sensibilidade e minha inteligência instituíram então um debate sobre o valor do prazer que haveria em conhecer Albertine, enquanto eu olhava ao espelho os vãos e frágeis adornos de minha pessoa, que ambas prefeririam conservar intactos para outra ocasião; mas minha vontade não deixou passar a hora em que era necessário partir, e foi o endereço de Elstir que ela deu ao cocheiro. Minha inteligência e minha sensibilidade ainda pensaram que era uma pena, pois a sorte estava lançada. Se minha vontade tivesse dado outro endereço, elas ficariam desapontadas.

Quando cheguei em casa de Elstir, pouco depois, a princípio julguei que a Srta. Simonet não se achava presente. No ateliê estava uma jovem sentada, de vestido de seda, cabeça descoberta; eram-me desconhecidos a cabeleira magnífica, o nariz e a cor da pele, onde nada encontrei da entidade que extraíra de uma jovem ciclista que passeava coberta por uma boina, ao longo da praia. No entanto era Albertine. Porém, mesmo quando o soube, não me ocupei dela. Quando se é jovem, ao entrar em qualquer reunião social, a gente morre para si mesmo, torna-se homem diferente, visto que todo salão é um novo universo onde, obedecendo à lei de uma outra perspectiva moral, fixamos a atenção, como se fossem nos importar para sempre, em pessoas, danças, jogos de cartas, que no dia seguinte estarão esquecidos. Obrigado a seguir, para chegar a uma conversa com Albertine, um caminho que de modo algum traçara e que parava primeiro diante de Elstir, passava por outros grupos de convidados, a quem ia sendo apresentado, depois ao longo do bufê, onde me eram oferecidas, e onde comia, tortas de cerejas, enquanto escutava imóvel a música que principiavam a tocar, acabei dando a estes episódios diversos a mesma importância que à minha apresentação à Srta. Simonet, apresentação que não era senão uma a mais dentre aqueles episódios, e que eu inteiramente esquecera ter sido, alguns minutos antes, o objetivo único da minha vinda. Aliás, não ocorre o mesmo na vida ativa, com nossas verdadeiras felicidades, nossas grandes desgraças? No meio de outras pessoas, recebemos, daquela a quem amamos, a resposta favorável ou mortal que esperávamos há um ano. Mas é preciso continuar a conversar, as idéias se ajuntam umas às outras, desenvolvendo uma superfície à qual só vem aflorar surdamente, de quando em vez, a lembrança, aliás bem profunda porém tênue, de que nos chegou a desgraça. Se, no lugar desta, vem a felicidade, pode ocorrer que somente muitos anos depois nos lembremos que o maior acontecimento da nossa vida sentimental se cumpriu sem que tivéssemos tido tempo de lhe prestar uma atenção prolongada, e quase que de tomar consciência dele, numa reunião social, por exemplo, e à qual havíamos comparecido apenas na expectativa desse acontecimento.

No momento em que Elstir me chamou para me apresentar a Albertine, sentada um pouco mais adiante, primeiro acabei de comer uma bomba de chocolate com café e pedi com interesse a um velho senhor, a quem acabara de conhecer, e ao qual julguei poder oferecer a rosa que ele admirava em minha botoeira, que me desse pormenores acerca de algumas feiras normandas. Não preciso dizer que a apresentação que se seguiu não me causou prazer nenhum, nem pareceu ter a meus olhos qualquer gravidade. Quanto ao prazer, só o conheci naturalmente um pouco mais tarde, quando, de volta ao hotel, e estando sozinho, me tornei de novo eu mesmo. Com os prazeres, ocorre o mesmo que com as fotografias. O que colhemos na presença da pessoa amada não passa de um clichê negativo que revelamos depois, logo que estivermos em casa, quando temos à nossa disposição essa câmara escura interior cuja entrada é "proibida" enquanto há gente à vista.

Se o conhecimento do prazer me foi assim retardado de algumas horas, em troca percebi logo a gravidade dessa apresentação. No momento dela, podemos sentir-nos de súbito gratificados e portadores de um "vale" para futuros prazeres, atrás do qual corríamos há várias semanas; mas bem percebemos que sua obtenção põe fim, para nós, não apenas a exaustivas buscas – o que apenas poderia nos encher de júbilo –, mas também à existência de uma certa criatura, aquela que nossa imaginação tinha desfigurado, e que o nosso temor ansioso de jamais poder conhecê-la havia engrandecido. No instante em que o nosso nome ressoa na boca do apresentador, sobretudo se é cercado, como o fez Elstir, de palavras elogiosas – nesse instante sacramental, análogo àquele em que, numa *féerie,* o gênio ordena a uma pessoa que seja uma outra de repente –, desaparece aquela criatura de quem nos desejávamos aproximar; antes de mais nada, como permaneceria ela igual a si mesma, já que – devido à atenção que a desconhecida é obrigada a prestar ao nosso nome e à nossa pessoa – nos olhos ontem situados no infinito (e que julgávamos que os nossos, errantes, mal regulados, aflitos, divergentes, jamais lograriam atingir), o olhar consciente, o pensamento incognoscível que procurávamos acaba de ser milagrosa e simplesmente substituído por nossa própria imagem pintada como no fundo de um espelho que estivesse sorrindo? Se a encarnação de nós mesmos no que nos parecia bem diverso de nós, é o que mais modifica a pessoa a quem acabam de nos apresentar, a forma dessa pessoa permanece ainda bastante imprecisa; e podemos nos indagar se ela será deus, mesa ou bacia. Porém, tão ágeis como os ceroplastas que modelam um busto à nossa frente em cinco minutos, as poucas palavras que a desconhecida vai nos dizer precisarão essa forma e lhe darão algo de definitivo que há de excluir todas as hipóteses às quais, na véspera, se entregavam o nosso desejo e a nossa imaginação. Sem dúvida, mesmo antes de comparecer àquela reunião, Albertine já não era de todo para mim esse único fantasma digno de assombrar nossa vida, que permanece para nós uma passante de quem nada sabemos, e que mal vislumbramos. Seu parentesco com a Sra. Bontemps já restringira essas hipóteses maravilhosas, tapando uma das vias por onde podiam se espalhar. À medida que me aproximava da moça, e a conhecia mais, tal conhecimento se fazia por subtração, sendo cada pedaço de imaginação e de desejo substituído por uma noção que valia infinitamente menos, noção à qual, é verdade, vinha acrescentar-se uma espécie de equivalente, no terreno da vida, ao que as sociedades financeiras dão após o reembolso da ação primitiva, e que denominam ação de usufruto. Seu nome e seus parentes haviam sido uma primeira limitação trazida às minhas hipóteses. Sua gentileza foi um outro limite, enquanto, bem junto dela, eu voltava a encontrar seu sinalzinho no rosto, abaixo do olho; enfim, admirei-me de ouvi-la empregar o advérbio "perfeitamente" em vez de "completamente", ao se referir a duas pessoas, dizendo que era "perfeitamente louca, mas afinal muito gentil" e, da outra, que "é um senhor perfeitamente vulgar e perfeitamente aborrecido". Por pouco agradável que fosse aquele emprego de "perfeitamente", indica um grau de civilização e de cultura ao qual não poderia imaginar que a bacante de bicicleta, a musa orgiástica do golfe, alcançaria. O que aliás não impediu que, após esta primeira metamorfose, Albertine devesse ainda mudar várias vezes para mim. As qualidades e os defeitos que uma criatura apresenta dispostos no primeiro plano de seu rosto ordenam-se de acordo com uma formação completamente diferente se a abordamos de um lado diverso – como em uma cidade os monumentos espalhados em ordem dispersa sobre uma só linha, sob outro ponto de vista escalonam-se em profundeza e trocam suas grandezas relativas. Para começar, achei Albertine com aspecto bastante intimidado, em vez de implacável; pareceu-me mais distinta do que mal-educada, a julgar pelos epítetos de "ela tem mau gênio, ela tem um gênio esquisito" que aplicou a todas as moças de quem lhe falei; enfim, como ponto marcante do rosto, tinha Albertine têmpora bastante afogueada e pouco agradável de ver, e não mais o olhar estranho em que eu sempre havia pensado até então. Mas aquilo não passava de uma segunda vista, e sem dúvida haveria outras pelas quais eu devia passar sucessivamente. Assim, só depois de ter reconhecido, não sem hesitações, os erros de ótica do começo, é que podemos alcançar o conhecimento exato de uma criatura, se é que tal conhecimento é possível. Mas não o é; pois, ao passo que se retifica a visão que temos dela, ela mesma, que não é um objetivo inerte, muda por conta própria; julgamos apanhá-la, ela se desloca, e, acreditando vê-la enfim mais claramente, conseguimos aclarar apenas as imagens antigas que havíamos tomado, mas essas imagens não a representam mais.

Entretanto, apesar das inevitáveis decepções que possa acarretar, essa marcha na direção do que apenas se entreviu, para o que se teve tempo de imaginar – essa marcha é a única saída para os sentidos, que nela entretêm seu apetite. De que morno aborrecimento está impregnada a vida das pessoas que, por preguiça ou timidez, vão diretamente de carro à casa dos amigos, a quem conheceram sem primeiro ter sonhado com eles, sem jamais ousar, durante o caminho, parar junto de quem desejam!

Voltei para o hotel pensando naquela reunião matutina, revendo a bomba com café que acabara de comer antes de deixar que Elstir me levasse para junto de Albertine, a rosa que havia dado ao velho senhor, todos esses detalhes escolhidos à nossa revelia pelas circunstâncias e que compõem para nós, num arranjo especial e fortuito, o quadro de um primeiro encontro. Mas esse quadro, tive a impressão de vê-lo sob outro ponto de vista, de muito longe de mim mesmo, compreendendo que não havia existido só para mim quando, alguns meses depois, para meu grande espanto, como falasse a Albertine sobre o dia em que nos conhecêramos pessoalmente, ela me recordou a bomba, a flor que eu havia dado, tudo o que eu julgava, não digo importante apenas para mim, mas apenas de mim conhecido, e que encontrava assim transcrito, em uma versão de cuja existência nem suspeitava, no pensamento de Albertine. Desde esse primeiro dia, quando ao regressar pude ver a lembrança que trazia comigo, compreendi que passe de mágica fora perfeitamente executado, e como havia conversado por um instante com a pessoa que, graças à habilidade do prestidigitador, sem ter coisa alguma daquela que eu seguira por tanto tempo à beira da praia, fora-lhe substituída. Aliás, deveria tê-lo adivinhado previamente, visto que a moça da praia fora fabricada por mim. Apesar disso, como eu a houvesse, em minhas conversas com Elstir, assimilado a Albertine, sentia-me, em relação a esta, na obrigação moral de manter as promessas de amor feitas à Albertine imaginária. A gente fica noivo por procuração e, a seguir, julga-se obrigado a desposar a pessoa interposta. Além disso, se havia desaparecido provisoriamente, ao menos da minha vida, uma angústia, à qual bastaria, para serenar, a recordação das maneiras corretas, da expressão "perfeitamente vulgar" e da têmpora afogueada, essa recordação despertava em mim um outro gênero de desejo, que, embora suave e nada doloroso, semelhante a um sentimento fraternal, podia com o tempo se tornar bem perigoso, fazendo-me sentir a todo instante a necessidade de beijar essa nova pessoa, cujas boas maneiras e timidez, além da disponibilidade inesperada, detinham a corrida inútil da minha imaginação, mas davam origem a uma gratidão enternecida. E depois, como a memória começa de imediato a tirar fotografias independentes umas das outras, suprimindo todo elo, todo progresso entre as cenas nelas figuradas, a derradeira, na coleção das que ela expõe, não destrói forçosamente as anteriores. Em face da medíocre e palpável Albertine a quem havia falado, eu via a misteriosa Albertine diante do mar. Agora, eram lembranças, ou seja, quadros dos quais nenhum me parecia mais verdadeiro que o outro. Enfim, para terminar com esse dia de apresentação, tentando rever o sinalzinho no rosto abaixo do olho, lembrei-me que, quando Albertine fora embora, vira-lhe eu o mesmo sinalzinho no queixo. Em suma, quando a via, reparava que tinha um sinalzinho; porém, a seguir, minha memória erradia o passeava pelo rosto de Albertine, pondo-o ora aqui, ora ali.

Por mais desapontado que ficasse por ter achado na Srta. Simonet uma moça muito pouco diferente de todas que conhecia, assim como a minha decepção diante da igreja de Balbec cancelava-me o desejo de ir a Quimperlé, a Pont-Aven e a Veneza, dizia comigo que, ao menos por meio de Albertine, caso ela mesma não fosse o que eu havia esperado, poderia conhecer suas amigas do pequeno grupo.

A princípio julguei que iria fracassar. Como ela devia permanecer ainda muito tempo em Balbec, e eu também, achara que o melhor seria não insistir em vê-la e esperar uma ocasião que me proporcionasse um encontro. Mas isso acontecia todos os dias; era muito de temer que ela se contentasse em responder de longe à minha saudação, a qual, neste caso, repetida diariamente por toda a temporada, não levaria a coisa alguma.

Pouco tempo depois, certa manhã em que chovera e em que fazia quase frio, fui abordado no molhe por uma moça que usava boina e regalo, tão diferente daquela que vira na reunião em casa de Elstir, que parecia a meu espírito uma operação impossível reconhecer nela a mesma pessoa; todavia, pude reconhecê-la, mas após um momento de surpresa que julgo não ter escapado a Albertine. Por outro lado, lembrando-me naquele instante das "boas maneiras" que me haviam espantado, ela me deixou assombrado em sentido inverso pelo seu tom rude e suas maneiras "pequeno grupo". Quanto ao mais, a têmpora deixara de ser o centro ótico e tranqüilizador do rosto, seja porque eu estivesse colocado do outro lado dela, seja porque a boina a tapasse, seja porque a vermelhidão fosse inconstante. – Que tempo! – disse ela. – No fundo, o verão sem fim de Balbec é uma grande piada. Você não faz nada aqui? Nunca se vê você no golfe, nos bailes do cassino; tampouco anda a cavalo. Como deve se aborrecer! Não acha que a gente se imbeciliza ficando o tempo todo na praia? Ah, você gosta de bancar o lagarto, hein? Bem, você tem tempo. Vejo que não é como eu; adoro todos os esportes! Não esteve nas corridas da Sogne? Nós fomos até lá de bonde, e compreendo que não lhe agrade um calhambeque daqueles. Levamos duas horas até lá! No mesmo tempo, eu teria ido e voltado três vezes com a minha bicicleta. – Eu, que havia admirado Saint-Loup quando ele se referira, com toda a naturalidade, ao pequeno trem de ferro local como "tortinho", devido às numerosas curvas que fazia, fiquei intimidado com a facilidade com que Albertine dizia "calhambeque". Sentia a sua mestria em um sistema de designações em que eu temia que ela percebesse e desprezasse a minha inferioridade. E também a riqueza de sinônimos que possuía o pequeno grupo para designar aquela estrada de ferro ainda não me fora revelada. Falando, Albertine conservava a cabeça imóvel, as narinas apertadas, e movia apenas a ponta dos lábios. Daí resultava um som como que arrastado e nasal, em cuja composição talvez entrassem heranças provincianas, uma afetação juvenil de fleuma britânica, lições de uma professora estrangeira e uma hipertrofia congestiva da mucosa do nariz. Tal emissão de voz, que aliás cedia bem depressa à medida que ia conhecendo as pessoas, e se tornava naturalmente infantil, poderia passar por desagradável. Era no entanto muito especial e me deixava encantado. Todas as vezes que ficava alguns dias sem vê-la, exaltava-me repetindo: "Nunca se vê você no golfe", com o tom nasal com que ela falara, muito reta, sem mexer a cabeça. E então imaginava não existir pessoa mais desejável.

Formávamos, naquela manhã, um desses pares que matizam aqui e ali o passeio do molhe com seus encontros, suas paradas, justo o tempo necessário para trocar algumas palavras antes de se despedirem para cada um tomar em separado o seu passeio divergente. Aproveitei essa imobilidade para olhar e saber em definitivo onde estava situado o sinalzinho. Ora, assim como um trecho de Vinteuil que me encantara na Sonata e que minha memória fazia vaguear do andante ao final, até o dia em que, tendo em mãos a partitura, pude encontrá-lo e imobilizá-lo na minha lembrança em seu lugar devido, no *scherzo* – da mesma forma o sinalzinho que me lembrava estar ora na face, ora no queixo, parou para sempre sobre o lábio superior abaixo do nariz. Do mesmo modo encontramos, com espanto, versos que sabíamos de cor, numa peça onde não suspeitávamos que estivessem.

Naquele momento, como para que diante do mar se multiplicasse livremente, na variedade de suas formas, todo o rico conjunto decorativo que era o belo desfilar das virgens, a um tempo róseas e douradas, curtidas pelo sol e pelo vento, as amigas de Albertine, de pernas bonitas e lindo corpo, mas tão diversas umas das outras, mostraram seu grupo, que foi se desenrolando, avançando em nossa direção, mais perto do mar, numa linha paralela. Pedi licença a Albertine para acompanhá-la por alguns instantes. Infelizmente ela se contentou em lhes abanar com a mão. – Mas suas amigas vão se queixar se não acompanhá-las – disse-lhe, esperando que passeássemos juntos. Um rapaz de feições regulares, com raquetes na mão, se aproximou de nós. Era o jogador de bacará, cujas loucuras tanto indignavam a esposa do primeiro magistrado. Com ar frio, impassível, no qual evidentemente ele imaginava consistir a suprema distinção, cumprimentou Albertine. – Está vindo do golfe, Octave? – indagou esta. – Correu tudo bem? Está em forma? – Oh, isto me aborrece, estou em apuros – respondeu ele. – André também estava lá?

– Sim, e fez setenta e sete. – Oh, mas é um recorde! – Eu tinha feito oitenta e dois ontem. – Octave era filho de um industrial muito rico que deveria desempenhar um papel importantíssimo na organização da próxima Exposição universal. Espantou-me ver a que ponto, naquele moço e nos outros raros amigos masculinos dessas moças, o conhecimento que possuíam de tudo quanto era roupa, modo de vestir, charutos, bebidas inglesas, cavalos – conhecimento que Octave possuía nos mínimos detalhes com uma infalibilidade altiva que atingia a modéstia silenciosa do sábio – se desenvolvera isoladamente sem ser acompanhado da menor cultura intelectual. Não mostrava qualquer hesitação sobre a oportunidade do *smoking* ou do pijama, mas não suspeitava do caso em que se pode ou não empregar certa palavra, e nem mesmo das regras mais elementares do francês. Essa disparidade entre os dois tipos de cultura devia ser a mesma no caso de seu pai, presidente do Sindicato dos Proprietários de Balbec, pois, numa carta aberta aos eleitores, que acabara de afixar em todos os muros, dizia: "Eu quis ver o prefeito para falá-lo a respeito disso, ele não quis ouvir minhas justas queixas." Octave, no cassino, ganhava prêmios em todos os concursos de bóston, tango, etc., o que lhe proporcionaria, se quisesse, um belo casamento nesse ambiente de "banhos de mar", onde não é no sentido figurado, mas no literal, que as moças acabam casando com seu "par". Octave acendeu um charuto enquanto dizia a Albertine: – Com licença – como se pede autorização para terminar um trabalho urgente enquanto se conversa. Pois ele nunca podia "ficar sem fazer nada", embora nunca fizesse coisa nenhuma. E, como a inatividade completa acaba por ter os mesmos efeitos que o trabalho exagerado, tanto no domínio moral como na vida do corpo e dos músculos, a constante nulidade intelectual que morava por trás da fronte sonhadora de Octave acabara por lhe conferir, apesar de seu aspecto tranqüilo, ineficazes tentações de pensamento que o impediam de dormir à noite, como poderia ocorrer a um metafísico exausto.

Imaginando que se conhecesse seus amigos poderia ter mais oportunidades de ver essas moças, estava a ponto de pedir para lhe ser apresentado. Assim o disse a Albertine, logo que ele foi embora repetindo: – Estou em apuros. – Pensava incutir-lhe a idéia de me apresentar da próxima vez. – O quê! – exclamou Albertine. – Não posso apresentá-lo a um gigolô! Isto aqui fervilha de gigolôs. Mas eles não poderiam conversar com você. Este joga muito bem o golfe, e pronto. Sei o que estou dizendo, não é absolutamente do seu gênero. – Suas amigas vão se queixar se as deixa assim – disse eu, esperando que ela propusesse irmos juntos ao encontro delas. – Nada disso, elas não têm necessidade alguma de mim. – Passamos por Bloch, que me lançou um sorriso fino e insinuante e, embaraçado quanto a Albertine, a quem não conhecia, ou pelo menos conhecia "sem conhecer", abaixou a cabeça para o colarinho num movimento seco e rebarbativo. – Como é que se chama esse ostrogodo? – perguntou Albertine. – Não sei por que me cumprimenta, visto que não me conhece. Portanto, não lhe retribuí seu cumprimento – Não tive tempo de responder a Albertine, pois, caminhando direito sobre nós: – Desculpa-me a interrupção – disse ele –, mas queria te avisar que vou amanhã a Doncières. Não posso mais esperar sem cometer uma grosseria e me pergunto o que Saint-Loup-en-Bray deve estar pensando de mim. Previno-te que tomo o trem das duas horas. À tua disposição. – Mas eu não pensava mais do que em rever Albertine e tentar conhecer suas amigas, e Doncières, como elas não iam para lá e me obrigaria a voltar para casa depois da hora em que elas estariam na praia, me parecia ficar no fim do mundo. Disse a Bloch que aquilo era-me impossível. – Pois bem, irei sozinho. Conforme os dois ridículos alexandrinos do Sr. Arouet, direi a Saint-Loup, para acalentar seu anticlericalismo:

Saiba que meu dever não depende do seu.
Faça o que lhe aprouver; eu cumprirei o meu.

– Reconheço que é um belo rapaz – disse-me Albertine; mas o fato é que ele me desagrada.

Jamais imaginara que Bloch pudesse ser tido como um belo rapaz. Era-o de fato. Com uma cabeça um tanto proeminente, um nariz bem recurvo, um ar de extrema finura, e de quem estava convencido da própria finura, tinha um rosto agradável. Mas não podia agradar a Albertine. Era talvez devido às más qualidades de Albertine, à dureza e à insensibilidade do pequeno grupo, à grosseria dela para com tudo o que lhe não dizia respeito. Aliás, mais tarde, quando os apresentei, a antipatia de Albertine não diminuiu. Bloch pertencia a um meio no qual, entre o gracejo empregado na alta sociedade e o suficiente respeito pelas boas maneiras que deve ter um homem que tem "mãos limpas", ergueu-se entretanto uma espécie de compromisso particular que difere das maneiras da alta sociedade e é, apesar de tudo, uma forma singularmente odiosa de mundanismo. Quando era apresentado a alguém, Bloch se inclinava a um tempo com um sorriso de ceticismo e um respeito exagerado e, se se tratava de um homem, dizia: – Encantado, senhor – com uma voz que se ria das palavras pronunciadas mas tinha consciência de pertencer a alguém que não era um sujeito grosseiro. Após esse primeiro momento de um costume que ele seguia e do qual, ao mesmo tempo, troçava (como quando dizia no dia 1º de janeiro: "Feliz Ano-Novo"), tomava um ar de finura e malícia e "proferia coisas sutis" que, muitas vezes, eram cheias de verdade, mas "irritavam os nervos" de Albertine. Quando lhe disse naquele primeiro dia que ele se chamava Bloch, ela exclamou: – Eu seria capaz de jurar que era judeu. É bem do jeito deles. – Aliás, Bloch, a seguir, devia irritar Albertine de outra forma. Como diversos intelectuais, ele não podia dizer com simplicidade as coisas simples. Para cada uma, encontrava um qualificativo precioso e depois generalizava. Isto aborrecia Albertine, que não gostava muito de que se ocupassem com o que ela fazia; quando torceu o pé e teve de ficar em sossego, Bloch observou: – Ela está na espreguiçadeira mas, por ubiqüidade, não deixa de freqüentar simultaneamente indistintos golfes e remotos tênis. – Aquilo não passava de "literatura", mas que, devido às dificuldades que Albertine sentia que poderia lhe criar com as pessoas cujo convite recusara, dizendo que não podia se mover, bastou para que criasse aversão ao rosto e ao som da voz do rapaz que dizia tais coisas. Separamo-nos, Albertine e eu, combinando sair juntos um dia. Conversara com ela sem mais saber aonde cairiam minhas palavras e aonde iriam parar, como se lançasse pedras num abismo sem fundo. Que em geral sejam preenchidas, pela pessoa a quem as dirigimos, de um sentido que ela tira de sua própria substância e que é bem diferente do que havíamos posto nessas mesmas palavras, é um fato que a vida cotidiana nos revela permanentemente. Mas se, além disso, estamos juntos de uma pessoa cuja educação (como, para mim, a de Albertine) nos é inconcebível, desconhecidas as inclinações, as leituras, os princípios, não sabemos se nossas palavras nela despertam maior reação que num animal, a quem no entanto tivéssemos de fazer compreender certas coisas. De modo que tentar ligar-me a Albertine me parecia uma tomada de contato com o desconhecido, senão com o impossível, como um exercício tão incômodo feito o de domar um cavalo, tão repousante como o de criar abelhas ou cultivar rosas.

Algumas horas antes, julgara que Albertine só responderia de longe ao meu cumprimento. Acabávamos de nos separar fazendo projeto de um passeio juntos. Prometi a mim mesmo, quando encontrasse Albertine de novo, ser mais ousado com ela, e já traçara previamente o plano de tudo o que lhe diria e até mesmo (agora que tinha a impressão absoluta de que ela devia ser leviana) de todos os prazeres que lhe exigiria. Mas o espírito é influenciável como a planta, como a célula, como os elementos químicos e o meio que o modifica, se nele o mergulhamos, vem a ser as circunstâncias, um quadro novo. Tornando-me diverso pelo fato de sua própria presença, quando me encontrei de novo com Albertine disse-lhe coisas bem diferentes das que havia planejado. Depois, lembrando-me da têmpora avermelhada, perguntava a mim mesmo se Albertine não gostaria mais de uma gentileza que soubesse desinteressada. Enfim, sentia-me embaraçado diante de alguns olhares seus, de certos sorrisos. Podiam significar costumes fáceis, mas também a alegria meio boba de uma moça brincalhona, mas no fundo honesta. Uma mesma expressão, do rosto como da linguagem, podia comportar diversas acepções, e eu vacilava como um aluno diante das dificuldades de uma tradução do grego.

Desta vez nos encontramos quase em seguida com a moça alta, Andrée, a que havia saltado sobre o velho magistrado; Albertine teve de me apresentar. Sua amiga possuía olhos extraordinariamente claros, como a abertura das portas que, num quarto sombrio, dão para o sol e o reflexo esverdeado do mar imerso em luz.

Passaram cinco senhores que eu conhecia muito bem de vista desde que chegara a Balbec. Muitas vezes indagara a mim mesmo quem seriam. – Não são pessoas muito chiques – disse-me Albertine, com uma risadinha de desprezo. – O velhinho de cabelo pintado e luvas amarelas tem uma pinta, hein? É o dentista de Balbec, é um bom tipo; o gordo é o prefeito, não o baixinho, esse você deve ter visto, é o professor de dança, também é detestável; não pode nos suportar porque fazemos muito barulho no cassino, estragamos suas cadeiras, queremos dançar sem tapete, de forma que nunca nos deu um prêmio, embora somente nós é que saibamos dançar. O dentista é um bom sujeito; por mim, o cumprimentaria, para enfurecer o professor de dança, mas não podia porque com ele está o Sr. de Sainte-Croix, o conselheiro-geral, um homem de muito boa família que aderiu aos republicanos por dinheiro; nenhuma pessoa decente o cumprimenta mais. Ele conhece meu tio, por causa do governo, mas o resto da minha família lhe volta as costas. O magro, de impermeável, é o regente da orquestra. Como? Não o conhece? Ele toca divinamente. Não foi ouvir a *Cavalleria Rusticana*? Ah, acho-a ideal! Ele dá um concerto esta noite, mas não podemos ir porque se realiza na sala da Prefeitura. No cassino, não teria problemas, mas, na sala da Prefeitura, de onde retiraram o Cristo, a mãe de Andrée teria uma apoplexia se fôssemos. Você pode me dizer que o marido de minha tia está no governo. Mas que quer? Minha tia é minha tia. E não é por isso que não gosto dela! Ela só teve um desejo na vida: livrar-se de mim. A pessoa que verdadeiramente me serviu de mãe, e com duplo valor, já que não é nada minha, é uma amiga a quem, aliás, amo como se fosse mãe. Vou lhe mostrar a sua foto. – Fomos abordados neste momento pelo campeão de golfe e jogador de bacará, Octave. Julguei ter descoberto um laço comum entre nós porque, pela conversa, fiquei sabendo que era parente afastado dos Verdurin, que muito o estimavam. Mas ele falou com desdém das famosas quartas-feiras e acrescentou que o Sr. Verdurin ignorava o uso do *smoking,* e era muito constrangedor encontrá-lo em certos *music-halls,* onde a gente bem gostaria de não ser saudado aos gritos de "Alô, malandro!" por um senhor de paletó e gravata preta de tabelião de aldeia. Depois Octave nos deixou e em breve foi a vez de Andrée, que chegara a seu chalé, onde entrou sem que, em todo o passeio, tivesse dito uma só palavra. Senti muito que fosse embora, tanto mais que, enquanto falava a Albertine de sua frieza para comigo, e comparava em pensamento a dificuldade que Albertine parecia ter em me unir às suas amigas com a hostilidade contra a qual parecia ter se chocado Elstir para satisfazer meus desejos no primeiro dia, passaram umas moças a quem saudei, as senhoritas d'Ambresac, que Albertine também cumprimentou.

Pensei que minha situação fosse melhorar diante de Albertine. Elas eram filhas de uma parenta da Sra. de Villeparisis e que também conhecia a Sra. de Luxemburgo. O Sr. e a Sra. d'Ambresac, que possuíam uma pequena herdade em Balbec e eram excessivamente ricos, levavam uma vida bem simples e sempre vestiam, o marido o mesmo gênero de casaco, e a mulher um costume escuro. Ambos faziam grandes cumprimentos à minha avó que não levavam a nada. As filhas, muito bonitas, vestiam-se com mais elegância, mas uma elegância citadina e não de balneário. Em seus vestidos longos, debaixo de grandes chapéus, davam a impressão de pertencerem a uma outra humanidade diversa da de Albertine. Esta sabia muito bem quem eram elas. – Ah, você conhece as pequenas d'Ambresac? Muito bem, conhece gente muito chique. Além do mais, elas são bem simples – acrescentou como se isso fosse uma contradição. – São muito gentis, mas de tal maneira bem-educadas que não as deixam ir ao cassino, principalmente por nossa causa, porque somos inconvenientes. Agradam-lhe? Diabo, isso depende... São bem umas patinhas brancas. Isso tem seu encanto, talvez. Se você gosta das patinhas brancas, está bem servido. Parece que elas podem agradar, pois uma delas já está noiva do marquês de Saint-Loup. E isto deu muita mágoa à mais moça, que estava apaixonada pelo rapaz. Quanto a mim, só a sua maneira de falar com a ponta dos lábios me deixa enervada. E depois, elas se vestem de uma forma ridícula. Vão jogar golfe com vestido de seda. Na sua idade, são mais pretensiosas no vestir que as mulheres idosas que sabem trajar-se. Veja a Sra. Elstir. Eis aí uma mulher elegante. – Respondi que ela me parecera trajada com bastante simplicidade. Albertine se pôs a rir. – Com bastante simplicidade, é certo, mas se veste admiravelmente bem e, para chegar ao que você chama de simplicidade, gasta um dinheiro louco. – Os vestidos da Sra. Elstir passavam despercebidos aos olhos de quem não tivesse gosto apurado e sóbrio das coisas da toalete. Tal gosto me faltava. Elstir o possuía no mais alto grau, pelo que me disse Albertine. Não o havia desconfiado, e nem mesmo que as coisas elegantes, porém simples, que enchiam o seu ateliê, fossem maravilhas há muito desejadas por ele, que as seguira de venda em venda, conhecendo toda a sua história, até o dia em que ganhara dinheiro bastante para possuí-las. Mas sobre tal assunto Albertine, tão ignorante quanto eu, não podia me informar coisa alguma. Ao passo que, no que dizia respeito às toaletes, advertida por um instinto de coqueteria, e talvez por uma nostalgia de moça pobre que saboreia com mais delicadeza e desinteresse, nos ricos, aquilo que ela própria não poderá usar, soube falar muito bem dos requintes de Elstir, tão exigente que achava mal vestidas todas as mulheres, e que, colocando um mundo inteiro numa proporção, num matiz, mandava fazer para a mulher, a preços exorbitantes, sombrinhas, chapéus, capas, que ensinara Albertine a achar deliciosos, e que uma pessoa destituída de gosto não teria reparado mais do que eu. De resto, Albertine, que fizera um pouco de pintura sem que tivesse, aliás, segundo confessava, nenhuma "disposição" para tal, tributava uma grande admiração a Elstir e, graças ao que ele lhe dissera e mostrara, era entendida em quadros de uma forma que muito contrastava com seu entusiasmo pela *Cavalleria Rusticana*. E que, na verdade, embora isso ainda não se notasse, ela era muito inteligente e, nas coisas que me dizia, a estupidez não era sua mas a do seu ambiente e de sua idade. Elstir tivera sobre ela uma influência benéfica, mas parcial. Todas as formas da inteligência não haviam chegado a Albertine num mesmo grau de desenvolvimento. O gosto da pintura quase tinha alcançado o da toalete e de todas as formas de elegância, mas não fora seguido pelo gosto da música, que ficara bem para trás.

De nada valeu que Albertine soubesse quem eram os Ambresac, pois, como quem pode o muito nem por isso também pode o pouco, depois de eu ter saudado aquelas moças, não a achei mais disposta do que antes a me fazer conhecer suas amigas. – Você é muito amável para lhes dar tanta importância. Não lhes preste atenção, não valem nada. Que é que essas garotas têm para um homem do seu valor? Andrée, pelo menos, é bem inteligente. É uma boa garota, apesar de perfeitamente maluca, mas as outras são mesmo muito idiotas. – Depois de ter deixado Albertine, senti de repente muita mágoa de Saint-Loup, por ter me ocultado que estava noivo, e por fazer algo tão incorreto como casar sem antes romper com a amante. No entanto, poucos dias depois fui apresentado a Andrée e, como ela falou por muito tempo, aproveitei para lhe dizer que apreciaria muito vê-la no dia seguinte; mas ela me disse que era impossível, pois encontrara a mãe passando muito mal e não queria deixá-la sozinha. Dois dias após, tendo ido visitar Elstir, este me falou da enorme simpatia que Andrée sentia por mim; como lhe respondesse: – Mas fui eu que tive muita simpatia por ela desde o primeiro dia; tinha lhe pedido para vê-la no dia seguinte e ela disse que não podia. – Sim, eu sei, ela me contou – disse Elstir –; lamentou muito, mas havia aceitado ir a um piquenique a dez léguas daqui, aonde devia ir de *break*, e não podia mais desmarcar. – Embora a mentira fosse muito insignificante, pois Andrée me conhecia tão pouco, eu não deveria ter continuado a freqüentar uma pessoa que era capaz de dizê-la. Pois as pessoas que assim começam continuam indefinidamente. E, se fôssemos visitar todos os anos um amigo que da primeira vez não pôde comparecer a um encontro por se achar resfriado, encontrá-lo-íamos resfriado de novo e faltaria outra vez a um encontro, ao qual não compareceria pelo mesmo motivo permanente em lugar do qual ele julga ver motivos diversos, causados pelas circunstâncias.

Uma das manhãs que se seguiram àquela em que Andrée me dissera ser obrigada a ficar junto da mãe, estava eu passeando com Albertine, a quem encontrara atirando ao ar, na ponta de uma corda, um objeto esquisito que a fazia parecer-se com a *Idolatria*, de Giotto; aliás, chama-se *diabolô* e de tal maneira caiu em desuso que, diante do retrato de uma moça com um deles, os comentadores do futuro poderão dissertar, como diante de uma figura alegórica da Arena, sobre o que ela segura na mão. Passado um momento, sua amiga do grupo, de aspecto rude e pobre, que troçara no primeiro dia com um ar tão maligno: "Esse pobre velho me dá pena"; falando do velho senhor roçado pelos pés ligeiros de Andrée, veio dizer a Albertine: – Bom dia, estou incomodando? – Tirara o chapéu, que a atrapalhava, e seus cabelos, como uma variedade vegetal deslumbrante e desconhecida, caíam-lhe na testa com a minuciosa delicadeza de sua foliação. Albertine, talvez irritada por vê-la de cabeça descoberta, não respondeu nada, mantendo um silêncio glacial; apesar disso, a outra ficou, conservada a distância por Albertine, que às vezes dava um jeito de ficar a sós com ela, outras vezes de andar a meu lado, deixando-a por trás. Para que me apresentasse, fui obrigado a pedi-lo diante da outra. Então, no momento em que Albertine disse o meu nome, no rosto e nos olhos azuis daquela moça em quem achara um ar tão cruel quando havia dito: "Esse pobre velho me dá pena" – vi passar e brilhar um sorriso cordial, amável, e ela me estendeu a mão. Seus cabelos eram dourados e não só eles; pois, se suas faces eram rosadas e os olhos azuis, era como o céu ainda purpurino da manhã onde em toda parte o ouro brilha e aponta.

Ficando logo entusiasmado, imaginei que fosse uma menina tímida quando amava e que era por mim, por amor a mim, que ela havia ficado conosco apesar das grosserias de Albertine, e que devia sentir-se feliz de poder enfim me confessar, com aquele olhar risonho e bondoso, que seria tão doce comigo quão terrível para com os outros. É claro que devia ter reparado em mim na praia, quando não a conhecia ainda, e pensava em mim desde então: talvez fosse para se fazer admirada por mim que havia zombado do velho senhor, e porque não tivesse chegado a me conhecer é que, nos dias seguintes, ostentara aquele ar melancólico. Do hotel, muitas vezes a avistara a passar à tardinha na praia. Provavelmente era na esperança de me encontrar. E agora, constrangida pela presença de Albertine, como o tinha sido pela de todo o pequeno grupo, evidentemente não se juntava a nós, apesar da atitude cada vez mais fria de sua amiga, senão na esperança de ficar por último, de marcar encontro comigo para um momento em que tivesse meios de escapar, sem que a família e as amigas soubessem, num lugar seguro antes da missa ou depois do golfe. E era ainda mais difícil vê-la porque Andrée estava de mal com ela e a detestava. – Durante muito tempo suportei sua terrível falsidade – disse-me Albertine –, sua baixeza, as inúmeras sujeiras que me fez. Suportei tudo por causa das outras. Mas a última foi a gota d'água. – E me contou uma intriga que essa moça havia espalhado e que, de fato, podia causar prejuízos a Andrée.

Mas as palavras a mim prometidas pelo olhar de Gisèle para o momento em que Albertine nos deixasse sozinhos não puderam ser ditas, pois, tendo Albertine, obstinadamente colocada entre nós dois, continuado a responder cada vez com maior brevidade, e depois deixando inteiramente de responder às palavras da amiga, esta acabou por nos deixar. Censurei a Albertine o ter sido tão desagradável. – Isto a ensinará a ser mais discreta. Não é má menina, mas é chata demais. Não precisa vir meter o nariz por toda parte. Por que se gruda a nós sem ter sido chamada? Por pouco não a mandei plantar batatas. Aliás, detesto que use os cabelos desse jeito; não fica bem. Eu olhava as faces de Albertine enquanto ela falava, e indagava-me que perfume e que gosto deveriam ter; naquele dia estava, não fresca mas lisa, de um rosado unido, violáceo, cremoso, como certas rosas que têm um verniz de cera. Estava apaixonado por elas como o estamos às vezes por um espécime de flor. – Não tinha reparado – respondi. – No entanto, olhou muito para ela, se poderia até dizer que desejava fazer o seu retrato – respondeu ela sem se acalmar pelo fato de que, naquele instante, era ela mesma quem eu olhava tanto. – Não creio, no entanto, que lhe agrade. Ela não flerta de jeito nenhum. Você deve gostar das moças que flertam. Em todo caso, ela não mais terá oportunidade de se grudar e se oferecer, pois em breve volta a Paris. – Suas outras amigas vão com ela? – Não, apenas ela e a Miss, porque ela tem de fazer exames de recuperação; vai ter de estudar muito, a pobre. Garanto-lhe que não é nada engraçado. Pode ser que lhe caia um bom tema. O acaso é importante. Assim, uma de nossas amigas pegou: "Narre um acidente ao qual tenha assistido." Isto é que é sorte. Mas conheço uma moça que teve de se virar (e por escrito, ainda por cima) com o seguinte: "Entre Alceste e Philinte, qual dos dois preferiria ter como amigo?" O que eu não teria suado com isso! Primeiro, e acima de tudo, não é pergunta que se faça a moças. As moças se unem a outras moças e não são obrigadas a ter senhores como amigos. (Esta frase, mostrando que eu tinha poucas chances de ser admitido no pequeno grupo, me fez tremer.) Mas, em todo caso, mesmo que a pergunta fosse feita a rapazes, que é que você acha que se possa dizer a respeito? Várias famílias escreveram ao *Gaulois* para se queixarem da dificuldade de questões semelhantes. O melhor de tudo é que, numa coletânea das melhores provas de alunas coroadas, o assunto foi tratado duas vezes de forma absolutamente oposta. Tudo depende do examinador. Um queria que se dissesse que Philinte era um homem adulador e tratante, outro que não se podia recusar sua admiração por Alceste, o qual era por demais azedo, e que, como amigo, era preciso preferir-lhe Philinte. Como quer que as infelizes alunas se acertassem se nem os professores estão de acordo entre si? E isso ainda não é nada, pois a cada ano a coisa se torna mais difícil. Gisèle só poderia se dar bem com um pistolão.

Regressei ao hotel, mas minha avó estava ausente; esperei por ela durante muito tempo; por fim, quando ela chegou, roguei-lhe que me deixasse fazer uma excursão, em condições inesperadas, que levaria talvez 48 horas; almocei com ela, encomendei um carro e mandei que me levassem à estação. Gisèle não ficaria espantada por me ver ali; uma vez que faríamos baldeação em Doncières, havia, no trem de Paris, um vagão-corredor onde, enquanto a Miss cochilasse, eu poderia levar Gisèle para um canto escuro, marcar encontro com ela para o meu regresso a Paris, que eu cuidaria de apressar o mais possível. Conforme o desejo que ela me expressasse, eu a acompanharia até Caen ou mesmo a Évreux, e tomaria o primeiro trem de volta. Ainda assim, o que não pensaria Gisèle se soubesse que eu havia hesitado por muito tempo entre ela e suas amigas, e que tanto quisera apaixonar-me por ela como por Albertine, pela moça de olhos claros ou por Rosemonde! Senti remorsos, agora que um amor recíproco ia me unir a Gisèle. Aliás, poderia lhe assegurar, muito veridicamente, que Albertine já não me agradava. Vira-a naquela manhã voltar-se, quase me dando as costas, para falar com Gisèle. Sobre a cabeça inclinada, com ar amuado, seus cabelos, que trazia penteados para trás e mais negros que nunca, brilhavam como se ela acabasse de sair de dentro d'água. Pensei até numa franga molhada, e esses cabelos tinham-me feito encarnar em Albertine uma outra alma diferente da que até então me lembravam o rosto cor-de-violeta e o olhar misterioso. Durante um momento, tudo o que pude perceber dela foram aqueles cabelos luzidios por trás da cabeça, e era apenas isso o que continuava a ver. Nossa memória se assemelha a essas lojas que, em suas vitrinas, expõem de uma certa pessoa ora uma fotografia, ora outra. E, de hábito, a mais recente é a única a permanecer, durante algum tempo, em exposição. Enquanto o cocheiro apressava o seu cavalo, eu ouvia as palavras de reconhecimento e ternura que Gisèle me dizia, todas nascidas do seu sorriso bom e de sua mão estendida; é que nos períodos da minha vida em que não estava enamorado e nos quais o desejava estar, não levava em mim apenas um ideal físico de beleza entrevista que reconhecia de longe em cada passante, bastante afastada para que seus traços confusos não se opusessem a tal identificação mas também o espectro moral – sempre disposto a ser encarnado – da mulher que ia se apaixonar por mim e dar-me a réplica na comédia amorosa que eu trazia inteiramente escrita na cabeça desde minha infância e que toda jovem amável, a meu ver, estaria querendo representar, contanto que tivesse um pouco das condições físicas para o papel. Nessa peça, fosse qual fosse a nova "estrela" que eu chamasse para criar ou repetir o papel, o cenário, as peripécias e o próprio texto conservavam uma forma *ne varietur*.

Alguns dias depois, apesar da pouca pressa de Albertine em nos apresentar, eu já conhecia todo o pequeno grupo do primeiro dia, que continuava completo em Balbec (menos Gisèle, que, devido a uma parada longa diante da barreira da estação e a uma mudança de horário, eu não pudera encontrar no trem, que partira cinco minutos antes da minha chegada, e na qual, além disso, já não pensava) e a mais duas ou três amigas delas que, a meu pedido, me haviam sido apresentadas. E assim, a esperança do prazer que eu teria com uma nova moça era proveniente de outra moça a quem por ela fora apresentado; a mais recente era então como uma dessas variedades de rosas que se obtém graças a uma rosa de outra espécie. E, remontando de corola em corola nessa cadeia de flores, o prazer de conhecer uma outra diferente fazia-me virar para aquela a quem a devia, com uma gratidão mesclada de tanto desejo como se fosse a minha nova esperança. Em breve passei o dia inteiro com elas.

Mas, infelizmente, na flor mais viçosa já se podem distinguir os pontos imperceptíveis que, para o espírito prevenido, delineiam o que será, pela dessecação ou frutificação das carnes hoje em flor, a forma imutável e já predestinada da semente. Seguimos encantados um nariz semelhante a uma onda minúscula, que enche deliciosamente uma água matinal e que parece imóvel, delineável, porque o mar está de tal modo tranqüilo que nem percebemos a maré. Os rostos humanos não parecem mudar no momento em que os olhamos, pois a revolução que cumprem é muito lenta para que a percebamos. Mas bastaria ver, ao lado dessas moças, sua mãe ou sua tia, para avaliar as distâncias que, sob a atração interna de um tipo em geral horrendo, essas feições teriam atravessado em menos de trinta anos, até a hora do declínio dos olhares, até o momento em que o rosto, tendo ultrapassado a linha do horizonte, já não recebe luz. Eu sabia que, tão profundo, tão inelutável como o patriotismo judeu ou o atavismo cristão, naqueles que se julgam mais liberados de suas raças, habitava, sob a rósea inflorescência de Albertine, de Rosemonde e de Andrée, desconhecidos delas próprias, mantidos em reserva pelas circunstâncias, um nariz grosso, uma boca proeminente, uma gordura que espantaria mas que na realidade já estava nos bastidores, pronta para entrar em cena, imprevista, fatal, feito uma onda de dreyfusismo, de clericalismo, de heroísmo nacional e feudal, subitamente aparecidos, ao apelo das circunstâncias, de uma natureza anterior ao próprio indivíduo, pela qual ele pensa, vive, evolui, se fortifica ou morre, sem que a possa distinguir dos motivos particulares com que a confunde. Mesmo mentalmente, dependemos das leis naturais muito mais que julgamos e nosso espírito possui previamente, como certo criptógamo, ou determinada gramínea, as particularidades que acreditamos escolher. Mas não apreendemos mais que as idéias secundárias sem nos apercebermos da causa primeira (raça judia, família francesa, etc.) que as produzia necessariamente e que manifestamos no momento desejado. E talvez, enquanto umas nos parecem o resultado de uma deliberação e as outras a conseqüência de um descuido na nossa higiene, herdamos da nossa família, como as papilionáceas a forma de sua semente, tanto as idéias de que vivemos como a doença de que havemos de morrer.

Como num viveiro onde as flores amadurecem em épocas diversas, eu as vira, como velhas damas, naquela praia de Balbec, essas duras sementes, esses tubérculos macios, que minhas amigas um dia haveriam de ser. Mas que importava? Neste momento era a estação das flores. Assim, quando a Sra. de Villeparisis me convidava para um passeio, eu buscava uma desculpa para não estar livre. Só visitei Elstir quando minhas novas amigas me acompanhavam. Nem mesmo pude encontrar uma tarde para ir a Doncières a fim de ver Saint-Loup, como lhe prometera. As reuniões sociais, as conversações sérias, até mesmo uma palestra amigável, se viessem substituir meus passeios com aquelas moças, me causariam o mesmo efeito de que se nos levassem, à hora do almoço, não para comer e sim para olhar um álbum. Os homens, os rapazes, as mulheres velhas ou maduras com quem julgamos agradável conviver, só os levamos a uma superfície plana e inconsistente porque não tomamos consciência deles senão pela percepção visual reduzida a si mesma; mas é como delegada dos outros sentidos que ela se dirige às moças; eles vão procurar, uma após outra, as diversas qualidades odoríferas, tácteis, saborosas, de que desfrutam, mesmo sem ajuda das mãos e dos lábios; e, capazes, graças às artes da transposição e ao gênio da síntese em que excele o desejo, de restituir sob a cor das faces ou do busto, o contato, a degustação, o roçar proibido, eles conferem a essas moças a mesma consistência de mel que dão às rosas e às uvas quando vagueiam por um roseiral ou um vinhedo, cujos cachos comem com os olhos.

Se chovia, conquanto o mau tempo não assustasse Albertine, que era muitas vezes vista com seu impermeável, correndo de bicicleta debaixo dos aguaceiros, passávamos o dia no cassino, onde me pareceria impossível não ir naqueles dias. Eu sentia o maior desprezo pelas senhoritas d'Ambresac, que jamais entravam ali. E, com muito gosto, ajudava minhas amigas a pregar peças no professor de dança. Em geral sofríamos algumas admoestações do gerente do cassino ou dos empregados, que se arrogavam poderes ditatoriais, porque minhas amigas – até a própria Andrée, que justamente devido àquele salto eu havia, desde a primeira vez, julgado uma criatura tão dionisíaca e que, pelo contrário, era frágil, intelectual e, naquele ano, muito adoentada, mas que, apesar disso, obedecia menos ao seu estado de saúde que ao temperamento dessa idade que arrasta e confunde tudo na alegria, tanto os doentes como os robustos – não podiam ir do vestíbulo ao salão de festas sem tomar impulso, saltar por cima de todas as cadeiras, voltar deslizando, conservando o equilíbrio com um gracioso movimento dos braços, cantando, misturando todas as artes nessa primeira juventude, à maneira daqueles poetas dos tempos antigos para quem os gêneros ainda não estão separados e que mesclam num poema épico os preceitos agrícolas aos ensinamentos teológicos.

Essa Andrée, que me havia parecido a mais fria da primeira vez, era infinitamente mais delicada, mais afetuosa, mais refinada que Albertine, a quem devotava uma ternura carinhosa e suave de irmã mais velha. Vinha ao cassino sentar-se a meu lado e sabia – ao contrário de Albertine – recusar uma valsa ou até, se eu estivesse cansado, desistir de ir ao cassino para vir ao hotel. Expressava sua amizade por mim, por Albertine, com nuanças que davam provas da mais deliciosa inteligência das coisas do coração, o que talvez se devesse em parte ao seu estado enfermiço. Tinha sempre um sorriso alegre para desculpar as criancices de Albertine, que exprimia com uma violência ingênua a atração irresistível que para ela ofereciam os prazeres a que não sabia, como Andrée, preferir decididamente uma conversa comigo. Quando se aproximava a hora de um lanche servido no campo de golfe, ela se preparava e depois ia ter com Andrée: – E então, Andrée, está esperando o quê? Está sabendo muito bem que vamos lanchar no campo de golfe. – Não, eu fico para conversar com ele – respondia Andrée me apontando. – Mas você sabe que a Sra. Durieux a convidou – gritava Albertine, como se a intenção de Andrée de ficar comigo só pudesse se explicar pela ignorância, de sua parte, de que fora convidada. – Ora vamos, minha filha, não seja tão idiota – respondia Andrée. Albertine não insistia, de medo que lhe propusessem ficar também. – Faça o que quiser – respondia sacudindo a cabeça, como se diz a um doente que por prazer se mata aos pouquinhos –; vou andando, pois parece que o seu relógio está atrasado. – E saía voando. – Ela é encantadora, mas incrível – dizia Andrée, envolvendo a amiga num sorriso que a acariciava e julgava ao mesmo tempo. Se, nesse prazer pelo divertimento, Albertine mostrava um pouco da Gilberte dos primeiros tempos, é que existe uma certa semelhança embora sempre evoluindo, entre as mulheres que amamos sucessivamente, semelhança que tem a ver com a fixidez do nosso temperamento, porque é ele quem as escolhe, eliminando todas aquelas que não nos seriam, a um tempo, opostas e complementares, isto é, próprias para satisfazer nossos sentidos e deixar sofrer nosso coração. Tais mulheres são um produto do nosso temperamento, uma imagem e uma projeção às avessas, um "negativo" da nossa sensibilidade. De modo que um romancista poderia, no decurso da vida de seu herói, pintar de modo quase exatamente igual os seus amores sucessivos e, assim, dar a impressão não de imitar a si próprio, mas de criar, visto que há menos força numa inovação artificial do que numa repetição destinada a sugerir uma verdade nova. Embora deva assinalar, no caráter do apaixonado, um índice de variação que se denuncie à medida que vai chegando a novas regiões, sob outras latitudes da vida. E talvez ainda exprimisse uma verdade a mais se, pintando caracteres para suas outras personagens, ele se abstivesse de conceder qualquer caráter à mulher amada. Conhecemos o caráter dos que nos são indiferentes; como poderíamos apreender o de uma criatura que se confunde com a nossa vida, que em breve não mais havemos de separar de nós próprios, sobre cujos motivos não cessamos de formular ansiosas hipóteses, perpetuamente remanejadas? Lançando-se para além da inteligência, nossa curiosidade quanto à mulher a quem amamos ultrapassa em sua corrida o caráter dela. Poderíamos ali parar, mas decerto não o desejaríamos. O objeto de nossa inquieta investigação é mais essencial que essas particularidades de caráter, iguais a esses pequenos losangos da epiderme cujas variadas combinações formam a florida originalidade da carne. Nossa radiação intuitiva os atravessa e as imagens que ela nos restitui não são de modo algum as de um aspecto particular, mas representam a sombria e dolorosa universalidade de um esqueleto.

Como Andrée era extremamente rica e Albertine pobre e órfã, a primeira, com grande generosidade, fazia a outra aproveitar o seu luxo. Quanto aos sentimentos que externava em relação a Gisèle, não eram inteiramente aqueles que eu imaginara. De fato, em breve tivemos notícias da estudante e, quando Albertine mostrou a carta que recebera dela, carta destinada por Gisèle a dar notícias da viagem e da chegada, desculpando-se pela preguiça de ainda não ter escrito às outras, fiquei surpreso ao ouvir Andrée, que julgara estar de mal com ela por toda a vida, dizer: – Vou lhe escrever amanhã, porque se espero primeiro a sua carta, posso ficar esperando por muito tempo, ela é tão negligente. – E, virando-se para mim, acrescentou: – Evidentemente, você não a acharia muito interessante, mas é uma moça muito boa; e depois, sinto na verdade uma grande afeição por ela. – Concluí que as brigas de Andrée não duravam muito.

A não ser nos dias de chuva, como tínhamos de ir de bicicleta pelos rochedos da costa ou pelos campos, com uma hora de antecipação eu já procurava me preparar e gemia se Françoise não cuidara bem dos meus apetrechos.

Ora, mesmo em Paris, ela aprumava, altiva e raivosamente, o corpo que a idade começava a curvar, diante da menor falta de que a acusassem, ela que era tão humilde, modesta e encantadora quando seu amor-próprio era lisonjeado. Como este era o principal móvel da sua vida, a satisfação e o bom-humor de Françoise estavam na razão direta da dificuldade das coisas que lhe pediam. As coisas que tinha a fazer em Balbec eram tão fáceis que quase sempre ela demonstrava um descontentamento que, de súbito, era centuplicado, e ao qual se aliava uma irônica expressão de orgulho quando eu me queixava, no momento de ir encontrar as minhas amigas, que o meu chapéu não fora escovado, ou que minhas gravatas não estavam em ordem. Ela, que podia trabalhar tanto sem por isso achar ter feito alguma coisa, à simples observação de que um casaco não estava no lugar, não só se gabava do cuidado com que "o guardara para não deixar que ficasse empoeirado", mas, fazendo um elogio em regra de seus trabalhos, deplorava que absolutamente não eram férias o que estava passando em Balbec, que não achariam outra pessoa como ela para suportar uma vida daquelas. – Não entendo como alguém pode deixar seus negócios desse jeito, e ver se uma outra saberia dar conta desta confusão. Até o diabo perderia o seu latim. – Ou então, contentava-se em assumir um aspecto de rainha, lançando-me olhares inflamados, e mantinha um silêncio interrompido logo que fechava a porta e enfiava pelo corredor; este, então, retumbava de frases que eu adivinhava serem injuriosas, mas que permaneciam tão indistintas como as das personagens que recitam suas primeiras palavras nos bastidores antes de entrar em cena. Além disso, quando me preparava desse modo para sair com minhas amigas, mesmo que nada me faltasse ou que Françoise estivesse de bom humor, ela ainda assim se mostrava insuportável. Pois, servindo-se de gracejos que, na minha necessidade de falar daquelas moças, eu lhe fizera sobre elas, Françoise assumia um ar de quem vai me revelar o que eu melhor do que ela saberia ser exato, mas que não o era, pois Françoise o compreendera mal. Como todos, Françoise possui seu gênio próprio; uma pessoa nunca se assemelha a um caminho reto, e nos assombra com seus desvios singulares e inevitáveis de que os outros não se apercebem, e por onde nos é penoso ter de passar. Cada vez que eu chegava ao ponto: "Chapéu fora do lugar", "em nome de Andrée ou de Albertine", era obrigado, por Françoise, a me perder em caminhos absurdos e cheios de desvios que muito me atrasavam. O mesmo ocorria quando eu mandava preparar os sanduíches de queijo e a salada, e comprar tortas que comeria à hora do lanche, sobre o rochedo, com essas moças, e que elas bem poderiam pagar, cada uma por sua vez, se não fossem tão interesseiras, declarava Françoise, em cujo socorro vinha então todo um atavismo de rapacidade e vulgaridade provincianas e para quem se diria que a alma repartida da defunta Eulalie se encarnara, mais graciosamente que em santo Elói, nos corpos encantadores de minhas amigas do pequeno grupo. Eu escutava essas acusações com a raiva de topar com um desses pontos a partir dos quais o caminho rústico e familiar, que era o caráter de Françoise, se tornava impraticável felizmente não por muito tempo. Depois, achado o casaco e prontos os sanduíches, eu ia procurar Albertine, Andrée, Rosemonde, por vezes outras, e, a pé ou de bicicleta, íamos embora.

Outrora, eu teria preferido que esse passeio se desse com mau tempo. Então, queria eu descobrir em Balbec "o país dos cimérios", e dias bonitos eram uma coisa que não deveria ter existido ali, uma invasão do estio vulgar dos banhistas nessa região antiga velada de brumas. Porém agora, tudo o que eu desdenhara, afastara dos olhos, não só os efeitos do sol mas também as regatas, as corridas de cavalos, tudo isso eu procuraria com paixão pelo mesmo motivo por que, antigamente, só desejava mares tempestuosos, e era porque se prendiam, uns hoje em dia como outrora os outros, a um ideal estético. É que, com minhas amigas, ia às vezes visitar Elstir e, nos dias em que as moças lá estavam, ele mostrara de preferência alguns esboços de lindas *yachtswomen* ou então um rascunho feito num hipódromo vizinho a Balbec. Primeiramente, confessara com timidez a Elstir que não quisera comparecer às reuniões que ali se realizavam. – Fez mal – disse-me ele –, é tão bonito, e também curioso. De início, essa criatura particular, o jóquei, no qual se fixam tantos olhos, e que diante do *paddock* está acinzentado e sombrio em sua casaca de espavento, formando um só todo com o cavalo inquieto que ele retém; como seria interessante liberar seus movimentos profissionais, mostrar a mancha brilhante que produz e que também faz o pêlo dos cavalos na pista de corridas! Que transformação de todas as coisas nessa imensidade luminosa de uma pista de corridas onde nos surpreendemos com tantas sombras, reflexos que só ali se vêem! Como são lindas as mulheres ali! Especialmente a primeira reunião estava de arrebatar! Havia mulheres de extrema elegância, numa luz úmida, holandesa, onde se sentia subir, mesmo ao sol, o frio penetrante da água. Nunca vi mulheres chegando de carro, ou de binóculos, numa luz como aquela, resultante sem dúvida da umidade marinha. Ah, como gostaria de captá-la numa tela! Voltei louco daquelas corridas, com tanta vontade de trabalhar! – Depois, extasiou-se mais ainda com as reuniões de iatismo do que com as corridas de cavalos, e percebi então que as regatas, os embates esportivos, onde as mulheres bem vestidas se banhavam na glauca iluminação de um hipódromo marinho, podiam ser, para um artista moderno, motivos tão interessantes como, para um Veronese ou um Carpaccio, as festas que eles tanto gostavam de descrever. – Sua comparação é tanto mais exata – disse-me Elstir –, visto que, por causa da cidade onde pintavam, tais festas eram náuticas por um lado. Apenas, a beleza das embarcações daquele tempo residia o mais das vezes no fato de serem pesadas, na sua complicação. Havia torneios marítimos como agora, geralmente em honra de alguma embaixada semelhante àquela que Carpaccio representa na *Lenda de Santa Úrsula*. Os navios eram maciços, construídos como arquiteturas, e pareciam quase anfíbios como Venezas menores no meio da outra, quando, unidos por meio de pontes levadiças, recobertos de cetim escarlate e de tapetes persas, levavam mulheres de brocado cereja ou de damasco verde até junto dos balcões incrustados de mármores multicores onde outras mulheres se debruçavam para ver, em seus vestidos de mangas negras, cujas aberturas de forro branco eram bordadas com pérolas ou ornadas de rendilhado fino. Não se sabia mais onde acabava a terra e onde começava a água, o que ainda era palácio ou já formava o navio, a caravela, a galeaça, o Bucentauro. – Albertine escutava com uma atenção apaixonada esses detalhes de toalete, essas imagens luxuosas que nos descrevia Elstir. – Oh, como gostaria de ver os rendilhados de que fala, é tão linda a ponte de Veneza! – exclamou. – Aliás, gostaria muito de ir a Veneza! – Talvez possa ir em breve – disse Elstir – contemplar os tecidos maravilhosos que lá se usavam. Só podiam ser vistos nos quadros dos pintores venezianos, ou então, muito raramente, nos tesouros das igrejas, e às vezes até aparecia algum para vender. Mas conta-se que um artista de Veneza, Fortuny, encontrou o segredo de sua fabricação e que, daqui a alguns anos, as mulheres poderão passear e sobretudo ficar em casa vestindo brocados tão magníficos como os que Veneza ornamentava, para suas cidadãs, com desenhos do Oriente. Mas não sei se gostaria muito disso, se isso não seria um tanto anacrônico demais para as mulheres de hoje, mesmo que se exibam nas regatas, pois, para voltar aos nossos modernos barcos de recreio, são totalmente o oposto os tempos de Veneza, "Rainha do Adriático". O maior encanto de um iate, da mobília de um iate, das roupas adequadas ao iatismo, é a sua simplicidade de coisas do mar, e eu amo tanto o mar! Confesso-lhes que prefiro as modas atuais às do tempo de Veronese e até de Carpaccio. O que há de bonito nos nossos iates – e principalmente nos iates médios, pois não gosto dos enormes, bancando navios; e, mesmo no caso dos chapéus, há uma certa medida a guardar – é a coisa lisa, singela, clara, discreta que, em épocas de névoa, azuladas, adquire uma vaporosidade cremosa. É preciso que o recinto em que se está pareça um pequeno café. O mesmo ocorre com as toaletes femininas em um iate; o gracioso são as toaletes leves, brancas e lisas, de linho, de cambraia, de brim, de pequim, que, ao sol e sobre o azul do mar, produzem um branco tão deslumbrante como uma vela branca. Aliás, há muito poucas mulheres que se vestem bem; no entanto, algumas são maravilhosas. Nas corridas, a Srta. Léa usava um chapeuzinho branco e uma sombrinha também branca que eram arrebatadores. Não sei o que daria para possuir uma sombrinha dessas. – Muito gostaria eu de saber em que semelhante sombrinha diferia das demais, e muito mais ainda o queria saber Albertine, por motivos diversos, de coqueteria feminil. Mas, como dizia Françoise dos suflês, "é conforme a mão", a diferença estava no corte. – Era – dizia Elstir – pequenino, bem redondo, como um guarda-sol chinês. – Citei as sombrinhas de várias mulheres, mas não era nada disso. Elstir achava horríveis tais sombrinhas. Homem de gosto difícil e requintado, fazia consistir em um nada, que era tudo, a diferença entre o que usavam três quartas partes das mulheres, e que lhe causava horror, e uma coisa linda que o deslumbrava; e ao contrário do que sucedia comigo, para quem todo luxo era esterilizante, aquilo lhe exaltava o desejo de pintar, "para tentar fazer coisas tão bonitas". – Olhe, aí está uma menina que já compreendeu como eram o chapéu e a sombrinha – disse-me Elstir indicando Albertine, cujos olhos brilhavam de cobiça. – Como gostaria de ser rica para ter um iate! – disse ela ao pintor. – Eu lhe pediria conselhos para arrumá-lo. Que belas viagens poderia fazer! E como seria lindo ir às regatas de Cowes! E um automóvel! Não acha lindas as modas femininas para automóveis? – Não – respondeu Elstir – mas um dia serão. Aliás, há poucos costureiros, um ou dois; Callot, embora abuse um pouco das rendas, Doucet, Cheruit, às vezes Paquin. Os restantes são uns horrores. – Mas então, há uma enorme diferença entre uma toalete de Callot e a de um costureiro qualquer? – perguntei a Albertine. – Mas imensa, seu bobo – respondeu ela. – Oh, perdão. Infelizmente, aquilo que custa trezentos francos em qualquer outro lugar, custa dois mil francos no estabelecimento deles. Mas nem há comparação; só parecem idênticos para quem não entende do riscado. – Perfeitamente – concordou Elstir – sem que se possa dizer, entretanto, que a diferença seja tão profunda como a que existe entre uma estátua da catedral de Reims e da igreja de Saint-Augustin. Olhe, a propósito de catedrais – disse ele dirigindo-se especialmente a mim, pois aquilo se referia a uma conversa da qual as moças não tinham participado e que, de resto, não as teria interessado de forma alguma –, outro dia eu lhe falava da igreja de Balbec como de uma grande falésia, um grande montão de pedras da região, mais inversamente – disse ele, mostrando-me uma aquarela –; olhe estes rochedos – (era um esboço feito muito perto daqui, nos Creuniers) –, olhe como estas rochas, delicadas e poderosamente recortadas, fazem pensar numa catedral. – De fato, dir-se-iam imensos arcos de abóbada cor-de-rosa. Mas pintados num dia tórrido, pareciam reduzidos a pó, volatilizados pelo calor, o qual havia bebido a meio o mar, que quase passara, em toda a extensão da tela, ao estado gasoso. Naquele dia, em que a luz como que destruíra a realidade, esta se concentrara em criaturas sombrias e transparentes que, por contraste, davam uma impressão mais próxima e mais impressionante de vida: as sombras. Sequiosas de frescor, a maior parte desertando o largo inflamado, se haviam refugiado ao sopé dos rochedos, ao abrigo do sol; outras, nadando devagar nas águas como golfinhos, se chegavam aos flancos dos barcos em passeio, cujos cascos alargavam, sobre a água pálida, com seu corpo brunido e azul. Era talvez a avidez do frescor comunicada por elas o que mais contribuía para a sensação de calor desse dia e que me fez exclamar o quanto lamentava não conhecer os Creuniers. Albertine e Andrée asseguraram que eu deveria ter ido ali umas cem vezes. Nesse caso, era sem o saber, sem desconfiar que um dia a sua vista poderia me inspirar uma tal sede de beleza, não propriamente natural, como a que eu havia procurado até aqui nas falésias de Balbec, mas sim arquitetônica. Sobretudo eu que, tendo partido para ver o reino das tempestades, nunca achava, nos meus passeios com a Sra. Villeparisis onde muitas vezes só o víamos de longe, pintado no intervalo das árvores, bastante real o oceano, suficientemente líquido, vivo, que desse forte impressão de lançar suas massas de água, e que só gostaria de ver imóvel sob um lençol invernal de bruma – não poderia de jeito nenhum acreditar que sonhasse agora com um mar que não passava de um vapor esbranquiçado e que perdera a consistência e a cor. Mas este mar, Elstir, como os que sonhavam nesses barcos entorpecidos pelo calor, lhe havia provado a tamanha profundidade o encantamento que soubera transportar, fixar na tela o imperceptível refluxo da água, a pulsação de um minuto feliz; e de súbito a gente ficava de tal forma enamorado, ao ver o quadro mágico, que não tinha pensamento senão para correr mundo, a fim de encontrar aquele dia que se fora, com toda sua graça instantânea e sossegada.

De modo que, se antes dessas visitas à casa de Elstir, antes de ter visto uma tal marinha dele em que uma jovem com vestido de cambraia ou *barège,* num iate que arvorava a bandeira americana, punha o "duplo" espiritual de um vestido branco de cambraia e de uma bandeira na minha imaginação que, imediatamente, foi movida por um desejo insaciável de ver logo vestidos brancos de cambraia e bandeiras junto ao mar, como se aquilo nunca me houvesse ocorrido antes – eu sempre me esforçara, diante do mar, para expulsar do campo da minha visão os banhistas do primeiro plano, os iates de velas demasiado brancas como um traje de banho, tudo o que me impedia de me convencer que contemplava a onda imemorial que já desdobrava sua vida misteriosa mesmo antes do aparecimento da espécie humana; e até os dias radiosos que me pareciam revestir do aspecto banal do verão universal essa costa de brumas e de tempestades, eram apenas um simples tempo de repouso, o que em música se denomina compasso de espera, enquanto, agora, era o mau tempo que se me afigurava tornar-se um acidente funesto, não mais podendo encontrar espaço no mundo da beleza; vivamente desejava ir achar na realidade aquilo que me exaltava com tanta força e esperava que o tempo seria suficientemente favorável para ver, do alto do rochedo, as mesmas sombras azuis que havia no quadro de Elstir.

Ao longo da estrada, já não protegia a vista com as mãos como naqueles dias em que, concebendo a natureza como animada de uma vida anterior ao aparecimento do homem e em oposição a todos os aborrecidos aperfeiçoamentos da indústria, que até agora me haviam feito bocejar de tédio nas exposições universais ou nas lojas das modistas; em que tentava ver do mar apenas a seção em que não houvesse barcos a vapor, de maneira a me representá-lo como se fosse imemorial, ainda contemporâneo das eras em que fora separado da terra, pelo menos contemporâneo dos primeiros séculos da Grécia, o que me permitia repetir com veracidade os versos do "pai Leconte", tão caros a Bloch:

Partiram já os reis das naves agressivas,
Levando, é pena, pelo mar tempestuoso,
Da heróica Hélade os homens cabeludos.

Eu não podia mais desprezar as modistas, visto que Elstir me dissera que o gesto delicado com que fazem a última prega, uma suprema carícia aos nós ou às plumas de um chapéu já acabado, lhe interessaria tanto desenhá-lo como as posturas do jóqueis (o que deixou Albertine encantada). Mas, no que dizia respeito às modistas, era forçoso esperar o meu regresso a Paris, e quanto às corridas e às regatas, a minha volta a Balbec no ano seguinte. Até mesmo um iate que levasse mulheres vestidas de alva cambraia era inencontrável.

Muitas vezes encontrávamos as irmãs de Bloch, que eu era obrigado a cumprimentar desde que jantara em casa de seus pais. Minhas amigas não as conheciam. – Não tenho permissão para brincar com israelitas – dizia Albertine. O modo como ela pronunciava a palavra, "issraelita" em vez de "izraelita", teria bastado para indicar, mesmo que não se ouvisse o começo da frase a seguir, que não eram sentimentos de simpatia em relação ao povo eleito o que animava essas jovens burguesas, de famílias devotas, e que deviam facilmente acreditar que os judeus degolavam as crianças cristãs. – Além disso, que gente suja essas suas amigas – dizia Andrée com um sorriso que significava que sabia muito bem que não eram minhas amigas. – Como tudo o que se refere à tribo – retrucava Albertine, no tom sentencioso de uma pessoa experiente. Para falar a verdade, as irmãs de Bloch, ao mesmo tempo muito vestidas e meio nuas, de ar lânguido, aspecto atrevido, faustoso e imundo, não produziam propriamente uma boa impressão. E uma de suas primas, de quinze anos apenas, escandalizava o cassino pela admiração que mostrava pela Srta. Léa, cujo talento de atriz Bloch pai prezava muito, embora não se pudesse censurá-lo como à sobrinha, pois não era tido por inclinar-se de preferência pelos homens.

Em certos dias merendávamos em alguma das granjas-restaurantes que havia pelas redondezas. Eram estabelecimentos chamados de Ecorres,

Maria-Thérèse, Croix-d'Heuland, Bagatelle, Californie, Marie-Antoinette. Esta última é que fora adotada pelo pequeno grupo das moças.

Porém às vezes, em lugar de ir para uma granja, subíamos até o alto da falésia e, logo ao chegar, sentados na grama, desfazíamos os embrulhos de sanduíches e de doces. Minhas amigas preferiam os sanduíches e se espantavam de me ver comer somente um doce de chocolate, goticamente enfeitado de açúcar, ou uma torta de damasco. É que eu não tinha nada a dizer aos sanduíches de queijo e de salada, iguaria nova e ignorante. Mas os doces eram instruídos, as tortas tagarelas. Nos primeiros havia velhos sabores de creme, e nas segundas frescores de frutas que muito sabiam acerca de Combray, de Gilberte, não só sobre a Gilberte de Combray, mas sobre a de Paris, em cujos lanches eu as havia encontrado. Elas me relembravam os pratos de sobremesa com bolinhos, das *Mil e Uma Noites,* que tanto distraíam a tia Léonie com seus "assuntos", quando Françoise lhe levava um dia, *Aladim ou a Lâmpada Maravilhosa,* outro dia, *Ali Babá, o Dorminhoco Acordado*, ou *Simbad, o marujo embarcando em Baçorá com todas as suas riquezas.* Muito me alegraria revê-los, mas minha avó não sabia aonde tinham ido parar e, aliás, imaginava que fossem pratos vulgares comprados na região. Não importa; na melancólica e champanhesa Combray, as suas vinhetas se engastavam, multicores, como na escura igreja os vitrais de pedrarias cambiantes, como no crepúsculo do meu quarto as projeções da lanterna mágica, como diante da estação e da estrada de ferro do departamento os botões de ouro da Índia e os lilases da Pérsia, como a coleção de porcelanas chinesas antigas da minha tia em sua casa sombria de velha dama provinciana.

Estendido sobre o rochedo, só via diante de mim alguns prados e, acima deles, não os sete céus da física cristã, mas a superposição de apenas dois: um mais carregado – o mar – e, ao alto, outro mais pálido. Comíamos e, se eu também tivesse trazido, para dar de presente, uma lembrancinha que agradasse a uma ou outra de minhas amigas, a alegria ocupava com tamanha e súbita violência o seu rosto translúcido, que num instante se fazia vermelho, que sua boca não a podia conter e para deixá-la sair, rebentava em riso. Estavam juntas a meu redor e, entre seus rostos, pouco afastados uns dos outros, o ar que as separava abria caminhos de azul como que traçados por um jardineiro que quisesse obter um pouco de espaço para ele próprio circular no meio de um bosque de rosas.

Esgotadas nossas provisões, brincávamos de jogos que até ali me haviam parecido tediosos, às vezes tão infantis como "a torre de guarda" ou "aquele que rir primeiro", mas dos quais agora não abriria mão nem por um império; a aurora da juventude, que ainda coloria o rosto dessas moças, e que já não me atingia na minha idade, iluminava tudo diante delas e, como a pintura fluida de certos primitivos, fazia ressaltar os mais insignificantes detalhes de suas vidas sobre um fundo de ouro. Em sua maioria, os rostos das jovens estavam confundidos naquele arrebol indeciso da aurora, de onde ainda não tinham surgido suas verdadeiras feições. Só se via uma cor admirável sob a qual não se discernia o que deveria ser o perfil dentro de alguns anos. O de hoje não apresentava nada de definitivo e bem podia ser apenas uma semelhança momentânea com um membro defunto da família, a quem a natureza quisera prestar essa cortesia comemorativa. Vem tão depressa o momento em que já não temos o que esperar, em que o corpo se fixa numa imobilidade que não promete mais surpresas, quando se perde toda a esperança ao ver, como as folhas já mortas nas árvores em pleno verão, como caem ou embranquecem os cabelos em pessoas ainda jovens; é tão curta essa manhã radiosa que acabamos por amar somente as mocinhas muito jovens, essas em quem a carne, como uma pasta preciosa, encontra-se ainda em pleno desenvolvimento. Elas não passam de uma onda de matéria dúctil, a todo instante trabalhada pela impressão passageira que as domina. Dir-se-ia que cada uma é sucessivamente uma estatueta da alegria, da seriedade juvenil, da carícia, do espanto, modelada por uma expressão franca, repleta, fugitiva. Essa plasticidade confere muita variedade e encanto aos cuidados gentis que uma adolescente mostra para conosco. Certo, são também indispensáveis na mulher adulta, e aquela a quem não agradamos, ou que não nos deixa ver que a agradamos, assume a nossos olhos algo de tediosamente uniforme. Mas tais atenções, a partir de uma certa idade, já não trazem suaves flutuações a um rosto que as lutas da existência endureceram e tornaram para sempre militante ou estático. Um – pela força contínua da obediência que submete a esposa a seu marido – parece, antes que de uma mulher, o rosto de um soldado; o outro, esculpido pelos sacrifícios que dia após dia fez a mãe pelos filhos, é o de um apóstolo; ainda outro é, depois de anos de reveses e tempestades, o de um velho lobo-do-mar, numa mulher de quem somente as roupas revelam o sexo. E, decerto, as atenções que uma mulher tem para conosco podem ainda, quando a amamos, encher de encantos novos as horas que passamos junto dela. Mas ela não é para nós, sucessivamente, uma mulher diversa. Sua alegria permanece exterior a um rosto imutável. Mas a adolescência é anterior à consolidação completa, e daí decorre que a gente experimenta, ao lado das mocinhas, esse refrigério que inspira o espetáculo das formas em constante mutação, brincando numa oposição instável que lembra a perpétua recriação de elementos primordiais da natureza que contemplamos diante do mar.

Não era apenas uma reunião social matutina, um passeio com a Sra. de Villeparisis o que eu teria sacrificado ao "jogo do anel" ou às "adivinhas" das minhas amigas. Saint-Loup me mandara dizer várias vezes que, já que não ia visitá-lo em Doncières, pedira uma licença de 24 horas e iria passá-la em Balbec. E eu lhe escrevia sempre que não viesse, dando como pretexto o fato de ser obrigado a me ausentar, justo naquele dia, para cumprir uma visita de obrigação de família com minha avó. Sem dúvida pensou muito mal de mim ao saber pela tia em que consistia o tal dever de família e quais as pessoas que, no caso, faziam o papel de minha avó. E, todavia, eu talvez não agisse mal em sacrificar não só os prazeres do mundanismo, mas até da amizade, ao de passar o dia inteiro naquele jardim. As criaturas que têm a possibilidade de viver para si mesmas – é verdade que se trata de artistas, e eu, há muito, estava convencido de que nunca o seria – têm igualmente o dever de viver por si mesmas; ora, a amizade significa para elas uma dispensa desse dever, uma abdicação de si próprias. Até a conversação, que é a forma de expressão da amizade, não passa de uma divagação superficial, que não nos faz adquirir coisa alguma. Podemos conversar durante a vida inteira sem dizer nada senão repetir indefinidamente o vazio de um minuto, ao passo que a marcha do pensamento no trabalho solitário de criação artística se faz no sentido da profundidade, a única direção que não nos é fechada, onde poderíamos progredir, claro que com mais sofrimento, para obter uma verdade. E a amizade não é apenas destituída de virtudes, como a conversa; ela é, ademais, funesta. Pois a impressão de tédio que não podem deixar de sentir junto do amigo, isto é, de permanecer na superfície de si mesmos em vez de prosseguir sua viagem de descobertas nas profundezas, aqueles em que a lei de desenvolvimento é puramente interna, essa impressão de tédio a amizade nos persuade a retificá-la quando nos achamos a sós, a recordar com emoção as palavras que o nosso amigo pronunciou, a considerá-las um dom precioso, já que não somos feito construções às quais se pode ajuntar pedras de fora, e sim feito árvores que extraem da própria seiva o nó seguinte do seu caule, o estádio superior de sua fronde. Estava mentindo a mim mesmo, interrompia o crescimento no sentido em que podia de fato crescer de verdade e ser feliz, quando me congratulava de ser estimado e admirado por uma criatura tão boa, tão inteligente, tão solicitada como Saint-Loup, quando adaptava minha inteligência, não às minhas próprias impressões obscuras, que seria obrigação minha destrinçar, mas às palavras de meu amigo, pois repetindo-as – fazendo com que me fossem repetidas por esse outro eu que vive em nós e no qual descarregamos com alívio o encargo de pensar – esforçava-me por achar uma beleza, bem diversa da que perseguia em silêncio quando estava efetivamente só, mas que conferiria mais mérito a Robert, a mim mesmo, à minha vida. Na vida que um tal amigo me proporcionava, eu surgia a mim mesmo como cuidadosamente preservado da solidão, nobremente desejoso de me sacrificar por ele; em suma, incapaz de me realizar. Ao contrário, junto dessas moças, se o prazer de que desfrutava era egoísta, ao menos não se baseava na mentira que busca nos fazer acreditar que não estamos irremediavelmente sós e que, quando conversamos com outros, nos impede de reconhecer que já não somos nós que falamos, que então nos modelamos à semelhança dos estranhos e não de um eu que difere deles. As palavras trocadas entre mim e as moças do pequeno grupo eram de escasso interesse, aliás raras, cortadas de minha parte por longos silêncios. Isto não me impedia de sentir, quando me falavam, tanto prazer em escutá-las como de as contemplar, descobrir na voz de cada uma um quadro vivamente colorido. Era deliciado que escutava o seu gorjeio. Amar auxilia a discernir, a diferenciar. Num bosque, o amador de pássaros distingue logo esse chilrear privativo de cada ave, que o vulgo confunde. O amador de moças sabe que as vozes humanas são ainda bem mais variadas. Cada uma possui mais notas que o mais rico instrumento. E as combinações segundo as quais ele as agrupa são tão inesgotáveis quanto a variedade infinita das personalidades. Quando conversava com uma de minhas amigas, percebia que o quadro original, único, de sua individualidade era-me engenhosamente desenhado, tiranicamente imposto, tanto pelas reflexões de sua voz como pelas de seu rosto, formando dois espetáculos que traduziam, cada qual em seu plano, a mesma realidade singular. Sem dúvida, as linhas da voz, como as da fisionomia, ainda não estavam fixadas em definitivo; a primeira ainda mudaria bem como mudaria a segunda. Assim como as crianças possuem uma glândula cujo líquido as ajuda a digerir o leite, e que deixa de existir no adulto, havia no chilreio dessas jovens, certas notas que as mulheres não têm mais. E, nesse instrumento mais variado, elas tocavam com os lábios, com aquela aplicação, aquele ardor dos anjinhos músicos de Bellini, os quais também são um apanágio exclusivo da juventude. Mais tarde, essas jovens perderiam esse acento de convicção entusiasta que dava encanto às coisas mais simples, fosse porque Albertine, num tom autoritário, fizesse trocadilhos que as mais jovens escutavam com admiração até que o riso louco tomasse conta delas com a violência irresistível de um espirro, fosse porque Andrée se pusesse a falar de seus trabalhos escolares, mais infantis ainda que seus jogos, com uma gravidade essencialmente pueril; e as palavras delas ressoavam, semelhantes a essas estrofes dos tempos antigos onde a poesia, ainda pouco diferenciada da música, se declamava em notas diferentes. Apesar de tudo, a voz dessas moças acusava já, com nitidez, a maneira que cada uma tinha de encarar a vida, tão individual que seria generalizar demais dizer de uma: “ela leva tudo na brincadeira”, ou de outra: “ela vai de afirmação em afirmação”; e de uma terceira: “ela se detém numa dúvida expectante”. Os traços do nosso rosto são quase só gestos tornados definitivos pelo hábito. A natureza, como a catástrofe de Pompéia, como uma metamorfose de ninfa, nos imobilizou no movimento de costume. Da mesma forma, nossas entonações contêm nossa filosofia de vida, aquilo que a pessoa diz a si mesma a todo instante acerca das coisas. É claro que esses traços não eram somente das moças. Pertenciam a seus pais. O indivíduo banha-se em algo mais geral que ele próprio. Desse modo, os pais não fornecem apenas esse gesto habitual que são os traços do rosto e da voz, mas também certas maneiras de falar, certas frases consagradas, que, quase tão inconscientes quanto uma entonação, quase tão profundas, indicam, como ela, uma forma de encarar a vida. É verdade que, quanto às moças, há determinadas expressões que seus pais não lhes dão antes de uma certa idade, em geral não antes que se tornem mulheres. São guardadas em reserva. Assim, por exemplo, se o assunto eram os quadros de um amigo de Elstir, Andrée, que ainda usava cabelos soltos nas costas, não podia fazer pessoalmente uso da expressão empregada por sua mãe e sua irmã casada: "Parece que o *homem* é encantador." Mas isto acabaria acontecendo com a permissão para ir ao Palais-Royal. E, já desde a primeira comunhão, Albertine dizia, como uma amiga de sua tia: "Isso me pareceria atroz." Tinham-lhe dado também de presente o costume de repetir o que lhe diziam, a fim de dar a impressão de que se interessava e que procurava formar opinião própria. Se diziam que a pintura de um artista era boa ou que sua casa era linda: "Ah, é boa a pintura?" "Ah, é linda a casa?" Enfim, mais geral ainda que o legado familiar, era a matéria saborosa imposta pela província de origem, de onde elas tiravam a sua voz, e a mesma a que se ligavam as suas entonações. Quando Andrée extraía secamente uma nota grave, não podia fazer com que a nota perigordense do seu instrumento vocal desse um forte som cantante, aliás muito em harmonia com a pureza meridional de suas feições; e às perpétuas gaiatices de Rosemonde respondiam a qualidade de sua fisionomia e as inflexões de sua voz do Norte com o sotaque de sua província. Entre essa província e o temperamento da moça, que ditava as inflexões, eu percebia um belo diálogo. Diálogo, não discórdia. Ninguém teria sido capaz de separar a moça de sua terra natal. Uma era a outra, ainda. De resto, tal reação dos materiais locais sobre o engenho que os utiliza e ao qual emprestam mais verdor, não torna menos individual a obra, e, seja a de um arquiteto, de um ebanista ou de um músico, não reflete com menor minúcia os traços mais sutis da personalidade do artista, porque este foi obrigado a trabalhar na pedra molar de Senlis ou na greda vermelha de Estrasburgo, mesmo que respeite os nós peculiares do freixo, ou que tenha considerado, na escrita, os recursos e os limites da sonoridade, as possibilidades da flauta ou da violeta.

Tudo isto eu percebia e, no entanto, conversávamos tão pouco! Ao passo que, com a Sra. de Villeparisis ou com Saint-Loup, teria demonstrado por minhas palavras muito mais prazer do que de fato sentia, pois, ao deixá-los, estava fatigado; ao contrário, deitado entre essas moças, a plenitude do que eu sentia em muito ultrapassava a pobreza e a escassez de nossas frases e transbordava dos limites da minha imobilidade e do meu silêncio em ondas de ventura, cujo marulhar vinha morrer aos pés daquelas jovens rosas.

Para um convalescente que repousa o dia inteiro num jardim ou num pomar, um aroma de flores e de frutos não impregna mais profundamente as mil e uma ninharias de que se compõe o seu *far niente* do que, para mim, aquela cor, aquele aroma que meus olhos iam buscar nessas jovens e cuja doçura acabava por se incorporar a mim. Assim as uvas se adoçam ao sol. E, por sua lenta continuidade, aqueles jogos tão simples também tinham determinado em mim, como ocorre com as pessoas que não fazem outra coisa senão ficar estendidas à beira-mar, respirando o sal e bronzeando-se, um alívio, um sorriso beatífico, um vago deslumbramento que me chegara até os olhos.

Às vezes uma gentileza desta ou daquela despertava em mim amplas vibrações que afastavam por algum tempo o desejo pelas outras. Assim, um dia, Albertine indagara: – Quem tem um lápis? – Andrée dera-o, Rosemonde forneceu o papel, Albertine lhes dissera: – Meninas, é proibido ver o que estou escrevendo. – E, depois de cuidar muito em fazer a letra clara, com o papel apoiado nos joelhos, ela o passara a mim, dizendo: – Cuidado para que ninguém veja. – Então o desdobrei e li as palavras que me escrevera: – Amo-te muito. Mas, em vez de escrever asneiras – gritou, voltando-se com ar subitamente impetuoso e grave para Andrée e Rosemonde –, é preciso que lhes mostre a carta que Gisèle me escreveu esta manhã. Estou doida; tenho a carta aqui no bolso, e dizer que isto nos poderá ser útil! – Gisèle julgara dever endereçar à amiga, a fim de que esta a comunicasse às outras, a composição que tivera de fazer para obter seu diploma de estudos do segundo grau. Os temores de Albertine acerca das dificuldades dos assuntos propostos tinham aumentado ainda mais devido aos dois entre os quais Gisèle fora obrigada a optar. Um era: "Sófocles escreve dos Infernos para consolar Racine pelo fracasso de *Athalie*"; o outro: Suponha que, após a primeira representação de *Esther,* a Sra. de Sévigné escreve à Sra. de La Fayette para lhe dizer o quanto lamentou a sua ausência." Pois Gisèle, por um excesso de zelo que deve ter tocado os examinadores, escolhera o primeiro, o mais difícil dos dois assuntos, e o desenvolvera de modo tão notável que obtivera 14 e fora felicitada pelo júri. Teria conseguido a menção "ótimo" se não tivesse levado pau no exame de espanhol. A composição, cuja cópia Gisèle enviara a Albertine, nos foi lida imediatamente por esta, visto que, devendo ela própria passar pelo mesmo exame, desejava muito ouvir a opinião de Andrée, muito mais forte que elas todas e que podia lhe dar bons conselhos. – Ela tem uma sorte! – disse Albertine. – Era justamente o assunto que lhe deu aqui sua professora de francês. – A carta de Sófocles a Racine, redigida por Gisèle, começava assim:

"Meu caro amigo, desculpai-me o escrever-vos sem ter tido a honra de ser conhecido pessoalmente de vós, mas vossa nova tragédia, *Athalie,* não mostrará por acaso que estudastes perfeitamente bem as minhas modestas obras? Não pusestes versos senão na boca dos protagonistas, ou personagens principais do drama, porém escrevestes alguns, e encantadores; permiti que vos diga sem lisonjas, quanto aos coros, que não faziam má figura, segundo se diz, na tragédia grega, mas que são na França uma legítima novidade. Além do mais, o vosso talento, tão fino, tão aprimorado, tão arrebatador, tão sutil, tão delicado, alcançou uma energia pela qual vos felicito. Athalie, Joad, eis personagens que vosso rival, Corneille, não teria burilado melhor. As índoles são viris, a intriga é simples e forte. Eis uma tragédia cujo móvel não é o amor e apresento-vos meus mais sinceros cumprimentos. Os mais famosos preceitos nem sempre são os mais verdadeiros. Citar-vos-ei como exemplo:

Desta paixão a sensível pintura
Chega-nos pela via mais segura.

Tendes provado que o sentimento religioso que transborda de vossos coros não é menos capaz de emocionar. O grande público pode ter ficado desorientado, mas os verdadeiros conhecedores vos rendem justiça. Portanto, fiz questão de vos enviar minhas congratulações, às quais acrescento, meu caro confrade, a expressão dos meus mais elevados sentimentos."

Os olhos de Albertine não tinham deixado de cintilar enquanto estivera lendo: – Parece até que ela copiou isto – exclamou, ao acabar. – Nunca teria acreditado que Gisèle fosse capaz de realizar uma tarefa destas. E os versos que ela cita! De onde será que os afanou? – A admiração de Albertine, é verdade que mudando de objeto, ainda mais aumentou, bem como a mais aplicada atenção, fazendo com que "os olhos lhe saíssem das órbitas" quando Andrée, consultada por ser a mais velha e a mais instruída, falou do trabalho de Gisèle primeiro com uma certa ironia e, depois, com um ar displicente que mal dissimulava a sua verdadeira seriedade, e refez à sua moda a mesma carta. – Não está má – disse ela a Albertine – mas, se eu fosse você e me dessem o mesmo tema, o que pode ocorrer, pois o apresentam seguido, não faria desse jeito. Eis como faria. Primeiro, se fosse Gisèle, não me deixaria embalar e teria começado escrevendo numa folha à parte o plano da obra. Na primeira linha, a posição da questão e a exposição do tema; depois, as idéias gerais que entrariam no desenvolvimento do assunto. Por fim, a apreciação, o estilo, a conclusão. Desse modo, inspirando-se num sumário, a gente sabe aonde vai. Desde a exposição do tema, ou, se você prefere, Titine, já que se trata de uma carta, desde a entrada no assunto, Gisèle comete um equívoco. Dirigindo-se a um homem do século XVII, Sófocles não devia ter escrito: "Meu caro amigo". – É verdade, deveria tê-lo feito dizer: "Meu caro Racine" – gritou fogosamente Albertine. – Teria ficado bem melhor. – Não – respondeu Andrée num tom meio trocista –, deveria ter posto "Senhor". Da mesma forma, para encerrar deveria ter encontrado algo como: "Permiti, Senhor (quando muito "caro Senhor"), que vos diga dos sentimentos de estima com os quais tenho a honra de ser vosso servidor." Por outro lado, Gisèle diz que os coros são uma novidade em *Athalie.* Ela esquece *Esther,* e duas tragédias pouco sabidas, mas que precisamente este ano foram analisadas pelo professor, de modo que, bastando citá-las, pois são a mania dele, a gente tem certeza de ser aprovada. São *As Judias,* de Robert Garnier, e *o Aman,* de Montchrestien. – Andrée citou estes dois títulos sem conseguir esconder um sentimento de benevolente superioridade que se exprimiu num sorriso, aliás bem gracioso. Albertine não se conteve: – Andrée, você é de abafar – exclamou. – Vai me escrever estes dois títulos. O quê? Imagine só se me cair isso na prova; mesmo que fosse na oral, eu os citaria logo e causaria um efeito tremendo. – Mas, a seguir, cada vez que Albertine pediu a Andrée que lhe repetisse os nomes das duas peças para que ela as escrevesse, a tão sábia amiga fingiu tê-los esquecido e nunca mais pôde recordá-los. – Depois – continuou Andrée num tom de imperceptível desdém pelas companheiras mais pueris, porém feliz por se fazer admirar e dando mais importância do que parecia à forma de como teria desenvolvido o assunto – Sófocles nos Infernos deve estar bem informado. Assim, deve saber que não é diante do grande público, mas diante do Rei-Sol e de alguns cortesãos privilegiados que *Athalie* foi representada. O que Gisèle diz a respeito da estima dos conhecedores não está inteiramente ruim, mas poderia ser completado. Sófocles, tornado imortal, pode muito bem ter o dom da profecia e anunciar que, segundo Voltaire, *Athalie* não será apenas "a obra-prima de Racine, mas do espírito humano". – Albertine bebia todas essas palavras. Tinha as pupilas em fogo. E foi com a mais profunda indignação que repeliu a proposta de Rosemonde para começarem a jogar. Enfim – disse Andrée no mesmo tom desligado, desenvolto, um tanto zombeteiro e ardentemente convicto –, se Gisèle tivesse anotado antes as idéias gerais para desenvolvê-las, talvez houvesse pensado no que eu faria, ou seja, mostrar a diferença existente entre a inspiração religiosa dos coros de Sófocles e a dos de Racine. Eu teria feito, por meio de Sófocles, a observação de que, se os coros de Racine são impregnados de sentimentos religiosos como os da tragédia grega, não se trata todavia dos mesmos deuses. O deus de Joad nada tem a ver com o de Sófocles. E isto leva, muito naturalmente, após o fim do desenvolvimento, à conclusão: Que importa que as crenças sejam diversas?" Sófocles sentiria escrúpulos em insistir nesse ponto. Recearia ferir as convicções de Racine e, insinuando a esse respeito algumas palavras sobre seus mestres de Port-Royal, prefere felicitar o seu êmulo pela elevação do seu gênio poético.

A admiração e a atenção tinham dado tanto calor a Albertine que ela suava em bicas. Andrée conservava a fleuma sorridente de um dândi feminino. – Também não seria mau citar alguns julgamentos de críticos célebres – disse ela antes que recomeçassem a jogar. – Sim – respondeu Albertine –, já me disseram isso. Os mais recomendáveis, em geral, são os julgamentos de Sainte-Beuve e Merlet, não é? – Não está enganada de modo nenhum – replicou Andrée que aliás se recusou a lhe escrever os dois outros nomes malgrado as súplicas de Albertine. – Merlet e Sainte-Beuve são bem lembrados. Mas é preciso citar principalmente Deltour e Gasc-Desfossés.

Enquanto isso, eu pensava na folhinha do bloco que Albertine me passara: "Amo-te muito", e, uma hora depois, descendo os caminhos, um tanto íngremes para o meu gosto, que levavam a Balbec, dizia comigo que seria com ela que viveria o meu romance.

O estado caracterizado pelo conjunto de signos pelos quais normalmente julgamos estar enamorados, como as ordens que eu dava no hotel para não me despertarem fosse qual fosse a visita, a não ser que se tratasse de uma ou outra dessas moças, como as batidas de coração ao esperá-las (qualquer que fosse a que estivesse por chegar) e, naqueles dias, a minha raiva se não achasse um barbeiro e devesse me apresentar diante de Albertine, Rosemonde ou Andrée com a barba por fazer – esse estado, sem dúvida, renascendo alternativamente por uma ou por outra, era tão diferente daquilo a que chamamos amor como difere a vida humana da dos zoófitos, nos quais a existência, a individualidade se assim podemos chamá-la, se reparte entre organismos diversos. Mas a História Natural nos ensina que se observa semelhante organização animal e que nossa própria vida, por pouco que já esteja um tanto adiantada, não é menos afirmativa sobre a realidade dos estados insuspeitados por nós antigamente e pelos quais devemos passar, mesmo que seja para abandoná-los em seguida; tal era para mim aquele estado amoroso dividido simultaneamente entre várias moças. Dividido, ou melhor, indiviso, pois, na maioria das vezes, o que me era mais delicioso, diferente do resto do mundo, o que principiava a me ser tão caro a ponto de que a esperança de voltar a vê-lo no dia seguinte era a melhor alegria da minha vida, era antes o grupo inteiro dessas moças, tomado em conjunto naquelas tardes sobre o rochedo, durante aquelas horas ao ar livre, naquela faixa de relva onde se sentavam as figuras, tão excitantes para a minha imaginação, de Albertine, de Rosemonde e de Andrée; e isto sem que eu pudesse dizer qual delas me fazia tão preciosas aquelas paragens, qual delas eu tinha mais desejos de amar. No princípio de um amor, como no seu término, não estamos exclusivamente ligados ao objeto desse amor, ou melhor, o desejo de amar de que ele vai derivar (e, mais tarde, a recordação que ele deixa) erra voluptuosamente numa zona de encantos intercambiáveis – encantos às vezes simplesmente de natureza, de gula, de moradia – bastante harmônicos entre si para que ele não se sinta em terra estranha junto de nenhum. Além disso, como diante delas eu ainda não me mostrava enfastiado pelo hábito, tinha a faculdade de vê-las, ou seja, de sentir profundo espanto, cada vez que me encontrava em sua presença. Por um lado, sem dúvida, esse espanto se deve à criatura que nos apresenta então uma nova faceta de si mesma; mas é tão grande a multiplicidade de cada uma, a riqueza de linhas de seu rosto e de seu corpo, linhas das quais tão pouco voltamos a encontrar, logo que não estamos mais perto da pessoa, na simplicidade arbitrária de nossa lembrança – como a memória escolheu determinada particularidade que nos impressionou, isolou-a, exagerou-a, fazendo de uma mulher que nos pareceu alta um estudo onde o comprimento do seu talhe é desmesurado, ou de uma mulher que nos pareceu loura e rosada uma pura "Harmonia em rosa e ouro", no momento em que essa mulher está de novo perto de nós, todas as outras qualidades esquecidas que lhe dão equilíbrio nos assaltam, em sua complexidade confusa, diminuindo a altura, afogando o tom róseo, e substituindo o que viemos buscar com exclusividade por outras particularidades que não nos lembrávamos de ter notado da primeira vez e que não compreendemos que contássemos tão pouco com revê-las. Lembramo-nos: íamos ao encontro de um pavão e encontramos uma peônia. E esse espanto inevitável não é o único; pois junto dele há um outro, nascido da diferença não mais entre as estilizações da lembrança e da realidade, mas entre a criatura que vimos pela última vez e a que nos surge hoje sob outro ângulo, mostrando-nos um novo aspecto. O rosto humano é verdadeiramente como o do deus de uma teogonia oriental, todo um cacho de fisionomias justapostas nos planos diferentes que não vemos ao mesmo tempo.

Mas, em grande parte, o nosso espanto provém sobretudo de que a criatura também nos apresenta uma mesma face. Ser-nos-ia necessário um tão grande esforço para recriar tudo o que nos foi proporcionado por algo que não é nós próprios – ainda que seja o sabor de uma fruta – que mal recebemos a impressão descemos insensivelmente o declive da lembrança e, sem dar por isso, em pouco tempo estamos muito longe daquilo que sentimos. De modo que todo novo encontro é uma espécie de correção que nos reconduz ao que muito bem tínhamos visto. Já não nos lembrávamos mais, de tal modo o que se denomina lembrar uma criatura é na verdade esquecê-la. Mas, enquanto ainda sabemos ver, no momento em que o traço esquecido aparece nós o reconhecemos, somos obrigados a retificar a linha que se desviou e, assim, a perpétua e fecunda surpresa que fazia tão saudáveis e suavizadores para mim esses encontros diários com as bonitas moças à beira-mar, era feita de partes iguais de descobertas e reminiscências. Acrescentando-se a isto a agitação despertada pelo que elas representavam para mim, que jamais era inteiramente aquilo que eu julgara, o que fazia que a esperança do próximo encontro não mais fosse idêntica à precedente e sim à lembrança ainda vibrante do último encontro, compreender-se-á que cada passeio dava a meus pensamentos uma violenta mudança de rumo, e não na direção que eu traçara a sós no meu quarto, com a cabeça descansada. E essa direção ficava esquecida, anulada, quando eu voltava, vibrando como uma colméia, com as frases que me haviam perturbado, e que ressoavam dentro de mim por muito tempo. Cada criatura é destruída quando a deixamos de ver; depois, o seu aparecimento seguinte é uma nova criação, diversa da que a precedeu imediatamente, senão de todas. Pois o mínimo de variedades que possa reinar em tais criações é representado pelo número dois. Se lembramos um olhar enérgico, um jeito atrevido, o próximo encontro inevitavelmente nos deixará espantados, ou seja, quase exclusivamente impressionados com um lânguido perfil, por uma espécie de doçura sonhadora, coisas que havíamos negligenciado na recordação anterior. No confronto entre a nossa lembrança e a nova realidade, é isso que marcará a nossa decepção ou nossa surpresa, e agora nos parece o retoque da realidade advertindo-nos de que nossa recordação era falha, Por seu turno, o aspecto fisionômico negligenciado da última vez e, por isso mesmo, mais sedutor agora, mais real e corrigido, se transformará em matéria de recordações e devaneios. É um perfil suave, langoroso, uma expressão sonhadora e doce, o que desejamos rever. E então, da próxima vez, o que houver de voluntário no olhar penetrante, no nariz pontudo, nos lábios cerrados, virá corrigir a defasagem entre o nosso desejo e o objeto que julgava corresponder-lhe. Fica bem entendido que essa fidelidade às impressões primeiras, puramente físicas, reencontradas sempre junto de minhas amigas, não se referia somente às suas feições, pois já vimos que eu também era sensível às suas vozes, talvez mais inquietantes (pois elas não oferecem apenas as mesmas superfícies singulares e sensuais das feições, mas fazem parte do abismo inacessível que dá a vertigem dos beijos sem esperança), vozes semelhantes ao som único de um pequeno instrumento onde cada uma punha inteira a sua alma e que era exclusivamente seu. Traçada por uma inflexão, a linha profunda de uma dessas vozes espantava-me sempre que a reconhecia depois de a ter esquecido. Tanto que as retificações que eu era obrigado a fazer a cada novo encontro, para voltar ao tom exato, eram tão adequadas a um afinador ou a um professor de canto, como a um desenhista.

Quanto à harmoniosa coesão em que se neutralizavam há já algum tempo, pela resistência que cada uma opunha à expansão das demais, as diversas ondas de sentimento propagadas em mim por essas moças, tudo se rompeu em favor de Albertine, numa tarde em que brincávamos de passar anel. Era num pequeno bosque sobre a falésia. Colocado entre duas jovens estranhas ao pequeno grupo e que minhas amigas haviam trazido porque nesse dia deveríamos ser bem numerosos, eu olhava com inveja o vizinho de Albertine, um rapaz, dizendo comigo que, se estivesse no seu lugar, poderia tocar as mãos da minha amiga naqueles minutos inesperados que talvez jamais voltassem e que tão longe poderiam me levar. Já o simples contato das mãos de Albertine, e até sem pensar nas conseqüências que daí adviriam, me parecia delicioso. Não que eu nunca tivesse visto mãos mais lindas que as suas. Até no grupo de suas amigas, as de Andrée, delgadas e bem mais finas, tinham como que uma vida particular, dócil ao comando da moça, mas independente, e muitas vezes se alongavam diante dela como nobres lebréus, com atitudes de preguiça, de sonho profundo, e estiramentos bruscos de uma falange, devido aos quais Elstir havia feito vários estudos dessas mãos. Num deles, via-se Andrée aquecendo-as ao fogo e, diante da luz, elas mostravam a diafaneidade dourada de duas folhas de outono. Porém mais grossas, as mãos de Albertine cediam um instante e depois resistiam à pressão da mão que as apertava, transmitindo uma sensação toda particular. A pressão da mão de Albertine era dotada de uma doçura sensual bem em harmonia com a coloração rósea, ligeiramente malva, de sua pele. Com essa pressão, parecia que a gente penetrava na moça, na profundidade de seus sentidos, assim como na sonoridade do seu riso, indecente como um arrulho sensual ou como certos gritos. Era uma dessas mulheres a quem temos tão grande prazer em apertar a mão que ficamos gratos à civilização por ter feito do *shake-hand* um ato permitido entre rapazes e moças que se encontram. Se os costumes arbitrários de cortesia tivessem substituído esse aperto de mãos por outro gesto, eu teria contemplado todos os dias as mãos intangíveis de Albertine, tão ardentemente curioso de conhecer o seu contato, como o era de saber o gosto de suas faces. Mas, no prazer de ter por muito tempo suas mãos entre as minhas, se tivesse sido o seu vizinho no jogo do anel, eu tinha como objetivo um pouco mais que esse prazer: quantas confissões, quantas declarações até hoje caladas por timidez, eu teria podido confiar a certas pressões da mão; de sua parte, como lhe teria sido fácil demonstrar, com outras pressões de mão, que me aceitava; que cumplicidade, que princípio de volúpia! Meu amor podia progredir mais em alguns minutos assim passados ao lado dela do que desde que a conhecia. E não me agüentava no lugar, pois via que aqueles minutos não durariam muito, estariam em breve chegando ao fim, pois aquele joguinho certamente não continuaria por muito tempo, e tão logo acabasse seria tarde demais. Deixei que me pegassem o anel de propósito e, uma vez no meio da roda, fingia que não o via passar e o seguia com os olhos esperando o momento em que chegasse às mãos do vizinho de Albertine; esta, rindo loucamente, estava toda cor-de-rosa na animação e alegria do jogo. – Estamos justamente no bosque bonito – disse-me Andrée, designando as árvores que nos rodeavam, com um sorriso no olhar que era só para mim e parecia passar por cima dos jogadores como se só nós dois fôssemos bastante inteligentes para nos desdobrarmos e fazer, a respeito do jogo, uma observação de caráter poético. E ela chegou até a levar a delicadeza de espírito a ponto de cantar, sem vontade, o "Ele passou por aqui, o furão do bosque, senhoras, passou por aqui o furão do bosque bonito", como essas pessoas que não podem ir ao Trianon sem dar uma festa estilo Luís XVI, ou que muitas vezes se divertem mandando cantar uma canção no mesmo ambiente para o qual foi escrita. E ao contrário, sem dúvida, eu teria ficado triste por não achar qualquer encanto na comparação proposta por Andrée, se tivesse tempo para pensar naquilo. Mas estava bem longe o meu espírito. Jogadores e jogadoras começavam a se espantar com a minha estupidez, e porque não pegava o anel. Eu contemplava Albertine tão bela, tão indiferente, tão alegre que, sem o prever, ia ser minha vizinha, quando enfim pegasse o anel nas mãos designadas, graças a uma manobra de que ela não suspeitava e que, se soubesse, muito a irritaria. Na febre do jogo, os longos cabelos de Albertine tinham-se desfeito um pouco e, em mechas encaracoladas, caíam-lhe pelo rosto, cuja rósea carnação ainda mais ressaltavam pela sua negra secura. – Você tem as tranças de Laura Dianti, de Éléonore de Guyenne e de sua descendente, tão amada por Chateaubriand. Deveria usar sempre os cabelos meio caídos – disse-lhe ao ouvido para me aproximar dela. De repente, o anel passou para o vizinho de Albertine. Imediatamente me lancei sobre ele, brutalmente abri suas mãos, e peguei o anel; ele foi obrigado a ocupar meu posto no meio do círculo e eu tomei o seu ao lado de Albertine. Poucos minutos antes, invejava o rapaz ao ver suas mãos deslizando pelo barbante e encontrando a todo momento as de Albertine. Agora que chegara a minha vez, muito tímido para procurar esse contato, muito emocionado para poder desfrutá-lo, só conseguia sentir as batidas rápidas e dolorosas do coração. Num dado instante, Albertine se inclinou para mim com um ar de inteligência, o rosto cheio e rosado, fingindo assim que estava com o anel, a fim de enganar o furão e evitar que ele olhasse para o lado onde o anel estava sendo passado. Compreendi logo que os subentendidos expressos no olhar de Albertine se referiam àquela artimanha, mas perturbei-me ao ver assim passar em seus olhos a imagem, puramente simulada para os propósitos do jogo, de um segredo, de uma combinação que não existia entre nós dois, mas que desde então me pareceram possíveis e me seriam divinamente gratificantes. Como esse pensamento me exaltasse, senti uma leve pressão da mão de Albertine contra a minha, e seu dedo caricioso que deslizava por baixo do meu e vi que, ao mesmo tempo, ela me piscava o olho, procurando fazê-lo imperceptivelmente. De súbito, uma multidão de esperanças, até então invisíveis para mim mesmo, se cristalizaram: "Ela aproveita o jogo para me demonstrar que me ama muito", pensei no auge de uma alegria, da qual imediatamente despenquei ao ouvir Albertine me dizer com raiva: – Mas pegue logo o anel, seu burro, faz uma hora que estou lhe passando. – Aturdido pela dor, larguei o barbante; o furão percebeu o anel, se atirou sobre ele e tive de voltar para o meio do círculo, desesperado, olhando a ronda desenfreada que continuava a meu redor, interpelado pelos gracejos de todas as jogadoras, obrigado, para lhes responder, a rir também quando tinha tão pouca vontade disso, enquanto Albertine não parava de dizer: – Não se deve jogar quando não se pode prestar atenção, para não fazer os outros perderem. Ou a gente não o convida nos dias em que formos jogar, Andrée, ou sou eu que não venho mais. – Andrée, superior ao jogo e que continuava cantando o seu "Bosque bonito", que Rosemonde por espírito de imitação repetia sem qualquer convicção, quis desviar as censuras de Albertine e me disse: – Estamos a dois passos dos Creuniers que você tanto gostaria de ver. Venha, vou levá-lo até lá por um belo caminho enquanto essas doidas bancam crianças de oito anos. – Como Andrée era extremamente gentil comigo, pelo caminho lhe fui dizendo de Albertine tudo o que me parecia próprio para que esta me amasse. Andrée me respondeu que também gostava muito dela, achava-a encantadora; entretanto, meus elogios à sua amiga davam-me a impressão de não lhe causar nenhum prazer. De súbito, ao pequeno caminho vazio, parei, tocado no coração por uma doce lembrança da meninice: acabava de reconhecer, nas folhas recortadas e brilhantes que avançavam para a entrada dos Creuniers, uma moita de espinheiros-rosa sem flor, infelizmente, desde o fim da primavera. Em torno a mim flutuava uma atmosfera de antigos meses de

Maria, de tardes de domingo, de crenças, de erros esquecidos. Desejaria apreendê-la. Parei por um segundo e Andrée, com adivinhação encantadora, deixou-me conversar por um instante com as folhas do arbusto. Pedi-lhe notícias das flores, aquelas flores de espinheiro-rosa semelhantes a alegres moças estouvadas, coquetes e piedosas. – Essas senhoritas já se foram há muito tempo – diziam-me as folhas. E talvez pensassem que, para o grande amigo delas que eu pretendia ser, não parecia de modo algum informado sobre seus hábitos. Um grande amigo, mas que não as revia desde muitos anos, apesar de suas promessas. E, no entanto, como Gilberte fora o meu primeiro amor por uma menina, elas tinham sido o meu primeiro amor por uma flor. Sim, eu sei, elas vão embora em meados de junho – respondi –, mas tenho muito prazer em ver o local onde elas moravam aqui. Foram me ver em Combray, no meu quarto, trazidas por minha mãe quando eu estava doente. E nos encontrávamos aos sábados de tarde, no mês de Maria. Aqui elas podem ir às novenas? – Oh, naturalmente! Aliás gostam muito dessas senhoritas na igreja de Saint-Denis-du-Désert, que é a paróquia mais próxima. – E como fazer agora para vê-las? – Ora, não antes do mês de maio do ano que vem. – Mas posso estar certo de que elas estarão lá? – Regularmente todos os anos. – Só não sei se encontrarei o lugar. – Como não!? Essas senhoritas são tão alegres; elas só param de rir para entoar cânticos, de modo que não é possível a gente se enganar e, na beira do caminho, você reconhecerá o seu aroma.

Voltei para junto de Andrée e recomecei a lhe fazer elogios acerca de Albertine. Parecia-me impossível que ela não os fosse transmitir a Albertine, tamanha era a minha insistência. E, no entanto, jamais soube que Albertine tomasse conhecimento deles. Todavia, Andrée possuía mais conhecimento em assuntos do coração do que ela, e maior refinamento na gentileza; descobrir o olhar, a palavra, a ação que mais engenhosamente pudessem dar prazer, calar uma reflexão que arriscasse magoar, fazer o sacrifício (e sem parecer que era um sacrifício) de uma hora de jogo, e até de uma reunião matinal, de um *garden-party,* para ficar junto de um amigo ou de uma amiga triste e lhe mostrar assim que preferia sua simples companhia a prazeres frívolos, tais eram as suas delicadezas habituais. Mas, depois que a gente a conhecia um pouco melhor, dir-se-ia que com ela se dava o mesmo que ocorria com esses covardes heróicos que não querem ter medo e cuja bravura é particularmente meritória; dir-se-ia que, no fundo de sua natureza, não havia nada daquela bondade que ela manifestava a todo instante por distinção moral, por sensibilidade, por vontade nobre de se mostrar boa amiga. Ao ouvir as coisas encantadoras que ela me dizia acerca de uma possível afeição entre mim e Albertine, parecia que ela iria trabalhar com todas as suas forças para realizá-la. Ora, talvez por acaso, nunca se utilizou do menor dos nadas de que dispunha e que poderiam unir-me a Albertine, e eu não juraria que meus esforços para ser amado por Albertine não tenham provocado, de sua amiga, manobras secretas destinadas a contrariá-los, mas despertado nela uma cólera aliás bem oculta e contra a qual talvez lutasse ela própria por delicadeza. Albertine seria incapaz dos mil refinamentos de bondade de Andrée, e no entanto eu não estava certo da bondade profunda desta última como o fiquei mais tarde da bondade da primeira. Sempre se mostrando indulgente para com a exuberante frivolidade de Albertine, Andrée tinha para ela palavras e sorrisos que eram de amiga, e mais, agia como amiga. Eu a vi, dia após dia, para fazê-la aproveitar o seu luxo, tornar feliz essa amiga pobre, ter, sem nenhum interesse, mais trabalho que um cortesão que deseja captar o favor do soberano. Era encantadora de doçura, de palavras tristes e carinhosas, quando lamentavam diante dela a pobreza de Albertine, e esforçava-se mil vezes mais por ela do que o faria por uma amiga rica. Mas, se alguém suspeitasse que Albertine não era tão pobre como diziam, uma nuvem mal perceptível velava a fronte e os olhos de Andrée; ela parecia de mau humor. E se iam ao ponto de dizer que afinal não tivesse tanta dificuldade de casar como pensavam, Andrée protestava com veemência e repetia quase com raiva: – Oh, ela não poderá casar, bem sei. E isso me dá muita pena! – Mesmo no que me dizia respeito, ela era a única das moças que jamais me repetiria algo desagradável que tivessem dito de mim; mais ainda, se era eu mesmo quem o contasse a ela, dava a impressão de não acreditar ou vinha com uma explicação que tornava inofensiva a frase. É o conjunto dessas qualidades a que se denomina tato. É o apanágio das pessoas que, se vamos ao campo da honra, nos felicitam e acrescentam que não havia razão para um duelo, a fim de aumentar ainda mais aos nossos olhos a coragem de que demos prova, sem a isso ser constrangidos. São o oposto das pessoas que, nas mesmas circunstâncias, afirmam: – Deve ser bastante aborrecido para você bater-se em duelo, mas por outro lado você não podia engolir essa afronta, não podia proceder de outra maneira. – Mas, como em tudo há prós e contras, se o prazer ou pelo menos a indiferença de nossos amigos em nos repetir algo de ofensivo que foi dito a nosso respeito prova que absolutamente não se colocam na nossa pele no momento em que nos falam, e enfiam-lhe o alfinete ou a faca como numa bexiga, a arte de nos ocultar sempre o que pode ser desagradável no que ouviram dizer de nossos atos ou da opinião que estes lhes inspiraram, pode provar, em outra categoria de amigos, a dos amigos cheios de tato, uma forte dose de dissimulação. Não há inconveniente se, de fato, não podem pensar mal de nós e se o que lhes é dito os faz apenas sofrer, como a nós mesmos. Achava que este era o caso de Andrée, sem contudo estar absolutamente certo disso.

Deixáramos o bosquezinho e seguíamos por um emaranhado de veredas muito pouco freqüentadas que Andrée conhecia perfeitamente bem. – Olhe – disse ela de repente –, eis os seus famosos Creuniers. E você ainda tem muita sorte, pois estão exatamente na hora e na luz em que Elstir os pintou. – Mas eu ainda estava muito triste por haver caído, no jogo do anel, de tão alto apogeu de esperanças. Portanto, não foi com o prazer que certamente teria sentido em outras circunstâncias que pude distinguir de súbito a meus pés, agachadas contra as rochas onde se protegiam do calor, as Deusas marinhas que Elstir espiara e surpreendera, sob uma sombria transparência tão bela como o teria sido a um Leonardo, as maravilhosas Sombras escondidas e furtivas, ágeis e silenciosas, prestes a escorregar pelas pedras ao primeiro remoinho de luz, a se ocultar num buraco e prontas, passada a ameaça do raio luminoso, a voltar para junto do rochedo ou da alga, sob o sol esfarelador das falésias e do Oceano descolorido, cuja modorra parecem velar, guardiãs imóveis e leves, deixando aparecer à flor d'água o seu corpo viscoso e o olhar atento dos olhos fundos.

Fomos ao encontro das outras para voltar. Agora eu sabia que amava Albertine; mas infelizmente não me preocupava em confessar-lhe o meu amor. É que, desde o tempo em que brincava nos Champs-Élysées, minha concepção de amor tomara-se muito diversa, enquanto as criaturas a que sucessivamente se prendia o meu amor permaneciam quase idênticas. Por um lado, a confissão, a declaração do meu afeto àquela a quem amava já não me parecia uma das cenas capitais e necessárias do amor; e nem este seria uma realidade exterior, mas simplesmente um prazer subjetivo. E esse prazer, eu sentia que Albertine tanto mais faria o que fosse necessário para alimentá-lo quanto ignorasse que eu o experimentava.

Durante todo o caminho de volta, a imagem de Albertine, afogada na luz que emanava das outras, não foi a única a existir para mim. Mas como a lua, que durante o dia não passa de uma pequena nuvem branca de uma forma mais caracterizada e mais fixa, assume toda a sua força quando o dia se esvai, assim, logo que entrei no hotel, foi somente a imagem de Albertine que se ergueu do meu coração e se pôs a brilhar. De súbito, meu quarto parecia novo. Claro, havia muito que já não era o aposento inimigo do primeiro dia. Modificamos sem cessar a nossa morada ao nosso redor; e, à medida que o hábito nos dispensa de sentir, suprimimos os elementos nocivos de cor, de dimensão e de cheiro que causavam nosso mal-estar. Não era mais o quarto, bastante poderoso ainda sobre a minha sensibilidade, certamente não para me fazer sofrer, mas para me proporcionar alegria, a bacia dos belos dias, semelhante a uma piscina pela metade, de que eles faziam resplandecer um azul úmido de luz, a que recobria por um instante, impalpável e branca feito uma emanação de calor, uma vela refletida e fugitiva; nem o quarto puramente estético das noites pictóricas; era o quarto em que estava há tantos dias que já não o via. Ora, eis que eu principiava a abrir os olhos para ele, mas desta vez da perspectiva egoísta que é a do amor. Imaginava que o belo espelho oblíquo, as elegantes estantes envidraçadas dariam a Albertine, se viesse me visitar, uma boa idéia a meu respeito. Em vez de um lugar de transição onde eu passasse por um momento antes de fugir para a praia ou para Rivebelle, meu quarto se tornaria real e querido para mim, renovando-se, pois eu olharia e apreciaria cada móvel com os olhos de Albertine.

Alguns dias após o jogo do anel, tendo-nos distanciado demais num passeio e como ficássemos bem contentes por encontrar em Maineville dois pequenos *tonneaux* de dois lugares, que nos permitiriam voltar à hora do jantar, a vivacidade já bastante acentuada do meu amor por Albertine teve como efeito que fosse sucessivamente a Rosemonde e a Andrée que eu propusesse subissem comigo, e nem uma só vez a Albertine; a seguir, sempre convidando de preferência Andrée ou Rosemonde, levei todo o mundo, por motivos secundários de hora, caminho ou de capas, a decidir, como contra a minha vontade, que o mais prático seria levar comigo Albertine, a cuja companhia eu fingia me resignar mais ou menos. Infelizmente o amor, tendendo à assimilação completa de um ser, e como nenhum é comestível só pela conversação, Albertine, por mais que se mostrasse gentil durante esse retorno em que a levei para casa, deixou-me feliz, porém ainda mais esfomeado por ela do que estava ao partir, e contando os momentos que acabávamos de passar juntos apenas como um prelúdio, sem muita importância em si mesmo, dos que se seguiriam. Entretanto, possuía esse primeiro encanto que jamais se volta a encontrar. Ainda não pedira coisa alguma a Albertine. Ela podia imaginar o que eu desejava, mas, não tendo certeza, supor também que me inclinava a relações sem um fim determinado, nas quais devia a minha amiga achar esse vago delicioso, rico em surpresas esperadas, que é o romanesco.

Na semana seguinte, quase não tentei ver Albertine. Fingia preferir Andrée. O amor se inicia, e desejaríamos continuar para aquela a quem ama o desconhecido que ela pode amar, mas temos necessidade dela, temos necessidade de tocar menos o seu corpo que sua atenção, seu coração. Insinuamos numa carta uma maldade que obrigará a indiferente a nos pedir um favor, e o amor, segundo uma técnica infalível, aperta para nós, num movimento alternado, a engrenagem na qual não se pode mais amar nem ser amado. Consagrava a Andrée as horas em que as outras iam a alguma reunião matinal que eu sabia que Andrée sacrificaria por mim com prazer, e que mesmo com tédio teria sacrificado, por elegância moral, para não dar às outras, nem a si mesma, a idéia de que atribuía valor a um prazer relativamente mundano. Assim, eu dispunha de modo a tê-la todas as noites só para mim, não pensando em fazer ciúmes em Albertine mas aumentar a seus olhos o meu prestígio ou, pelo menos, não perdê-lo revelando-lhe que era a ela e não a Andrée quem eu amava. Tampouco o dizia a Andrée, receando que ela o fosse contar a Albertine. Quando falava de Albertine a Andrée, afetava uma frieza pela qual esta foi talvez menos enganada do que eu com sua aparente credulidade. Fingia acreditar em minha indiferença por Albertine e desejar a união mais completa possível entre mim e Albertine. É provável que, pelo contrário, ela não acreditasse na primeira nem desejasse a segunda. Enquanto lhe dizia que pouco me importava com sua amiga, eu só pensava em uma coisa: tentar travar relações com a Sra. Bontemps, que estava por algum tempo nas vizinhanças de Balbec e com quem Albertine devia ir passar em breve três dias. Naturalmente não deixei transparecer esse desejo a Andrée e, quando lhe falei da família de Albertine, assumi um ar bastante distraído. As respostas explícitas de Andrée não pareciam pôr em dúvida a minha sinceridade. Por que então ocorreu-lhe num daqueles dias comentar comigo: *"Justamente* acabei de ver a tia de Albertine"? – Certamente não me dissera: "Percebi muito bem pelas suas palavras, lançadas como que ao acaso, que você só pensava em travar relações com a tia de Albertine." Mas era bem à presença, no espírito de Andrée, de semelhante idéia que ela achava mais bonito me ocultar, que parecia referir-se a palavra "justamente". Era da família de certos olhares, de certos gestos, que, embora não tenham uma forma lógica, racional, diretamente elaborada pela inteligência de quem a escuta, lhe chegam todavia com seu significado verdadeiro, assim como a palavra humana, mudada em eletricidade no telefone, se refaz palavra para ser ouvida. A fim de apagar do espírito de Andrée a idéia de que me interessava pela Sra. Bontemps, não falei mais dela apenas distraído, mas com malquerença; disse ter encontrado antigamente essa espécie de louca e esperava que isso nunca mais ocorresse. Ora, ao contrário, eu procurava encontrá-la de qualquer modo.

Tentei obter de Elstir, mas sem dizer a ninguém que o havia solicitado, que lhe falasse de mim e me reunisse a ela. Ele prometeu-me fazer conhecê-la, espantando-se contudo de que eu o desejasse, pois julgava-a uma mulher desprezível, intrigante e tão desinteressante como interesseira. Pensando que, se visse a Sra. Bontemps, Andrée o saberia mais cedo ou mais tarde, julguei que era melhor avisá-la. – As coisas de que a gente mais procura fugir são as que chegam sem que possamos evitá-las – disse-lhe. – Nada no mundo pode me aborrecer tanto como encontrar a Sra. Bontemps e, no entanto, não tenho como lhe escapar; Elstir deve me convidar com ela. – Nunca duvidei um só instante – exclamou Andrée num tom amargo, enquanto seu olhar, engrandecido e alterado pelo descontentamento, fixava-se em alguma coisa invisível. Estas palavras de Andrée não constituíam a mais ordenada exposição de um pensamento que assim pode resumir-se: "Sei muito bem que você ama Albertine e que faz de tudo para se aproximar de sua família." Mas eram as ruínas informes e reconstituíveis desse pensamento o que eu fizera explodir, ao me chocar com ele, apesar de Andrée. Assim como o "justamente", essas palavras só tinham significado em grau secundário. Isto é, eram dessas que, ao contrário das afirmações diretas, nos inspiram estima ou desconfiança para com alguém, ou nos fazem brigar com ele.

Visto que Andrée não me acreditara quando lhe dizia que a família de Albertine me era indiferente, é que ela pensava que eu amava Albertine. E provavelmente não se sentia feliz com isso.

Em geral, ela bancava o terceiro em meus encontros com sua amiga. Entretanto, havia dias em que eu devia ver Albertine sozinha, dias que esperava em febre, que passavam sem nada me trazer de decisivo, sem terem sido esse dia crucial cujo papel eu confiava imediatamente ao dia seguinte, que igualmente não o sustentaria; escoavam-se desse modo, sucessivamente como ondas, esses cumes logo substituídos por outros.

Cerca de um mês depois do dia em que tínhamos brincado o jogo do anel, disseram-me que Albertine devia partir na manhã seguinte para ir passar 48 horas na casa da Sra. Bontemps, e, obrigada a tomar o trem muito cedo, viria dormir na véspera no Grande Hotel, de onde, de ônibus, poderia, sem incomodar as amigas em cuja casa habitava, tomar o primeiro trem. Falei sobre isso a Andrée. – Não creio de jeito nenhum – disse Andrée com ar descontente. – Aliás, isso não lhe adiantaria nada, pois tenho certeza que Albertine não vai querer vê-lo, caso for sozinha ao hotel. Não seria protocolar – acrescentou, empregando um adjetivo de que muito gostava, desde pouco, no sentido de "aquilo que se faz". – Digo isto porque sei das idéias de Albertine. A mim, que me importa que você a veja ou não? Tanto faz.

Reuniu-se a nós Octave, que não pôs obstáculos em dizer a Andrée o número de pontos que obtivera no golfe, na véspera, e depois Albertine, que passeava jogando o seu diabolô, como uma freira empunha o seu rosário. Graças a tal jogo ela podia ficar horas sozinha sem se aborrecer. Logo que se ajuntou a nós, surgiu-me a ponta rebelde de seu nariz, que eu havia omitido ao pensar nela nos últimos dias; debaixo de seus cabelos pretos, a verticalidade da testa se opunha, e não pela primeira vez, à imagem indecisa que dela guardara, ao passo que, com sua brancura, mordiscava fortemente o meu olhar; saindo da poeira das lembranças, Albertine se reconstruía à minha frente. O golfe dá o hábito dos prazeres solitários. Aquele proporcionado pelo diabolô certamente o é. No entanto, depois de se reunir conosco, Albertine continuou a jogá-lo, sempre conversando com a gente, como uma dama a quem as amigas vieram visitar nem por isso pára de fazer crochê. – Parece que a Sra. de Villeparisis – disse ela a Octave – fez uma reclamação ao senhor seu pai – (e eu ouvi, por detrás da palavra "parece", uma dessas notas que eram bem de Albertine; cada vez que percebia tê-las esquecido, lembrava-me, ao mesmo tempo, de já ter entrevisto atrás delas a fisionomia decidida e francesa de Albertine. Poderia ser cego e conhecer muito bem algumas das qualidades alertas e um tanto provincianas dessas notas e da ponta do seu nariz. Umas e outro se equivaliam e teriam podido substituir-se, e sua voz era como o que dizem há de realizar o fototelefone do futuro: no som se recortava com nitidez a imagem visual). – Aliás, ela não escreveu apenas ao senhor seu pai, mas, ao mesmo tempo, ao prefeito de Balbec, para que não joguem mais diabolô no molhe. Atiraram-lhe uma bola à cara.

– Sim, eu o ouvi falar dessa reclamação. É ridícula. Já não há tantas distrações por aqui.

Andrée não se imiscuiu na conversação. Não conhecia, como tampouco Albertine e Octave, a Sra. de Villeparisis. – Não sei por que essa senhora criou tamanho caso – disse ela no entanto. – A velha Sra. de Cambremer também levou uma bolada mas não se queixou. – Vou lhe explicar a diferença – respondeu gravemente Octave, riscando um fósforo. – É que, na minha opinião, a Sra. de Cambremer é uma dama da sociedade e a Sra. de Villeparisis é uma arrivista. Vocês vão ao golfe esta tarde? – e nos deixou, bem como Andrée. Fiquei sozinho com Albertine. Olhe – disse ela –, eu agora arrumo os cabelos do jeito que você gosta; veja a minha mecha. Todo mundo zomba disso e ninguém sabe por quem me arrumo assim. Minha tia também vai rir de mim. Tampouco lhe direi o motivo. – Eu via de lado as faces de Albertine que muitas vezes pareciam pálidas; porém assim, banhadas por um sangue claro que as iluminava, adquiriam esse brilho que têm certas manhãs de inverno em que as pedras, parcialmente ensolaradas, parecem granito róseo e desprendem alegria. A que me dava naquele instante a vista das faces de Albertine era bem viva, mas levava a um outro desejo que não era o de passear, e sim o de beijar. Perguntei-lhe se eram verdadeiros os projetos que lhe atribuíam. – Sim – disse ela –,vou passar esta noite no seu hotel e até vou deitar antes do jantar, pois estou um pouco resfriada. Você poderá vir assistir ao meu jantar, ao lado da cama, e depois poderemos jogar o que você quiser. Ficaria contente se for à estação amanhã de manhã, mas tenho medo que isso pareça meio estranho, não digo a Andrée, que é inteligente, mas às outras que lá estarão; iria provocar histórias se o repetissem à minha tia; mas poderíamos passar juntos o serão. Minha tia não saberá nada disso. Vou me despedir de Andrée. Então, até logo mais. Venha cedo para que tenhamos boas horas a nosso dispor – acrescentou sorrindo. A essas palavras, fui mais além do que nos tempos em que amava Gilberte, àqueles em que o amor me parecia uma entidade não só exterior, mas realizável. Ao passo que a Gilberte que eu via nos Champs-Élysées era uma outra diversa da que eu encontrava em mim desde que estava sozinho, de súbito, na Albertine real, a que eu via diariamente, que eu julgava cheia de preconceitos pequeno-burgueses e tão franca com a tia, vinha encarnar-se a Albertine imaginária, aquela por quem, quando não a conhecia ainda, me avaliara furtivamente olhado no molhe, a que parecia voltar a contragosto enquanto via que me afastava.

Fui jantar com minha avó; sentia em mim um segredo que ela não conhecia. Do mesmo modo, quanto a Albertine, amanhã suas amigas estariam com ela sem saber o que havia de novo entre nós dois e, ao beijar a sobrinha na testa, a Sra. Bontemps ignoraria que eu estava entre ambas, naquele arranjo de cabelos que tinha por objetivo, oculto a todos, ser agradável a mim, a mim que até então tanto invejara a Sra. Bontemps porque, aparentada às mesmas pessoas que a sobrinha, precisava usar os mesmos lutos, fazer as mesmas visitas de família; ora, acontecia que eu era para Albertine mais do que a sua própria tia. Junto desta, era em mim que ela pensaria. Não sabia muito bem o que se passaria dali a pouco. Em todo o caso, o Grande Hotel e o serão já não me pareceriam vazios; continha a minha felicidade. Chamei o elevador para subir ao quarto que Albertine ocupava, que dava para o vale. Os menores movimentos, como sentar-me na banqueta do ascensorista, eram-me suaves, pois tinham relação imediata com meu coração; eu não via, nas cordas que faziam o aparelho subir, nos poucos degraus que me restava galgar, senão as rodas, os degraus materializados da minha alegria. Bastavam-me dois ou três passos a dar no corredor antes de chegar àquele quarto onde estava encerrada a preciosa substância daquele corpo rosado – esse quarto que, mesmo que ali se devessem desenrolar atos deliciosos, conservava aquela permanência, aquele ar de ser, para um transeunte não informado, semelhante a todos os outros, que fazem das coisas as testemunhas obstinadamente mudas, os escrupulosos confidentes, os depositários invioláveis do prazer. Esses poucos passos do patamar ao quarto de Albertine, esses passos que ninguém mais podia interromper, transpu-los com delícias, com prudência, como que mergulhado num elemento novo, como se, avançando, eu estivesse lentamente deslocando felicidade e, ao mesmo tempo, com um sentimento desconhecido de onipotência, e de entrar enfim de posse de uma herança que me pertencera o tempo todo. Depois, de súbito, pensei que errara em manter dúvidas; ela me dissera que fosse quando estivesse deitada. Era evidente: eu sapateava de alegria; quase atirei Françoise no chão porque estava no meu caminho; corria, os olhos cintilantes, para o quarto da minha amiga. Encontrei Albertine na cama. Descobrindo-lhe o pescoço, a camisola branca mudava as proporções do seu rosto, o qual, congestionado pela cama, pela gripe, ou pelo jantar, parecia mais róseo; pensei nas cores que tivera algumas horas antes, a meu lado, no molhe, e das quais iria enfim saber o gosto; a face estava atravessada, de alto a baixo, por uma de suas tranças negras e encaracoladas, que, para me agradar, desfizera completamente. Olhava-me sorrindo. A seu lado, na janela, o vale estava iluminado pelo luar. A visão do pescoço despido de Albertine, daquelas faces muito rosadas, me deu tal embriaguez (ou seja, pusera para mim a realidade do mundo não mais na natureza, mas na torrente de sensações que eu mal podia conter) que rompeu o equilíbrio entre a vida imensa, indestrutível, que rolava no meu ser, e a vida do universo, comparativamente tão mesquinha. O mar, que eu percebia perto do vale, na janela, os seios arqueados dos primeiros rochedos de Maineville, o céu onde a lua ainda não alcançara o zênite, tudo isso parecia mais leve de carregar do que plumas para os globos de minhas pupilas que, entre as pálpebras, eu sentia dilatadas, resistentes, prontas para erguer muitos outros fardos, todas as montanhas do mundo, sobre sua superfície delicada. Seu orbe já não se encontrava bastante preenchido pela própria esfera do horizonte. E tudo o que a natureza pudesse me trazer de vida teria me parecido bem pouco, os sopros marinhos me pareceriam curtos demais para a imensa aspiração que soerguia o meu peito. Inclinei-me para Albertine a fim de beijá-la. Ainda que a morte devesse me tocar naquele momento, isso me pareceria indiferente, ou melhor, impossível, pois a vida não estava fora de mim, estava em mim; eu teria sorrido com pena se um filósofo me externasse a idéia de que um dia, mesmo afastado, eu teria de morrer, que as forças eternas da natureza me sobreviveriam, as forças dessa natureza sob cujos pés divinos eu não passava de um grão de poeira; que, depois de mim, haveria ainda aquelas falésias arredondadas e arqueadas, aquele mar, aquele luar, aquele céu! Como seria possível isto, como poderia o mundo existir mais que eu, visto que eu não estava perdido nele, mas ele é que estava contido em mim, em mim que ele estava longe de preencher, em mim, onde, sentindo lugar para acumular tantos outros tesouros, eu jogava desdenhosamente para um canto, céu, mar e rochedos? – Acabe com isso, ou eu toco a campainha – exclamou Albertine, vendo que me lançava sobre ela para beijá-la. Mas eu dizia comigo que não era para ficar sem fazer coisa alguma que uma moça convidava um rapaz para entrar às escondidas no seu quarto, manobrando para que sua tia não soubesse de nada, e que além disso a audácia é proveitosa para quem sabe desfrutar as ocasiões; no estado de exaltação em que me encontrava, o rosto redondo de Albertine, iluminado por um fogo interior como por uma lamparina, assumia para mim um tal relevo que, imitando a rotação de uma esfera ardente, parecia-me girar como as figuras de Michelangelo que um imóvel e vertiginoso turbilhão arrasta. Eu ia conhecer o aroma, o sabor desse desconhecido fruto róseo. Ouvi um som precipitado, prolongado e estridente. Albertine tocara a campainha com todas as forças.

Julgara que o amor que sentia por Albertine não se baseava na esperança da posse física. Entretanto, quando me pareceu resultar da experiência daquela noite que essa posse era impossível e que, depois de não ter duvidado, no primeiro dia, na praia, que Albertine fosse uma sem-vergonha, e de ter passado depois por suposições intermediárias, pareceu-me certo, em definitivo, que ela era absolutamente virtuosa; quando, ao voltar da casa da tia, oito dias mais tarde, disse-me com frieza: – Perdôo-o; lamento até lhe ter causado desgosto, mas não recomece nunca mais –, ao contrário do que ocorrera quando Bloch me havia dito que eu poderia possuir todas as mulheres, e como se, ao invés de uma moça real, eu tivesse conhecido uma boneca de cera, deu-se que pouco a pouco se foi destacando dela o meu desejo de penetrar em sua vida, de acompanhá-la nas terras onde passara a infância, de ser iniciado por ela numa vida desportiva; e minha curiosidade intelectual sobre o que ela pensava acerca de tal ou qual assunto não sobreviveu à crença de que poderia beijá-la. Meus sonhos a abandonaram desde que deixaram de ser alimentados pela esperança de uma posse, da qual os julgara independentes. Desde então viram-se livres para se referir – conforme o encanto que lhes achasse um certo dia, sobretudo conforme a possibilidade e as chances que entrevia de ser amado por elas – a esta ou aquela das amigas de Albertine, principalmente Andrée. No entanto, se Albertine não tivesse existido, talvez eu não tivesse sentido o prazer que principiei a sentir cada vez mais, nos dias seguintes, diante da gentileza que me testemunhava Andrée. Albertine não contara a ninguém o fracasso que eu experimentara com ela. Era uma dessas moças bonitas que, desde a extrema juventude, por sua beleza, mas principalmente por um atrativo, um encanto que permanece bem misterioso e que tem suas origens talvez nas reservas de vitalidade onde os menos favorecidos pela natureza vêm se saciar, sempre – em sua família, no meio das amigas, na sociedade – agradaram mais que outras mais belas, mais ricas; era dessas criaturas a quem, antes da idade do amor e bem mais ainda quando ele chega, se pede mais do que elas pedem e até mais do que podem dar. Desde a infância, Albertine tivera sempre em admiração a seu redor quatro ou cinco amiguinhas, entre as quais Andrée, que lhe era tão superior e o sabia (e talvez essa atração exercida por Albertine tão involuntariamente estivesse na origem, tivesse servido para a fundação do pequeno grupo). Essa atração se exercia mesmo bem longe, nos ambientes relativamente mais brilhantes onde, se houvesse uma pavana para dançar, Albertine era solicitada de preferência a uma jovem mais bem-nascida. O resultado era que, não tendo um tostão de dote, vivendo bastante mal, aliás, a cargo do Sr. Bontemps, que diziam ser corrupto e desejar livrar-se dela, ela era no entanto convidada não só para jantar mas para morar em casa de pessoas que, aos olhos de Saint-Loup, não teriam qualquer elegância, mas que, para a mãe de Rosemonde ou para a mãe de Andrée, mulheres muito ricas mas que não conheciam tais pessoas, representavam algo enorme. Assim, Albertine passava, todos os anos, algumas semanas com a família de um diretor do Banco da França, presidente do Conselho de administração de uma grande companhia de estradas de ferro. A mulher desse financista recebia personagens importantes e jamais cumprimentara a mãe de Andrée, a qual achava descortês essa dama, mas nem por isso se sentia menos prodigiosamente interessada por tudo o que se passava na casa dela. Assim, todos os anos exortava Andrée a convidar Albertine para a sua vivenda, porque, dizia, era uma boa obra oferecer uma temporada à beira-mar a uma menina que não tinha nada de seu para viajar e com quem a tia praticamente não se importava; a mãe de Andrée provavelmente não era movida pela esperança de que o diretor do Banco e sua esposa, sabendo que Albertine era mimada por ela e sua filha, formassem uma melhor opinião sobre ambas; com muito maior razão, não esperava que Albertine, contudo tão boa e hábil, soubesse fazê-la ser convidada, ou, pelo menos, que conseguisse convidar Andrée para os *garden-party* do financista. Mas todas as noites, ao jantar, sempre assumindo um ar de indiferença e desdém, ela ficava encantada ao ouvir Albertine lhe contar o que se passara no castelo durante a sua permanência, as pessoas que ali tinham sido recebidas, quase todas conhecidas dela de vista ou pelo nome. Mesmo a idéia de que ela não os conhecia senão desse modo, ou seja, simplesmente não os conhecia (ela chamava a isto conhecer as pessoas "desde sempre") conferia uma ponta de melancolia à mãe de Andrée, enquanto fazia a Albertine perguntas sobre eles com ar altivo e distraído, com a extremidade dos lábios, e que poderia deixá-la inquieta e insegura quanto à importância de sua própria condição, caso não se tranqüilizasse a si mesma e se recolocasse na "realidade da vida" dizendo ao mordomo: – Diga ao chefe que suas ervilhas não estão bem cozidas. – Recuperava então a sua serenidade. E estava mesmo disposta a que Andrée só se casasse com um homem, de excelente família, é claro, mas suficientemente rico para que ela também pudesse ter um chefe de cozinha e dois cocheiros. Era isso o positivo, a verdade efetiva de uma situação social. Mas que Albertine houvesse jantado no castelo do diretor do Banco com essa ou aquela dama, que essa dama chegasse mesmo a convidá-la para o inverno seguinte, isso não deixava de trazer à moça, no modo de ver da mãe de Andrée, uma espécie de consideração particular que se casava muito bem à piedade e até ao desprezo excitados pelo seu infortúnio, desprezo aumentado pelo fato de o Sr. Bontemps haver traído a sua bandeira aliando-se ao governo – e até mesmo vagamente panamista[12], ao que diziam. O que, aliás, não impedia que a mãe de Andrée, por amor à verdade, fulminasse com seu desprezo as pessoas que davam a impressão de crer que Albertine fosse de baixa extração. – Como, é o que há de melhor, são Simonets com um só *n*. – Certamente, devido ao meio em que tudo isso ia evoluindo, em que o dinheiro desempenha tal papel, e onde a elegância faz com que nos convidem mas não com que nos desposem, nenhum casamento "aceitável" poderia ser, para Albertine, a conseqüência útil da consideração tão distinta de que ela gozava e que não teriam julgado compensadora de sua pobreza. Mas só por si mesmos, e sem trazer esperança de uma conseqüência matrimonial, tais "sucessos" excitavam a inveja de certas mães maldosas, que se encolerizavam por ver Albertine ser recebida como "filha da casa" pela mulher do diretor do Banco, e até pela mãe de Andrée, a quem mal conheciam. Assim, diziam a amigos comuns a elas e a essas duas damas, que estas ficariam indignadas se soubessem a verdade, isto é, que Albertine contava na casa de uma (e vice-versa) tudo o que a intimidade em que a admitiam imprudentemente lhe permitia descobrir sobre a outra, mil pequenos segredos que seria infinitamente desagradável à interessada ver desvendados. Tais mulheres invejosas diziam isto para que se espalhasse e para que Albertine fosse mal vista pelos seus protetores. Mas semelhante política, como ocorre muitas vezes, não alcançava nenhum êxito. Sentia-se demais a maldade que a inspirava, e isto só fazia desprezar ainda mais aquelas que tinham tomado tal iniciativa. A mãe de Andrée estava bem determinada a respeito de Albertine para que mudasse de opinião. Considerava-a uma "infeliz", mas de índole excelente, e que não sabia o que mais inventar para agradar.

Se essa espécie de fama que obtivera Albertine não parecia comportar nenhum resultado prático, ela imprimira à amiga de Andrée o caráter distintivo das

[12] *Panamista*: nome dado às pessoas mais ou menos comprometidas no escândalo do Panamá (1889-1891), ou que mostravam pouco interesse em ver o caso esclarecido. (N. do T.)

criaturas que, sempre solicitadas, jamais têm necessidade de se oferecer (caráter que também se encontra, por motivos análogos, num outro extremo da sociedade, nas mulheres de grande elegância) e que é não exibirem o sucesso que obtêm, mas antes ocultá-lo. Ela nunca dizia de alguém: "Ele tem vontade de me ver", falava de todos com grande benevolência e como se fosse ela quem corresse atrás, procurasse os outros. Se falavam de um rapaz que minutos antes lhe havia feito pessoalmente as mais amargas censuras, porque ela lhe recusara um encontro, bem longe de se gabar publicamente ou de lhe querer mal, Albertine o elogiava: – É um excelente rapaz. – Ficava mesmo muito aborrecida que se agradassem tanto dela, pois aquilo a obrigava a causar mágoa, ao passo que, por sua natureza, gostava de causar prazer. Gostava mesmo de causar prazer ao ponto de ter dito uma mentira especial a certas pessoas utilitárias, a certos homens vitoriosos. Existindo, aliás, em estado embrionário, em um número enorme de pessoas, esse tipo de insinceridade consiste em não saber se contentar com um único ato, em causar prazer, graças a este, a uma só pessoa. Por exemplo, se a tia de Albertine desejava que a sobrinha a acompanhasse a uma reunião matinal pouco divertida, Albertine, comparecendo, poderia achar suficiente o proveito moral de ter dado prazer à tia. Mas, acolhida gentilmente pelos donos da casa, preferia lhes dizer que desejava há muito visitá-los e que escolhera aquela ocasião e solicitara a permissão da tia. Isto ainda não era bastante: naquela matinê se achava presente uma das amigas de Albertine que tivera um grande desgosto. Albertine lhe dizia: – Não quis te deixar sozinha, julguei que te faria bem que eu estivesse junto de ti. Se queres que deixemos a matinê, vamos a outro lugar; farei o que quiseres, pois acima de tudo desejo te ver menos triste – (o que aliás também era verdade). Às vezes, no entanto, ocorria que o objetivo fictício destruía a finalidade real. Assim, tendo Albertine um serviço a pedir para uma das amigas, ia por esse motivo visitar uma certa dama. Mas, logo ao chegar à casa dessa dama bondosa e simpática, ela, obedecendo sem querer ao princípio de utilização múltipla de uma única ação, achava mais afetuoso dar a impressão de ter vindo apenas devido ao prazer que sentia que iria experimentar ao rever aquela dama. Esta ficava muito sensibilizada pelo fato de Albertine ter percorrido um longo trajeto por pura amizade. Vendo a dama quase comovida, Albertine gostava ainda mais dela. Unicamente, acontecia o seguinte: experimentava tão vivamente o prazer da amizade pelo qual mentirosamente pretendia ter vindo, que temia que a senhora duvidasse dos sentimentos, na verdade sinceros, se ela lhe pedisse o obséquio para a amiga. A dama julgaria que Albertine a fora visitar para aquilo, o que era verdadeiro, mas concluiria que Albertine não sentia prazer desinteressado em vê-la, o que era falso. De modo que Albertine voltava sem lhe ter pedido o obséquio, como os homens que foram tão bons com uma mulher na esperança de obter os seus favores, que não se declaram a elas para que essa bondade mantenha um caráter de nobreza. Em outros casos, não se pode dizer que o objetivo verdadeiro fosse sacrificado ao objetivo acessório e imaginado posteriormente, mas o primeiro era de tal modo oposto ao segundo que, se a pessoa que Albertine comovia ao lhe declarar um ficasse conhecendo o outro, seu prazer logo se transformaria no desgosto mais profundo. A seqüência da narrativa fará melhor compreeender, bem mais adiante, esse gênero de contradições. Digamos, com um exemplo tirado a uma ordem de fatos muito diversos, que são muito freqüentes nas mais variadas situações que a vida oferece. Um marido instalou sua amante na cidade em cujo quartel está servindo. Sua mulher, que ficou em Paris e está relativamente a par da verdade, mostra-se desolada, escrevendo ao marido cartas cheias de ciúme. Ora, a amante é obrigada a vir passar um dia em Paris. O marido não pode resistir a seus pedidos de acompanhá-la e obtém uma licença de 24 horas. Mas, como é uma boa pessoa e sofre por causar desgosto à esposa, chega em casa e lhe diz, derramando algumas lágrimas sinceras, que, transtornado pelas cartas dela, arranjou um meio de a vir consolar e abraçar. Assim, achou um meio de dar, com uma só viagem, uma prova de amor ao mesmo tempo à esposa e à amante. Mas, se a esposa soubesse o motivo pelo qual o marido tinha vindo a Paris, sua alegria se iria mudar sem dúvida em desgosto, a não ser que visse que o ingrato a tornava, apesar de tudo, mais feliz do que infeliz com suas mentiras. Entre os homens que me pareceram praticar mais assiduamente o sistema de fins múltiplos está o Sr. de Norpois. Às vezes aceitava ser o intermediário entre dois amigos brigados, e isto fazia com que o chamassem o mais obsequioso dos homens. Mas não lhe bastava dar a impressão de prestar um serviço a quem o solicitara; apresentava ao outro as negociações que fazia junto a ele como empreendidas, não a pedido do primeiro, mas no interesse do segundo, o que persuadia facilmente um interlocutor sugestionado de antemão pela idéia de que tinha à sua frente "o mais serviçal dos homens". Dessa forma, jogando em dois tabuleiros, fazendo o que em linguagem de teatro se chama contraparte, jamais deixava que sua influência corresse qualquer risco, e os serviços que prestava não constituíam uma alienação e sim uma frutificação de uma parte do seu crédito. Por outro lado, todo serviço prestado, parecendo duplamente retribuído, aumentava ainda mais a sua reputação de amigo serviçal, e serviçal com eficiência, que não faz esforços inúteis, cujos passos dão sempre bom resultado, o que era demonstrado pelo reconhecimento dos dois interessados. Essa duplicidade no obséquio era, e com desmentidos como em toda criatura humana, uma parte importante do caráter do Sr. de Norpois. E muitas vezes, no Ministério, servia-se de meu pai, que era bastante ingênuo, fazendo-o crer que o estava servindo.

Agradando mais do que desejava e não tendo necessidade de alardear o seu sucesso, Albertine guardou silêncio sobre a cena que tivera comigo ao lado da cama, e que uma moça feia gostaria de ter dado ciência ao universo inteiro. Além disso, eu não conseguia me explicar sua atitude naquela cena. Pelo que respeita à hipótese de uma virtude absoluta (hipótese que a princípio atribuíra à violência com que Albertine recusara se deixar beijar e agarrar por mim e que, de resto, não era de modo algum indispensável à minha concepção da bondade, da honestidade essencial da minha amiga), não deixei de examiná-la por diversas vezes. Essa hipótese era bem o contrário da que eu levantara no primeiro dia em que vira Albertine. Depois, tantos atos diferentes, todos de gentileza para comigo (uma gentileza carinhosa, às vezes inquieta, alarmada, ciumenta de minha predileção por Andrée), banhavam por todos os lados o gesto rude com o qual, para fugir de mim, ela tocara a campainha. Por que então me pedira para vir passar o serão junto de sua cama? Por que falava o tempo todo a linguagem da ternura? Sobre o que repousa o desejo de ver um amigo, de temer que ele lhe prefira a sua amiga, de tentar agradá-lo, de lhe dizer romanescamente que as outras não saberão que passou o serão com ela, se lhe recusa um prazer tão simples e que não é um prazer para ela? Da mesma forma, não podia acreditar que a virtude de Albertine fosse até esse ponto e chegava a me perguntar se não houvera, para sua violência, um motivo de coqueteria, por exemplo, um aroma desagradável que julgasse ter em si e com o qual temera me incomodar, ou de pusilanimidade, se, por exemplo, julgasse, em sua ignorância das realidades do amor, que meu estado de fraqueza nervosa podia ter algo de contagioso através do beijo.

Certamente ficou desolada por não ter podido me dar prazer e me ofereceu um pequeno lápis de ouro, devido a essa virtuosa perversidade das pessoas que, enternecidas com a nossa gentileza e não concordando em nos conceder o que ela reclama, querem todavia fazer outra coisa em nosso favor: o crítico, cujo artigo lisonjearia o romancista, em vez disso o convida para jantar; a duquesa não leva o esnobe consigo ao teatro, mas manda-lhe o seu camarote para uma noite em que ela não irá. Tanto aqueles que fazem o mínimo e poderiam não fazer nada são levados pelo escrúpulo a fazer algo! Disse a Albertine que, dando-me o lápis, ela me proporcionava um grande prazer, todavia menor do que eu teria se, na noite em que ela dormira no hotel, tivesse permitido que a beijasse. – Isto me faria tão feliz! E o que é que lhe podia acontecer? Estou surpreso que me tenha repelido. – O que me espanta – respondeu ela – é que você ache isso espantoso. Pergunto a mim mesma que tipo de moças poderá ter conhecido para que minha conduta lhe cause surpresa. – Estou desolado por tê-la aborrecido, mas, mesmo agora, não posso lhe dizer que considero ter procedido mal. Minha opinião é que se trata de coisas sem importância, e não compreendo que uma moça que tão facilmente pode causar prazer não consinta nisso. Entendamo-nos – acrescentei, para dar uma meia-satisfação às suas idéias morais, lembrando-me como ela e suas amigas tinham difamado a amiga da atriz Léa –, não quero dizer que uma moça possa fazer tudo e que não existe nada que seja imoral. Assim, olhe, essas relações de que você falava outro dia a respeito de uma menina que mora em Balbec e que existiriam entre ela e uma atriz, acho isso ignóbil, tão ignóbil que penso que são os inimigos dessa moça que inventaram tudo isso e que nada do que foi contado é verdade. Isto me parece improvável, impossível. Porém deixar-se beijar, e ainda mais por um amigo, já que você diz que sou seu amigo... – É meu amigo, mas tive outros antes de você; conheci rapazes que, asseguro-lhe, tinham por mim amizade igual. Muito bem, nenhum deles teria ousado fazer coisa semelhante. Bem sabiam o par de tapas que teriam levado. Aliás, nem pensavam nisso; a gente se apertava as mãos com toda a franqueza, como amigos, como bons camaradas; jamais nos falaríamos em beijar e não éramos menos amigos por isso. Vamos, se faz questão da minha amizade, pode ficar contente, pois é preciso que eu goste muito de você para perdoá-lo. Mas estou certa de que pouco liga para mim. Confesse que gosta mesmo é de Andrée. No fundo você tem razão; ela é muito mais amável que eu, e é deslumbrante! Ah! Os homens! – Apesar da minha decepção recente, essas palavras de tanta franqueza, dando-me uma grande estima por Albertine, causaram-me uma doce impressão. E talvez essa impressão tivesse para mim grandes e lastimáveis conseqüências, pois foi por ela que principiou a se formar aquele sentimento quase familiar, aquele núcleo moral que sempre devia subsistir no meio do meu amor por Albertine. Um tal sentimento pode ser a causa de mágoas maiores. Pois, para sofrer verdadeiramente por uma mulher, é preciso ter acreditado totalmente nela. Naquele momento, esse embrião de estima moral, de amizade, permanecia no meio da minha alma como pedra de espera. Não teria podido nada, sozinho, contra a minha felicidade se tivesse continuado assim, sem aumentar, numa inércia que deveria conservar no ano seguinte e, com muito mais razão ainda, durante as últimas semanas de minha primeira temporada em Balbec. Estava em mim como um desses hóspedes que, apesar de tudo, seria mais prudente expulsar, mas que deixam que permaneça – sem inquietá-lo, de tanto que os tornam provisoriamente inofensivos sua fraqueza e seu isolamento no meio de uma alma estranha.

Agora, meus sonhos voltavam a ser livres para se reportar a esta ou àquela das amigas de Albertine e, em primeiro lugar, a Andrée, cujas amabilidades talvez me tivessem tocado menos se não tivesse certeza de que seriam conhecidas de Albertine. É claro que a preferência que há muito eu vinha fingindo por Andrée me fornecera – em hábitos de conversas, de declarações de carinho – como que a matéria de um amor já inteiramente pronto para ela, ao qual até então não faltara mais que um sentimento sincero a acrescentar-lhe, e que agora o meu coração livre de novo, poderia proporcionar. Mas Andrée era muito intelectual, muito nervosa, muito doentia, muito parecida comigo para que a amasse de verdade. Se agora Albertine se me afigurava oca, Andrée estava repleta de algo que eu já conhecia de sobra. No primeiro dia pensara ver na praia a amante de um corredor, embriagada de amor pelo esporte, e Andrée me dizia que havia principiado a praticar esportes a conselho do médico, a fim de curar a neurastenia e as perturbações de nutrição.

Mas seus melhores momentos eram aqueles em que traduzia um romance de George Eliot. Minha decepção, fruto de um erro inicial sobre o que seria Andrée, não teve, de fato, nenhuma importância para mim. Mas o erro era do tipo desses que, se permitem que o amor nasça e só são reconhecidos como erros quando a situação já não pode ser mudada, tornam-se motivo de sofrimento. Tais erros – que podem ser diferentes dos que havia cometido em relação a Andrée, e até mesmo opostos – provêm muitas vezes, como em particular no caso dela, do fato de que assumimos demais o aspecto e as maneiras daquilo que não somos mas desejaríamos ser, para iludir à primeira vista. A aparência exterior, à afetação, à imitação e ao desejo de ser admirado, seja pelos bons, seja pelos maus, acrescenta-se o falso aspecto das palavras e dos gestos. Há cinismos e crueldades que não resistem à prova mais que certas bondades, certas generosidades. Do mesmo modo que muitas vezes se descobre um avaro vaidoso em um homem conhecido por sua caridade, a jactância do vício nos faz supor uma Messalina em uma moça honesta cheia de preconceitos. Eu julgara encontrar em Andrée uma criatura saudável e primitiva, quando não passava de alguém que buscava saúde, como o eram talvez muitos daqueles em que ela pensava encontrá-la, e que na verdade não a possuíam, assim como um homem gordo e artrítico, de rosto vermelho e vestido de flanela branca, não é forçosamente um Hércules. Ora, há circunstâncias em que não é indiferente para a felicidade que a pessoa a quem se amou pelo que parecia ter de saudável na realidade não passasse de um desses enfermos que só recebem sua saúde de outros, como os planetas tomam emprestada a sua luz, como certos corpos se limitam a deixar passar a eletricidade.

Não importa; Andrée, como Rosemonde e Gisèle, e até mais do que elas, era em última análise uma amiga de Albertine, que compartilhava a sua vida e imitava as suas maneiras a ponto de que no primeiro dia eu a princípio não as distinguira uma da outra. Entre essas moças, caules de rosas, cujo encanto principal era se destacarem sobre o mar, reinava a mesma indivisão que no tempo em que não as conhecia e quando o aparecimento de qualquer uma me causava tanta emoção por me anunciar que o pequeno grupo não estava longe. Ainda agora, a vista de uma me proporcionava um prazer onde entrava, numa percentagem que eu não saberia avaliar, a possibilidade de ver as outras a segui-la mais tarde, e, ainda que não viessem naquele dia, a oportunidade de falar a respeito delas e de saber que lhes seria dito que eu estivera na praia.

Não era mais a atração dos primeiros dias; era uma genuína veleidade de amar que hesitava entre todas, de tal forma cada uma era a substituta natural da outra. Minha maior tristeza não teria sido o fato de ser abandonado por aquela que eu preferia entre todas; mas logo preferiria, porque nela fixara a soma de tristeza e de sonho que flutuava entre elas, aquela que me tivesse abandonado. Ainda nesse caso, era a todas as suas amigas, a cujos olhos eu em breve perderia todo o prestígio, que eu teria inconscientemente lamentado naquela, tendo lhes confessado essa espécie de amor coletivo que o político ou o ator dedicam ao público pelo qual não se consolam de ser abandonados depois de ter recebido todos os seus favores. Mesmo os favores que não pudera obter de Albertine, esperava por eles, de repente, de uma ou outra que me dissera uma palavra ou lançara um olhar ambíguo, ao me deixar à noite, devido aos quais era para essa última que se voltava o meu desejo por um dia inteiro.

E o meu desejo errava ainda mais sensualmente entre os seus rostos móveis, porque uma fixação relativa das feições já estava bastante iniciada para que se pudesse distinguir, mesmo que mudasse ainda, a efígie maleável e flutuante. Às diferenças existentes entre esses rostos estavam, sem dúvida, muito longe de corresponder as diferenças idênticas no comprimento e largura das feições, as quais, de uma a outra das moças, e por mais dissemelhantes que parecessem, talvez pudessem ser quase superpostas. Mas o nosso conhecimento dos rostos não é matemático. Primeiro, não começa por medir as partes, mas tem como ponto de partida uma expressão, um conjunto. Em Andrée, por exemplo, a finura dos olhos doces parecia juntar-se ao nariz estreito, tão delgado como uma simples curva, que tivesse sido traçada para que fosse possível prosseguir numa só linha a intenção de delicadeza divisada anteriormente no duplo sorriso dos olhares gêmeos. Uma linha da mesma finura lhe riscava os cabelos, ágil e profunda como a que o vento traça na areia. E essa linha devia ser hereditária, pois os cabelos inteiramente brancos da mãe de Andrée eram dispostos da mesma maneira, aqui formando um tufo, ali uma depressão, como a neve que se ergue ou se afunda de acordo com as desigualdades do terreno. É evidente que, comparado à fina delineação do de Andrée, o nariz de Rosemonde parecia oferecer amplas superfícies, como uma torre alta assentada numa base poderosa. Ainda que a expressão seja bastante para fazer crer em diferenças enormes entre coisas separadas por algo infinitamente pequeno, e ainda que o infinitamente pequeno possa por si só criar uma expressão absolutamente particular, uma individualidade, o fato é que nem o infinitamente pequeno de uma linha nem a originalidade da expressão faziam com que esses rostos aparecessem irredutíveis uns aos outros. Entre os de minhas amigas, a coloração abria uma separação ainda mais profunda, não tanto pela variada beleza dos tons que lhes proporcionava, tão opostas que eu sentia diante de Rosemonde – inundada de um róseo sulfurino sobre o qual reagia ainda a luz esverdeada dos olhos – e diante de Andrée – cujas faces brancas recebiam tanto da austera distinção de seus cabelos negros – o mesmo tipo de prazer como se olhasse alternadamente um gerânio à beira do mar ensolarado e uma camélia à noite; mas sobretudo porque as diferenças infinitamente pequenas das linhas se achavam desmesuradamente aumentadas, assim como as proporções entre as superfícies eram inteiramente mudadas por esse elemento novo da cor, o qual, assim como é um dispensador de matizes, funciona também como grande regenerador ou, pelo menos, modificador de dimensões. De maneira que as fisionomias, construídas talvez de modo pouco diverso, conforme sejam iluminadas pelo fogo de uma cabeleira ruiva ou de uma pele rosada, ou pela branca luz de um pálido fosco, encompridavam-se ou se ampliavam, tornando-se uma coisa diferente, como esses acessórios dos balés russos, que consistem às vezes, se são vistos em plena luz do dia, numa simples rodela de papel e que o gênio de um Bakst, segundo a iluminação vermelho-pálida ou lunar em que mergulha o cenário, faz incrustar-se duramente neste, como uma turquesa na fachada de um palácio, ou desabrochar molemente, rosa de bengala no meio de um jardim. Assim, ao tomar conhecimento dos rostos, nós os medimos realmente, mas como pintores e não como agrimensores.

Dava-se o mesmo com Albertine que com suas amigas. Em certos dias, delgada, pálida, aborrecida, uma transparência violácea descendo obliquamente no fundo de seus olhos, como ocorre algumas vezes no mar, ela parecia sentir uma tristeza de exilada. Em outros, seu rosto mais liso atraía os desejos à sua superfície envernizada e os impedia de irem mais além; a menos que eu não a visse de súbito de lado, pois suas faces foscas feito uma cera branca eram, na superfície, rosadas por transparência, o que dava tanta vontade de as beijar, de tocar aquela pele diferente que se esquivava. De outras vezes, a felicidade banhava suas faces de uma claridade tão móvel que a pele, tornada vaga e fluida, deixava passar como que olhares subjacentes que a faziam parecer de uma outra cor, mas não de matéria diferente da dos olhos; às vezes, sem querer, ao olhar para seu rosto matizado de pontinhos castanhos e onde flutuavam apenas duas manchas mais azuis, lembrava um ovo de pintassilgo, e muitas vezes era como uma ágata opalina, trabalhada e polida somente em dois lugares, onde, no meio da pedra escura, luzissem como asas transparentes de uma borboleta azul, os olhos, em que a carne se torna espelho e nos dá a ilusão de deixar, mais que em outras partes do corpo, que nos aproximemos da alma. Porém, com mais freqüência, tinha boa cor e se mostrava mais animada; umas vezes só era cor-de-rosa, em seu rosto branco, a ponta do nariz, fino como o de uma gatinha sorrateira, com a qual se tivesse vontade de brincar; às vezes suas faces eram tão polidas que o olhar deslizava como pelas de uma miniatura, sobre o seu esmalte rosado, ainda mais delicado e interior devido à tampa entreaberta e superposta de seus cabelos negros; ocorria que a pele de suas faces chegava ao rosa violáceo do ciclâmen, e às vezes até, quando ela estava congestionada ou febril, e dando então a idéia de uma compleição doentia que rebaixava o meu desejo a qualquer coisa de mais sensual e fazia seu olhar exprimir algo mais perverso e indecente, assumia o púrpura sombrio de certas rosas de um rubro quase negro. E cada uma destas Albertines era diferente, como é diferente cada uma das aparições da bailarina cujas cores, forma e caráter vão se transmudando, conforme os jogos inumeravelmente variados de um projetor luminoso. Talvez por serem tão diversas as criaturas que eu contemplava em Albertine àquela época, é que mais tarde adquiri o hábito de tornar-me eu mesmo um outro personagem, de acordo com a Albertine em que pensava: um ciumento, um indiferente, um voluptuoso, um melancólico, um furioso, recriados não só ao acaso da lembrança que renascia, mas conforme a intensidade da crença interposta, para uma mesma recordação, pelo modo diverso com que a apreciava. Pois era sempre a isto que precisava retornar, a essas crenças que na maior parte do tempo nos enchem a alma à nossa revelia, mas que, todavia, têm mais importância para a nossa felicidade que determinada criatura que vemos, pois é através delas que a vemos, são elas que atribuem à criatura contemplada a sua efêmera grandeza. Para ser exato, eu deveria dar um nome diferente a cada um dos eus que a seguir pensou em Albertine; mais ainda, deveria dar um nome diferente a cada uma dessas Albertines que apareciam diante de mim, nunca a mesma, como – chamados simplesmente por mim, para maior comodidade, o mar – esses mares que se sucediam e diante dos quais, outra ninfa, se destacava Albertine. Mas principalmente – da mesma forma, porém de modo bem mais útil do que se diz, numa narrativa, o tempo que estava fazendo em tal dia – deveria sempre denominar a crença que, no dia em que eu via Albertine, reinava em minha alma, formando a atmosfera e o aspecto dos seres, bem como o aspecto dos mares depende dessas névoas apenas visíveis que mudam a cor de todas as coisas devido a sua concentração, sua mobilidade, sua disseminação, sua fuga – como a que Elstir havia rompido uma tarde não me apresentando às moças com quem se detivera e cujas imagens subitamente me pareceram mais belas quando se afastavam –, névoa que alguns dias depois, quando as conhecera, tornara a formar-se, velando o seu brilho, interpondo-se muitas vezes entre elas e meus olhos, opaca e doce, semelhante à Leucotéia de Virgílio.

Sem dúvida, os rostos de todas elas tinham mudado de significação para mim, desde que o modo pelo qual era preciso lê-los me fora em certa medida indicado por suas próprias frases, às quais tanto maior valor eu podia atribuir, visto que à vontade as provocava com minhas perguntas, fazia-as variar como um experimentador que submete a contraprovas a verificação daquilo que supôs. E, em suma, é uma forma como outra qualquer de resolver o problema da existência, o de aproximar bastante as coisas e as pessoas que de longe nos pareceram belas e misteriosas, para nos darmos conta de que não têm mistério nem beleza; é uma das higienes entre as quais se pode optar, uma higiene que talvez não seja muito recomendável, mas que nos proporciona uma certa calma para passar a vida e também para nos resignarmos à morte, uma vez que nos permite não lamentar coisa alguma, convencendo-nos que alcançamos o melhor e que o melhor não é grande coisa.

Eu havia substituído, no fundo do cérebro daquelas moças, o desprezo à castidade, a recordação de saídas diárias, por princípios honestos, talvez capazes de ceder mas tendo até então preservado de qualquer deslize aquelas que os haviam recebido de seu ambiente burguês. Ora, quando nos enganamos desde o começo, mesmo quanto às pequenas coisas, quando um erro de suposição ou de memória nos faz procurar o autor de uma intriga malévola ou o local para onde se desgarrou um objeto em direção falsa, pode acontecer que só descubramos o nosso engano para o substituir não pela verdade, mas por um outro engano. No tocante ao modo de viver daquelas moças e à forma de tratá-las, eu tirava todas as conseqüências da palavra inocência que havia lido em seus rostos, conversando familiarmente com elas. Mas talvez tivesse lido irrefletidamente, no lapso de uma decifração por demais rápida, e ali não mais estivesse escrita, como não estava o nome de Jules Ferry no programa da matinê em que pela primeira vez ouvira a Berma, o que não me impedira de garantir ao Sr. de Norpois que Jules Ferry, sem qualquer dúvida, escrevia anteatos.

No caso de qualquer das minhas amigas do pequeno grupo, como não seria o último rosto que eu tivesse visto, o único de quem me lembraria? Por que, de todas as lembranças relativas a uma pessoa, a inteligência elimina aquilo que não concorre para a utilidade imediata de nossas relações cotidianas (mesmo e sobretudo se tais relações são impregnadas de um pouco de amor, o qual, sempre insatisfeito, vive no momento a decorrer)? Ela deixa afrouxar a cadeia dos dias passados, só lhe segura com força o último elo, muitas vezes formado de metal bem diverso do dos elos desaparecidos na noite, e, na viagem que fazemos através da vida, só considera como real a região em que estamos no presente. Nenhuma das minhas primeiras impressões, já tão distantes, podia encontrar contra a sua deformação diária um recurso em minha memória; durante as longas horas que eu passava conversando, lanchando, jogando com aquelas moças, nem me lembrava que elas eram as mesmas virgens implacáveis e sensuais que eu vira, como num afresco, desfilar diante do mar.

Os geógrafos e os arqueólogos nos conduzem à ilha de Calipso, exumam o palácio de Minos. Unicamente, Calipso não passa de uma mulher, Minos de um rei sem nada de divino. Até as qualidades e os defeitos que a História nos ensina terem sido então o apanágio dessas pessoas muito reais, diferem às vezes, grandemente, das qualidades e defeitos que havíamos atribuído aos seres fabulosos do mesmo nome. Assim se dissipara toda a graciosa mitologia oceânica que eu havia elaborado nos primeiros dias. Porém não é totalmente indiferente que nos ocorra, ao menos às vezes, passar o nosso tempo na familiaridade do que julgáramos inacessível e que havíamos desejado. Na convivência com as pessoas que a princípio acháramos desagradáveis, persiste sempre, mesmo no meio do prazer fictício que podemos sentir junto delas, o gosto falsificado dos defeitos que conseguiram dissimular. Mas, nas relações como as que eu tinha com Albertine e suas amigas, o legítimo prazer que está em sua origem deixa esse perfume que nenhum artífice consegue conferir aos frutos forçados, às uvas que não maduraram ao sol. As criaturas sobrenaturais que elas tinham sido um momento para mim, conservavam ainda, mesmo sem que eu o soubesse, um tom de maravilhoso nas relações mais banais que tivera com elas, ou melhor, preservavam essas relações de terem jamais algo de banal. Meu desejo buscara com tamanha avidez a significação dos olhos que, agora, me conheciam e sorriam, mas que no primeiro dia tinham cruzado os meus olhares como raios emitidos de um outro universo, tão ampla e minuciosamente havia ele distribuído a cor e o perfume sobre a superfície carnosa daquelas moças que, estendidas sobre o rochedo, me alcançavam simplesmente sanduíches ou brincavam de adivinhações, que, em muitas dessas tardes, enquanto eu, deitado no chão, como aqueles pintores que buscam a grandeza do antigo na vida moderna e dão a uma mulher que apara a unha do pé a nobreza do "Menino que extrai o espinho" ou que, como Rubens, mudam em deusas mulheres suas conhecidas para compor um quadro mitológico, contemplava aqueles belos corpos morenos e louros, de tipos tão opostos, espalhados a meu redor pela relva, sem esvaziá-los talvez de seu conteúdo medíocre de que os enchera a experiência diária, e no entanto sem me lembrar expressamente de sua origem celeste como se, igual a Hércules ou a Telêmaco, estivesse brincando rodeado de ninfas.

Depois os concertos acabaram, chegou o mau tempo, minhas amigas deixaram Balbec, não juntas todas, como as andorinhas, mas na mesma semana. Albertine foi a primeira, de repente, sem que nenhuma das amigas pudesse entender, nem então nem mais tarde, por que voltara de súbito a Paris, onde nem trabalhos nem distrações a esperavam. "Ela não disse quê nem porquê, e depois foi embora" resmungava Françoise, que aliás gostaria que fizéssemos o mesmo. Achava-nos indiscretos diante dos empregados, todavia já bem reduzidos em número, mas retidos pelos raros fregueses que permaneciam no hotel, diante do gerente que "comia dinheiro". É verdade que, há muito tempo, o hotel, que não tardaria a fechar, vira partir quase todo o mundo; mas também, nunca fora tão agradável como agora. Não era essa a opinião do gerente; ao longo dos salões onde a gente enregelava e a cuja porta já não montava guarda nenhum *groom*, ele media os corredores, de redingote novo, tão cuidado pelo barbeiro que seu rosto apagado parecia consistir em uma mistura na qual, para uma parte de carne, havia três de cosméticos, e mudando sem cessar de gravata (tais elegâncias custam mais barato que assegurar o aquecimento e manter o pessoal, e aquele que já não pode mandar dez mil francos para obras de caridade, ainda facilmente banca o generoso dando cem *sous* de gorjeta ao telegrafista que lhe traz um despacho). Dava a impressão de inspecionar o nada, de querer dar, graças ao bom aspecto pessoal, um ar provisório à miséria que se sentia naquele hotel, onde a temporada não fora boa, e parecia o fantasma de um soberano que regressa para assombrar as ruínas do que outrora foi seu palácio. Ficou descontente sobretudo quando o trem local, que já não tinha passageiros suficientes, deixou de funcionar até a primavera seguinte. – O que falta aqui – dizia o gerente – são os meios de comoção. – Apesar do débito registrado, fazia projetos grandiosos para os anos seguintes. E, como, ainda assim, era capaz de reter exatamente belas expressões quando se aplicavam à industria hoteleira e tinham por resultado engrandecê-la: – Eu não estava bastante bem assessorado, embora tivesse uma boa equipe na sala de jantar – dizia –; mas os *grooms* deixam a desejar; verão que falange saberei reunir no ano que vem. – Enquanto esperava, a interrupção dos serviços do B.C.B. o obrigava a mandar buscar a correspondência e às vezes conduzir os viajantes de carro. Eu pedia muitas vezes para sentar ao lado do cocheiro e, desse modo, passeava qualquer que fosse o tempo, como no inverno que passara em Combray.

Entretanto, às vezes, a chuva bem forte nos retinha, a minha avó e a mim; estando fechado o cassino, em peças quase completamente vazias, como no porão de um navio quando o vento sopra, e onde todos os dias, como no decorrer de uma travessia, uma nova pessoa daquelas com quem passáramos três meses sem travar relações, o primeiro presidente do conselho de Rennes, o decano de Caen, uma senhora americana e suas filhas, vinham se juntar a nós, começavam a conversar, inventavam uma forma de tornar as horas menos longas, revelavam um talento, ensinavam-nos um jogo, convidavam-nos para tomar chá ou tocar música, ou para uma reunião em determinada hora, combinando em conjunto essas distrações que possuem o verdadeiro segredo de nos dar prazer, apenas porque não pretendem mais que isso, e simplesmente nos ajudam a passar o tempo e a matar o tédio. Enfim, travavam conosco, no fim da nossa temporada, amizades que suas partidas sucessivas, no dia seguinte, vinham interromper. Cheguei a travar relações com o rapaz rico, e com um de seus amigos nobres, e com a atriz que voltara por alguns dias; mas a pequena sociedade só se compunha de três pessoas, tendo o outro amigo regressado a Paris. Convidaram-me para ir jantar com elas no seu restaurante. Creio que ficaram bem contentes por eu não ter aceito. Mas haviam feito o convite da maneira mais amável possível, e, embora na verdade partisse do rapaz rico, visto que os outros eram apenas seus hóspedes, como o amigo que os acompanhava, marquês Maurice de Vaudémont, era de casa muitíssimo nobre, a atriz instintivamente, perguntando-me se não queria ir, acrescentou para me lisonjear:

– Isso daria imenso prazer a Maurice.

E, quando encontrei todos os três no *hall*, foi o Sr. de Vaudémont, enquanto o rapaz rico ficava em silêncio, que me disse:

– Não vai nos dar o prazer de jantar conosco?

Em resumo, aproveitara eu muito pouco de Balbec, o que me aumentava o desejo de para ali voltar. Parecia-me que ali ficara muito pouco tempo. Não era esta a opinião de meus amigos, que me escreviam para perguntar se tencionava viver em Balbec definitivamente. E, ao ver que era o nome de Balbec que eles se obrigavam a colocar no envelope, e como, em vez de dar para uma campina ou para a rua, a minha janela se abria para os campos do mar, cujo rumor ouvia à noite, e ao qual, antes de adormecer, confiara o meu sono como uma barca, tinha a ilusão de que essa promiscuidade com as ondas devia materialmente, à minha revelia, fazer penetrar em mim a noção do seu charme, à maneira das lições que a gente aprende dormindo.

O gerente me oferecia melhores quartos para o próximo ano, mas agora sentia-me ligado ao meu, onde entrava sem mais sentir o cheiro do vetiver, e do qual o meu pensamento, que antigamente se elevava dali com tanta dificuldade, acabara por tomar tão exatamente as dimensões que fui obrigado a fazê-lo sofrer um tratamento inverso, quando tive de me deitar de novo no meu quarto antigo, cujo teto era baixo.

De fato, tínhamos sido forçados a deixar Balbec, já que o frio e a umidade se tornaram penetrantes demais para permanecermos por muito tempo naquele hotel desprovido de lareiras e caloríferos. Aliás, esqueci quase de imediato essas ultimas semanas. O que revi quase invariavelmente, quando pensei em Balbec, foram os momentos em que, todas as manhãs, como devia sair à tarde com Albertine e suas amigas, minha avó, por ordens do médico, me forçou a ficar deitado no escuro. O gerente ordenava que não fizessem barulho no meu andar e ele próprio vigiava para ser obedecido. Por causa da luz muito forte, eu conservava fechadas, o máximo de tempo possível, as grandes cortinas cor-de-violeta que me haviam testemunhado tanta hostilidade na primeira noite. Mas, apesar dos alfinetes com os quais, para que a luz do dia não passasse, Françoise as prendia à noite, e que só ela sabia retirar, apesar das cobertas, da toalha da mesa de cretone vermelho, dos tecidos pegados aqui e ali para ajustar às cortinas, não conseguia uni-los de todo e a escuridão não era completa; e parecia que se espalhavam pelo tapete um escarlate desfolhar de anêmonas, entre as quais eu não podia evitar de, por um momento, pousar os pés nus. E na parede defronte à janela, parcialmente iluminada, havia um cilindro de ouro, sem qualquer sustentáculo, colocado verticalmente e deslocando-se devagar como a coluna luminosa que precedia os hebreus no deserto. Voltava a me deitar; obrigado a gozar, sem me mexer, apenas pela imaginação, e todos ao mesmo tempo, os prazeres dos jogos, do banho, da caminhada, que a manhã aconselhava, a alegria me fazia bater bruscamente o coração como uma máquina em plena atividade, porém imóvel, e que, para descarregar a sua velocidade, só pode girar sobre si mesma no mesmo lugar.

Sabia que minhas amigas estavam no molhe mas não podia vê-las, enquanto elas passavam diante dos píncaros assimétricos do mar, no fundo do qual, empoleirada no meio de seus cimos azulados como uma aldeia italiana, eu às vezes discernia, numa clareira, a cidadezinha de Rivebelle, minuciosamente detalhada pelo sol. Não via minhas amigas, mas (enquanto chegavam até meu belvedere o pregão dos jornaleiros, dos "jornalistas", como dizia Françoise, os chamados dos banhistas e das crianças que brincavam, pontuando, à maneira dos gritos dos pássaros marinhos, o ruído das ondas que quebravam suavemente) adivinhava a sua presença, ouvia o riso delas, envolto como o das nereidas na suave arrebentação que subia até os meus ouvidos. – Olhamos para ver se você descia – dizia-me Albertine à noite. – Mas os seus postigos ficaram fechados mesmo na hora do concerto. – Com efeito, às dez horas ele rebentava debaixo de minhas janelas. Entre os intervalos dos instrumentos, se o mar estava muito cheio, voltava-se a ouvir, contínuo e ligado, o deslizar da água de uma onda, que parecia envolver as cordas do violino em suas volutas de cristal e lançar sua espuma por sobre os ecos intermitentes de uma música submarina. Impacientava-me por não me terem trazido ainda as minhas coisas a fim de que pudesse me vestir. Soava meio-dia e por fim chegava Françoise. E, durante meses a fio, nessa Balbec que tanto desejara, porque só a imaginara batida pela tempestade e coberta de névoas, o bom tempo fora tão deslumbrante e tão fixo que, quando ela vinha abrir a janela, eu pudera sempre, sem me enganar, esperar encontrar a mesma réstia de sol dobrada no ângulo da parede externa, e de uma cor imutável que emocionava menos como um sinal de verão do que pelo teor melancólico, como o de um esmalte artificial e inerte. E, enquanto Françoise desprendia os alfinetes dos cortinados, despregava os tecidos e corria as cortinas, o dia de verão que ela aos poucos desvelava parecia tão morto, tão imemorial, como uma suntuosa e milenária múmia que nossa velha empregada não fizesse mais que ir desenrolando cuidadosamente de suas bandagens, antes de fazê-la aparecer embalsamada em seu vestido de ouro.